포인트

상하수도기술사(下)

조성안 · 윤영봉 편저

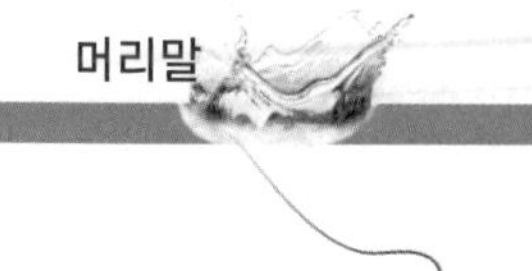

포인트 상하수도 기술사를 펴내면서…

상하수도 기술사를 공부하시는 여러분과 이렇게 지면으로 만나게 된 것을 대단히 기쁘게 생각합니다. 이 만남으로 인하여 저와 여러분의 인생에 큰 의미와 행운이 있기를 바라며 이 책을 통해 같은 장소에서 함께 얼굴을 맞대고 공부하는 모습을 생각하며 이 책을 만들었습니다.

상하수도는 물을 다루는 분야로서 이를 공부하는 우리 역시 물의 성질을 닮아야 한다고 생각합니다. 물은 자기를 고집하지 않고 자신을 주변환경에 알맞게 맞춥니다. 또한 모든 생명체에게 물을 공급하여(上水) 생명을 유지할 수 있게 해 주고, 더러운 것을 씻어 깨끗하게 정화하며(下水), 흘러흘러 다시 자연으로 돌아오기를 끝도 없이 되풀이합니다. 때로는 하늘로 올라가기도(天水)하고 땅위를 기어 다니기도 하며(地表水), 땅속으로(地下水) 숨기도 하고 계곡, 하천, 바다 등 모든 곳을 돌며 생명을 유지시켜 줍니다.

상하수도를 공부하는 우리도 이렇게 살기를 바랍시다. 모든 자연에게 생명을 나누어주고, 모든 인간에게 행복을 주는 그런 기술인이 됩시다.

21세기는 이런 시대니 저런 시대니 말도 많지만 가장 중요하고 세월이 변해도 변하지 않는 것은 바로 물 없이는 하루도 살 수 없다는 것입니다. 옛날에는 흔한 것이 물이었지만 갈수록 물의 가치가 소중해지고 있습니다.

앞으로의 시대는 물이 최고의 가치가 될 것이 분명합니다. 물을 잘 다루는 국가가 우수국가가 될 것이며, 하수관리를 잘하여 물로 인한 재해를 방지하고(治水) 수원관리를 잘하여 훌륭한 수원을 확보(利水)하는 나라가 일등국가가 될 것입니다.

상하수도를 공부하는 우리는 자연 생태계의 원리를 잘 이해하고 친환경적으로 다듬어서 우리의 공간적 · 사회적 환경에 알맞은 합리적인 상하수도 설비의 계획과 설치 및 관리를 훌륭하게 할 수 있는 그런 기술사가 되기 위해서 항상 새로운 마음으로 연구하고 노력합시다.

끝으로 이 책을 마무리하기까지 여러 모로 도움을 주신 분들께 이 자리를 빌려 감사의 말씀을 전합니다.

편저자 조성안 · 윤영봉

상하수도기술사 출제경향(2013~2021년)

▣ 상하수도기술사(99~125회) 출제경향 분석

1. 수질관리

	구분	내용
용어형	수원 하천수 호소수	성층현상과 전도현상(105회)/풍수량 평수량 저수량 및 갈수량의 정의(108회)/상류와 사류(108회)/하천에서의 총량규제(111회)/성층현상(Stratification)(119회)/가동식 취수탑(125회)
	수질 이론	비오톱(Biotop)(103회)/인공습지(108회)/환경호르몬(116회)/MTBE(Methyl Tertiary−Butyl Ether)(118회)/PFCs(Perfluorinated Compounds)(118회)/수소이온농도(pH)(119회)/알칼리도의 정의와 종류(123회)
	BOD NOD TOC DOC	TOC, TOD(Total Oxygen Demand)(99회)/AOC BDOC(109회)/SAR(109회)/BOD시험의 한계(115회)/TOC(Total Organic Carbon)(119회)/NOD(Nitrogen Oxygen Demand)(119회)/TS, VS, FS(121회)/TOC(Total Organic Carbon)와 다른 유기물 오염 지표와의 관계(124회)
	독성 소독	반수생존한계농도(TLm)(99회)/TU, Toxic Unit(109회)/세균의 재성장(After Growth)(109회)/생태독성(109회)/MIOX(MIxed OXidant)(115회)/청색증(116회)/생태독성 관리제도(117회)
	DO	DO Sag Curve(111회)/용존산소 부족곡선(111회)
	NOM	비흡광도(SUVA : Specific UV Absorbance)(104회)/NOM(Natural Organic Matter)(111회)
	조류	AGP(Algal Growth Potential)(104회)/조류예보제(107회)/녹조, 적조 현상(111회)/AGP(Algal Growth Potential)(114회)/수질예보제(115회)/조류경보제(116회)/TSI(Trophic State Index)(116회)/유해남조류(117회)/조류발생 예보제(120회)/부영양화(122회)
	세균 미생물	큰빗이끼벌레(104회)/크립토스포리디움(106회)/아데노바이러스(109회)/병원균의 종류 및 대책(121회)
	지하수 복류수 강변 여과수	지하수 관정의 우물 손실(100회)/지하수 충전에 적용되는 중수도 수질 기준(107회)/기저유출(113회)/해수 침입(Seawater Intrusion)(119회)/강변여과수 개발부지 선정 시 사전조사 고려사항(5가지)(120회)/복류수(122회)/저수지에서의 수질보전대책(125회)
	알칼리도 약품투입	정수약품 주입에 따른 알칼리도 증감현황(99회)/Jar−Test(111회)/Anammox(111회)
	부식 (관로)	송배수 TMS(100회)/부식억제제(101회)/부식지수(Corrosion Index)(116회)/LI(Langelier's Index)(118회)
서술형	수원 하천수 호소수	생태하천 복원 단계별 유형화에 대해서 설명하시오.(104회)/하천 내에서 적용가능한 수질정화기술(기법)을 설명하시오.(108회)/지표수를 수원으로 하는 경우에 대한 상수도 계통 및 시설을 그림으로 나타내어 설명하시오.(116회)/수원의 종류와 구비요건 및 수원선정 시 고려사항에 대하여 설명하시오.(119회)/수원으로서 저수지수의 특성과 수질보전대책을 설명하시오.(119회)/하천의 자정단계별 DO, BOD 및 미생물의 변화와 특징을 Whipple의 하천정화 4단계(Whipple Method)로 설명하시오.(123회)/호소수의 망간 용출과 제거방법에 대하여 설명하시오.(125회)/하천 표류수 취수시설의 각 종류별 기능 · 목적과 특징을 설명하시오.(125회)

서술형	수질오염 자정작용	하천, 호소의 자정작용과 관련하여 취수구 위치선정시 고려사항에 대하여 설명하시오.(99회) 비점오염저감시설의 종류와 규모 및 용량결정방안에 대하여 설명하시오.(101회)/마을상수도로 사용하고 있는 지하수가 질산성질소 기준을 초과하였다. 이온교환공정으로 질산성질소를 제거할 때 고려해야 할 사항에 대하여 설명하시오.(112회)/하천수질오염과 보전대책에 대하여 설명하시오.(115회)/Geosmin과 2－MIB의 처리방법에 대하여 설명하시오.(118회)/상수도에서 맛·냄새의 발생원인과 맛·냄새 물질의 제거방법을 설명하시오.(122회)
	BOD TOC DOC DO	하수처리장 운전인자로서의 BOD_5 문제점을 설명하고 대안을 제시하시오.(102회)/하수의 최종 BOD가 5일 BOD의 1.3배일 때 탈산소계수를 구하시오.(111회)/도시하수의 BOD, COD, TOC의 상관관계가 하수처리 진행과정에 따라 어떻게 변하는지에 대하여 설명하시오.(117회)/공공하수처리시설 방류수 TOC 기준에 대한 적용시기 및 기준에 대하여 설명하시오.(121회)/NOM(Natural Organic Matters)의 특징을 나타내는 SUVA와 UV254에 대하여 설명하시오.(124회)
	독성 소독	THMs의 생성에 영향을 미치는 인자 및 THMs의 제어대책을 설명하시오.(100회)/상하수도분야의 추적자실험(Tracer Test)에 대하여 설명하시오.(115회)/THMs의 생성 영향인자들과 그 영향을 설명하고 제거 방안을 제시하시오.(123회)
	상수원 취수시설 조류	수도시설 계획 시 표류수를 취수해야 될 경우 수질 안정성 확보를 위해 유의하여야 할 사항에 대하여 설명하시오.(103회)/상수원으로부터 취수시설을 계획하고 개량·갱신할 경우, 고려할 사항에 대하여 설명하시오.(109회)/상수 원수의 경도와 pH를 정의하고, 정수장에서 경도물질을 처리하는 방안에 대하여 설명하시오.(111회)/우리나라 도서지역의 상수도 보급현황과 정부의 식수원 개발사업에 대하여 설명하시오.(111회)/수원으로부터 각 수요자까지 물을 공급하는 상수도 공급의 전과정에 대한 흐름도를 도시하고 각 과정을 설명하시오.(111회)/용수공급문제로 곤란을 겪고 있는 우리나라에서 다목적 댐 이외의 사용가능한 보조 수자원 개발의 예를 5가지 제시하고 설명하시오.(111회)
	세균 미생물	지표미생물을 사용하는 이유 및 조건과 현재 사용되는 지표미생물의 종류 및 한계점에 대하여 설명하시오.(112회)/먹는물 수질기준에서 총대장균군(Total Coliform), 분원성 대장균군(Fecal Coliform), 대장균(Escherichia coli)의 정의와 특성에 대하여 설명하시오.(117회)
	지하수 복류수 강변여과	강변여과의 장단점을 논하고, 강변에 설치된 복수의 수직 취수정의 성능과 취수의 영향을 평가하는 해석방법에 대하여 설명하시오.(101회)/지하수 단계양수시험의 절차에 대하여 설명하고 양수시험 결과를 바탕으로 산정할 수 있는 각종 양수량과 단계양수시험의 한계에 대하여 설명하시오.(103회)/지하수 해수 침투 현상 해석에 적용되는 Ghyben－Herzberg법칙의 한계와 이 법칙보다 개선된 해석방법에 대하여 설명하시오.(104회)/지하수 취수정의 유지관리방안에 대하여 설명하시오.(112회)/분산형 빗물관리의 정의와 기술요소를 설명하시오.(109회)/상수도 취수방법 중 강변여과의 장단점을 설명하시오.(122회)
	알칼리도, 약품투입	수돗물이 생산되는 과정에서 염소는 다양한 위치에서 다양한 목적으로 투입된다.(112회)
	부식 (관로관리)	상수도 시설에서 발생할 수 있는 각종 수질오염사고의 원인 및 대응방안에 대하여 각 단계별로 설명하시오.(103회)/도·송수 관로 내 발생될 수 있는 이물질을 정의하고 발생원인과 최소화방안을 설명하시오.(108회)/펌프 직송 급수방식에 대하여 설명하시오.(103회)/직결급수의 목적 및 종류와 도입 시 고려하여야 할 사항에 대하여 설명하시오.(111회)

2. 상하수도이송

용어형	관로 유체역학	Hardy-Cross 관망해석방법(100회)/수리모형 실험 시 준수되어야 할 상사법칙(Similitude)(103회)/유속경험식(Darcy-Weisbach, Chezy, Hazen-Williams, Manning 공식)(105회)/관로의 에너지 경사선(120회)/피토관(Pitot管)(124회)
	송배수 관로	계획1일최대급수량과 계획시간최대급수량의 정의, 관계 및 급배수시설의 설계에 적용되는 기준(99회)/정수장과 배수관로의 설계절차(100회)/상수관로 접합정(100회)/처리장 내 연결관거(101회)/계획배수량 산정 시 시간계수(101회)/도수관 노선결정 시 고려사항(103회)/수관교(112회)/터널배수지(116회)/상수도 배수관의 매설위치 및 깊이(117회)/상수관로의 배수(排水, Drain)설비(117회)/시간변동조정용량(118회)/수관교(119회)/집수매거(121회), 유량조정조 유출설비(123회)
	급수 관로	수도미터 검침시스템에서의 RF(Radio Frequency)방식(106회)/수격작용(Water Hammer)(108회)/직결급수(121회)
	관로 부식	음극방식법(Cathodic Protection)(104회)/관정부식(Crown Corrosion)(113, 114, 120, 121회)/갈바닉 부식(Galvanic Corrosion)(115회)
	펌프	와류방지(Vortex)계획(102회)/펌프 자동운전용 기기(102회)/펌프 유효흡입수두(102회)/양수기의 최대 흡입 높이(103회)/동력의 정의를 이용한 펌프 동력식의 해석(103회)/비회전도(Ns)(112회)/펌프의 상사법칙(110, 114회)/펌프의 공동현상(120회)/펌프장 흡입수위(123회)
	상수 관로	상수관망에서 수량 및 수압 관련 제시 기준값(105회)/상수관망에서의 단계시험(Step Test)(109회)/신축이음(115회)/수압시험방법(115회)/부단수공법(122회)/감압밸브 설치 지점(122회)/불안정한 지반에서의 상수관(124회)/공기밸브(125회)
	누수	연간허용누수량(UARL : Unavoidable Annual Real Losses)(99회)/수압-누수관계식(FAVAD : Fixed And Variable Area Discharge)(99회)
	관로 이상 현상	하수관이나 상수관의 비굴착 보수로 관경이 축소되는 경우 통수능에 미치는 영향(100회)/수주(水柱)분리현상(103회)/서지탱크(Surge Tank)(115회)/개수로에서의 Reynolds No, Froude No.(105회)/하수관거 역사이펀(106회)/상수관 갱생방법(108회)/지반 침하에 대응한 하수관거 정밀조사 요령(108회)/집수매거(112회)
	하수 관거	하수처리장 내 연결관거 설계기준(110회)/하수처리장 수리종단도(111회)/해양 방류관(102회)/하수관거에 포함되는 지하수량의 지배인자, 추정방법, 대책(116회)/하수관로 관경별 맨홀의 최대간격(119회)/하수관거의 내면보호(123회)/스마트 맨홀(124회)
서술형	관로 유체 역학	Darcy-Weisbach식[$h=fLV^2/(2gD)$과 Hazen-Williams식($V=0.85CR_h^{0.63}I^{0.54}$]의 유사점과 차이점을 설명하시오.(103회)/직사각형 수로에서 수리학상 유리한 단면조건을 폭(B)과 수심(h)의 관계식으로 유도하여 설명하시오.(116회)/원형관에서의 평균유속공식인 Hazen-Williams공식을 이용하여 유량을 $Q=k \cdot C \cdot D_a \cdot I_b$로 나타낼 때, 이 식에서의 k, a, b값을 구하시오.(119회)/병렬관에서 총유량(Q)이 1.0m^3/s이고, A관의 마찰계수가 B관의 2배이다. A관과 B관을 흐르는 유량(m^3/s)을 각각 구하시오.(119회)/하수관의 유속경험식과 상수관의 손실수두산정식을 설명하고 적용범위에 대하여 설명하시오.(121회)/물흐름에 역경사인 기존 우수관로 수리계산 방법에 대하여 설명하시오.(123회)

서술형	도수 송수 배수 관로	송 · 배수관에 사용되는 감압밸브는 동작원리에 따라 직동식과 파일럿식으로 분류되는데 각 형식별 특성 및 장단점에 대하여 비교 설명하시오.(제99회)/상수도 배수시설 계획과 정비 시 설계상의 기본적인 사항에 대하여 설명하시오.(100회)/도수관로의 노선결정 시 고려사항에 대하여 설명하시오.(113회)/배수지 용량결정에 대하여 설명하시오.(114회)/도수관로의 노선결정 시 고려사항에 대하여 설명하시오.(114회)/하천수를 압송하여 취수하는 정수장을 설계하고자 한다. 도수관로의 설계에 포함되는 시설과 설비에 대하여 설명하시오.(117회)/도 · 송수관의 관경결정방법에 대하여 설명하시오.(121회)/배수(配水)관로의 설계 흐름도를 작성하고 각 단계를 설명하시오.(122회)/상수도 도수관 부속 설비 계획 시 고려하여야 할 사항에 대하여 설명하시오.(124회)/도 · 송수관로 결정 시 고려사항을 10가지만 쓰시오.(125회)
	지하수취수 급수관로	수도용 강관의 관두께 산정법에 대하여 설명하시오.(106회)/급배수관으로 사용되는 강관, 덕타일주철관, 경질염화비닐관의 장단점을 설명하시오.(108회)/지하수 적정양수량의 의미를 설명하고 단계양수시험(Step Drawdown Test)에 의한 적정양수량 결정방법을 설명하시오.(123회)
	관로부식 부속설비	상수도용 밸브의 종류와 용도에 대하여 설명하시오.(101회)/역류방지밸브에 대하여 설명하시오.(102회)/하수관거의 부식과정과 부식대책에 대하여 설명하시오.(106회)/상수관로의 부속설비에 대하여 설명하시오.(106회)/상수관의 부식억제제의 종류 및 특성과 정수장에서의 주입공정도에 대하여 설명하시오.(107회)/상수도관의 내면부식에 대하여 설명하시오.(114회)
	펌프	원심펌프의 특성곡선, 시스템의 저항곡선을 설명하시오.(100회)/ 취수정의 수중펌프로 양수된 지하수 흐름을 평가하는 방법을 제시하시오.(103회)/하수이송시스템의 종류 및 선정기준에 대하여 설명하시오.(103회)/펌프사고의 주요 원인 및 대책에 대하여 설명하시오.(106회)/펌프의 시동간격을 고려한 흡수정 유효용량을 산정하는 식을 기호를 사용하여 유도하고 설명하시오.(107회)/빗물펌프장 설계 시 고려해야 할 사항과 펌프선정방법을 설명하시오.(110회)/ 슬러지펌프 선정 시 고려사항과 슬러지 유량측정 및 밀도측정장치에 대하여 설명하시오.(112회)/상수도용 펌프의 용량과 대수 결정 시 고려사항에 대하여 설명하시오.(117회)/벌류트(Volute) 펌프의 유량, 양정, 효율곡선을 그리고 설명하시오.(123회)/펌프의 제어방식에 대하여 설명하시오.(125회)
	상수관망	상수도 배수관망 블록화의 장단점과 블록시스템의 관리방법에 대하여 설명하시오.(100회)/배급수 상수관망의 기술진단항목과 평가항목에 대하여 설명하시오.(100회)/상수도관망 최적관리시스템 구축사업의 주요내용에 대하여 설명하시오.(101회)/상수관망 블록 구축의 적정성 검토사항에 대하여 설명하시오.(109회)/지방상수도 현대화사업 중 노후 상수관망 정비사업의 과업단계별 주요업무내용에 대하여 설명하시오.(112회)/노후 상수도관에 대한 문제점과 갱생방법에 대하여 설명하시오.(113, 114회)/폐쇄 상수도관 처리에 대하여 설명하시오.(120회)
	누수 이상 현상	상수관로 누수 측정방법 및 대책에 대하여 설명하시오.(106회)/수격작용(Water Hammer)에 의한 수주분리 발생원인 및 방지대책에 대하여 설명하시오.(116회)/상수관망에서 발생하는 수격현상에 대하여 설명하시오.(124회)
	관로 설치	원형관에서 Manning 공식의 수리특성곡선을 그림으로 나타내고 설계 적용 시 유의할 점을 설명하시오.(108회)/강성관과 연성관의 기초형식에 대하여 설명하시오.(100회)/하천부지에 설치되는 집수매거 설계에 포함되어야 할 사항에 대하여 설명하시오.(120회)/하수관거의 접합방법에 대하여 설명하시오.(121회)/하수관거의 심도별 굴착공법, 좁은 골목길 시공법 및 도로횡단공법에 대하여 설명하시오.(125회)/상수관 및 하수관거의 최소 토피고 기준을 제시하고, 최소 토피고 설정 시 주요 고려사항에 대하여 설명하시오.(125회)

서술형	하수관거시설	도시침수를 해소할 수 있는 방안으로 빗물펌프장, 유수지 등의 하수도시설 계획 시 위치선정 조건 및 용량결정방안을 설명하시오.(102회)/분류식 지역에서 노후화된 기존 우·오수관거의 개량 및 보수에 적용되는 기준을 설명하시오.(102회)/도로상 빗물받이 설치현황 및 문제점과 집수능력 향상방안을 설명하시오.(102회)/하수관거 유지관리 모니터링시스템의 목적 및 구성요소에 대하여 설명하시오.(103회)/ 하수도의 간선관거, 펌프장 및 처리장의 효율적인 시설계획에 대하여 설명하시오.(105회)/우수관거 계획 시 설계기준 및 고려할 사항에 대하여 설명하시오.(105회)/하수관거 계획 시 수세 변소수의 오수관로 직투입에 대하여 설명하시오.(105회)/하수관로 모니터링 시스템에 있어 비만관 유량계의 종류와 특징을 기술하시오.(107회)/공공하수도시설 설치사업 업무 지침에서 제시된 유입펌프동 설비를 설명하시오.(107회)/하수관거 정비사업 절차에 대하여 설명하시오.(107회)/지반침하대응 하수관로 정밀조사 수행방법에 대하여 설명하시오.(109회)/하수관로시설의 기술진단 범위와 방법을 설명하시오.(110회)/하수관거 접합 및 연결방법에 대하여 설명하시오.(110회)/공장과 가정의 배출수 발생으로부터 하수도 시설계통 전과정에 대한 흐름도를 도시하고 각 과정을 설명하시오.(111회)/스웨빙 피그(Swabbing Pig)에 대하여 설명하시오.(112회)/노후 하수관로의 개·보수 계획 수립 시 대상관로의 선정기준과 정비방법에 대하여 설명하시오.(114회)/기존 하수관로 개량공법별 시공 시 및 준공 시 고려사항에 대하여 설명하시오.(117회)/오수이송방식을 제시하고 방식별 장단점을 비교하여 설명하시오.(122회)/도로상 빗물받이 설치현황 및 문제점과 집수능력 향상 방안을 설명하시오.(124회)/하수관거 접합방법 4가지에 대하여 설명하시오.(125회)/하수관거에서 암거의 단면형상 종류와 장단점을 설명하시오.(125회)

3. 정수처리

용어형	혼화(응집이론)	콜로이드입자의 불안정화 시 발생될 수 있는 전하반전(99회)/속도경사(G)(105회)/pH 조정제의 주입량 산정방법(106회)/가압수 확산에 의한 혼화(110회)/Enhanced Coagulation(114회)상수도용 알칼리제(116회)/SCD(Streaming Current Detector)(116회)/가압수 확산에 의한 혼화(Diffusion Mixing by Pressurized Water Jet)(125회)
	응집(응결)	점감식 응집(Tapered Flocculation)(109회)/Enhanced Coagulation(113회)
	침전	장방형 침전지 단락류의 원인과 침전에 미치는 영향(99회)/표면부하율(Surface Loading Rate)(114회)/수면적 부하(115회)/SDI(Sludge Density Index)(119회)/부유물의 농도와 입자의 특성에 따른 상수도 침전의 형태(123회)
	여과	Air Binding(99회)/Turbidity Spike(102회)/정수장 여과지의 역세척 배출수 처리방안(103회)/UFRV(Unit Filter Run Volume)(103회)/급속여과지 여과속도 향상 방안(105회)/여과지의 시동방수(105회)/여과지 성능평가방법(106회)/상수도공정 중 여과(Filtration)의 종류 5가지(110회)/여과수 탁도관리 목표제(113, 114회)/공기장애(Air Binding)(114회)/급속여과지의 L/De비(단, L : 여과층 두께, De : 여재의 유효경)(117회)/시동방수(Filter−To−Waste)(119, 120회)/급속여과의 공기장애(Air Binding)와 탁질누출현상(Break Through)(123회)/유효입경(Effective Size)과 균등계수(Uniformity Coefficient)(123회)/점감수로(Tapered Channel)(125회)
	소독(오존)	Chick법칙과 CT증가 방안(100회)/고도산화공정(AOP)(101회)/피드포워드제어(107회)/불활성화비 계산(110회)/정수시설 소독설비 계측제어방식(112회)/필요소독능(Contact Time Value)(113, 114회)/먹는물 수처리제로 사용하는 과망간산나트륨($NaMnO_4$)(117회)/이산화염소(ClO_2)(118회)/파괴점 염소처리법(Breakpoint Chlorination)(118, 122회)/감시제어장치(120회)/고도산화법(AOP)(122회)/정수처리에서 오존처리 시 문제점(122회)

구분	분야	출제 내용
용어용	고도정수	축전식 탈이온공정(99회)/가압부상처리법의 공기/부유물비(101회)/비소제거방법(103회)/산화환원전위(113회)/정삼투(Forward Osmosis)(113, 114회)/수도용 막의 종류 및 특징(120회)/DAF(Dissolved Air Flotation)(120회)/공상접촉시간(EBCT)(120회)/입상활성탄의 파과(121회)
	막여과	MFI(Membrane Fouling Index)(100회)/막여과방식의 순환여과(Cross Flow)방식(104회)/막 증류법(MD : Membrane Distillation)(106회)/막모듈(Membrane Module)(107회)/버블포인트 시험(Bubble Point Test)(110회)/전량여과(Dead−end Filtration)방식과 순환여과(Cross−flow Filtration)방식(121회)
	활성탄(분말, 입상)	입상활성탄의 파과현상(101회)/활성탄의 이화학적 재생방법(106회)/공상접촉시간(Empty Bed Contact Time, EBCT)(111회)/등온흡착식(Isotherm Adsorption Equation)(112회)/등온흡착선(等溫吸着線)(124회)
	정수처리 일반	정수시설에서 시스템으로서의 안전대책(107회)/배수지의 유효수심과 수위(117회)/정수시설의 가동률(可動率)(124회)
서술형	혼화(응집이론)	유입원수의 pH가 정수공정 중 응집과 염소소독에 미치는 영향에 대하여 설명하시오.(100회)/정수장의 혼화·응집공정 개선방안에 대하여 설명하시오.(105, 123회)/급속혼화방식의 종류 및 특징에 대하여 설명하고, 혼화방식별 장단점을 비교하여 설명하시오.(112회)/정수처리 시 응집에 영향을 미치는 인자에 대하여 설명하시오.(113, 114회)/상수처리의 망간 제거방법 중 약품산화처리에 대하여 설명하시오.(122회)
	응집(응결)	정수처리시설에서 혼화, 응집, 침전공정의 운영진단방법에 대하여 설명하시오.(113회)/정수장의 플록형성지 유입구 설계방법을 설명하시오.(117회)/정수장의 플록형성지 설계 시 준수하여야 하는 설계기준을 쓰시오.(124회)
	침전	횡류식 침전지(이상적 흐름상태)의 입자침강속도와 표면부하율의 상관관계식을 유도하고 제거율 향상방안을 설명하시오.(99회)/지하저류조의 유지관리를 위한 퇴적침전물 바닥청소방안에 대하여 설명하시오.(101회)/고속응집침전지의 적용조건 및 설계 시 고려사항에 대하여 설명하시오.(101회)/정수장 침전지에 경사판을 설치하는 경우 고려할 사항을 설명하시오.(102회)/독립입자의 침전(I형 침전)에 대하여 설명하시오.(115회)/횡류식 약품침전지의 기능과 설계기준에 대하여 설명하시오.(119회)
	여과	여과지 여과사의 균등계수를 1.7 이하로 하는 이유를 설명하시오.(100회)/상수도 여과지의 역세척 시기 결정 방법에 대하여 설명하시오.(101회)/정수장에서 여과지 폐색을 일으키는 규조류의 특징 및 효율적인 수처리대책을 설명하시오.(104회)/입상여재 심층여과 시 오염물질을 제거하는 데 기여하는 주요 기작과 현상에 대하여 설명하시오.(107회)/급속여과지에서 사용되는 여재의 크기를 제한하는 이유를 설명하시오.(109회)/여과지 하부집수장치의 정의 및 종류에 대하여 설명하시오.(121회)/완속여과와 급속여과방법의 원리를 설명하고 각각의 장단점을 비교하여 설명하시오.(123회)/정수시설에서 급속여과지의 정속여과방식에 대하여 설명하시오.(124회)/여과유량조절방식 중 정속여과방식과 정압여과방식에 대하여 설명하시오.(125회)
	소독(염소, UV, 오존)	정수시설에서 오존처리의 장점과 배오존설비에 대하여 설명하시오.(101회)/자외선소독의 원리 및 영향인자에 대하여 설명하시오.(106회)/전염소처리와 세척배출수를 반송하고 있는 급속여과방식의 정수장에서 오존과 입상활성탄공정 도입 시 유의해야 할 사항과 그에 대한 대책을 설명하시오.(107회)/오존공정에서 배출하는 배오존의 재이용방안에 대하여 설명하시오.(109회)/오존이용률의 목표를 80% 이상으로 할 경우 오존접촉지를 설계하고, 산기관 및 산기판 설치 시 유의사항을 설명하시오.(110회)/염소(Cl_2)소독에 대하여 답하시오.(111회)

서술형	소독(염소, UV, 오존)	자외선소독의 개요와 영향인자에 대하여 설명하시오.(114회)/정수장의 소독능(CT) 향상방안 가운데 공정관리에 의한 소독능 향상방안에 대하여 설명하시오.(115회)/수처리 단위조작에서 오존처리가 다른 처리법과 비교하여 우수한 점을 기술하고 오존처리 시 유의점을 설명하시오.(116, 120회)/정수장 염소소독공정에서 유리잔류염소와 결합잔류염소에 대하여 설명하고, 염소주입률과 잔류염소농도와의 관계에 대하여 설명하시오.(117회)/정수처리에서 전염소·중간 염소처리의 목적과 유의사항에 대하여 설명하시오.(119회)/브롬화염소(Bromine Chloride)에 의한 살균에 대하여 설명하시오.(120회)/상수처리에서 사용하는 소독방법인 염소(Cl_2), 오존(O_3), 자외선(UV)에 의한 소독효과, 소독부산물(DBPs)에 대하여 설명하시오.(122회)/정수장에서 전염소처리나 중간염소처리를 하는 목적에 대하여 설명하시오.(124회)/자외선(UV)소독 설비에 대하여 설명하시오.(125회)
	고도정수	주어진 조건에서 역삼투압공정에서 막의 적정 면적을 산정하시오.(101회)/고도정수처리에서 Post GAC Adsorber와 GAC Filter/Adsorber를 비교 설명하시오.(102회)/고도정수처리기술을 정의하고, 공법의 종류와 장단점에 대하여 설명하시오.(106회)/해수담수화시설의 생산수에 포함된 보론(B)과 트리할로메탄(THMs)의 관리와 방류시설에 대하여 설명하시오.(109회)/해수담수화를 위한 역삼투시설에서 에너지회수방법에 대하여 설명하시오.(113회)/오존을 이용하는 고도정수처리공정에서 오존의 역할에 대하여 설명하시오.(114회)/고도정수처리를 위한, 활성탄흡착지공정의 최적설계를 위한 RSSCT(Rapid Small Scale Column Test)에 대하여 설명하시오.(117회)/고도정수처리를 위한 오존처리설비의 구성과 오존주입량 제어방식에 대하여 설명하시오.(117회)
	막여과(담수화)	막여과 부속설비에 대하여 설명하시오.(102회)/막여과의 장단점, 막여과방식, 열화와 파울링, 막의 종류에 대하여 설명하시오.(105회)/해수담수화를 위한 역삼투시설에서 에너지회수방법에 대하여 설명하시오.(114회)/막여과 시 농도분극현상의 발생원인과 막공정에 미치는 영향 및 억제방법을 설명하시오.(115회)/수도용 막의 종류와 특징을 설명하고 정수처리에 적용하기 위한 주요 검토사항을 설명하시오.(119회)/해수담수화시설 도입과 시설규모 결정 시 검토사항과 해수담수화시설에 대한 고려사항을 설명하시오.(120회)/해수담수화를 위한 역삼투(RO : Reverse Osmosis) 설비 적용 시 고려사항에 대하여 설명하시오.(120회)/역삼투압 멤브레인 세정방법에 대하여 설명하시오.(121회)/해수담수화시설 설계시 고려사항에 대하여 설명하시오.(121회)/해수담수방식에 대하여 설명하고, 해수담수화에서 보론과 트리할로메탄에 유의해야 하는 이유를 설명하시오.(122회)/수도용 막의 종류와 특성을 설명하고, 수도용 막여과 공정 구성에 대하여 설명하시오.(122회)
	활성탄(PAC, GAC, BAC)	입상활성탄 흡착탑으로 삼염화에틸렌 폐수처리 시 입상활성탄 흡착탑의 수명을 구하시오.(101회)/정수장에 도입된 생물활성탄공정을 나열하고, 특징과 운전방법에 대하여 설명하시오.(106회)/정수장에 고도정수처리시설로 도입된 입상활성탄 흡착지의 하부집수장치에 대하여 설명하시오.(109회)/주어진 조건에 대한 활성탄 흡착분해법에 의한 배오존 분해탑을 3개탑으로 설계하시오.(112회)/생물활성탄(BAC)의 원리 및 장단점에 대하여 설명하시오.(116회)/활성탄의 재생설비와 이화학적 재생방법에 대하여 설명하시오.(118회)
	정수처리 일반	정수 후 수질검사 결과 이상이 있을 시 조치사항에 대하여 설명하시오.(100회)/맛·냄새물질의 제거방법에 대하여 설명하시오.(102, 120회)/정수장에서 바이러스 등 병원성 세균들의 제거를 위한 정수처리기준을 정의하시오.(106회)/Value Engineering(가치공학)에서의 적용형태를 설명하시오.(107회)/장마철의 고탁도 발생원인과 정수처리대책에 대하여 설명하시오.(110회)/정수장 실시설계도면의 구성에 대하여 설명하시오.(111회)/조류발생 시 정수처리공정에 미치는 영향과 대책에 대하여 설명하시오.(114회)/정수처리시설에서 혼화, 응집, 침전공정의 운영진단방법에 대하여 설명하시오.(114회)/혼화, 응집, 침전, 여과, 소독으로 구성된 정수장의

서술형	정수처리 일반	기술진단에 대하여 설명하시오.(115회)/정수장의 시설개량이나 갱신방법과 유의사항에 대하여 기술하시오.(116회)/착수정, 응집지, 침전지, 급속여과지, 소독시설, 정수지, 송수펌프장, 약품주입설비, 배출수처리시설로 구성된 정수장의 평면배치 시 고려사항에 대하여 각각의 처리공정별로 설명하시오.(117회)/하천표류수의 취수시설을 4가지 언급하고 각 종류별로 기능과 특징을 설명하시오.(119회)/취수시설로서 기본적으로 갖추어야 할 기본사항(확실한 취수, 양호한 원수확보, 재해 및 환경대책, 유지관리의 용이성)에 대하여 설명하시오.(120회)/합성세제가 상수처리공정에 미치는 영향에 대하여 설명하시오.(120회)/정수처리시설에서 착수정의 정의 및 구조와 형상, 용량과 설비에 대하여 설명하시오.(121회)/정수시설에서 전력설비의 보호 및 안전설비에 대하여 설명하시오.(125회)/정수시설에서 사용하는 수질계측기기의 종류와 계기의 선정 시 유의사항에 대하여 설명하시오.(125회)
	슬러지처리	정수장의 슬러지 농축성이 나쁜 경우 탈수성을 향상시키는 전처리방식에 대해서 설명하시오.(104회)/재래식 정수장의 배출수처리시설을 설계하고자 한다. 공정의 설계방법에 대하여 설명하시오.(112회)/정수장 배출수처리시설을 설계하고자 한다. 주어진 조건으로부터 이론적인 계획처리고형물량(kg/day)을 계산하시오.(115회)/정수장에서 발생하는 배출수처리공정 및 방법에 대하여 설명하시오.(116회)/정수처리 시 원수 중의 망간을 제거하는 물리·화학적 방법을 설명하고, 제거된 망간을 처리하기 위한 배출수처리시설에서 고려해야 할 사항에 대하여 설명하시오.(118회)/정수장 배출수처리 설계 시 고려사항에 대하여 설명하시오.(121회)

4. 하수처리 고도슬러지

용어형	하수전처리	하수처리시설의 계획수량과 평균유속(100회)/침사지 한계유속(101회)/하수처리시설의 pH 조정시설(113, 122회)
	포기	산소전달계수 결정방법(101회)/산소섭취율(OUR : Oxygen Uptake Rate)(104회)/침식상 유리탄산 제거(106회)/오존 이용률과 전달효율(106회)/하수의 포화용존산소(110회)/Off-gas 분석장치(111회)/산화환원전위(Oxidation Reduction Potential)(114, 120회)
	침전	회분침강곡선(107회)/표면부하율(Surface Loading Rate)(113회)/전침전(Pre-precipitation) 공침(Co-precipitation), 후침전(Post-precipitation)(122회)/하수처리장의 2차 침전지 정류벽 설치사유 및 재질(125회)
	활성 슬러지법	Xr(반송슬러지 농도)과 SDI(Sludge Density Index)의 관계(104회)/잉여슬러지 제어방법(105회)/SVI(슬러지 용량지표)(105회)/방선균(Actinomycetes)(106회)/Monode식에서 Monode 상수(k_s)의 정의와 의미(112회)/SRT(고형물 체류시간 : Solids Retention Time)(117회)/F/M비와 SRT의 관계(117회)/활성슬러지법의 설계인자 및 영향인자(117회)/Pin Floc(119회)/Step Aeration(120회)/거품과 스컴(121회)
	생물막법	생흡착(Biosorption)(99회)/접촉산화법(104회)/가압교대 흡착장치(107회)/생물막의 물질이동 개념(110회)
	하수처리 공법	Step Aeration(99회)/폐수처리에서의 라군(Lagoon)법(102회)/MUCT(Modified University of Cape Town)공법(105회)/산화지법(106회)/미생물선택조(122회)/MSBR(Modified Sequencing Batch Reactor)(124회)/Anammox Process(124회)
	슬러지 처리	슬러지 전처리(102회)/하수찌꺼기(슬러지)처리공정 반류수처리(103회)/하수찌꺼기(슬러지) 유동층 소각시설의 노상(爐床)면적 산정 시 검토사항(103회)/분뇨처리방법 선정 시 고려사항(105회)/계획하수 슬러지량(106회)/슬러지건조의 평형함수율(110회)/하수슬러지 건조·탈수시설의 전기탈수기(112회)/급속소규모칼럼실험(RSSCT)(112회)/Anammox(Anaerobic Ammonium Oxidation)(114회)/이상(Two-phase)혐기성 소화(115회)/탈수기 필터 프레스(Filter Press)

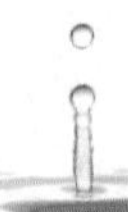

용어형	슬러지 처리	(115회)/소화조 내와 소화가스에 포함된 황화수소 제거기술(117회)/ASBR(Anaerobic Sequencing Batch React(118회)/슬러지의 에너지 이용 형태(122회)/혐기성소화방식(123, 124회)/계획 발생슬러지량과 함수율과의 관계식(125회)
	소독탈취	하수처리장 TMS 구성항목(104회)/소화가스 탈황법(104회)/6단계 악취강도표시법(104회)
	소화 퇴비화	퇴비화(Composting) 시 필요한 반응인자(102, 124회)/UASB(Upflow Anaerobic Sludge Blanket)(108회)
	하수 고도 처리	SDNR(Specific Denitrification Rate)을 활용한 무산소조 용량 산정(100회)/생물학적 고도처리 공법에서 이차 인방출(102회)/Struvite(107회)/전탈질(112회)/ATP(Adenosine Triphosphate)(118회)/비질산화율(Specific Nitrification Ratio, SNR)(119회)/TKN(Total Kjeldahl Nitrogen)(120회)/질산화, Sludge Index(121회)/탈질(Denitrification)(123회)/하수처리수 재이용처리시설 R/O막 배치방법 3가지(125회)
서술형	하수 전처리 (하수처리 일반)	하수처리시설의 집약화방안과 효과에 대하여 설명하시오.(101회)/공공하수처리시설 에너지자립화 기본계획에 대하여 설명하시오.(101회)/친환경 주민친화적 하수처리시설의 계획 시 기본방향과 설치 시 고려사항에 대하여 설명하시오.(103회)/하수처리장에서 에너지절감 설비 및 대책에 대해서 설명하시오.(104회)/개인하수처리시설의 문제점과 개선방향에 대하여 설명하시오.(107회)/강우 시 하수도시설 운영현황 및 문제점 개선방안을 설명하시오.(108회)/환경과 에너지문제를 동시에 해결하기 위한 친환경에너지타운의 사업배경, 추진체계와 역할, 사업유형과 내용에 대하여 설명하시오.(110회)/기존 하수처리장의 방류수 재이용시설 설치 시 고려해야 할 사항을 설명하시오.(110회)/하수처리수를 재이용할 때 용도별 제한조건에 대하여 설명하시오.(117회)/하수저류시설 설치 시 검토하여야 할 사항을 설명하시오.(117회)/하수처리장 반류수 처리공정 선정 시 고려사항에 대하여 설명하시오.(117회)/만성적인 악취문제를 겪고 있는 하수처리장에서 도입할 수 있는 악취해결방안에 대하여 설명하시오.(117회)/공공하수처리시설 방류수를 관개용수로 사용하는 방안에 대하여 설명하시오.(118회)/하수처리장의 고농도 악취발생 시 적용 가능한 악취방지시설에 대하여 설명하시오.(119회)/방사능 오염수의 제거방법에 대하여 설명하시오.(120회)
	포기	주어진 조건에서 필요산소량(AOR)을 구하시오.(100회)/하수처리공정상의 포기장치 효율에 대하여 설명하시오.(111회)
	침전	하수처리장 2차침전지의 형상 및 구조, 정류설비, 유출설비, 슬러지 제거기 및 배출설비의 설계 시 고려사항에 대하여 설명하시오.(105회)/하수처리장의 유량조정조 설계 시 고려하여야 할 점에 대하여 설명하시오.(109회)/중력식 농축조의 한계고형물플럭스에 대하여 설명하시오.(112회)/독립성을 가진 SS농도 200mg/L인 하수를 침전관에 채우고 1.8m 깊이에서 시료를 채취하여 SS농도를 측정한 결과 자료를 얻었다. 이 자료로부터 SS제거효율이 85%가 되도록 침전지의 표면부하율($m^3/m^2 \cdot min$)을 구하시오.(116회)/최대유량 Q_{max}가 1.1m^3/sec이고 설계침전속도가 0.4mm/sec일 때 침전지의 체류시간이 2.5시간인 장방형 1차침전지의 규격을 설계하고자 할 때 물음에 답하시오.(116회)/하수처리장 침전지의 월류위어부하율 저감방안에 대하여 설명하시오.(119회)/하수처리시설에서 일차침전지의 형상 및 구조, 정류설비, 유출설비, 슬러지 수집기 및 슬러지 배출설비에 대하여 설명하시오.(122회)/1차침전지 구조에 대하여 설명하시오.(123회)/하수처리장 2차침전지 주요 설계인자에 대하여 설명하시오.(125회)
	활성 슬러지법	활성슬러지의 관리지표 중 영향인자에 대하여 설명하시오.(99회)/하수처리 생물반응조의 MLSS농도에 대하여 F/M비와 침전지 기능을 이용해 설명하시오.(101회)/활성슬러지법 처리공정을 혐기, 무산소, 호기조합법으로 개량 시 고려사항을 설명하시오.(103회)/활성슬러지 동력학 모델에 사용되는 계수값의 결정방법에 대하여 설명하시오.(103회)/생물학적 처리 시 적용

	활성 슬러지법	되는 반응차수와 반응속도를 결정하는 방법에 대하여 설명하시오.(107회)/고형물체류시간(SRT) 설정을 기본으로 한 설계방법에 대해 산정식을 제시하고 산정절차를 설명하시오.(107회)/Pin Floc 발생원인 및 대책방안을 설명하시오.(108회)/표준활성슬러지법의 공정별 기능 및 생물반응조의 설계인자와 운전 시 문제점 및 대책에 대하여 설명하시오.(111회)/활성슬러지공정의 운전 시 필요산소량 산정방법에 대하여 설명하시오.(114회)/활성슬러지 동역학적 모델의 유기물 제거원리에 대하여 설명하시오.(118회)/활성슬러지법에서 독립영양미생물에 의한 질산화 과정에 대하여 설명하시오.(118회)/활성슬러지공법에서 반송비 결정방법에 대하여 설명하시오.(119회)/활성슬러지에 의한 도시하수처리장에서의 팽윤(Bulking)현상이란 무엇이며, 이에 대한 방지대책을 설명하시오.(120회)/표준활성슬러지의 반응조 설계방법을 설명하시오.(122회)/표준활성슬러지공정의 용존산소농도 및 필요산소량에 대하여 설명하시오.(122회)
	생물막법	2계열로 구성된 일반적인 하수처리장(9,000/일) 공사 중 시운전 시점에서 유입유량이 5%(450/일) 미만으로 유입이 예상될 시 이에 대한 대책을 설명하시오.(100회)/분리막 생물반응기(MBR)에서 Fouling현상의 원인과 제어방법에 대하여 설명하시오.(118회)
	하수처리 공법	MBR공법에서 인제거 방안을 설명하시오.(102회)/반류수(Sidestream)가 하수처리장 단위공정에 미치는 영향에 대하여 설명하시오.(115회)/공공하수처리시설의 계열화운전 대상시설과 제외시설에 대하여 설명하시오.(115회)/하수처리장 유량조정조의 용량산정방법에 대하여 설명하시오.(119회)/하수처리시설 내 부대시설 중 단위공정 간 연결관거계획 시 계획하수량 및 유의점에 대하여 설명하시오.(121, 123회)/하수처리시설의 토구에 대하여 설명하시오.(123회)
서술형	슬러지처리	하수슬러지 관리계획의 수립배경 및 목적, 관리방안에 대하여 설명하시오.(99회)/슬러지 농축조의 소요단면적을 산정하기 위한 고형물 플럭스방법을 설명하시오.(101회)/슬러지 가용화 방안에 대하여 설명하시오.(108회)/주어진 그림은 하수처리장에서 고형물의 수지계통을 설명하는 것으로 각 단위시설의 고형물량을 계산하시오.(110회)/슬러지처리공정에서 반류수의 특성과 처리방안에 대하여 설명하시오.(113회)/일반적인 하수찌꺼기(슬러지) 처리·처분의 계통도를 작성하고, 단위공정별 처리목적과 고려할 사항을 설명하시오.(115회)/하수슬러지 또는 음식물처리를 위한 혐기성 소화조의 운영 시 발생하는 Struvite의 문제점과 대처방안에 대하여 설명하시오.(115회)/슬러지탈수기(가압탈수기, 벨트프레스탈수기, 원심탈수기)의 형식별 특성에 대하여 설명하시오.(116회)/중력식 슬러지농축조의 농축원리와 소요단면적 산정방법에 대하여 설명하시오.(117회)/원심력식 농축에 대하여 설명하고, 중력식 농축과 비교하여 특징과 장단점에 대하여 설명하시오.(121회)/슬러지처리과정에서 반류수처리방안 및 주처리공정에 미치는 영향에 대하여 설명하시오.(122회)/슬러지처리시설의 반류수처리에 대하여 설명하시오.(123회)
	소독, 탈취	하수처리장에서의 냄새 제거방법 중 대표적인 활성탄흡착법, 산알칼리세정법, 토양탈취상법, 포기조미생물법의 장단점을 설명하시오.(99회)/하수처리시설의 악취방지시설에 대하여 설명하시오.(102, 121회)/하수처리시설 소독설비 중 자외선법, 오존법, 염소계 약품법에 대하여 원리, 장치구성, 장단점에 대하여 설명하시오.(121회)
	소화, 퇴비화	혐기성 소화공정에서 메탄가스의 발생이 저하되는 원인과 대책을 설명하시오.(99회)/혐기성 소화와 호기성 소화의 장단점을 설명하시오.(99회)/에너지자립률 향상 및 유지관리의 편의성 확보를 위해 병합소화 시 처리계통도, 병합소화조의 유입수 특성, 소화공법 선정, 소화조 설계 시 고려사항을 설명하시오.(100회)/분뇨처리계획에 대하여 설명하시오.(102회)/소화가스의 에너지화에 대하여 설명하시오.(102회)/하수처리시설의 혐기성 소화처리공정에서 혼합의 목적 및 혼합방식에 대하여 설명하시오.(103회)/혐기성 소화조의 성능저하 원인분석 및 성능개선 대책을 설명하시오.(108회)/하수처리시설에서 혐기성 소화조의 소화가스포집설비에 대하여 설명하시오.(118회)/혐기성 소화의 이상(異常)현상 발생원인 및 대책에 대하여 설명하시오.(121회)/소화가스의 포집, 탈황, 저장에 대하여 설명하시오.(122회)

	하수 고도처리	고도하수처리(생화학적 처리)공법에서의 단위공정별 인제거효율과 처리기작 및 영향인자에 대하여 설명하시오.(100회)/A_2O공법의 공정별 기능 및 이 공법의 단점을 보완하기 위해 개발된 공법을 2가지 제시하고, 이들 공법의 공정별 기능 및 장단점을 설명하시오.(102회)/생물학적 고도처리 하수처리시설에서 강화된 방류수 총인농도기준의 만족을 위한 방안에 대해서 설명하시오.(104회)/응집제 병용형 생물학적 질소제거법에 대하여 설명하시오.(111회)/하수 고도처리에 관여하는 미생물을 물질대사방법별로 분류하여 설명하시오.(112회)/하수처리공정의 고도처리설비 중 오존산화법에 대하여 설명하시오.(112회)/하수의 Total Nitrogen(TN)과 Total Kjeldahl Nitrogen(TKN)에 대하여 설명하시오.(115회)/수도권에 소재한 공공하수처리시설에서 고농도 질소를 함유하는 산업폐수로 인해 질소방류수질기준을 초과하는 문제가 발생하고 있다. 질소문제를 해결할 수 있는 공학적인 개선방안에 대하여 설명하시오.(115회)/하·폐수 내의 질소·인처리를 위한 암모니아 스트리핑법에 대하여 설명하시오.(116회)/화학적 총인처리시설 설치 시 고려하여야 할 사항을 설명하시오.(117회)/하수고도처리를 도입하는 이유와 제거대상물질을 분류하고, 분류된 물질의 제거방안에 대하여 설명하시오.(118회)/A_2O공정의 혐기, 무산소, 호기 반응조에서 N, P제거에 관여하는 미생물의 종류 및 특성에 대하여 설명하시오.(119회)/기존하수처리시설에 고도처리시설 도입 시 검토사항을 설명하시오.(122회)/하수처리시설에 고도처리를 도입해야 하는 사유를 설명하시오.(123회)

5. 상하수도계획

용어형	계획 일반	경제적 내부 수익률(EIRR)(99회)/계획1일최대오수량(111회)/수질오염총량관리제(116회)/상수도 관망진단의 대상시설(116회)/전국수도종합계획(118회)/상수도종합관리시스템 중 수운영시스템(118회)/조류경보제와 수질예보제의 대상(118회)/하수도 BIM(Building Information Modeling)(118회)/공공하수도 기술진단개선계획에 포함될 사항(118회)/국가물관리위원회(121회)/상수도시설 내진설계기준(121회)/계획수질 산정방법(124회)/계획시간최대급수량과 계획1일최대급수량의 관계(125회)/산업단지폐수종말처리장의 계획처리대상(125회)
	상수도 공급	상수도 수요량 예측방법(100회)/상수도 유수율평가에 영향을 미치는 인자(100회)/수도미터 원격검침장치(101회)/상수도정비계획 수립 시 기초조사사항(103회)/유효무수수량(115회)/계획1일평균급수량과 계획1일최대급수량(116회)/무수수량(Non-Revenue Water)(116회)/계획시간최대급수량(119회)/수도시설 비상연계(123회)/상수관망에서 유수율 분석(124회)
	하수도 처리	이중배수체계(Dual Drainage)(102회)/NMC(Nine Minimum Control)(107회)/하수도정비 중점관리지역(108회)/하수관로에 포함되는 지하수량(119회)/간이공공하수처리시설(121회)
	우수 처리	하수관거의 지체현상과 유달시간(106회)/총괄(평균)유출계수(108회)/기저유출(Baseflow)(114회)/RDII(Rainfall Derived Infiltration Inflow)(115회)/자연배수시스템(Natural Drainage Systems, NDS)(122회)/유입시간산정식(Kerby식)(122회)/유달시간(125회)/RDII(Rainfall Derived Infiltration and Inflow)(125회)
용어형	친환경	물 재이용시실 설치의무 대상 및 재이용수량(100회)/자연배수시스템(Natural Drainage System)(100회)/생태면적률(101회)/수질오염총량제와 I/I(102회)/인공습지(108회)
	시사성	상하수도 자산관리(Asset Management)(109회)/스마트 워터 그리드(Smart Water Grid)(109회)/통합물관리의 필요성 10가지(110회)/Water-Energy-Food Nexus(112회)/물 발자국(Water Footprint)(115회)/Water-Energy-Food Nexus(117회)/EPANET(117회)/스마트관망관리 인프라 구축(123회)/EPANET분석(123회)/SWMM(Storm Water Management Model)(123회)/LID(Low Impact Development)(124회)/스마트하수도사업(125회)

서술형	계획 일반	하수도의 목적과 하수도요금의 부과대상, 방법, 요금 결정요소에 대하여 설명하시오.(99회)/하수도법상에서 정의하고 있는 국가하수도종합계획, 유역하수도정비계획, 하수도정비기본계획 수립 시 포함되어야 할 내용을 설명하시오.(102회)/광역상수도 시설사업에 있어서의 사후평가에 대하여 설명하시오.(107회)/상수도요금수준과 요금산정기준의 문제점 및 개선방안에 대하여 설명하시오.(107회)/하수도정비기본계획 수립(변경)지침에 따른 주요 고려사항을 설명하시오.(108회)/하수도사업에서 유역통합관리방안의 타당성을 설명하시오.(108회)/저수지의 유효저수량 산정방법에 대하여 설명하시오.(112회)/우수조정지와 우수체수지의 계획 및 설치 시 고려사항에 대하여 설명하시오.(114회)/하수도계획 수립 시 유역별 통합운영관리방안에 대하여 설명하시오.(114회)/하수처리수 재이용 시 문제점 및 대책에 대하여 설명하시오.(114회)/수도정비기본계획에 포함되어야 할 사항을 설명하시오.(117회)/상수도시설의 내진설계 기본방침과 내진등급에 대하여 설명하시오.(118회)/수질원격감시체계(TMS)의 설치기준과 규정된 측정항목 및 설치장치에 대하여 설명하시오.(118회)/배수지의 유효용량을 결정하는 방법에 대하여 설명하시오.(118회)/수도정비기본계획을 수립할 때, 기본방침수립 시 명확하게 해야 할 내용을 5가지만 설명하시오.(119회)/하수관로정비사업의 준공 시 성과평가방법에 대하여 설명하시오.(119회)/우리나라 하수도시설에 대한 하수도정비사업의 효율적인 추진방안에 대하여 설명하시오.(120회)/하수저류시설의 설치목적과 계획수립 시 주요 검토사항에 대하여 설명하시오.(121회)/유역단위의 용수공급체계 구축방안에 대하여 설명하시오.(121회)/상수도시설의 기본계획부터 설계, 공사에 이르기까지의 흐름을 사업단계, 주요 업무내용 및 수도법상의 절차로 도식화하여 설명하시오.(122회)/하수도계획 수립 시 포함되어야 할 사항에 대하여 설명하시오.(122회)/안정급수확보를 위한 기본절차를 설명하시오.(122회)/하수도 신설관로계획의 수립에 대하여 설명하시오.(123회)/하수도정비기본계획 수립지침의 배수설비에 대하여 설명하시오.(123회)/저수지의 유효저수량 산정개념과 방법을 설명하시오.(123회)/상수도 공급시설의 안정화계획에 대하여 설명하시오.(123회)/하수도 설계기준상의 하수도계획의 기본적인 사항에 대하여 설명하시오.(124회)/하수도법상에서 정의하고 있는 국가하수도종합계획, 유역하수도정비계획, 하수도정비기본계획 수립 시 포함되어야 할 내용을 설명하시오.(124회)/하수도계획의 절차에 대하여 설명하시오.(125회)
	상수도	관로누수량 추정을 위한 여러 방법 중 야간최소유량 분석에 의한 일평균누수량 추정방법에 대하여 설명하시오.(99회)/상수도의 수량적인 안정성 확보를 위한 수원시설, 취·도수시설, 정수시설, 송·배수시설에서의 고려사항에 대하여 설명하시오.(100회)/상수도계획급수량을 적용하여 하수처리장 및 차집관로의 설계시설용량 산정절차와 주요 인자들을 설명하시오.(108회)/수도정비기본계획에서 상수도시설 안정화계획 중 가뭄대책에 대하여 설명하시오.(112회)/배수지용량 결정에 대하여 설명하시오.(113회)/상수도시설의 계획수립 시 각 단계별 안전성 및 안정성 확보방안(수질, 수량, 수압 등)에 대하여 고려하여야 할 사항을 설명하시오.(111회)/상수도관망의 기술진단을 일반기술진단과 전문기술진단으로 구분하여 설명하시오.(115회)/수도법에 근거한 정수장 기술진단의 대상시설, 일반 및 전문기술진단 구분, 전문기술진단 내용과 진단내용에 대한 세부수행항목을 설명하시오.(119회)/상수도공사 표준시방서에서 정수장종합시운전계획 수립에 포함할 사항에 대하여 설명하시오.(120회)/상수도 관망분석을 단계별로 설명하시오.(123회)/상수관망에서 수압관리에 대하여 설명하시오.(124회)/일반적인 상수도구성 및 계통도를 그림으로 나타내어 설명하시오.(125회)
	하수도	하수도시설기준의 기본계획에서 설계기준 중 시설의 일반기준, 토목시설기준, 기계시설기준, 조경시설기준에 대하여 설명하시오.(100회)/하수저류시설 설치 시 일반원칙 및 검토하여야 할 사항을 설명하시오.(102회)/공공하수도의 사업계획 수립 및 설계 시 유의할 사항을 설명하시오.(104회)/간이공공하수처리시설의 도입배경 및 향후 추진방안에 대해서 설명하시오.(104회)/하수도정비 기본계획 시 하수도시설의 통합운영 관리체계 구축에 대하여 설명하시오.(105회)/

서술형	하수도	하수도정비 기본계획 수립 시 생활오수량 원단위 산정에 대하여 설명하시오.(105회)/합류식 하수도 차집관거의 방류부하 저감대책에 대하여 설명하시오.(106회)/하수도시설에 대한 내진 설계 목적, 기본방침, 내진등급 및 내진설계 목표에 대하여 설명하시오.(111회)/하수관로의 야간 생활하수평가법에 따른 침입수 산정방법과 한계점을 설명하시오.(115회)/합류식 하수도에 설치되는 간이공공하수처리시설의 정의 및 설계 시 고려사항에 대하여 설명하시오.(115회)/하수처리장 방류수를 하천유지용수로 재이용하려고 한다. 공공하수처리시설 방류수수질기준(일 처리용량 500m³ 이상)과 하천유지용수의 재처리수 용도별 수질기준을 비교하고 적정 처리방안에 대하여 설명하시오.(115회)/분류식 및 합류식 하수도의 특징을 설명하고, 합류식 하수관거에서 분류식 하수관거체계로 전환할 경우 유의사항에 대하여 설명하시오.(116회)/어느 도시의 분류식 하수도 계획구역이다. 주어진 조건에서 계획1일 최대오수량(m³/day) 및 우수유출량(m³/sec)을 구하시오.(116회)/합류식 하수도에서 우천 시 배수설비 및 관거의 방류부하 저감대책에 대하여 설명하시오.(118회)/분뇨처리시설에서 하수처리시설과의 연계처리설비에 대하여 설명하시오.(118회)/하수배수계통의 하수관거 배치방식을 개략도를 그려서 설명하시오.(119회)/우수와 처리수의 해양방류시설 설계 시 고려사항에 대하여 설명하시오.(120회)/관로시설 중 배수설비의 제해시설(除害施設)을 정하는 데 고려해야 할 사항을 설명하시오.(120회)/오수관로계획 시 고려사항에 대하여 설명하시오.(120회)/합류식 하수도의 우천 시 방류부하량 저감대책에 대하여 설명하시오.(122회)/배수설비의 부대설비에 대하여 설명하시오.(123회)/기존 하수처리장의 재구축 시 무중단공사 단계별 시공계획에 대하여 설명하시오.(124회)/하수관로에서 악취 저감대책에 대하여 설명하시오.(124회)/최근 스마트하수도기술과 일반하수도기술의 차이점에 대하여 설명하시오.(124회)/하수처리장의 수리계산절차 및 필요성에 대하여 설명하고, 수리계산 시 주요 고려사항을 쓰시오.(125회)/하수처리장 부지배치계획 수립 및 계획과 결정 시 주요 고려사항을 설명하시오.(125회)/하수처리장설계 시 적용되고 있는 방수방식 공법에 대하여 답하시오.(125회)
	우수처리	도시의 우수관리를 위한 저영향개발 활성화방안 등에 대하여 설명하시오.(100회)/초기 우수의 배제방식별 특성과 처리방안을 설명하시오.(100회)/우천 시 방류부하량을 줄이기 위한 단계별 저감계획에 대해서 설명하시오.(104회)/우수체수지의 형식에 대해서 설명하시오.(104회)/공공하수도 사업계획 수립 시, 도시지역 강우 시 오염부하 저감대책을 설명하시오.(104회)/합류식 하수관거지역에서 강우 시 하수처리(3Q)에 대한 문제점 및 운영개선방안에 대하여 설명하시오.(105회)/우수관거계획 시 설계기준 및 고려할 사항에 대하여 설명하시오.(105회)/불명수의 종류와 유입원인 및 영향, 그리고 저감대책에 대하여 설명하시오.(106회)/우수유출 저감대책에 대하여 설명하시오.(106회)/강우 시 하수도시설의 운영현황 및 문제점 개선방안을 설명하시오.(108회)/기후변화로 인한 홍수와 가뭄 발생 시 상수도, 하수도시스템에 발생하는 문제점과 그에 대한 대책을 설명하시오.(108회)/분산형 빗물관리의 정의와 기술요소를 설명하시오.(108회)/하수도정비 기본계획 시 침수대응 하수도시설계획에 대하여 설명하시오.(109회)/우수관로설계에 대하여 설명하시오.(109회)/강우 시 불완전분류식 지역에서 우수유입을 차단하기 위한 하수관리방안에 대하여 설명하시오.(113회)/급격한 기후변화에 따른 국지성 집중호우 시 도심지 침수방지대책에 대하여 설명하시오.(114회)/강우 시 불완전분류식 지역에서 우수유입을 차단하기 위한 하수관리방안에 대하여 설명하시오.(114회)/저영향개발(LID)시설계획수립을 위한 빗물관리목표량 설정방법에 대하여 설명하시오.(115회)/국내 도심지에서 발생하는 공공하수도시설과 관련된 내수침수의 원인과 침수저감대책에 대하여 설명하시오.(117회)/우수토실 및 토구의 방류부하 저감대책에 대하여 설명하시오.(118회)/불명수의 유입저감방안에 대하여 설명하시오.(120회)/강우 시 발생하는 유입수를 반영한 현실적인 계획오수량 산정에 대하여 설명하시오.(121회)/우수배제계획 시 고려사항에 대하여 설명하시오.(121회)/도시침수를 해소할 수 있는 방안으로 빗물펌프장, 유수지 등의 하수도시설계획 시 위치 선정 조건

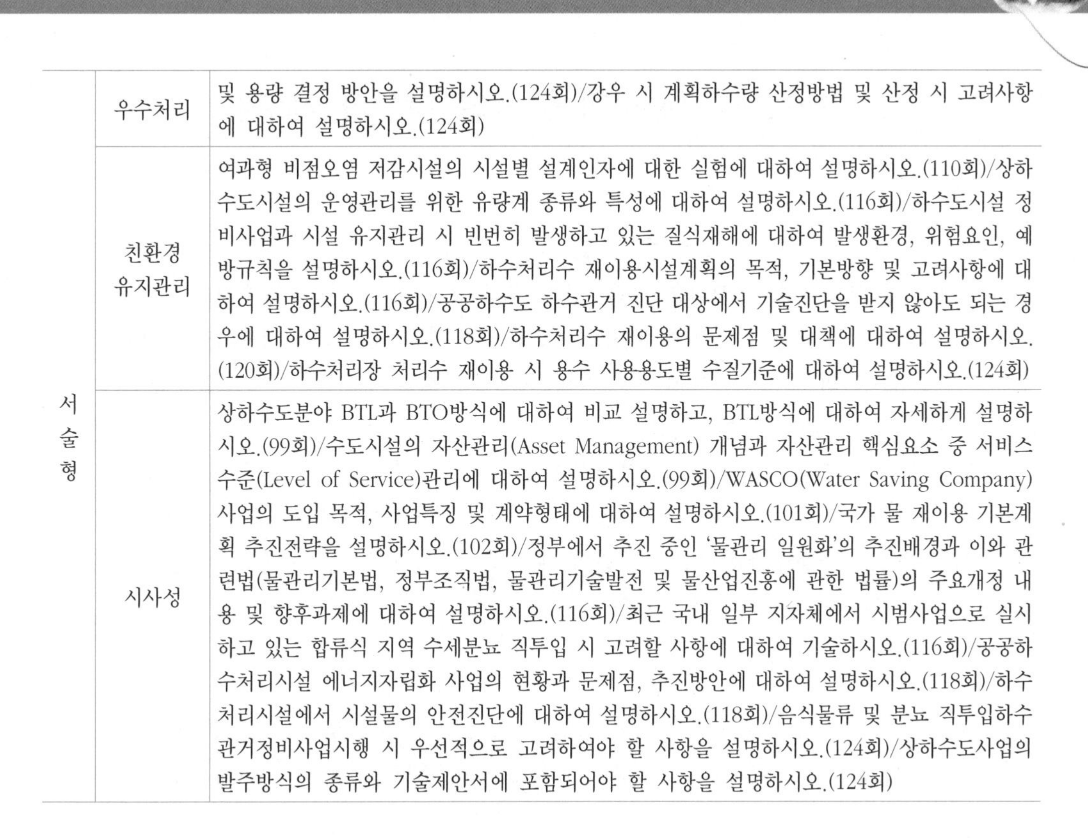

서술형	우수처리	및 용량 결정 방안을 설명하시오.(124회)/강우 시 계획하수량 산정방법 및 산정 시 고려사항에 대하여 설명하시오.(124회)
	친환경 유지관리	여과형 비점오염 저감시설의 시설별 설계인자에 대한 실험에 대하여 설명하시오.(110회)/상하수도시설의 운영관리를 위한 유량계 종류와 특성에 대하여 설명하시오.(116회)/하수도시설 정비사업과 시설 유지관리 시 빈번히 발생하고 있는 질식재해에 대하여 발생환경, 위험요인, 예방규칙을 설명하시오.(116회)/하수처리수 재이용시설계획의 목적, 기본방향 및 고려사항에 대하여 설명하시오.(116회)/공공하수도 하수관거 진단 대상에서 기술진단을 받지 않아도 되는 경우에 대하여 설명하시오.(118회)/하수처리수 재이용의 문제점 및 대책에 대하여 설명하시오.(120회)/하수처리장 처리수 재이용 시 용수 사용용도별 수질기준에 대하여 설명하시오.(124회)
	시사성	상하수도분야 BTL과 BTO방식에 대하여 비교 설명하고, BTL방식에 대하여 자세하게 설명하시오.(99회)/수도시설의 자산관리(Asset Management) 개념과 자산관리 핵심요소 중 서비스수준(Level of Service)관리에 대하여 설명하시오.(99회)/WASCO(Water Saving Company) 사업의 도입 목적, 사업특징 및 계약형태에 대하여 설명하시오.(101회)/국가 물 재이용 기본계획 추진전략을 설명하시오.(102회)/정부에서 추진 중인 '물관리 일원화'의 추진배경과 이와 관련법(물관리기본법, 정부조직법, 물관리기술발전 및 물산업진흥에 관한 법률)의 주요개정 내용 및 향후과제에 대하여 설명하시오.(116회)/최근 국내 일부 지자체에서 시범사업으로 실시하고 있는 합류식 지역 수세분뇨 직투입 시 고려할 사항에 대하여 기술하시오.(116회)/공공하수처리시설 에너지자립화 사업의 현황과 문제점, 추진방안에 대하여 설명하시오.(118회)/하수처리시설에서 시설물의 안전진단에 대하여 설명하시오.(118회)/음식물류 및 분뇨 직투입하수관거정비사업시행 시 우선적으로 고려하여야 할 사항을 설명하시오.(124회)/상하수도사업의 발주방식의 종류와 기술제안서에 포함되어야 할 사항을 설명하시오.(124회)

상하수도 기술사의 분야별 특징과 공부법

1. 총 론

상하수도 기술사 공부 범위는 물을 중심으로 한 기본적인 물리화학적 지식과 수질관리와 관련한 생태계의 구성과 특성, 유체이송과 관련한 관로와 펌프 관련 기술, 정수처리의 약품투입과 관련한 화학적 지식, 침전 여과의 콜로이드성 고형물의 제거 메커니즘, 하수처리의 미생물학적 메커니즘, 고도처리의 질소 인 제거, 미생물의 동역학(산화와 동화)과 증식프로세스, 슬러지처리의 자원회수 등 친환경적 메커니즘과 지식, 사회 과학적 관점에서 상하수도 분야의 전체적인 계획과 규정 이해 등 모든 분야가 복합적으로 연관된 상수·하수에 관한 종합 기술의 총체이다. 따라서 이를 공부하는 독자들은 단편적인 지식이나 기술보다도 넓은 시야를 갖고 드러난 현상의 원리를 면밀히 분석하면서 이면의 배경까지도 생각해보는 생태학자이며 철학자적인 모습으로 다가가야 할 것이다.

2. 수질관리

1) 특징 : 수질관리편은 물의 기본적인 물리·화학적 성질을 바탕으로 정수처리, 하수처리편을 위한 기초적 내용과 지표수, 지하수 등의 수원별 오염과 관리에 대하여 다룬다.

2) 중점 내용

a) 기초적인 화학식은 반드시 이해해야 하며 알칼리도, 경도 등 기본적인 계산문제는 풀 수 있도록 하되 화학에 자신이 없다면 너무 깊게 들어갈 필요는 없다.(이미 출제된 정도만을 공부하면 좋을 것이다)

b) 수원별 특징과 지표수의 유기물 분해에 따른 용존산소소비곡선과의 관계, 비점오염원 등 수질오염 원인과 제거법 등을 이해한다.

c) 지표수의 특징, 강변여과수, 복류수 특징, 부영양화, 적조, 하천의 오염과 정화, 각종 미생물의 특징, 소독 등을 이해한다.

3. 상하수 이송

1) 특징 : 상하수도의 물 이송에 관련된 분야로서 주로 관로의 종류와 특징, 이송에 필요한 유체역학적 내용, 펌프설비, 관로 설계, 시공 개보수 등의 내용을 담고 있다.

2) 중점 내용

a) 관경과 유속, 유량, 양정, 동력 등의 관계 및 계산문제 해석능력

b) 관망 해석, 유량 공식 이해, Bloc 시스템, 상수관로 최적관리시스템, 관로 구성 요소 등

c) 최적의 송수를 위한 배관망과 적정 수압, 직결급수조건 등

d) 관로 갱신, 원격제어, 관 종류 및 특징

4. 정수처리

1) 특징 : 상하수도의 가장 중요한 부분 중 하나이며 원수를 적절히 처리하여 최고급의 물을 공급하기 위한 응집, 응결,침전, 여과, 소독 등의 내용으로 구성된다.

2) 중점 내용
- a) 정수 처리 대상물질인 콜로이드의 성질과 처리법
- b) 급속 교반과 응집, 응집제 종류 및 최적 응집제량, 응결지와 GT 값
- c) 침전효율 향상과 침전지 구조, 슬러지 제거법
- d) 여과지의 구성과 각종 이상 현상, 여과사의 특성
- e) 소독법과 소독부산물(DBPs), 염소소독의 현황과 문제점 대안
- f) 고도 정수처리, 오존, BAC, 막여과 등

5. 하수처리

1) 특징 : 하수관로를 통해 수집된 유기물의 처리법과 활성 슬러지법을 기본으로 하는 다양한 변법들의 이해에 필요한 기본적인 미생물학적 동력학과 영양염류의 제거를 전제로 한 하수처리 공법들의 이해가 필요하다.

2) 중점 내용
- a) 전처리로 침사지, 스크린, 미세여과기 등
- b) 미생물 관련 기본적인 용어이해, 활성 슬러지법의 완전한 이해
- c) 생물막법의 특징 및 변법(살수여상, 접촉산화법, HBC 등) 이해
- d) A_2O 계열의 미생물 반응조(활성오니법+고도처리) 이해
- e) 각종 반응조(Plug Flow, Complete Mixing, 회분식 등)의 이해
- f) 침전지, 수집기, 슬러지 벌킹 등 이상현상의 원인과 대책

6. 하수 고도처리

1) 특징 : 자연계의 정상적인 질소, 인 순환을 초과하는 인위적인 과다 영양염류의 제거를 위한 질소, 인의 기본적인 특성과 제거 메커니즘의 이해, 관련 미생물의 성질 이해가 필요하다.

2) 중점 내용
- a) N, P의 성질, 고도처리의 필요성
- b) 고도처리 방법(BNR, CNR, CPR, C순환, N순환, A_2O, UCT, MUCT, VIP 등)의 특징
- C) 고도처리에 관여하는 미생물(PAOs 등)과 혐기조, 호기조, 무산소조의 기능

7. 슬러지 처리

1) 특징 : 정수장, 하수처리장에서 처리공정의 부산물인 슬러지 처리법은 슬러지의 특성과 최종 처분법을 함께 고려하여 효율적이고 안전하며 자원회수가 가능한 친환경 공법을 적용해야 한다.

2) 중점 내용
 a) 슬러지의 특성과 함수율과 부피의 관계 이해
 b) 개량, 농축, 탈수, 건조, 소각 등 공정별 특성 이해
 c) 탈수 특성 분석법, 고도처리 슬러지 처분법, 자원회수 등 합리적인 최종 처분법

8. 상하수도 계획

1) 특징 : 환경 정책 기본법, 수도법, 하수도법 등 각종 법규와 지침 등 행정적인 목표에 맞춰 상하수도 분야의 나아가고자 하는 방향을 이해하고 설계, 시공 등 관련 기술을 자연과 조화되게 친환경적으로 추진하는 데 필요한 전반적이고 종합적인 안목의 기술자가 요구된다.

2) 중점 내용
 a) 각종 상하수도 관련 법규와 지침의 이해
 b) 하수처리 및 상수도 설비의 기본 계획과 방향
 c) 적합한 우수처리 계획(합류식, 분류식, 우수토실 등) 빗물분산처리
 d) 수도정비, 하수도 정비 기본계획 등
 e) 하수관거 계획, 종말처리 시설계획, 중수도, 처리수 재이용 등

답안 작성 요령(상하수도 기술사)

1. 자신만의 독자적 답안을 작성하라.

1) 출제자가 요구하는 부분을 기본적으로 설명하되 보편타당하게 기술한다.
2) 기존의 수험서나 선배들의 답안을 흉내 내려 하지 말라.
3) 답안내용은 객관적 내용을 근거로 하되, 서술과정은 자신의 지식과 경험과 철학을 바탕으로 주관적으로 하라.

2. 답안은 실제적이고 객관적이고 창의적인 내용으로 작성된 보고서이다.

1) 상대방이 이해하기 쉽도록 일목요연하게 정리하라.
2) 전체적인 나열과 부분적인 설명이 조화를 이루도록 하라.
3) 한눈에 알 수 있도록 그림과 설명을 적절히 조화시킨다.

3. 전문가적인 의견을 피력하라.

1) 상하수도 기술사 시험은 전문가들이 서술하는 상하수도 기술에 대한 답변서이다.
2) 기본적인 이론은 당연하고 중간 중간 지식의 깊이(전문 용어, 관계식 등)와 실무의 연륜(현장 경험에서 우러나오는 체크 포인트)이 답안에 베어 나도록한다.
3) 객관적인 이론을 바탕으로 자신의 주관적인 경험을 첨가하여 비판적인 안목으로 분석하고 대안을 제시하는 연구자적인 자세로 서술한다.
4) 지나치게 이론적 기술에 치우치거나 주관적 추론에 치우치는 것은 좋지 않으며 이론과 실무를 겸비한 균형 잡힌 안목을 가진 기술자의 면모를 담는다.

4. 답안의 개략적인 구성

1) 단답형(용어 설명, 1교시)
   a) 정의, 의미
   b) 특징, 원리, 관련식
   c) 상하수도 실무 적용(모든 용어는 현장 실무와 연관된다)

2) 서술형(2교시)
   a) 객관적 이론(개요, 특징, 원리 등)
   b) 분석적 접근(문제점, 장단점 등)
   c) 경험에 의한 실무(현장의 적용예, 현장 추세 등)
   c) 본인의 주관적 자세(주장, 의견 등)

5. 답안작성 예

1) 1교시 단답형

1문항당 1쪽 내외 - 계산문제는 계산에 필요한 내용만 서술되면 분량은 무관하다. 설명형은 최소한 반쪽 이상 한쪽 내외가 적당하며 1.5쪽 이상은 비효율적이며 구성 예는 아래와 같다.

예) 정류벽

답〉 1. 정의
2. 정류벽의 필요성
3. 침전지 정류 상태(레이놀즈수, 프르우드수)
4. 정류벽의 기능(밀도류, 단락류 - 그림)
5. 정수처리 침전지에서 정류벽 설치시 고려사항

2) 2교시 서술형

1문항당 2쪽 내외 - 계산문제는 단답형과 같으며 서술형은 내용과 그림을 나열, 서술 등 구성을 조화롭게 하되, 편지글처럼 빽빽한 모양도, 너무 제목만 나열하는 것도 바람직하지 않으며 내용 파악이 쉽게 전체 틀(아래 예 참조)을 구성하고 내용을 알기 쉽게 서술한다.

예) 인공습지에 대하여 기술하시오

답〉 1. 개요
2. 인공습지의 조성 목적
3. 인공 습지의 특징
4. 인공습지 수질개선을 위한 방향
5. 인공습지의 구성요소 (그림)
6. 인공습지의 종류 및 특징(그림)
7. 인공습지의 처리효율과 고려사항
8. 인공습지 적용의 최근추세 및 개선방안(본인철학과 의견)

6. 답안 작성시 시간 배분

1) 1문항을 아무리 잘 써도 만점 이상은 받지 못하며 쓰지 못한 문항은 0점 처리된다. 그러므로 자신 있는 문제라 하더라도 1문항에 너무 많은 시간과 지면을 할애할 필요는 없다.
2) 모든 문항을 골고루 잘 쓰는 것이 바람직하며 최소한 주어진 문항수는 채운다.
3) 계산문제는 만점을 얻을 수 있고 평균점수를 끌어 올릴 수 있다. 복잡한 계산식은 무시한다 하더라도 기본적이고 기출문제 정도의 계산문제는 꼭 정리한다.

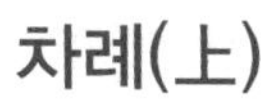

차례(上)

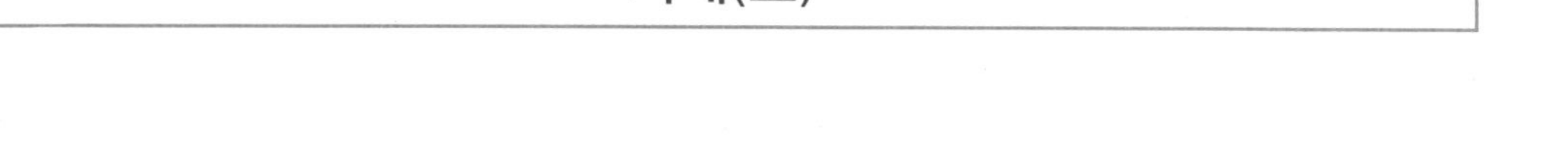

Chapter 01 수질관리_1

Chapter 02 상하수도 이송_197

Chapter 03 정수처리_503

차례(下)

Chapter 04 하수처리

1. BOD 부하 ········ 818
2. F/M비 ········ 820
3. SRT(Solid Retention Time, 고형물체류시간) ········ 822
4. 미생물농도(MLSS, MLVSS) ········ 824
5. SVI(Sludge Volume Index), SDI(Sludge Density Index) ········ 825
6. 헨리의 법칙과 기체 용해도 ········ 827
7. 포기조의 공기량 산정 ········ 831
8. 하수처리 관련 설계인자(F/M비, SRT)를 설명하시오. ········ 833
9. 전처리설비(스크린, 분쇄기 및 마이크로 스트레이너) ········ 835
10. 중소규모 하수처리시설 유입부 처리설비를 계획할 때 고려사항을 설명하시오. ········ 837
11. 포기식 침사지를 설명하시오. ········ 839
12. 수처리 유량조정조 용량 결정방법을 설명하시오. ········ 841
13. 물질 수지(Material Balance) ········ 845
14. 반응차수별 농도계산식과 반감기의 계산공식 ········ 846
15 수처리 반응조별 농도 계산식을 설명하시오. ········ 847
16. 수처리 반응조의 종류 및 특징을 설명하시오. ········ 850
17. Plug Flow Type과 Complete Mix Type을 비교하시오. ········ 852
18. 생물반응조에서 동력학 모형을 설명하시오. ········ 856
19. Respirometer(호흡측정장치)의 적용분야를 설명하시오. ········ 861
20. 활성슬러지법의 원리를 설명하시오. ········ 863
21. 활성 슬러지변법의 종류 및 특징을 설명하시오. ········ 865
22. 생물학적 폐수처리 시 이용되는 종속영양미생물(M)과 유기물(F)과의 일반적인 관계(F/M비)를 설명하시오. ········ 869
23. 슬러지 벌킹(팽화) - Sludge Bulking ········ 873
24. 소포제(Antifoaming Agent) ········ 876
25. 포기조에서 사상균의 이상증식 원인과 그 대책 ········ 877

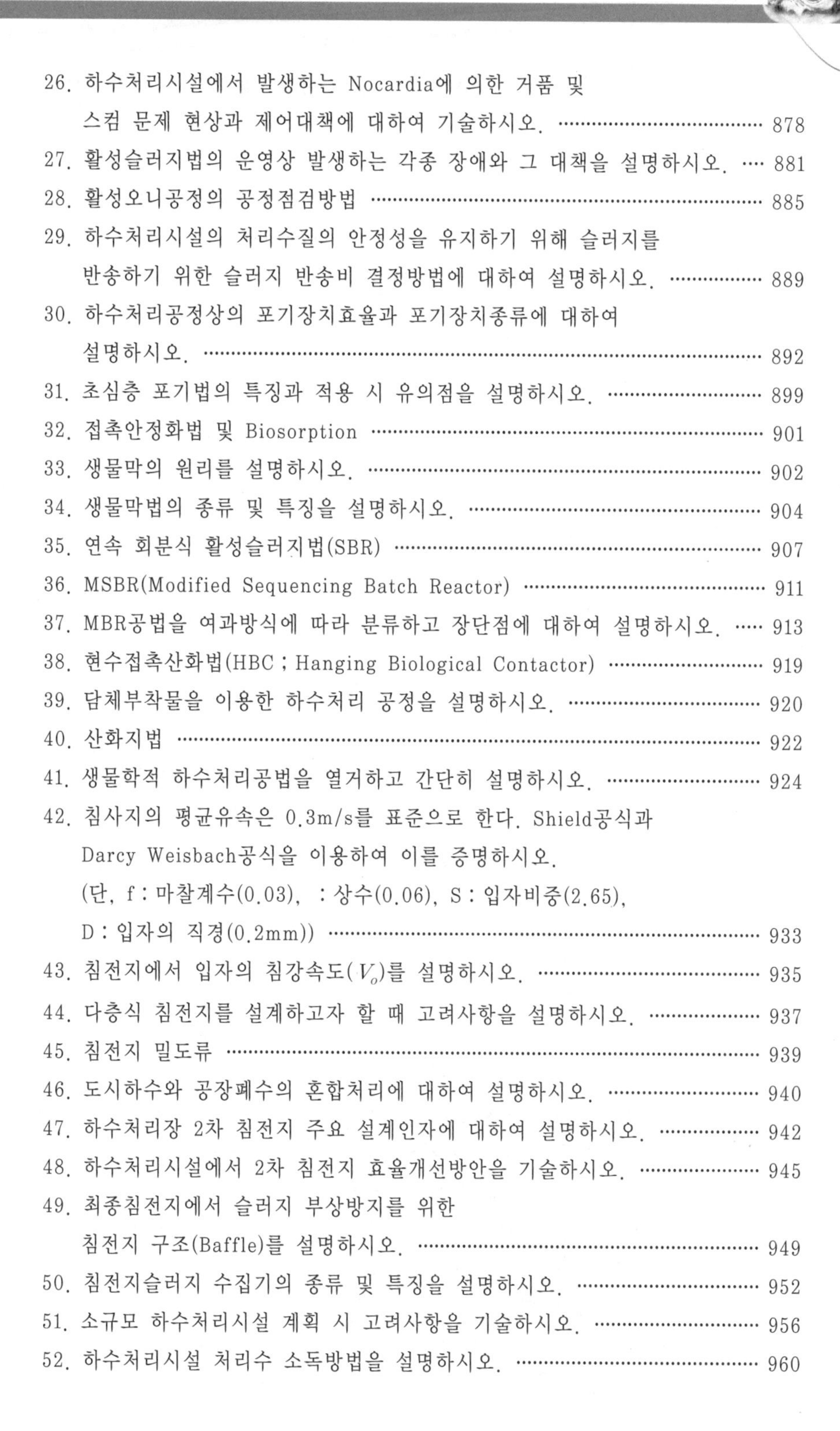

26. 하수처리시설에서 발생하는 Nocardia에 의한 거품 및 스컴 문제 현상과 제어대책에 대하여 기술하시오. ······ 878

27. 활성슬러지법의 운영상 발생하는 각종 장애와 그 대책을 설명하시오. ······ 881

28. 활성오니공정의 공정점검방법 ······ 885

29. 하수처리시설의 처리수질의 안정성을 유지하기 위해 슬러지를 반송하기 위한 슬러지 반송비 결정방법에 대하여 설명하시오. ······ 889

30. 하수처리공정상의 포기장치효율과 포기장치종류에 대하여 설명하시오. ······ 892

31. 초심층 포기법의 특징과 적용 시 유의점을 설명하시오. ······ 899

32. 접촉안정화법 및 Biosorption ······ 901

33. 생물막의 원리를 설명하시오. ······ 902

34. 생물막법의 종류 및 특징을 설명하시오. ······ 904

35. 연속 회분식 활성슬러지법(SBR) ······ 907

36. MSBR(Modified Sequencing Batch Reactor) ······ 911

37. MBR공법을 여과방식에 따라 분류하고 장단점에 대하여 설명하시오. ······ 913

38. 현수접촉산화법(HBC ; Hanging Biological Contactor) ······ 919

39. 담체부착물을 이용한 하수처리 공정을 설명하시오. ······ 920

40. 산화지법 ······ 922

41. 생물학적 하수처리공법을 열거하고 간단히 설명하시오. ······ 924

42. 침사지의 평균유속은 0.3m/s를 표준으로 한다. Shield공식과 Darcy Weisbach공식을 이용하여 이를 증명하시오. (단, f : 마찰계수(0.03), : 상수(0.06), S : 입자비중(2.65), D : 입자의 직경(0.2mm)) ······ 933

43. 침전지에서 입자의 침강속도(V_o)를 설명하시오. ······ 935

44. 다층식 침전지를 설계하고자 할 때 고려사항을 설명하시오. ······ 937

45. 침전지 밀도류 ······ 939

46. 도시하수와 공장폐수의 혼합처리에 대하여 설명하시오. ······ 940

47. 하수처리장 2차 침전지 주요 설계인자에 대하여 설명하시오. ······ 942

48. 하수처리시설에서 2차 침전지 효율개선방안을 기술하시오. ······ 945

49. 최종침전지에서 슬러지 부상방지를 위한 침전지 구조(Baffle)를 설명하시오. ······ 949

50. 침전지슬러지 수집기의 종류 및 특징을 설명하시오. ······ 952

51. 소규모 하수처리시설 계획 시 고려사항을 기술하시오. ······ 956

52. 하수처리시설 처리수 소독방법을 설명하시오. ······ 960

53. 하수처리수 재이용처리시설 RO막 배치방법 3가지를 설명하시오. ………… 963
54. 가정에서 나오는 하수는 수질에 따라 여러 가지 종류가 있다.
이들의 대략적인 양과 질(BOD, N, P 기준)을 제시하고,
각 발생원에서 발생하는 하수를 처리하기 위한 적절한 방법을
제시하시오. ………… 966
55. 공공하수처리시설과 폐수(축산)종말 처리시설의 처리공정 중
COD와 BOD농도변화를 설명하시오. ………… 970
56. 활성슬러지공정에서 BOD_5 측정값의 신뢰성 확보방안을 설명하시오. ………… 974
57. 하수처리시설 구조물 배치 시 고려사항을 설명하시오. ………… 976
58. 하수처리시설 내 부대시설에 대하여 설명하시오. ………… 978
59. 기존 하수처리시설 공정별 문제점 및 개선방안을 설명하시오. ………… 980
60. 하수처리시설 탈취설비를 설명하시오. ………… 985
61. 하수처리장 내에서 발생하는 악취 유발물질이 황화수소로 파악되어
화학 세정기(Chemical Scrubber)를 사용하여 제거하고자 한다.
악취의 제어와 처리시설의 설계시 일반적인 고려사항과
습식 화학 세정기의 주요특징을 설명하시오. ………… 989
62. 바이오필터(Bio Filter) 탈취방식을 설명하시오. ………… 991
63. 하수처리시설 구조물의 방수공법, 시공이음 및 신축이음 ………… 994
64. 전기·계측설비의 설계 및 설치 시 고려사항을 설명하시오. ………… 997
65. 공공하수처리시설 시운전 방법을 설명하시오. ………… 999
66. 하수도 시설의 여유공간에 대한 다목적 이용을 설명하시오. ………… 1002

Chapter 05 고도처리

1. 탄소와 질소의 물질 순환을 도시하고 설명하시오. ………… 1004
2. Free Ammonia(NH_3) ………… 1006
3. N·P의 특성을 설명하시오. ………… 1008
4. TN과 TKN을 비교하시오. ………… 1011
5. 생물학적 질소제거이론을 설명하시오. ………… 1013
6. 비질산화율(SNR : Specific Nitrification Ratio) ………… 1015
7. 질소화합물 배출원 ………… 1017
8. 생물학적 인 제거(BPR)의 이론 및 영향인자를 설명하시오. ………… 1018
9. CPR과 BPR의 특성을 비교 설명하시오. ………… 1021

10. PAOs의 특성을 설명하시오. 1023
11. 하수고도처리(3차 처리)의 개념 및 필요성을 설명하시오. 1024
12. 고도처리에 관여하는 미생물의 종류를 설명하시오. 1032
13. 고도처리공법의 종류 및 특징을 설명하시오. 1036
14. 질소 제거법에서 외부 영양원(메탄올) 공급의 필요성을 설명하시오. 1046
15. $MgNH_4PO_4$(Struvite) 1049
16. 알루미늄(Al^{3+})을 이용한 총인(T-P) 처리 시 화학반응식을 이용하여 다음을 계산하시오.(단, 총인과 Alkalinity를 제외한 알루미늄 소모량은 없다.) 1051
17. 선택조(Selector) 유지관리 1052
18. 국내 고도처리시설 현황을 설명하시오. 1054
19. 최근의 고도처리 기술동향을 설명하시오. 1057
20. 가동 중인 2차 처리 활성슬러지 하수처리장에서 인 제거를 위하여 화학적 침전을 고려하고 있다. 화학제 선택에 영향을 미치는 인자들을 기술하고, 화학제 투입지점 및 화학제의 주요특징을 설명하시오. 1061
21. 전기응집공정에 의한 총인 제거원리와 설계인자에 대하여 설명하시오. 1064
22. 화학적 총인처리시설 설치 시 고려하여야 할 사항을 설명하시오. 1067
23. 인 제거공정에서 전침전(Pre-precipitation), 공침(Co-precipitation), 후침전(Post-precipitation)을 비교 설명하시오. 1072
24. 기존하수처리시설에 대한 성능개선 및 공법변경계획 수립 시 고려사항을 설명하시오. 1074

Chapter 06 슬러지처리

1. 슬러지의 종류 및 표시법을 설명하시오. 1078
2. 슬러지의 처리의 공정별 특성을 설명하시오. 1080
3. 하수슬러지의 일반적인 특성을 설명하시오. 1083
4. 도시 하수처리시설에서 발생되는 슬러지의 특성을 설명하시오. 1086
5. 최근 법규정과 관련하여 하수슬러지를 처분하기 위한 고려사항을 기술하시오. 1089
6. 활성슬러지조에서 슬러지 발생량 산출공식 1091
7. 계획발생슬러지량과 함수율과의 관계식을 설명하시오. 1094

8. 슬러지의 농축 방식을 설명하시오. ············ 1097
9. 농축조 크기결정을 위한 침전관 실험에 대하여 설명하시오. ············ 1103
10. 초기 농도 CO가 3,200mg/L인 활성슬러지에 대하여 다음 그림과 같은 침강곡선을 얻었다. 침전컬럼의 초기계면 높이는 0.5m이다. 농축슬러지의 농도가 16,000mg/L이고 총 유입유량이 500m³/일일 경우 필요한 면적을 구하고, 고형물부하량과 월류속도도 함께 구하시오. ············ 1105
11. 부상식 농축조 ············ 1108
12. 슬러지의 개량 ············ 1110
13. 하수슬러지의 처리기술(중간 및 최종처리)을 설명하시오. ············ 1111
14. 소규모 처리시설의 합리적인 슬러지 처리방법을 설명하시오. ············ 1116
15. 슬러지의 최종 처분법으로 토지주입법의 장단점을 설명하시오. ············ 1118
16. 슬러지의 혐기성 소화와 호기성 소화의 특징을 비교하시오. ············ 1121
17. 혐기성 소화조의 설계인자 및 운전조건을 설명하시오. ············ 1123
18. Glucose의 혐기성 발효 경로를 설명하시오. ············ 1126
19. 혐기성 소화처리와 혐기성 소화공정 종류를 설명하시오. ············ 1128
20. 소화가스에 포함된 황화수소 제거기술을 설명하시오. ············ 1136
21. 혐기성 소화의 이상(異常)현상 발생원인 및 대책에 대하여 설명하시오. ············ 1138
22. 기존 하수처리장의 소화조를 개선하여 소화가스 발생량을 높이고자 할 때 고려해야 할 사항을 설명하시오. ············ 1144
23. 슬러지처리에서 ATAD(Auto Thermal Aerobic Digestion)를 설명하시오. ············ 1147
24. 슬러지 탈수성 시험법을 설명하시오. ············ 1148
25. 슬러지의 탈수법을 설명하시오. ············ 1151
26. BPR(Biological Phosphorus Removal) 슬러지 처분법 ············ 1157
27. Disk Filter(DF) ············ 1158
28. 고도처리(BNR) 슬러지의 처리 시 고려사항을 기술하시오. ············ 1161
29. Fermenter ············ 1165
30. 슬러지처리 공정의 반송수 처리방안을 기술하시오. ············ 1167
31. 분뇨와 하수의 합병처리에 대하여 기술하시오. ············ 1169
32. 하수슬러지 자원화 최종 처분방법을 설명하시오. ············ 1172
33. 하수처리시설 에너지 자립화 계획에 대하여 설명하시오. ············ 1175
34. 퇴비화(Composting) 반응인자를 설명하시오. ············ 1179
35. 하수처리 분야의 바이오에너지에 대하여 설명하시오. ············ 1183

Chapter 07 상하수도 계획

1. 상하수도 정책의 목표를 설명하시오. ······ 1188
2. 상하수도 설비와 관련한 법규의 종류를 열거하시오. ······ 1190
3. 상수도시설의 기본계획부터 설계, 공사에 이르기까지의 흐름을 사업단계, 주요 업무내용 및 수도법상의 절차로 도식화하여 설명하시오. ······ 1192
4. 상수도 기본계획 수립 시 수량적 및 수질적인 안정성 확보방안에 대해 기술하시오. ······ 1195
5. 정수장의 설계절차를 CPM Network 형식으로 도식화하여 설명하시오. ·· 1199
6. 물수요관리 종합계획을 설명하시오. ······ 1203
7. 물 재이용 관리계획 기본방침을 설명하시오. ······ 1207
8. 물수요관리 종합계획의 수립지침 ······ 1210
9. 수리학적 종단면도(Hydraulic Profile) ······ 1216
10. 하수도 설계기준상의 하수도계획 기본적인 사항에 대하여 설명하시오. ······ 1217
11. 인구추정 방법을 설명하시오. ······ 1221
12. 상수도 수요량 예측 및 계획하수량 산정 시 고려사항을 설명하시오. ···· 1225
13. 유수율과 무수율 ······ 1228
14. 유역단위 용수공급체계의 구축방안에 대하여 설명하시오. ······ 1232
15. 계획시간 최대급수량과 계획 1일 최대급수량의 관계 ······ 1235
16. 수도시설의 세부시설기준을 수도법에 근거하여 설명하시오. ······ 1237
17. 하수도 계획 시 바람직한 방안을 제시하시오. ······ 1242
18. 하수관거 정비 사업의 수행절차를 설명하시오. ······ 1244
19. 하수도정비 기본계획의 작성기준 목차 ······ 1246
20. 하수도정비 기본계획 수립 지침에서 기초조사 항목을 설명하시오. ······ 1249
21. 하수도정비 기본계획 시 배수구역 및 하수처리구역의 설정방법을 설명하시오. ······ 1253
22. 하수도정비 기본계획 수립지침에서 관거정비계획의 방향과 기준을 설명하시오. ······ 1256
23. 중수도 개발 효과를 설명하시오. ······ 1259
24. 물 재이용에 대하여 설명하시오. ······ 1265
25. 하수도시설에서 유역 통합 관리의 타당성을 설명하시오. ······ 1271
26. 상수도 사업 광역화 방안에 대하여 설명하시오. ······ 1274
27. 우리나라 소규모 수도시설 개선방안에 대해 서술하시오. ······ 1277

28. 인구당량(Population Equivalant) ······ 1281
29. 수질오염 총량관리제 도입 시 고려사항을 설명하시오. ······ 1283
30. 농촌지역에 적합한 하수처리시설 ······ 1289
31. 하수도시설 확충 및 성능개선에 대하여 설명하시오. ······ 1292
32. 집중호우에 대응한 우수량 산정에 대하여 설명하시오. ······ 1294
33. 우수유출량 산정과 우수관거의 설계를 설명하시오. ······ 1300
34. 유달시간과 강우지속시간과의 관계를 설명하시오. ······ 1305
35. 그린빗물인프라(GSI : Green Stormwater Infrastructure)를 설명하시오. ······ 1306
36. 기저유출(Baseflow)을 설명하시오. ······ 1308
37. 다음은 어느 도시의 분류식 하수도 계획구역이다. 주어진 조건을 참조하여 다음을 구하시오. ······ 1310
38. 합류식 하수도 우천 시 방류부하량 저감계획을 설명하시오. ······ 1312
39. CSOs와 SSOs ······ 1319
40. 차집관거 설치목적 ······ 1321
41. 합류식 하수도에서 우천 시 방류부하량(CSOs) 저감방법을 설명하시오. ······ 1322
42. 합류식 하수관거지역에서 강우 시 하수처리(3Q)에 대한 문제점 및 운영 개선방안에 대하여 설명하시오. ······ 1326
43. 간이공공하수처리시설 계획 시 고려사항에 대하여 설명하시오. ······ 1328
44. 우수토실(Storm Overflow Diverging Tank, Storm Overflow Chamber) ···· 1331
45. 비점오염 저감시설 종류별 설치기준에 대하여 기술하시오. ······ 1334
46. 비점오염 저감시설의 관리·운영기준에 대하여 기술하시오. ······ 1338
47. 강우 시 지붕면, 도로면, 합류식 하수관, 분류식 우수관, 농경지 등 우수가 모아지는 장소에 따라 제거해야 할 오염물질의 종류를 들고, 그것을 처리하는 방법을 설명하시오. ······ 1341
48. 강우 시 불완전분류식 지역에서 우수 유입을 차단하기 위한 하수관리방안에 대하여 설명하시오. ······ 1343
49. 음식물류 및 분뇨 직투입 하수관거 정비사업 시행 시 우선적으로 고려하여야 할 사항을 설명하시오. ······ 1347
50. 오수받이 ······ 1352
51. 도로상 빗물받이 설치현황 및 문제점, 집수능력 향상방안을 설명하시오. ······ 1354
52. 유수지(우수조정지) 설치 방법을 설명하시오. ······ 1357

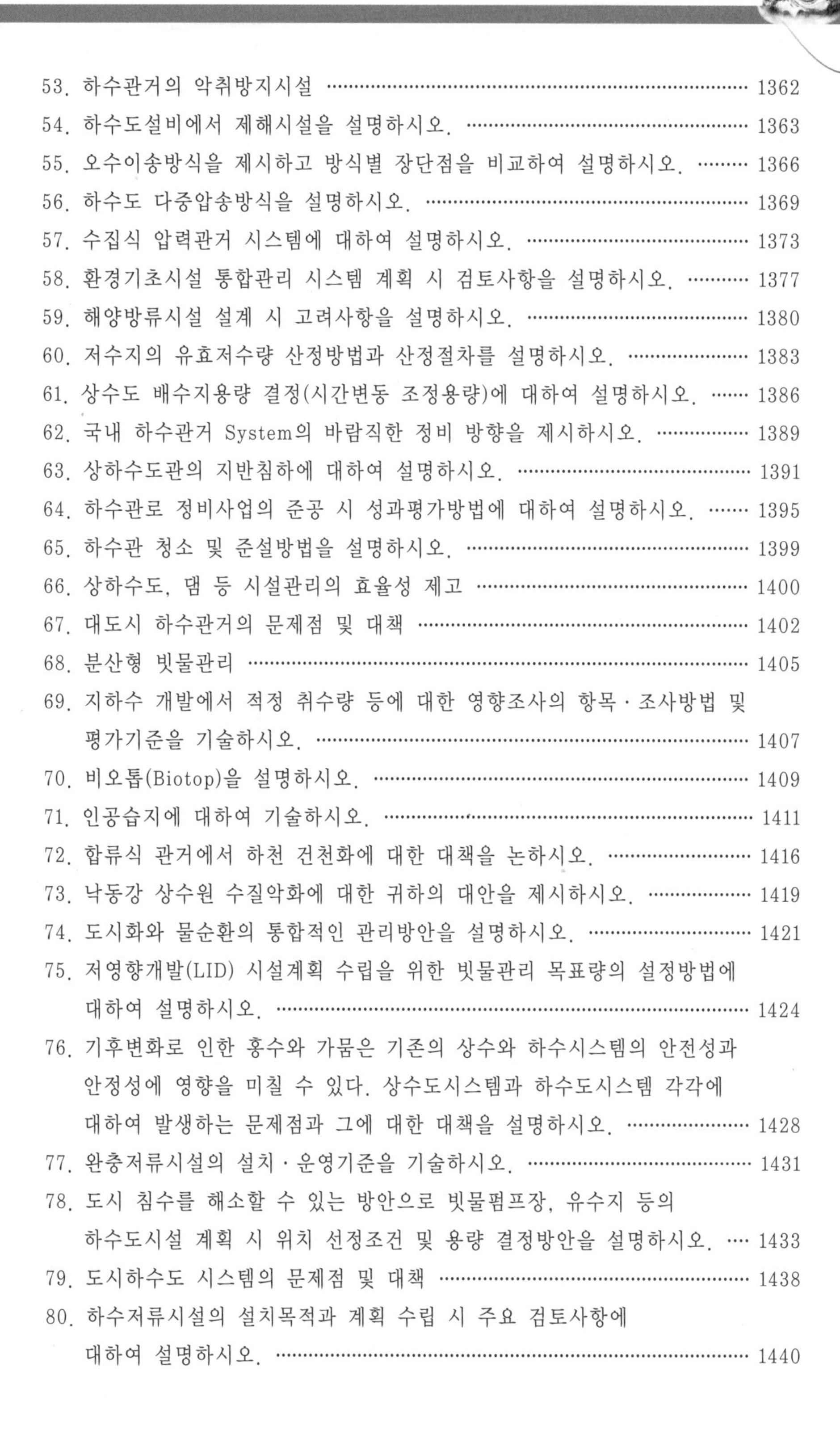

53. 하수관거의 악취방지시설 ······ 1362
54. 하수도설비에서 제해시설을 설명하시오. ······ 1363
55. 오수이송방식을 제시하고 방식별 장단점을 비교하여 설명하시오. ······ 1366
56. 하수도 다중압송방식을 설명하시오. ······ 1369
57. 수집식 압력관거 시스템에 대하여 설명하시오. ······ 1373
58. 환경기초시설 통합관리 시스템 계획 시 검토사항을 설명하시오. ······ 1377
59. 해양방류시설 설계 시 고려사항을 설명하시오. ······ 1380
60. 저수지의 유효저수량 산정방법과 산정절차를 설명하시오. ······ 1383
61. 상수도 배수지용량 결정(시간변동 조정용량)에 대하여 설명하시오. ······ 1386
62. 국내 하수관거 System의 바람직한 정비 방향을 제시하시오. ······ 1389
63. 상하수도관의 지반침하에 대하여 설명하시오. ······ 1391
64. 하수관로 정비사업의 준공 시 성과평가방법에 대하여 설명하시오. ······ 1395
65. 하수관 청소 및 준설방법을 설명하시오. ······ 1399
66. 상하수도, 댐 등 시설관리의 효율성 제고 ······ 1400
67. 대도시 하수관거의 문제점 및 대책 ······ 1402
68. 분산형 빗물관리 ······ 1405
69. 지하수 개발에서 적정 취수량 등에 대한 영향조사의 항목·조사방법 및 평가기준을 기술하시오. ······ 1407
70. 비오톱(Biotop)을 설명하시오. ······ 1409
71. 인공습지에 대하여 기술하시오. ······ 1411
72. 합류식 관거에서 하천 건천화에 대한 대책을 논하시오. ······ 1416
73. 낙동강 상수원 수질악화에 대한 귀하의 대안을 제시하시오. ······ 1419
74. 도시화와 물순환의 통합적인 관리방안을 설명하시오. ······ 1421
75. 저영향개발(LID) 시설계획 수립을 위한 빗물관리 목표량의 설정방법에 대하여 설명하시오. ······ 1424
76. 기후변화로 인한 홍수와 가뭄은 기존의 상수와 하수시스템의 안전성과 안정성에 영향을 미칠 수 있다. 상수도시스템과 하수도시스템 각각에 대하여 발생하는 문제점과 그에 대한 대책을 설명하시오. ······ 1428
77. 완충저류시설의 설치·운영기준을 기술하시오. ······ 1431
78. 도시 침수를 해소할 수 있는 방안으로 빗물펌프장, 유수지 등의 하수도시설 계획 시 위치 선정조건 및 용량 결정방안을 설명하시오. ······ 1433
79. 도시하수도 시스템의 문제점 및 대책 ······ 1438
80. 하수저류시설의 설치목적과 계획 수립 시 주요 검토사항에 대하여 설명하시오. ······ 1440

81. 자연배수시스템(NDS : Natural Drainage Systems)을 설명하시오. …… 1445
82. 집중호우에 대비한 도시 침수 대응방안으로
이중배수체계(Dual Drainage)에 대하여 기술하시오. …… 1449
83. 상수도시설의 에너지 절약방안 …… 1452
84. BTL(Build－Transfer－Lease)과 BTO(Build－Transfer－Operate) …… 1455
85. 산간지역에 도로를 개설하는데 우측이 절토구간, 좌측이 성토구간으로서
우측 산지의 계곡으로부터 우수유입이 예상되어 도로횡단 배수관을
매설하고자 한다. 이때 아래 조건을 기초로 유달시간, 유출계수,
배수로 유입유량, 소요관경 등 배수관을 설계하시오.(단, 유입구의 수위는
관의 상단과 같고, 유출구는 Free Outlet임) …… 1458
86. 합류식 하수관거의 설계순서를 설명하시오. …… 1462
87. 하수처리장의 부지배치계획 수립 및 계획고 결정 시
주요 고려사항을 설명하시오. …… 1463
88. 하수처리장에서 에너지 자원으로 활용할 수 있는 이용대상 및
에너지 절감방안에 대하여 설명하시오. …… 1465
89. 저탄소 녹색성장 방안을 설명하시오. …… 1469
90. Renovation과 Retrofitting을 설명하시오. …… 1471
91. 상하수도 정책 및 정보화 방향 …… 1472
92. 상하수도에서 에너지 사용 평가도구(EUAT)란 무엇인가? …… 1476
93. 하수관거의 침입수/유입수(I/I : Infiltration/Inflow) 문제와
대책 하수관거 내 설치되는 유량계실의 현황, 문제점 및
개선방안을 설명하시오. …… 1478
94. RDII(Rainfall Derived Infiltration Inflow)를 설명하시오. …… 1487
95. 하수관로에 포함되는 지하수량에 대하여 설명하시오. …… 1488
96. 상하수도 서비스 평가기준 개발사업의 필요성을 설명하시오. …… 1490
97. 지하수 오염의 문제점(구제역)과 복원기술 방법에 대하여 설명하시오. · 1493
98. 기술진단을 통한 정수장 운영효율 개선대책을 설명하시오. …… 1497
99. 지진발생 시 급수기능 확보를 위한 내진설계에 대하여 설명하시오. …… 1501
100. 정수장 실시설계 도면 구성에 대하여 설명하시오. …… 1506
101. 하수도 BIM(Building Information Modeling) 필요성에 대하여
기술하시오. …… 1508
102. 상하수도사업 발주방식의 종류와 기술제안서에 포함되어야 할
사항을 설명하시오. …… 1511
103. 물산업의 육성방안을 설명하시오. …… 1513
104. 국가물관리위원회에 대하여 설명하시오. …… 1516

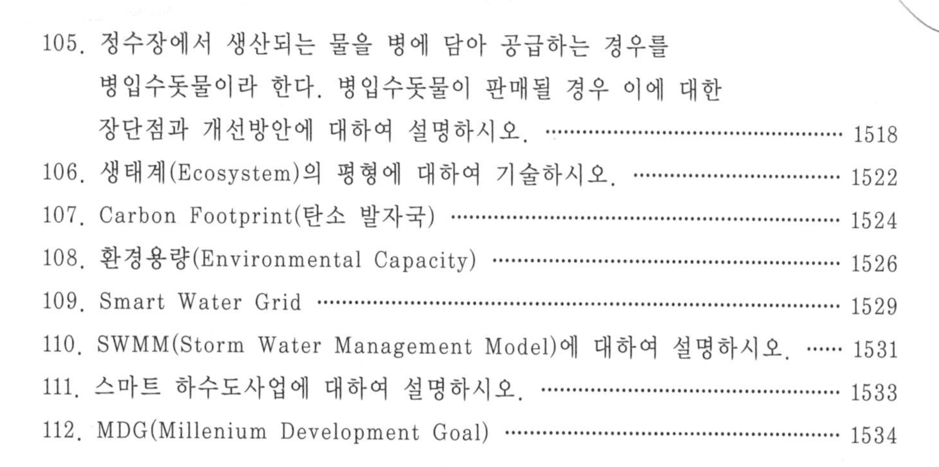

105. 정수장에서 생산되는 물을 병에 담아 공급하는 경우를 병입수돗물이라 한다. 병입수돗물이 판매될 경우 이에 대한 장단점과 개선방안에 대하여 설명하시오. ········ 1518
106. 생태계(Ecosystem)의 평형에 대하여 기술하시오. ········ 1522
107. Carbon Footprint(탄소 발자국) ········ 1524
108. 환경용량(Environmental Capacity) ········ 1526
109. Smart Water Grid ········ 1529
110. SWMM(Storm Water Management Model)에 대하여 설명하시오. ······ 1531
111. 스마트 하수도사업에 대하여 설명하시오. ········ 1533
112. MDG(Millenium Development Goal) ········ 1534

Chapter 08 최근 기출문제(제125회) 답안구성 예_1537

(제125회 기술사 Review 포함)

Chapter 09 기출문제(108~126회)_1597

Professional Engineer Water Supply Sewage

4. 하수처리

1 | BOD 부하

1. 정의

하수처리에서 BOD 부하란 하수처리 시스템에 가해지는 BOD량을 단위용적 또는 면적당 부하로 표현한 것이다.

2. BOD 용적부하(BOD Volume Loading)

1) 생물 처리조 용적 $1m^3$당 하루에 가해지는 BOD량

2) BOD 용적부하 $= \dfrac{\text{유입 BOD 총량}}{\text{반응조 용적}} = \dfrac{BOD \cdot Q}{V} = \dfrac{BOD \cdot Q}{Q \cdot t} = \dfrac{BOD}{t}$

3) 단위

$$\text{BOD 용적부하} = \frac{BOD \cdot Q \cdot 10^{-3}}{V} \ (kg\ BOD/m^3d)$$

4) 적용 범위

BOD 용적부하는 일반적으로 0.3~0.8kg $BOD/m^3 \cdot d$ 정도를 취할 때 미생물의 번식이 양호하다.

5) 도시 하수에서는 유입수의 평균 BOD가 거의 일정하기 때문에 BOD 용적부하와 HRT(수리학적 체류시간, V/Q)는 서로 반비례 관계에 있는 지표가 된다.

3. BOD 면적부하(BOD Area Loading)

1) 생물 처리조 표면적 $1m^2$당 하루에 가해지는 BOD량

2) BOD 면적부하 $= \dfrac{\text{유입 BOD 총량}}{\text{반응조 용적}} = \dfrac{BOD \cdot Q}{V} = \dfrac{BOD \cdot Q}{V/H}$

$= \text{BOD 용적부하} \cdot H$

3) 단위

$$\text{BOD 면적부하} = \frac{BOD \cdot Q \cdot 10^{-3}}{A} \ (kg\ BOD/m^2d)$$

4) 적용 범위

BOD 면적부하는 수처리 시스템 운영에 중요한 요소가 아니므로 일반적으로 BOD 용적부하를 적용하여 관리한다.

4. BOD 부하의 의미

하수처리 시스템에서 BOD 부하는 설계 및 운영상 중요한 인자이며 적절히 적용하지 못할 경우 시설용량의 과부족과 운영 시 침전 곤란 등의 문제점을 일으킨다.

1) BOD 부하를 크게 적용할 경우

동일한 처리량에 대하여 시설용량은 작아지나 운전시 과부하로 인하여 증식된 미생물이 침전지에서 침전이 안 되는 벌킹의 주원인이 된다.

2) BOD 부하를 작게 적용할 경우

동일한 처리량에 대하여 시설용량이 증가하고 운전 시 유입 유기물과 미생물의 균형이 파괴되어 정상적인 시스템 운영이 곤란해진다.

2 | F/M비

1. 정의

F/M비란 Food/Microbe 의미로 포기조 MLSS 단위량당 하루에 가해지는 BOD량을 말한다. 즉 미생물에 대한 유기물(Food)의 비율로 미생물 성장속도를 결정한다.

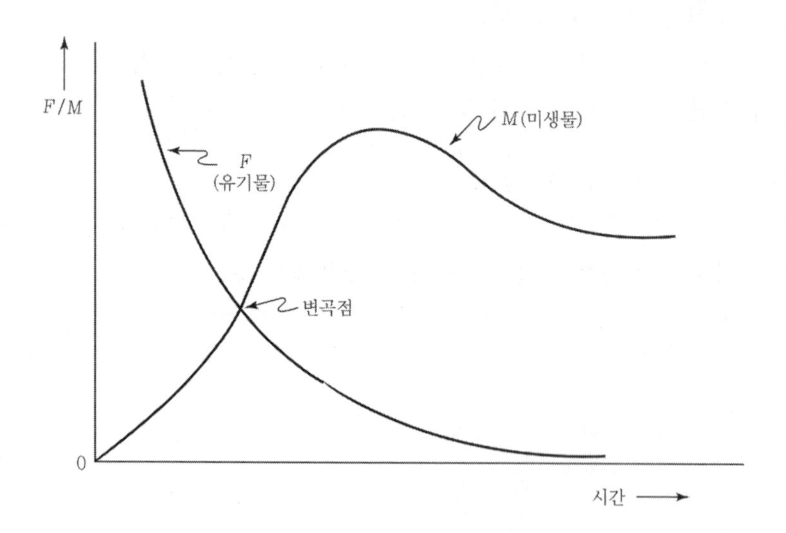

2) $F/M = \frac{\text{유입 BOD 총량}}{\text{반응조 내 미생물}} = \frac{BOD \cdot Q}{V \cdot MLSS} = \frac{BOD \cdot Q}{V \cdot X} = BOD/(MLSS \cdot t)$

3. F/M비의 의미와 단위

F/M비(kg BOD)/(kg MLSS/d)는 하루 동안에 포기조 내의 미생물 1kg당 가해지는 유입 BOD(유기물)kg을 의미한다.

4. F/M비의 적용

BOD 부하와 마찬가지로 F/M비는 시스템 운영의 중요한 인자이며 이들 인자를 어떻게 조절하느냐에 따라서 미생물 성장속도가 결정되고 처리시설 전체 처리효율이 결정되며 F/M비는 일반적으로 0.2~0.4kg/kg/d 정도를 적용한다.

5. F/M비의 결정인자

유입 BOD량과 반응조 미생물량이며 결국 BOD 부하와 SRT에 따라 F/M비가 결정된다.

6. BOD 부하, F/M비, SRT와의 관계

1) BOD 부하를 크게 할수록 F/M비는 커진다.
2) 포기조 내 미생물농도(MLSS)를 크게 할수록 F/M비는 작아진다.
3) F/M비를 크게 할수록 SRT는 작아지며 SRT를 크게 할수록 미생물농도가 증가하여 F/M비는 감소한다.
4) F/M비와 SRT의 관계식

$$\frac{1}{\mathrm{SRT}} = Y(\mathrm{F/M})r - K_d$$

Y : 미생물 증식계수
K_d : 내생호흡 감소계수

차 한잔의 여유

부귀와 명예가 도덕으로부터 온 것이면
마치 숲속의 꽃과 같이 스스로 무럭무럭 잘 자라고
공적(功積)으로부터 온 것이면 마치 화분 속에서 자란 꽃과 같이
이리저리 옮겨 다니며 흥망이 있게 된다.
그런데 만일 그것이 권력으로부터 얻어진 것이라면 마치 꽃병의 꽃과 같이
뿌리가 없으므로 그 시들어 가는 모습을 선 자리에서 기다려 지켜 볼 수 있을 것이다.

– 채근담 –

3 | SRT(Solid Retention Time, 고형물체류시간)

1. 정의

Solid Retention Time(고형물체류시간)이란 반응조, 침전지 등의 처리시스템 내에 존재하는 슬러지가 시스템 안에 체류하는 확률적 시간을 말한다.

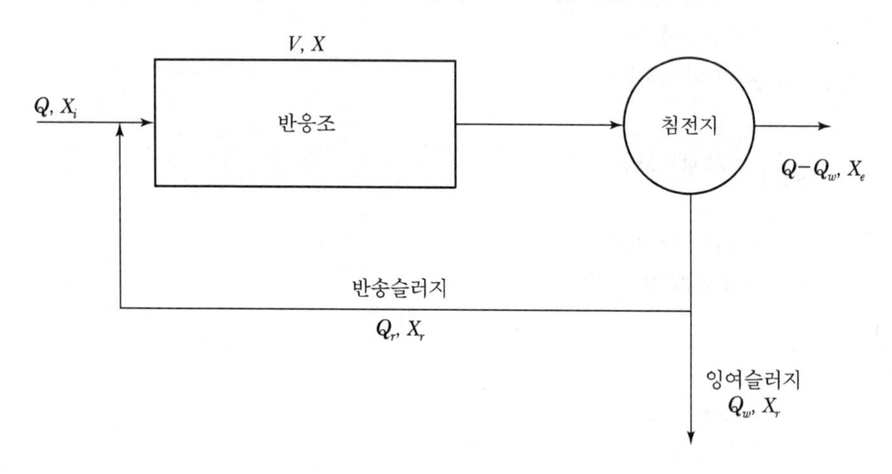

2. SRT 관계식

$$\text{SRT} = \frac{\text{반응조 내의 고형물량}}{\text{외부로 유출되는 고형물량}}$$

$$= \frac{V \cdot X}{Q_w X_r + (Q - Q_w) X_e} \fallingdotseq \frac{V \cdot X}{Q_w X_r}$$

$$= \text{kg MLSS}/(\text{kg WAS} + \text{kg SSeff})$$

3. SRT의 결정인자

미생물농도(X), 잉여슬러지 생산량(Q_w, X_r) 유출수의 SS농도(X_e) 등

4. SRT의 설정

SRT의 설정은 슬러지의 시스템 내 체류시간을 결정하므로 활성슬러지 중 특정 미생물의 증식 여부를 결정한다. 따라서 잉여슬러지량의 예측뿐만 아니리 유기물 제거 및 질산화 반응의 예측에도 이용할 수 있다.

1) SRT를 크게 할 때

(1) SRT를 크게 하면 시스템에 미생물이 오래 체류하면서 미생물농도를 증대시켜 F/M비를 감소시키며 미생물의 내생호흡에 의한 잉여슬러지 생산량도 감소한다.

(2) 또한 질산화 미생물은 비증식속도(SRT의 역수)가 작기 때문에 SRT를 크게 하여 질산화가 진행되도록 한다.

(3) 하지만 SRT가 너무 길어지면 미생물이 증식속도가 작아져서 처리효율 및 침전성이 악화되므로 여건에 알맞도록 적합한 SRT를 적용한다.

2) SRT를 작게 할 때

(1) SRT를 작게 하면 시스템에 미생물이 짧은 기간 체류하므로 미생물 상태가 안정적이지 못 하다.

(2) F/M비를 증대시켜 침전지에서 침전성이 떨어진다. 또한 질산화가 적게 진행되어 질소제거가 곤란해진다.

5. BOD와 슬러지 생산량

1kg BOD = 1.72kg BODu

- $\frac{1}{3}$: 산화
- $\frac{2}{3}$: 동화(합성) $= \frac{1.15}{1.42} = 0.8$kg 슬러지

4 | 미생물농도(MLSS, MLVSS)

1. 정의

MLSS(Mixed Liquor Suspended Solids) 는 포기조 내의 총 고형물량이며 MLVSS (Mixed Liquor Volatile Suspended Solids)는 포기조 내의 VSS농도로 고형물 중에서 휘발성 즉 유기물량으로 미생물량을 의미한다.

2. MLSS, MLVSS 영향인자

유입하수의 조성, 일차침전지의 제거율, 슬러지생산량, SVI, 포기시간, SRT 등에 따라 미생물농도가 달라진다. 즉, 미생물량은 유입 유기물농도에 비례하고 SRT에 반비례한다.

3. MLSS 관계식

포기조에서 원수 중 유입되는 고형물과 반송슬러지 고형물을 합한 것은 포기조의 혼합액 미생물과 같으므로 물질수지식을 세우면

$$Q \cdot X_i + Q_r \cdot X_r = (Q + Q_r)\mathrm{MLSS}$$

$$\therefore \ \mathrm{MLSS(X)} = \frac{Q \cdot X_i + Q_r \cdot X_r}{Q + Q_r} \fallingdotseq \frac{Q_r \cdot X_r}{Q + Q_r}$$

4. F/M비와 MLSS 관계식

$$\mathrm{F/M} = \frac{\text{유입 BOD 총량}}{\text{반응조 내 미생물}} = \frac{\mathrm{BOD} \cdot Q}{V \cdot \mathrm{MLSS}} = \frac{\mathrm{BOD} \cdot Q}{V \cdot X} \text{에서}$$

$$X = \frac{\mathrm{BOD} \cdot Q}{V \cdot (\mathrm{F/M})}$$

5. 적정 MLSS농도

포기조의 운영상태에 따라 MLSS농도는 달라지며 포기가 양호하고 교반을 강하게 할수록 MLSS농도는 증대시킬 수 있고 농도가 높을수록 BOD 부하도 크게 적용할 수 있다. 일반적으로 완전 혼합 포기조에서 MLSS 1,500~3,000mg/L 정도로 운영한다.

5 | SVI(Sludge Volume Index), SDI(Sludge Density Index)

1. SVI 정의

SVI는 슬러지 용적지수로 슬러지의 침강 농축성을 나타내는 지표이며, 포기조 혼합액 1L를 메스실린더나 Imhoff Cone에 넣어서 30분간 침전시킨 후 차지하는 부피(mL)와 미생물농도로 구한다.

2. SVI 관계식

1) SVI는 슬러지의 침강 농축성을 나타내는 지표로 침전지에서의 침전 상태를 추측할 수 있다.

2) 포기조 혼합액 1L를 메스실린더에 넣어서 30분간 침전 후 MLSS 1g이 차지하는 부피(mL)를 의미한다.

$$SVI = \frac{\text{30분 침강 후 슬러지 부피(mL/L)} \times 10^3}{\text{MLSS(mg/L)}}$$

$$= \frac{\text{SV(mL/L)} \times 10^3}{\text{MLSS(mg/L)}}$$

$$= \frac{\text{SV(\%)} \times 10^4}{\text{MLSS(mg/L)}}$$

3. SVI의 의미

SVI는 활성슬러지의 침전가능성을 나타내는 값으로 작을수록 침전이 잘되며 50~150(80~120)일 때 침전성은 양호하며 200 이상이면 슬러지 침강성이 불량하고 슬러지 Bulking이 발생할 수 있다.

4. SDI 정의

SDI는 슬러지 침강성 판단에 이용되는 지표로, 포기조 혼합액 1L를 30분간 침전시킨 후 100mL 속에 포함된 MLSS량을 나타낸 것이다.

5. SDI 관계식

1) SDI는 SVI와 마찬가지로 슬러지 침강성 판단에 이용되는 지표이다.
2) 포기조 혼합액 1L를 30분간 침전시킨 후 100mL 속에 포함된 MLSS량을 나타낸 것

$$SDI = \frac{MLSS(mg/L)}{SV(mL/L)\times 10}$$

3) $SVI \times SDI = 100$, 즉 $SDI = \frac{100}{SVI}$이다.
4) $SDI \geq 0.7$의 경우에 침전성이 양호하다.

6. 영향인자 및 관계식

SVI는 수온이 감소할수록 증가되는 경향이 있으며(수온 저하로 물의 점성 증가로 인한 침전불량) 반송슬러지농도(X_r)와 슬러지반송율(R)과는 다음 관계가 있다.

1) $SVI = \frac{SV(\%)\times 10^4}{MLSS(mg/L)}$ 에서 $X_r \times \frac{SV(\%)}{100} = MLSS$이므로

$$SVI = \frac{SV(\%)\times 10^4}{X_r \times SV(\%)/100} = 10^6/X_r$$

$\therefore X_r = 10^6/SVI$

2) 포기조에서 고형물 평형식

$Q \cdot X_i + Q_r \cdot X_r = (Q+Q_r)MLSS$에서 유입수 고형물을 무시하면

$Q_r \cdot X_r = (Q+Q_r)X$ 양변을 Q로 나누고 $R = Q_r/Q$로 하면

$R \cdot X_r = (1+R)X$

$$\therefore R = \frac{X}{X_r - X} \text{ 또한 } X_r \times SV = MLSS \text{ 이므로}$$

$$\therefore R = \frac{X}{\frac{X}{SV} - X} = \frac{SV}{1-SV} = \frac{SV(\%)}{100-SV(\%)}$$

7. 현장 응용

위와 같이 SVI와 X_r, X, 반송률의 관계로부터 반송률과 잉여슬러지량을 판단하기 위해 통상 메스실린더로 SV를 측정하여 당 현장의 여건과 경험치로부터 반송률을 결정하고 MLSS농도를 적정히 유지시킨다.

6 | 헨리의 법칙과 기체 용해도

1. 헨리의 법칙

일정한 온도에서 일정량의 액체에 용해하는 기체의 질량은 그 기체의 압력에 비례한다는 이론으로 기상의 압력이나 용해도가 크지 않을 때 성립하며,

$$X = (1/H) \cdot p$$

X : 용액 중 용질의 몰분율
p : 기체분압(atm),
H : 헨리상수(stm/mol 분율)
* H_2, O_2, N_2, CO_2 등에 적용, NH_3, Cl_2 등은 성립하지 않음

2. 기체의 용해도와 헨리 법칙

1) 기체는 활발하게 운동하므로 온도가 높을수록 운동에너지가 커져서 물에 녹기 어렵다. 또한 극성이 매우 작거나 무극성의 기체들은 물에 녹기가 더 어렵다.

2) 온도에 따른 기체의 용해도
온도가 올라갈수록 에너지가 커져 용해도 감소

3) 압력에 따른 기체의 용해도
무극성이나 극성이 작은 기체는 압력에 비례

3. 이중경막설(Two-film Theory)

1) Lewis와 Whitman(1924)이 제안
2) 기체-액체의 경계면에 두 개의 막이 존재한다는 물리학적 모델을 근거
3) 포기에 의한 산소의 용해는 가스상태의 산소가 용액 중으로 확산하는 현상이며, 이 중 경막설은 기체-액체 계면에서의 산소확산 현상을 정량화한 모델이다.

4) 기체상(공기)과 액체상(하수)이 접하는 경계면에 물질 이동에 대하여 저항하는 경계막, 즉 기경막과 액경막을 가정하고, 양상의 접촉면상에는 상시 기액 평형이 성립되어 있는 것으로 가정하는 모델이다.

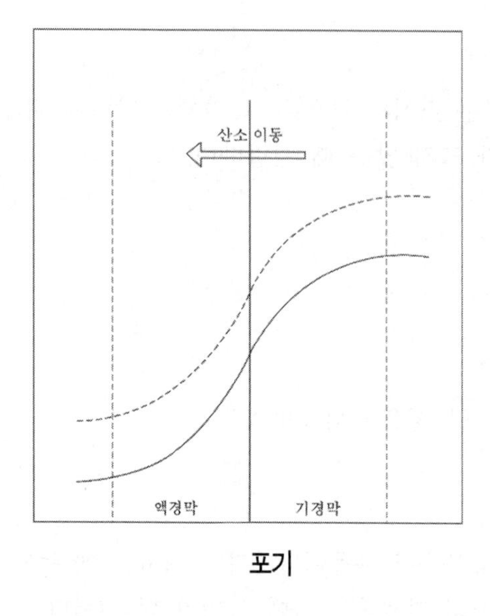

포기

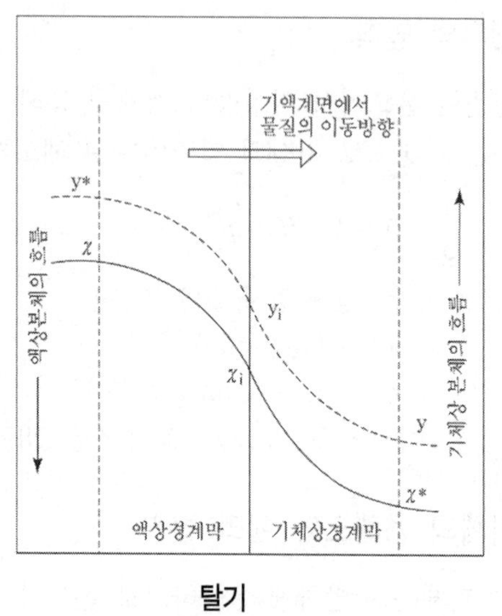

탈기

5) 이 학설에 따르면 산소와 같은 난용성 기체의 경우에는 액경막은 기체의 확산을 억제하며, 기경막은 기체의 확산에 저항받지 않아서 액경막을 통과한 산소분자는 빠르게 액상 내로 확산되기 때문에 액경막에 의한 산소분자의 확산만을 고려해도 된다.

4. Ficks의 법칙

확산에 관한 Ficks의 법칙은 아래와 같이 산소 확산계수와 접촉면적에 비례하고 기액면에서의 전달속도에 비례한다.

$$-dm/dt = -D \cdot A(dc/dx)$$

여기서, $-dm/dt$: 확산에 의한 산소이동의 시간변화

D : 산소의 확산계수, m^2/hr

A : 기액접촉면적, m^2

dc/dx : 기액접촉면에서 수직방향의 산소농도경시, kg/m^2m

5. 기체전달(포기)의 목적

1) 포기의 목적은 대기 중의 산소를 물속에 용해시켜 용존 산소의 농도를 높임으로써 산화작용과 호기성 미생물에 의한 유기물 분해작용을 촉진하고 물속에 녹아 있는 기체상의 CO_2, H_2S, CH_4 등을 제거
2) 포기는 기액물질 전달 과정으로 평형상태가 되기 위한 산소확산력(기력, Driving Force)에 의해 기체 전달
3) 기상에서는 분압 차이가 기력이 되고 액상에서는 농도 차이가 기력이 된다.

6. 산소의 이전 속도에 영향을 미치는 영향 인자

1) 접촉면적이 클수록 증가
2) 재포기율이 클수록 증가
3) 접촉시간이 길수록 증가
4) 산소의 분압이 클수록 증가
5) 온도가 높을수록 산소의 용해도는 낮아지고 산소전달계수는 커진다.

$$K_L(T) = K_L(20℃)\theta^{T-20}$$

6) 난류 혼합도를 증가시키면 총괄전달계수가 커진다.

7. 총괄산소이전계수(K_{La})

1) 포기조의 총괄 산소이전계수는 Ficks의 법칙과 이중경막설을 적용하면

$$N = \frac{D_L}{L} \cdot A(\mathrm{DOs} - \mathrm{DO}) \times 10^{-3}$$
$$= K_L \cdot A(\mathrm{DOs} - \mathrm{DO}) \times 10^{-3}$$

여기서, N : 산소이동속도, kg O_2/hr
D_L : 액경막에 있어서 산소의 확산계수, m^2/hr
L : 액경막의 두께, m
K_L : 액경막에 있어서 총괄산소 이전계수(D_L/L), m/hr
DOs, DO : 액상의 산소포화농도, 산소농도, mg/L

2) 또 반응조의 단위 부피당 산소이동속도를 고려하면, 단위 부피당 기체－액체 접촉면적(a)는 A/V가 되어 단위 부피당 산소 이동속도(N/V)는

$$N/V = K_L \cdot A/V(\text{DOs} - \text{DO}) \times 10^{-3}$$
$$= K_{La}(\text{DOs} - \text{DO}) \times 10^{-3}$$

여기서, K_{La} : 총괄산소이전계수($= K_L \cdot A/V$)/hr

3) 결국 포기조 부피당 산소이동속도(N/V)는 산소농도의 포화농도와의 차(DOs－DO)와 총괄산소이전계수 K_{La}에 비례한다.

8. K_{La}에 영향을 주는 인자

1) 송풍량과 포기 심도
   (1) 기포 직경이 작아 상대적인 접촉면적이 크고 수중에서의 체류시간이 증가하면 K_{La}는 증가한다.
   (2) 반응조 단위 체적당 기체－액체 접촉면적은 송풍량에 따라서 증가한다.

2) 수온 : 물에 대한 산소의 용해도는 수온이 높을수록 감소한다. 즉 수온이 높을수록 DOs는 감소한다.

3) 하수 중의 함유성분과 농도에 의하여 K_{La}값이 변화한다. 오염된 물에서 산소이전계수는 감소한다.

$\alpha = K_{La}$(활성슬러지)$/K_{La}$(청수)

산기식 포기 : $\alpha = 0.3 \sim 0.9$
기계식 포기 : $\alpha = 0.6 \sim 1.2$

7 | 포기조의 공기량 산정

1. 미생물 산화와 동화

미생물(활성슬러지)에 흡착된 유기물(CxHyOz)은 산화(에너지 생산)와 동화(세포합성)에 이용된다.

1) 산화(에너지 생산)
$C_xH_yO_z + k\ O_2 \rightarrow x\ CO_2 + y/2\ H_2O + Energy$

2) 동화(세포합성)
$(C_xH_yO_z)_n + n\ NH_3 + k\ O_2 + Energy \rightarrow (C_5H_7O_2N)_n + CO_2 + H_2O$

2. 산소량 결정 : 미생물 번식에 필요한 산소량은

1) 소요 산소량(Eckenfelder & O'conner 식)
BOD 제거와 MLSS 호흡에 필요한 산소량

$$KgO_2/d = aLa + bMLSS$$

여기서, a : 미생물 산화 · 분해 · 합성시 산소요구량($0.5kgO_2/kgBOD$)
La : BODu 제거량(kgBOD/d)
b : 내생호흡 시 산소요구량($0.1kgO_2/kgMLSS/d$)
MLSS : 미생물농도(kgMLSS)

2) Mckinney 식
이론적으로 산소소비량은 순수 산화 BOD량(제거 총 BOD량에서 잉여슬러지를 뺀 값)으로 결정된다.

$$kgO_2/d = f \cdot Q(So - S)(10^{-3}kg/g) - 1.42Px$$

So, S : 유입, 유출 BOD농도(mg/L)
P_X : 잉여슬러지량
Q : 처리수량(m^3/d)
f : BOD를 BODu로 환산한 값

3. 소요 공기량 : 산소량에서 공기량 산정

1) 공급 산소량=소요 산소량/전달률(용해효율)
   - 산소 전달률 : 난류 상태, 공기방울이 작을수록, 압력이 높을수록 증가
   - 산기식 포기장치 : 3.9~17.1%
   - 수중형 포기장치 : 15~35%
   - Fine Bubble : 75%, Ultra Bubble : 14%

2) 공급 공기량(m^3/d)=공급 산소량(kg/d)/23%(22.4/29)

$$\text{공급 공기량}(m^3/d) = \text{공급 산소량}(kg/d) \times \frac{22.4m^3\ O_2}{32kg\ O_2} \times \frac{100m^3\ Air}{21m^3\ O_2}$$

4. Aerator 성능 시험

1) 수중에 용존 산소 제거를 위한 Na_2SO_3 첨가

$$2Na_2SO_3 + O_2 \rightarrow 2Na_2SO_4$$

2) 촉매제 첨가($COCl_2$)
3) DO가 zero가 되면 Aerator를 가동시켜 단위 시간당 DO량 측정 K_{La} 계산

$$K_{La} = \frac{\ln(Cs - Ct)_{t=t1} - \ln(Cs - Ct)_{t=t2}}{t1 - t2}$$

4) 산소량(O_2) = $V \times K_{La}(C_s - C_t)$

8 | 하수처리 관련 설계인자(F/M비, SRT)를 설명하시오.

1. BOD 용적부하(BOD Volume Loading)

$$\text{BOD 용적부하} = \frac{\text{BOD} \cdot Q \cdot 10^{-3}}{V} (\text{kg BOD/m}^3/\text{d})$$

2. F/M비 의미와 단위

1) F/M비(kg BOD)/(kg MLSS/d)는 하루 동안에 포기조 내의 미생물 1kg당 가해지는 유입 BOD(유기물)량(kg)을 의미한다.

2) $$\text{F/M} = \frac{\text{유입 BOD 총량}}{\text{반응조 내 미생물}} = \frac{\text{BOD} \cdot Q}{V \cdot \text{MLSS}} = \frac{\text{BOD} \cdot Q}{V \cdot X} = \text{BOD}/(\text{MLSS} \cdot \text{t})$$

3. SRT 관계식

$$\text{SRT} = \frac{\text{반응조 내의 고형물량}}{\text{외부로 유출되는 고형물량}}$$

$$= \frac{V \cdot X}{Q_w X_r + (Q - Q_w) X_e} \fallingdotseq \frac{V \cdot X}{Q_w X_r}$$

$$= \text{kg MLSS/(kg WAS + kg SSeff)}$$

4. MLSS 관계식

포기조에서 원수 중 유입되는 고형물과 반송슬러지 고형물을 합한 것은 포기조의 미생물과 같으므로

$$Q \cdot X_i + Q_r \cdot X_r = (Q + Q_r)\text{MLSS}$$

$$\therefore \text{MLSS}(X) = \frac{Q \cdot X_i + Q_r \cdot X_r}{Q + Q_r} \fallingdotseq \frac{Q_r \cdot X_r}{Q + Q_r}$$

5. 단위시간당 잉여(폐)슬러지량($\text{WAS} = Q_w \cdot X_r$)

$$\text{WAS} = \frac{V \cdot X}{\text{SRT}} = \frac{YQ(S_o - S_e)}{1 + K_d \cdot \text{SRT}}$$

6. 미생물 반응 시 소요산소량(Eckenfelder & O'connor 식)

$$kgO_2/d = aL_a + b\text{MLSS}$$

여기서, a : 미생물 산화 · 분해 · 합성 시 산소요구량($0.5kgO_2/kgBOD$)
L_a : BODu 제거량(kgBOD/d)
b : 내생호흡 시 산소요구량($0.1kgO_2/kgMLSS/d$)
MLSS : 미생물농도(kgMLSS)

7. 완전혼합형에서 물질수지식

1) 반응조 축적률=유입률−유출률+증식률

$$dx/dt = QX_o - [Q_w \cdot X_r + (Q - Q_w)X_e] + V \cdot r_g'$$

r_g' : 미생물 증식속도

이때 정상상태에서 축적률$(dx/dt) = 0$이고, 유입수 $X_o = 0$이라면

$$0 = -[Q_w \cdot X_r + (Q - Q_w)X_e] + V \cdot r_g'$$

증식속도 $r_g' = Y \cdot r_{su} - K_d \cdot X$이므로 대입하여 정리하면
r_{su} : 유기물 제거율

$$\frac{V(Y \cdot r_{su} - K_d \cdot X)}{Q_w \cdot X_r + (Q - Q_w) \cdot X_e} = 1$$

2) $Q_w \cdot X_r + (Q - Q_w)X_e = VX/\text{SRT}$이므로 위 식에 대입하면

$$\frac{V(Y \cdot r_{su} - K_d \cdot X)}{VX/\text{SRT}} = 1$$

$$\frac{\text{SRT}(Y \cdot r_{su} - K_d \cdot X)}{X} = 1$$

$$\text{SRT}(Y \cdot r_{su}/X - K_d) = 1$$

$$\therefore\ 1/\text{SRT} = Y \cdot \frac{r_{su}}{X} - K_d \text{(SRT} = \theta c\text{로 표기하면)}$$

$$\therefore\ 1/\theta c = Y \cdot \frac{r_{su}}{X} - K_d = Y \cdot (\text{F/M})r - K_d$$

9 | 전처리설비(스크린, 분쇄기 및 마이크로 스트레이너)

1. 스크린

1) 개요

(1) 유입되는 하수에서 비교적 큰 부유물(나뭇조각, 걸레, 음식찌꺼기 등)을 제거

(2) 방류수역의 오염 방지 및 Pump 보호, 하수처리 공정을 원활히 하기 위함

2) 분류

(1) 구조상

봉 스크린(Bar Rackn s), 격자 스크린(Grating s),망 스크린(Fine s)

(2) 망목의 크기에 따라

조목(50mm 이상), 중목(25~50mm), 세목(25mm 미만)

3) 설치 위치

(1) 침사지와 조합하여 처리시설 유입부에 설치

(2) 조목 스크린은 침사지 앞, 세목 스크린은 침사지 뒤에 설치

4) 스크린 경사각 : 인력 제거 시 45~60°, 기계식 70°

5) 통과 유속 : 0.45~0.80m/s

6) 손실수두(h)

$$h = \beta \cdot \sin\alpha \left(\frac{t}{b}\right)^{4/3} \cdot \frac{v^2}{2g}$$

β : 스크린 막대 형상 계수 　　α : 각도

t : screen 굵기(cm) 　　b : 유효간격(cm)

7) 스크린의 용도

(1) 취수시설 스크린

- 보통 강철제의 조망(2.5~7.5cm)
- 유속 1m/s 이하

(2) 우수용 스크린

- 보통 침사지 뒤에 설치
- 유효간격 2.5~5cm

(3) 폐수처리용 스크린
- 스크린은 침사지 전방에 설치
- 유효간격 6cm 이하
- 인력 청소(2.5cm~5cm), 기계식(1.5cm~7.5cm)

2. 분쇄기

1) 부유 고형물을 5~10mm 크기로 분쇄하여 처리 계통을 보호함
2) 분쇄기는 스크린과 조합하거나 침사지 앞에 설치, 마모를 작게 하고 수명을 길게 하기 위해 침사지 뒤에 설치하기로 한다.
3) 설치 시 수로의 크기, 유량의 범위, 상하류상의 소요동력을 고려할 것

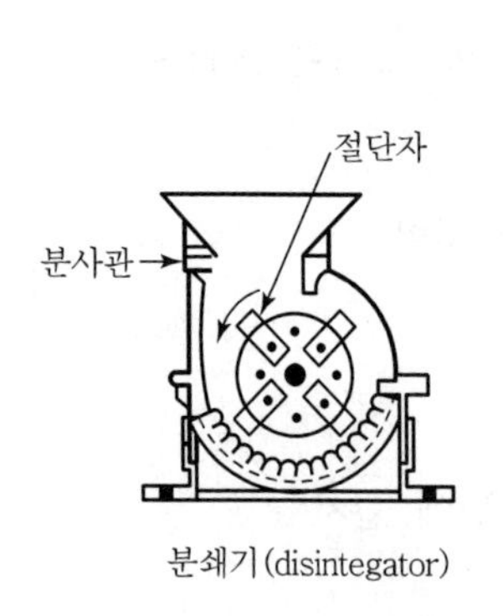

분쇄기(disintegator)

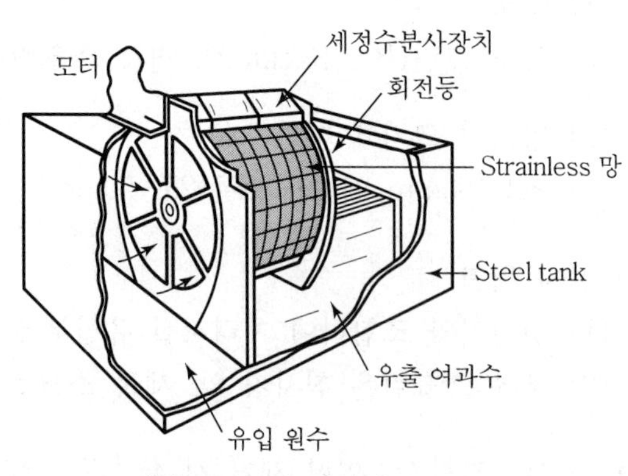

마이크로 스트레이너

3. 마이크로 스트레이너(Micro-strainer)

회전 원통에 미세공을 갖는 망을 붙여 수중에 부유하는 현탁물, 플랑크톤, 조류 등의 고형 부유물을 여과하는 장치

1) 원리

유입원수와 유출수와의 수위차에 의하여 물이 망을 통과하는 동안 회전통의 미세망(Micro-strainer)에 의하여 부유물이 걸러지고 망의 막힘을 방지하기 위해 물을 분사하여 망을 세정한다. Micro-strainer는 수두손실이 적은 편이고 제거된 부유물이 어느 정도 막을 형성하면 여과효율이 좋아진다.

2) 용도

(1) 상수도나 공업용수 정수과정에서 조류 등 제거
(2) 폐수처리에서는 최종 처리부 등에서 부유물질 제거에 이용

10 | 중소규모 하수처리시설 유입부 처리설비를 계획할 때 고려사항을 설명하시오.

1. 개요

하수처리시설 유입부는 침사지, 스크린 등으로 구성되어 있으며 모래나 협잡물의 적절한 처리가 이루어지지 않으면 펌프, 관로, 반응조 등에 피해를 줄 수 있다.

2. 침사지 설비

1) 현재 국내에서 주로 사용하고 있는 중력식 침사방식은 주로 자연낙하속도에 의하여 모래 및 협잡물을 제거하는 설비로서 다음과 같은 특성을 지니고 있어 합리적인 처리방식을 도입하여야 한다.

(1) 중력식 침사방식은 시설부지 면적이 다른 방식에 비하여 매우 크나 침사제거효율이 낮으며 특히, 우천 시에는 처리능력 초과로 처리효율이 급격히 떨어짐
(2) 중력식 침사시설은 대부분 지하에 설치되어 있어 설치비용이 과다하게 소요되고, 기계·전기설비의 부식이 심하여 내구연한이 떨어지고, 운영관리가 불편하며, 악취를 배출하고 있는 대표적인 시설임

2) 중·소규모 하수처리시설 또는 소규모하수처리시설의 침사지 시설을 설계할 경우에는 다음 사항에 유의하여 처리방식을 선정하여야 한다.

(1) 침사지 방식을 선정할 경우에는 중력식, 포기식, 기계식(선회류식, 선와류식 등)등에 대해서 경제성, 기술성, 환경성 및 유지관리 측면 등을 종합적으로 비교·검토한 후 선정하고 그 결과를 설계보고서에 반드시 제시하여야 한다.
(2) 소규모하수처리시설에서 침사지를 설계할 경우에는 하수관거가 대부분 분류식으로 설치되고 관거연장이 짧아 침사물의 발생량이 적은 점을 충분히 고려하여 침사방식을 선정하여야 한다.

3) 침사세정기는 대부분 기능이 불확실하고 효율성이 떨어지므로 특별한 경우가 아니면 설치하지 않는다.

3. 스크린 설비

1) 대규모 하수처리시설에는 조목 스크린을 40~100mm, 세목 스크린을 20mm로 설치하였으나, 중·소규모 하수처리시설 또는 소규모하수처리시설에는 조목 스크린에 걸리는 협잡물이 없을 것으로 예상되어 스크린 기종 선정에 신중을 기하여야 한다.
2) 중·소규모 하수처리시설 또는 소규모하수처리시설에는 침사지 전단에 10~40mm의 세목 스크린을, 침사지 후단에는 2~5mm의 미세목 스크린을 설치하는 방안을 적극 검토하여야 한다. 미세목 스크린을 설치하면 침사물 및 협잡물 제거효율을 높일 수 있고, 무기성 침전물의 일부를 제거할 수 있다.
3) 중·소규모 하수처리시설 또는 소규모하수처리시설에는 수 처리기능에 장애가 되지 않을 경우 협잡물 및 침사류를 함께 제거하는 기계식 스크린 등의 도입을 적극 고려하여야 한다.
4) 파쇄장치는 토사 및 협잡물을 파쇄하여 후단 기계설비를 보호하기 위한 시설로서 스크린설비로 충분히 제거효율을 높일 수 있는 경우가 많아 파쇄장치의 설치 여부는 특별히 필요할 경우에만 설치하여야 한다.
5) 협잡물 이송 및 저장은 양이 적으므로 협잡물 박스에 모아서 인력 반출 또는 전동호이스트로 운반차에 적재하여 반출하는 방식을 고려한다.
6) 협잡물 제거는 연속 자동스크린에 의해 제거하는 것을 원칙으로 하고 향후 무인자동화 운전에 대비하여 자동스크린 설치방안을 강구하여야 한다.
7) 스크린부의 유효유속은 시간최대하수량을 기준으로 하고 수동스크린은 0.3~0.45m/초, 자동스크린은 0.45~0.6m/초로 하며 설치수로의 폭에 따라 결정하여야 한다.

4. 중계펌프장과 유입펌프 설비

1) 하수관거에서 중계펌프장을 이용하여 하수를 전량 압송하는 경우에는 중계펌프장에 침사설비를 설치하고, 처리시설 내에는 특별한 경우를 제외하고는 침사지 및 유입 펌프 설비를 설치하지 않도록 한다.
2) 하수배제방식이 합류식으로 계획된 하수처리시설 또는 소규모하수처리시설의 경우에는 다음 원칙에 따라 이송방식 및 침사지의 설치위치를 선정하여야 한다.

   (1) 하수관거의 굴착심도가 깊거나 암반굴착인 경우 하수이송방식은 자연유하식과 중계펌프장(스크류형 등)에 의하여 압송하는 방안을 비교·분석하여 선정하여야 한다.
   (2) 하수관거의 매설심도를 낮출 경우 중계펌프장 및 하수처리시설의 펌프설비를 스크류형으로 할 수 있고, 침사설비를 지상에 설치할 수 있어 설비가 간단해지고 시공 및 유지관리가 용이하게 된다.

11 | 포기식 침사지를 설명하시오.

1. 개요

포기식 침사지는 바닥에 포기관을 설치하여 침사지 내의 하수에 선회류를 일으켜 원심력으로 무거운 토사를 분리시키는 시설형태로 유기물 함량이 높아서 혐기화가 우려되는 경우에 적합하고 포기에 의한 교반작용과 원심분리기능을 가진다.

2. 침사지의 종류 및 특성

1) 수평류식 침사지

(1) 직사각형

- 가장 오래된 형태로 속도 0.3m/s 정도
- 설계 속도에서 대부분 유기성 입자는 침사지를 그냥 통과하고 무거운 Grit은 침전되며 침전된 Grit은 스크레이나 버킷, 컨베이어 등으로 제거

(2) 정사각형

- 유입수는 여러 개의 날개나 수문에 의해 Tank의 전단면에 분배
- 입자 크기에 따른 원류속도 등에 따라 설계

2) 포기식 침사지(Airafed Grit Chamber)

- 소규모 시설에 많이 사용
- 유기물 함유량이 많은 오수 침사지에 유효
- 0.2mm 이상 입자 제거
- 유속은 0.3~0.4m/s 정도, 체류시간은 3~4분 정도
- 포기식은 나선형의 흐름을 유발시키는 나선형 흐름포기조로 구성되어 있고 Tank의 치수와 장치에 공급되는 공기의 양에 의해 제어
- 하・폐수의 예방처리가 가능
- 스키밍으로 그리스 성분 제거

3) 와류식 침사지(Vortex Grit Chamber)

- 와류 흐름을 형성시키기 위해 접선형 원통 Tank로 구성
- 원심력과 중력에 의해 Grit 분리

- 원형 선회류식은 원형의 침사지에 접선방향으로 하수를 유입, 유출시키고 저속의 임펠러로 선회류를 발생시켜 침사물이 중력과 경사지 Hopper를 통해 하부 수집조로 수집되는 원리
- 가벼운 유기물질은 침전되지 않고 유출
- Compact Design 가능, 설치면적 건설비 감소
- 넓은 유량범위에서 효율이 안정됨
- 프로펠러 날에 의해 Grit으로부터 유기물의 분리효과가 있다.

차 한잔의 여유

결코 그르치는 일이 없는 사람은
아무 것도 하지 않는 사람뿐이다.
– 로맹 롤랑 –

12 | 수처리 유량조정조 용량 결정방법을 설명하시오.

1. 유량조정조 설치 목적

유량조정조는 유입하수의 유량과 수질의 변동을 흡수해서 균등화함으로써, 처리시설의 효율을 향상시켜 처리수질의 향상을 도모할 목적으로 설치한다.
유량이 적은 소규모 처리장의 경우에는 유입수량과 수질의 변동폭이 크므로 필요시에 경제성, 부지 확보 가능 여부 등을 종합적으로 검토하여 설치한다.

2. 유량조정조 용량 결정방법

1) 조의 용량은 유입하수량 및 유입부하량의 시간변동을 고려하여 설정수량을 초과하는 수량을 일시 저류할 수 있는 크기로 한다.
2) 조의 용량은 처리장에 유입되는 하수량의 시간변동에 의해 정하나 일반적으로 시간최대하수량이 일간평균치(계획1일 최대하수량의 시간평균치)에 대해 1.5배 이상이 되는 경우에 고려할 수 있다.

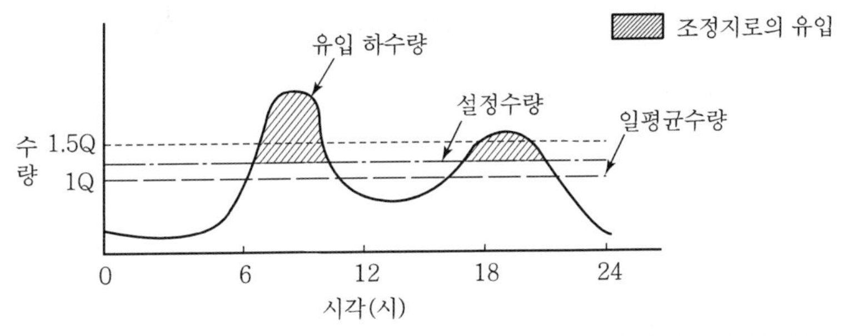

주 : 일 평균수량은 계획 1일 최대오수량에 있어서 시간평균치를 의미한다.

3) 단, 산화구법, 장기포기법, 연속회분식활성슬러지법(SBR) 등과 같이 체류시간이 길어 유량변동에 강한 처리시설의 경우는 예외로 함
4) 유입하수의 변동형태는 처리구역 내의 지형, 토지이용현황, 생활형태 등을 검토하여 정한다.
5) 유량조정조에서는 양 · 질을 동시에 24시간 균등하게 조정하는 것이 이상적이지만, 지의 용량이 크게 되고 건설비도 커져 비경제적이며 동시에 부하량을 균등화하는 것은 실제로는 운전 · 제어가 복잡하게 된다.

6) 조정조는 유입량의 조정에 의한 유입부하량의 조정을 기본으로 하나, 다만 분류식의 경우 필요에 따라 유입수질의 변동을 고려한 유입부하량 조정을 고려할 수 있다.

3. 유량 조정조 용량 계산

1) 위와 같은 유량변동 특성이 조사되면 아래와 같이 유입량 누가곡선을 작성하여 도상에서 소요 조정조 용량을 구하는 방안도 있다. 실제 조정조 용량은 포기 및 교반을 위한 최소수심유지, 구내반송수 유입 및 주간유량 변화에 대한 여유율을 고려하여 20% 정도 크게 결정

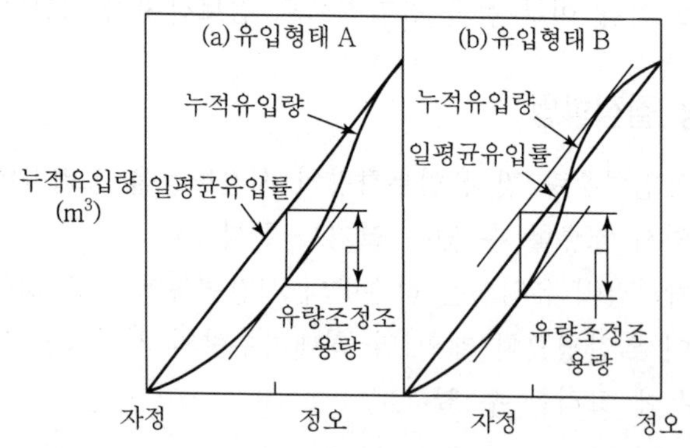

유입량 누가곡선에 의한 소요조정조 용량 산정

2) 배출수량과 조정수량차에 배출시간을 곱하여 계산

$$V = \left(\frac{Q}{T} - \frac{Q}{24}\right) T \cdot K$$

여기서, V : 유량조정조 용량(m^3)
K : 조정유량비(1.5 이하 : 통상 1.15~1.3)
T : 하수배출시간(h)
Q : 계획일평균하수량(m^3/d)

4. 유량 조정조 설계 시 고려사항

1) 유입하수량의 조정
조정방법에는 완전 균등화를 도모하는 방법과 어느 정도 변동을 허용하는 방법이 있으며, 완전 균등화는 유량조가 커져 비경제적이므로 유입하수 조정 후 변동비를 1.3~1.5 정도로 유지하는 것을 표준으로 한다.

2) 유량조정조의 용량
조의 크기는 계획일 최대유량 이상을 일시적으로 저류해서 시간최대유량이 계획일최대유량의 1.5배 이하가 되도록 결정하며 유효수심은 3~5m 정도이다.

3) 교반장치
조 내의 침전물이 발생하지 않도록 교반시설을 설치한다. 교반방식은 조 내의 수위 변동이 크므로 특히 저수위 때의 교반을 고려하여 정한다.

4) 산기식(포기식 조정조)의 경우 공기공급량은 $1.0m^3/m^3 \cdot hr$ 정도로 한다.
특히 질소, 인 공정의 경우에는 유기물 이용의 극대화를 위하여 산기식 대신에 기계식 수중교반기를 설치하는 것이 좋다.

5. 유량조정조 설치방식

1) 인라인(In-Line) 방식

(1) 처리계통에 직렬로 설치하여 유입하수의 전량이 유량조정조를 통과하는 방식으로 수량 및 수질의 균일화 효과가 우수하지만 조의 용량이 커지고, 기존 처리장의 설치 시 공사가 난이하다.

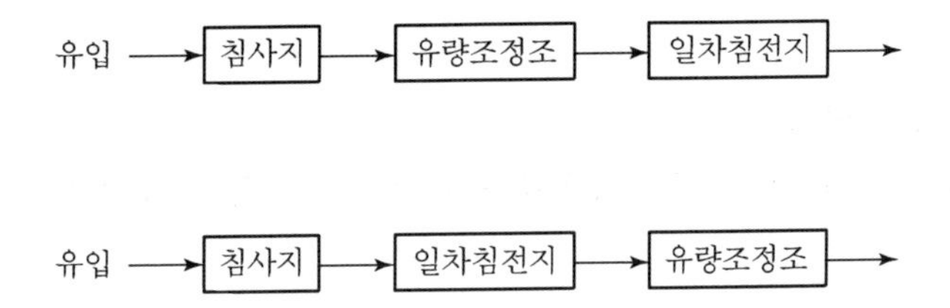

(2) 균등화 정도
유입하수의 전량이 유량조정조를 통하여 혼합되기 때문에 Peak 시 농도가 저하되어 질의 균등화가 어느 정도 기대된다.

(3) 유량 조정의 난이
유량 조정조 인발펌프를 제어하여 유량의 균일화를 용이하게 수행

(4) 용량 및 개조
조정조의 용량이 크기 때문에 개조가 어렵다. 즉, 주 Flow 내에 시설을 설치하기 때문에 개조가 어렵고 주펌프의 양정, 전기설비 용량 증가 등 기존시설의 변경이 수반되는 경우가 많다.

2) 사이드라인(Side-Line) 방식

(1) 처리계통에 병렬로 연결하여 일최대하수량을 초과하는 수량만 유량조정조에 유입시켜 수량과 수질의 균등화를 도모하는 방식으로, 인라인 방식보다 균등화 효과는 저조하지만 조의 용량이 소형이며 기존 처리장에 설치 시 처리공정에 지장 없이 설치가 가능하다.

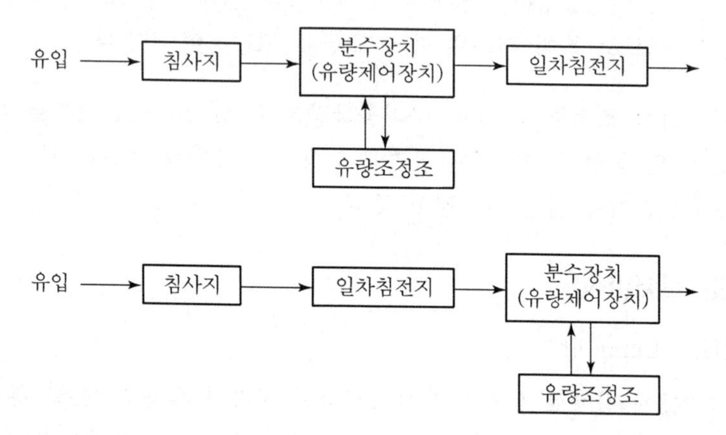

(2) 균등화 정도
일정 유입량을 초과하는 양이 유량조정조로 유입되기 때문에 수질의 균등화는 떨어진다.

(3) 유량조정의 난이
분수량, 하수배출시간 등을 제어하는 것이 필요하며 유량의 균일화가 다소 어렵다.

(4) 용량 및 개조
조정조의 용량은 직렬방식보다 적고 시설의 추가공사로 기존 시설에 미치는 영향이 적어 기존 시설의 적용에 용이

6. 유량 조정 포기조의 장점

유량 조정조에 포기장치를 둔 유량 조정 포기조의 장점은

1) 충격부하에 잘 견디며, 독성물질을 희석하고 혐기화를 방지한다.
2) pH가 안정된다.
3) 생물학적 처리 효율 증가
4) 고형물 부하를 일정하게 유지시켜 주므로 2차 침전지 성능 향상
5) 화학적 처리 시 수질부하 변동이 감소되어 효율 증대

13 | 물질 수지(Material Balance)

1. 물질수지와 반응

1) 개요

수처리 공정에 관한 정량적인 해석은 각 단위 공정에 대한 물질의 흐름에 관한 입량과 출량 및 축적량의 관계를 나타내는 물질수지와 에너지의 흐름에 관한 입열과 출열 및 축적열 사이의 관계를 나타내는 에너지 밸런스에 의해 해석한다.

2) 물질수지의 원칙

(1) 물질의 기본이 되는 질량은 질량 불변의 법칙에 의하여 변하지 않는다. 따라서 유입량과 유출량의 차이는 계에 축적된다는 이론

(2) 수처리에서 미생물에 의한 반응이 없으면 물질수지식만 세우고 반응이 일어나는 경우에는 반응차수에 따라 식을 세운다.

3) 물질수지의 해석 순서(동력학 모형 물질수지식 참조)

(1) 문제 의미를 파악한다.
(2) 흐름도를 그리고 유입, 유출량을 표시한다.
(3) 각 흐름의 유량을 파악한다.
(4) 화학 반응이 일어나면 반응식을 세운다.
(5) 계산의 기준을 가정한다.
(6) 계산식을 세우고 문제를 해석한다.

2. 계의 종류 특징

1) 폐쇄계(Isolated System)

계와 외부 사이에 질량 및 에너지의 이동이 없는 계

2) 닫힌계(Closed System)

계와 외부 사이에 질량의 이동이 없는 계(에너지의 이동 여부와는 관계없다.)

3) 개방계(Open System)

(1) 계와 외부 사이에 에너지의 이동 여부와 관계없이 질량의 이동이 존재하는 계
(2) 물질수지에 관한 해석은 보통 개방계로 본다.

4) 단열계(Adiabatic System)

계와 외부 사이에 에너지의 이동이 없는 계

※ 닫힌계와 개방계는 에너지 이론과 무관하다.

14 | 반응차수별 농도계산식과 반감기의 계산공식

1. 반응 차수란

반응이 일어나면 시간에 따라 농도가 변하기 때문에 농도의 변화율. 즉, 미분값 dC/dt의 상태에 따라 0차, 1차, 2차, 반응으로 나눈다.

2. 차수별 특징

기본반응식을 작성해 보면 반응에 따라 농도가 감소하기 때문에 부호는 (−)가 되고 반응은 반응차수에 비례하여 일어난다. 0차란 농도 C의 0제곱에 비례하여 농도가 변화한다.

1) 0차 반응

- C의 0제곱 $=C^0=1$, $dC/dt=-k$,
  그러므로 $C=-k\times t+Co$

2) 1차 반응

- C의 1제곱 $=C^1=C$, $dC/dt=-k\times C$
  그러므로 $C=Co\times \exp(-k\times t)$, $\ln C=-k\times t+\ln Co$

3) 2차 반응

- C의 2제곱 $=C^2$, $dC/dt=-k\times C^2$
  그러므로 $\frac{1}{C}-\frac{1}{Co}=k\times t$

3. 그래프로 나타낸 농도 계산 공식

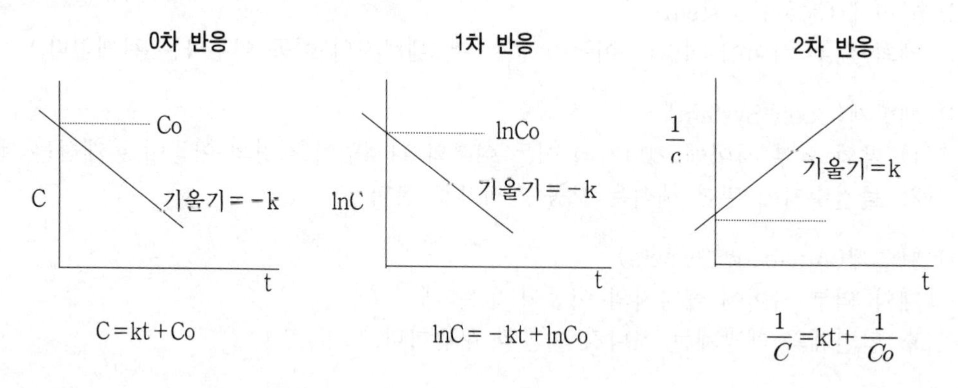

C=kt+Co　　　$\ln C=-kt+\ln Co$　　　$\frac{1}{C}=kt+\frac{1}{Co}$

15 | 수처리 반응조별 농도 계산식을 설명하시오.

1. 화학반응 공정의 종류

1) 회분식 공정(Batch Process) : 공정은 닫힌계
반응이 일어나는 사이에는 계의 경계를 통한 물질의 이동이 없는 계

2) 비회분식 공정(Semi-batch Process) : 회분식과 연속식의 중간 유형
간헐적 주입, 연속적 생성물 배출이거나 연속적 주입, 간헐적 생성물 배출이다.

3) 연속식 공정(Continuous Process) : 개방계
흐름 형태에 따른 분류 : 압출흐름(Plug Flow), 완전혼합흐름(Complete Mix Flow), 불완전혼합흐름(Intermedinted Flow)

2. 반응조별 농도 계산

1) 회분식 반응조(Batch Reactor)

(1) 0차 반응

- 조 내 축적량=유입량-유출량-반응감소량
- $V \cdot dC/dt = 0 - 0 - kV$
- $V \cdot dC/dt = -kV$
- $dC = -kdt$

$$\therefore C = -kt + Co \qquad \left(t = \frac{Co - C}{k}\right)$$

(2) 1차 반응

- 조 내 축적량=유입량-유출량-반응감소량
- $V \cdot dC/dt = 0 - 0 - (V \cdot C \cdot k)$
- $dC/dt = -kC$
- $dC/C = -kdt$
- $\ln C - \ln Co = -kt$

$$\therefore \ln C = -kt + \ln Co$$

(3) 2차 반응

$dC/dt = -kC^2$ $dC/C^2 = -k \cdot dt$

$\therefore\ 1/C = k \cdot t + 1/Co$

2) 압출류형 반응조(Plug Flow)

- 상하 혼합은 있으나 좌우 혼합은 무시
- 모든 액체는 수리학적 체류시간(td=V/Q)만큼 체류
- 조 내의 농도는 평형상태에서 일정하다고 본다.

(1) 0차 반응

- 조 내 축적량=유입량-유출량-반응감소량
- $V \cdot dC/dt = QC - Q(C+dC) - VkC$ $(dC/dt = 0,\ C = 1)$
- $O = QC - Q(C+dC) - V(k \times 1)$
- $Q \cdot dC = -V \cdot k = -A \cdot dx \cdot k$ $(V = A \cdot dx)$
- $dC = -(A/Q) \cdot dx \cdot k$를 적분하면
- $\int_{co}^{c} dC = -\left(\frac{A}{Q}\right) k \int_{o}^{L} dx$
- $C - C_0 = \left(\frac{-A}{Q}\right) k \cdot L = -\frac{V}{Q} \cdot k = -kt$

$\therefore\ C = -kt + C_0$

(2) 1차 반응

- 조 내 축적량=유입량-유출량-반응감소량
- $V \cdot dC/dt = QC - Q(C+dC) - V(kC)$
- $O = QC - Q(C+dC) - V(kC)$
- $Q \cdot dC = -V \cdot k \cdot C = -A \cdot dx \cdot k \cdot C$
- $\frac{dC}{C} = -\left(\frac{A}{Q}\right) \cdot dx \cdot k$을 적분하면
- $\int_{Co}^{C} \frac{dc}{c} = -\left(\frac{A}{Q}\right) k \int_{o}^{L} dx$
- $\ln\frac{C}{Co} = -\frac{A}{Q}kL = -\frac{V}{Q}k = -kt$

$\therefore\ C = Co \cdot e^{-kt}$

3) 완전혼합 반응조(CFSTR)

(1) 0차 반응

- 조 내 축적량=유입량-유출량-반응감소량
- $V \cdot dC/dt = QCo - QC - Vk = 0$
- $C - Co = -\left(\frac{V}{Q}\right)k = -kt$

$\therefore\ C = -kt + Co$

(2) 1차 반응

- $0 = QCo - QC - V(kC)$
- $C - Co = -\left(\frac{V}{Q}\right)kC = -k\,t\,C$
- $Co = C(1 + kt)$

$\therefore\ \frac{C}{Co} = \frac{1}{(1 + kt)}$

16 | 수처리 반응조의 종류 및 특징을 설명하시오.

1. 개요

폐수처리에 이용되는 반응조란 화학적 또는 생물학적 반응이 일어나는 그릇, 용기 또는 탱크를 말하며 폐수처리에 사용되는 주된 반응기와 그 특징은 다음과 같다.

2. 반응기의 종류 및 특징

1) 회분식 반응조(Batch Reactor)
반응조에서 도입되거나 배출되는 흐름이 없으며 액상 내용물은 완전 혼합된다.

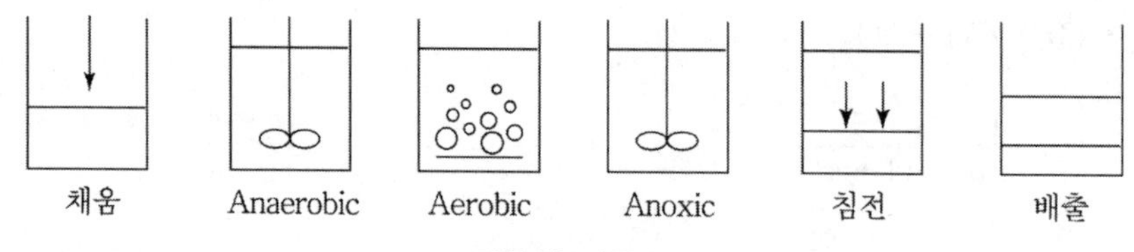

회분식 반응조

2) 플러그 흐름 반응조(관형흐름 반응조 : Plug-flow Reactor)

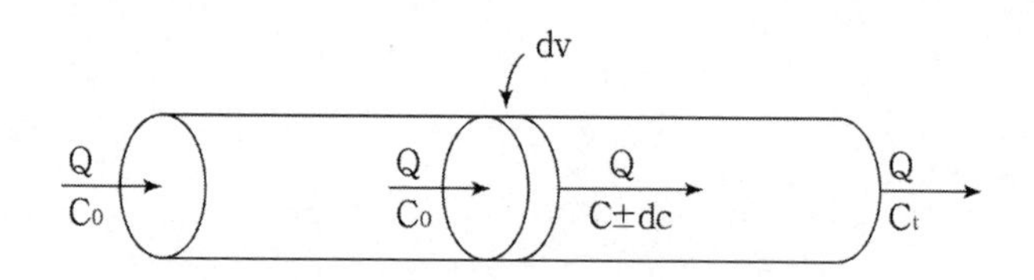

플러그 흐름 반응조

(1) 유체입자는 유입될 때와 마찬가지 순서로 탱크를 통과해서 배출된다.
(2) 유체상태는 입자상태를 유지하며 이론적 체류시간과 같은 시간동안 탱크 안에 체류한다.
(3) 길이 대 폭의 비가 큰 탱크에서 볼 수 있으며 종방향분산은 최소이거나 없다.

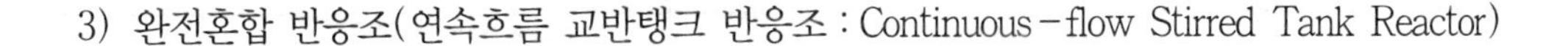

3) 완전혼합 반응조(연속흐름 교반탱크 반응조 : Continuous－flow Stirred Tank Reactor)

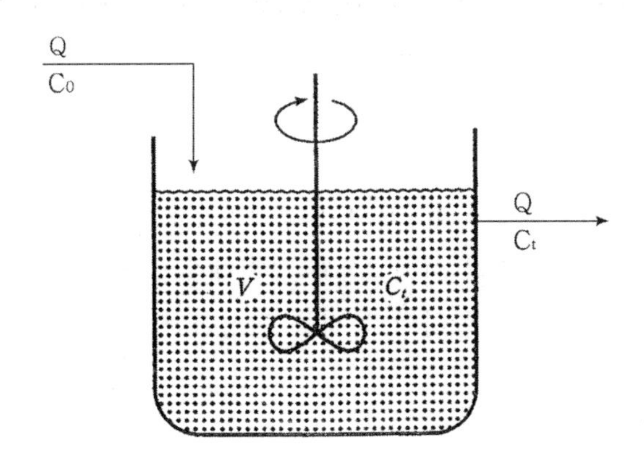

(1) 입자가 탱크 안에 유입되면 즉시 반응조 전체에 분산되어 완전혼합이 일어나며
(2) 입자는 통계적인 모집단에 비례하여 반응조에서 배출된다.
(3) 원형 또는 직사각형 탱크에서 내용물을 균일하게 연속적으로 재분산시키면 완전혼합상태가 될 수 있다.

4) 임의 흐름 반응조(Arbitrary－flow Reactor)
플러그 흐름과 완전 혼합 사이의 중간 형태

5) 순차적 완전혼합 반응조
완전혼합 반응조가 순차적으로 하나의 반응조로 연결된다면 완전혼합이 우세하고 많은 수로 연결되면 플러그 흐름이 우세하다.

6) 충진층 반응조(Packed－bed Reactor)
(1) 혐기성여상(흐름이 완전히 채워진 형태)과 살수여상(간헐적으로 공급되는 형태)이 있으며 반응기 내부가 자갈, 플라스틱, Slag 등과 같은 충진 매체로 채워져 있다.
(2) 혐기성여상은 흐름이 완전히 채워진 상태이고 상수여상은 간헐적 공급 상태이다.

7) 유동층 반응조(Flulizod－bed Reactor)
(1) 충진층 반응조와 비슷하며 충진 매체가 유체의 상향 흐름에 대해서 팽창되게 한다.
(2) 충진공극률은 유량을 조절하여 변경시킬 수 있다.

17 | Plug Flow Type과 Complete Mix Type을 비교하시오.

1. 개요

활성슬러지공법에 의한 하수처리 시에 반응조는 혼합액의 혼합방식에 따라 Plug Flow형과 완전혼합형이 있으며 처리효율과 부하대응성 등에서 서로의 특성이 있으므로 시스템 구성 시 적절히 조합하여 목적을 달성한다.

2. Plug Flow Type

1) 긴 장방형 수로를 가지는 반응조
2) 인접한 유체 사이의 종단혼합이 발생하지 않는다고 가정하고 반응이 길이에 따른 반응물질의 농도 변화가 주관심인 흐름 형태

3) 특징
   (1) 유입구 부근의 BOD 부하가 매우 높아 산소요구량도 높다.
   (2) 이러한 상태로 Sludge Bulking과 효율이 감소
   (3) 단락류를 방지하기 위해 완전혼합형 반응조를 격벽으로 분리하여 사용

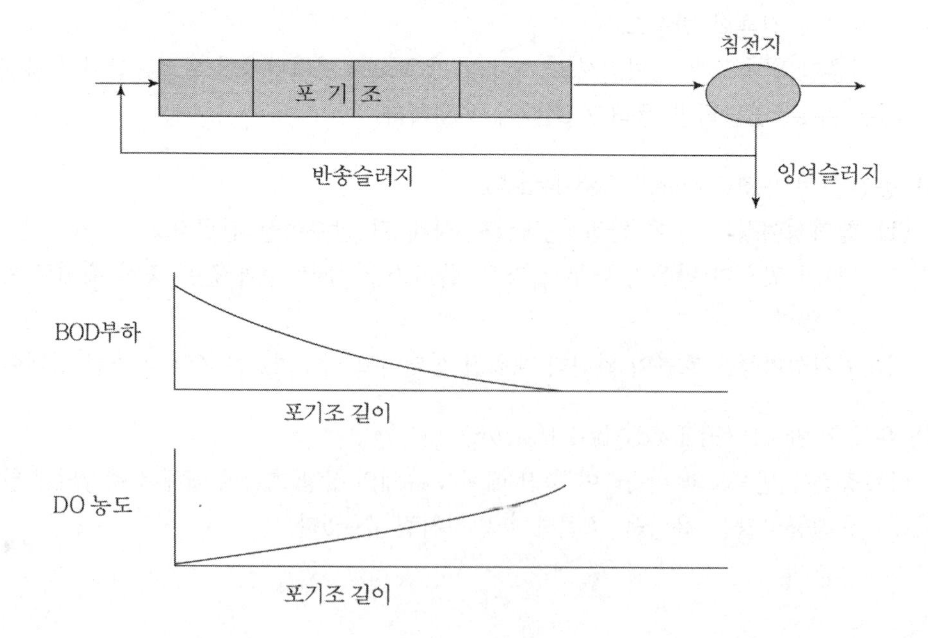

4) 반응식(1차 반응)

- 조 내 축적량 = 유입량 - 유출량 - 반응감소량
- $V \cdot dC/dt = \mathrm{In} - \mathrm{Out} +$ 반응$(-kCV)$
- $V \cdot dC/dt = QC - Q(C + dC) - V(kC)$
- $O = QC - Q(C + dC) - V(kC)$
- $Q \cdot dC = -V \cdot k \cdot C$

$$\therefore\ C = Co \cdot e^{-kt}$$

3. Completed Mix Type(CFSTR)

1) 유입된 하수가 반응조 내의 혼합액과 매우 빠른 시간에 혼합되어 유입된 기질이 내부로 급속히 확산, 혼합 균등화되는 구조이며
2) MLSS농도와 DO농도는 조 내 어디서나 동일하다고 본다.
3) 유독물질이 유입되더라도 미생물에 미치는 영향을 줄일 수 있어 충격부하나 부하변동에 강하다.
4) 유입과 동시에 유출되는 단회로 현상이 발생한다.

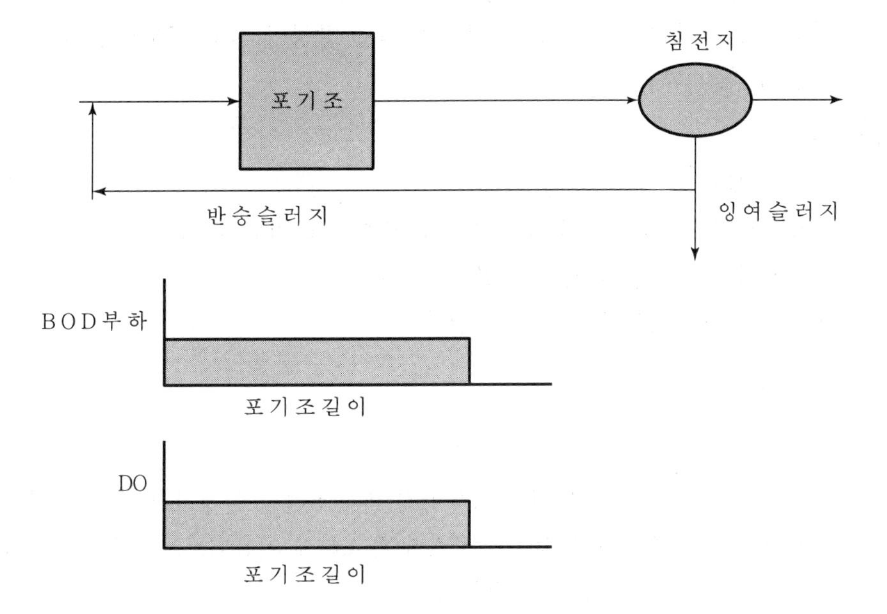

5) 반응식(1차 반응)

- 조 내 축적량=유입량−유출량−반응감소량
- $V \cdot dC/dt = \mathrm{In} - \mathrm{Out} + 반응(-kCV)$
- $V \cdot dC/dt = QCo - QCt - (-kCV)$ 정상상태 $dC/dt = 0$, $Ct = C$
- $QCo = Ct(Q + kV)$
- $Ct = \dfrac{Q \cdot Co}{Q + kV} = \dfrac{Co}{1 + k\dfrac{V}{Q}} = \dfrac{Co}{1 + k \cdot T}$
- $T = \dfrac{1}{k}\left(\dfrac{Co}{Ct} - 1\right)$

4. Plug Flow Type과 Complete Mix Type 장단점

1) PFT

(1) 장점

- 유기물 제거율이 높아 동일한 제거 효율을 얻기 위한 반응조 크기가 작아짐
- 포기에 필요한 동력 소요가 적다.
- 계단식, 점감식 등 부하 변동에 대처할 수 있는 구조 변경이 가능
- 부하 조건이 안정된 조건인 경우 단회로 발생이 적고 고도의 처리수는 얻을 수 있다.

(2) 단점

- 충격 부하, 부하 변동에 민감
- 유입부의 BOD 부하가 높아 DO가 부족 슬러지화 우려
- 유해물질의 유입에 극히 민감
- 처리기능에 변화를 가져오기 쉽다.

2) CMT(CFSTR)

(1) 장점

- 포기조 내의 모든 부분에서 생물학적 환경조건이 일정하고 효율적 처리 가능
- 산소의 이송 속도가 일정하고 공기가 유효하게 이용되므로 고농도처리가 가능
- 충격 부하나 부하 변동에 강하다.
- 유독물질 유입 시에 미생물에 의한 영향을 줄일 수 있다.
- 포기조 내 높은 MLSS, 산소공급이 가능

(2) 단점

- 동일한 용량의 PFR보다 처리 효율이 낮다.(이론상)
- 동력 소요, 단회로 문제
- 포기조 형상, 포기 방법 등에 제약

5. 교반 상태 비교

1) 분산수(Dispersion Number) : D_N

- $D_N = D/V \cdot L$

  D : 분산계수, V : 유속, L : 조의 길이
- $0 < D/V \cdot L < \infty$
- 분산수 $D/V \cdot L$ 클수록 CMT, 적을수록 Plug Flow

2) 분산(Variance) : δ^2

$$\delta^2 = 2(D/VL) - (D/VL)^2 \cdot (1 - \exp(-VL/D))$$

- δ^2가 1에 가까울수록 CMT
- δ^2가 0에 접근할수록 PFT

3) Morrill지수 : M

$$M = t_{90}/t_{10}$$

t_{90} : 90% 유출되는 시간, t_{10} : 10% 유출되는 시간

- M이 1에 가까울수록 PFT
- M이 클수록 CMT

18 | 생물반응조에서 동력학 모형을 설명하시오.

1. 개요

미생물 증식 동력학이란 미생물이 유기물을 분해 섭취 증식하는 과정에서의 관계식을 해석하는 것을 말하며 생물학적 처리에서 물질수지의 근거가 된다.

2. 동력학 모형해석의 가정조건

1) BOD는 용해성기질과 비용해성 기질로 구분

2) 용해성기질을 이용하는 미생물의 증식속도는 Monod식에 따라 표현

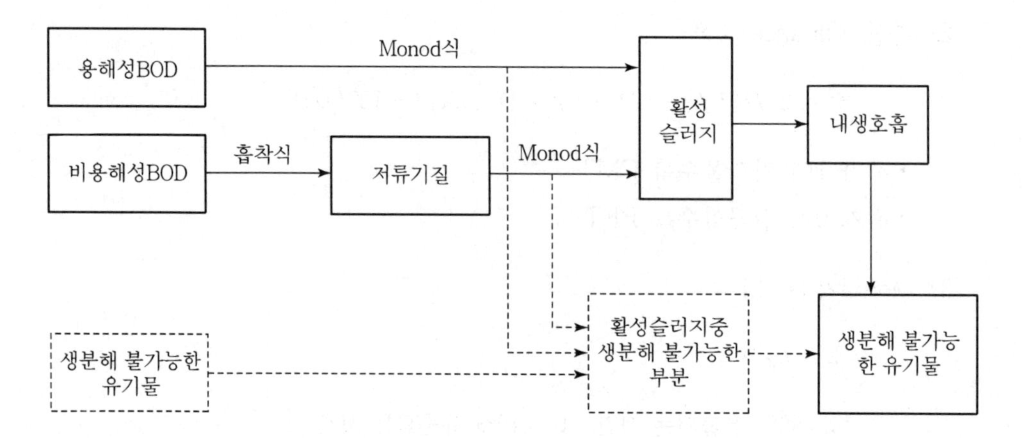

3. 완전혼합형 활성슬러지의 동력학 모형

1) 가정

- 정상상태, 완전혼합형, 미생물에 의한 제거 반응은 반응조에서만 발생
- SRT계산은 반응조 부피만 사용
- 유입수 중의 미생물농도는 무시
- 기질은 용해성이며 단일 물질로 가정

2) Monode식

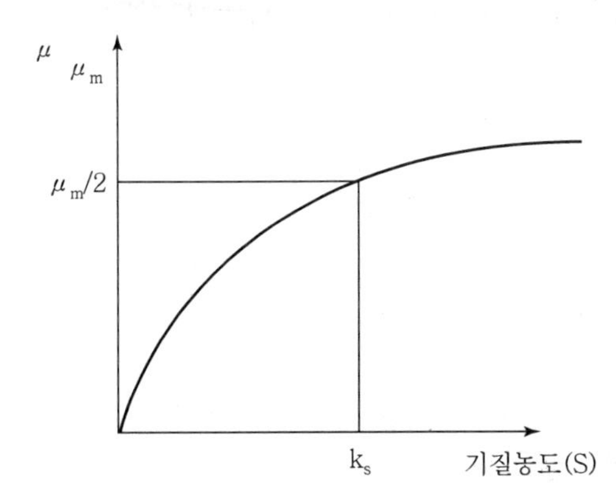

μ : 비증식속도(1/d)
μ_m : 최대증식속도(1/d)
S : 성장제한기질농도(mg/L)
ks : 포화정수(mg/L)

$$\mu = \mu_m \left(\frac{S}{k_s + S} \right)$$

(1) 미생물 증식속도(r_g)는 비증식속도(μ)와 미생물농도(X)에 비례하므로

$$r_g = \mu \cdot X = \frac{\mu_m \cdot S \cdot X}{k_s + S} \qquad (X : \text{MLSS})$$

(2) 미생물 증식계수 Y는 제거된 기질량(r_{su})에 대한 증식된 미생물량(r_g)의 비이다.

$$Y = \frac{\text{미생물증식속도}}{\text{기질제거속도}} = \frac{r_g}{r_{su}} \text{에서 } r_{su}\text{는}$$

$$r_{su} = \frac{\mu_m \cdot S \cdot X}{Y(k_s + S)}$$

(3) 최대 기질이용속도(K)는 $K = \mu_m / Y$로 표기된다. 그러므로 위 r_{su}식을 다시 정리하면

$$r_{su} = \frac{\mu_m \cdot S \cdot X}{Y(k_s + S)} = \frac{K \cdot S \cdot X}{k_s + S}$$

(4) 미생물의 자기 분해속도 r_d(내호흡 계수 K_d일 때)는 다음과 같다.

$$r_d = -K_d \cdot X$$

(5) 그러므로 자기분해속도를 고려한 미생물 증식속도(r_g')는

$$r_g' = r_g - r_d = \frac{\mu_m \cdot S \cdot X}{k_s + S} - K_d X = Y(r_{su}) - K_d X$$

4. 슬러지반송 연속류식 완전혼합 활성 슬러지

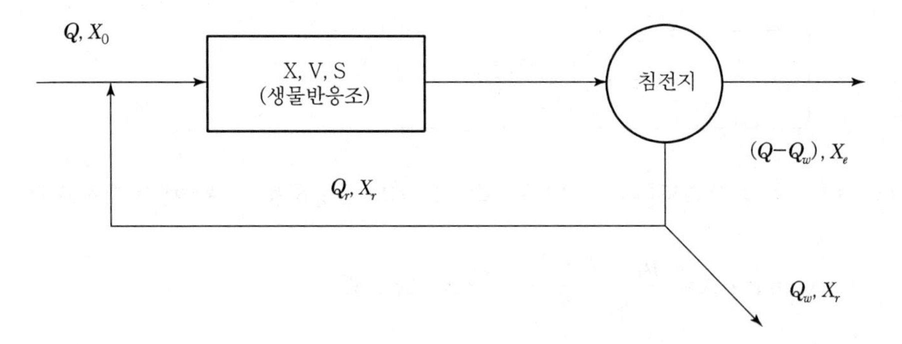

1) HRT와 SRT

(1) $\text{HRT}(\theta) = \dfrac{V}{Q}$

(2) $\text{SRT}(\theta_c) = \dfrac{VX}{Q_w X_r + (Q - Q_w) X_e}$

2) 물질수지식

축적률=유입량−유출량+반응량

$$\frac{dX}{dt} = Q X_o - [Q_w X_r + (Q - Q_w) X_e] + V \cdot r_g$$

정상상태$\left(\dfrac{dX}{dt} = 0\right)$에서 유입수 기질농도 $X_o = 0$이라고 가정하면

$$0 = -[Q_w X_r + (Q - Q_w) X_e] + V \cdot r_g'$$

위 식에 $r_g' = Y(r_{su}) - K_d X$를 대입하고 정리하면

$$Q_w X_r + (Q - Q_w) X_e = V \cdot r_g'$$

$$Q_w X_r + (Q - Q_w) X_e = V[Y(r_{su}) - K_d X]$$

$$\frac{V[Y(r_{su}) - K_d X]}{Q_w X_r + (Q - Q_w) X_e} = 1$$

여기서, $\mathrm{SRT}(\theta) = \dfrac{VX}{Q_w X_r + (Q - Q_w) X_e}$ 이므로

$$\mathrm{SRT} = \frac{VX}{Q_w X_r + (Q - Q_w) X_e}$$

$Q_w X_r + (Q - Q_w) X_e = \dfrac{VX}{\mathrm{SRT}}$ 를 위식에 대입하여 정리하면

$$\frac{\mathrm{SRT}[Y(r_{su}) - K_d X]}{X} = 1$$

$$\frac{1}{\mathrm{SRT}} = \frac{[Y(r_{su}) - K_d X]}{X}$$

$$\frac{1}{\mathrm{SRT}} = \frac{Y(r_{su})}{X} - K_d = Y(\mathrm{F/M})r - K_d$$

$$\therefore \frac{1}{\mathrm{SRT}} = Y(\mathrm{F/M})r - K_d$$

3) 완전 혼합형 정상상태에서의 증식 속도

$r_{su} = \dfrac{Q(S_o - S)}{V} = \dfrac{S_o - S}{\mathrm{HRT}}$ 이므로

$$\frac{1}{\mathrm{SRT}} = \frac{Y\left(\dfrac{S_o - S}{\mathrm{HRT}}\right)}{X} - K_d = \frac{Y(S_o - S)}{\mathrm{HRT} \cdot TX} - K_d$$

4) 활성 슬러지법에서 설계요소의 관계식

(1) $\mathrm{F/M} = \dfrac{Q \cdot S_o}{VX}$

여기서, Q : 유입유량

S_o : 유입기질농도

V : 반응조용량

X : 미생물농도

(2) BOD 용적부하(L_v)

$$L_v = \frac{Q\,S_o \times 10^{-3}}{V} \quad (\text{kg/m}^3\text{d})$$

(3) BOD 용적부하(L_v)와 F/M비의 관계

$$L_v = \frac{Q\,S_o \times 10^{-3}}{V} = (\text{F/M})X(10^{-3})$$

(4) SRT와 F/M비의 관계

$$\frac{1}{\text{SRT}} = Y(\text{F/M})r - K_d$$

BOD제거율은 크고 자기 분해율(K_d)이 작을 때는

$$\frac{1}{\text{SRT}} = Y(\text{F/M})r$$

19 | Respirometer(호흡측정장치)의 적용분야를 설명하시오.

1. 개요

Respirometer란 조그마한 소형 반응조 내에서 미생물이 유기물을 분해했을 때 산소를 소모하고 이산화탄소를 발생시키는 기본원리를 물리적 혹은 화학적인 계측수단을 통하여 계측함으로써 미생물 증식 상태를 검출하는 기기를 말한다.

2. 원리

Respirometer는 수많은 영향인자를 기초로 다양한 측정기기가 만들어지고 있으며 각각 독립적인 기능과 제품군을 가지게 된다. 여러 영향인자 중에서도 중요하게 작용하는 것은 완전히 밀폐된 반응조 내에서의 압력의 변화와 물속에 녹아 있는 용존산소의 농도, 그리고 이러한 변화로 인하여 공급되는 산소가스량의 변화 등이다.

1) 미생물 호흡측정기(Respirometer)는 밀폐된 반응조 내의 아주 미세한 압력변화를 탐지할 수 있는 기압측정장치가 있고
2) 기압이 어느 시간 동안 변한 만큼 전기적 신호를 주어 초기상태의 기압이 될 때까지 산소를 공급하고 그 공급된 산소의 부피 혹은 사용된 전기가 기록된다.
3) 이러한 공급량을 기초로 산소 사용량이 계산되고 동력학을 구할 수 있다.

3. 압력변화와 미생물증식 관계

1) 밀폐된 용기 내에서의 압력변화는 먼저 미생물이 액체 혹은 수분이 있는 고형물에서의 유기물을 분해 할 때 수분 속에 녹아 있는 용존산소를 사용하고 이때 액체 속에 녹아있는 산소농도와 기체상의 산소농도의 평형이 깨짐으로써 기상의 산소는 액체 쪽으로 전달하게 되므로 기상 산소분압이 떨어진다.
2) 한편 유기물 분해에 따라 생성되는 이산화탄소는 액체상에 과포화 되게 되고 또한 기상의 이산화탄소 분압과의 평형이 깨진다.
3) 이산화탄소는 밀폐된 용기 내에 장치한 NaOH 혹은 KOH(이산화탄소 흡수액) 속으로 이동하므로 반응조 내의 압력은 유기물 분해가 계속 됨에 따라 변해간다.

4. 산소 공급방식

산소의 공급방식에 따라 크게 두 가지로 나눌 수 있는데

1) 순산소(100%)를 일정 압력으로 반응조에 걸어두고 기압변화만큼 산소 가스가 공급되며 쓰여진 사용량이 기록된다.
2) 기압차가 탐지될 때마다 따로 장착된 전기 분해 장치에 신호를 주어 물을 일정시간 분해시켜 나온 산소 분자를 원상태의 기압이 될 때까지 공급하며 이것이 자동으로 자료 축적 시스템에 신호를 주어 Data가 저장된다.

5. 혐기성 미생물 호흡측정기는

모든 원리가 같으나 산소를 쓰는 대신 바이오가스(메탄+이산화탄소)를 생성해 내므로 반응조 내의 압력이 올라가는 현상이 다르다.

6. Respirometer의 종류

Respirometer는 최근에 생물환경공학 연구에 아주 다양하게 사용되고 있으며 과학의 발전과 전자기기의 발달로 인하여 정밀도 및 정확도가 획기적으로 개선됨으로써 다양하게 응용할 수 있는 길이 열리고 있다. 현재 독일의 Voith Sapromet Repiro Meter, 미국의 Challenge Respirometer를 위시하여 10여 종류의 상품이 공급되고 있다.

7. Respirometer의 적용분야

- 폐수와 환경시료의 산소요구량 측정
- 산업폐기물의 독성 영향평가
- 호기성과 혐기성 미생물의 활성도 모니터링
- 잠재적인 처리문제의 원인 규명
- 산업폐기물 처리 공정 성능의 모니터링
- 동력학적 계수 측정
- 미생물 성장에 대한 환경적 요인들의 영향 결정
- 특정 화학물질의 생물학적 분해 특성 평가
- 생물학적 성장과 기질 전환에 대한 동력학 모니터링
- 토양 생물학적 복원(Bioremediation)의 효과 측정
- 시스템 성능에 대한 환경요인 변화의 영향 평가

20 | 활성슬러지법의 원리를 설명하시오.

1. 개요

활성 슬러지법은 유기물을 포함한 하수에 공기를 주입하고 교반시키면 미생물이 하수 중의 유기물을 이용하여 증식하고 응집성의 Floc을 형성하는데, 이것을 침전지에서 제거하여 일부는 버리고 일부는 포기조에서 활성화하여 미생물로 재사용하여 하수 처리를 하는 공법을 말한다.

2. 원리

1) 하수에 공기를 주입하고 교반시키면 미생물이 하수 중의 유기물을 이용하여 증식하고 응집성의 Floc을 형성하는데 이것을 활성슬러지라 한다.
2) 활성슬러지를 산소와 함께 혼합하면 하수 중의 유기물도 활성슬러지에 흡착되어 미생물의 대사기능에 따라 산화 또는 동화된다.
3) 활성슬러지에 의한 유기물의 흡착 농축, 생체의 유지, 세포의 합성 등에 필요한 에너지를 얻기 위하여 흡착된 유기물 산화 동화 작용
4) 활성슬러지 Floc의 침강 분리 폐기, 반송

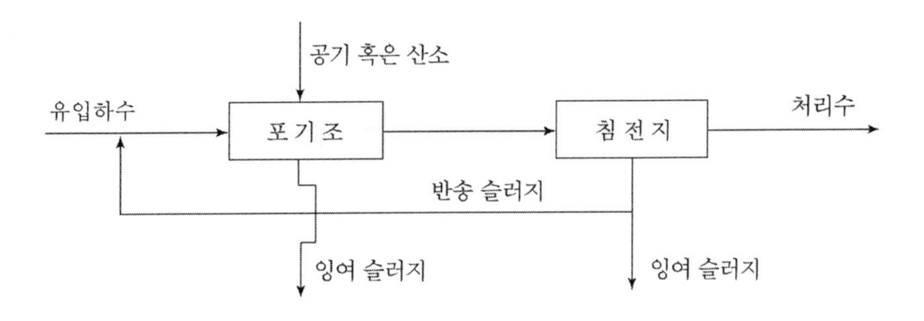

3. 미생물 성장 단계

1) 대수성장기
대수성장기는 미생물에 대한 유기물의 비율(F/M비)이 클 때에 일어나며, 이때는 미생물의 유기물 제거속도는 커지지만 응집성과 침강성은 떨어진다.

2) 감소성장기

시간이 경과하여 미생물의 증식이 진행되면 유기물은 감소하고 미생물은 증가하여 미생물에 대한 유기물의 비율(F/M비)이 점점 감소하며 성장속도가 감소하는 구간을 말한다.

3) 내생호흡기

감소성장 단계에서 더욱 진행하면 유기물이 부족하여 스스로의 기질(체내축적유기물과 세포)을 분해섭취하여 에너지를 얻는 내생호흡단계에 접근하여 미생물량이 감소한다.

$$(C_5H_7O_2N)n + 5nO_2 \rightarrow 5nO_2 + 2nH_2O + nNH_3 + Energy$$

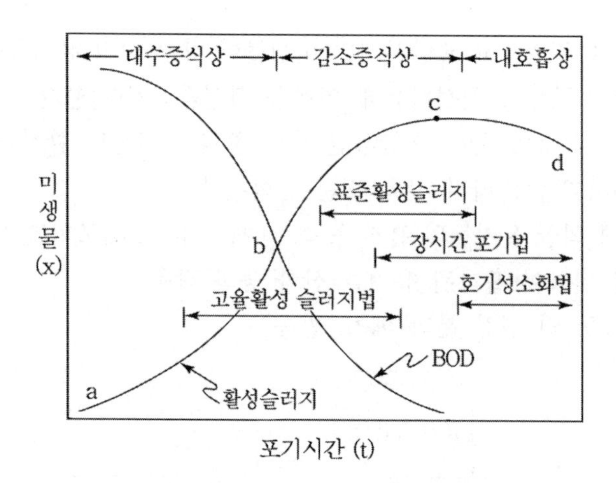

미생물 성장단계와 처리법 적용

4. 시스템의 운영

1) 처리공법은 유기물을 미생물로 성장시켜 시스템 외부로 제거하는 것이 목적이므로 증식속도와 생성된 Floc의 침전성이 양호한 구간에서 시스템을 운영해야 한다.
2) 활성슬러지법은 미생물이 감소성장에서 내생호흡단계 사이에서 유기물을 제거하여 침강성이 양호한 플록을 형성시켜 이차침전지에서 침전, 분리시킨다.

5. 활성 슬러지법 설계제원

- 포기시간 : 6~8hr
- MLSS농도 : 1500~3,000mg/L
- BOD 용적부하 : 0.3~0.6kg BOD/m^3d
- SRT : 5~15일
- F/M비 : 0.2~0.4kgBOD/kgMLSS · d
- 반송률 25~50%

21 | 활성 슬러지변법의 종류 및 특징을 설명하시오.

1. 개요

활성 슬러지변법은 증식속도의 극대화 응집성과 침전성의 최대화, 그리고 포기장치의 동력비 최소화와 유기물부하, 산소요구량, 용존산소, 제거효율 등을 고려하여 표준활성슬러지법을 변형하여 처리하는 공법으로 계단식, 점감식, 장기법, 산화구법, Kraus식 슬러지공법 등이 있다.

2. 계단식 포기법

BOD부하와 산소요구량을 포기조 길이에 따라 분할시켜 처리의 안정성을 도모하는 방법

1) 산소이용량 균등화
2) 표준활성슬러지법과 동일한 슬러지 반송률로 평균 MLSS농도를 높일 수 있다.
3) 슬러지침강성이 나빠지는 경우 대처하기 쉽다.
4) 설계치보다 오염부하가 높을 경우 적용

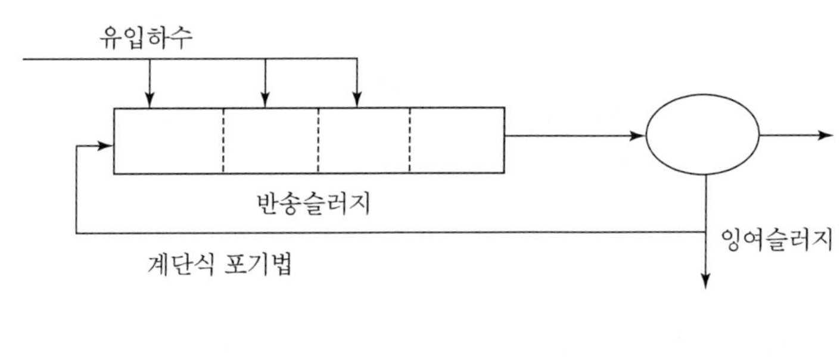

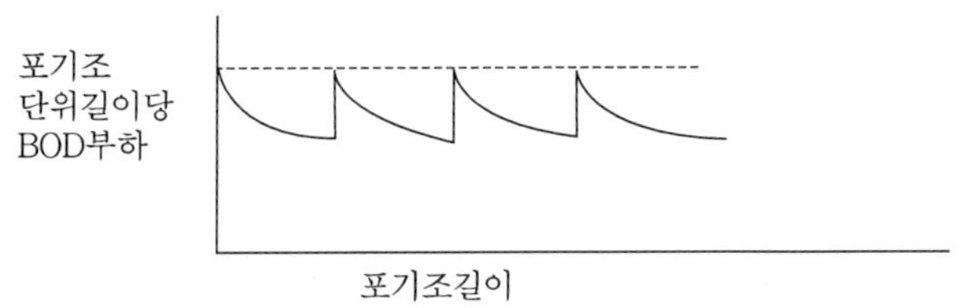

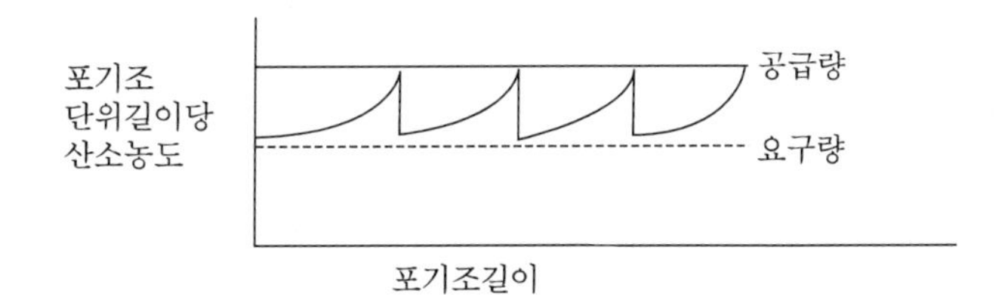

3. 점감식 포기법

표준활성슬러지법의 포기조 유입 부분에서 산소요구량이 높아 산소부족현상이 발생되는 것을 보안하기 위해 유입부에 산소공급을 증대시키는 법으로 산기식 포기장치는 유입부에 많이 설치하고 유출부로 갈수록 점차 감소시킨다.

- 송풍기의 용량과 운전비용을 절감
- 운전제어가 용이
- 질산화 제어

4. 접촉 안정법 : 포기와 접촉의 공정을 독립적으로 하여 처리효율을 향상

1) 활성슬러지를 하수와 약 30~60분 정도의 체류시간으로 접촉조에서 포기
2) 재포기조(안정조)에서 3~4시간 포기
3) 콜로이드농도가 높은 도시하수처리에 사용
4) 적용 여부로 콜로이드성 성질 여부보다 생화학분해의 관점에서 기질의 제거 및 산소 이용률을 측정

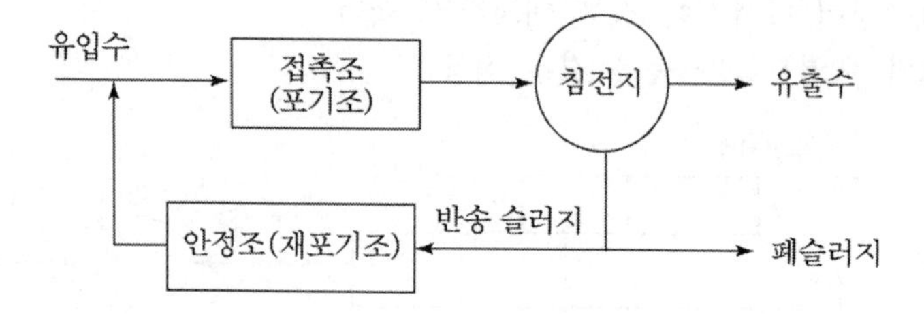

5. 장기포기법

1) 미생물을 내호흡단계로 유지하여 하수 내 유기물을 처리하는 방법
2) 1차 침전지 없이 18~24hr 정도의 체류시간으로 운전

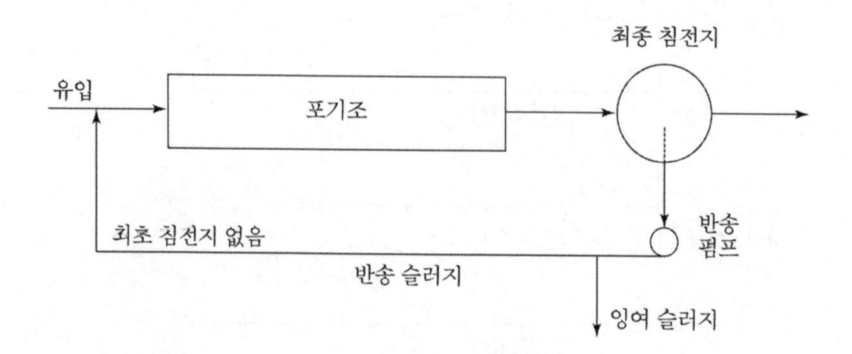

3) F/M비가 0.03~0.05 정도로 낮게 운전되어 효율 우수
4) 슬러지 발생량이 적고 수질 양호하나 산소요구량이 많다.
5) SRT가 길고 과잉포기로 질산화가 충분히 진행되나
   - 미생물 Floc 해체로 슬러지 활성도 저하
   - 질산화가 발생되어 pH 저하
   - 긴 체류시간으로 용량 증대에 따라 초기 시공비가 많이 소요

6. 산화구법

1) SRT를 길게 운전하여 질산화 반응 유도 가능
2) 특징
   - 저부하에서 운전되므로 유입하수량, 수질의 시간 변동, 수온저하에도 안정된 처리 기대
   - 질소제거율 70% 정도
   - SRT가 길어 슬러지 발생량이 적다.
   - 소요부지가 넓다.

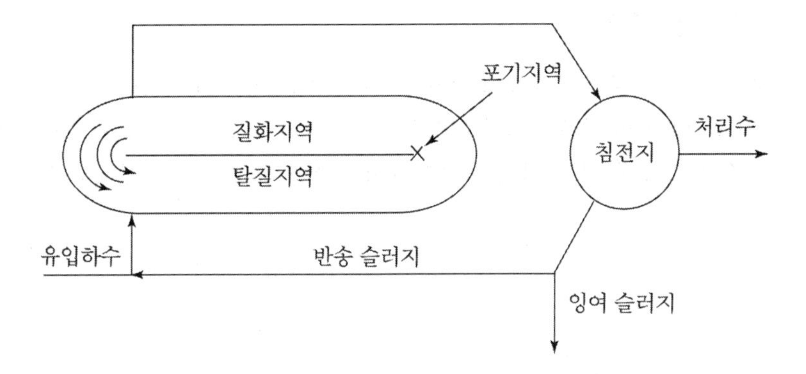

7. 순산소법

1) 포기조에서 공기 대신 순산소를 주입하여 MLSS농도를 높이고 포기조 용량을 줄일 수 있다.
2) 포기조 내 DO를 6~10mg/L 정도로 유지하여 MLSS농도를 6,000~8,000mg/L 정도로 포기조 용량을 줄일 수 있다.

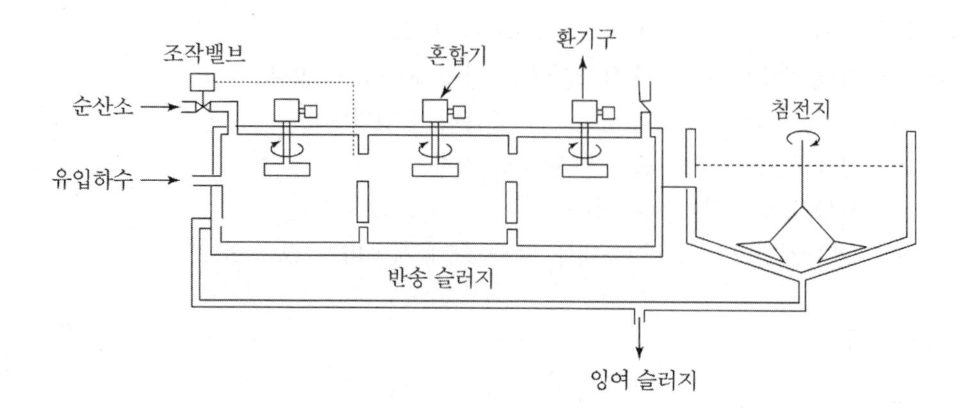

3) 특징
- 표준활성슬러지법의 1/2 정도의 포기시간으로 비슷한 처리 효율 기대
- 슬러지 침강성이 양소(SVI 100 이하 유지)
- 2차침전지에서 스컴이 많이 발생
- 부지면적을 15~18% 정도 줄일 수 있다.

8. Kraus식 활성슬러지법

1) 이 방법은 1950년대에 Kraus에 의하여 처음으로 시도된 방법이다.
2) 구성 : 이 Kraus공법은 제 2포기조에서 반송슬러지의 일부와 슬러지 처리 설비 혐기성 소화조의 상등액 및 슬러지를 혼합하여 산화한 후, 그것을 제 1포기조로 보낸다.

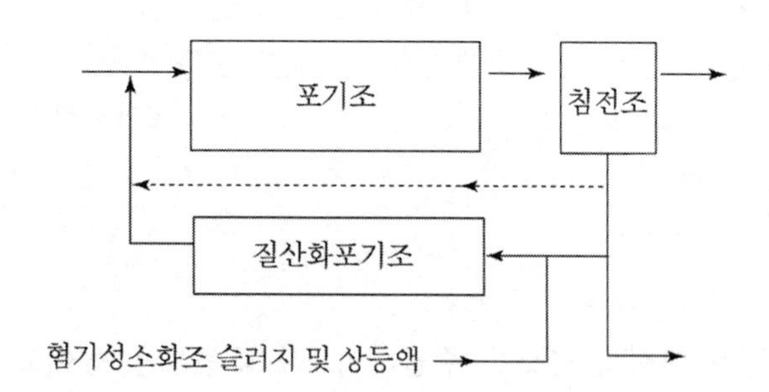

3) 원리 : 혐기성 소화조 상등액에는 소화슬러지로부터 해리된 질소와 인 등이 포함되어 있는데, 이들 물질과 슬러지는 제2포기조에서 고도로 산화된다. 그리고 제1포기조에서 유입폐수에 대하여 영양물질을 보충하고 MLSS의 침강성을 높이는 기능을 발휘한다.
4) 적용 : 탄소계 유기물질의 농도가 지나치게 높을 때, 질소 등의 영양물질이 부족한 공장폐수의 처리에 사용된다.

22 | 생물학적 폐수처리 시 이용되는 종속영양미생물(M)과 유기물(F)과의 일반적인 관계(F/M비)를 설명하시오.

1. 개요

생물학적 폐수처리는 미생물(MLSS)을 이용하여 폐수중의 용존성 유기물(BOD)을 제거하는 것으로 미생물(M)이 유기물(F : Food)을 섭취하여 성장하면 성장한 미생물덩어리(Floc, 슬러지)를 침전시켜 제거하는데 이때 Floc형성은 미생물(M)과 유기물(F)의 관계에 따라 결정되므로 이들의 관계(F/M비)가 중요하다.

2. F/M비와 미생물 성장단계

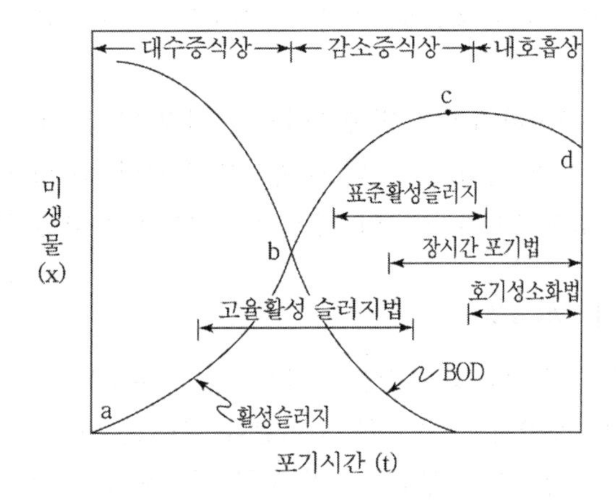

1) 대수성장기

대수성장기는 미생물에 대한 유기물의 비율(F/M비)이 클 때에 일어나며, 이때 미생물의 유기물 제거속도는 빨라지지만 응집성과 침강성은 떨어진다.

2) 감소성장기

시간이 경과하여 미생물의 증식이 진행되면 유기물은 감소하고 미생물은 증가하여 미생물에 대한 유기물의 비율(F/M비)이 점점 작아지며 성장속도가 느려지는 구간을 말한다.

3) 내생호흡기

감소성장단계에서 더욱 진행하면 유기물이 부족하여 스스로의 기질을 분해섭취하는 내생호흡단계에 접근하고 미생물량이 감소한다.

3. 슬러지반송과 MLSS(미생물농도)

유입수의 SS농도(S_{ss})는 반송슬러지농도(X_r)값에 비해 너무 작기 때문에 무시한다면 슬러지반송비(R)는 반송슬러지의 SS농도(X_r)와 MLSS농도(X)에 의해 다음과 같이 표현된다.

$$R = \frac{X}{X_r - X}$$

1) 적절한 F/M비를 위한 MLSS농도를 유지하기 위해서는 필요한 슬러지반송비와 반송슬러지의 SS농도의 관계에서 MLSS농도가 표준활성슬러지법처럼 비교적 낮은(1,500~3,000mg/L) 경우에도 반송슬러지의 SS농도가 낮게 되면 슬러지반송비를 100% 정도로 할 필요가 생긴다.
2) 장기포기법과 산화구법처럼 MLSS농도가 3,000~4,000mg/L로 큰 경우에는 반송슬러지의 SS농도가 높을지라도 슬러지반송비를 150~200% 정도로 비교적 높게 유지할 필요가 있다.
3) 활성슬러지법의 운전관리에서 반응조에서의 설정 MLSS농도를 유지하기 위해서는 이차침전지에서의 활성슬러지의 농축성을 확보할 수 있도록 구조적인 배려를 함과 동시에 활성슬러지의 벌킹이 일어나지 않도록 대책을 강구할 필요가 있다.

4. 슬러지지표(SVI)와 MLSS

슬러지지표는 활성슬러지의 침전지에서 침강성을 보여주는 지표로서 광범위하게 사용되며, 통상 슬러지용량지표(SVI)를 의미한다. SVI는 반응조 내 혼합액을 30분간 정체한 경우 1g의 활성슬러지 부유물질이 포함하는 용적을 mL로 표시한 것이며, 동일한 시료에 대해 MLSS농도 및 활성슬러지 침전율(SV30 : 용적 1L의 메스실린더에 시료를 30분간 정체시킨 후의 침전슬러지량을 그 시료량에 대한 백분율로 표시한 것)을 측정하여 산출한다. SVI는 침전지의 침전성을 나타내고 침전성에 따라 MLSS농도(mg/L)가 달라진다.

$$\mathrm{SVI} = \frac{\mathrm{SV}(\%) \times 10^4}{\mathrm{MLSS}}$$

$$X = \frac{10^6}{\mathrm{SVI}}\left(\frac{R}{1+R}\right)$$

5. 표준활성슬러지법 주요 설계인자

1) SRT(Solid Retention Time, 고형물체류시간)

반응조, 침전지 등의 System 내에 존재하는 활성슬러지가 시스템 안에 체제하는 시간을 말한다.

(1) $\text{SRT} = \dfrac{\text{반응조 내 고형물량}}{\text{외부로 유출되는 고형물량}} = \dfrac{\text{kgMLSS}}{\text{kgWAS} + \text{kgSSeff}}$

$$\text{SRT} = \frac{V \cdot S}{Q_w X_r + (Q - Q_w) X_e} = \frac{V \cdot X}{Q_w \cdot X_r}$$

(2) SRT 설정은 활성슬러지 중 특정 미생물의 증식 여부를 결정하기 때문에 잉여슬러지량의 예측뿐만 아니라 유기물 제거 및 질산화반응 예측에도 이용 가능하다.

2) BOD(유기물)부하

(1) BOD 용적부하
- 포기조용적 m^3당 하루에 가해지는 BOD무게
- 일반적으로 0.3~0.8kgBOD/m^3/d

(2) F/M비
- 포기조 MLSS 단위무게당 하루에 가해지는 BOD무게
- 일반적으로 0.2~0.4kg/kg/d
- 결정인자로 유입 BOD량, 반응조 미생물량
- SRT와의 관계 : $1/\text{SRT} = Y(\text{F/M}) - K_d$

3) 미생물농도 MLSS(Mixed Liguor Suspended Solids)

(1) 포기조 내의 VSS농도로 미생물량과 거의 일치한다.
(2) 유입하수, 1차 침전지효율, SRT 등에 따라 미생물농도가 달라진다.
(3) 미생물량은 유입유기물농도에 비례하고 HRT에 반비례한다.
(4) 결정인자 : 고형물체류시간, 슬러지생산량, SVI, 포기시간

4) 잉여슬러지량

(1) 용해성 유기물로부터 전환된 활성슬러지와 유입수로부터 전환된 활성슬러지 미생물의 합계에서 자기분해량을 제외한 값이다.

(2) STP상태에서 잉여슬러지량은 새로 생긴 미생물량과 같아야 하며 이 값은 포기조의 미생물량을 SRT로 나눈 값과 같다.

(3) WAX(단위시간당 잉여슬러지량)

$$WAX = \frac{kg\,MLSS}{SRT} = \frac{V \cdot X}{SRT} = \frac{YQ(S_o - S_e) \times 10^{-3}}{1 + K_d \cdot SRT}$$

6. 표준활성슬러지법 설계인자와 영향 · 결정인자

설계인자	영향인자	결정인자
SRT	• 산소요구량 • 운전온도 • 미생물 성장속도 • 포기시간	• 혼합액 부유물농도 • 슬러지생산량 • 처리수 수질
F/M비	• 미생물 성장속도 • 포기시간	• 유입수질 BOD농도 • 혼합액 부유물농도 MLSS
MLSS	• 운전온도 • 슬러지반송 • 반송슬러지농도 • 미생물 성장속도	• SVI • SRT • 포기시간 • 슬러지생산량
슬러지반송률	• 침전지 부하율 • 미생물 성장속도	• SVI • MLSS • 슬러지 반송농도

23 | 슬러지 벌킹(팽화) - Sludge Bulking

1. 개요

팽화현상이란 포기조 중의 DO, BOD, pH, 영양소 등의 불균형으로 인하여 Fungi가 과다 번식하거나 미생물이 대수(분산) 성장단계로 되어 최종침전지에서 슬러지의 응집성이 악화되어 침전이 곤란하게 되고 반송슬러지의 농도가 낮아져서 포기조 내 MLSS의 관리 및 슬러지의 인출상 문제가 발생하게 되는 현상을 말한다.

2. 팽화의 원인

1) 오수의 물리적 성상
폐수의 유입량 또는 유기질농도의 급격한 변동, pH, 온도, 부패도, 영양염류의 균형

2) 처리시설의 결함
포기 장치 공기의 공급능력, 최종침전지의 설계, 반송슬러지 펌프의 능력, 포기조의 단락흐름, 불충분한 교반

3) 운전관리상의 요인
포기조 내 DO의 부족, BOD-MLSS농도의 과대 혹은 과소현상

3 벌킹의 영향

활성슬러지의 팽화현상이 일어나면 처리수질은 큰 영향이 없으나 팽화가 진전되면 최종침전지에서 슬러지가 유출되어 유출슬러지에 의해서 수질이 악화되는 결과를 가져온다. 벌킹(슬러지 팽화현상)시에는 SVI가 200 이상을 나타낸다.

4. 벌킹의 종류

1) 미생물 형태에 의한 분류

(1) 사상성 벌킹
Sphaerotilus 등 사상균 또는 사상형태를 취하는 미생물의 증식에 의하여 일어남

(2) 비사상성 벌킹
점성, 유분과다, 펩틴에 의해 잘 침전하지 않은 현상

2) 침전특성에 의한 분류

(1) 응집성 결함형
고액경계면이 불확실하고 상등액이 현탁(분산성장, 핀플럭 발생)

(2) 밀도 결함형
슬러지 겉보기 밀도가 작아 침전슬러지가 중간에 떠있고 일단 침강한 뒤 재부상(슬러지 rising, 부유슬러지 등)

(3) 압밀 결함형
슬러지가 솜처럼 부풀어 오르며, SV가 100 이상으로 상등액 부분이 매우 작음(사상성 슬러지)

5. 슬러지 벌킹 제어방법

1) 약품 투입법

(1) 사상성균에 의한 벌킹
염소계(반송슬러지에 10~20mg/L의 염소 주입), 과산화수소, 기타 키토산 등

(2) 비사상성균에 의한 벌킹
중량개량제(소석회, 고분자 전해질, 활성탄, 규조토 등)을 주입

2) 처리공정 및 운전개선

(1) MLDO(혼합액 DO)를 2mg/L 이상 유지한다. - 포기량을 증가시킨다.

(2) BOD-MLSS 부하를 적정하게 제어한다.
슬러지 반송률 등을 조정한다.
BOD 부하를 감소시킨다.
포기조의 체류시간을 증가시킨다.

(3) 시설의 과부하를 가능한 한 줄이고 부하를 균일하게 유지한다.
(4) 영양염류의 균형을 유지하기 위하여 부족 영양염류를 첨가한다.

(5) 소화액 첨가법
포기조 유입부에 충분히 소화된 슬러지 투입

(6) 완전혼합형 연속처리공정을 플러그타입 연속처리공정으로 개선
(7) 회분식 처리조의 경우 간헐식 포기방식으로 개선

3) 기타

(1) 미생물 체류시간 감소

(2) 사상균 성장을 방해하기 위한 선택조 설치

(3) 경쟁상대 능력이 있는 미생물 투여

(4) 질산화를 유도하거나 화학약품을 투여하여 포기조 pH 조절

(5) 팽화슬러지를 전량 폐기하고 새로운 활성슬러지로 바꾼다.

6. 팽화의 방지대책

1) 개요

슬러지 벌킹이란 포기조 중에 DO, BOD, pH, 영양소불균형 등으로 인해 슬러지가 부풀어져 있거나 비정상적인 오니형태로 침강성이 나빠져 최종침전지에서 슬러지의 응집성이 악화되어 침전이 곤란하게 되고 반송슬러지지의 농도가 낮아져서 포기조 내 MLSS의 관리 및 슬러지의 인출상 문제가 발생하게 되는 현상을 말함

24 | 소포제(Antifoaming Agent)

1. 정의

소포제란 기포를 제거하는 데 사용되는 약품을 의미한다. 소포작용에는 거품을 깨는 작용과 거품을 억제하는 작용이 있다.

2. 소포제의 필요성

포기조 등에서 유입수질의 성질이나 조건악화로 거품이 발생하는 경우 일시적인 방법으로 소포제를 사용할 수 있다.

3. 성능의 종류

1) 소포작용
에틸알코올은 소포작용이 있어 생성된 거품을 없앨 수 있으나 거품발생을 방지할 수는 없다.

2) 억제작용
실리콘유는 후자의 작용이 있어 거품발생을 방지할 수 있어도 생성된 거품을 없앨 수는 없다.

4. 소포제의 종류

소포제로는 일반적으로 휘발성이 적고 확산력이 큰 기름상의 물질, 또는 수용성의 계면활성제가 이용된다.

1) 유상물질
옥틸알코올 · 시크로헥산올 · 기타 고급알코올 · 에틸렌글리콜 등이 있으며

2) 수용성 계면 활성제
소르비탄지방산에스테르를 주성분으로 하는 비이온 계면활성제, 기타 비이온 계면활성제 등이 있다.

3) 실리콘 소포제
화학적으로 안정하여 뛰어난 효과가 있으므로 용도가 매우 넓다.

25 | 포기조에서 사상균의 이상증식 원인과 그 대책

1. 사상균 정의

사상균이란 실모양을 한 균류의 총칭이며 활성오니에서 30여 종이 보고되고 있으며 Sphaerotirus, Nocardia 등이 가장 흔히 출현하는 종이다. 이러한 사상세균이 다량으로 출현하면 슬러지의 벌킹을 초래하며 Nocardia는 포기조에서 거품을 형성하는 사상세균으로 알려져 있다.

2. 사상균의 이상증식 원인

1) 충격부하 : 유기물의 과도한 유입(F/M비가 크다)
2) DO 부족 : DO가 부족할 때 포기조 내에 최소 2.0mg/L의 Do 유지
3) 낮은 pH : 낮은 pH(적정 pH는 6~8)
4) 낮은 SRT : SRT가 적을 때
5) 영양분의 불균형 : 탄소화합물에 비해 질소, 인 등이 부족
6) 운전 미숙 : 운전 미숙으로 포기조의 운전기준을 유지하지 못할 경우
7) 침전조의 구조결함에 의한 단락흐름 등 장치구조의 결함에 의한 단락흐름 등이 원인이 될 경우

3. 사상균 발생 억제책

1) 원수의 부패 방지 : 포기 유량조 등
2) 과포기가 되지 않게 적정 DO를 유지
3) 포기조의 pH를 약알칼리가 되게 운전
4) MLSS를 높이고 반송오니 포기시간을 늘려준다.
5) 염소 등 약품 투입

4. 사상균 발생 시 대책

1) 약제 첨가 : 염소첨가법, 소석회첨가법, 고분자 전해질 첨가법, 과산화수소첨가법, 소화액첨가법
2) MLSS농도를 증가시켜 F/M비를 낮춘다.
3) 응집제나 응집보조제를 주입하여 침전성을 증가시킨다.
4) 반송오니를 재포기하여 산소공급을 증가시킨다.
5) 질소나 인 등의 주입으로 영양염류의 균형을 유지한다.
6) 기존 슬러지를 폐기하고 새로 슬러지를 만든다.

26 | 하수처리시설에서 발생하는 Nocardia에 의한 거품 및 스컴 문제 현상과 제어대책에 대하여 기술하시오.

1. 개요

미생물 반응조와 침전지 등에서 거품과 스컴이 발생하는 경우 원인은 합성세제나 온도, 사상균, 포기상태 등 여러 조건들이 복합적으로 작용하여 발생하나 미생물의 원인균으로는 그 중 Nocardia라는 방선균에 의한 영향이 큰 것으로 알려지고 있다.

2. 발생원리와 특징

활성슬러지에 점성이 있고 갈색 또는 초콜릿 빛깔의 거품과 스컴이 포기조 및 침전조에 일어나는 경우 이것은 Nocardia라고 하는 방선균이 활성슬러지에 많이 증식했기 때문이며 이들은 소포제나 살수에도 안정적이어서 활성슬러지의 거품이나 스컴 중에서 가장 심각한 문제를 일으키고 또한 그 제어가 가장 어려운 편이다. 사상체인 Micro thrix Parvicella에 의한 거품도 Nocardia의 거품과 유사하다.

3. Nocardia 거품 및 스컴에 의한 이상현상

1) Nocardia에 의한 거품과 스컴이 발생하면 포기조에서 거품이 주위에 넘쳐흘러 미끄럽고 때로는 접근이 곤란할 정도이다. 따라서 복개된 포기조에서는 포기조로의 폐수유입이 어렵게 된다.
2) 거품 속에 총 SS의 50%정도가 존재하기도 하므로 처리공정의 운전이 어렵고 적정 F/M비의 유지가 어렵다.
3) 거품이 침전조로 유입될 경우 스컴제거기를 덮을 정도로 되면 방류수로 거품과 함께 슬러지가 넘어가 방류수의 SS농도가 증가된다.
4) 추운지방에서는 침전조 수면에서 거품이 얼어버리므로 스컴제거기 작동불능과 더운 지방에서는 농축된 거품에서 쉽게 악취가 발생되기도 한다.
5) Nocardia가 증식된 폐슬러지를 혐기성소화조로 처리하면 소화조에서 거품 발생이 촉진되는 문제가 발생된다.

4. Nocardia의 증식환경

Nocardia의 증식원인에 대해서는 아직까지 확실히 알려지지 않고 있으며 다음과 같이 추정하고 있다.

1) Nocardia 영양원 : Nocardia가 탄소원으로 잘 이용할 수 있는 유기기질은 쉽게 분해되는 당, 저분자의 지방산, 서서히 분해되는 다당류, 단백질 및 죽은 세포의 세포물질 등
2) 일반 활성슬러지 미생물들은 이용하기 어려운 천천히 분해되는 고분자유기물(다당류, 단백질)을 Nocardia가 이용, 증식함으로써 빠르게 증식되어 높은 농도로 우점 한다.
3) 부상기질이 다량으로 유입되는 처리시설에서 Nocardia가 많이 증식되어 거품문제를 일으키는 경우가 많다.
4) 탄화수소에 Nocardia를 배양했을 때 Nocardia는 계면활성물질을 생산하여 탄화수소를 유화시키고 기액경계면에 기질을 농축시켜서 기질의 이용면에서 다른 활성슬러지 미생물에 비하여 크다는 장점이 Nocardia증식의 큰 요인으로 해석 할 수 있다.
5) 긴 MCRT 와 높은 수온: Nocardia의 증식(거품생성)은 긴 MCRT(9일 이상), 높은 수온(18℃ 이상)과 깊은 관계가 있다고 알려지고 있다.
6) pH : pH 6.5가 Nocardia 증식의 최적 pH이다.
7) 외부 Stress에 대한 적응 : Nocardia는 포기조 수면에서 햇빛, 건조와 같은 외부 Stress에도 불구하고 살아남을 수 있는 적응력이 뛰어나고 하수관거 내 관벽에서도 증식되어 처리시설로 유입될 수도 있다.

5. Nocardia의 증식환경과 질산화

Nocardia 거품 발생과 질화의 시작이 종종 일치하는 것을 볼 수 있는데 이는 MCRT가 10일 이상이고 수온이 20℃보다 높은 수온에서 질화가 항상 일어나는데 이 환경에서 포기조 혼합액의 pH가 저하되면 Nocardia 증식의 최적 pH로 되는 경우 Nocardia의 증식을 촉진하는 요인으로 작용한다고 본다.

6. 거품 및 스컴 발생을 촉진하는 인자

1) 계면활성제

   계면활성제의 존재(유입폐수에 의하여 유입 또는 미생물에 의하여 생산된)는 거품의 양을 증가시키고 또한 거품의 안정성도 향상시킨다.

2) 포기방법과 포기강도

   포기강도가 강할수록 거품은 더 심하게 일어나며 미세기포 포기 때 가장 심하게 거품이 발생되고 기계적 혼합일 경우에는 거품발생이 적다.

3) Foam Trapping

포기조에서 침전조로의 유출수를 수면아래에서 인출하면 부상되어 있는 Nocardia 균체는 포기조 내에 오래 머물게 되고 이때 거품발생이 더 심해진다.

7. Nocardia 증식제어와 거품 및 스컴 대책

1) 포기량 감소

거품 및 스컴 발생을 촉진하는 인자에서 포기량을 줄이고 DO농도를 낮게 유지시킴으로서 Nocardia의 증식속도를 느리게 한다.

2) MCRT의 감소

슬러지 폐기량을 증대시켜 포기조 MLSS농도를 낮은 농도로 유지하며 운전하는 방법

3) 물리적 제거(스컴제거기)

거품을 선택적으로 포집하여 제거하는 방법이다.

4) 인위적으로 거품을 발생시켜 제거

미세기포로 작동되는 부상조를 설치하여 거품을 제거하는 방법

5) 포기조 수면의 거품 및 스컴 염소처리

반송슬러지의 염소 과량투입으로 Nocardia를 죽일 수 있으나 방류수 수질을 악화시키게 되고 아울러 처리시설의 처리능력이 감소하게 된다.

6) 선택조

선택조에 의한 Nocardia 거품의 제어효과가 아직 완전히 입증되지 못하고 있다.

7) 혐기-호기 순환 운전

혐기성 조건에서는 Nocardia가 기질을 흡수하지 못하여 증식할 수 없는 성질을 이용하여 혐기성 조건을 거치고 난 다음 호기성 조건으로 운전하는 것으로 혐기성 조건에서 거품이 가두어져 있는 상태가 유지되면 오히려 역효과가 날 수도 있다.

8) 부상분리

유입폐수 내에 다량의 기름성분이나 단백질이 함유되어 있을 경우에는 부상분리와 같은 전 처리를 거쳐 이러한 오염물질을 제거한다.

27 | 활성슬러지법의 운영상 발생하는 각종 장애와 그 대책을 설명하시오.

1. 표준 활성슬러지 공정의 4대 문제점

1) 수질의 변동이 심한 폐수에 적응하기 어렵다.
2) N, P 등의 제거율이 낮다.
3) 슬러지 발생량이 많다.
4) 벌킹이 발생

2. 포기조의 운전조건

포기의 목적은 호기성 환경 유지, 포기액 혼합, 포기액의 침전 방지 등이며 조건은 다음과 같다.

1) 영양소 : BOD/N/P = 100/5/1
2) 용존산소 : 2mg/L 이상
3) 온도 : 10~40°C
4) pH : 6~8

3. 운전상의 문제점 및 그 대책

활성슬러지법에 의한 폐수처리의 유지관리상 주요 장애점은 활성슬러지의 팽화(벌킹), 해체, 슬러지 부상, 이상발포 등이다. 그 각각에 대한 원인과 대책은

1) MLSS의 색상
  (1) 정상 상태에서 커피색이고 신선한 냄새가 난다.
  (2) 흑색이고 냄새가 나면 혐기성 상태이므로 DO 확인 후 포기량을 증가시킨다.

2) pH의 변동

  (1) pH의 상승

    • 포기에 의해 탄산가스가 제거되는 경우(H^+가 소비된다.)

    $HCO_3^- + H^+ \rightarrow H_2CO_3 \rightarrow CO_2 + H_2O$

• 포기조 내 NH_4^+ 농도가 높은 경우(OH^-로 인해 H^+가 감소된다.)

$NH_3 + H_2O \rightarrow NH_4^+ + OH^-$

(2) pH의 하강

• 포기조 내 CO_2 농도가 높은 경우

$CO_2 + H_2O \rightarrow H_2CO_3 \rightarrow HCO_3^- + H^+$

• 질산화가 진행된 경우

$2NH_4^+ + 4O_2 \rightarrow 2NO_3^- + 4H^+ + 2H_2O$

3) 슬러지의 해체

(1) 슬러지의 해체(Floc Disintegration)
활성슬러지의 해체라는 것은 슬러지의 플록이 파괴되어 미세한 슬러지 조각으로 분산한 상태를 말한다. 슬러지 해체현상이 일어나면 처리수 중에 파괴된 플록의 조각들이 혼입되어 처리수의 악화현상의 초래된다.

(2) 슬러지 해체의 원인
• BOD-MLSS 부하가 아주 낮은 경우
• 일시적인 고부하로 인한 미소한 아메바 등의 이상증식
• 펌프 등의 과도한 교반
• 약품, 독물, 해수 등의 유입

(3) 슬러지의 해체의 대책은 다음과 같이 발생원인을 제거해 주는 데 있다.
• 반송슬러지량을 조정하여 BOD-MLSS 부하를 적정하게 유지시킨다.
• 포기공기량을 적정하게 조정한다.
• 적정한 교반을 유지한다.
• 약품 등 독성물질의 유입을 억제한다.

4) 핀 플록(Pin Floc) 현상

(1) 핀 플록 현상
SRT가 너무 길면 세포가 과도하게 산화하여 미생물이 활성을 잃고 플록형성 능력이 없어져서 잘 침전되지 않는다.

(2) 원인

- F/M비가 낮을 때
- 과도한 포기를 할 때
- SRT가 길 때

(3) 대책

- 폐슬러지량을 증가시킨다.
- SRT를 감소시킨다.
- 적당한 포기와 혼합을 유지한다.

5) 포기조의 이상발포

이상발포가 일어나면 시설이 더럽혀지고 미관상 나쁠 뿐만 아니라 산소의 용해성 저하 등을 초래하게 된다.

(1) 이상발포의 원인

- 합성세제의 혼입
- 용해성 유기질의 과다 함유
- 낮은 MLSS
- 강한 포기
- 수온과 기온의 영향

(2) 대책

- 압력수를 분무하여 물리적으로 소포한다.
- 포기조에 방포망을 설치한다.
- 포기조에 소포제를 적하하여 화학적으로 소포한다.
- 포기조 내 MLSS농도를 높인다.

6) 두꺼운 갈색 거품

SRT가 너무 길 때 세포가 과도하게 산화되어 나타나는 현상이며 대책으로는 매일 SRT를 조금씩 감소시킨다.

7) 활성슬러지의 부상(Sludge Rising)

(1) 활성슬러지의 부상(Sludge Rising)

침전은 잘되나 침전 1~2시간 후 활성슬러지가 탈질산화 등에 의하여 발생된 가스가 슬러지표면에 부착해서 물보다 비중이 낮아져서 표면으로 부상함으로써 수면에 흑색, 담갈색의 슬러지 덩어리가 떠오르는 현상이다.

- 포기조 내에서 질산화된 암모니아성 질소가 최종침전지에서 환원되어 질소 가스가 발생한다.
- 강한 포기에 의해 미세기포가 슬러지에 부착한다.
- 일부 슬러지가 혐기성분해되어 메탄가스, 탄산가스 등이 발생되고 이 기체가 슬러지에 부착되면 슬러지의 전체비중이 낮아져서 수면 위로 떠오르게 된다. 이를 활성슬러지의 부상이라고 한다.

(2) 원인

- SVI가 높고 슬러지의 인출량이 부족
- 질산화 및 탈질반응의 진행
- 고착성 섬모충류 발생
- 부패성균의 성장
- 침전조의 수면적부하가 높다.
- 침전슬러지의 양이 많다.

(3) 활성슬러지의 부상에 대한 대책

① 포기조 내에서 암모니아성 질소의 질산화를 억제한다.
(슬러지 일령을 3~5일로 조정, DO농도를 낮게 유지)

② 최종침전지에서 슬러지 관리를 적정하게 하여 혐기성분해를 방지한다.
- 침전조의 유효수심을 낮춘다.
- 반송슬러지량을 증가
- 침전조의 주기적 청소(1년에 1~2회)

③ 시설의 구조를 개선한다.

28 | 활성오니공정의 공정점검방법

1. 개요

포기조의 정상적인 미생물 배양상태를 유지하고 점검하기 위해서는 항시 공정운용 상태를 점검(Monitoring)하여 문제점을 파악하고 정상 운전하여야 한다.

2. 모니터링의 필요성

활성오니법은 미생물 수처리 공정 중에서도 가장 민감하고 변화가 많은 시스템으로 항상 운전 상태를 주시하고 있어야 하며 이를 위한 점검(Monitoring) 방법에는 감각적인 방법과 분석적인 방법이 있다. 분석학적 방법 중에 특히 현미경으로 활성오니를 관찰하여 미생물의 상태를 직접 관찰하는 생물학적 지표(Bio-index for Activate Sludge Process)는 미생물의 배양상태를 판단할 수 있다.

3. 활성오니법에서 사용되는 공정점검방법 및 특성

1) 감각적인 방법

(1) 슬러지 색깔

- 건강한 호기성의 활성슬러지는 보통 갈색을 나타낸다.
- 흑갈색이나 검은 빛깔의 슬러지는 대체로 혐기성 조건에 있다는 증거이다.
- 슬러지 색깔이 비정상적일 경우 염료 등의 유입에 의한 것으로 판단한다.

(2) 냄새

- 포기조의 정상적인 혼화액은 곰팡이 냄새를 낸다.
- 혐기성으로 되면 달걀 섞은 냄새(H_2S 냄새)가 난다.

(3) 거품

- 흰 빛깔의 큰 거품은 SS농도가 높다는 표시이다.
- 가벼운 다량의 흰 거품은 슬러지 일령(Sludge Age)이 너무 어리거나 경성세제가 포함되어 있을 때 일어난다. 이때는 슬러지의 폐기를 줄여서 SRT를 증가시키거나 소포제를 사용한다.
- 두꺼운 갈색 거품은 SRT가 너무 길거나 과도한 포기량, MLSS가 너무 낮거나 대기온도가 높을 때 일어날 수 있다. 방지대책으로는 SRT를 감소, 소포제 사용 혹은 물을 뿌리거나 MLSS농도를 증가시켜 F/M비를 낮춘

다.(0.3 이하)
- 검은 빛깔의 거품은 슬러지가 오래되었다는 표시이다. 이때는 슬러지의 폐기를 늘여야 한다.
- 거품은 또한 유입된 화학물질 때문에도 발생한다.

(4) 조류의 증식 여부
- 탱크의 벽과 월류언에 조류가 과다증식하며 유입수에 N, P 등 영양물의 농도가 높다는 것을 나타낸다.
- 영양염류의 유입량을 감소시켜야 한다.

(5) 분산 유형
- 기포의 분산유형도 운용상태 판단의 지표가 된다.
- 기포가 적절히 잘 분산되지 않으면 포기기의 깊이와 날의 각도 등을 검토한다.

(6) 처리수의 청정도
- 처리수의 SS농도가 높으면 처리시설의 성능이 나쁘다는 증거이다.
- 고형물이 월류언을 넘는 현상은 침강성이 나쁜 슬러지의 생성을 의미한다.

(7) 부유물
2차 침전조에 부유물이 과다하게 많으면 유입수에 유분이 많거나 과다 포기되고 있다는 표시이다. 포기조의 용존산소농도를 2mg/L 범위로 유지한다.

(8) 고형물의 축적
탱크모서리, 포기기 사이 등에 고형물이 축적되면 혼합에 문제가 있다는 증거이다. Baffle 등을 사용하여 조정한다.

(9) 단락흐름(Short-curcuiting)
단락흐름이란 유입수가 탱크 내에서 혼합 없이 곧바로 배출구로 나가는 현상이다. 단락흐름이 발생하면 Baffle의 설치 등을 조절한다.

(10) 균일한 난류도(Turburences) 유지
완전혼합형 탱크는 전체 탱크 내에 균일한 난류도가 유지되어야 한다.

(11) 기계의 점검
송풍기 등 기계의 운전 상태를 전검한다.

2) 분석적 방법
폐수의 성질, 운전상태, 운전조건 등을 점검하여 활성오니공정의 성능을 판단할 수 있다.

(1) DO

포기조 내에서는 1~2mg/L의 범위가 적정함. 너무 높아도 2차 침전에 문제가 생기게 되고 동력이 낭비된다.

(2) BOD

배출수의 BOD농도를 측정하여 처리시설의 효율을 판단한다. 또한 F/M비나 영양분주입률 등 공정제어변수들을 계산하는 데 사용한다.

(3) COD

BOD 값을 추정하는 데 사용된다.

(4) DO 소모율시험

포기조로부터 채취한 시료의 DO 소모율을 비교함으로써 미생물의 활성을 비교할 수 있다.

(5) MLSS농도 측정

포기조 SS와 VSS농도는 F/M비와 MCRT(평균세포체류시간) 등을 계산하는 데 사용된다.

(6) 30분간 침전시험

SVI 등을 측정하여 침전성을 점검한다.

(7) 영양물질

침전된 유출수 중의 N과 P는 계속 측정하여야 한다.

(8) pH

유입수와 완화약의 pH를 매일 측정하여 혼화약은 pH 6.5~8.5 사이로 유지 되도록 한다.

(9) 유분

유분은 포기조의 현탁고형물에 접착하여 고형물이 미생물의 세포액으로 전달되는 것을 방지한다. 또한 플록이 유분으로 덮이면 부상하게 된다.

(10) 온도

보통 중온성 미생물은 35°C 이상이 되면 단백질의 변성으로 효소의 활동이 급격히 떨어진다.

(11) 현미경 관찰

현미경으로 플록을 관찰하여 미생물의 배양상태를 점검함으로써 미생물의 활성과 상태를 평가할 수 있다.

① 플록은 그 주변부가 물결모양이고 많은 종류의 원생동물이 존재해야 정상이다.

② 사상세균이나 곰팡이가 존재하면 DO 부족 등을 나타내며 유기물 부하가 높거나, 낮은 pH, 영양분 부족, 낮은 DO에서 나타난다.

③ 생물학적지표(Bio-index) 미생물

- 활성오니가 양호할 때는 Vorticella 등이 많이 나타난다.
- 활성오니가 나쁠 때는 Bodo 등이 많이 나타난다.
- Bulking 시에는 Sphaerotilus 등 사상성 세균이 많이 나타난다.
- DO 부족 시에는 Beggiatoa 등이 많이 나타난다.
- BOD 부하가 낮을 때는 Zoogloer 등이 많이 나타난다.

(12) 슬러지 블랭킷의 깊이

매일 측정하며 약 90cm 정도로 유지한다.

(13) 산도 및 알칼리도

중화에 필요한 약품의 양을 결정한다.

(14) Jar Test

약품의 최적 첨가량을 결정한다.

(15) 유량

공정제어변수들을 결정한다.

(16) 체류시간

SRT 및 HRT(수리학적 체류시간) 등을 정기적으로 측정한다.

(17) 화학물질 첨가율

유량계, 유량, 운전시간 등에 의해 결정한다.

29 | 하수처리시설의 처리수질의 안정성을 유지하기 위해 슬러지를 반송하기 위한 슬러지 반송비 결정방법에 대하여 설명하시오.

1. 개요

활성슬러지 공법에서 반송슬러지는 포기조의 미생물농도를 유지하는 중요한 인자로, 적절한 반송비는 반응조의 미생물 처리 효율을 좌우한다.

2. 활성슬러지법에서 슬러지를 반송하는 이유

1) 반송슬러지는 포기조의 MLSS농도를 일정하게 유지하여 주어진 시간 동안 요구되는 처리효율을 얻고 처리수질의 안정성을 유지한다.
2) 호기성 프로세스에서 활성 미생물의 농도와 유입되는 기질농도의 상관관계(F/M비)는 가장 중요한 요소이다.
3) 반송비로부터 포기조 미생물농도와 반송슬러지농도의 상관관계 및 슬러지 침전성 등의 운전요소와 밀접한 관계가 있으므로 반송비의 결정은 포기조 수온과 유기물 부하 정도, 처리수질 등에 따라 체계적으로 관리해야 한다.

3. 슬러지 반송비 결정방법

1) 침전성 실험
  (1) 침전성 실험을 이용하여 반송슬러지의 유량을 결정하는 방법
  (2) 1,000mL 메스실린더에 30분 침전시킨 후 상징액 부피에 대한 침전가능 고형물의 부피% 비율을 구함(C)

$$\text{부피\% 비율} = \frac{\text{침전한 고형물 부피(mL)}}{\text{상징액 부피(mL)}} = C$$

  (3) 반송량(Q_r) 결정 : 유입하수량(Q)$\times C$

(4) SVI값과 포기조에서 유지해야 할 MLSS농도를 알 경우

$$\frac{Q_r}{Q} = \frac{1}{\left(\frac{100}{\mathrm{pw} \times \mathrm{SVI}}\right)^{-1}}$$

pw : MLSS농도를 %로 나타낸 값

예) MLSS 3,000mg/L = 0.3%

2) 슬러지층 두께 조절

(1) 2차 침전지에서 최적의 슬러지층의 두께를 유지하는 방법

(2) 최적두께는 경험적으로 산정하며 효율적인 침전을 위한 깊이와 슬러지 저장량의 균형을 고려하여 결정

(3) 슬러지층 두께 측정

- Air Lift Pump - 중력흐름관(Gravity Flow Tube) - 휴대용 시료채취 펌프
- Core Sampier - 슬러지 상징액 계면감지장치

3) 물질수지에 의한 방법

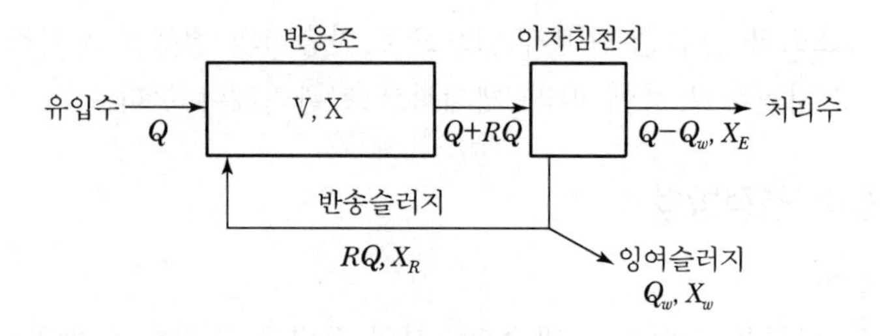

(1) 유입물량과 반송물량에 의한 반송비 결정

$$\text{반송비 } r = \frac{Q_r(\mathrm{m^3/day})}{Q(\mathrm{m^3/day})}$$

- 가정 : 반송되는 활성슬러지의 농도가 일정하다는 가정
- 슬러지의 침전성은 미생물의 상태, 포기조의 수온, 유기물질의 부하량 및 용존 산소농도에 따라 다를 수 있으므로 실제로 공정에 적용하기에는 다소 어려움이 있다.

(2) 활성슬러지의 농도에 의한 반송비 결정

$$r = \frac{X - X_o}{X_r - X} = \frac{X}{X_r - X}$$

X : 포기조미생물농도(mg/L)

X_o : 유입수의 고형물농도(mg/L)

X_r : 반송슬러지의 미생물농도(mg/L)

(3) 경험에 의한 방법

$$Xr = \frac{10^6}{\mathrm{SVI}}, \quad r = \frac{X}{\frac{10^6}{\mathrm{SVI}} - X}, \quad r = \frac{100 \times \mathrm{SV}}{100 - \mathrm{SV}}$$

(4) 농도 및 물량에 의한 반송비

$$r = \frac{\left(1 - \frac{\theta}{\theta_c}\right)}{\frac{Xr}{X} - 1}$$

여기서 θ : HRT(hr)

θ_c : SRT(DAY)

4. 현장 반송비 조절 시 고려사항

1) 반송슬러지농도가 포기조의 미생물농도에 비해 높지 않을 경우(침전성이 좋지 않을 경우)에는 반송비를 늘려야 한다.
2) 상대적으로 반송슬러지농도가 높을 때에는 반송량을 줄여야 한다.
3) 처리공정에서 균일한 반송비를 유지해야 일정한 포기조의 미생물량(MLSS)을 유지할 수 있다.
4) 계절별로 포기조에서의 미생물농도 및 반송슬러지농도를 유지하기 위해 반송률에 입각한 반송량 정도를 수시로 체크할 필요가 있다.
5) 우리나라의 설계 반송률은 보통 30~100% 대규모 하수처리장 50~100% 정도, 소규모 하수처리장 150%까지도 적용한다.
6) 생물학적 고도처리를 하는 처리장의 경우 내부반송률과 반송률의 관계도 고려할 필요가 있다. 내부반송률은 150% 정도 유지하고, 반송률 50% 정도가 보편적이다.

30 | 하수처리공정상의 포기장치효율과 포기장치종류에 대하여 설명하시오.

1. 개요

포기장치는 생물반응조에서 용존산소농도를 유지하기 위한 것으로, 공기 중의 산소가 수중에 어떻게 전달되는지의 포기 특성을 설명하는 기초는 총산소이동용량계수(K_{La})이다.

2. 총산소이동용량계수의 유도

1) 포기에 의한 산소의 용해는 가스상 산소가 용액 중으로 확산하는 현상이며, 그 기구를 설명하는 데 있어서는 이중경막설, 표면갱신설 등의 몇 개의 모형이 제안되고 있지만, 이것은 기체-액체 계면에서의 산소확산현상을 간단하게 정량화하기 위한 모형이다.

2) 산소전달확산이론을 정리하면 다음과 같다.

$$N = K_L \cdot A(\mathrm{DO_S} - \mathrm{DO}) \times 10^{-3}$$

여기서, N : 산소이동속도(kg/h)

K_L : 액경막에 있어서의 총산소이동계수(m/h)

A : 기체-액체 접촉면적(m^2)

$\mathrm{DO_S}$: 액상의 포화용존산소농도(mg/L)

DO : 액상의 용존산소농도(mg/L)

3) 반응조의 단위부피당 산소이동속도를 고려하면 단위부피당 기체-액체 접촉면적이 A/V가 되기 때문에 위 식은 다음과 같이 표현된다.

$$\frac{N}{V} = K_L \cdot \frac{A}{V}(\mathrm{DO_S} - \mathrm{DO}) \times 10^{-3} = K_{La}(\mathrm{DO_S} - \mathrm{DO}) \times 10^{-3}$$

여기서, V : 반응조 용량(m^3)

K_{La} : 총산소이동용량계수

4) K_{La}에 영향을 주는 인자

K_{La}는 각각의 포기장치 고유계수는 아니고 송풍량, 산기심도, 수온, 하수의 특성 등 많은 인자에 의하여 결정된다.

(1) 송풍량과 산기심도
(2) 수온
(3) 하수 중 함유성분과 농도

3. 포기장치효율

포기장치효율은 일반적으로 산소전달효율이나 산소이동동력효율로써 나타내는 경우가 많다. 동일 포기장치에 있어서도 효율은 포기조건에 따라 변하기 때문에 효율을 나타내는 경우에는 송풍량, 산기심도, 수온, 하수 특성, 반응조의 크기 등 조건을 모두 포함하여 나타내는 것이 바람직하다.

1) 산소전달효율(OTE : Oxygen Transfer Efficiency)

산소전달효율은 아래 식과 같이 반응조에 송입된 산소중량에 대한 용해산소중량의 비로써 표시할 수 있다.

$$E_A = \frac{K_{La}(\mathrm{DO_S} - \mathrm{DO}) \times V \times 10^{-3}}{G_s \times \rho \times O_W}$$

여기서, E_A : 산소전달효율(%)
G_S : 송풍량(m^3/h)
ρ : 공기밀도(=1.293kg/Nm^3)
O_W : 공기 중의 산소함유중량(=0.2330kg/kg공기)

2) 산소전달효율 측정

산소전달효율 측정에는 산소공급에 따른 DO 변화를 분석하여 전달효율을 평가하는 비정상상태분석법과 안정적인 DO농도가 유지되는 상태의 수면에서 배출되는 Off-Gas의 조성을 분석하여 전달효율을 평가하는 Off-Gas 분석법이 대표적인 방법으로 사용된다.

4. 포기장치의 종류와 특성

포기장치는 송풍기로부터 공급되는 공기를 미세한 기포로 반응조에 주입하여 활성슬러지의 침전을 방지하고 하수와 혼합시켜 하수와 공기와의 접촉면적을 크게 하여 활성슬러지의 미생물이 필요로 하는 공기를 공급하는 장치이다. MLSS의 침전 방지를 위해 포기조 내의 유속을 대략 0.3m/s로 해야 하는데, 최소한 0.1m/s 이상이 되어야만 한다. 활성슬러지공법에 사용되는 포기장치는 크게 산기식과 기계식으로 나눌 수 있다.

포기기 대분류	소분류	특징	산소전달효율 (kgO_2/kW-h)
산기식	미세기포	미세기포라서 포기효율이 양호하다.	0.8~1.2
	조대기포	효율이 저조하나 유지관리가 용이하고 혼합특성이 좋다.	0.5~0.8
	관통형	수직관통을 이용한다.	0.8~1.2
	제트식	압축공기와 펌프를 이용하며 깊은 포기조에 좋다.	1.2~1.6
기계식 (표면포기식)	방사형	부상형, 고정형에 적용한다.	0.9~2.1
	축류형	주로 부상형에 적용한다.	0.9~1.2
	브러시 로터형	저속형에 적용한다.	1.2~1.6
수중형 포기기	교반+포기	저속터빈+압축공기에 적용한다.	0.8~1.2

1) 산기식 포기장치

산기식 포기장치는 공기의 산기판, 산기관, 다공관 및 미세산기판 등으로 구성되어 있다. 산기판 및 산기관류에는 공기의 분출방법, 기포의 크기, 부착위치 등에 따라 각종 구조 및 재질이 사용되고 있고 미세기포장치와 조대기포장치로 구분된다. 통상 반응조에는 미세기포 장치가 채용되고 있다.

(1) 미세기포장치에는 세라믹제 혹은 합성수지제의 산기판 및 산기관, 그리고 멤브레인 디퓨저 등이 있다. 이 형식의 산기장치는 기포가 미세하므로 하수와 공기와의 접촉면적이 커 산소전달효율이 크다.

(2) 조대산기장치는 금속제 혹은 합성수지제가 많고, 다공관, 디스크디퓨저 등이 있다. 이 형식은 기포가 크므로 미세기포장치와 비교하면 단위공기량당 하수와 공기의 접촉면적이 작고 산소전달효율이 낮기 때문에 흡입공기량이 많아 막힘 현상이 적고 설치가 간단한 것이 특징이다.

(3) 산기판

산기판은 미세기포가 균일하게 발생하도록 균일한 기공을 가진 것으로, 내충격성 및 내구성이 뛰어나 장시간 안정적인 통기성 등을 가져야 한다.

- 산기판은 통기량을 증가시키면 기포가 크게 되어 산소전달효율이 저하되고 통기저항도 증가한다. 또한 통기량을 감소시키면 기포가 작게 되어 산소전

달효율은 크게 되나 통기가 불균일하게 되어 막힘현상에 의한 통기저항의 증가 등이 문제가 된다.

- 따라서 설계 시 적당한 통기량의 범위를 설정할 필요가 있고 이 양을 표준통기량으로 산기판의 설치수량 등을 결정하는 데 이용하여야 한다.
- 선회류식의 산기판 설치는 반응조의 저부 혹은 중간수심의 벽측에 산기판 4~10장을 한 조로 하여 산기판고정판에 설치하여 송풍관의 말단과 산기판고정판을 연결한다. 산기판을 이용한 산기장치는 형상이 크고 중량이 무거워 고정식을 원칙으로 한다.
- 전면포기식의 산기판은 선회류식의 산기판보다 소형의 세라믹제 혹은 합성수지제를 많이 사용하고, 기포는 종래의 산기판보다 미세하다. 통기특성은 세라믹제의 경우에는 20~40L/min·매 정도로 통기저항은 종래의 산기판보다 약간 크고 기포는 극히 미세하다. 기공경이 150μm인 산기장치를 이용하는 경우에는 송풍기의 공기여과기(필터)에 주의를 기울여야 한다.

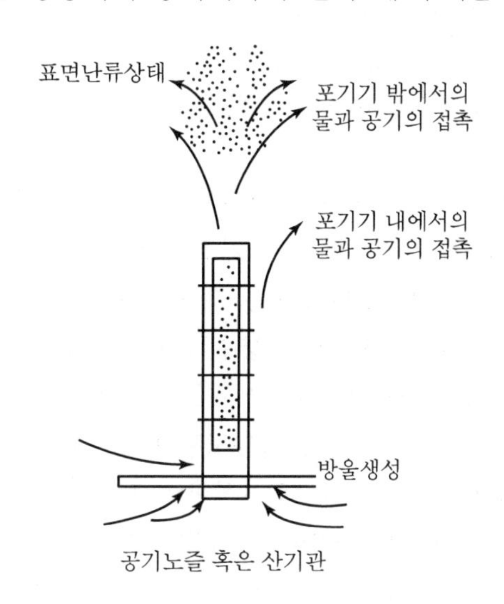

(4) 산기관

산기관은 미세기포가 균일하게 발생되도록 균일한 기공을 가진 원통으로, 재질은 다공성 자기 및 다공성 경질합성수지로 되어 있다. 통기특성으로는 산기판의 경우와 거의 동일하다.

(5) 다공관

조대기포를 발생시키는 산기장치로 스테인리스제 강관 등에 공경 4mm 정도의 구멍을 다수 뚫어 놓은 것이다. 막힘현상 및 부식 등의 우려가 적은 산기관으로, 산소전달효율은 작지만 반응조의 교반 등을 목적으로 할 경우 많이 사용되는 산기장치이다.

(6) 그 외 산기장치

그 외 산기장치로는 디스크형 디퓨저와 멤브레인디퓨저가 많이 사용된다. 디스크형 디퓨저는 송풍 중에는 디스크가 상승하여 본체와 디스크의 틈으로 공기를 분출하고, 송풍을 멈추는 경우에는 디스크와 본체가 밀착되어 하수가 송풍관으로 역류하는 것을 막는 구조로 되어 있다.

2) 기계식 포기장치

기계식 포기장치는 주로 기계식 표면포기기이며 표면포기기는 방사저속형(Radial Flow Low Speed), 축류고속형(Axial Flow High Speed)과 브러시로터형(Brush Rotor)으로 나누며, 이들 포기장치는 부동형 또는 고정형으로 설치한다.

(1) 방사형은 포기의 회전속도를 기어감속기로 감속시키며, 축류형 고속포기장치는 일반적으로 전동기와 직결되어 있다. 저속과 고속포기장치는 수면과 직각으로 설치한다.
(2) 브러시로터(Brush Rotor)는 수면과 평행으로 설치하며 저속으로 회전하도록 되어 있다.
(3) 기계식 포기장치의 설치 특성으로는 브러시로터를 제외하고는 직사각형의 포기조에 잘 맞지 않으며 작은 포기조보다 큰 포기조에 비교적 흔히 사용된다.
(4) 표면포기장치의 산소전달효율은 회전날개(Impeller)가 수중에 잠기는 깊이와 관계가 있는데 어느 경우에는 양수력이 좋으나 포기는 좋지 못한 경우가 있다.
(5) 표면포기장치는 포기조의 깊이가 4.5~9m 이상인 경우, 즉 불완전한 혼합이 이루어질 가능성이 클 때는 흡입유도관(Draft Tube)을 설치하기도 한다.
(6) 축류형 고속표면포기장치는 포기식 산화지에 사용되는 추세인데 회전날개의 속도가 매우 빨라 미생물플록을 깨뜨리는 경향이 있어 좋지 않다는 주장도 있다.
(7) 고속포기장치는 저속보다 양수력이 비교적 적어서 교반깊이와 산소전달능력에 제한이 있다. 따라서 이러한 두 가지의 결점이 크게 문제가 되지 않는 포기식 산화지에 흔히 사용된다.
(8) 브러시로터는 수평축으로 연결된 회전날개가 회전하는 형상을 가졌는데 회전속도는 저속방사형 포기장치와 거의 같다.
(9) 포기기의 효율은 산화구의 수심에 따라 변하는데 수심이 깊을수록 에너지가 많이 소요된다. 산화구의 수심은 1.5~4.5m 정도를 표준으로 하나 최대 깊이는 4.5m 정도이다.

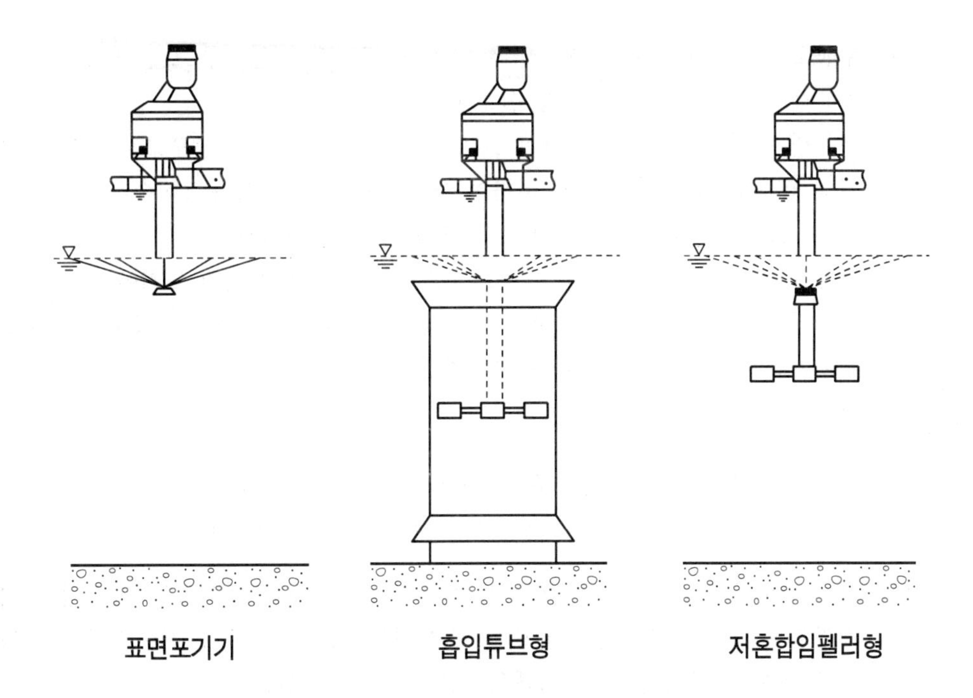

3) 수중교반식 포기기

수중교반식 포기기에는 수중모터식 교반산기장치, 흡입튜브(Draft Tube)식 교반 산기장치 등이 있다.

(1) 수중교반식 포기기는 수중교반기의 토출부에 산기장치를 설치하여 교반기능과 산기기능을 일체화한 것으로 반응조 내에 설치하여 송풍기에서 공급되는 공기를 교반날개로 미세하게 전단시켜 높은 산소전달효율을 얻을 수 있는 것이 장점이다.

(2) 최근 고도처리의 도입으로 교반 및 산기기능이 일체화되어 송풍을 멈추면 교반만의 운전도 가능하여 동일한 기계 측 제어치로 혐기조 및 호기조에 동시에 사용할 수 있다는 것과 경우에 따라서는 동일 반응조에서 혐기 및 호기운전을 교대로 수행할 수 있다는 장점이 있다.

(3) 너무 많은 공기를 주입하면 회전날개가 헛도는 경우가 있어 결과적으로 산소전달률이 감소하므로, 공기주입량을 적절히 하여야 한다.

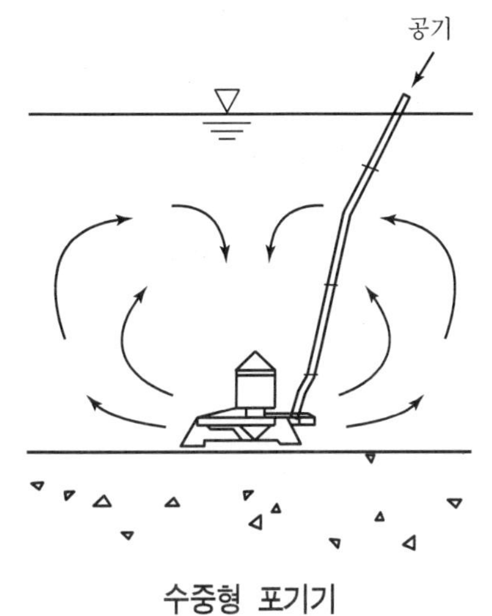

수중형 포기기

(4) 수중포기기에 있어서 공기주입은 공기파이프 또는 압력튜브를 통하여 공급시키는데 축류형이 방사형보다 산소전달효율이 좋다.

(5) 수중형 포기기의 산소전달률은 200~300mg O_2/L·h 이상으로서 산기식 포기기의 60~80mg O_2/L·h에 비하여 매우 큰 값으로, 고농도폐수가 유입되거나 혹은 포기조의 체류시간이 비교적 짧을 경우에 적합하다.

(6) 수중형 포기기의 영향 범위는 4~13m^3/kW인데 조의 형상과 크기에 따라 변한다.

(7) 심층식 반응조의 경우 표면포기기와 마찬가지로 수심 약 5m 정도에 수중교반 포기기를 설치하고 그 하단에 흡입유도관(Draft Tube)을 설치한다.

4) 송풍장치

산기식 및 수중형 포기기는 송풍기(Blower)로 공기를 공급하는데, 기계식 표면포기장치보다 포기조 내로 공급되는 공기량을 쉽게 조정할 수 있다.

(1) 송풍기의 소요전력량은 전동기의 회전속도와 공기공급지점의 압력에 의하여 결정되는데 하수처리에 사용되는 송풍기는 상대습도와 운전속도에 공기량이 크게 영향을 받지 않으며 최대압력은 120kg/m^2이다.

(2) 원심력식 송풍기는 두 가지의 형태가 있다. 먼저 수평분리형은 효율이 75~85%이며 유지관리가 쉬우나 가격이 비교적 비싸고, 수직분리형은 효율이 60~79%이나 가격이 저렴하다. 또한 수평분리형은 약 340kg/m^2의 압력까지 작동 가능하나 수직분리형은 80kg/m^2의 압력까지만 작동 가능하다.

(3) 공기공급계통의 저항은 관거, 밸브, 산기방식, 산기기의 수면깊이에 따라 결정되는데 산기기를 2.5~4.0m에 설치하는 것이 비교적 손실수두면에서 경제적이다.

(4) 송풍기를 사용할 때 열이 발생하는데 에너지 절약효과 측면을 고려하여 이러한 발생열은 열교환기를 사용하여 소화조에 공급하거나 또한 처리장 건물의 난방용으로도 사용이 가능하도록 고려한다.

(5) 혼합능력

포기장치의 선정에 있어서 포기장치의 산소공급능력 이외에 포기조 내에 MLSS가 침전되지 않도록 충분히 혼합할 수 있는 능력을 고려한다.

31 | 초심층 포기법의 특징과 적용 시 유의점을 설명하시오.

1. 개요

초심층포기법은 수심 50~150m의 대심도 반응조와 고액 분리시설로 구성된 활성 슬러지법의 일종으로 그 깊이에 따른 큰 정수압을 받기 때문에 간단하게 기포 내 산소가 수중으로 쉽게 용해된다. 따라서 정수압의 증가에 따른 액중 포화산소농도의 상승과 순환류에 동반하는 기포가 하강유로와 상승유로의 긴 수로를 통과하게 되는데 이로 인한 긴 접촉시간 때문에 높은 산소 용해 효율을 얻을 수 있는 포기방식이다.

2. 초심층 포기조의 구성

초심층포기조는 하강유로와 상승유로로 구성된 사프트부와 정부의 페드탱크로 구성된다. 탱크 내 혼합액은 에어리프트방식 또는 펌프방식에 의하여 헤드 탱크부와 샤프트 저부간을 하강유로와 상승유로를 통하여 순환된다. 하강유로에 유입된 기포는 난류형태의 순환류에 함께 유하함에 따라 액중 포화산소농도의 상승과 순환류에 동반하는 기포가 하강유로와 상승유로의 긴 수로를 통과함으로 인한 긴 접촉시간을 갖는다.

1) 에어리프트 순환방식

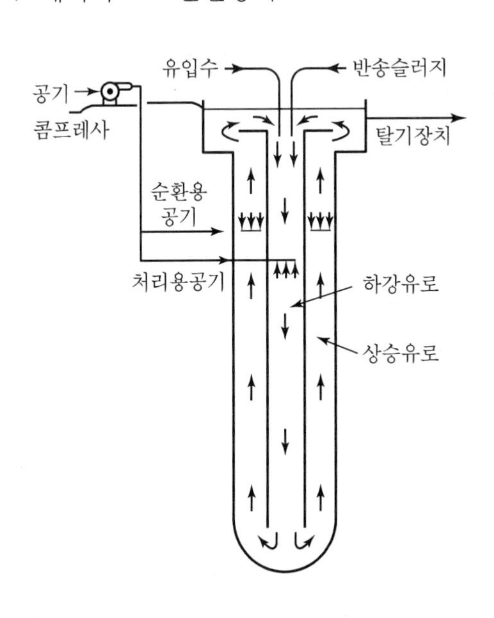

2) 펌프 순환방식

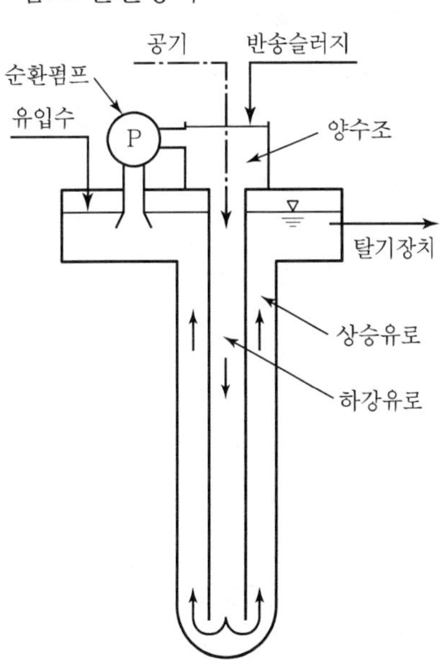

3. 초심층포기법의 특징

1) 고부하 운전이 가능하다.
2) 포기조 내 MLSS농도를 높게 유지할 수 있다.
3) 시설 면적이 작다.
4) 송풍량이 작고 악취 대책이 쉽다.
5) 송풍 동력이 작고 에너지를 절약할 수 있다.
6) 탈기 시설이 필요하다.
7) 지질 조건(암반 깊이 등)에 따라 포기조 깊이의 결정에 제약을 받는 경우가 있다.

4. 설계 적용시 유의점

설계에 있어서 고려해야 할 점은 다음과 같다.

1) 형상 및 치수
   (1) 축 형상은 원형을 기본으로 한다.
   (2) 수심은 50～150m를 기본으로 한다.

2) 부하조건
   (1) F/M비 : 1.0kg BOD/kg SS · d 이하
   (2) MLSS농도 : 2,000～4,000mg/L
   (3) HRT : 1.2시간 이상

3) 산소 용해 효율
   초심층포기조에서의 용존산소농도는 깊이에 따른 큰 정수압과 기체－액체 접촉 시간이 길기 때문에 높은 값을 나타낸다.

4) 고액분리 설비
   초심층포기조로부터의 혼합액은 기포를 다량 함유하기 때문에 슬러지와 처리수를 분리하기 위한 고액분리법으로서 아래와 같은 방식이 있다.

   (1) 초심층포기조 → 진공 탈기탑 → 이차침전지
   (2) 초심층포기조 → 기계적 탈기조 → 이차침전지
   (3) 초심층포기조 → 재포기조 → 이차침전지
   (4) 초심층포기조 → 부상조

5) 진공 탈기 방식
   일반적으로 사용되고 있는 진공 탈기탑 및 이차침전지로 구성된 고액 분리설비에 있어서는 슬러지 혼합액이 약 0.3기압(30kPa)의 진공도를 유지하고 있는 진공 탈기탑 내에서 진공 상태를 거치면서 탈기된 후 이차침전지로 보내진다. 이차침전지에서 분리된 슬러지는 초심층포기조로 반송되며 일부는 잉여슬러지로서 슬러지 처리시설로 보내진다.

32 | 접촉안정화법 및 Biosorption

1. 개요

1) 활성슬러지 Floc의 흡착과 흡착된 Floc의 산화 또는 안정화를 각각 별개의 포기조에서 분리하여 진행

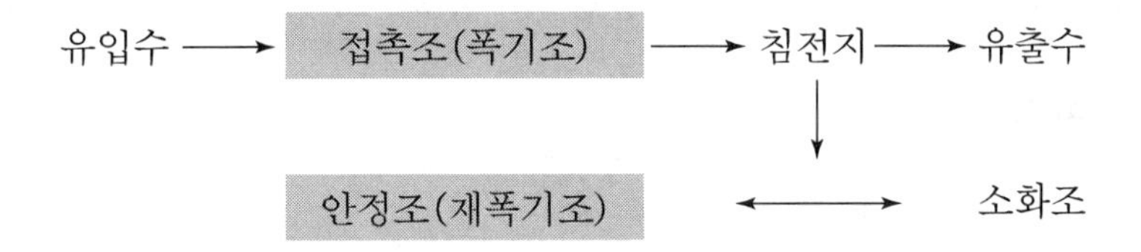

2) 접촉조에서 주로 입상 또는 콜로이드형 기질의 생물학적인 흡착이 이루어지고 안정조에서는 흡수, 흡착된 유기물을 재포기시켜 흡착된 슬러지와 흡수되어 세포 내에 저장된 기질을 충분히 대사하여 내호흡상태로 만들어 준다.

2. Biosorption 원리

1) 유기질(입상 및 콜로이드)이 생물학적 응집 현상에 의해 활성슬러지에 흡착되어 액상으로부터 제거되는 현상을 생흡착
2) 활성슬러지에서 유기물 제거는 생흡착 물질대사, 고액 분리 3단계로 구성된다.
3) 미생물 작용은 세포벽에 기질이 붙는 생흡착과 세포 내부로 들어가 신진대사물질로 이용되는 물질대사현상으로 나눈다.
4) Biosorption은 두 상의 계면에서 발생하는 흡착과 흡수현상을 포함한다.

3. 접촉안정법에 의한 폐수처리 특성

1) 작은 포기조용적과 작은 동력에 의하여 폐수를 경제적으로 처리
2) 충격부하 피해 최소화, 슬러지팽화와 SVI를 조절하여 침강성을 유지하고 높은 유기물 제거율과 잉여슬러지량이 적다.
3) 안정화는 공정의 기질제거를 최고효율로 유지하기 위해 내부적으로 저장된 기질을 고갈시키기 위해 필요
4) 접촉안정화법 도입 시 분자의 가수분해와 생물학적 분해 가능 여부 등 복잡한 사항을 점검한다.

33 | 생물막의 원리를 설명하시오.

1. 개요

생물막법이란 활성슬러지법에 대비한 공법으로 활성 슬러지법이 반응조 내의 부유하는 미생물군을 이용하는 것에 비하여 생물막법은 고정상의 매체표면에 서식하는 미생물을 이용하는 것으로 살수여상, 회전원판법, 접촉산화, 호기성여상 등이 이에 속한다.

2. 생물막법 처리원리

1) 생물막에서의 물질 이동

도식도에서와 같이 여재표면에 생물막이 형성되고 생물막과 접촉 처리수 사이에 확산층이 형성되며 이때 처리수 중의 유기물은 막에 흡수되고 막은 미생물 증식에 의해 성장한다.

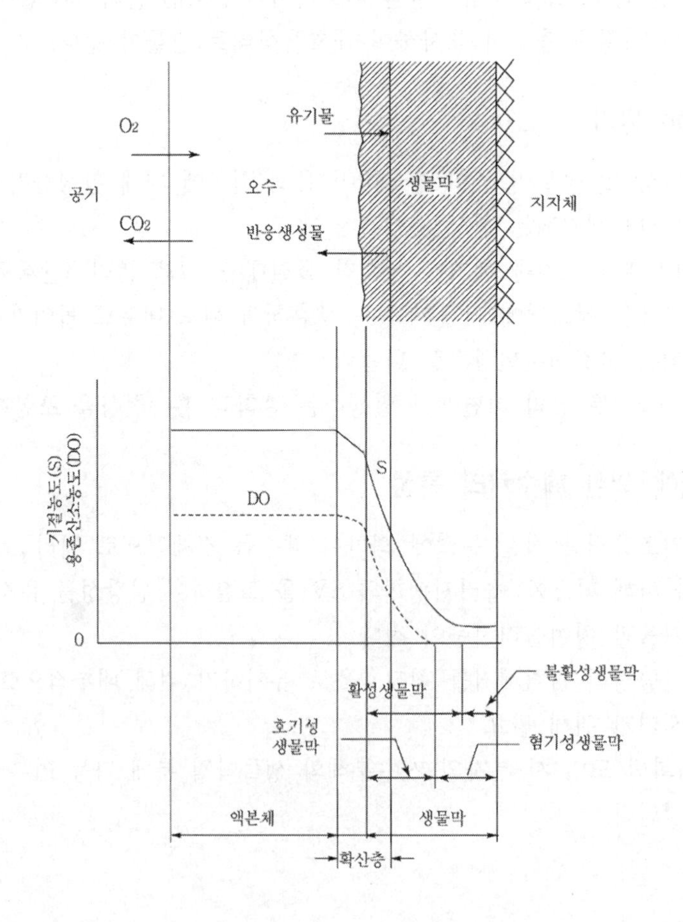

2) 생물막의 탈리(Slough - off)

(1) 막이 점점 성장하면 막두께가 증대하며 내부는 내생호흡 상태와 혐기성 상태를 거쳐 생물막이 매체로의 부착력이 약화되어 생물막의 탈리가 발생

(2) 교반이나 매체의 이동시 발생되는 전단력으로 막 표면부분 생물막 탈리

3) 반응조 내 미생물량의 조정

(1) 생물막법은 활성 슬러지법에 비하여 막의 성장과 탈리가 자연적으로 평형을 이루면서 생물막 증식과 탈리에 의한 자체 조정으로 운전관리가 간단하다.

(2) 활성 슬러지법에 비하여 처리가 악화될 경우 미생물량의 단시간 내 교체나 제거가 어려워 시스템 조정이 곤란한 것은 단점이다.

3. 생물막법의 특징

1) 생물학적 특징

(1) 질산화 반응이 쉽다 : 미생물의 증식 속도가 느리고 충분한 시간으로 질산화 미생물이 안정적으로 증식하여 질산화 반응이 용이하다.

(2) 알칼리도가 낮은 오수인 경우 pH가 극단적으로 저하하는 경우가 있다.

- 알칼리도 공급, 유입수의 단계적 유입, 가동 계열수 감소(질산화 반응 억제)

(3) 다양한 생물종이 생물막을 구성하여 원생동물, 미소 후생동물도 안정적으로 증식

- 유기물 부하 변동, 수온변동 등의 환경변화에 잘 대응한다.
- 질산화 반응으로 슬러지 발생량 감소

2) 반응조의 다단화 및 단계유입

(1) 반응조의 다단화는 처리효율을 높이고 양호한 처리수를 얻는 데 유리하다.

(2) 활성 슬러지법에 다단화를 적용하기 위해서는 침전지가 여러 개 필요하고 시스템이 복잡해진다.

(3) 생물막의 다단화는 미생물이 매체에 부착되어 고정상태이므로 1개 반응조 안에서도 다단화 용이

- 상류측 처리단 : 종속영양 미생물, 두꺼운 생물막
- 하류측 처리단 : 독립영양 미생물, 생물막 두께 감소

(4) 생물막의 성장에 의한 매체 폐쇄에 대응하는 방법

- 처리수 순환에 의한 유입 유기물농도 저하와 수류 전단력 증대
- 유입수를 분배하여 단계 유입하여 생물막 과대 성장 억제

3) 고액분리상(침전지 등)의 특징

- 유출수 내 고형물을 제거한다.
- 생물막으로부터 탈리된 부착생물을 처리한다.
- 응집성 부족으로 분산 침강할 경우 미세 스크린, 여과 등의 후처리 설비를 적용하여 SS농도 감소, 처리수 투명도 개선을 꾀한다.

34 | 생물막법의 종류 및 특징을 설명하시오.

1. 살수여상법(Trickling Filter)

1) 처리원리

살수여상법은 고정된 여과상에 하수를 살수하여 여재 표면에 생물막을 형성하고 도시하수의 일차침전지 유출수를 2차 처리를 위하여 사용한다.

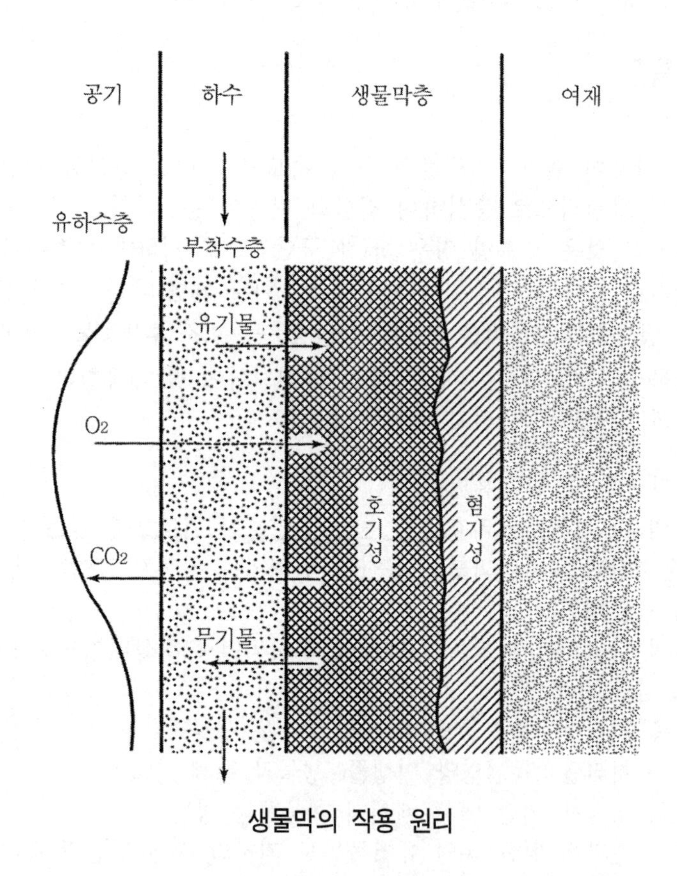

생물막의 작용 원리

2) 미생물막 층(Slime Layer)

수로 박테리아, 원생동물, Fungi로 구성되며 환경이 양호한 경우는 슬러지 벌레, 파리 유충, 이끼, 로티퍼 등 고등동물이 자랄 수 있다. 깊은 여상 바닥에는 질산화 미생물이 성장할 수도 있다.

3) 장단점

장점	단점
• 자연적인 통풍을 이용하여 에너지 절약 효과가 있다. • 건설 및 유지관리비가 적고 용이하다. • 슬러지발생량이 적다. • 부하변동 및 독성물질의 유입에 강하다.	• 처리효율이 낮고 소요부지 면적이 크다. • 처리공정의 살수 낙차에 따라 손실수두가 크다. • 매체 폐쇄현상(폰딩)이 발생될 수 있고 산소결핍, 냄새가 발생하기 쉽다. • 발생슬러지는 쉽게 안정화되지 않는다.

2. 회전원판법(RBC Rotating Biological Contactor)

1) 원리

미생물이 부착되도록 넓은 표면적을 가진 회전원판을 원판의 약 40% 정도가 물에 잠기게 한 후 0.3m/sec 정도로 저속 회전시키면 물속에서는 유기물을 분해하고 대기 중에서는 산소를 공급되도록 하여 하수중의 유기물을 처리하는 생물막법

2) 특징

(1) 운전관리상 조작이 간단하고 소규모처리시설의 소요전력은 표준활성슬러지법보다 적다.

(2) 질산화가 발생하기 쉽다 → 처리수의 BOD 상승, pH 저하

(3) 슬러지 벌킹 현상이 없다 : 생물막법은 SRT가 길어 사상균의 성장이 어렵다.

(4) 처리수의 미세한 SS 유출, 투명도 악화

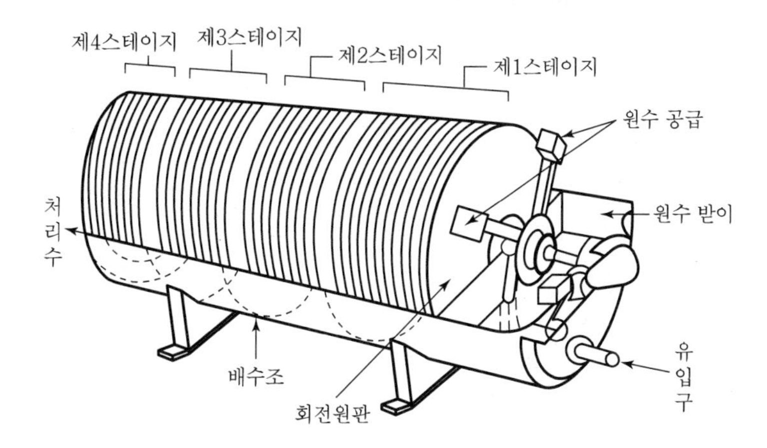

3) 설계인자

• 원판직경 : 3~4m, 원판간격 : 15mm
• BOD 면적 부하 : 5~12gBOD/m^2 · d
• 유량부하 : 50~100L/m^2 · d

- 회전속도 : 0.3m/sec
- 침적율 : 35~45%

3. 접촉산화법

1) 원리

반응조 내의 접촉재 표면에 부착된 미생물에 의하여 하수를 처리하는 것으로 부착생물에 필요한 산소는 포기장치로부터 공급되며 접촉재 표면의 부착미생물은 탈리되어 침전지에서 침전 분리된다.

2) 특징

(1) 생물막법의 대표적인 공법으로 반송슬러지가 불필요하므로 운전관리가 용이하다.
(2) 접촉재 사용으로 부착미생물을 다량 확보하여 유입기질의 변동에 유연히 대응할 수 있고 생물막이 다양하여 처리효과가 안정적이다.
(3) 슬러지의 내생호흡에 의한 자산화로 잉여슬러지량이 감소
(4) 부착미생물량을 임의로 조절하기 어렵고 부착미생물의 확인이 어렵다.
(5) 고부하 운전 시 접촉재 폐쇄 가능성

3) 설계인자

- 유효수심 : 3~5m
- BOD 용적 부하 : 0.3kg/m^3 · d

35 | 연속 회분식 활성슬러지법(SBR)

1. 개요

1) 연속회분식(Squencing Batch Reactor)활성슬러지법은 회분식의 장점을 극대화 시키는 것으로 1개의 반응조를 반응조와 침전지의 기능을 갖게 하여 활성슬러지에 의한 반응과 혼합액의 침전, 상징수의 배수, 침전슬러지의 배출공정 등을 반복하여 처리하는 방식이다.
2) SBR은 기본적으로 Plug Flow와 회분식(Batch Reactor)의 특징을 결합한 시스템이다.
3) 즉 연속된 회분식을 통하여 회분식의 단점인 불연속성을 해결하여 Plug Flow 와 같은 동력학 특성을 갖도록 하며 한 개의 반응기에서 반응과 침전이 이루어진다. 연속 회분식 활성슬러지법에는 고부하형과 저부하형이 있다.

2. SBR의 구성

1) 기본적인 운전 단계는 5단계
   유입(Fill) → 반응(Reactor) → 침전(Settling) → 유출(Effluent) → 슬러지배출

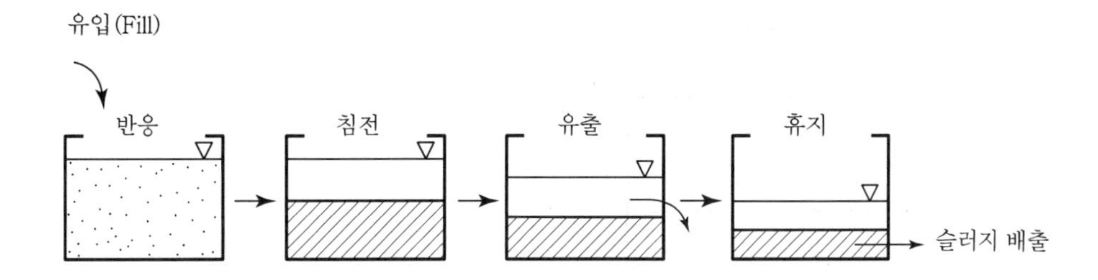

2) 여러 개의 SBR을 운전하거나 유입수는 계속적으로 유입시키고 침전 및 유출만을 간헐식으로 하는 변형 SBR공정이 사용되기도 한다.
3) 본법은 산기장치 및 상징수 배출장치를 설치한 회분조로 구성된다.
4) 다른 처리방식에 비해 유입수량 변동의 영향을 받기 쉬우므로 관리를 용이하게 하기 위해서는 유량조정조가 필요하다.
5) 본법은 원칙적으로 일차침전지가 필요 없으므로 반응조 내의 큰 고형물의 축적이나 스컴부상 등을 방지하기 위해 반응조 유입수에 스크린 등을 설치하는 것을 고려하여야 한다.

6) 또한 처리수의 방류가 간헐적으로 이루어지게 되므로 처리수조를 설치하여 소포수 등을 확보하여야 한다.

3. SBR의 F/M비

1) 활성슬러지 기준(고부하 0.2~0.4kg/kg)
2) 산화지 기준(저부하 0.03~0.05kg/kg)

$$F/M = \frac{Q_s \cdot C_s}{e \cdot C_A \cdot V_s}$$

Q_s : 계획오수량 (m^3/d)
C_S : 유입오수 평균 BOD(mg/L)
C_A : MLSS농도(mg/L)
V_s : 유효용량(m^3)
e : 포기시간비 $= n \cdot \frac{T_A}{24}$
(n : 주기수(1/일), T_A : 1주기에서 포기시간)

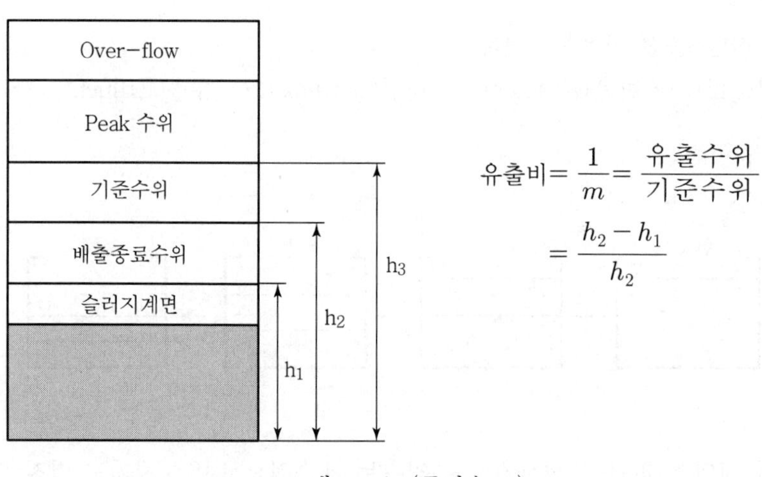

대 ↔ 소 (주기수, n)

유출비 (1/m)	대 ↔ 소 (주기수, n)	
대	고부하운전 (탈인)	질산화
소	질산화, 탈질	저부하운전 (질산화, 탈질)

4. 운전 형식

1) Fill
   - 기질첨가단계(원칙은 간헐식)
   - 슬러지가 25% 채워져 있던 Tank에 폐수로 100% 채운다.
   - 시간은 전체 소요시간의 25% 정도 소요
   - 포기는 실시할 수도 그렇지 않을 수도 있음

2) Reactor
   - 반응시간동안 유지
   - 소요시간은 전체의 35% 정도
   - 반응시간동안 포기

3) Settling
   - 포기를 멈추고 중력침전에 의해서 슬러지와 처리수 분리
   - 소요시간은 전체의 20% 정도

4) Effluent Decant
   - 처리수를 유출(65% 정도 유출)
   - 소요시간은 전체의 10% 정도

5) Excess Sludge Dischange
   - 잉여슬러지를 폐기(전체 부피의 10% 정도)
   - 소요시간은 전체의 10% 정도

5. 연속회분식 활성슬러지법의 특징

1) 유입오수의 부하변동이 규칙성을 갖는 경우 비교적 안정된 처리를 행할 수 있다.
2) 오수의 양과 질에 따라 포기시간과 침전시간을 비교적 자유롭게 설정할 수 있다.
3) 활성슬러지 혼합액을 이상적인 정치상태에서 침전시켜 고액분리가 원활히 행해진다.
4) 단일 반응조 내에서 1주기(Cycle) 중에 호기-무산소-혐기의 조건을 설정하여 질산화 및 탈질반응을 도모할 수 있다.
5) 고부하형의 경우 다른 처리방식과 비교하여 적은 부지면적에 시설을 건설할 수 있다.
6) 운전방식에 따라 사상균 벌킹을 방지할 수 있다.
7) 침전 및 배출공정은 포기가 이루어지지 않은 상황에서 이루어지므로 보통의 연속식 침전지와 비교해 스컴 등의 잔류가능성이 높다.

6. 회분조의 형상, 구조 및 수

회분조의 형상, 구조 및 수는 다음의 각항을 고려하여 결정한다.

1) 평면형상은 일반적으로 정사각형 또는 직사각형으로 하며 유효수심은 4~6m 정도로 한다.
2) 수밀성 구조로 하며 부력에 대하여 안전한 구조로 한다.
3) 조의 수는 원칙적으로 연속성을 위해 2조 이상으로 한다.
4) 단락류를 방지할 수 있도록 배치를 강구한다.
5) 상징수 배출장치 등을 고려하여 여유고를 설정한다.

36 | MSBR(Modified Sequencing Batch Reactor)

1. 정의

MSBR이란 연속회분식(SBR)을 변형한 공법으로 SBR의 장점과 기타 공법의 장점을 조합하여 변형시킨 고도하수 처리공법이다.

2. MSBR공법의 필요성

하수처리공법에서 다양한 성질을 갖는 하수를 최적의 상태로 처리하기 위해서 수많은 공법이 적용되는데 SBR공법은 최근 사용되는 대표적인 공법이며 이 SBR공법을 좀 더 효율적으로 변형하여 효율을 극대화시키는 공법을 MSBR공법이라 한다.

3. MSBR공법의 예

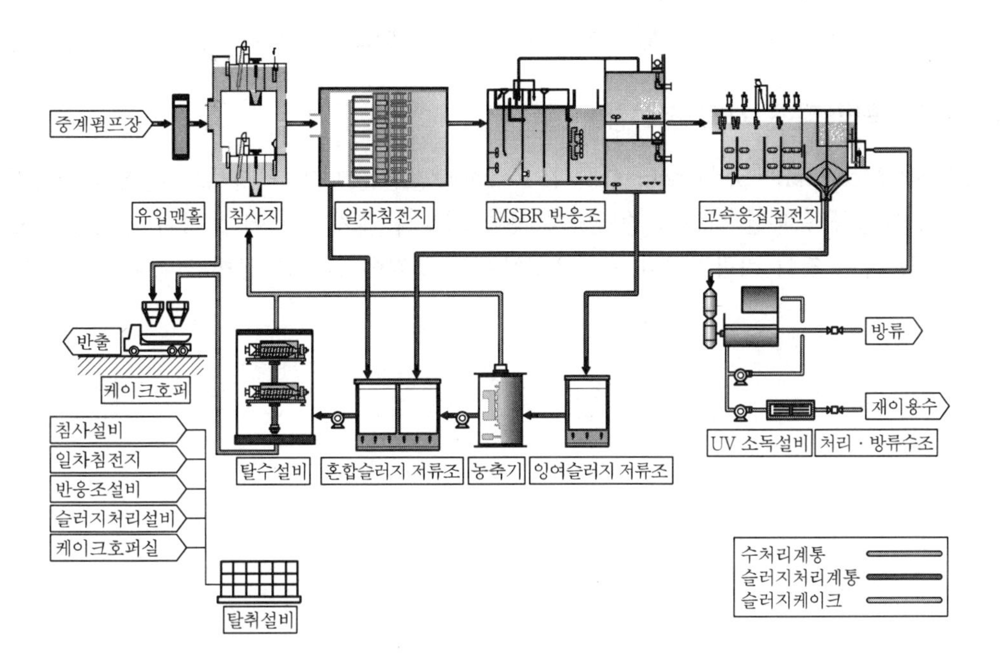

4. MSBR공법의 종류

MSBR공법은 주로 하·폐수 중의 영양염류(N, P)를 제거하여 방류수 수질기준을 만족하기 위한 것으로 최근 방류수 수질기준이 강화되면서 다양한 연구가 진행되고 있다.

1) 담체+SBR형의 MSBR
기존 SBR공법에 담체를 투입하여 생물막처리 효율을 접목한 형태의 MSBR공법이다.

2) SBR형의 포기·비포기 시간비율을 조정한 MSBR
기존 SBR공법에 포기와 비포기시간을 변형시켜 효율을 증대시킨 형태의 MSBR공법이다.

3) (침전시간과 배출시간을 생략)+SBR형의 MSBR
기존 SBR공법에서 침전시간과 배출시간을 생략하는 형태의 MSBR공법이다.

4) 막여과+SBR형의 MSBR
기존 SBR공법에 막여과(멤브레인)를 접목한 형태로 가장 보편적인 MSBR공법이다.

5. MSBR공법 적용 시 고려사항

MSBR(Membrane Sequencing Batch Reactor)공법은 다양한 형태로 운영이 가능하지만, 그만큼 충분한 성능이 증명되지 못한 경우가 많기 때문에 실적이 증명된 공법을 사용하는 것이 바람직하다. 즉, 유입하수의 성질에 알맞은 공법 적용이 필요하다.

37 | MBR공법을 여과방식에 따라 분류하고 장단점에 대하여 설명하시오.

1. 개요

MBR공법(Membrane Bio Reactor)이란 침지식 막분리공법에 주로 사용하며, 일명 중공사막이라고도 하는 분리막을 사용한다. 세공크기(수십μm ~ 수mm)와 막표면 전하에 따라 원수 및 하폐수 중에 존재하는 처리대상물질(유기·무기 오염물질, 미생물 등)을 거의 완벽하게 분리, 제거할 수 있는 고도의 분리공정시스템이다.

2. MBR 하수처리의 구성 및 처리원리

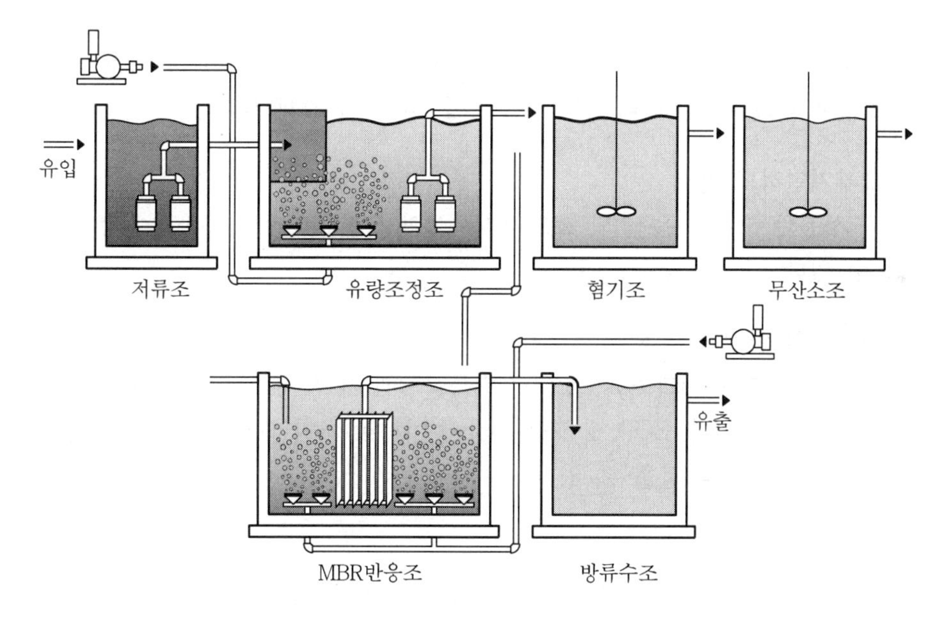

1) 본 처리시설은 포기조 내에 Micro Filter Module을 직접 침지시켜 흡인여과에 의해 처리하는 것으로, 분리막에 의해 물과 미생물 Floc이 고액분리되어 여과액은 깨끗한 처리수로 배출된다.
2) 결국 분리막을 포기조에 직접 침지시킴으로써 종래 활성슬러지공법의 침전지 설치가 불필요하게 되고, 사상균에 의한 벌킹(Bulking)을 걱정할 필요가 없게 되는 등 많은 장점을 갖고 있다. 또한 포기조 내 MLSS농도(6,000~10,000mg/L)를 높게 유지할 수 있어 단위용적당의 처리량이 증가하고, 잉여오니가 감소할 뿐 아니라 BOD 제거효율을 안정되게 지속할 수 있다.

3) 오수 중의 찌꺼기, 대장균, 세균, 미생물덩어리(Floc) 등을 초정밀 중공사막 필터를 이용, 고·액분리를 완벽하게 처리하는 기술로 호기성처리방법 중 활성슬러지 공법과 조합시켜 포기조에 "중공사막 필터장치"를 직접 침지하여 흡인여과(Out → In방식) 처리하는 공법이다.

3. 특징

1) 막분리공정은 모듈화되어 있어 다른 물리·화학적 또는 생물학적 처리공정과 쉽게 조합되어 효과적인 혼성시스템(Hybrid System)을 구성할 수 있는 등 많은 장점을 지닌 고도의 분리기술이다.

2) 분리막은 열연신법에 의한 Polyethylene 중공사막을 사용해, 막표면이 친수성이 되도록 코팅을 하여 제작된 초정밀 필터다.

3) 경제적 처리공정
초기시설비용, 운전관리비용(약품비/전력비/인건비/오니처리비)이 기존 생물학 처리방법에 비해 경제적이며, 중수도를 얻을 수 있어 경제적이다.

4) 소요부지면적의 감소
막을 사용한 고부하 운전 및 고도처리시설의 불필요로 설치공간의 1/2 이하로 줄일 수 있다.

5) 처리수질의 안정적
막에 의한 물리적 여과 System으로 탁도물질과 세균류도 제거 가능하므로 처리수가 매우 안정적이며, BOD 및 SS를 5ppm 이하로 처리한다. 따라서 중수로 재이용할 수 있는 수질을 얻을 수 있다.

6) 유지관리가 용이함
미생물 상태 및 고액분리의 관리가 거의 필요 없고 자동화 시스템에 의한 제어가 수월하여 유지관리 인원이 거의 필요 없다.

7) 잉여오니 발생량 감소
높은 MLSS농도 조건에서 슬러지체류 시간을 길게 유지할 수 있어 슬러지 자기소화량이 많기 때문에 잉여오니 발생량이 거의 없다.

8) 기존공법 개선 시 호환성이 높다.
기존 처리시설에서 수질 향상 및 오니량증가에 대한 개선을 하고자 보수공사를 할 때 포기조 내에 막 유니트를 설치하여 처리수량과 수질을 향상시킬 수 있다.

4. MBR공법의 종류

오폐수처리에 사용되는 분리막공법에는 두 가지가 있습니다. 첫 번째는 Cross Flow Filtration공법이고, 또 다른 하나는 Dead end Filtration공법이다. Submerged공법은 여기서 말하는 침지식 막분리 활성슬러지공법을 말합니다. 이 두 공법의 장단점은 다음과 같다.

구분	가압형 여과막 활성오니공법	침지형 막분리 활성오니공법
막형상	관형(Tubular Type)	중공사(Hollow Fiber)
여과방식	가압식	흡인식
설치장소	관리층(노출식)	포기조 내(침지식)
MLSS농도	8,000~9,000ppm	10,000~12,000ppm
처리수질	BOD & SS : 5ppm 이하	BOD & SS : 5ppm 이하
막교체주기	2~3년	7~8년
처리계통도	유량조 → 포기조 → 미세스크린 → 여과막조 → 방류조	유량조 → 막분리포기조 → 방류조

1) 침지형 막여과 시스템

분리막(멤브레인)을 원수중에 침적시키고 막에 흡입력을 가하여 여과수만을 흡입 여과하는 형식으로 특성은 다음과 같다.

- 막 수명이 길고 시스템이 간단하여 공정자동화가 용이하다
- 전처리 공정이 불필요 하고 세정 주기가 비교적 길다.
- 고농도 및 고점도 용액처리가 가능하다.

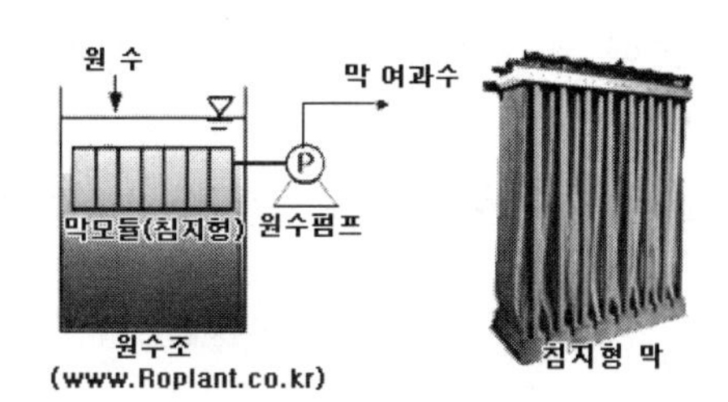

침지형 막역과 시스템

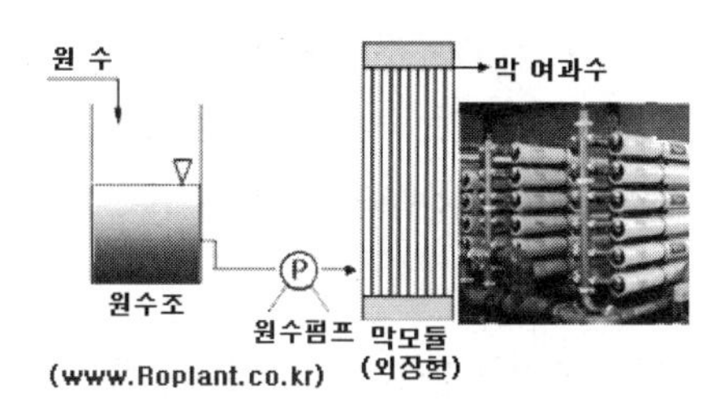

외장형 막여과 시스템

2) 가압 외장형 막여과 시스템

분리막(멤브레인)을 압력베셀에 장착하고 원수를 막에 압송시켜서 여과하는 형식으로 그 특성은 다음과 같다.

- 대형화와 공정자동화가 용이하다
- 전처리가 필요하나 세척은 비교적 용이하다

3) 막여과의 주요 설계 항목

설계 시 주요 고려사항은 막 투과 Flux, 수온, 운전압력 및 회수율 등이 있으며, 막여과 공정의 효율성과 막 성능에 밀접한 관련이 있음으로 충분한 검토가 필요하다.

(1) 투과 Flux : 막 투과 Flux란 단위시간, 단위 막 면적당의 투과수량을 말 한다.

- Flux($m^3/m^2 \cdot hr$) = 통과수량(m^3/h)/막의 면적(m^2)
- 막 투과 Flux의 지배인자는 막의 종류, 수온, 원수 수질 등이 있으며, 수온 영향을 가장 크게 받는다.

(2) 수온

수온에 따라 물의 점성계수가 변화하기 때문에 투과 Flux에 많은 영향을 준다.

(3) 운전 압력

막여과 공정 설계 시 운전 압력(막차압)을 높게 하면 시설의 크기는 작아지고 투과 Flux는 커지는 특징이 있다.

(4) 회수율

- 회수율은 공급수량에 대한 투과수량의 비로, 막 여과법에 있어서 양적인 처리효율을 의미한다.
- 회수율(%) = (투과수량/공급수량) × 100
- 막여과 공정에서 회수율은 막 오염 정도에 큰 영향을 받으며, 막 오염은 원수수질, 투과 Flux, 세정 정도 등에 따라 달라진다.
- 해수담수화의 경우 35~40%, 일반적인 막여과 정수인 경우 90% 이상으로 설계 한다.

(5) 공칭공경(Nominal Pore Size)

MF막에만 사용되는 막의 공경표시 단위

(6) 분획분자량(MWCO, Molcular Weight Cut Off)

UF막에서 사용되는 단위로 막에서 90% 이상 제거되는 고분자물질의 분자량으로 표시

(7) 플럭스(Flux, 막 투과 유속)

단위시간당, 막의 단위면적당 여과되는 수량(LMH, $m^3/m^2 \cdot hr$)으로 막종류, 재질, 공경, 수온, 수질, 전처리 정도에 따라 달라진다.

(8) 막간 차압(Trans Membrane Pressure, TMP)

막의 1차와 2차측의 압력차(예, 가압펌프 토출압 0.4MPa, 처리수 측 압력 0.05MPa이면 TMP는 약 0.25MPa)

(9) 파울링(Fouling)

원수의 용질이 막에 의해 저지됨에 따라 막힘이나 부착층의 형성이 초래되는 현상으로서 막의 여과기능을 저하시킴

(10) 순수투과유속(Pure Water Flux)

막의 물 투과성능을 나타내는 지표, 단위막차압의 표준온도조건하에서 단위시간당 단위막 면적에서 투과하는 순수한 양을 말한다.

(11) 세정법

- On-line 세정 : 여과라인을 전환하여 막모듈 내에 세정액을 순환시켜 세정액을 침투시키는 방법
- Off-line 세정 : 막여과설비로부터 막모듈을 별도로 분리시켜 세정하는 방법
- CIP(Clean in Place) : 멤브레인을 세정하는 것으로 통상적으로 약품에 의한 세정을 말한다.

5. MBR 적용대상

1) 오폐수의 SS, 탁도의 제거

침지식 막분리 시스템은 기존의 정수 및 오·폐수처리 System과 조합하여 처리하는 방식으로 본 처리법을 SS 및 탁도유발물질과 포기조 내의 고활성 미생물과의 고액 분리를 통하여 안정된 처리수를 획득하는데 목적이 있다.

2) 유기성 오·폐수(식품, 축산, 분뇨)

3) 정수처리

기존 정수처리방식은 응집 → 침전 → 여과 → A/C → 소독의 재래식공법을 지향하고 있으나 본 공법은 응집 → 막분리 → A/C → 소독의 방식을 채용하여 원수의 수질변화에 적극적으로 대처할 수 있다.

6. 하수처리시스템으로의 MBR의 장단점

구분	침지식 막분리공법	장기포기법	접촉산화법
미생물 번식	• 미생물 부유식 • 포기조 혼합형 • 반송슬러지 없다. • MLSS를 높게 유지	• 미생물 부유식 • 포기조 혼합형 • 반송슬러지가 있다.	• 미생물 고정형 • 포기 접촉 분리형 • 반송슬러지가 없다.
산소 공급	브로아(Blower)와 산기장치에 의한 포기	브로아에 의해 공급 되며 산기관 등이 필요하다	브로아에 의한 산소공급
장점	• 소요부지가 매우 적음 • 슬러지발생 매우 적음 • 부하변동에 대응성 양호 • 유지관리비 저렴 • 슬러지벌킹 개념이 없음 • 처리수질이 탁월하며(BOD : 5mg/L, SS : 5mg/L 이하)	• 장시간 포기로 높은 처리효율과 잉여 슬러지 발생량이 적다. • 처리수를 안정화 할 수 있다. • 소규모 처리시설에 적합	• 슬러지 일령이 길다. • 생물화학적 안정성이 크다. • 잉여슬러지의생성량을 감소 • 저농도의 오수와 저부하 조건에서 특별한 대응성을 가진다. • 부지면적이 작다.
단점	기존시설의 단순설비 개선 시 비교적 고가이다.	• 장시간 포기로 조용량이 증대됨 • 유지관리비가 비싸다.	• 부착된 생물을 부하에 따라 임의로 조절하기가 곤란하다. •접촉재가 필요하다.

7. MBR공법 현장 적용 추세

침지식 막분리공정은 모듈화되어 있어 다른 하수처리공정과 쉽게 조합되어 효과적인 혼성시스템(Hybrid System)을 구성할 수 있는 등 많은 장점을 지니고 설치공간도 절약되며 탁도물질과 세균류도 제거 가능하므로 처리수가 매우 안정적이며, BOD 및 SS를 5ppm 이하로 처리한다. 따라서 중수로 재이용할 수 있는 수질을 얻을 수 있다. 또한 자동화시스템에 의한 제어가 수월하여 유지관리가 편리하여 최근에 이 공법의 적용이 증가하는 추세이다.

38 | 현수접촉산화법(HBC ; Hanging Biological Contactor)

1. 개요

HBC는 생물막법에 의한 미생물처리법의 일종으로 특수한 Ring 모양의 Lace 상태로 접촉 매질을 수직으로 고정한 것으로 접촉 면적을 향상시킨 공법이다.

2. HBC 구조 및 원리

1) 호기적 산화 및 혐기적 산화 반응에 적용되는 공법
2) HBC Ring 재질은 폴리 염화비닐리데실이고 실직경은 100~200μm 정도
3) 면상 재질에 비해 수중미생물이 신속히 부착되어 대수적 성장을 반복 Ring 전체에 부착 성장하여 슬러지에 의해 봉상이 된다.
4) 부착 표면은 산소를 이용하고 심부로 갈수록 통기성 및 편성 혐기성 상태가 됨
5) 고 점성균이 360° 둘러싸여 탈락을 방지하는 효과
6) Bacteria 층부터 후생 미생동물까지 생물집단을 형성하여 다량의 생물군 형성

3. HBC 생물막법과 활성슬러지법의 차이점

1) MLSS가 50,000mg/L 이상으로 높은 편이다.
2) 슬러지 일령(Sludge Age)이 길어 다층다양한 생물상은 물론 농도가 높아 생화학적 반응 등이 빠르다.
3) 슬러지의 자기 산화가 촉진되기 때문에 잉여슬러지량이 아주 적다.
4) 저농도의 오 · 폐수(저농도)에 효율 우수

4. 특징 및 적용현황

1) 현수 접촉 생물막에 부착한 생물량을 마음대로 조절할 수 없다.
2) 고농도의 오 · 폐수(고농도) 시 생물성 슬러지의 부착속도가 상승하여 폐쇄현상을 유발할 수 있다.
3) 최근의 중소규모 하수처리시스템에서 효율과 경제성, 유지관리 측면에서 우수한 것으로 판단되어 일반적으로 적용하고 있다.

39 | 담체부착물을 이용한 하수처리 공정을 설명하시오.

1. 개요

담체부착물이란 유동상의 플라스틱 등의 담체에 부착하여 서식하는 미생물로 이를 이용하여 하수처리하는 공법을 말한다. 미생물 유동특성에 따라 부유생물 이용법(활성슬러지법 등), 생물막법, 담체이용법으로 크게 분류된다.

2. 담체 생물막 공정의 원리 및 특징

1) 유동상의 담체를 이용하는 것으로 기본적으로 생물막공법의 원리와 같으며 유동상의 활성오니법과 고정 부착상의 생물막법 특성을 복합한 것으로 유동형 생물막법의 특징을 가진다.
2) 미생물이 부착한 여재에는 일정한 두께의 생물막이 형성되며, 생물막의 바깥부분에는 유기물이 호기성 미생물에 의해 분해된다. 미생물이 증식함에 따라 생물막의 두께는 증가하고 산소가 생물막 깊이 침투하기 전에 소모되어 여재의 표면 부근에서 혐기성 환경이 되어 탈질화도 일어나게 된다.
3) 부착성장 공정의 질산화는 유입수의 TBOD/TKN비와 여재의 재질, 비표면적, 수리학적 부하 등에 영향을 받으며 여재표면에 형성된 생물막의 양과 산소농도구배, 산소이용율, 기질이용율 그리고 유입수 고형물이 생물막에 부착되어 생물막층에서의 국지적인 혐기화 현상 등이 주요 영향인자로서 작용하게 된다.
4) 질산화 미생물들은 생장속도가 느려서 부유성장공법으로 운영 중인 기존 처리시설에서는 일정시간 이상을 질산화조 체류시간으로 할당하여야 하는 한계가 있으나 생물막 담체를 이용하면 부착성이 좋은 질산화 미생물들이 생물막 담체에 부착하므로 질산화조의 체류시간을 단축하여도 양호한 질산화율을 확보할 수가 있어 호기성조 내에 충진된 생물막에 증식속도가 느린 질산화균(Nitrosomonas, Nitrobacter)을 다량 고정화시켜 질산화 효율을 상승시킨다.
5) 미생물의 부착에 용이한 다공성 여재는 질산화에 영향을 미치는 pH, DO, 수온, SRT, 독성물질 등 영향인자들에 대한 내성도 강하게 된다.

3. 담체 공정 개발의 배경

우리나라 하수는 대부분 합류식 하수관거로 관거의 길이가 길고 지하수의 유입 등으로 외국의 하수에 비해 농도가 매우 낮다. 특히 질소, 인 제거에 필요한 COD/N비의 적용기준을 보면 UCT공법의 경우 COD/N비 8 이상, MUCT공법은 COD/N비 9 이상, A_2/O의 경우에는 COD/N비 12 이상으로 우리나라 하수의 COD/N비 6보다 높은 조건으로 기존의 외국 처리공정을 그대로 적용하여 질소·인을 동시에 적용할 경우 처리효율 문제가 예상된다. 따라서 인위적으로 COD를 높여 주거가 낮은 COD/N비에서 효율을 나타낼 수 있는 담체생물막공법의 적용과 기타 공정의 개선 및 기술개발이 필요하다.

4. 고도처리에서 담체 미생물의 기능

낮은 C/N비의 특성을 갖는 국내하수 중의 유기물질을 제거하는 동시에 질소와 인을 제거하는 시스템의 무산소-호기-무산소-호기의 공정배열에서 각 호기조에 담체를 5% 미만으로 충진하여 질산화를 위한 미생물량을 확보함으로서 20% 이상의 외부탄소원을 절감하여 유기물질농도가 낮고 암모니아성 질소의 농도가 높은 국내하수의 유기물질 및 질소·인 제거가 가능하도록 한다.

5. 담체 생물막 공법 적용 시 기대효과

1) 환경적 측면
   (1) 공공하수처리시설 방류수질 기준 T-N 20mg/L와 T-P 0.2~2mg/L을 만족하는데 본공법 적용이 가능하다.
   (2) 안정적인 처리수질을 확보할 수 있어 유지관리가 용이하고 처리수의 중수도 및 농업용수로의 재이용 → 수자원 부족난을 해소
2) 기술적 파급효과
   (1) 국내 실정에 적합한 생물막공법의 개발 및 우수한 영양염 제거
   (2) 국내의 유입하수 특성상 낮은 C/N비로 인한 외부 탄소원 주입과 이에 따른 약품비 증가 문제를 해결 가능
   (3) 본 공법으로 6시간의 HRT에서 질소, 인 제거기능 확보 → 기존의 하수처리시설을 BNR 공정으로 전환 시 부지 확장 없이 포기조의 격막을 이용한 개조만으로도 가능
3) 경제적 파급효과
   담체 생물막 공법의 적용 및 낮은 F/M비 운전으로 슬러지 발생량 절감에 따른 슬러지 처리 및 처분 비용절감 → 탈수, 소각 및 매립 비용절감

6. 담체 생물막 공법 적용추세 및 고려사항

1) 담체 생물막 공법은 원리 및 이론의 우수성에 비하여 적용례가 적고 최신 기술로 경험 축적이 적고 고도의 운전 기술이 필요하다.
2) 담체의 유동에 따른 운송 동력과 각 시스템 간 정량적인 유동을 위한 장치와 기술이 요구된다.

40 | 산화지법

1. 원리

산화지법은 연못이나 하천에서 Bacteria와 조류의 공생관계를 이용한 처리법으로 조류에 의한 광합성 작용 시 발생하는 산소를 Bacteria가 이용하고 Bacteria가 유기물 분해 시 발생하는 이산화탄소를 조류가 광합성 작용 시 아래 식과 같이 이용한다.

$$C_2H_5O_2N + O_2 + C \cdot H \cdot O \rightarrow CO_2 + NH_3 + PO_4 + C_5H_7O_2N$$

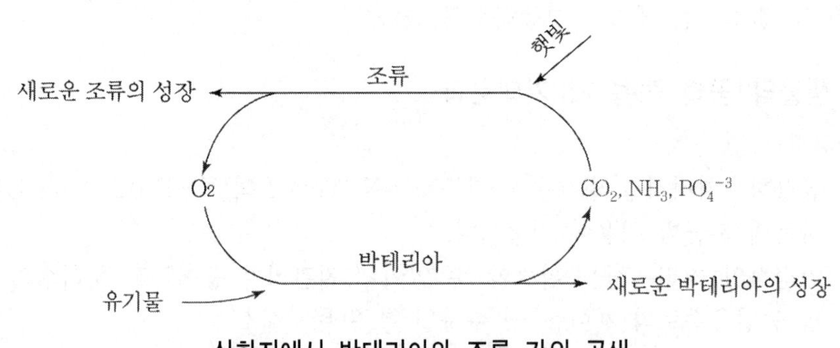

산화지에서 박테리아와 조류 간의 공생

2. 산화지법의 특징

1) 비교적 넓은 부지 필요
2) 특별한 기계장치가 필요없어 시설비가 저렴하다.
3) 유지관리가 쉽고 운전비용이 저렴
4) 처리시간이 길며 유입부하변동에 강하다.
5) 햇빛, 온도 등 환경인자에 영향을 받는다.
6) 계절적 영향이 크다.
7) H_2S, 악취, 파리 등 발생(혐기성산화지)
8) 정확한 Mechanism이 해석되지 않아 합리적인 설계 및 유지관리지침이 마련되지 않음

3. 종류별 장단점

1) 호기성 산화지
  (1) 적용범위
    영양소 및 용존유기물이 함유된 2차 처리수

(2) 특징

산화지 깊이 0.3～0.6m, 산소공급은 바람에 의한 표면포기와 조류의 광합성에 의한 공급으로 전수심에 걸쳐 용존산소농도를 균등하게 유지하기 위하여 주기적으로 혼합 필요

(3) 장점 : 유지관리비 저렴

단점 : 소요부지면적 넓음, 냄새발생 문제 대두

(4) 체류시간 : 10～30일

2) 포기식 산화지

(1) 적용범위

일반하수, 공장폐수

(2) 특징

산화지 깊이 3～6m, 산기식 기계식 포기, 방류수 내 SS농도 높다.

(3) 장점

소요부지면적 적다. 냄새발생 없음, 고도처리 가능, 운전 용이

(4) 단점

유지관리비 고가, 처리수 내 SS농도 높다.

(5) 체류시간 : 7～20일

3) 임의성 산화지

(1) 적용범위

일반하수, 공장폐수

(2) 특징

산화지 깊이 1.5～2.5m 정도로 수면에서 대기 중 산소 용해로, 상층은 호기성, 중층은 임의성, 하층은 혐기성으로 운전되며 유지관리비 저렴, 처리효율 높음, 소요부지 면적은 포기식 산화지 보다 넓다. 냄새발생 문제

(3) 체류시간 : 25～110일

41 | 생물학적 하수처리공법을 열거하고 간단히 설명하시오.

1. 개요

하수의 처리방법에는 물리적 · 화학적 · 생물학적 처리방법이 있는데 이들을 적당히 조합시켜 처리가 행해져야 한다. 하수성분의 주체는 유기물이므로 유기물 제거에 대해서 가장 경제적이고 확실한 처리방법인 생물학적 처리가 주류를 이루고 있다.

1) 물리적 처리방법

물리적 처리방법은 고액분리를 목적으로 수중의 부유물질과 콜로이드물질의 제거를 위한 처리방법이다. 유지비가 적게 드나 효율이 낮다.

2) 화학적 처리방법

화학적 처리방법은 용해성 유기물질과 무기물질의 제거를 위한 처리방법이다. 화학약품을 사용하므로 슬러지 생산이 많으며, 유지비가 많이 든다. 인의 대량 제거가 가능하다.

3) 생물학적 처리방법

생물학적 처리방법은 하수 중에 존재하는 유기물 중에서 생물에 의해서 분해 가능한 유기물과 부유물질을 미생물을 이용하여 제거하는 방법이다. 생물학적 처리공정은 호기성 분해와 혐기성 분해로 대별할 수 있다.

2. 대표적인 생물학적 처리공법의 종류 및 원리

1) 활성슬러지법
2) 순산소활성슬러지법
3) 심층포기법
4) 회전원판법
5) 산화구법
6) 고속포기식 침전지법
7) 산화지법
8) 살수여상법
9) 접촉산화법
10) 호기성 여상법
11) SBR공법
12) MBR공법

3. 활성슬러지법

1) 유기물을 함유한 하수의 2차 처리는 대부분 생물학적 처리방법을 이용하여 처리하는데 그 가운데에서도 가장 널리 보편화되어 있는 처리방법은 1914년 영국의 Arden과 Lockett에 의해 개발된 활성슬러지법이다.
2) 활성슬러지법은 1차 처리된 하수의 2차 처리를 위해서 주로 이용되며 주요 공정은 포기조, 최종침전지, 슬러지반송설비 등으로 구성되어 있다. 활성슬러지법은 생물의 대사작용(호기성 세균 등)을 활용하여 하수 중의 부패성 유기물(BOD)성분을 제거하는 데 이용된다. 우리나라는 주로 하수처리방법으로 사용하고 있다.
3) 하수를 포기하면 하수 중의 유기물을 영양원으로 하여 각종 호기성 미생물이 번식하는데, 그동안 미생물에 의해 유기물이 분해되고 포기에 의한 교반작용으로 하수 중의 부유물과 콜로이드상물질이 응집하여 하수처리에 효과적인 활성슬러지가 얻어진다. 이 활성슬러지를 이용해서 하수를 정화하는 방법이다.
   활성슬러지법에 활용되는 미생물은 주로 세균이고, 이외에 원생동물, 윤충류, 균류 등이 있다.

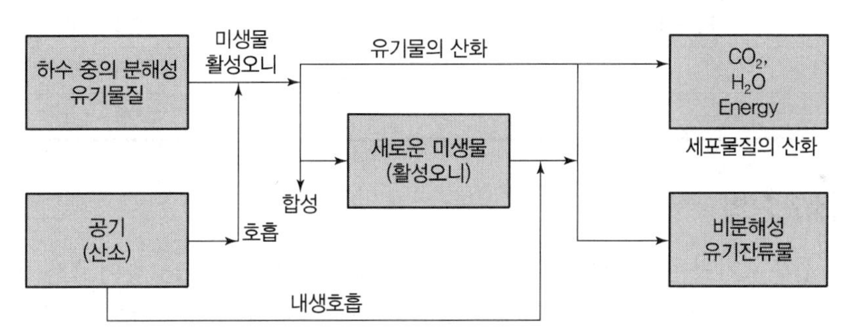

활성슬러지법 유기물 제거 메커니즘

4. 순산소활성슬러지법

1) 활성슬러지는 포기조 내에서 호기성 미생물을 부유시켜 하수와 접촉시키면서 정화시키는 방법이지만 공기공급방법으로는 산소공급능력에 한계가 있으므로 포기조 내에서 유지할 수 있는 MLSS농도에 한계가 있다.
   하수의 정화능력은 MLSS농도와 관계가 있기 때문에 포기조 내 혼합액의 농도를 높일 수 있다면 포기조를 작게 해도 처리가 가능할 것이다. 순산소공급에 의한 순산소활성슬러지법은 이와 같은 요구를 만족시키기 위해 개발된 처리방식이다.
2) 순산소활성슬러지법의 기본적인 원리는 공기 대신에 산소를 직접 포기조에 공급하는 방법으로, 이것 이외에는 일반 활성슬러지법과 동일하다. 순산소활성슬러지법은 산소분압이 공기에 비해 5배 정도 높으므로 포기조 내에서 용존산소를 높게

유지할 수 있다.

예를 들면 공기에 의한 포기방법은 포기조 내의 용존산소농도를 1~2mg/L 정도로 유지하지만, 순산소활성슬러지법의 포기조에서는 6~10mg/L 정도로 유지할 수 있기 때문에 그만큼 MLSS농도를 높게 유지할 수 있다.

3) 공기공급에 의한 포기방법에서는 MLSS농도가 1,500~3,000mg/L인 반면에 순산소활성슬러지법의 포기조에서는 MLSS농도가 6,000~8,000mg/L라도 포기조 내의 용존산소 유지가 가능하다.

4) 이러한 사실은 공기에 의한 종래의 방법에 비해서 순산소활성슬러지법이 고농도의 하수에 대해 보다 적용성이 높고, 또한 동일한 성질의 하수라면 공기에 의한 종래의 방법과 비교하여 포기조의 용량을 적게 할 수 있다는 것을 의미한다.

설계제원

항목(단위)	제원
HRT(시간)	1.5~3.0
MLSS농도(mg/L)	3,000~4,000
F/M비(kgBOD/kgSS · 일)	0.3~0.6
슬러지반송률(%)	20~50
SRT(일)	1.5~4.0

5. 심층포기법

1) 심층포기법은 수심이 깊은 조를 이용하여 용지이용률을 높이고자 고안된 공법으로, 포기조를 설치하기 위해서 필요한 단위용량당 용지면적은 조의 수심에 비례하여 감소하므로 용지이용률이 높다.

2) 산기수심을 깊게 할수록 단위송기량당 압축동력은 증대하지만, 산소용해력 증대에 따라 송기량이 감소하기 때문에 소비동력은 증가하지 않는다.

3) 산기수심이 깊을수록 용존질소농도가 증가하여 이차침전지에서 과포화분의 질소가 재기포화되는 경우가 있어 활성슬러지의 침강성이 나빠지는 일이 있다. 따라서 용존질소의 재기포화에 따른 대책이 필요하다.

4) 질소 과포화분의 재기포화는 종래의 산기식 포기조에서 잘 일어나지 않는 심층포기조의 독특한 특징으로서 산기수심이 5m를 넘을 때 슬러지의 부상경향이 뚜렷해진다.

5) 최근에는 심층포기조가 개발되고 소개되고 있다. 이 포기조는 깊이가 50~150m이고 직경이 2~6m인 우물형 포기조로 조의 깊이에 따라 수압이 커져 산소전달률이 좋은 것으로 알려져 있다.

6. 회전원판법

1) 회전원판법(R.B.C)은 살수여상법과 활성오니법의 단점을 보완하고 장점을 최대로 이용한 생물학적 처리방법이다. 회전축에 많은 원판을 고정하고 원판표면에 미생물을 부착시켜 하수 중의 유기물을 처리하는 방식으로 반송슬러지가 필요 없으며, 부하변동에 강하여 안정된 처리수를 얻을 수 있고, 조작과 유지관리가 쉽다.
2) 회전원판법은 하수나 각종 산업폐수 등 유기성 오염물질 처리에 넓게 이용되고 있으며, 경제성이나 안전성에서도 확고한 위치를 차지하고 있다.
3) 부영양화, 적조현상의 주요인인 질소, 인 제거가 쉽고 유기성 오염물질 제거에 광범위하게 이용되므로 하수종말처리장, 오수처리시설, 폐수처리장 등에 적용할 수 있는 정화장치이다. 등분된 부채꼴형의 회전원판체를 체류시간과 표면적이 최대가 되도록 돌기부를 형성하는 동시에 공기통로와 대각으로 형성된 통로를 처리수와 공기가 유통하여 다른 통로로 흘러내리지 못하게 함으로써 원판에 부착된 미생물이 처리수 중의 유기물질을 공기 중의 산소를 이용하여 흡착 산화시키며 미생물과 처리수를 장시간 접촉하여 잉여오니량을 최소(생물학적 처리법 중 최저로, 활성오니법에 비해 30% 오니 발생)로 감소시켜 정화처리 효율을 최대로 하는 것이 주기능이다.

7. 산화구법

1) 일차침전지를 설치하지 않고 타원형 무한수로의 반응조를 이용하여 기계식 포기장치에 의해 포기를 행하며 이차침전지에서 고액분리가 이루어지는 저부하형 활성슬러지공법이다.
2) 기계식 포기장치는 처리에 필요한 산소를 공급하는 것 이외에 산화구 내의 활성슬러지와 유입하수를 혼합 · 교반시키고 혼합액에 유속을 부여하여 산화구 내를 순환시켜 활성슬러지가 침강되게 하는 기능을 갖는다.

8. 고속포기식 침전지법

1) 고속포기식 침전지는 소규모시설에 적용될 수 있으며, 포기조와 이차침전지가 동일한 지내에 있는 구조이다. 일차침전지로부터 유입하는 하수는 우선 포기부에서 활성슬러지와 혼합되어 포기된 후 포기부의 위쪽에서 침전부로 유입되고, 여기서 상징액은 침전부의 월류위어를 통해서 유출되고, 분리된 활성슬러지는 침전해서 침전부의 밑바닥에서 연속적으로 포기부로 반송 순환되도록 한 방식이다.

2) 설계제원

포기부의 체류시간은 계획하수량에 대하여 2~3시간을 표준으로 하지만, 포기부의 F/M비는 0.2~0.4kg/m^3 · 일이 되도록 하고 침전지의 체류시간은 2~2.5시간, 수면적 부하는 30~40m^3/m^2 · 일이 되도록 한다. 포기장치에는 산기장치와 교반기를 병용하는 방법과 산기장치만을 사용하는 경우가 있다. 이들 방법은 선회류를 일으키기 위한 것으로 교반기의 회전수는 날개의 구조에 따라 다르나 보통 분당 20~50회 정도가 바람직하다.

9. 산화지법

1) 산화지법은 생물학적 처리법의 일종으로 호기성 산화지, 포기식 산화지, 임의성 산화지로 분류되며 호기성 산화지의 깊이는 0.3~0.6m 정도이고 산소는 바람에 의한 표면포기와 조류에 의한 광합성에 의하여 공급된다. 또한 호기성 산화지는 전 수심에 거쳐 일정한 용존산소농도를 유지하기 위해 주기적으로 혼합시켜 주어야 한다.
2) 포기식 산화지는 임의성 산화지보다 높은 BOD부하를 유지할 수 있으며, 악취문제가 적고 소요부지 또한 비교적 작은 편이다.
3) 포기식 산화지 다음에는 임의성 산화지나 침전지를 설치하여 방류수 내의 SS함량을 줄이도록 한다. 임의성 산화지의 깊이는 0.5~2.5m, 체류시간은 25~180일 정도이다. 임의성 산화지에 있어서는 호기성 산화지나 포기식 산화지와는 달리 부유물질이 산화지 내에서 침전되어 혐기성 지역이 형성되며 혐기성 분해가 이루어지도록 설계한다. 따라서 수면과 대기의 접촉부분은 호기성, 밑바닥은 혐기성이 되어 임의성 산화지가 형성된다.

4) 각종 산화지의 적용범위 및 장단점

항목	비포기식 호기성	임의성	포기식	
			호기성	임의성
적용범위	영양소 제거 용해성 유기물질 2차 처리수	일반하수 및 공장폐수	일반하수 및 공장폐수	일반하수 및 공장폐수
장점	유지관리비가 저렴함	유지관리비가 저렴하고 효율적임	소요부지 면적이 작고 냄새가 없으며 고도처리가 가능하고 운전이 용이함	소요부지 면적이 작고 냄새가 없으며 운전이 용이함
단점	소요부지가 매우 넓고, 냄새문제 발생 가능이 있음	소요부지가 매우 넓고, 냄새문제 발생 가능성이 있음	비교적 유지관리비가 많이 들고, 처리수의 부유물질의 농도가 높으며, 거품이 많음	비교적 유지관리비가 많이 들며, 거품이 많음

10. 살수여상법

1) 살수여상법은 과거 처리수질이 BOD, SS 공히 20~40mg/L 정도인 것으로 알려져 왔으나, 최근의 기술개발로 BOD, SS 10mg/L, NH_3-N 1mg-N/L의 수준으로 처리가 가능한 것으로 보고되고 있다.
2) 살수여상의 장점은 첨두유량으로 인한 처리시스템에 문제가 야기되지 않는다는 점이다. 그래서 때로는 간이 살수여상을 활성슬러지 전단부에 조합시켜서 후속 활성슬러지공정의 BOD부하를 완화시키는 데에 사용하기도 한다. 더욱이 살수여상으로 용존 BOD를 제거하면 활성슬러지에서의 팽화현상을 제어할 수 있는 것으로 알려져 있는데, 이 사실은 많은 산업폐수를 처리하는 살수여상-활성슬러지 연계 시스템에서 보여지고 있다.
3) 표준법은 통상 1단으로 운전되지만, 고율법은 1단 혹은 2단 여상법으로 운전되고, 순환수는 연속적으로 혹은 간헐적으로 반송된다.

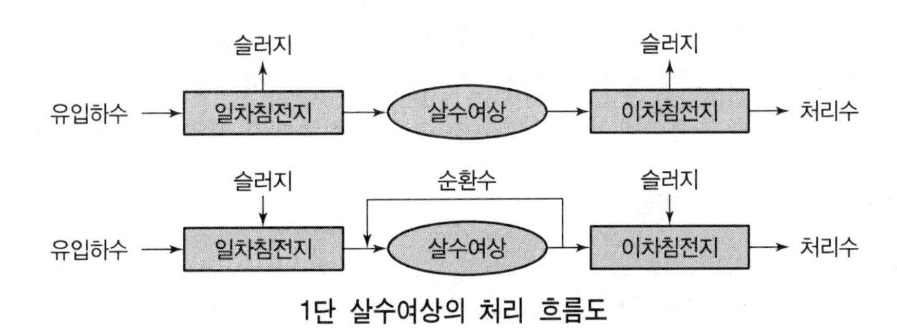

1단 살수여상의 처리 흐름도

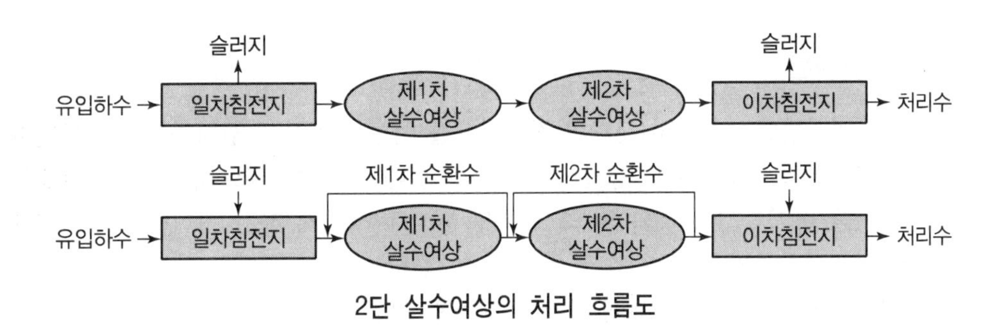

2단 살수여상의 처리 흐름도

11. 접촉산화법

1) 접촉산화법은 생물막을 이용한 처리방식의 한가지로서 반응조 내의 접촉재 표면에 발생 부착된 호기성 미생물의 대사활동에 의해 하수를 처리하는 방식이다.
2) 일차침전지 유출수 중의 유기물은 호기상태의 반응조 내에서 접촉재 표면에 부착된 생물에 흡착되어 미생물의 산화 및 동화작용에 의해 분해 제거된다. 부착생물의 증식에 필요한 산소는 포기장치로부터 조 내에 공급된다.

3) 접촉산화법의 특징
  (1) 반송슬러지가 필요하지 않으므로 운전관리가 용이하다.
  (2) 비표면적이 큰 접촉재를 사용하며, 부착생물량을 다량으로 부유할 수 있기 때문에 유입기질의 변동에 유연히 대응할 수 있다.
  (3) 생물상이 다양하여 처리효과가 안정적이다.
  (4) 슬러지의 자산화가 기대되어, 잉여슬러지량이 감소한다.
  (5) 부착생물량을 임의로 조정할 수 있어서 조작조건 변경에 대응하기 쉽다.
  (6) 접촉재가 조 내에 있기 때문에, 부착생물량의 확인이 어렵다.
  (7) 고부하에서 운전하면 생물막이 비대화되어 접촉재가 막히는 경우가 발생한다.

4) 접촉산화법의 처리계통

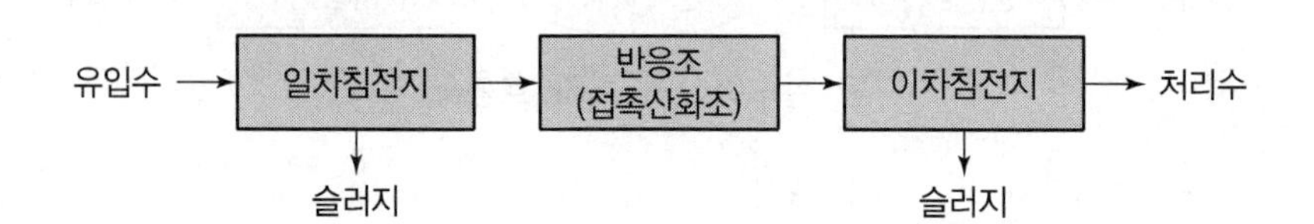

12. 호기성 여상법

1) 호기성 여상법은 3~5mm 정도의 접촉여재를 여상의 상부에 설치하여 일차침전지 유출수를 유입시켜 여재를 통과하는 사이에 여재의 표면에 부착된 호기성 미생물로 하여금 유기물의 분해와 SS의 포착을 동시에 행하게 하는 처리방식으로 이차침전지는 설치하지 않는다.
2) 미생물의 산화 및 동화작용에 필요한 산소의 공급은 여상하부의 산기장치로부터 이루어진다.
3) 처리시간의 경과와 더불어 포착된 SS와 증식된 미생물에 의해 여상이 폐쇄되기 때문에, 여과기능을 회복하기 위해서는 공기 또는 물을 이용하여 역세척을 하게 된다. 이때 발생하는 역세배수는 일차침전지로 반송되어 역세배수 중의 SS 등을 침전시켜 제거한다.

4) 호기성 여상법의 처리계통

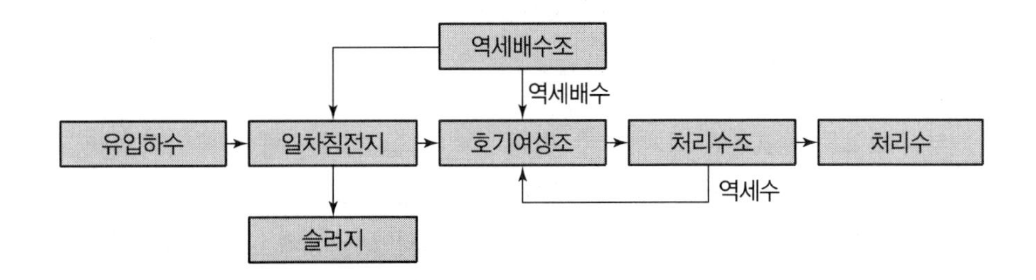

13. SBR공법

1) 하나의 반응조 내에 포기, 혼합액의 침전, 상징수의 배수, 침전슬러지의 배출공정 등을 반복함으로써 최초 및 최종침전지가 불필요하다.
2) 미생물환경을 호기, 혐기성으로 반복 변화시켜 시간에 따라 생물반응을 제어 처리하는 방법(질소, 인의 동시 제거기능)이다.
3) 구조도 단순하고 운전도 쉬우나 50만 톤 이하의 중규모 하수처리장에서만 경제성을 가진다.

4) 제거효율
BOD는 90~95%, T-N은 80~85%, T-P는 80~85%이다.

5) 특징

(1) 시간에 의해서 조절되는 공정으로 Cycle Time 조정으로 대응이 용이하고 우천시 우수침전지가 불필요하다.
(2) 혐기공정에도 교반되므로 표면결빙의 우려가 없다
(3) 지붕설치 등으로 취기대책이 용이하다.
(4) 운전이 간단하다.(송풍량과 반응시간 조절만으로 처리효율을 조정할 수 있음)
(5) 슬러지 반송이 불필요하고 슬러지 팽화현상이 일어나지 않는다.
(6) 유입수량과 수질의 시간적 부하변동에 대처가 용이하다.
(7) 질소, 인의 높은 제거효과가 있다.
(8) 부지면적을 최소화할 수 있고 전 공정의 자동운전이 가능하다.

14. MBR(Membrane Bio-Reactor)공법

1) MBR공법은 Membrane의 고액분리 기능을 활용한 기술로서 N, P 제거는 기존 생물학적 고도처리기술인 BNR공정에 의해 이루어진다.

2) MBR공법은 고액분리효율이 멤브레인의 공경크기에 의해서 결정되는 반면 활성슬러지를 이용한 생물학적 처리공정은 침강성에 의하여 이루어진다.

3) MBR공법의 특징

(1) 부유고형물을 100% 제거할 수 있어 슬러지의 침강성에 관계없이 안정적이다.
(2) 활성슬러지법에 비해 미생물농도가 3~4배 높아 포기조 용량 감소효과가 크다.
(3) 침전조가 필요 없고, 농축조 부피 또한 감소되어 공정의 Compact화가 가능하다.
(4) 질산화가 매우 유리하고, 잉여슬러지 발생량이 적다.
(5) 소독 및 여과공정이 불필요하다.

4) MBR공법과 생물학적 하수처리공법의 조합

(1) 유기물, 질소, 인 제거 : BNR(생물학적 하수처리)공정
(2) SS, 대장균 제거 : Membrane공정

42 | 침사지의 평균유속은 0.3m/s를 표준으로 한다. Shield공식과 Darcy Weisbach공식을 이용하여 이를 증명하시오. (단, f : 마찰계수(0.03), β : 상수(0.06), S : 입자비중(2.65), D : 입자의 직경(0.2mm))

1. 개요

침사지는 처리수량을 높이려면 유속을 크게 하여야 하고 침전효율을 높이기 위해서는 유속을 감소시켜야 한다. 그러므로 침전한 입자가 부상하지 않을 정도의 유속(0.2~0.3m/s)을 한계유속으로 한다.

2. 소류속도의 의미

침사지에서 침전된 입자는 입자의 위를 흐르는 물과의 마찰력을 받는다. 이때의 마찰력으로 침사지에서 침전된 입자가 침사지의 바닥으로부터 다시 떠오르지 않도록 침사지 유량을 조정하여 수평흐름 속도를 작게 해주어야 한다. 침전된 입자가 떠오르려고 하는 임계속도(V_H)를 소류속도라 한다.

3. 주어진 조건의 소류속도(V_H) 계산(Shield공식, Darcy Weisbach공식)

$$V_H = \left(\frac{8\beta(S-1)g \cdot D}{f} \right)^{\frac{1}{2}}$$

여기서, β : 물질에 따른 상수(응집성 입자 0.06)

S : 입자 비중(2.65)

g : 중력 가속도(9.8m/s^2)

D : 입자 직경(0.2mm)

f : 마찰계수(0.03)

$$V_H = \left(\frac{8\beta(S-1)g \cdot D}{f} \right)^{\frac{1}{2}} = \left(\frac{8 \times 0.06(2.65-1)9.8 \times 0.2 \times 10^{-3}}{0.03} \right)^{\frac{1}{2}}$$

$$= 0.227\text{m/s}$$

4. 소류속도

문제에서 주어진 일반적인 입자의 소류속도가 0.227m/s이므로 이 이상의 침사지 유속에서는 침전한 입자가 재상승하므로 이 이하의 유속을 적용하여 설계한다.
그러므로 침사지 유속은 0.3m/s 이하로 설계한다.

5. 침사지 설계 시 고려사항

1) 침사지 설계 시 입자의 위를 흐르는 수평 유속을 소류속도보다 작게 해주어야 한다.
2) 침사지 설계 시 체류시간이 짧으므로 소류속도에 유의하며 적당한 소류속도는 0.2~0.3m/s 정도이다.

43 | 침전지에서 입자의 침강속도(V_o)를 설명하시오.

1. 침전지에서 부유물이 100% 제거되기 위한 침전 속도(V_S)

1) 입자 침강속도 V_s는 침전지 표면적부하(Q/A)보다 커야 된다.

$$V_s \geq Q/A$$

따라서 침전지에서 100% 제거될 수 있는 독립입자의 침강속도는 수심과는 무관하고 수면적 부하에 의해 결정되며 침전효과를 증가시키기 위해서는 수면적(A)을 증가시켜야 하며 침전지 내부에 경사관이나 경사판을 사용하기도 한다.

2) 모래 등의 독립입자 침전시 설계속도는 $V_s \geq Q/A$ 값은 보통 Q/A =20~40m/d 정도이고 Slit나 Clay 등의 제거를 목적으로 할 경우에는 6m/d 정도로 설계한다.

2. 침강속도가 V_s 보다 적은 입자의 침전제거 효율

1) 침전원리(Hazen)

(1) 독립 침전 시 모든 입자가 100% 제거될 수 있는 침전 속도를 V_s라 가정하면 한 입자의 침전속도가 V_s보다 크면 제거되고 V_s보다 작으면 입자가 침전 시나 유입 시 최초의 위치에 따라 제거될지 여부가 결정

(2) 침전 시 수면 높이(H), 침전지에서 제거될 수 있는 최소입자의 입자가 침전지 내 체류시간동안 침강할 수 있는 높이를 h라 하면 V_s인 입자들의 제거율은

$$E = h/H$$

※ 따라서 100% 제거될 수 있는 입자의 침강속도를 V_o라 하면

$$E = \frac{h}{H} = \left(\frac{V_s \times t_o}{V_o \times t_o}\right) = \frac{V_s}{V_o} \qquad E = \frac{V_s}{V_o} = \frac{V_s}{Q/A}$$

3. 침전지에서 100% 제거될 수 있는 최소입자 직경(dm)

100% 제거될 수 있는 침전속도를 V_s라 가정하면

$$V_s = V_o = \frac{g \cdot d^2(\rho s - \rho)}{(18 \cdot \mu)}$$

위식으로부터 직경 d를 구할 수 있다.

4. 침전 특성과 적용 분야

1) 독립침전(Ⅰ형 침전) : 침사지

(1) 부유물농도가 낮은 상태에서 응결되지 않는 독립입자의 침전으로 입자 상호간에 아무런 방해가 없고 유체나 입자의 특성에 의해서만 침강속도가 결정된다.

(2) 비중이 큰 무거운 독립입자의 침전(침사지의 모래 입자의 침전)이 여기에 속하며 Stokes법칙이 적용되는 침전의 형태이다.

2) 방해침전(Ⅱ형 응결침전) : 침전지 상부

생하수의 현탁 고형물의 침전으로 침전지의 상부 및 화학적 응집 슬러지를 침전시킬 경우가 여기에 속하며 현탁입자가 침전하는 동안 응결과 병합을 일으켜 입자의 침전속도가 빨라진다.

3) 지역침전(Ⅲ형 침전) : 침전지 중간, 농축조 상부

(1) Ⅰ형 및 Ⅱ형 침전 다음에 발생하는 단계로 현탁고형물의 농도가 큰 경우 가까이 위치한 입자들의 침전은 경계면을 이루면서 지역적으로 침전하며, 침전속도는 점차 감소하게 된다.

(2) 생물학적 처리의 2차 침전지 중간 정도 깊이에서의 침전형태가 이 경우에 해당한다.

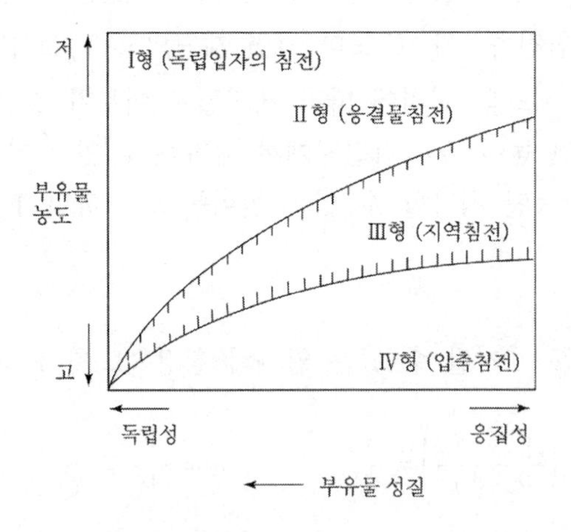

4) 압축침전(Ⅳ형 침전) : 농축조 하부

침전된 입자들이 그 슬러지 자체의 무게로 계속 압축을 가하여 입자들이 침전된 층에서 물이 빠져나가 계속 농축이 되는 현상으로 2차 침전지 및 농축조의 저부에서 침전하는 형태이다.

44 | 다층식 침전지를 설계하고자 할 때 고려사항을 설명하시오.

1. 개요

침전지 효율을 좌우하는 것은 바닥 면적이므로 가능하면 바닥 면적을 증대시켜야 하는데 주어진 부지 내에서 침전지 바닥 면적을 증대시키는 방법으로 다층식 침전지를 설계할 수 있다.

2. 침전지를 다층식으로 하는 경우는 다음 사항을 고려하여 정한다.

1) 형상은 직사각형을 원칙으로 하며 평행류로 한다.
   원형이나 정사각형인 것은 구조상 다층으로 하는 것이 곤란하다. 우회류식도 생각할 수 있지만 슬러지제거 등에 문제가 있다.

2) 유입부 및 월류부에 대해서는 상하 각 층에 균등하게 유입하도록 한다.
   유입부의 위치 및 형상은 가능한 한 상하층에 균등하게 유입하도록 하며 월류부의 조절로 균등화를 도모할 수 있는 구조로 한다.

3) 유출설비는 월류위어, 구멍 난 관 등에 의하며 일차침전지의 유출설비는 월류위어 방식으로 한다.
   하층의 유출설비를 상층과 동일한 높이로 설치할 수가 없는 경우는 집수관에 의해 유출시키는 것이 좋다. 집수관은 유하방향과 직각으로 교차하도록 설치하고 각 유출관마다 균등한 유량조절이 되도록 집수관의 개구면적을 하류단으로 갈수록 작게 하여야 한다. 또한 협잡물에 의한 폐쇄를 방지하기 위해 집수관의 직경은 5cm 정도로 한다. 처리시설의 다층화는 2층 및 3층 침전지 외에 반응조와 이차침전지를 다층화할 수 있다.

4) 상하층 분할 슬래브(Slab) 단에 스컴이 부착될 염려가 있으므로 슬러지 수집기로 제거하는 것이 좋다.

5) 슬러지배출관은 수심이 커지므로 폐쇄에 대해 안전한 구조로 한다.

6) 유효수면적은 상하층의 평면적의 합계로 한다.
   하층의 수면적은 정류벽으로부터 침전지 종단까지의 길이를 기준으로 산출한다.

3. 3층식 침전지의 수리 특성

그림과 같이 3층 구조의 침전지를 적용하는 경우 수면적 부하율 $Q/A = Q/3A$로 단층식에 비하여 1/3로 감소하여 침전효율을 향상시킨다.

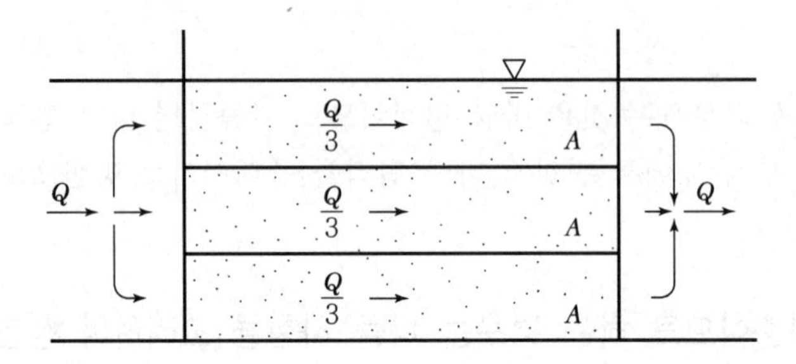

1) 각 층별 수면적 부하율

$$W_Q = \frac{Q/3}{A} = \frac{Q}{3A}$$

2) 3개층 종합 수면적 부하율

$$W_Q = \frac{Q/3 + Q/3 + Q/3}{A + A + A} = \frac{Q}{3A}$$

45 | 침전지 밀도류

1. 정의

침전지 내에서 농도차 및 온도차에 의한 밀도가 서로 다른 두 흐름이 형성되어 서로 섞이지 않고 층을 형성하고 흐르는 현상

2. 현상 및 문제점

1) 밀도류 발생

(1) 유입수의 고형물농도가 침전지 흐름 내의 고형물농도보다 높으면 유입수가 밀도가 큰 흐름을 형성하게 된다.

(2) 유입수의 온도가 침전지 흐름 내의 온도보다 낮은 경우에 유입수의 밀도가 큰 흐름을 형성하게 된다.

2) 밀도류의 문제점

(1) 밀도가 큰 유입수가 침전지에 유입될 경우 조 내의 슬러지가 전체적으로 확산되기 못하고 저부를 통과하므로 침전된 슬러지가 재부상할 우려가 있다.

(2) 밀도류가 형성되면 처리수가 침전지의 일부 공간만을 통과하게 되므로 사영역(Dead Space)이 커지게 되어 실제적인 처리용량이 감소하며 유속도 그만큼 빨라지게 되어 침전지 내의 흐름이 난류를 형성하게 된다.

3. 대책

정류벽을 설치하여 밀도류의 형성을 막는다.

1) 침전지 유입부 내 난류상태를 감소시켜 침전효율을 증대시키기 위하여 침전지 유입부에 유공정류벽 또는 정류판을 설치하여 층류를 형성한다.

2) 유공정류벽을 사용하는 경우는 구멍의 총면적이 총면적의 6～20% 가량으로 하는 것이 좋으며 유입수의 유입속도를 0.08m/sec 이하로 유지하여 유공지역 내의 유속을 1.0m/sec 이하로 유지한다.

3) 침전지 내 수평유속은 침전속도보다 적도록 하고 가능한 난류상태가 되지 않고 단회로가 형성되지 않도록 한다.

46 | 도시하수와 공장폐수의 혼합처리에 대하여 설명하시오.

1. 개요

도시하수와 공장폐수의 혼합처리방안은 산업폐수를 도시하수 종말처리시설로 이송시켜 도시하수와 혼합하여 함께 처리하거나 산업폐수 중 일부 오염물질을 전처리하여 제거한 후 도시하수 처리시설로 이송시켜 혼합처리하는 방안이다. 이에 비하여 개별처리는 산업폐수를 도시하수 처리시설에서 혼합처리하지 않고 개별 산업체나 공단별로 별도 처리하여 방류시키는 방법이다.

2. 혼합처리의 필요성

1) 기존의 공장폐수는 공단지역의 경우 공단폐수 처리시설에서 공동처리하거나 그 외의 지역은 개별 처리 후 방류수역으로 방류하거나 1차 처리 후 하수관을 통해 공공하수처리시설에서 처리되고 있다.
2) 산업폐수의 종합적 관리측면, 시설투자 등의 경제적인 면을 고려할 때 강산, 강염기 폐수나 중금속의 영향이 적은 유기성 산업폐수는 통합처리가 바람직하다.

3. 혼합처리 가능성

1) 공장폐수를 배출하는 공단 등이 하수처리시설 부지와 가까울 경우에 혼합처리 검토
2) 폐수의 성분이 유기성폐수가 주종을 이루고 있는 경우에 하수처리 시설로 혼합처리 검토
3) 생분해가 불가능한 물질로 주종을 이루는 경우는 산업폐수를 도시하수와 분리하여 처리하는 것이 바람직하다.

4. 도시하수와 공장 폐수의 혼합처리 시 장단점

1) 장점
   (1) 처리규모의 대형화로 투자비 및 유지관리비 절감
   (2) 독립처리에 비하여 소요부지의 축소
   (3) 수질관리가 효율적
   (4) 혼합에 의한 영양분의 상호보완 효과
   (5) 관리인원의 절감
   (6) 폐수처리를 하수처리시설에서 병합처리 함으로써 산업체의 부담 경감

2) 문제점

(1) 혼합처리 시 시설의 확장 등으로 인하여 폐수량이 증가하면 효과적인 대처가 어렵다.

(2) 폐수처리 시 기업체의 생산공정에 대한 정보부족 등으로 인한 비효율 문제.

(3) 공장폐수 중의 독성물질로 인하여 하수처리시설의 처리효율이 저하되거나 정지될 우려가 있다.

(4) 여러 종류의 산업폐수 유입으로 인한 유지관리상 혹은 운영상 문제점

(5) 개별 산업폐수를 효과적으로 처리하기 위한 독립적인 생산공정의 도입이 어렵다.

5. 단독처리의 장단점

1) 장점

(1) 각 공장의 폐수의 특성파악과 적정공정의 선정 가능

(2) 발생자별 처리비용 절약을 위한 배출량, 배출농도의 저감 노력

2) 단점

(1) 사업체의 시설확장 시 처리시설 증설 지연

(2) 단독처리에 따른 비경제적 처리 규모로 인한 사업체 부담 증가

(3) 관리 감독의 어려움

47 | 하수처리장 2차 침전지 주요 설계인자에 대하여 설명하시오.

1. 개요

2차 침전지는 하수처리시설에서 가장 중요한 공정으로 대부분의 제거대상 유기물이 여기에서 제거된다. 유기물을 미생물입자로 변환하여 침전, 제거해서 하수를 정화하는 시설이다.

2. 1차 침전지와 2차 침전지의 기능

1차 침전지는 1차 처리 및 생물학적 처리를 위한 예비처리의 역할을 수행하고, 2차 침전지는 생물학적 처리 또는 화학적 처리(응집제 주입 시)에 의해 발생되는 찌꺼기(슬러지)와 처리수를 분리하며, 침전한 찌꺼기(슬러지)의 농축을 주목적으로 한다. 소규모 하수처리시설에서는 처리방식에 따라서 1차 침전지를 생략할 수도 있다. 가동 초기에는 유입수량·유입수질이 계획수량·계획수질에 도달하지 못하는 경우가 많아 반응조의 생물처리에 필요한 영양원을 확보할 수 없는 경우가 발생하므로 초기 운전대책으로 1차 침전지에서 우회수로(By-pass Line)의 설치를 검토할 수 있다.

3. 2차 침전지의 형상 및 지수

침전지의 형상 및 지수는 다음 사항을 고려하여 정한다.

1) 침전지 형상은 원형, 직사각형 또는 정사각형으로 하며, 침전지 내에서 단락류(Short Circuiting)나 국지적인 와류가 발생되지 않도록 저류판 등을 설치한다.
2) 직사각형인 경우 길이에 비해 폭이 지나치게 크면, 지 내의 흐름이 불균등하게 되어 정체부가 많이 발생하고 이로 인해 편류 등이 발생하여 침전효과가 저하되므로 폭과 길이의 비는 1 : 3 이상으로, 폭과 깊이의 비는 1 : 1~2.25 : 1 정도로, 폭은 찌꺼기(슬러지)수집기의 폭을 고려하여 정한다. 원형 및 정사각형의 경우 폭과 깊이의 비는 6 : 1~12 : 1 정도로 한다.
3) 침전지 지수는 청소, 수리, 개조 등을 위하여 최소한 2지 이상으로 한다.
4) 침전지는 수밀성 구조, 부력에 대해서도 안전한 구조로 하며 침전지 내 설비의 유지보수 등을 위한 지배수 용도로 배수밸브 등의 배수시스템을 갖춰야 한다.
5) 침전된 찌꺼기(슬러지)가 장시간 체류하게 되면 부패현상이 일어날 수 있으므로 이러한 부패현상을 막고 유효침전구역을 되도록 넓게 하기 위해서 찌꺼기(슬러지) 제거목적의 찌꺼기(슬러지)수집기를 설치한다.

6) 찌꺼기(슬러지)수집기를 설치하는 경우 조의 바닥은 침전된 찌꺼기(슬러지)를 어느 한쪽으로 모으기 쉽게 적당한 기울기를 둔다. 침전지 바닥기울기는 직사각형에서는 1/100~2/100로, 원형 및 정사각형에서는 5/100~10/100으로 하고, 찌꺼기(슬러지)호퍼(Hopper)를 설치하며, 그 측벽의 기울기는 60° 이상으로 한다.
7) 악취대책 및 지역특성을 고려하여 복개를 검토할 수 있다.

4. 2차 침전지의 표면부하율

2차 침전지에서 제거되는 SS는 주로 미생물 응결물(Floc)이므로 1차 침전지의 SS에 비해 침강속도가 느리다. 따라서 표면부하율은 1차 침전지보다 작아야 하므로, 표준활성슬러지법의 경우, 계획 1일 최대오수량에 대하여 20~30m^3/m^2·d로 하되, SRT가 길고, MLSS농도가 높은 고도처리의 경우 표면부하율을 15~25m^3/m^2·d로 할 수 있다.

5. 고형물 부하율

2차 침전지의 고형물 부하율은 40~125kg/m^2·d로 한다. 2차 침전지에서 침전되는 찌꺼기(슬러지)의 SS농도가 매우 커서 지역침전(Zone Settling)현상이 일어나면, 침전시키려는 고형물의 양을 토대로 하여 계산된 값과 표면부하율에 의하여 계산된 값을 비교하여 소요면적이 큰 것으로 침전지의 표면적을 결정한다.

6. 2차 침전지의 유효수심과 침전시간, 수면의 여유고

1) 유효수심은 2.5~4m를 표준으로 한다.
2) 침전시간은 계획 1일 최대오수량에 따라 정하며, 표준적인 표면부하율 및 유효수심의 경우는 3~4시간 정도, 침강특성이 양호하지 않을 경우는 4~5시간 정도 확보하여야 한다.
3) 침전지 수면의 여유고는 40~60cm 정도로 한다.

7. 침전지의 정류설비

정류설비는 유입수를 단면 전체에 대해 균등하게 분포시켜 침전지로 유입하는 유체의 흐름을 층류(Laminar Flow)로 유지시키기 위하여 설치하는 것이다. 정류설비에 대하여 다음 사항을 고려한다.

1) 직사각형 침전지와 같이 하수의 유입이 평행류인 경우에는 유입된 하수가 침전지의 전체 폭에 균일하게 도달하기 위해 저류판 혹은 유공정류벽을 설치한다.

2) 원형 및 정사각형 침전지와 같이 하수의 유입이 방사류인 경우에는 유입구의 주변에 원통형 저류판을 설치한다. 원형 침전지의 정류통 직경은 침전지 직경의 15~20%, 수면 아래의 침수깊이는 90cm 정도가 되도록 설치한다.

8. 유출설비 및 스컴제거기

유출설비 및 스컴제거장치는 다음 사항을 고려하여 설치한다.

1) 유출부분의 유출설비는 침전지의 전면적에 대하여 유체가 일정하게 유출되도록 월류위어를 설치하고, 유출설비 앞에서 스컴이 유출되지 않도록 스컴저류판(Scum Baffle), 스컴제거기를 설치한다.
2) 스컴은 자연적으로 월류위어 쪽으로 모이게 되므로 스컴저류판의 상단은 수면 위 10cm, 하단은 수면 아래 30~40cm가량 되도록 설치한다.
3) 미립자의 부상효과를 억제하고 침전효율을 높이기 위해서는 월류길이당 월류량(월류부하)을 적게 하는 것이 필요하며, 월류위어의 부하율은 일반적으로 190m³/m·d 이하로 한다.
4) 월류위어 및 유출수로에 조류가 발생하면 부분적으로 월류가 방해되어 편류가 생성되기 쉬우므로, 월류위어 및 유출수로에는 필요에 따라 조류증식 방지대책을 고려할 수 있다.

48 | 하수처리시설에서 2차 침전지 효율개선방안을 기술하시오.

1. 2차 침전지의 3가지 기능

1) 침강기능
   슬러지를 생물반응조 처리수와 분리함으로써 침전지 유효수심에 포함된 부유물질(SS)을 최소화

2) 농축기능
   처리수가 분리되어 침전지 하부에서 농축된 슬러지를 반송과 폐기를 통해 미생물의 활성을 유지

3) 저장기능
   일시적인 슬러지 침전성 악화나 수리학적 과부하 발생 시 침전지 내 슬러지를 저장

2. 2차 침전지의 불량원인

1) 2차 침전지의 3가지 기능 중 하나라도 실패하게 되면 유출수의 수질을 악화시킬 수 있다.
2) 침전지의 악화로 슬러지 부상과 유출은 입자형태의 유기성 질소, 인 그리고 BOD 등이 함께 유출되어 처리성능 저하
3) 고도처리에서는 2차 처리 시스템보다 긴 SRT와 높은 MLSS(3,000~4,000mg/L)을 유지하기 때문에 기존 표준활성슬러지의 2차 침전지에 비해 동일한 수리학적 부하로 운전되지만 높은 고형물부하로 인해 침전지 유출수의 수질이 악화될 우려가 있다.
4) 하수처리장 방류수 배출기준을 순간 SS농도 10mg/L 이하로 규정하고 있어 2차 침전지 처리수의 SS농도를 최소화할 필요가 있다.

3. 기존 2차 침전지를 고도처리시설에 적용 시 문제점

기존 표준활성슬러지법의 2차 침전지를 긴 SRT와 높은 MLSS농도를 필요로 하는 고도처리시스템에 적용하는 경우 다음의 문제를 야기할 수 있다.

1) 침전지 바닥에 누적된 슬러지의 내생탈질에 의한 슬러지의 부상
2) 슬러지 계면높이의 상승

3) 침전지 말단 벽체에 부딪친 유체의 상승에 따른 SS성분의 위어를 통한 유출
4) 일정하지 않은 침전지 수표면 유체흐름에 따라 비효과적인 스컴 제거

4. 2차 침전지의 효율개선 및 개량방안

1) 장방형 침전지의 길이

(1) 최근에 설치되는 침전지의 경우 대부분 장방형 침전지로 설계되는 추세이며 장방형 침전지는 생물반응조 후단과 침전지 전단의 벽면을 공유하므로
(2) 부지활용 측면에서 소요부지면적이 원형침전지와 비교하여 적게 소요되므로 경제적이며 원형침전지와 같이 별도의 기계실이 필요 없다.
(3) 유지관리 동선이 비교적 짧고 2차 침전지의 폭이 생물반응조의 폭과 같게 되므로 설계가 용이하나 침전지의 구조적 문제가 생길 수 있다.
(4) 미국의 경우 침전지 내의 유효침전부의 길이가 유효수심의 10배 이하로 규정하고 있으나 우리나라의 경우 명확한 기준이 없는 실정으로 침전지 길이가 너무 길 경우 수평유속이 커져서 침전된 슬러지의 세굴 우려가 있다.
(5) 고도처리의 경우 2차 처리 때보다 Bulking 발생 가능성이 매우 크기 때문에 농축실패로 인하여 2차 침전지에 많은 양의 슬러지를 저장하고 운전할 경우가 있다.
(6) 심각한 Bulking 상태에서는 Sludge Blanket 깊이가 침전지 유효수심의 70~80%에 달하며 이때 일간유량변동에도 대량의 슬러지가 침전지로부터 Wash-out 우려가 있다.
(7) 스크레퍼에 의한 슬러지 이송거리가 길어지며 슬러지 상부의 상징액과의 혼합으로 인해 반송슬러지의 농도저하가 우려되고 반송효율이 저하한다.

2) 유효수심

(1) 우리나라 2차 침전지는 평균유효수심이 3.5m로 외국에 비해 상대적으로 낮은 실정이며 활성슬러지 입자는 이론적으로 응결침전을 나타내므로 침전지의 깊이가 깊을수록 침전지의 성능이 증가한다.
(2) 침전지의 유효수심을 4.0m 이상으로 설계하여 고도처리에서는 2차 처리 시스템에 비해 높은 MLSS농도를 유지하므로 탄력적인 슬러지 저장능력의 향상이 필요하다.
(3) 단점으로는 유효수심의 증가 시 굴착비용이 증가하게 되므로 전체 공사비는 상승한다.

3) Stamford Baffle(유출부)의 설치

(1) Weir의 길이를 늘여 월류위어부하를 낮추거나 Stamford Baffle과 같은 정류벽을 설치하면 Weir Loading에 의해 침전지 끝단에서 Floc을 교란시켜 침전효율을 저하시키는 문제점을 해결할 수 있다.
(2) 2차 침전지 월류위어부하(기준은 190m^3/m/day)를 낮추고 위어전단에 30cm 정도 배플을 설치하여 Floc의 유출을 방지한다.

(3) 기타 월류 Weir부하의 감소방법
2단 Weir 설치, 양측면 Weir 설치, Weir의 길이 증가

4) 내부 Baffle 설치(SS제거율 30% 향상)

(1) 내부 Baffle은 유출 Weir와 Baffle 사이의 상승유속을 감소시켜 고형물 유출 가능성과 상승에너지를 감소시켜 고형물 유실방지 및 침전효율을 향상시킨다.
(2) 내부 Baffle은 수면 아래 90cm 정도에 설치하고 수면 위로 10cm 스키머 설치(부상된 슬러지 수집 제거)

5) 이단호퍼의 설치

(1) 침전지의 특성상 유입부분에서 가장 먼 위치에서 슬러지의 침전성이 불량하고 사상균이 대체로 많다. 따라서, 장방형 침전지의 적절한 위치에 슬러지호퍼를 추가적으로 설치
(2) 슬러지호퍼를 2개로 분리하여 침전성이 불량한 슬러지만을 폐기한다.

6) 스키머, 호퍼의 위치

(1) 기존 침전지의 경우 침전지 유입부분에 설치한 호퍼의 위치를 조정하여 침전지 유입 고형물의 침강이 독립침강이라는 가정하에 유입 즉시 침전하는 슬러지 수집을 위해 유입부분에 설치(기존 위치)
(2) 실제 침전지의 경우 TypeⅡ(응결침전)으로 유입과 동시에 침전되는 것이 아니라 2차 침전지 내의 유체흐름을 따라 응집침전 현상을 일으켜 침전지 전체에 걸쳐 침전현상이 발생한다.

(3) 스키머의 이동방향 수정 : 유체의 흐름과 같은 방향

① 기존 침전지의 스키머는 유체흐름과 반대방향으로 이동하나 이와 같은 경우 슬러지가 바닥에 쌓이는 현상을 유발하므로

② 고농도의 슬러지가 퇴적될 경우 내생 탈질반응에 의해 슬러지 부상이 일어날 수 있으며, 이는 처리수 SS농도를 증가시키는 직접적인 원인으로 작용하므로 스키머의 이동방향을 유체의 흐름과 같은 방향으로 조정한다.

7) 2차 침전지의 다층화

(1) 다층화는 장방형 침전지의 경우 생물반응조의 폭과 같이 설계하기 때문에 침전지의 길이가 매우 길어지는 문제점을 해결
(2) 현재 2단 침전지의 단점인 하부침전지의 고장 시 유지보수 방안 마련이 필요하며 다층화는 보완대책이 될 수 있다.
(3) 2차 침전지의 다층화로 적정한 침전지의 깊이와 유효깊이의 비를 유지할 수 있다.

8) Foaming, Scum 및 Bulking의 제어

9) 막분리 침전조의 도입
2차 침전지 내 침지식 여과막(MBR)을 설치하여 유출수의 수질을 향상시킨다.

5. 현장 적용추세

1) 최근의 추세인 기존 표준활성슬러지 공법을 고도처리화할 경우 2차 침전지에서 전술한 바와 같은 문제점을 야기할 수 있다.
2) 기존 처리시설을 고도화하는 경우 상기의 방법에 의한 문제점 해결이 필요하며
3) 신규처리시설의 경우 설계단계에서 세밀한 대책이 필요하다. 신규처리시설의 경우 설계 시 침전지의 유효침전길이가 유효수심의 10배 이하, 유효수심 4.0m 이상 기준을 우선한다.
4) 또한 2차 침전지 Floc의 유출 시 방류수허용기준(특히 T-N, T-P)과 하수처리장 재이용수질기준의 만족 및 2차 침전지 후속공정에 소독공정이 추가된 경우 소독부산물(DBPS)의 생성을 억제하기 위해서 2차 침전지 유출수의 고형물 제거에도 많은 관심을 기울일 필요가 있다.
5) 급속여과시설, 막침지 침전지(막분리공법) 등을 구성할 경우 침전지에서 SS의 농도 저감효과가 기대되어 적극 추진되고 있다.

49 | 최종침전지에서 슬러지 부상방지를 위한 침전지 구조(Baffle)를 설명하시오.

1. 개요

1) 최종침전지에서 침전지 하부가 혐기성 상태가 되어 슬러지가 부패되어 탄산가스, 메탄가스가 발생하여 슬러지와 함께 부상되는 경우
2) 포기조에서 질산화가 진행되어 암모니아성 질소가 질산성 질소로 변환된 후에 최종 침전지에서 침전한 슬러지의 용존산소농도가 낮은 경우에 탈질반응이 발생되면 질산성 질소가 질소가스로 변환되어, 질소가스가 상승하면서 슬러지도 함께 상승하여 슬러지 부상이 발생한다.

2. 슬러지 부상 원인

1) F/M비가 낮고 SRT가 긴 경우(8일 이상) 질산화가 진행되는 경우
2) 슬러지 인발 부족 시 혐기성화
3) 강력한 포기에 의한 Floc 파괴로 미세한 플럭 상승

3. 대책

1) 침전슬러지의 관리 철저
   이상현상 발생 시 슬러지 반송률을 줄이고 잉여슬러지량 증가

2) SRT를 짧게 운전(5일 미만)

3) Baffle 및 스컴 제거기 설치
   - 유출수질 악화 방지
   - 내부 Baffle 설치로 침전효율 향상

4. 유출수 부유물 증가를 방지하기 위한 침전지 구조

상승한 부유물 유출 방지를 위해 Baffle 및 스키머(Skimmer)를 설치하고 침전지 유입부의 난류를 감소시키기 위하여 유공 정류벽 또는 판을 설치한다. 유입지역 내 유속은 1m/sec 이하로 유지한다.

1) 침전지 유공 정류벽 설치

정류설비는 유입수를 단면 전체에 균등하게 분포시켜 침전지로 유입하는 유체의 흐름을 층류로 유지시키기 위하여 설치한다. 정류설비 설치 시 와류가 발생되지 않도록 하여야 하며 침전지 내의 유효침전구역을 감소시키지 않도록 한다.

- 유공 정류벽의 구멍 면적은 저류판 면적의 6~20%
- 유입지역 내 유속은 1m/sec 이하
- 유효침전구역으로 유입되는 유속은 0.08m/sec 이하

2) 침전지 정류벽 설치 필요성

정류설비는 지내의 편류, 밀도류 등을 방지하고 수류를 안정시키기 위하여 설치하며, 설치하지 않을 경우에는 전체 면적 중 일부면적에서 빠른 흐름이 형성되어 단락류가 발생되고 다른 쪽 면적에서는 흐름이 느려지거나 정체되고 심하면 Back-Flow가 형성된다.

이러한 현상은 침전지의 효율을 급격히 감소시키게 된다. 침전효율은 응집지에서 생성된 플록이 안정된 침전을 하여야 하는데 단락류 등이 형성되면 슬러지가 부상되는 현상이 발생된다.

3) 유공 정류벽의 특징

(1) 정류벽(Diffuser Wall)의 정류공(Port)은 정류벽 전체에 균일하게 배치
(2) 정류벽은 지의 전 단면에 걸치도록 설치
(3) 정류공(Port)은 가능하면 많이 설치하여 정류공들 사이에 존재하는 사수역을 줄이고 Jet류의 길이를 최소화

4) 원통형 저류판

원형 및 정사각형 침전지에서와 같이 하수의 유입이 방사류인 경우에는 유입구의 주변에 원통형 저류판을 설치한다.

(1) 직경은 침전지 직경의 15~20%
(2) 수면 아래의 침수 깊이는 90cm 정도

5) 내부 Baffle 설치

SS 30% 정도 향상, N.P 공정의 2차 침전지 감소

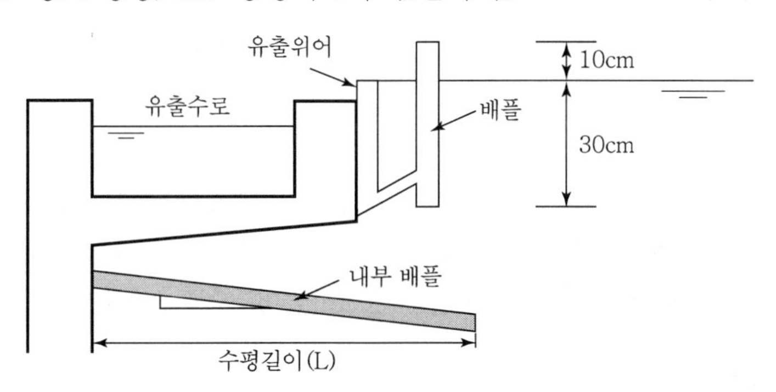

침전지 유출 Baffle과 내부 Baffle 설치도

50 | 침전지슬러지 수집기의 종류 및 특징을 설명하시오.

1. 개요

슬러지 수집기는 발생슬러지량, 슬러지농도, 슬러지 배제방식, 기계성능, 건설비 및 유지비등을 종합적으로 검토하여 결정하며 구형 침전지에는 체인 플라이트식(Chain Flight Type)이 원형침전지에는 회전식(중심구동형, 주변구동형)이 주로 사용된다.

2. 슬러지 수집기 종류

1) 원형 침전지

(1) 중심 구동형 스크레이퍼 : 소용량에 사용
(2) 주변 구동형 스크레이퍼 : 대용량(직경 30m 이상)에 사용

2) 구형 침전지

(1) Chain Flight Type : 1차, 2차 침전지에 사용
(2) Siphon Type : 슬러지농도가 낮은 2차 침전지에 적합
(3) Traveling Type : 슬러지농도가 높은 1차 침전지에 적합
(4) 수중대차식 : 슬러지농도가 낮은 2차 침전지에 적합

3. 수집기 종류별 특성

1) 중심 구동형 회전식 슬러지 수집기

(1) 주로 원형 침전지(직경 30M 이하)에 사용
(2) 침전지 직경이 큰 경우 중심 부분에 짧은 스크레이퍼 설치

2) 주변 구동형 회전식 슬러지 수집기

대용량인 경우 원주 길이 방향에 모터를 설치하고 중심부에 연결된 암을 회전시킨다.

3) 체인 플라이트식

(1) 구조

수중에서 주행하는 궤도에 부착된 Flight에 의하여 슬러지가 호퍼로 수집되며 연속적이고 일정한 속도로 움직인다.

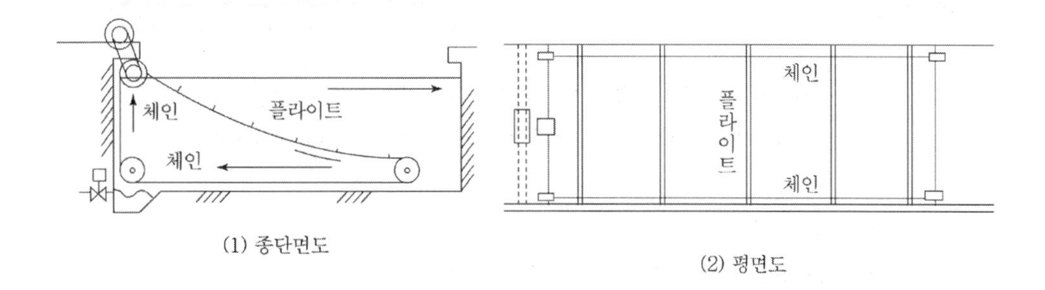

(1) 종단면도

(2) 평면도

(2) 제거 효율

수집효과 양호, 대량 처리에 적합

(3) 특징

① 장점

- 운전이 용이, 연속 운전이 가능, 슬러지 제거 효율이 높다.
- Flight 판이 수면 상부로 이동시 스컴 제거기로 이용
- 냄새를 방지하기 위한 슬래브 설치가 가능

② 단점

- 유지보수가 어렵고, 기계 마모 및 부식이 되기 쉽다.
- 침전슬러지가 Flight판에 의하여 교란될 우려
- 보수 점검 시 침전지를 비워야 함

4) Traveling Bridge Type

(1) 구조

침전지 상부에서 구동부가 왕복운동을 하며 여기에 연결된 Rake Arm이 슬러지를 수집, 호퍼로 이동시켜 제거한다.

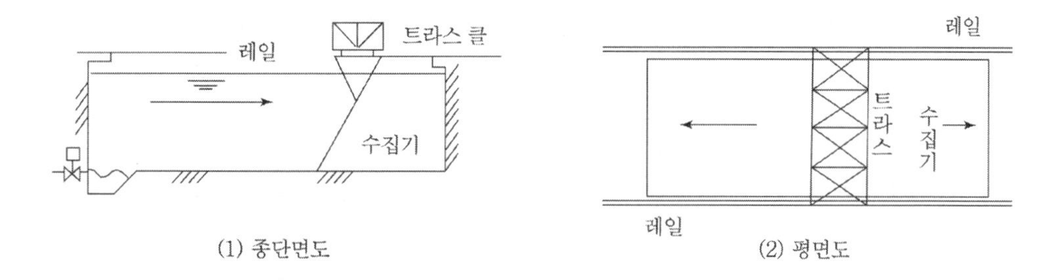

(1) 종단면도

(2) 평면도

(2) 제거효율

Chain식보다 다소 떨어짐

(3) 특징

① 장점

• 고농도 슬러지가 대량으로 퇴적되어도 파손되지 않음
• 보수 점검이 용이, 수면 상부에 Scum 제거기 부착 가능

② 단점

• 고장이 많다.
• Rake arm 인양 시 슬러지가 교란될 우려

5) Siphon Type

(1) 구조

침전지 상부에서 구동부가 왕복운동을 하며 진공펌프로 슬러지를 흡입

(2) 제거효율

저농도의 슬러지를 대량으로 흡입하는데 적합

(3) 특징

① 장점

• 장치의 주요부가 수면 상부에 위치하여 보수 점검이 용이
• 저농도 슬러지를 다량으로 흡입이 가능

② 단점

• 저농도 슬러지를 흡입하는 경우 슬러지량 증가
• 진공장치의 고장이 많다.

6) 수중 대차식

(1) 구조

수중 바닥에 설치된 궤도에 따라 왕복 주행하는 대차에 의하여 슬러지가 호퍼로 수집되며 호퍼 방향으로 단속적이고 일정한 속도로 움직인다.

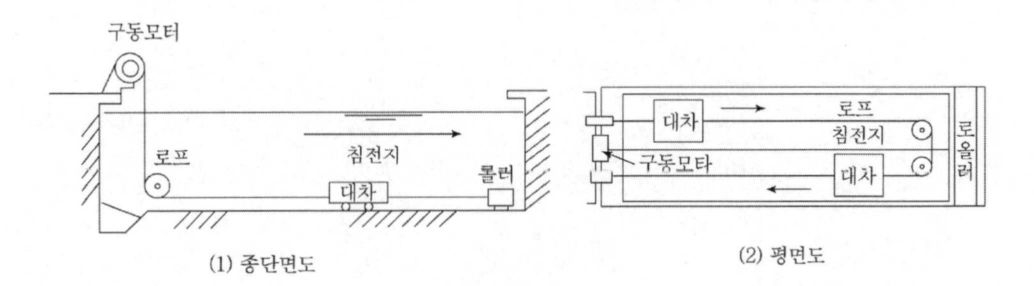

(1) 종단면도 (2) 평면도

(2) 제거 효율

슬러지량이 적을 경우 수집효과 양호

(3) 특징

① 장점

- 고장이 적고 운전이 용이, 연속 운전이 가능
- 속도 조절 가능, 슬러지 제거 효율이 높음
- 냄새를 방지하기 위한 슬래브 설치가 가능

② 단점

- 다량 슬러지 처리 시 속도 증가에 따라 슬러지 교란 가능성

51 | 소규모 하수처리시설 계획 시 고려사항을 기술하시오.

1. 소규모 하수처리시설의 특징

1) 계획구역 면적이 작고 처리시설까지의 도달시간이 짧아(유입하수의 시간 변동이 심하다) 직접 하수가 처리시설로 단시간에 유입한다.
2) 유입하수의 질과 양의 변동이 심하다.
3) 소규모이므로 처리시설의 건설비 및 유지관리비가 비싸진다.
4) 유지관리를 위한 전문기술인력의 확보가 곤란하다.
5) 유지보수에 신속한 대응이 어렵다.

2. 소규모 하수처리 시설 계획 시 고려사항

1) 수량, 수질의 계절별/일별/시간별 변화에 대하여 안정된 처리가 이루어질 수 있는 저부하형 처리방식(장기포기법, 산화구법 등)을 선정한다.
2) 용이한 유지관리를 위하여 계열수를 최소화하여 관리항목을 감소시킨다.
3) 시설의 운전체제는 순회관리 및 원격감시 시스템을 도입하여 무인 운전을 검토한다.
4) 자동화 및 에너지 절약화는 사용빈도, 건설비, 유지관리비 등을 종합적으로 검토하여 결정한다.
5) 인접 처리시설과의 순회감시 및 수질 분석의 공동화 등도 검토한다.

3. 처리공정 선정 시 고려사항

1) 경제성(건설비, 유지관리비)이 뛰어나며
2) 유지관리가 용이하고
3) 유량 및 수질 변동에 대처가 용이하며(필요시 유량조정조 설치)
4) 슬러지발생량이 적고
5) 약품이나 전력의 소비가 적고
6) BOD, SS 외에 질소, 인 처리에 대한 검토를 하여야 한다.

4. 소규모 하수처리 시설에 권장 공정

1) 산화지법

(1) 특징

자연정화 기능을 이용한 에너지 절약형 처리방법이며 조류의 광합성으로 생성되는 산소를 이용하여 미생물이 유기물을 제거하는 방법이다.

(2) 산화지의 종류

① 호기성산화지(Aerobic Lagoon)

깊이 0.3~0.6m 정도이며 산소는 바람에 의한 표면포기와 조류에 의한 광합성에 의하여 공급된다. 전 수심에 걸쳐 일정한 용존산소농도를 유지하기 위하여 주기적으로 혼합시켜 준다.

② 포기식 산화지(Aerated Lagoon)

산기식/기계식 포기기를 사용하여 포기해 주므로 깊이를 깊게 할 수 있어 처리 용량을 증대시킨다. 깊이는 3~6m, 체류시간은 7~20일 정도이다.

③ 임의성산화지(Facultative Lagoon)

깊이는 1.5~2.5m, 체류시간은 25~180일 정도이다. 임의성 산화지는 수면부근은 대기의 접촉으로 호기성 지역으로 되고 바닥에는 부유물이 침전되어 혐기성 분해가 이루어진다.

2) 산화구법(Oxidation Ditch)

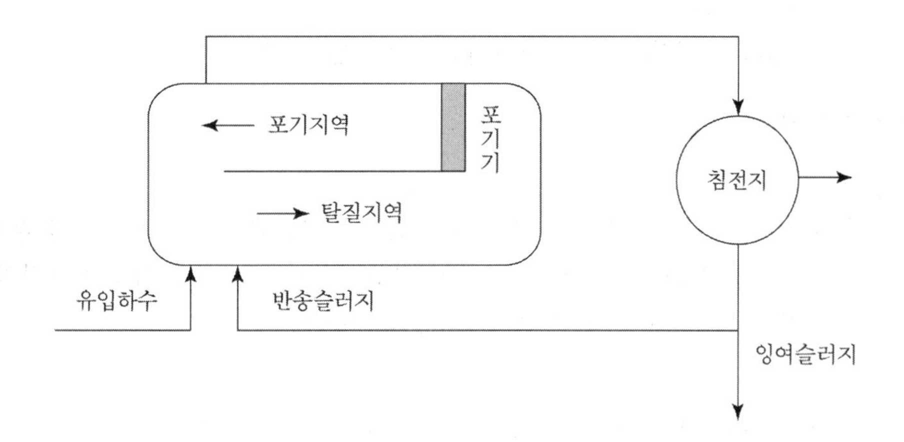

(1) 원리

산화구법은 일차침전지를 생략하고 타원형의 반응조에 기계식 포기장치를 설치하여 산소를 공급하며, 2차 침전지에서 고액분리가 이루어지는 저부하형 활성슬러지 변법이다. SRT를 길게 운전하여 질산화 반응이 발생되며, 무산소지역을 설정 탈질반응도 수행하여 질소를 생물학적으로 제거한다.

(2) 특징

- 저부하에서 운전되므로 유입하수량, 수질의 시간 변동 및 수온저하에도 안정된 처리를 기대할 수 있다.
- 질소 제거율 70% 정도
- SRT가 길어 슬러지발생량이 적다.
- 소요부지가 넓다.

3) 장기포기법

(1) 원리

장기포기법은 일차 침전지없이 18~24 시간 정도의 체류시간으로 길게 운전하여 미생물를 내호흡단계로 유지하여 하수 내 유기물을 처리하는 방법으로 슬러지발생량이 적고 효율이 좋아 처리수의 수질도 양호하나 산소요구량이 많고 F/M비가 0.03~0.05 정도로 낮게 운전되어 처리 용량이 커지므로 초기 시설비가 많이 소요된다.

(2) 특징

- 활성슬러지가 자산화되기 때문에 슬러지발생량이 적다.
- SRT가 길고 과잉포기로 인하여 미생물의 플럭이 해체되거나 슬러지의 활성도가 저하되는 경우가 있다.
- 긴 SRT로 질산화가 발생되어 pH가 저하될 수 있다.

4) 접촉산화법

(1) 원리

생물막 공법으로 반응조 내의 접촉재 표면에 부착된 미생물에 의하여 수처리한다. 부착 생물에 필요한 산소는 포기장치로부터 공급되며 접촉재 표면의 부착미생물은 탈리되어 침전지에서 침전 분리된다.

(2) 특징

- 반송슬러지가 불필요하므로 운전, 유지관리가 용이하다.
- 접촉재 사용으로 부착미생물을 다량 확보하여 유입기질의 변동이나, 충격부하에 유연히 대응할 수 있다.
- 생물상이 다양하여 처리효과가 안정적
- 슬러지의 자산화로 잉여슬러지량이 감소

5) 호기성 여상법

(1) 원리

호기성 여상법은 3~5mm 정도의 접촉여재를 충진시킨 여상의 상부에 하수를 유입시키고, 여상 하부의 산기장치에서 포기가 이루어지며 여재 표면에 부착된 미생물로 하여금 유기물 분해 및 SS 흡착이 동시에 이루어지는 방식이다.

(2) 특징

- 미생물의 흡착작용, 생분해 작용과 여재 간의 물리적 여과작업이 상승작용을 하여 단기간에 양호한 처리수질을 얻을 수 있다.
- 반송슬러지가 불필요하며 운전이 용이하다.
- 장기포기법, 산화구법 등에 비하여 반응시간이 짧다.
- 2차 침전지 불필요하다.

6) SBR

연속회분식(Squencing Batch Reactor)활성슬러지법은 회분식의 장점을 극대화 시키는 것으로 1개의 반응조를 반응조와 침전지의 기능을 갖게 하여 활성슬러지에 의한 반응과 혼합액의 침전, 상징수의 배수, 침전슬러지의 배출공정 등을 반복하여 처리하는 방식이다.

7) MBR

침지식 막분리공정은 모듈화되어 있어 다른 하수 처리공정과 쉽게 조합되어 효과적인 혼성시스템(Hybrid System)을 구성할 수 있는 등 많은 장점을 지니고 설치공간도 절약되며 탁도물질과 세균류도 제거 가능하므로 처리수가 매우 안정적이며, BOD 및 SS를 5ppm 이하로 처리한다. 따라서 중수로 재이용할 수 있는 수질을 얻을 수 있다. 또한 자동화 시스템에 의한 제어가 수월하여 유지관리가 편리하여 최근에 이공법의 적용이 증가하는 추세이다.

52 | 하수처리시설 처리수 소독방법을 설명하시오.

1. 개요

하수처리시설 방류수 소독방법은 방류수역의 위생적인 문제와 부산물에 의한 부작용을 고려하여 염소소독, 자외선 소독, 오존 소독법과 기타 신기술이 도입되고 있으며 그 동안 주류를 이루었던 염소 소독의 부작용(부산물인 THM의 위해성 및 수생생물에 대한 위협)과 2003년부터 하수처리시설 방류수에 대한 대장균군수에 대한 법적 규제에 따라 적합한 소독방법을 선택해야 한다.

2. 하수처리수 소독의 필요성

하수도 시스템에서 병원성 미생물에 대한 대책은 방류수의 소독을 어느 정도까지 실시해야 할 것인가 하는 방류수 기준(대장균 군수로 약 3,000개/mL)을 목표로 하기보다 좀 더 광범위한 방류수역 생태계의 안전과 보존을 목표로 결정하는 것이 바람직하다. 즉, 수원을 이용하는 상수도 시스템이나 하수도 시스템을 포함한 사회의 물이용 토털시스템에서의 소독의 역할로서 논해야 할 것을 의미한다.

3. 소독 문제의 검토사항

사회의 물 이용의 시스템에서 하수도 시스템은 분명히 중요한 위치를 점하고 있으며 다음의 사회적 관점에서 하수 방류수의 소독문제는 검토되어야 할 것이다.

1) 도시의 고밀도화와 지구온난화 등에 의한 수자원의 부족으로 인한 하수처리수의 재이용을 고려한 소독방법 결정
2) 하수도 보급률 60%대까지의 정비에 수반하는 내륙부에 대한 하수도 정비와 상수도 수원의 오탁의 문제를 고려
3) 물 환경에 대한 사회적 요구와 수용수역에서의 생물 다양성의 보전의 문제, 즉 유역 관리의 문제이다.

4. 방류수 소독의 고려사항

1) 국내 하수처리시설 방류수의 특성상 처리수에 상당한 유기물이 포함될 수밖에 없고 유기물은 염소에 의한 소독 시 THM(Trihalometane)이라고 하는 발암성 물질의 생성 가능성을 가지며,

2) 염소의 하류 생태계에 미치는 영향 등으로 인해 많은 문제점이 노출되고 있다. 이를 극복하기 위한 대체 소독제의 개발 및 시스템의 개선을 위한 다양한 연구가 진행되고 있다.
3) 최근 클립토스폴리디움을 비롯하여 물을 매개로 한 새로운 염소 내성의 병원미생물에 의한 감염증의 발생이 자주 보고 되게 되었다. 특히 물을 매개로 하여 병원미생물에 의한 감염증은 사회적인 영향이 크다. 그런 의미에서 물을 매개로 한 감염증의 발생을 예방하는 것은 사회적으로 중요한 과제이다.

5. 염소 소독의 문제점

1) 염소처리는 원래 탈취의 목적으로 하수처리시설에서 사용되기 시작하였으나 간편하고 경제적이며 소독의 효과가 확실하기 때문에, 국내외 대부분의 하수처리시설이 염소처리를 택하기에 이르렀다.
2) 그러나 염소처리 시 발생하는 발암물질인 THM의 위해성, 환경에 미치는 2차적 독성, 수생 생물에 대한 영향 등으로 인하여 염소소독에 대한 재검토 작업이 최근 각국에서 활발히 전개되고 있다.
3) 염소처리된 하수처리시설 유출수의 수생 생물에 대한 독성은 첨가된 염소량뿐만 아니라 잔류염소의 농도 및 종류에 의해서 결정되는 것으로 알려져 있다.
4) 염소처리된 하수가 수역에 방류될 때 제기될 수 있는 문제점은

   (1) 염소처리를 하여도 완전한 소독이 이루어지지 않는다.
   (2) 염소처리된 하수는 해수가 가지고 있는 세균감소작용을 손상시킨다.
   (3) 염소처리된 병원균에 대해서는 충분히 효과적이지 못하다.
   (4) 염소처리된 하수는 발암성물질을 생성할 수 있다.(THM 생성 등)

6. 오존 소독의 특징

오존은 효과적이고 강력한 소독물질이지만 산화력이 대단히 강하여 수중에 존재하는 물질, 특히 유기물질에 의해 다량으로 소비되고, 이들 간의 산화반응은 비교적 신속히 일어나므로 후속되는 소독과정에서의 충분한 소독효과를 기대하기 어렵다.

1) 많은 유기화합물을 빠르게 산화, 분해한다.
2) 유기화합물의 생분해성을 높인다.
3) 탈취, 탈색효과가 크다.
4) 병원균에 대하여 살균작용이 강하다.
5) 효과에 지속성이 없으며 상수에 대하여는 염소처리의 병용이 필요하다.
6) 경제성이 좋지 않다.

7. 자외선 소독의 특징

자외선 소독의 최대 장점은 장치가 상대적으로 단순하고 잔류물질이 존재하지 않으며 해로운 소독 부산물이 생성되지 않는다는 것이다. 또한 화학적 소독제와 달리 과잉주입에 따른 문제가 없어 운전관리가 보다 용이하고 화학물질이 포함되지 않으므로 식품, 반도체, 의약품 제조업 등의 산업분야에도 널리 사용되고 있다. 또한 하·폐수 재이용 시스템에서의 살균 목적으로 UV 소독이 점차 광범위하게 적용될 전망이다.

8. 국내 적용현황

국내에서는 현재 폭발적인 하수처리시설 건설 계획이 추진되고 있으며 소독 장치 분야에 국내외의 많은 제조사가 진출해 있어 경쟁적이고 무분별한 기술도입이 이루어지고 있으며 이로 인한 부품조달의 문제점, 향후 유지보수 등에 대한 문제점에 대한 충분한 검토가 이루어져야 한다.

최근 UV 소독장치가 널리 적용되고 있으며 이들 자외선에 의한 소독은 수질의 오염도(탁도 등)에 따라 소독력에 큰 영향을 미친다. 특히 기존의 자외선 소독설비는 우리나라처럼 하수처리시설의 방류수의 탁도가 높은 경우 충분히 정화시킨 후 소독해야 자외선 소독의 효율을 최적화할 수 있다. 이러한 방류수의 탁도 문제를 극복할 수 있고 소독효율이 우수한 소독방법을 개발하고 보급하여야 할 것이다.

9. 소독 방법의 비교

구분	자외선(UV) 소독	오존(O_3) 소독	염소(Cl_2)계 소독
처리용량	소, 중	중, 대	소, 중, 대
운전제어방법	램프본수	투입전력	주입률
유지관리기술	쉬움	어려움	어려움
현장의 안전관리	문제없음	오존독성	염소독성
살균효율 조절	어려움	가능	가능
유해한 부생성물	무	무	THM 등
필요 접촉시간	1분 이내	4~10분	15분
암모니아와의 반응	무	무(중성)	유
색도 제거효과	무	유	약
탁도/색도영향	유	무	무
중수도 확장성	어려움	쉬움	어려움

53 | 하수처리수 재이용처리시설 RO막 배치방법 3가지를 설명하시오.

1. 하수처리수 재이용처리시설 RO막

하수처리시설에서 방류수를 재이용하는 수질기준에 따라 최종방류수를 재차 처리하여 이용하는데 이때 막여과를 주로 이용한다.

2. 역삼투압(RO)의 원리

1) 삼투압보다 큰 압력을 용액 쪽에서 역으로 가하면 삼투현상과 반대로 용매가 용액에서 분리되어 용매 쪽으로 이동한다. 이러한 현상을 역삼투현상이라 하며 이때의 압력을 역삼투압이라 한다.
2) 역삼투압설비는 최근에 거의 모든 산업체에서 용존성 물질을 제거하는 데 가장 많이 사용하는 기술이며 운전압력은 보통 5~7MPa이고, 역삼투막의 필터크기는 2~10nm 이하로 콜로이드성 물질, 염, 박테리아, TOC 등을 제거할 수 있다.

3. RO(역삼투)막 배치방법의 3가지

1) RO(역삼투)막 배치방법 3가지의 개요

역삼투막 배치방법에는 Single Stage RO System, Two Stages(2단) RO System, Two Pass RO System이 있다. 모듈의 배치 및 모듈 내 엘리먼트 수는 하수처리수 재이용처리수의 목표수질, 수온, 회수율, 운전압력 등에 따라 결정하며 하수처리수 재이용에서 가장 일반적인 배치는 Single Stage RO 시스템을 적용한다.

2) RO(역삼투)막 배치방법 3가지의 특징

(1) Single Stage RO 시스템

가장 일반적이며 1단의 RO막을 통과시켜 처리수를 얻는다. 가장 시스템이 심플하고 경제적이지만 수질은 Two Pass RO 방식에 비해 떨어진다.

(2) Two Stages(2단) RO 시스템

1단을 통과한 유출수를 2단에서 재차 회수하는 것으로 전체적인 시설의 회수율을 향상시키기 위하여 적용한다. Two Stages RO(2단 RO) System은 1단 RO에서 배출되는 농축수가 2단 RO의 원수가 되는 형태로 1단 방식보다 시설비는 증가하나 처리수량을 확보하기에는 적합하다.

(3) Two Pass RO 시스템

1단 처리수를 2단에서 재처리하는 것으로 직렬로 연결하여 처리수를 고도의 수질을 목표로 생산하는 시설이다. Two Pass RO System은 1열 RO 생산수가 2열(Series) RO 원수가 되어 재처리되는 시스템으로 지하수 재충전용 등 고급 재이용수를 얻기에 적합하다.

4. RO 막여과시스템의 주요 구성 설비

1) 압력베셀(멤브레인 하우징)
2) 멤브레인(막여과)
3) 유량조절밸브(농축수조절밸브)
4) 각종 압력배관
5) 각종 계기(전도도계, 유량계, 압력계 등)

5. RO 시스템과 고압펌프

역삼투법은 삼투압을 이용하므로 고압펌프가 필요하다. 원수 중의 순수한 물이 멤브레인을 투과할 수 있도록 높은 투과압력(역삼투압)을 원수에 공급하는 고압펌프는 역삼투시설의 핵심시설이다.

1) 고압펌프형식은 다단원심펌프 또는 용적식 플런저펌프(역삼투법인 경우 동력비가 운영관리비의 약 40~50% 차지, 이 중 고압펌프에 의한 에너지 소비가 약 85% 정도를 차지)이다.
2) 고압펌프 토출 측과 RO Feed 측은 가급적 직선으로 연결되도록 배치하고 고압펌프의 유효흡입수두를 유지하기 위하여 설치되는 Booster 펌프는 고압펌프 Feed 유량의 120%, 수압 1.5bar 이상을 유지하는 것이 좋다.
3) 펌프제어는 고압펌프를 인버터 제어하여 동력비 절감을 꾀한다.
4) 배관연결방법은 플렉시블 조인트에 의하며, 고압배관 설계는 표준화, 단순화 및 Elbow 등 부속수를 최소화한다.

6. 고압펌프의 대수 결정

펌프 대수 결정은 원칙적으로 경제성 및 유지관리성을 고려하여 결정한다.

1) 대용량으로 적은 대수를 설치하는 방식은 건설비는 저렴하나 유지관리비가 증가하고 고장 시 대처가 어렵다.

2) 소용량으로 다수를 설치하는 방식은 건설비는 증가하나 유지관리비가 저렴하고 고장 시 부분가동이 가능하다.

7. RO 시스템 에너지회수장치

1) RO 시스템은 고압펌프를 이용하고, 에너지회수장치는 고압펌프에서 48~63bar 정도 가압된 원수를 RO 시설에서 수력마찰로 1~2bar 정도 손실된 후 고압의 압력을 유지한 채 버려지는 농축수에서 압력에너지를 회수하기 위한 장치이다.
2) 고압 농축 배출수에서 발전기를 이용하여 전기에너지로 전환시키는 방법과 직접 고압펌프 보조동력으로 사용하는 방법 등이 있다.

8. 최근 RO Unit 설계 동향

1) 동력비 절감을 위한 인버터에 의한 고효율펌프 및 에너지회수장치의 최적화
2) 1개 베셀에 엘리먼트 수량을 증가하여 설치하는 추세(1~7Element/Vessel)
3) 효율적인 RO Unit 배치를 위해 Two Stages 또는 Two Pass 방식 적용
4) 효율 향상을 위해 RO막 전단에 UF/MF막을 이용한 전처리방법의 다각화
5) 멤브레인(RO막) 성능 개선을 통한 투과량 증가와 회수율 향상 다각 추진

54 | 가정에서 나오는 하수는 수질에 따라 여러 가지 종류가 있다. 이들의 대략적인 양과 질(BOD, N, P 기준)을 제시하고, 각 발생원에서 발생하는 하수를 처리하기 위한 적절한 방법을 제시하시오.

1. 개요

가정하수는 수질 오염원 중 가장 많은 비율을 차지하는 것으로 가정이나 음식점 등에서 배출하는 음식물 찌꺼기와 합성세제, 폐식용유, 분뇨 등이 주된 오염 물질이다.

2. 가정하수의 발생량과 구성성분

생활하수의 주 오염물질은 음식찌꺼기, 복합성세제, 분뇨 등이다. 부엌에서 나오는 음식찌꺼기가 가장 많은 유기물을 포함하고 있으며, 부엌과 세탁욕실의 합성세제도 다량의 질소와 인을 포함하고 있어 수 생태계의 영양염농도를 과다하게 증가시켜 부영양화를 일으킨다.

구분	세탁	변기	세면	목욕	부엌	청소	총계
추정비율(%)	19	26	12	25	16	2	100
오염 성분	합성세제, SS, BOD	BOD, SS, T−N, T−P	합성세제, BOD	합성세제, BOD	합성세제, SS, BOD	합성세제, SS	

3. 1인당 오수 발생량과 부하량

1인당 생활하수 배출량은 약 300~500L/인일 정도이고 분뇨는 평균 1.2L(분뇨의 BOD부하 약 20~30g/인일, BOD농도 20,000~30,000mg/L, COD부하 약 60g/인일) 정도이다.

구분(서울시 예)		2001	2006	2011
오염원단위 (g/인일)	BOD	72.3	77.2(172mg/L)	83.9
	SS	64.1	70.2(155mg/L)	80.6
	T−N	14.3	15.1(34mg/L)	15.2
	T−P	1.3	1.3(3mg/L)	1.4
오수량 원단위(L/인일)		438	449	451

4. 수질 오염원의 종류

수질 오염원의 종류에는 생활하수, 산업 폐수, 농·축산 폐수가 있다. 전국의 수질 오염 물질 일일 배출량에서 각 오염원이 차지하는 비율과 오염원을 살펴보면 아래와 같다.

오염원의 종류	오염 물질	오염원	발생량(%)	부하량(%)
생활하수	음식물 찌꺼기와 분뇨, 합성세제 등	가정, 사무실, 낚시 및 위락 시설	78	53
산업폐수	화학 물질, 중금속, 유기 화학 물질 등	공장, 산업설비 등	21	39
축산폐수	가축의 분뇨, 비료, 농약 등	농경지, 목장, 가두리 양식장 등	1	8

5. 오염원의 특성

1) 생활하수

수질 오염원 중 가장 많은 비율을 차지하는 생활하수는 음식물 찌꺼기와 합성세제류, 분뇨 등이 주된 오염 물질이다.

(1) 음식물 찌꺼기

이들 유기물은 호기성 미생물에 의해 분해되면서 물속의 용존 산소량(DO)을 감소시키므로, 오염농도가 심할 때는 생태계를 혐기화하고 악취가 나게 된다.

(2) 분뇨

분뇨에는 질소나 인과 같은 영양염류가 다량 들어 있는데, 이러한 물질이 식물성 플랑크톤의 대량 증식을 일으켜서 부영양화(Eutrophication)를 유발 한다.

(3) 합성세제

합성세제를 구성하고 있는 계면 활성제와 인산염, 거품이 수질 오염의 주원인이 된다. 계면 활성제는 합성 물질로서 생태계에 독성을 미치고 암을 유발하며 환경호르몬 원인물질로 알려졌고, 하천이나 호수에 부영양화를 일으킨다. 거품은 수면을 공기로부터 차단하여 생물처리와 자정작용을 방해한다.

2) 산업 폐수

전국의 수질 오염 물질 일일 배출량에서 산업 폐수는 생활하수에 비해 양은 적지만, 산업 폐수에 포함되어 있는 각종 유해 성분의 농도가 생활하수보다 훨씬 높아서 심각한 피해를 줄 수 있다. 또한 산업 폐수는 대부분이 난분해성 물질로서 호기성 미생물에 의해 분해되지 않는 것들이 많다.

(1) 화학 물질
불소나 페놀류 등 다양한 화학 물질

(2) 중금속
공장에서 배출되는 수은, 카드뮴, 납, 구리, 아연 등의 중금속은 생체 내로 들어오면 쉽게 배출되지 않고 생물 농축되어, 먹이연쇄를 통해 심각한 질병을 초래하며 치명적인 피해를 줄 수도 있다.

3) 농·축산 폐수
농·축산 폐수는 주로 농촌 지역에서 많이 배출되며, 가축의 분뇨, 농약, 가두리 양식장 등에서 배출되는 물고기들의 배설물과 사체 등을 포함한다.

(1) 가축의 분뇨
가축의 분뇨에 포함된 질소와 인은 하천을 부영양화시켜 수생태계를 파괴한다.

(2) 농약
다양한 독성물질을 함유하고, 잘 분해되지 않고 생태계에 남아 여러 가지 악영향을 미치며, 생체 내에 농축되기도 한다.

(3) 가두리 양식장으로부터 나오는 배설물과 사체
부영양화를 심각하게 일으키며, 상수원을 직접 오염시키기도 한다.

6. 발생원별 하수처리 방법

1) 생활하수
개별 오수처리법과 공공하수처리시설에서 일괄적으로 처리하는 중앙식 처리법이 있으며 최근에는 도시지역을 몇 개의 구역으로 나누어 집중처리하는 종말처리 시설이 일반적이다.

(1) 처리방법
- 1차 처리(전처리 - 협잡물처리, 침사지)
- 2차 처리(생물막법, 활성슬러지법, SBR, MBR 등)
- 3차 처리(A/O, A_2/O, 막여과법, CNR, CPR, BNR, BPR 등)
- 슬러지처리(물리화학적 처리법, 호기성 처리법, 혐기성 처리법)
- 탈취설비, 소독설비 등

(2) 최근의 추세는 2차 처리와 고도처리를 별도로 적용하지 않고 복합처리하는 다양한 공법(A_2/O, SBR, MBR 등)들이 현장에서 응용되고 있다.

2) 산업폐수 처리방법
- 1차 처리(전처리－협잡물처리, 침사지)
- 2차 처리(오염물질 종류에 따라 화학적 처리법, 미생물 처리법 적용)
- 3차 처리(막여과법, 생물고도처리법 등)
- 슬러지처리, 탈취설비, 소독설비 등

3) 축산폐수 처리방법
- 1차 처리(전처리－협잡물처리, 침사지)
- 2차 처리(생물막법, 활성슬러지법, SBR, MBR 등)
- 3차 처리(A/O, A_2/O, 막여과법, CNR, CPR, BNR, BPR 등)
- 슬러지처리, 탈취설비, 소독설비 등

7. 오염원과 처리에 대한 대책

1) 오염물질 발생을 최소화할 수 있는 생활습관 및 산업설비 구축
2) 합성세제 적량 사용 및 무공해 세제 개발, 친환경적 농법, 양식법 개발
3) 하수처리시설 확충 및 고도처리시설 설치
4) 하수처리시설 성능·구조개선(Retrofitting) 사업 추진
5) 부실 하수관거 정비사업 추진
6) 방류수 수질기준 강화 및 하수도 관련 기준 개선

55 | 공공하수처리시설과 폐수(축산)종말 처리시설의 처리공정 중 COD와 BOD농도변화를 설명하시오.

1. 개요

COD는 BOD와 마찬가지로 수중의 유기성 오염물질의 오염도 표시법이다. 산소소비 정도를 측정하기 위한 유기 오염량의 측정이란 점에서 보면 BOD가 가장 유리하나 COD가 BOD와 함께 잘 쓰이는 이유는 BOD가 20℃에서 5일간이란 오랜 측정시간을 요하고 BOD 측정설비가 비싸며 그 측정 조작에도 상당한 숙련을 요하는데 비해, COD는 단시간에 측정되고 사용기구류도 저렴하며, 조작법도 익히기 쉽기 때문이다.

2. COD 측정값의 의미

COD시험치는 BOD에 비해 매우 유리한 점이 있다. 즉, BOD시험으로는 알아낼 수 없는 유기물 부하를 알 수 있고, 이 밖에 BOD시험을 하기에는 독성이 너무 강한 폐수의 오염도를 측정할 수 있다. 더욱이 COD는 모발, 지류, 셀룰로오스 등의 난분해성 유기물을 잘 산화시키는 이점이 있어 비교적 높은 COD를 발생시키는 축산폐수, 식품공업, 섬유공업, 제지 공업, 무기화학 등의 폐수에 유용하다.

3. COD와 BOD의 비교

1) COD는 화학적으로 산화 가능한 유기물을 산화시키기 위한 산소 요구량이며 BOD는 미생물에 의해서 산화시키기 위한 산소요구량이다.

(1) 어느 유기물질을 화학적으로 산화시키기 위한 산소요구량은 미생물에 의해서 산화시키는 데 필요한 양보다 그 크기가 크거나 같아야 한다. 같은 경우 그 유기물질은 생물학적으로 완전히 미생물에 의해 분해 가능한 경우이며, COD가 BOD보다 큰 경우에는 그 유기물이 생물학적으로 분해 불가능한 물질을 어느 정도 함유한다는 것을 말해준다.

(2) 어느 폐수가 COD의 양에 비해 BOD가 매우 작은 경우 그 폐수가 생물학적으로 분해 불가능한 유기물로 구성되어 있거나 혹은 미생물에 독성을 끼치는 물질을 함유한 상태라고 할 수 있다.

2) 만약 BOD가 COD보다 큰 경우에는 BOD시험 중에 질산화가 발생하였거나 혹은 COD 시험에 방해되는 물질이 폐수 내에 있음을 뜻한다. 이러한 방해물질은 대부분 폐수에는 없으며 Aromatic화합물이나 Pyridine이 함유된 공장폐수 같은 경우에 한한다.
3) COD는 BOD시험이 5일 걸리는 것에 비해 2시간으로 측정이 가능하며 BOD값을 모르는 폐수에 대해 흔히 COD시험이 채택된다.
4) COD시험의 한계점중의 하나는 그것이 생물학적으로 분해 가능한 유기물질과 분해 불가능한 유기물질을 구별할 수 없는 것이다. 또한 COD시험은 생물학적 활성물질이 자연에서 존재하는 상태 아래에서 안정화되는 속도에 대해 어떤 증거를 제시하지 않는다.
5) CODcr법은 80～90% 분해율을 가지며 COD_{Mn}은 60～70% 분해율을 가지나 실제 현장에서 측정값은 CODcr법이 COD_{Mn}의 2배 정도 수치를 보인다.

4. 하수 종말처리시설 유입수(중부지역 00하수처리시설 예)

1) BOD : 수십～수백 정도 mg/L(148mg/L)
2) COD : 수십～수백 정도 mg/L(143mg/L)
3) SS : 수십～수백 정도 mg/L(148mg/L)
4) T-N : 수～수십 정도 mg/L(22.5mg/L)
5) T-P : 수～수십 정도 mg/L(4.8mg/L)

5. 축산폐수 처리시설 유입수(중부지역 00축산폐수 처리시설 예)

1) BOD : 수만 정도 mg/L(28,000mg/L)
2) COD : 수만 정도 mg/L(17,000mg/L)
3) SS : 수만 정도 mg/L(27,000mg/L)
4) T-N : 수천 정도 mg/L(4,900mg/L)
5) T-P : 수백 정도 mg/L(700mg/L)

6. 하수 종말처리시설 처리수 법적기준

방류수수질기준

<table>
<tr><th colspan="2">구분</th><th>생물화학적 산소요구량 (BOD) (mg/L)</th><th>화학적 산소요구량 (COD) (mg/L)</th><th>부유물질 (SS) (mg/L)</th><th>총질소 (T-N) (mg/L)</th><th>총인 (T-P) (mg/L)</th><th>총대장균 군수 (개/mL)</th><th>생태 독성 (TU)</th></tr>
<tr><td rowspan="4">1일 하수처리 용량 500m³ 이상</td><td>Ⅰ지역</td><td>5 이하</td><td>20 이하</td><td>10 이하</td><td>20 이하</td><td>0.2 이하</td><td>1,000 이하</td><td rowspan="4">1이하</td></tr>
<tr><td>Ⅱ지역</td><td>5 이하</td><td>20 이하</td><td>10 이하</td><td>20 이하</td><td>0.3 이하</td><td rowspan="5">3,000 이하</td></tr>
<tr><td>Ⅲ지역</td><td>10 이하</td><td>40 이하</td><td>10 이하</td><td>20 이하</td><td>0.5 이하</td></tr>
<tr><td>Ⅳ지역</td><td>10 이하</td><td>40 이하</td><td>10 이하</td><td>20 이하</td><td>2 이하</td></tr>
<tr><td colspan="2">1일 하수처리용량 500m³ 미만 50m³ 이상</td><td>10 이하</td><td>40 이하</td><td>10 이하</td><td>20 이하</td><td>2 이하</td><td rowspan="2">–</td></tr>
<tr><td colspan="2">1일 하수처리 용량 50m³ 미만</td><td>10 이하</td><td>40 이하</td><td>10 이하</td><td>40 이하</td><td>4 이하</td></tr>
</table>

7. 폐수 종말 처리시설 처리수 법적기준

구분	2013. 1. 1 이후 적용기간에 따른 수질기준
생물화학적산소요구량(BOD)(mg/L)	10(10) 이하
화학적산소요구량(COD)(mg/L)	40(40) 이하
부유물질량(SS)(mg/L)	10(10) 이하
총질소(T-N)(mg/L)	20(20) 이하
총인(T-P)(mg/L)	2(2) 이하
총 대 장 균 군(총대장균수/mL)	3,000(3,000) 이하

8. 하수 처리공정별 BOD, COD 등 농도변화(예)

(단위 : mg/L)

유입수		1차 처리수		2차 처리수		방류수(소독)	
BOD	148	BOD	104	BOD	8	BOD	8
COD	143	COD	101	COD	13	COD	13
SS	148	SS	75	SS	8	SS	8
T－N	22.5	T－N	20.3	T－N	7.3	T－N	7.3
T－P	4.8	T－P	4.3	T－P	1.3	T－P	1.3

9. 축산폐수 처리공정별 BOD, COD 등 농도변화(예)

(단위 : mg/L)

유입수		1차 처리수		2차 처리수		방류수(3차 처리)	
BOD	28,000	BOD	5,461	BOD	30	BOD	5.5
COD	17,000	COD	3,293	COD	311	COD	38
SS	27,000	SS	1,344	SS	3	SS	1.4
T－N	4,900	T－N	1,478	T－N	66	T－N	47
T－P	700	T－P	417	T－P	6	T－P	1.4

56 | 활성슬러지공정에서 BOD_5 측정값의 신뢰성 확보방안을 설명하시오.

1. BOD 측정 개요

1) BOD는 생물학적 산소요구량으로 수계에서 유기물에 의한 오염물질의 심화 정도를 평가하는 대표적인 지표로 널리 이용되고 있다.
2) 본래 BOD는 산소를 소모하는 유기물질의 양을 나타내는 지표이기 때문에 NH_3, NO_2^-, H_2S, SO_3^{2-} 등 무기물질의 산화에 소모되는 산소량은 제외하고 C-BOD를 측정하도록 한다.
3) 최근 하수처리공정이 대부분 고도처리를 위한 공정(A_2O 등)으로 운전하고 있으며 BOD_5 측정 및 결과 해석 시 NBOD가 고려되지 않고 있어 많은 오차를 나타내고 있다.

2. BOD 측정값 오차 원인

1) 과거 표준활성오니법에서는 반응조에서의 HRT와 SRT가 짧아 BOD_5에서는 질산화가 잘 일어나지 않고 7일 정도 경과되는 BOD_7에서 질산화에 따른 NBOD가 나타난다.(질산화미생물은 비증식속도가 낮아 7일 정도 경과 후 질산화가 이루어짐)
2) 최근 하수처리공정에서는 N, P처리율을 높이기 위해 고도처리가 가능한 처리공법을 선택하거나 물리적 운전조작으로 SRT는 길게 운전하여 처리 시스템 내에 질산화 미생물이 많이 존재하여 보통 3일(BOD_3) 정도에서 질산화가 발생
3) 우리나라 수질오염공정시험방법에는 NOD에 관한 언급은 있으나 NOD를 포함한 BOD_5를 BOD로 하고 있다.(암모니아성 질소 1kg은 4.57kg의 산소를 소모)
4) 현장에서 C-BOD 기준으로 설계된 생물학적처리공정의 하수처리장 유출수를 채수하여 BOD 처리효율을 확인하는 과정에서 높은 BOD 측정값을 발견하고 설계 잘못인지, 운전 잘못인지, BOD 측정 잘못인지 판정할 수가 없는 경우가 흔히 발생한다.

3. BOD 측정에 대한 해외사례 및 대책

1) 미국에서는 1970년대 고도처리시설을 도입하고 나서 NOD 발생문제에 대하여 많은 연구를 수행하였고 1981년부터 Standard Method에서는 BOD 측정을 질산화균의 억제제 TCMP를 10mg/L가 되게 첨가하여 NOD를 제거한 C-BOD_5를 BOD_5로 규정

2) 일본 하수시험법에서도 유기물(BOD) 제거가 주목적인 하수처리의 기능 판정에 어려움을 주기 때문에 C-BOD를 측정
3) 우리나라의 경우에도 BOD의 신뢰성 및 적정지표로 활용하기 위해서는 국외사례 등을 바탕으로 적정한 기준을 마련하는 것이 시급하다.

환경용어

오존층

오존층은 대기 중 오존의 농도가 높은 곳을 의미하는데 성층권에 있으며, 해발 10～15km에서 시작하여 20～25km에서 그 농도가 가장 높고 50km까지 존재한다. 이 고도분포나 농도는 위도나 계절에 따라서 규칙적으로 변화한다. 오존층은 지상 생물에게 해로운 자외선을 흡수하는 역할을 한다. 또한 대기구조 및 기상학에서도 중요한 역할을 하는데 오존이 흡수하는 자외선 에너지는 상공의 대기를 가열하여 기온의 역전구조를 만들어 성층권을 이룬다. 또한 오존은 적외선 복사를 강하게 흡수 · 방출하므로 대기의 열복사에도 영향을 미쳐 기후 결정인자로 작용하기도 한다.

57 | 하수처리시설 구조물 배치 시 고려사항을 설명하시오.

1. 개요

하수처리시설의 설계 목적 달성 여부는 건설된 시설이 효율적이고 경제적으로 적정하게 운전, 유지관리 되는지의 여부에 달려있다. 하수처리시설의 부적합한 시설의 배치는 유지관리에 지장을 초래하기도 하고, 주변 환경에 악 영향을 미치기도 하며, 때로는 장래의 증설공사에 큰 제약을 받을 수도 있기 때문에 시설의 전체배치 계획에 있어서는 여러 관점에서 충분히 검토하여 결정하여야 한다.

2. 시설배치 계획에 있어서의 유의사항

하수처리시설의 전체배치계획을 입안할 때의 유의사항과 방법에 대해 기술하면 다음과 같다.

1) 하수와 오니의 흐름
하수처리시설 내에 있어서의 물의 흐름은 유입관이 들어오는 위치로부터 방류관이 나가는 위치의 사이에서 하류로 흘러가며, 물이 역류하지 않도록 시설을 배치하여야 한다.

2) 물이나 오니의 흐름에 되돌아옴이 많으면 단순히 시설비의 증가뿐만 아니라 손실수두도 커지고 에너지 면에서도 불리하므로 이러한 배치를 피하도록 고려해야 한다.

3) 유지관리동선
하수처리시설의 기능을 충분히 발휘시키기 위해서는 일상의 유지관리가 간편하고, 시설의 유지관리에 종사하는 사람의 동선이 단순하여, 낭비를 하지 않도록 시설을 배치하고 출입구나 계단을 설치하여야 한다.

4) 관리 본관은 하수처리시설의 중심이 되는 건물로서 외래자가 방문하는 빈도도 많으므로 급배수 관리를 위한 사람의 동선 외에 외래자에 관한 것도 고려하여 적절한 위치에 배치할 필요가 있다.

5) 하수처리시설에는 사람의 동선 외에 오니, 침사 등의 방출, 약품 등의 반입을 위해 필요한 차량의 동선도 배치계획에서 충분히 고려한다.

6) 주변 환경에의 영향
   하수처리시설의 입지조건에 따라 주변에 주택이 존재할 경우에는 악취, 소음, 진동 등의 문제가 된다. 악취 등이 발생할 우려가 있는 시설은 되도록 주택에서 떨어지게 배치하거나 완충 녹지대 등을 설치할 필요가 있다.

7) 경관에 대해서는 주변의 상황과 조화를 이루도록 배치계획에 있어서 시설의 높이 등을 충분히 고려할 필요가 있다.

8) 증설계획(장래 확장)
   일반적으로 하수처리시설은 몇 개의 계열로 나누어 계획되고 관리의 정비 상태에 맞추어 단계적으로 건설된다. 따라서 시설의 배치는 장래의 증설공사에 지장이 없도록 함과 동시에 초기에 있어서의 선행투자가 너무 크지 않도록 고려해야만 한다.

9) 부지의 이용성
   부지를 최대한으로 이용하여 유효하게 시설을 배치하여 이용가치가 적은 협소한 공간은 될 수 있는 한 남기지 않도록 주의할 필요가 있다.

58 | 하수처리시설 내 부대시설에 대하여 설명하시오.

1. 개요

하수처리시설 내 부대시설이란 처리장 내 각 공정을 연결하는 연결관거, 각 공정에 필요한 급배수를 해결하는 급배수관설비, 방류구설비 등을 말한다.

2. 처리장 내 연결관거

처리장 내 연결관거는 다음 사항을 고려해야 한다.

1) 처리장 내 연결관거의 용량은 계획하수량을 기준으로 한다.
2) 특히 연약지반에서의 구조물과 연결관거의 접속부, 기초조건이 크게 다른 접속부, 지반이 급변하는 장소에는 신축이음을 설치하여야 하며 지진에 대비한 내진대책이 필요하다.
3) 관거 내에 공기가 머물지 않도록 적절한 장소에 통기밸브를 설치한다.
4) 일차침전지, 생물반응조, 이차침전지 등의 주요시설은 연결관거를 통상 2개 이상 만들게 되는데, 상호 간의 연결관이 1개이면 사고 시 전체 기능이 일시적으로 정지될 염려가 있으며, 사고가 장시간 계속되면 처리기능에 영향을 줄 우려가 있기 때문이다. 따라서 주요시설 간의 연결관을 가능하면 복수로 하여 어떠한 경우에도 연결이 되도록 하는 것이 바람직하다.

3. 관랑

포기조의 송풍관, 반송슬러지관, 슬러지소화조의 가스관, 증기관, 온수관 등을 지상이나 공중에 배관하는 경우도 있으나 일반적으로 이러한 관 설치는 가능한 한 관랑 등 공동 경로를 통하도록 집약적으로 배관하는 것이 바람직하다. 다음은 관랑을 설치할 경우에 고려해야 하는 사항이다.

1) 관랑은 수밀한 철근콘크리트 구조로 만들도록 하고 수용하는 관과 밸브의 지지가 충분히 가능한 구조로 한다.
2) 관랑은 수용하는 관 및 밸브류, 계기류의 반출입, 고정, 분리, 점검, 수리에 편리한 구조로 한다.
3) 관랑은 환기, 조명, 배수가 잘 되도록 한다.

4) 관랑은 우수의 침입, 화재, 작업 중의 장해를 방지할 수 있도록 한다.
5) 관랑을 각 시설의 지하실이나 관리건물 등에 연결해 두면 통로로 이용하는 것이 가능하고 특히 풍우나 혹한기에도 처리장의 운영에 유리하다.
6) 관랑에는 주요시설 간의 연결관 외에도 송풍관, 슬러지관, 시료채취관, 각종 급수관, 잡용수관 등이 수용될 수 있다.
7) 그 외에도 각 시설을 위한 동력케이블, 조작케이블 등도 절연체로 피복된 경우에는 관랑에 수용될 수 있다.
8) 수리 시 관과 밸브를 알맞게 떼어낼 수 있도록 하고, 출입이 가능한 크기로 하며, 근무자의 통행에 충분한 통로를 확보하여 점검 및 수리에 편리하도록 설계 시 충분히 고려한다.
9) 관랑에는 관과 밸브류의 크기를 고려하여 반출입구를 설치함으로써 고정 및 수리 시 관의 이동과 근무자의 출입이 쉽도록 출입구를 설치한다.

4. 방류구

하수처리시설의 최종공정에 설치하는 방류구는 다음 사항을 고려하여 설계해야 한다.

1) 방류구의 위치 및 구조는 방류수역의 관리자와 사전에 충분히 협의하여 결정하여야 한다.
2) 방류구의 유속은 선박의 운항, 세굴 등 주변에 영향을 미치지 않도록 하여야 한다.
3) 방류구의 높이는 가능한 한 하천이나 해역 등 방류지의 저수위 부근에 위치하도록 하는 것이 바람직하다.
4) 방류구의 위치 및 방류의 방향은 방류수가 부근에서 정체되지 않도록 결정해야 한다.
5) 방류구에는 필요에 따라 게이트를 설치한다.

5. 급배수관

하수처리시설 내의 급배수관은 다음 사항을 고려하여 설계해야 한다.

1) 급수관의 계획유량은 하수처리시설에서 사용하는 축봉수, 냉각수, 세척수 등의 용수사용량을 고려하여 결정한다.
2) 배수관의 계획유량은 장 내의 우수, 오수, 각 시설의 배수량을 고려하여 결정한다.
3) 배수관의 매설깊이와 수위, 관거의 접합, 관의 이음, 기초공, 맨홀 등은 관거시설의 기준에 따라 정한다.

59 | 기존 하수처리시설 공정별 문제점 및 개선방안을 설명하시오.

1. 개요

기존 운영 중인 하수처리시설의 공정별 문제점은 수질과 수량의 설계값 불일치와 포기조 소화조 등에서의 부하의 과대 과소로 인한 효율저하 등으로 운전 개선과 유량조정조 등을 설치하고 안정된 부하 유입 등을 개선할 필요가 있다.

2. 유입하수특성

1) 하수유입량이 설계기준 대비 현저하게 적게 유입되는 경우

〈개선방안〉

계열운전을 통해 처리효율을 향상시키고 처리구역 내 미차집지역의 하수관거 정비사업을 실시하여 유입량의 증대를 도모하도록 함

2) 하수관거로 불명수 및 우수가 유입되어 유입수질 저하

〈개선방안〉

불량 하수관거시설에 대한 정비계획을 수립, 시행하고 불명수 유입을 최소화하여 유입수질의 개선을 도모하도록 함

3) 합류식 관거의 CSOs(Combined Sewer Overflow, 초기강우 월류수) 처리대책 미흡

〈개선방안〉

(1) CSOs의 최적관리를 위한 대책사업의 추진에는 상당한 시간과 사업비가 소요되므로 발생원 관리와 기존시설을 이용한 처리방안을 우선 시행

(2) 장마철 이전에 하수관거 퇴적물의 준설작업 실시

(3) 기존 빗물펌프장의 저류조와 유수지를 집중호우시를 제외하고 CSOs의 침전, 저류시설로 활용하여 유입 처리

4) 합류식 관거에서 우천 시에도 시설용량만을 차집 처리하므로 방류수역 오염유발

〈개선방인〉

우천 시 하수유입량이 증가할 경우 계획시간최대하수량(Q)의 3배까지 차집하여 1차 처리 후 $2Q$는 By-Pass시키고 $1Q$만 2차 처리 후 방류하도록 함

5) 침전지에서 슬러지 부상을 방지하기 위해 가능한 낮은 슬러지 계면상태 유지가 필요

3. 침사지, 1차 침전지

1) 침사지에 집중호우 시 다량의 침사물 유입으로 침사제거설비 고장 및 매몰사고 발생
〈개선방안〉
- 불량하수관거 및 차집시설에 대한 정비계획 수립, 시행
- 장마철 이전에 하수관거 퇴적물의 준설작업 실시
- 중계펌프장 또는 침사지 전단에 암거 등을 설치하여 과도한 침사물 유입을 차단
- 처리장에 유입된 침사물을 수시로 제거하여 피해를 최소화

2) 침전지 저부하 유입조건에 따른 운전방법 부적정
〈개선방안〉
1차 침전지 가동지수를 감소운전하여 포기조의 빈부하 운전을 방지하도록 함

3) 1차 침전지 슬러지 계면 부적절 운전(슬러지 계면은 너무 높게 유지하면 수리부하 증가로 처리수질의 악화를 초래하고, 반대로 낮게 유지하면 저농도 슬러지 인발로 농축조 수리부하가 가중되어 농축효율이 저하된다.)
〈개선방안〉
슬러지 계면을 주기적으로 측정하여 적정수준(유효수심의 약 30% 전후 범위)에서 지별 편차가 크지 않도록 운영

4) 1차 침전지 슬러지 인발주기 부적정(간헐적으로 일시에 인발)
〈개선방안〉
슬러지 인발시스템을 자동화하여 타이머 등에 의해 주기적으로 인발하되 펌프설비에 무리가 없는 범위 내에서 가급적 인발주기를 짧게 운영

5) 장내 반류수로 인한 유입수의 악화
〈개선방안〉
물질수지에 고형물 발생량을 검토하여 적기에 탈수하고 계절적 영향 등도 최대한 고려

4. 포기조

1) 포기조 저부하 유입조건에 따른 운전방법 부적정(계절별 MLSS농도 부적정 운전)(수온이 상승하는 봄~여름철의 경우 MLSS농도가 지나치게 높게 유지되면 F/M비가 낮고 SRT가 길게 유지되어 질산화가 발생되어 질산화 BOD 검출로 인한 처리수질 악화)
〈개선방안〉
봄~여름철의 MLSS농도를 낮게 유지하고 SRT를 짧게 유지

2) 포기조의 DO농도 부적정 운전
〈개선방안〉
공기량을 유입부에서 유출부로 갈수록 감소시켜 공급하는 점감법으로 조정하고 유출부의 DO농도가 1~2mg/L이 되도록 운영하며, 지별 DO농도를 균등하게 유지

3) 표면 포기 방식의 경우 DO농도 조절목적으로 포기기 가동대수 및 포기시간을 지나치게 단축 운영하면 조 내 혼합 교반이 저해되어 처리수질 악화우려가 있으므로 적절한 교반이 이루어지는 범위 내에서 조절한다.

5. 2차 침전지

1) 2차 침전지의 외곽부에 부패 슬러지의 부상(Rising)으로 처리수질 악화
〈개선방안〉
- 원형침전지의 경우 슬러지 수집기의 Blade상태를 점검하여 보수 또는 수집기 길이를 침전지 측면부까지 연장한다.
- 장방형 침전지의 경우 주기적으로 각 지를 건조작업을 통해 슬러지 수집이 안 되는 사영역(Dead Space) 청소실시

2) 슬러지 계면 부적절 운영
〈개선방안〉
- 슬러지 계면이 지나치게 낮거나 높게 유지되어 인발되는 잉여슬러지농도의 저하 또는 처리수질 악화를 초래하거나 침전지별 편차가 심함
- 주기적인 계면 측정을 통해 적정범위 유지 및 슬러지 인발배관 시스템 보완에 의해 각 지별 균등 인발 실시

3) 슬러지 인발주기 부적정(간헐적으로 일시에 다량 인발)
〈개선방안〉 연속적으로 소량 인발

6. 슬러지 농축조

1) 고농도의 농축상징수가 반류되어 슬러지의 악순환 초래
〈개선방안〉
- 농축조로 투입되는 슬러지, 연계처리 분뇨 등을 시간대별로 균등하게 투입하여 순간적인 과부하 방지
- 고형물을 적기에 탈수처리
- 고형물 발생량이 증가하는 계절에는 탈수시간을 최대한 증가
- 경우에 따라서는 농축조 용량증설 또는 잉여슬러지의 기계식 농축기 도입검토

2) 유입하수의 특성상 VS 함유율이 높아 농축조 고형물 회수율 저하 초래

〈개선방안〉

- VS 함유율이 낮은 생슬러지와 VS 함유율이 높은 잉여슬러지의 분리농축 방안 검토
- 잉여슬러지의 VS 함유율이 높아 중력식으로 농축하는 데 한계가 있으므로 기계식 농축시스템 도입 또는 생슬러지 직접 탈수방안 검토

3) 농축조 체류시간 과대로 슬러지의 혐기화 초래

〈개선방안〉

- 농축조 사용지수를 감소시켜 체류시간 단축운영
- 농축슬러지 인발방식을 중력 인발방식에서 강제 인발방식으로 개선하여 유입 고형물 부하에 따라 주기적으로 인발

7. 슬러지 소화조

1) 일부 기간 중 소화조 투입 슬러지량의 과다로 소화효율 저하

〈개선방안〉

농축슬러지농도를 개선하여 유량을 최대한 감소시켜 운전하되, 고형물발생량이 급격이 증가되는 시기(4~6월)에는 농축슬러지 일부를 By-Pass하여 직접탈수 실시

2) 소화조 온도가 저온으로 유지되어 소화효율 저하

〈개선방안〉

가열장치로 소화조 온도를 적정온도(중온소화) 범위 내로 유지

3) 소화조 상·하부 온도편차 증가

〈개선방안〉

소화조에 대한 주기적인 준설을 실시하여 조내에 퇴적된 토사 등의 무기물질을 제거

4) 2차 소화조 상부 Scum층 형성에 의해 유효용량 감소 및 소화가스 배출 방해

〈개선방안〉

스컴 파쇄장치 배관막힘 여부를 점검하여 보수하고 소화조 준설 실시 후 스컴 파쇄작업을 1~2주에 1회 주기로 실시

8. 탈수설비

1) 탈수대상 슬러지량이 과다하여 처리장 내 슬러지 적재 유발
〈개선방안〉
계절적 적체현상을 방지하고 연중 설계치 초과 시 탈수설비 증설 검토

2) 탈수약품의 용해 방법 부적정
〈개선방안〉
당일 탈수에 필요한 약품양만 용해하고 용해 후 가급적 빠른 시간 내에 사용하도록 함

3) 약품 용해수의 경도성분에 의한 용해성 저하로 약품사용량 증가
〈개선방안〉
상수, 지하수 등 각종 용수에 대한 응집제의 용해성 시험을 실시하여 약품 용해수를 변경

9. 연계처리(분뇨, 축산폐수, 침출수 등)

1) 고농도의 연계처리수가 일시에 유입되어 하수처리장의 수질악화 초래
〈개선방안〉
하수처리시설에 일시적인 충격부하를 주지 않도록 일정한 유량을 지속적으로 균등하게 이송할 수 있는 설비(이송저류조, 펌프 및 제어설비 등)를 설치 운영

2) 연계 처리수 총질소(T-N) 유입부하량이 연계처리 기준을 초과
〈개선방안〉
하수처리시설에 지장을 주지 않도록 연계 처리수의 총질소 오염부하량이 하수를 포함한 전체 설계 유입 오염부하량의 10% 이내까지 전처리한 후 연계처리

3) 분뇨 등을 침사지 또는 1차 침전지 전단부에 투입하는 경우 우천 시 By-Pass되는 하수에 포함 배출되어 수질오염 초래
〈개선방안〉
우천 시 연계처리 일시 중단 또는 연계 투입지점 일시변경(포기조, 소화조 등)

4) 분뇨 등을 포기조에 투입하는 경우 특정 계열 또는 특정지에만 투입되어 부하분산이 이루어지지 않아 처리수질 악화
〈개선방안〉
포기조의 부하분산이 이루어질 수 있도록 투입위치를 변경하되 반송슬러지 저류조가 있는 경우 반송슬러지 저류조 유출구에 투입하는 것이 바람직하다.

60 | 하수처리시설 탈취설비를 설명하시오.

1. 개요

하수처리시설에서 발생되는 취기는 전처리 시설과 슬러지 처리시설로부터 많이 발생하며 이는 민원 발생소지가 있어 취기를 최소화하고 작업 환경개선을 위해 탈취설비를 설치할 필요가 있다.

2. 탈취 설비 계획 시 고려사항

1) 지역적, 기후적 특징을 고려하여 냄새가 최대한 분산되는 곳을 선정한다.
2) 처리시설의 배치를 적절히 하여 악취가 부지 경계선상을 넘지 않도록 한다.
3) 바닥 슬러지가 침전 부패하지 않도록 필요한 최소 유속을 확보하며
4) 악취 발생 가능성이 큰 시설은 복개한다.
5) 각종 시설의 청결 유지를 충분히 고려한다.

3. 탈취 대상 시설물

- 고농도 취기
  슬러지 처리 계통 슬러지 : 농축조, 소화조, 탈수기 등
- 저농도 취기
  수처리 계통의 취기 : 침사지, 유입 Pump장, 1차 침전지 계통

1) 취기 포집계획 기준
  (1) 발생원은 가능한 밀폐
  (2) 취기를 발생시키는 기기류는 밀폐 커버를 씌운다.
  (3) 커버를 씌우기 곤란할 경우 Hood 설치

2) 침사지 및 유입 Pump장
  침사지 수로 및 흡수정에 FRT 설치

3) 1차 침전지
  침전지 유입수로에 FRT 커버

4) 농축시설
  - 중력식 농축조 : 상판에 FRT 커버

• 기계식 농축조 : 기계 자체 밀폐

5) 소화조
텔레스코프 밸브실 상부에 커버

6) 탈수기 등

4. 탈취방식

1) 탈취방식의 분류

(1) 물리적 처리 : 수세법, 활성탄 흡착법
(2) 화학적 처리 : 산화법, 산알칼리세정법, 이온수지교환법, 연소법, 중화제법
(3) 생물학적 처리 : 토양탈취법, 포기조 미생물법

2) 특징

(1) 물리적 처리 방식
① 수세법
• 장점 : 장치가 간단함
• 단점 : 고효율을 기대할 수 없고 대량의 물이 필요하며 배수처리 필요
• 적용 : 가스에 적용, 전처리용
② 활성탄 흡착법
• 장점 : 운전 조작이 용이, 장치가 간단, 적용 범위가 넓고, 효과가 높다.
• 단점 : 타르, 분진에 의해 효율 감소, 흡착률이 낮은 가스는 활성탄 수명 단축, 건설비, 운전비가 많이 든다.
• 적용 : 대부분 악취가스용 적용 가능, 저농도 악취가스에 유리

(2) 화학적 처리 방법
① 오존산화법 : 오존에 의하여 악취물질을 산화 분해
• 장점 : 원료가 공기이며 관리가 간단, 고농도 악취물질 제거에 효과적
• 단점 : 배출된 오존에 대한 대책이 필요, 수세법과 병행 처리시 배출된 세정수의 처리시설이 필요
• 적용 : 물, 알칼리 세정법과 병행하여 암모니아 제거에 효과적
② 산·알칼리 세정법 : 중화나 산화반응에 의해 처리
• 중화반응 : 암모니아, 트리멘틸아민 등의 염기성 가스로 황산, 염산 등의 용액으로 산세정
• 산화반응 : NaOH, Cl수용액, ClO_2, $KMnO_4$, H_2O_2

- 장점 : 장치 간단, 분진 등과 동시 제거, 중 · 고농도 악취가스 제거 가능
- 단점 : 배수처리가 필요, 복합취기의 제거에 부적합, 고효율 제거 어렵다. 저농도에 부적합, 약품 사용 시 안정성 고려
- 적용 : 다른 방법과 병행하여 중 · 고농도 악취가스 제거에 적합

③ 직접 연소법 : 700~800℃ 온도로 직접 연소

- 장점 : 완전 탈취에 가까운 가능, 폐열 에너지 회수를 통한 에너지를 절감할 수 있다.
- 단점 : 연료비가 많이 든다.
  유황계 탈취가스는 처리 후 SO_2, SO_3로 되어 2차 공해 유발 가능성
- 적용 : 가연성 유기 악취 대부분 적용 가능

(3) 생물학적 처리 방법

① 토양탈취법

- 악취가스를 토양에 흡입시켜서 토양 중에 존재하는 미생물에 의하여 분해시키고 토양에 흡착, 화학 반응에 의하여 복합적인 효과에 의하여 악취 제거
- 거의 모든 물질에 효과적이며 90% 이상의 고효율 가능
- 장점 : 고농도 취기 및 복합 취기, 탈취 효율 우수, 장치가 간단, 시설비가 저렴, 유지관리가 용이하고 유지비가 저렴, 2차 공해의 위험성이 적다.
- 단점 : 넓은 면적이 필요, 건기에는 살수 필요, 한랭지에서는 동결 방지 통기성의 유지관리 필요
- 적용 : 모든 물질에 적용 가능

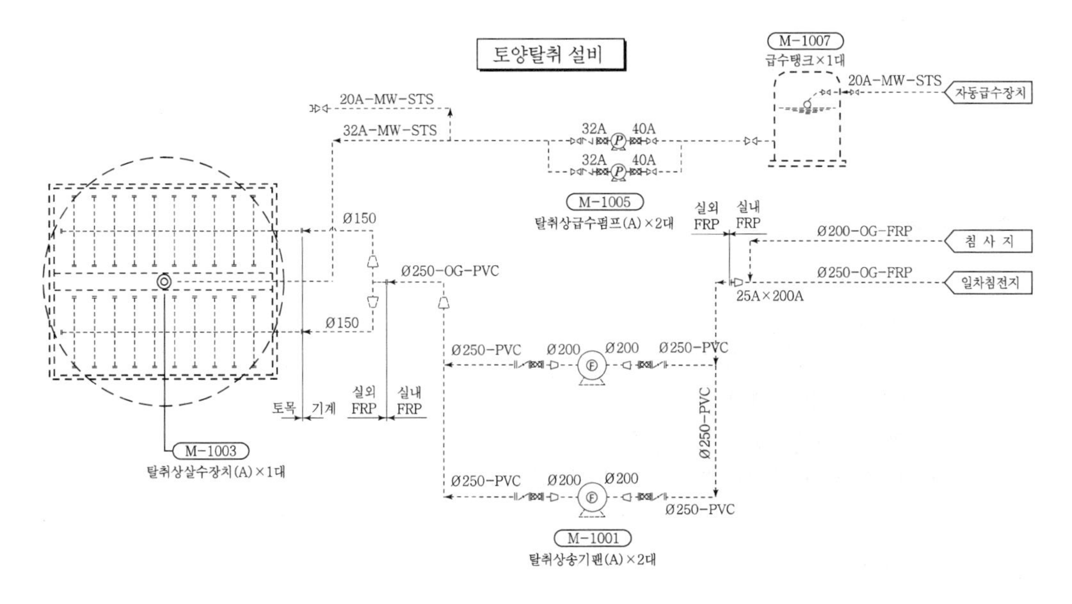

② 포기조 미생물 이용 탈취법

- 활성슬러지 중의 미생물을 이용하는 방법으로 포기용 공기공급 장치를 병용하므로 별도 장치 불필요
- 취기가스의 성상 등에 따라 토양탈취법, 활성탄흡착법 등과 병행
- 거의 모든 악취 물질에 높은 효율, 포기조의 정상 운전이 요구
- 장점 : 2차 공해가 발생되지 않는다. 적용 대상 악취 물질이 광범위 유지 관리비가 저렴하고 안전, 건설비 저렴
- 단점 : 포기조의 운전상태에 따라 탈취제거 효율이 영향을 받는다. 유지관리에 주의 요망, 고농도 악취에 적용 곤란

5. 탈취 시설 설치 추세

국내 하수처리시설 및 분뇨처리시설의 탈취 시설은 주로 토양탈취법, 활성탄흡착법, 바이오필터, 포기조 미생물법 등이 적용되고 있으며 토양 탈취와 바이오필터법이 가장 보편적이다.

차 한잔의 여유

생각은 일종의 질병입니다.
마음은 올바르게 사용하면 훌륭한 도구이지만
잘못사용하면 대단한 파괴력을 갖게 됩니다.
지금 이 순간을 있는 그대로 받아들이고 존중하면 할수록
우리는 고통으로부터, 번뇌로부터, 에고의 마음에서부터 자유로워진다.

– 지금 이 순간을 살아라 중에서 –

61 | 하수처리장 내에서 발생하는 악취 유발물질이 황화수소로 파악되어 화학 세정기(Chemical Scrubber)를 사용하여 제거하고자 한다. 악취의 제어와 처리시설의 설계시 일반적인 고려사항과 습식 화학 세정기의 주요특징을 설명하시오.

1. 황화수소의 특징

황화수소(H_2S)는 무색의 기체로 부패취가 심하고 비중(공기비)이 1.2이며 대단히 유독성이다. 특히, 습윤상태에서는 600ppm의 농도에서 급속히 금속을 부식시킨다. 또한, 연소하면 부식성이 강한 아황산가스가 발생한다.

2. 탈취설비 설계 시 일반적 고려사항

1) 탈취에는 여러 가지 방법이 있으나 그 선정에 있어서는 탈취의 풍량, 악취물질의 종류와 양, 탈취목표, 주변의 환경, 유지관리의 용이성과 경제성 등을 충분히 검토해 가장 적합한 방법을 정한다.
2) 펌프장과 처리장의 모든 악취를 모아 탈취할 것인지 또는 발생장소마다 몇 개의 구역으로 나누어 각 장소에서 탈취할 것인지를 검토해야 한다.
3) 같은 풍량이라도, 풍압에 따라 동력비가 달라지므로 반응탑, 덕트 등의 설계에 주의하고 배출구의 높이와 방향, 팬의 소음 등도 고려할 필요가 있다.

3. 습식화학 세정기 특징(습식 탈황법)

황화수소 제거법으로 가장 보편적으로 사용하는 습식 탈황법에는 수세정식과 알칼리세정식, 약액세정식이 있다.

1) 수세정식은 지하수나 2차 처리수로 소화가스를 세정하는 방법으로 건설비는 적으나 다량의 세정수가 발생하며 황화수소제거율도 비교적 낮다.
2) 알칼리세정식은 2~3%의 탄산나트륨(Na_2CO_3) 또는 수산화나트륨($NaOH$)용액과 소화가스를 접촉시키는 것으로 약액은 순환사용 가능하며, 일부는 새로운 약액과 교환해야 한다. 약액농도의 관리가 필요하지만 황화수소제거율은 높다.
3) 약액세정식은 흡수탑과 재생탑을 결합한 것으로 알칼리 세정 후 약액은 재생탑에서 촉매를 사용하여 황화물을 분리재생시켜 반복사용하는 것이다. 약액세정식은 건설비가 많이 드나 황화수소가 고농도이고 소화가스량이 많은 경우는 유지관리비가 싸게 든다.

4) 세정탑의 종류

(1) 충전탑식

조 내에 비표면적이 큰 물질을 넣고 약액을 탑의 상부로부터 유하시키고 가스와 접촉시키며, 일반적으로 액가스비는 1~3L/m^{3}이고, 충전탑은 높이 2~5m, 통과유속 0.5~1.0m/s, 압력손실은 충전물의 높이 1m당 50mmH_2O 정도이다.

(2) 액막식

조 내의 합성수지나 금속제의 망을 수직 또는 경사를 두어 설치하고, 망의 상부에서 액막을 연속적으로 유입시켜서 악취가스와 약액을 접촉시키며 통과유속은 3~6m/s, 액가스비는 2~5L/m^3, 압력손실은 50~100mmH_2O 정도이다.

(3) 와류식

펌프에 의해 용매가 노즐에서 분출될 때 또 다른 혼합 Area에 원주로 회전하고 있는 용매와 강력한 속도에 의해 수많은 양의 와류가 형성되며 오염된 가스는 가스체임버를 통하여 용매가 회전하는 방향과 같은 방향으로 분출시켜 형성된 와류의 용매와 오염된 가스가 접촉하여 처리하는 방법이다.

62 | 바이오필터(Bio Filter) 탈취방식을 설명하시오.

1. 개요

바이오필터(BioO Filter)란 악취 배출물질을 미생물의 생물학적 처리공정을 거쳐 무해한 물질로 분해 제거하는 장치로서, 기존의 탈취방법인 수세법, 약액세정법, 활성탄 흡착법, 토양탈취법에 비하여 탈취효율이 우수하고, 미생물을 이용한 생물학적 탈취공정으로 경제적 측면과 환경친화적 측면에서 새롭게 조명되고 있다.

2. Bio Filter의 특징

바이오필터는 다양한 가스에 대응 가능하며 VOCs 처리와 탈취 성능은 다른 장치보다 월등한 효율이 가능하다.

〈Bio Filter의 특징〉

1) 복합 GAS의 처리가 가능하다.
2) 간단한 구조로 인한 운영 및 유지 관리 용이성
3) 악취 및 VOCs의 고효율 제거 가능
4) 고용량 대처가능
5) 설치의 간편함

3. 탈취방식의 분류

현재 악취 방지를 위해 이용되고 있는 탈취방식은 악취 제거방식별로 분류하면 물리적 처리방식과 화학적 처리방식 및 생물학적 처리방식으로 대별할 수 있으며, 각각의 처리방식에 따른 탈취방법은 표와 같이 분류될 수 있다. 이 중 현재 널리 사용되고 있는 것으로는 탈취대상과 처리조건에 따라 활성탄 흡착법, 약액 세정법, 토양탈취법 등이 있으며, 최근에 바이오필터 탈취법이 널리 적용되고 있다.

<table>
<tr><td>물리적 처리방식</td><td colspan="2">수세법
활성탄 흡착법
공기 희석법</td></tr>
<tr><td rowspan="6">화학적 처리방식</td><td>산화법</td><td>오존산화법</td></tr>
<tr><td>약액세정법</td><td>산 · 알칼리 세정법</td></tr>
<tr><td colspan="2">이온수지 교환법</td></tr>
<tr><td>연소법</td><td>직접 연소법</td></tr>
<tr><td colspan="2">중화제법</td></tr>
<tr><td colspan="2">Masking법</td></tr>
<tr><td rowspan="2">생물학적 처리방식</td><td>액상-기상처리형태</td><td>스크러버 탈취
포기조 탈취</td></tr>
<tr><td>고상-기상처리형태</td><td>토양탈취
바이오필터 탈취</td></tr>
</table>

4. Bio Filter의 작용 원리

바이오필터에 적용되는 생물 여과법(Bio Filter)이란 유해한 배출가스에 포함된 각종 악취 물질과 VOCs 등을 미생물의 생물학적 대사 과정에 따라 화합물들을 분해하여 무해한 물질로 변환시켜 제거하는 환경 친화적인 방법이다.

1) 원리는 그 시스템에서 가장 많이 발생하는 냄새 물질이나 각종 화합물을 주된 영양분으로 사용하는 미생물 종을 선정한다.
2) 냄새 분자가 필터물질을 통해 들어가면 일단 수층(필터메디아가 존재하는)에 흡수되고 이 수층 내에서 미생물은 에너지 생성과 번식을 통해 필요한 영양분으로서 악취 물질을 분해한다.
3) 미생물이 섭취한 냄새 물질은 생물학적으로 분해되고, 분해과정에서 생성된 부산물은 다시 수층으로 방출된다.
4) 각 배출가스 중에 포함된 오염 물질 중 탄소 화합물은 보통 이산화탄소와 물로 산화되고 할로겐, 황 혹은 질소 화합물이 존재할 경우 무기염이 생성되기도 한다.
5) 무기염과 산성 부산물은 필터 메디아 내의 알칼리 화합물에 의해 중화되어 처리된다.

5. 각종 탈취방식별 특징

구분	활성탄 흡착법	산 · 알칼리 세정법	토양탈취법	바이오필터 (Bio Filter)	비고
원리	활성탄에 의한 악취 성분의 흡착	악취 물질을 약액(산, 알칼리)에 흡수시켜 화학적으로 반응함	악취 가스 성분을 토양에 흡착시키거나 토양에 존재하는 미생물에 의해 악취 물질을 산화 · 분해함	담체 내의 미생물에 의해 악취물질을 산화 분해함	
장점	• 저농도취기에 효과적임 • 탈취 효율이 우수함 • 장치구조가 간단함 • 배수시설이 필요 없음	• 장치가 간단함 • 먼지, 분진의 동시 제거 가능	• 시설비가 저렴함 • 유지 관리에게 저렴함	• 고농도 취기에 효과적임 • 복합 취기의 제거에 효과적이고 탈취 효율이 타 방식에 비해 우수함 • 장비가 콤팩트 • 동력소모가 적음 • 운전비 및 유지 관리비가 저렴함	
단점	• 타르 성분, 분진, 수분 등 흡착제에 부착된 물질을 제거하여야 하고 이에 필요한 전처리가 필요함 • 정기적으로 활성탄 재생과 모충이 필요함	• 고효율은 기대하기 어려움 • 복합 취기의 제거에 부적당함 • 저 농도의 가스에는 효과가 없음 • 산에 대한 부식 대책이 필요함 • 약품 탱크 등 부대시설이 필요함	• 넓은 부지 면적이 필요하다. • 한랭지에 있어서는 동결 방지대책이 필요함 • 통기성의 유지관리가 필요함 • 압력 손실 증가로 인한 동력비 상승 • 토양 공극이 폐쇄됨 • 강우 시 단락류가 발생됨	• 가스 탈취량이 많을 경우 초기 건설비가 고가임 • 넓은 부지 면적이 필요함	
처리 대상 악취 물질	흡착제에 따라 차이가 있음	• 산 세정 : 암모니아, 아민류 • 알칼리 세정 : 유화수소, 멜캅탄, 고급 지방산 등	대부분의 발생 악취에 대해 가능	거의 모든 악취에 대해 효과적임	
장치의 특성	• 활성탄은 무극성이어서 암모니아 등 자극성이 강한 가스 등이 흡착되지 않음 • 활성탄에는 중성 가스용, 산성 가스용, 알칼리성 가스용이 있음	• 수용액과의 친화성, 가액 접촉 면적에 따라 효과가 변함 • 다른 탈취 방법과의 병용이 많음	자연의 에너지와 물질 순환계 중의 미생물 대사 작용 및 물질 분해작용을 이용하여 악취 성분을 분해, 무취화하는 방법임	토양탈취법의 단점을 보완한 신기술임	

63 | 하수처리시설 구조물의 방수공법, 시공이음 및 신축이음

1. 방수공법

1) 방수의 필요성

(1) 콘크리트 타설 불량, 시공이음의 불안전, 내외부 수위 증가 등으로 인한 누수 가능성에 대비

(2) 콘크리트 건조 수축, 온도 변화 등으로 인한 균열로 누수 가능성

(3) 콘크리트 자체 누수계수 1×10^{-8}cm/sec

2) 방수 공법

(1) 아스팔트방수 : 아스팔트와 루핑을 번갈아 겹쳐 덮는 방법
- 방수층의 도막이 비교적 두꺼워 안정성
- 시공면이 완전히 건조되어야 함, 주로 건물 옥상 방수

(2) 에폭시방수
- 건조한 면에 시공 시 방수 및 접착성능 우수
- 습윤면에 도장할 시 도막 분리 현상
- 인화성에 유의, 동절기 작업 곤란

(3) 액체방수 : 규산소와 염화칼슘 등을 시멘트, 모래에 혼합하여 모체에 바르는 공법, 습윤면에서도 시공 가능
- 방수층의 수축, 팽창으로 인한 누수
- 모체와 모르타르의 박리 현상, 수명이 짧다.

(4) 침투성방수 : 모체 콘크리트에 방수제를 도포하여 모세관 속에 깊숙이 침투하여 물에 용해되지 않는 결정체를 형성시키는 공법
- 콘크리트 모체에 침투되어 강도 증가로 콘크리트 자체가 방수층
- 팽창이 심한 부위는 Expansion Joint 처리, 동절기 작업 불가능

(5) 고무아스팔트방수 : 고농도 아스팔트 방수제를 도포하는 방법
- 모체와 접합성이 우수, 시공이 용이
- 신축성이 있어 모체 균열에 대응
- 하자 발견이 용이하고 보수 간편, 방수 및 방식에 효과적

2. 시공 이음

시공이음은 먼저 타설한 콘크리트와 여기에 인접하여 추후에 타설한 콘크리트와의 사이에 생기는 이음이며 시공이음 시공 시에는 지수판의 올바른 설치와 기 타설 콘크리트 상부의 오염된 골재, 불량 콘크리트 등을 제거 후에 물을 흡수시킨 후 시멘트풀이나 모르타르를 10~20mm 정도 바르는 등 적절하게 시공하여 지수효과를 높여야 한다.

3. 신축이음

신축이음은 주로 균열 등을 방지하기 위한 이음부로서 이음부에는 누수를 방지하기 위하여 지수판을 설치하게 된다. 신축이음은 콘크리트가 온도변화 및 습윤, 건조에 의하여 신축이 발생하며 그 팽창 때문에 틈과 균열이 발생하므로 이러한 현상을 방지하기 위하여 설치한다. 따라서 신축이음의 간격은 균열의 원인이 되는 기상 조건이나 외력, 구조물의 종류, 부재의 치수, 이음의 구조 등을 충분히 검토하여 결정한다.

4. 지수판의 종류

누수방지의 목적을 위하여 설치되는 지수판은 재질에 따라 PVC 지수판, 동판 지수판, 수팽창 고무지수판 등이 사용되고 있으며, 이러한 지수판의 각 재질들은 각기 특성을 가지고 있으므로, 선정 시에는 시공이 용이하고 수밀성이 양호하며 내구성이 높고 경제적임과 동시에 제반여건에 적합한 재질 여부를 검토하여야 한다.

1) PVC 지수판

(1) 대부분의 콘크리트 구조물에서 시행하는 방법으로 지수판에 의해서 선·후 타설 콘크리트 간의 공극 또는 신축부 공간의 유로를 차단하여 지수를 행함
(2) 콘크리트 타설 전 설치작업이 번거로우며, 콘크리트 타설시 위치 변경 등으로 설치상태 불량의 경우가 발생하여 이로 인한 누수의 문제점이 다소 발생
(3) PVC 지수판에 대한 콘크리트 부착력의 결함으로 수로 형성이 발생되어 누수 발생 가능성

2) 동판 지수판

(1) 주요 콘크리트 구조물에서 시행하는 방법으로 동판 지수판에 의해서 선·후 타설 콘크리트 간의 공극 또는 신축부 공간의 유로를 차단하여 지수를 행함
(2) PVC 지수판과 비슷하나 비교적 정밀시공이 가능하다.
(3) 시공상의 번거로움은 있으나 PVC 지수판보다는 콘크리트와 부착력이 우수하여 지수효과가 높다.

3) 수팽창 고무지수판

(1) 수팽창 고무지수판에 의해 지수효과를 극대화하는 방안으로, 선 · 후 타설 콘크리트 또는 신축부 공간으로 물이 유입되면, 고무지수판이 물을 흡수하여 팽창 및 충진되어 지수를 행함

(2) 지수판 설치작업이 용이하며 콘크리트 타설 전후의 지수판 설치에 따른 위치 고정작업 등이 불필요하여 작업시간을 단축할 수 있다.

(3) 공극형성 시 초기에 일시적으로 누수현상이 발생하고, 지수판의 수분 흡수에 의한 팽창으로 공극을 폐쇄하므로 5~7일 후에 지수가 가능

5. 적용 추세

1) 현재 주로 이용되는 PVC 지수판에 의한 시공 및 신축이음부 처리는 누수의 문제가 자주 발생하고 있으며, 이는 시공상의 정밀작업이 필요하다.

2) 수팽창 고무지수판의 경우 시공성, 지수효과, 작업공기 등의 면에서 타 방법에 비하여 매우 효율적이나 국내 대규모 하수처리시설에 대한 실적이 적다.

3) 또 신축이음부의 바닥 슬래브는 누수의 위험이 크므로 공사비가 고가이지만 콘크리트와의 부착력이 우수한 동판 지수판을 사용하는 것이 바람직하다.

64 | 전기 · 계측설비의 설계 및 설치 시 고려사항을 설명하시오.

1. 개요

전기 · 계측제어설비의 설계 및 설치에 있어서 처리방식, 시설규모 및 형태, 유지관리 방식 등을 바탕으로 경제성과 신뢰성을 고려하여 적정하게 설계하고 효율적인 운영 및 유지관리가 될 수 있도록 하여야 하며, 장래증설 및 설비개선이 용이하여야 한다.

2. 설계 및 설치 시 고려사항

1) 신뢰성

(1) 하수처리장에서 열악한 사용 환경조건 등 특수한 상황이 발생될 수 있으므로 사용기기는 성능 및 신뢰성이 높고 일정기간 이상의 내용연수 확보가 가능하여야 한다.

(2) 하수처리시설은 만일의 경우에 대비하여 주요기기에 대해 이중화, 백업, 기능분산 등을 고려한다.

(3) 하수나 부식성 가스 등에 의해서 부식의 우려가 있는 장소에 설치될 기기는 재질의 선정에 유의한다.

(4) 전력배분이 적정하고 교체 및 증설 등의 공사 중에도 안정적으로 운전될 수 있도록 설계하여야 한다.

2) 경제성

설비투자 및 유지관리비의 최소화(운영 및 유지관리 인력의 최소화, 에너지 절감, 자원의 절약 등)를 도모한다.

3) 유지관리성

(1) 보수점검이 용이하도록 하고 점검회수가 최소화되도록 한다.

(2) 설비기기는 호환성을 확보되고 합리적으로 배치하며 적당한 여유 공간을 확보한다.

4) 안전성

(1) 화재, 감전사고 등을 미연에 방지하도록 안정성을 고려한다.

(2) 감전에 우려가 있는 부분은 감전방지용 보호덮개를 설치한다.

(3) 폭발성 혹은 인화성 물질이 있는 장소는 폭발을 대비한 시설을 설치한다.

5) 확장성

(1) 장래 증설이 용이하도록 설계하고 기술혁신 등에 대비하여 설계하도록 한다.
(2) 사용연수 경과 후 개조 및 변경이 용이할 수 있도록 설계 시 고려하여야 한다.

6) 조작성

(1) 운전조작이 용이하고 쉽게 설치하고 오조작이 발생하지 않도록 한다.
(2) 조작의 안전성을 확보하고 가능한 운전조작의 연동 및 자동화를 채택한다.

7) 기타

(1) 한랭지 지역, 염해지역, 방진 등 지역의 특성을 최대한 고려하여 설치한다.
(2) 공해(소음, 진동 등) 발생이 최소화되도록 한다.
(3) 초기 및 연차별 하수 유입계획을 고려하여 시설을 계획한다.

65 | 공공하수처리시설 시운전 방법을 설명하시오.

1. 개요

하수처리시설 건설 공사가 끝나면 준공 전에 시운전이 필요하다. 각 공종별 개별 무부하시 운전과 부하 시 운전, 그리고 전공정을 전 부하 상태에서 운전하며 각종 자료를 확인해야 한다.

2. 시운전의 종류

1) PAT(Preliminary Acceptance Test)

(1) 무부하시험

각 기기별로 부하를 가하지 않는 상태에서 정상 작동 상태를 확인하고 기계, 전기, 계장 상호간의 연결 확인

(2) 부하시험

- 각 기기별로 부하를 가한 상태에서 정상 작동 상태 확인
- 대개 청수를 이용

2) FAT(Final Acceptance Test)

(1) 처리시설 전 설비가 목표로 하는 성능을 발휘할 수 있도록 시운전과 동시에 정상 가동 시 필요로 하는 각종 운전 자료를 도출

(2) 정상 부하상태의 유지 관리비 도출

(3) 시운전 기간은 계절적으로 상이할 수 있으므로 시설이 완료되는 시점에서 충분한 자료를 확보

3. 시운전 착수 시 처리시설에서의 준비작업

하수처리시설에는 각종 탱크 및 슬러지 처리용의 설비 등과 전기설비, 기계설비 등 각종 설비가 있으므로 이들에 대한 청소 및 각 기기의 사용법, 고장 여부 등을 철저히 점검한다.

4. 포기 침사기 시운전

운전개시에는 부대설비를 청소 및 점검한 다음에 산기장치가 약간 수침할 정도로 물을 보내고 산기장치로부터의 산기상황을 검토하여 파손 등을 조사한 후에 정상적으로 하수를 유입시킨다.

5. 1차 침전조 및 포기조 시운전

1) 사전에 계획서, 설계도 등에 의하여 운전관리 요령을 정하고 기기의 배치 및 그 취급요령을 잘 알아둔다. 한편 시설의 청소 및 기기를 점검하고 처리수, 하수 등을 만수시켜 기기 등의 운전조작을 한다.
2) 유입수량을 전량 유입시켜서 1차 침전지 슬러지를 투입하거나 또는 1차 침전지를 생략하고 직접 포기조에 유입시키는 등 될수록 신속하게 MLSS농도를 높이도록 한다.
3) 이때 2차 침전지에서 침전한 슬러지는 전량 포기조에 반송한다. 송기량은 발포에 의한 장애가 일어나지 않을 정도로 늘리고 충분한 혼합과 DO를 확보한다.
4) 정상상태에 이를 때까지 SV나 SVI 등 슬러지의 성질, 혼합액의 DO, 탱크 유입수 및 유출수의 투시도와 BOD, SS 등을 측정하여 이 결과에 따라 적절한 운전관리 방법을 검토한다.
5) 양호한 활성슬러지의 생성을 촉진하기 위하여 이미 운전하고 있는 처리시설의 잉여오니를 접종(식종)오니로 적절히 사용하는 것도 좋다.

6. 슬러지 농축조 시운전

슬러지 침강 특성은 처리시설에 따라 다르며, 계절, 수세식 변소의 보급상황에 따라 변화하나, 처리시설의 가동 초기에는 슬러지의 유기분이 적으므로 침강성이 좋고 슬러지의 부상이나 순환이 거의 문제가 되지 않는다.

7. 혐기성 소화조 시운전

1) 탱크에 물을 만수시켜 배관계통 및 탱크의 누수를 확인한다.
2) 이때 기밀탱크는 탱크 내의 압력을 350mm 수주로 높인 다음 15분 경과 후, 다음 15분간의 기압변동을 측정하여 그 변동량이 1cm 수주 이내가 되도록 하고, 탱크의 안전밸브 시험도 동시에 한다.
3) 처음 슬러지를 투입할 경우 그 농도가 매우 낮으므로 정상적으로 가동되고 있는 인접탱크로부터 소화슬러지나 탈리액을 접종슬러지로 이송하여 투입되도록 한다.
4) 탱크 내의 접종슬러지를 충분히 혼합하여 소정 온도로 가온한 다음, 그 온도를 유지하면서 농축슬러지의 투입을 서서히 시작한다. 초기의 투입슬러지량은 계획슬러지량의 1/3 이하부터 시작한다.
5) 소화가스의 발생량에 주의하면서 소화가스 중의 CO_2 농도, 탱크 내의 슬러지의 유기산이나 pH 등을 정기적으로 측정하고 소화의 진행상태를 점검한다.
6) 소화상태에 이상이 없는 경우에는 투입슬러지의 양을 서서히 증가시킨다. 통상 투입 개시 후 50~60일로 정상적인 투입 및 인출이 가능하다.

7) 분석결과에 이상이 있을 때 또는 기포가 발생할 때는 투입슬러지의 양을 감소시키거나 접종슬러지를 가한다.
8) 소화가스의 분석결과가 양호할 때는 소화가스에 대한 불꽃 점화시험을 하고 소화가스의 사용을 개시한다.

8. 최종 종합시운전

1) 설계유입량, 설계농도를 투입하여 각 공정별 처리수를 설계값과 비교하여 처리수 수질이 법규 제한농도 이내를 만족하는지 확인한다.
2) 시운전기간은 충분히 설정하여 시운전 도중 발생하는 예상하지 못한 수정사항 등을 여유 있게 조치할 수 있도록 한다.
3) 일반적인 시운전 기간은 공정에 따라 다르나 3~6개월 정도를 설정한다.

66 | 하수도 시설의 여유공간에 대한 다목적 이용을 설명하시오.

1. 개요

하수처리시설, 펌프장 및 간선관거 등 하수도시설 여유 공간의 다목적 이용에 있어서는 목적, 용도 및 지역의 상황 등을 근거로 하여 효율적인 시설의 운영관리나 공공성의 확보 등의 면에서 적절한 것으로 한다.

2. 다목적 이용 확대 배경

처리시설, 펌프장 등의 하수도시설은 도시 가운데의 귀중한 여유 공간(Open Space)으로서 효율적인 도시계획 측면에서도 활용이 강하게 요구된다. 최근에는 양호한 도시환경의 형성, 방재성의 향상, 지역의 활성화, 커뮤니티(Community)의 형성 등을 도모하고, 지역주민과의 우호적인 환경시설물 유치, 관리를 위해 적극적으로 다양한 이용이 시도 되고 있다.

3. 다목적 이용의 방법

이것은 하수도사업을 원활히 추진하여 하수도의 이미지(Image)를 높이는 것과 밀접하게 관련되어 있으며 여유 공간을 공원, 스포츠시설 및 피난장소 등에 활용하는 사례가 증가하고 있는 중이다. 또, 관거시설에는 수위정보의 전달, 펌프장의 원격감시체제 등 하수도시설의 유지관리의 효율화를 목적으로 하여 광케이블(Fiber Cable)의 설치도 고려할 수 있다.

4. 이용 추세

앞으로도 도시의 토지이용의 고도화에 수반하여 하수도시설의 공간이용이 늘어날 것으로 예상되나, 이용시설의 선정에 있어서는 하수도의 공공적 시설로서의 위치와 결부되어 지역주민의 의견이나 주변 토지이용상황을 충분히 감안하여 다음과 같은 사항에 대해 검토할 필요가 있다.

1) 하수도의 이미지를 높이는 데 공헌할 수 있는 것
2) 공공시설로서 어울리는 내용인 것
3) 지역 및 주민에 공헌할 수 있는 것

5. 다목적 이용 시 고려사항

다목적 이용의 경우는 사업내용에 따라 하수도법 이외에도 도시계획에 관한 법률, 수질환경보전법 등의 법률관계를 충분히 검토할 필요가 있다.
즉, 이용시설이 하수도 시설의 구조·관리 등에 지장을 가져오지 않도록 충분한 배려와 동시에 장래에는 하수도시설의 개축, 수선에 방해가 없도록 고려하여야 한다.

Professional Engineer Water Supply Sewage

5. 고도처리

1 | 탄소와 질소의 물질 순환을 도시하고 설명하시오.

1. 탄소의 순환

1) 탄소는 생물 건조 중량의 약 50%를 차지하는 원소
2) 대기 중 CO_2 농도는 약 320ppm
3) 식물은 대기로부터 CO_2를 얻고 광합성을 통하여 산소를 방출하고 자신 생물량의 유기물 생성
4) 화산 폭발, 해저 화산활동, 해저생물의 호흡에 의해 다량의 CO_2 방출

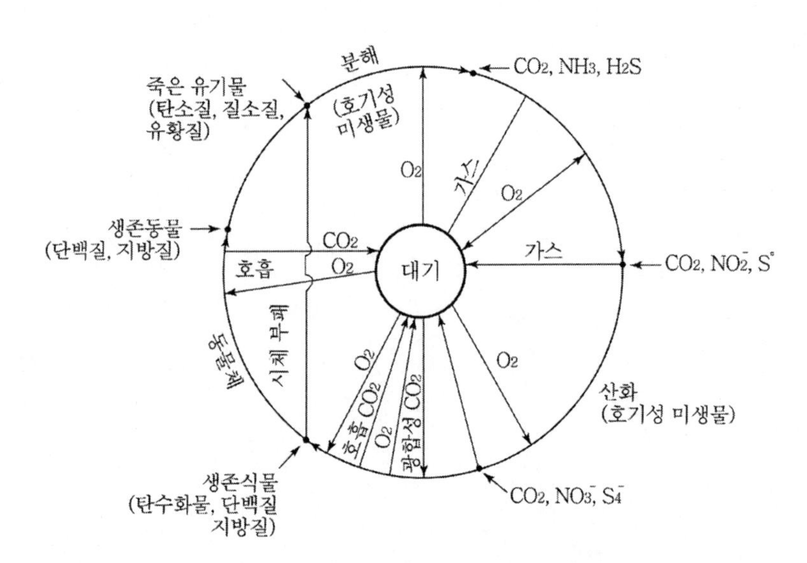

호기성 환경에서의 탄소, 질소 및 유황의 순환

2. 질소의 순환

질소의 순환은 질소고정, 광물질화작용, 질산화작용, 질소동화작용, 탈질작용으로 이루어진다.

1) 질소고정

(1) 가스 상태의 N_2를 NH_3나 질산염과 같은 실소화합물로 생물적 혹은 공업적으로 전환하는 것을 질소고정이라 함

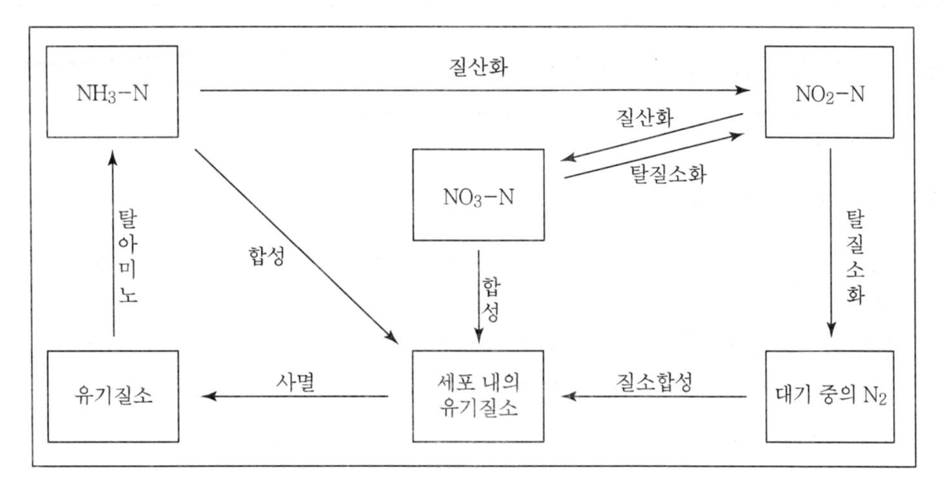

질소의 순환

(2) 3가지 질소고정 미생물이 공기로부터 질소가스를 흡수하여 단백질로 전환
- 비공생적 Bacteria : Azotobacteia와 Clostridium과 같이 자유 생활을 하는 세균
- 남조류 : Anabena는 수중 양치 생물인 물개구리밥과 공생하며 논에 비료 성분을 공급
- 공생적 Bacteria

2) 광물질화 작용

(1) 유기질소 화합물을 분해하여 무기성 질소 형태로 방출
(2) 인산염은 식물 생장의 제한 요인
(3) 광물질화된 일부 인은 침식되어 호수나 바다 바닥에 퇴적

3) 질산화 작용

호기성 조건에서 유기질소는 생물학적 분해로 NH_3-N, NO_2-N, NO_3-N 형태로 전환된다.

4) 탈질화 작용

무산소 조건에서 NO_3-N는 N_2로 환원된다.

2 | Free Ammonia(NH_3)

1. 정의 : 자유 암모니아

1) 수중에 존재하는 환원성 무기질소는 자유 암모니아(NH_3)와 암모늄이온(NH_4^+-N) 등이다.
2) 자유 암모니아가 수중 유기체에 상대적으로 더 독성이 크다.
3) 자유 암모니아는 기체 상태 화합물로 존재하고 암모늄이온은 수중에 이온으로 용해된 형태로 존재

2. NH_3의 독성

1) 물고기는 암모니아를 아가미를 통해 배출
2) 체내의 높은 농도의 암모니아와 체외의 낮은 농도 차이에 의하여 암모니아 배출
3) 체외의 자유 암모니아 농도가 높으면 배출이 원활하지 않아 체내에 축적

3. 자유 암모니아 생성

1) 수중 pH에 의해 결정 : 수중 pH가 높으면 자유 암모니아 생성 증가

$$NH_3 + H^+ \leftrightarrow NH_4^+$$

2) 유리형 NH_3가 0.2mg/L 이상이 되면 물고기에 치명적
3) 암모니아 독성은 pH 8 이하와 NH_4^+-N 농도가 1mg/L 이하인 경우에는 문제가 되지 않는다.

4. 폐수 pH와 암모니아성 질소의 제거율과 관계식

1) $NH_3 + H_2O \rightarrow NH_4^+ + OH^-$의 반응식에서
해리상수 Kb는

$$Kb = [NH_4^+][OH^-]/[NH_3]$$
$$Kb/[OH^-] = [NH_4^+]/[NH_3]$$

2) 전체 질소화합물 중에는 NH_3의 함량을 %로 나타내면 다음과 같이 나타낼 수 있다.
(NH_3는 기체상태로 탈기되기 때문에 이 값은 탈기법에 의한 질소성분의 제거율이 된다.)

$$NH_3\% = [NH_3]/\{[NH_4^+]+[NH_3]\} \times 100 = 1/(1+[NH_4^+]/[NH_3]) \times 100$$
$$= 1/(1+Kb/[OH^-]) \times 100$$

즉, $NH_3\% = 100/(1+Kb/[OH^-]) = 100/(1+Kb \times [H^+]/Kw)$

$[OH^-] = (10^{-14})/[H^+] = Kb/(100/NH_3\% - 1)$

$[H^+] = (10^{-14})(100/NH_3\% - 1)/Kb$

$pH = \log[H^+] = -\log\{(10^{-14})(100/NH_3\% - 1)/Kb\}$

※ 상기식에서 NH_3는 암모니아 제거율이 되며 에어 스트리핑에 의해 암모니아를 탈기시킬 때 적용되는 반응식이다.

환경용어

원자흡광분석법(Atomic Absorption Analysis)

AA라고도 한다. 시료 용액을 고온하에서 분해하여 원자를 증기화하고, 이것에 램프를 이용해 빛을 통과 시키면 발생 원자가 고유의 파장의 빛을 흡수하는 현상을 이용한 것이다. 흡광 비율은 시료원소의 농도에 비례하므로 미리 알고있는 농도의 표준용액을 측정하여 표준곡선을 만들어 두고, 이것과 비교함으로써 모르는 시료를 정량화 할 수 있다. 폐수 속의 동, 아연, 납, 카드뮴, 니켈, 코발트, 망간, 철, 페크롬 등의 분석에 이용되고 있다

3 | N · P의 특성을 설명하시오.

1. 개요

N · P은 자연계에 존재하는 구성물질로 생태계 형성의 중요한 인자이다. 수계에 과량의 질소와 인을 방류하면 CODcr 증가, 산소요구량 증가 및 부영양화를 유발하기 때문에 적절히 제거하여 방류해야 한다.

2. N의 순환

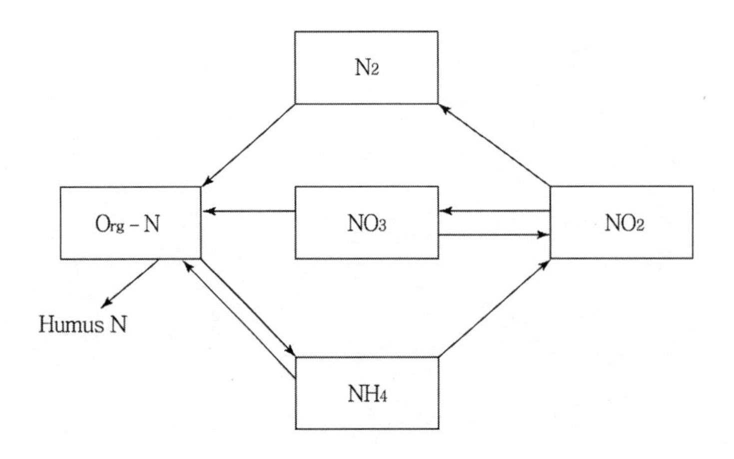

1) 자연계의 질소형태
   유기질소, 무기질소, 질소가스

2) 유입하수의 질소구성
   NH_4 50~70%, 유기질소 30~40%

3) 활성슬러지법에 의해 10~30% 정도 제거

4) 생물학적인 질소제거공정에서는 약 70~80% 정도이며 자연계에 존재하는 질소의 형태는 Org-N, NH_4, NO_3, NO_2 등으로 구분할 수 있으며, Org-N과 NH_4를 합하여 TKN이라고 한다.

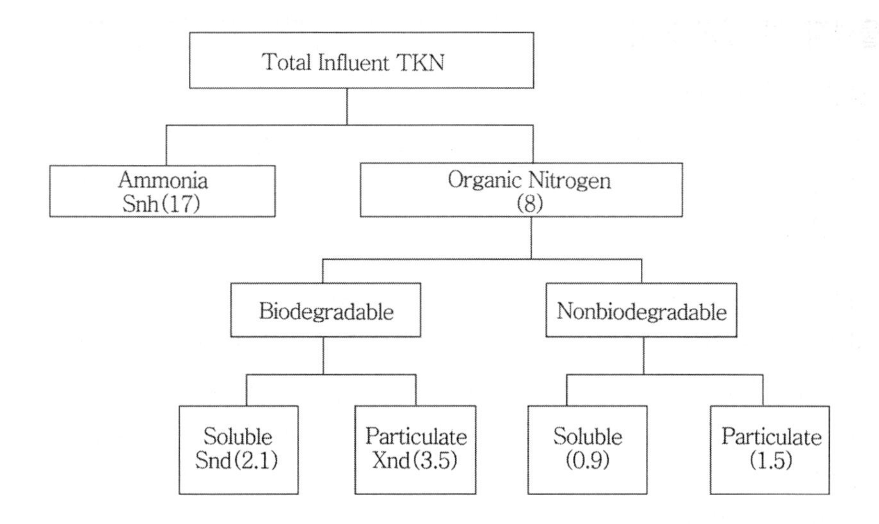

3. P의 제거

1) P는 C, N과 함께 부영양화를 유발하는 주요 영양소

2) N/P비가 7 이상, 16 이하인 경우 N, P를 동시에 제거
(수질환경기준 : 총인, 총질소의 경우 N/P비가 7 미만일 경우에는 총인의 기준은 적용하지 아니하며 N/P비가 16 이상일 경우에는 총질소의 기준을 적용하지 아니한다. 나머지는 총질소와 총인을 모두 적용한다.)

3) 대부분의 효소가 N/P비 16 이상이므로 P이 제한인자

4) 분뇨를 제외한 비점오염원에서 발생되는 총인은 1.2gP/인/일, 분뇨는 1.5gP/인/일

5) 도시하수는 3가지 형태의 인을 포함하고 있다.
- 유기인
- 정인산(Orthophosporus PO_4^{-3})
- 응축인(P_2O_7, P_3O_{10})

6) 생물학적으로 하수 처리시 생물학적인 동화작용으로 제거
- SRT와 직접 관련(SRT를 짧게 유지)

4. 생물학적 인 제거 기작

1) 정상 상태의 세포합성을 통해 P 제거
정상적인 호기성 상태에서 미생물의 기질 구성성분비는 BOD : N : P = 100 : 5 : 1 이므로 슬러지 내 인 함량은 1~2% 정도이므로 잉여슬러지 폐기에 의한 인 제거는 전체 인의 약 10~30% 정도가 된다.

2) 이때 인 제거 미생물(PAOs)을 혐기와 호기상태에 반복적으로 노출시키면 혐기에서 인을 방출하고, 호기상태에서는 신진대사에 필요한 양 이상으로 인이 섭취되어 과잉섭취(Luxury Uptake)되는데 이러한 현상을 이용하여 정상 상태의 인 함량보다 3~4배 많은 인 함량 3~8%의 슬러지를 인출할 수 있고 전체 70~80% 인을 제거할 수 있다. 이러한 생물학적인 기법을 이용하여 인을 제거하는 것을 '생물학적 인 제거 기작'이라 한다.

4 | TN과 TKN을 비교하시오.

1. 정의

1) TN(총질소)

총질소(Total Nitrogen)는 무기성 질소와 유기성 질소의 총량을 나타낸 것을 말한다.

2) TKN(Total Kjeldahl Nitrogen)

TKN은 유기성 질소와 암모니아성 질소의 합을 말한다.

2. TN과 TKN의 특징

1) 총질소

총질소는 무기성 질소와 유기성 질소의 총량으로 무기성 질소는 암모니아성 질소, 아질산성 질소 및 질산성 질소를 말하고 유기성 질소는 아미노산, 폴리펩티드(Polypeptide), 단백질 등 생물학적 생산물을 비롯하여 여러 가지의 유기화합물 중에 함유되어 있는 질소(단, 시험방법의 조건에서 분해불능의 것은 제외한다.)를 말한다. 수중의 유기성 질소는 분뇨, 공장폐수 등의 유입으로 증가한다.

2) TKN은 유기성 질소와 암모니아성 질소의 합으로 유기화합물 중에 존재하는 모든 질소는 유기성 질소이며 질소를 함유하는 대부분의 무기화합물은 암모니아의 유도체로 구성되어 있다. 유기부분을 산화 분해시키면 유기질소가 암모니아로 유리되는데 이를 측정하는 것을 Kjeldahl Nitrogen 분석이라고 한다.

3. TN과 TKN의 비교

1) TN

(1) 가정하수에서 배출되는 질소는 아미노산, 폴리펩티드, 단백질류 등의 유기성 질소와 암모니아성 질소의 형태를 띠며, 공장에서 배출되는 질소는 유기화합물과 결합된 형태의 유기성질소 또는 암모니아성 질소의 형태를 띠고 있다.

(2) 이런 유기성 또는 암모니아성 형태를 띠고 있는 질소는 산화 또는 환원 정도에 따라 아질산성(NO_2-N), 질산성 질소(NO_3-N) 또는 아산화질소와 질소가스로 변환된다.

(3) 하천 또는 호수에 존재하는 총 질소는 부영양화의 원인물질이 되며, 하수처리장으로 유입된 하수 내 총 질소 물질은 기존의 생물학적 처리에서 보완된 고도처리시설을 거쳐 처리하여야 한다.

(4) 따라서 총 질소 실험(총인, 클로로필-a 실험의 조합)을 통해 호수 및 하천의 부영양화지수를 판단할 수 있으며, 하수처리장 내 고도처리 효율을 확인할 수 있다.

2) TKN(Total Kjeldahl Nitrogen)

(1) 킬달법(Kjeldahl Method)은 습식분해와 증류를 통해 질소를 분석하는 방법으로 덴마크의 화학자 킬달의 이름에서 킬달법으로 통칭된다.

(2) 현재도 곡물, 사료, 토양, 오수 속의 킬달질소 단백질 분석에서 가장 널리 사용되고 있다.

(3) TN 측정은 무기성질소가 많이 함유되어 였는 경우 TKN 측정은 유기성 질소가 많이 함유되어 있는 경우에 일반적으로 적용한다. 즉, 하수에 단백질 함유 질소가 함유되어 있을 때는 TN 측정보다 TKN측정이 유리하다.

5 | 생물학적 질소제거이론을 설명하시오.

1. 개요

수계의 생태계 보전과 부영양화 방지를 위한 목적으로 하수처리시설 방류수에서 과량의 질소를 미생물을 이용하여 제거하는 것을 생물학적 질소 제거라 하며 최근 하수처리시설의 고도처리기법으로 일반화되고 있다.

2. 질산화와 탈질산화 과정

1) 질산화 : 자연계의 질소의 형태는 유기질소, 무기질소 그리고 질소가스이다. 유기질소 화합물은 생물학적 분해에 의하여 암모니아 형태로 전환되며, 암모니아는 다시 질산화 과정에 의하여 질산성 질소로 전환된다.

2) 탈질산화 : 무산소 조건에서 질산성 질소는 질소가스로 환원된다. 이런 일련의 과정을 생물학적 질산화-탈질소화 과정이라 한다.

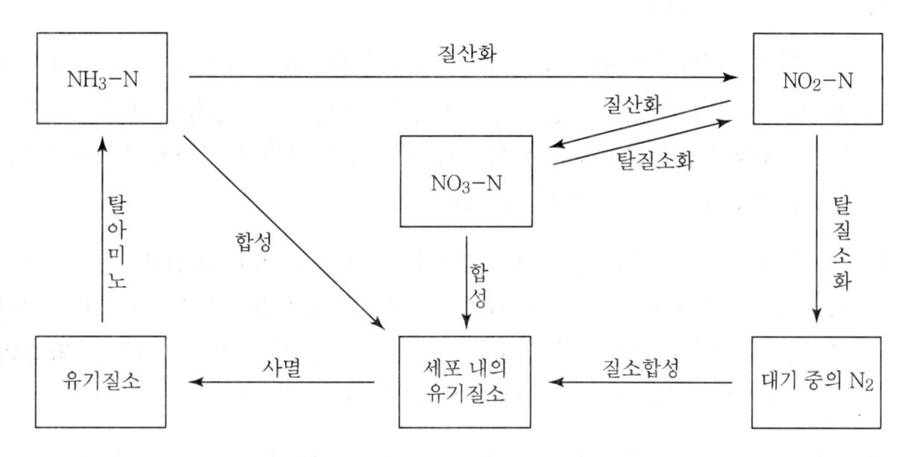

3. 질산화(Nitrification)

1) 질산화 반응은 Nitrosomonas에 의하여 NH_4를 NO_2로 전환하는 1단계 반응과 Nitrobactor에 의하여 NO_2를 NO_3로 전환하는 2단계 반응으로 구성된다.

$$NH_4^+ + 1.5O_2 \xrightarrow{\text{Nitrosomonas}} NO_2^- + H_2O + 2H^+ \quad \cdots\cdots\cdots\cdots \text{1단계}$$

$$NO_2^- + 0.5O_2 \xrightarrow{\text{Nitrobactor}} NO_3^- \quad \cdots\cdots\cdots\cdots \text{ 2단계}$$

$$NH_4^+ + 2O_2 \longrightarrow NO_3^- + H_2O + 2H^+ \quad \cdots\cdots\cdots\cdots \text{ 질산화}$$

2) 질산화 반응에서 생성되는 에너지는 질산화 미생물이 CO_2, HCO_3^-, CO_3^{2-} 등과 같은 무기탄소원으로부터 자신에게 필요한 유기물질을 합성하는 데 사용된다.
3) 위 식에서($NH_4-N : 2O_2 = 14 : 64$) 1g의 NH_4-N을 산화시키기 위해서는 4.6g의 산소가 필요하며 7.1g의 알칼리도($NH_4-N \rightarrow 2H = 14 : 100$)가 소모된다.

4. 탈질반응

1) 호기성 조건(Aerobic Condition)에서는 미생물이 용존산소를 수용체로 하여 에너지를 얻게 되지만, 용존산소가 거의 없는 경우(DO < 0.5mg/L)에는 NO_3, NO_2와 같은 형태의 산소를 이용하여 에너지를 얻게 된다.

$$NO_3^- \Rightarrow NO_2^- \Rightarrow N_2 \quad \cdots\cdots\cdots\cdots \text{ 무산소 조건}$$

2) 탈질 반응의 영향인자

(1) 용존산소 : 생물학적 탈질을 통한 질소제거에서 용존산소 농도는 가장 중요한 영향 인자이며 용존산소 농도가 0.2mg/L 정도이면 탈질률이 방해를 받는다고 본다. 따라서 용존산소농도가 클수록 탈질이 방해를 받으므로 무산소조의 DO 농도는 0.2~0.5mg/L 이하로 유지하여야 한다.

(2) 유기물질 : 탈질반응은 종속 미생물(Heterotrophic Bacteria)에 의하여 발생하므로 전자공여체로 유기 탄소원이 필요하다. 유기탄소원은 하수 원수 자체가 가장 경제적이고 확실한 유기탄소원이다. 하수를 이용한 탈질반응은 약간의 암모니아가 재합성되고 상당량의 용해성 BOD가 제거된다.

(3) 온도 : 온도는 미생물 성장속도와 질산성 질소의 제거 속도에 영향을 미치며, 생물학적 처리의 통상 운전 범위인 5~30℃에서 Arrhenius 법칙을 따른다.

$$SDNR(T) = SDNR(20) \times \theta^{(T-20)}$$

(4) pH : 탈질반응의 최적 pH는 존재하는 미생물에 따라 달라지나 보통 7~8 사이 이며, 탈질반응이 알칼리 생성 반응이므로 특별한 조정은 필요 없다. 즉 NO_3-N 1g 제거 시 알칼리도는 3.6g 생성된다.

6 | 비질산화율(SNR : Specific Nitrification Ratio)

1. 정의

비질산화율(SNR)은 생물학적 질소 제거 중 질산화조(호기조)에서 단위 미생물량에 대한 질산화율을 말한다.

$$\text{비질산화율(SNR)} = \frac{\text{질소분해량(mg)}}{\text{미생물량(g)}}$$

$$= \frac{mg - NH_4^+ - N}{g - VSS}(mg - NH_4^+N/g - VSS \cdot h)$$

2. 질산화공정

생물학적 질산화공정은 1단계 암모니아성 질소 산화와 2단계 아질산성 질소 산화로 나누어진다.

1) 암모니아성 질소 산화는 호기성 상태에서 암모니아성 질소(NH_4^+-N)가 암모니아 산화균에 의하여 하이드록실아민으로 산화된 후 최종적으로 아질산성 질소로 산화되는 반응이다.
2) 아질산성 질소 산화는 호기성 상태에서 질소에 의하여 아질산성 질소(NO_2^--N)가 질산성 질소(NO_3^--N)로 전환되는 과정이다.
3) 일반적으로 암모니아 산화균의 기질 이용률(2.3mg NH_4^+-N/mg VSSa/h)이 아질산성 질소 산화균의 기질 이용률(9.8mg NO_2^--N/mg VSSa/h)에 비해 현저히 낮기 때문에 비질산화율(SNR)은 암모니아의 산화과정이 전체 질산화과정의 속도 제한요소로 알려져 있다.

3. SNR에 미치는 영향

1) 반응조 내 미생물 비중$\left(\frac{\text{암모니아 산화균}}{\text{아질산성 산화균}}\right)$
2) AOB(암모니아 산화 세균), AOA(암모니아 산화 고세균), AMX(Anammox)의 비율
3) 반응조 내 온도, 무기질소농도, pH, DO농도 등

4. SDNR의 정의

SDNR은 비탈질속도(Specific Denitrification Rate)로 탈질반응조(무산소조)에서 미생물 단위량당 제거질소량을 의미한다.

$$SDNR = \frac{\text{제거질소량(mg)}}{\text{미생물량(g)}}$$

$$= \frac{mg-NO_3-N}{g-VSS}(mg-NO_3-N/g-VSS \cdot h)$$

7 | 질소화합물 배출원

1. 수중 질소 형태

수중에 포함되어 있는 질소의 총량을 T-N(Total Nitrogen) 이라하며 질소성분이 수중에 존재하는 형태는 암모니아성 질소(NH_4-N), 아질산성 질소(NO_2-N), 질산성 질소(NO_3-N)의 무기 질소와 유기질소가 있다.

2. 질소의 순환

대기 중의 질소가 질소 고정 박테리아 등에 의해 생물체에 고정되며, 생물체의 구성 성분인 단백질 등이 분해하면서 아미노산, 유기질소의 형태에서 다시 질산화 반응에 의한 무기질소(NH_4-N, NO_2-N, NO_3-N)의 형태로 존재하고 탈질 반응에 따라 다시 질소(N_2)의 형태로 대기 중에 순환된다.

3. 질소의 대기 침적

대기 중의 질소가 강우와 함께 빗물에 흡수되는 습식 침적이나 공기와 호소수의 접촉에 의해 집적 용해되는 건식 침적을 통해서 수중에 유입된다. 이들 대기 침적량은 호소수 유입 전체 질소량의 5~40% 정도로 조사되고 있어서 이에 대한 관심이 필요하다.

4. 질소 화합물 배출원

1) 하폐수 : 대부분의 하수와 폐수는 인간 생활과 관련하여 질소 화합물을 포함 하고 있다.
2) 합성 세제
3) 농업 배수 : 비료의 3요소(N, P, K) 중 중요한 성분인 질소가 무기질, 유기질 비료에 포함되어 배수와 함께 수 생태계로 유입된다.
4) 하수 종말 처리시설 : 미처리된 질소 성분의 방류
5) 대기 중 질소 화합물(NH_4, NO_3)의 유입(대기 침적) : 동식물 분해, 자동차, 공장, 대부분의 인간 활동과 관련됨

8 | 생물학적 인 제거(BPR)의 이론 및 영향인자를 설명하시오.

1. 개요

1) 인은 탄소, 질소와 함께 부영양화를 유발하는 주요 영양염류이며 이들 3대 영양소는 서로 적당한 비율로 존재할 때 부영양화를 일으키므로

2) 이들 3가지를 모두 제거하기보다는 그 중 1~2가지를 제어하는 것이 효율적이며 질소나 탄소는 자연계에 다양하게 존재하므로 제어가 어렵기 때문에 인을 제어하여 부영양화를 방지하는 기법을 사용한다.

3) 국내 수질환경기준 : 총인, 총질소의 경우 N/P비가 7 미만일 경우에는 총인의 기준은 적용하지 않고 질소만 제어하며, N/P비가 16 이상일 경우에는 총질소의 기준을 적용하지 않고 총인농도만 제어한다.

4) 국내 대부분의 호소수가 N/P비 16 이상이므로 P이 제한인자가 된다. 그러므로 결국 부영양화를 좌우하는 것은 인농도이며 인의 제거는 부영양화를 방지하는 데 결정적 요인이 된다.

2. 생물학적 인 제거 기작

1) 정상 상태의 세포합성을 통해 P 제거
정상적인 호기성 상태에서 미생물의 기질 구성 성분비는 BOD : N : P = 100 : 5 : 1 이므로 슬러지 내 인 함량은 1~2% 정도이다.

2) 혐기와 호기상태에 연속적으로 노출시키면 혐기상태에서 인을 방출하고, 호기상태에서는 신진대사에 필요한 양 이상으로 인을 과잉섭취(Luxury Uptake)하게 되는데 이러한 현상을 이용하여 정상 상태의 인 함량보다 3~4배 많은 인 함량(3~8%)의 슬러지를 인출할 수 있고 이것을 생물학적 인 제거 기작이라 한다.

3) 혐기상태(Anaerobic Condition)에서 인 제거 미생물(PAOs)은 세포 내의 폴리인산(Poly-P)이 가수 분해 되어 정인산(PO_4-P)으로 혼합액에 방출되며, 동시에 하수내 유기물은 글리코겐 등의 기질로 세포 내에 저장된다. 인의 방출속도는 일반적으로 혼합액 중의 유기물 농도가 높을수록 크다.
보통 유입 PO_4-P 농도의 3~5배 정도까지 방출된다.

4) 호기상태(Aerobic Condition)에서는 이렇게 세포 내에 저장된 기질이 산화, 분해되어 감소한다. PAOs((Phosphate Assimulating Organisms) 미생물은 이때 정인산을 흡수하는데 미생물의 생성에 필요한 양 이상으로 과잉섭취(Luxury Uptake)하여 폴리인산으로 재합성한다.

5) 상기 혐기 호기 조건을 연속적으로 반복하면서 활성슬러지의 인 함량이 증가하게 된다. 즉 호기상태만을 거치는 표준활성슬러지법의 슬러지 인 함량이 1~2% 정도인 것에 비하여 인 제거 기작(혐기-호기 조합법)를 거친 슬러지의 인 함량은 3~8% 정도까지 증대되어 생물학적으로 인을 제거하게 되는 것이다.

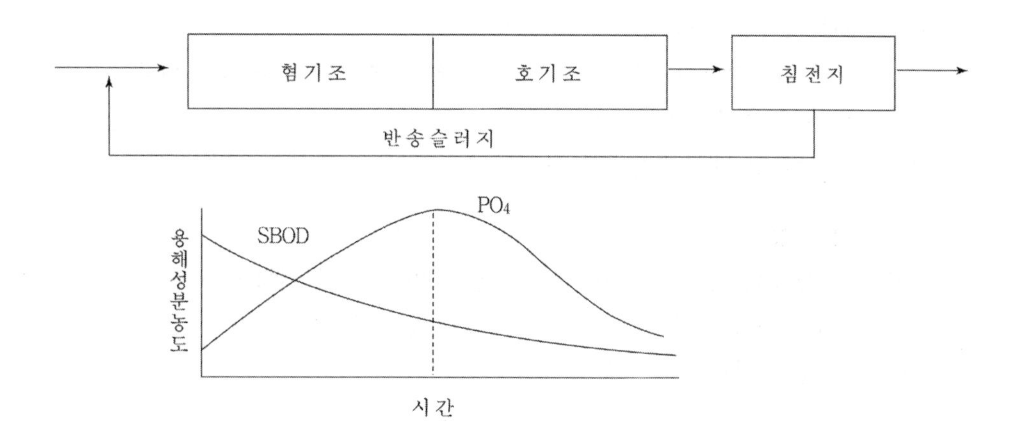

6) 일반적으로 인 제거 미생물이 혐기조건에서 유기물을 흡수할 수 있다는 점 때문에 다른 미생물에 비하여 유기물 제거능력이 우위에 있어 혐기공정이 인 제거 미생물을 선택적으로 증식시킬 수 있는 결정적 단계가 된다.
또한 인 제거를 위해서는 혐기 공정에서 PAOs에 필요한 쉽게 분해 가능한 유기물(VFA : Volatile Fatty Acid)이 인 제거 미생물의 성장에 반드시 필요하다.

3. 인 제거 시스템의 영향인자

1) 유입수 부유물질
유입수 SS농도와 인 농도는 처리공정에 적합해야 하며 처리수의 TP농도를 1mg/L 이하로 유지하려면 SS 내의 인 함유량이 4%일 때 유입수의 SS농도는 15mg/L 이하여야 한다.

2) 인 제거를 위해 유용한 유기물(VFA)
인 1mg/L를 제거하기 위해서는 VFA 5mg/L 정도가 소요되는 것으로 알려져 있으며, 일반적으로 정상적으로 운전 중인 생물학적 인 제거 공정의 처리수 내의 SP(용해성 인) 농도는 0.5mg/L 이하인데, 그렇지 못한 경우에는 유입수 내의 용해성 RB COD(Readily Biodegradable COD)의 농도가 충분치 못한 경우가 많다.
보통 국내 하수에서는 용해성 RB COD가 20~35mg/L 정도 함유하고 있다.

3) 인 제거에 대한 SRT
생물학적 인 처리 공정(BPR)에서 인이 제거되는 방법은 미생물이 인을 과잉섭취한 후에 그 미생물을 잉여슬러지에 의하여 제거되는 것이다. 따라서 SRT가 길어지면 잉여슬러지의 양이 감소하고 결과적으로 인의 제거량이 감소하게 된다.

4) 혐기조에서 질산성질소(NO_3^-N)의 영향
혐기성 반응조에 질산성질소가 유입되면 탈질 미생물과 인 제거 미생물이 쉽게 분해 가능한 용존 유기물(VFA)의 섭취를 위하여 경쟁하게 되고 탈질미생물의 증식속도가 빨라서 인 제거율이 떨어진다.

5) 온도에 의한 영향
인 제거 미생물은 다른 미생물(특히 질산화 미생물)에 비하여 온도의 영향을 덜 받는 것으로 보고되고 있다. 즉 기존의 A/O 공정 등에서 낮은 온도와 높은 온도에서 모두 좋은 결과를 얻었다고 한다.

6) pH의 영향
혐기-호기 반응조의 호기조에서 pH에 따른 인섭취율을 측정한 결과 pH 6.5~7.0 사이에서는 별 차이가 없으며, pH가 6.5 이하에서는 인흡수율이 지속적으로 감소한다.

7) 포기조에서의 DO농도
호기조에서는 질산화, 유기물의 산화 및 인의 섭취 반응이 발생하며, 보통 DO농도는 2.0mg/L 정도 유지한다.
(1) DO농도가 너무 낮으면 인의 흡수율이 저하되어 인 제거율이 감소하며, 침전성이 낮은 슬러지가 생성된다.
(2) 반면에 DO농도가 너무 높으면 포기조에서 무산소조로 내부순환 되는 반송수 내의 DO농도가 높아 탈질반응에 영향을 주게 되어 결국 혐기조에 질산성질소 농도를 높게 하여 인 방출률을 감소시킬 수도 있다.
(3) 따라서 호기조건에서 DO농도는 전반부는 2.0mg/L 정도로 유지하고 무산소조로 내부 순환하는 부분은 1.0mg/L 정도로 낮게 유지하는 것이 바람직하다.

9 | CPR과 BPR의 특성을 비교 설명하시오.

1. 개요

인 제거 기법에는 화학적으로 약품을 사용하는 방법과 미생물의 인 섭취 특성을 활용하는 생물학적인 방법이 있으며 일반적으로 화학침전에 의한 인 제거는 운영이 간편하고 안정적인 반면 생물학적 처리에 비하여 상대적으로 많은 유지관리비(약품비, 슬러지 처리비)가 요구되므로 생물학적인 방법이 경제적이고 효율적이나 적용 조건과 처리 목표에 따라 철저한 연구와 경제성 분석을 필요로 한다.

2. 화학적 인 제거 공법(Chemical Phosphorus Removal : CPR)

1) 원리

응집을 이용한 화학침전은 인을 제거하기 위해서 응집제로 Alum, 철염 등이 사용되며, Lime 등의 응집보조제가 사용되기도 한다. 특히 Alum은 경제성은 떨어지나 처리효율면에서 상당히 우수한 것으로 알려져 있다.

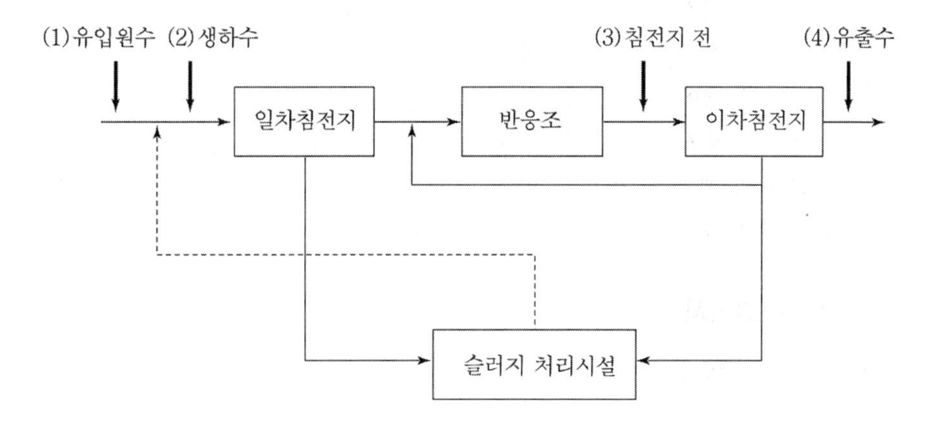

2) 응집제 주입 방법

(1) 그림에서 (1)과 (2)지점에 주입하는 경우는 인의 제거와 동시에 일차침전지의 효율 개선을 기대할 수 있으며

(2) (3)지점에 주입하는 경우는 처리수의 악화를 개선하거나 생물학적으로 미제거된 인 제거를 위하여 이차침전지를 그대로 사용하는 방법이다.

(3) (4)지점은 이차 처리수에 약품을 주입하는 것으로 별도의 약품혼합과 침전시설이 요구되나 인의 농도를 1.0mg/L 이하로 처리하는 양호한 처리 수질을 안정적으로 확보할 수 있는 고도처리 방법이다.

3) 특징

호소수의 부영양화 방지를 위한 제한요소로 제거대상인 인의 처리를 위하여 과거에는 주로 생물학적 방법보다 상대적으로 쉬운 화학적 방법을 사용하였다. 특히 인의 농도가 1.0mg/L 이하의 고도처리를 요구하는 경우에 생물학적 고도처리의 후속 수단으로 사용되기도 한다.

3. 생물학적 인 제거 방법(Biological Phosphorus Removal : BPR)

1) 원리

생물학적으로 인을 제거시키기 위해서는 산소의 공급이 없고, 질산성 질소도 존재하지 않는 혐기 조건의 반응조와 산소를 공급시키는 호기 조건의 반응조를 조합시켜 인을 제거하는 과잉섭취기법(Luxury Uptake)을 이용한다.

2) 특징

(1) 생물학적 인제거의 관건은 혐기조건의 확보와 함께 유입수 내 VFA(Volatile Fatty Acid)의 적절한 공급에 있다.
(2) 반송슬러지 내에 질산성질소가 존재하면 혐기조에서 인의 방출작용을 방해하여 결국 인 제거효율이 저조하므로 질산성질소를 제거해야 한다.
(3) BPR은 CPR에 비하여 매우 경제적이나 유입하수의 성상 및 운전 조건에 따라 효율의 변화가 안정적인 효율의 유지가 어렵다.

4. 공법 선정 시 고려사항

1) CPR이 약품비 및 슬러지발생량 증가로 인한 비용 등으로 BPR에 비하여 최소한 10배 이상 비용이 소요된다.
2) 생물학적 처리의 경제성과 화학적 처리의 안정성을 최대한 살리는 두 공정의 적절한 결합 운영, 즉 BPR처리로 유출수의 인 농도를 1mg/L 이하로 유지하고, 이후에 CPR법으로 인을 제거하여 수질의 안정성 및 경제성을 증대시킬 수 있다.

10 | PAOs의 특성을 설명하시오.

1. 생물학적 인 제거 미생물

인 제거 미생물은 혐기상태에서 인을 방출시키고, 호기상태에서 미생물에 필요한 양 이상의 인을 과잉섭취(Luxury Uptake) 하는 특수한 기능을 가져야 한다. 이러한 특성을 갖고 인 제거에 관여하는 미생물을 PAOs(Phosphate Assimulating Organisms)라 한다.

2. PAOs의 역할

1) 혐기상태에서 PAOs는 미생물 세포 내의 폴리인산(Poly-P)이 가수분해 되어 정인산(PO_4^-P)으로 혼합액에 방출되며, 동시에 하수 내 유기물은 글리코겐 및 PHB(Poly Hydrixybeta Butyrate)를 주체로 한 PHA 등의 기질로 세포 내에 저장된다.
2) 호기상태(Aerobic Condition)에서는 이렇게 세포 내에 저장된 기질이 산화, 분해되어 감소한다. PAOs 미생물은 이때 발생되는 에너지를 이용하여 혐기상태에서 방출된 정인산을 미생물의 생성에 필요한 양 이상으로 과잉섭취(Luxury Uptake) 하여 폴리인산으로 재합성한다.
3) 상기 혐기-호기 조건을 연속적으로 반복하면서 활성슬러지의 인 함량이 증가하게 된다. 즉 일반 표준활성슬러지법의 슬러지 인 함량이 1~2% 정도라면, 생물학적 고도처리(혐기-호기 조합법) 슬러지의 인 함량은 3~8% 정도이다.

3. PAOs의 효율 향상 방안

1) 생물학적으로 인을 제거시키기 위해서는 인 제거 미생물인 PAOs를 활성화시켜야 한다. 혐기조건의 반응조(혐기조)에는 용존산소뿐만 아니라 질산성질소(NO_3-N)의 유입을 최대한 배제하는 구조여야 한다.
2) 제한된 유기물을 가장 먼저 섭취할 수 있는 미생물은 유기물제거 호기성 미생물이고 다음에 탈질미생물이며, 마지막으로 인 제거 미생물이 유기물을 이용하게 된다. 인 제거 미생물의 성장에 방해가 되지 않도록 다른 미생물을 억제해야 한다.
3) 인 제거 미생물은 혐기상태에서 유기물 섭취 능력이 우수하므로 혐기조는 무산소조나 호기반응조보다 앞에 두어 제한된 유기물을 먼저 이용하게 하여야 한다.
4) 특히 유기물 중의 VFA(Volatile Fatty Acid)는 인 제거를 위한 중요한 성분으로 보통 유입하수 중에 20~30mg/L 정도 존재하는데, 이러한 성분이 무산소조나 호기 반응조(포기조)에 유입되어 소비되면 혐기조에서 PAOs들이 이용할 수 있는 VFA량이 줄어들어 인의 제거율이 매우 떨어지게 된다.

11 | 하수고도처리(3차 처리)의 개념 및 필요성을 설명하시오.

1. 개요

1) 하수고도처리는 이차처리수를 고도의 기술로 처리하여 좀 더 양호한 수질을 얻기 위한 하수처리법의 총칭이다.
2) 일명 3차 처리라고도 하며 폐수종말처리시설에서는 장래 적용될 엄격한 방류수수질기준에 대비하거나 처리수의 재이용 목적으로 채택
3) 고도처리공정으로는 급속여과, 활성탄 흡착, 질소 및 인의 제거, 마이크로스트레이닝, 오존산화 등이 있는데 이러한 각 공정은 목표수질에 따라 적절하게 조합하여 사용하며, 이와 같은 고도처리공정을 통하여 이차 처리수 중 부유물, 영양염류, 미량유기물, 무리염류 및 색도 등을 제거

2. 고도처리의 필요성

미처리된 질소와 인이 방류되면 하천 및 호소에서의 부영양화가 심화되어 상수원 오염으로 수자원을 오염시킨다. 따라서 이러한 질소와 인을 처리하기 위한 고도처리시설의 설치가 필수적이며 하수처리장 방류수 수질기준 항목에 질소와 인을 추가하여 규제를 강화하고 있다.

3. 고도처리의 개념과 TN, TP 생물반응조

1) 과거의 국내 하수처리시설의 대부분은 유기물 제거에 목적을 둔 활성슬러지공법으로 설계, 시공되어 운전 중에 있으며 활성슬러지법은 BOD, SS 등을 90% 정도 제거하는 반면에 질소와 인은 일반 호기성 미생물 구성성분에 의해 제거되어 질소는 10~30%, 인 10~30% 정도만이 제거된다.
2) 근래에는 대부분의 하수처리시설을 개량하여 본처리로 A_2O, SBR, MBR 등을 적용하여 질소와 인을 생물학적으로 처리하고 있어서 과거의 고도처리라는 개념보다는 TN-TP 생물반응조라는 개념이 더 알맞은 편이다.

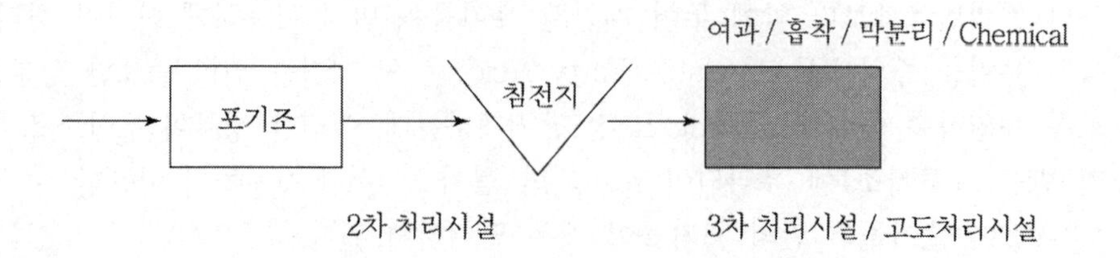

4. 질소와 인의 영향

질소와 인이 미처리되어 하천과 호소로 방류되면 조류의 성장을 촉진시켜 잠재적인 COD 유발원인이 되고 질소에 의한 산소 소모량이 매우 커져서 용존산소를 소비한다.

1) 부영양화 원인물질별 오염부하 정도

부영양화의 원인물질은 탄소, 질소와 인 같은 영양물질이다. 이들 영양물질이 미처리되어 방류되는 경우에 녹조류를 생산시켜 유발되는 CODcr의 잠재력을 상대적으로 비교하여 보면 다음과 같다.

질소 1kg → CODcr 16kg 유발

인 1kg → CODcr 120kg 유발

방류수의 인을 1mg/L로 방류시킬 경우 $1m^3$당 약 120kg CODcr의 유발가능성이 있다. 따라서 질소와 인 등의 영양물질 제거가 필요하다.

2) 질소에 의한 영향

(1) 질소는 다음 과정을 통하여 질산화된다.

$NH_4 + 2O_2 \rightarrow 2H + H_2O + NO_3$

(2) 이때 질소 1g의 질산화($NH_4-N : 2O_2 = 14 : 64$)를 위해서는 약 4.6g의 산소가 필요하며 알칼리도 7.1g이 소모된다.

(3) 예를 들어, 방류수에 BOD 10mg/L, NH_4-N 10mg/L이 배출될 때 이를 제거하기 위한 산소소모량은

→BOD 제거를 위한 산소량 : $10 \times 1.72 = 17.2$mg O_2/L

→NH_4-N 제거를 위한 산소량 : $10 \times 4.6 = 46$mg O_2/L

질소 제거를 위한 산소소요량이 BOD 제거를 위한 산소소요량의 약 3배 정도이다. 질소의 제거는 방류 하천의 산소소모를 막기 위하여 반드시 고려되어야 한다.

3) 인에 의한 영향

우리나라의 호소는 N/P비가 16 이상인 경우에는 P(인)만 제거대상에 포함시키도록 환경기준에 명시되어 있다. 대부분의 호소의 N/P가 16 이상이므로 사실상 인이 제한요소가 된다. 따라서 부영양화 방지를 위해서는 인을 제거하여야 한다. 인에 대한 배출허용기준은 청정지역은 1mg/L 이하로 가, 나 지역과 특례지역은 2mg/L 이하로 제한하고 있다.

5. 주요 고도처리공법의 구분

구분	처리공법	처리대상
물리적 처리	마이크로스트레이닝 여과 암모니아탈기 역삼투	부유물질, 조류 부유물질 암모니아성 질소 용존성 고형물질
화학적 처리	응집침전-여과 활성탄 흡착 염소처리 포기조에 응집제 첨가 오존처리 이온교환	난분해성 유기물, 인 난분해성 유기물, 색도 세균, 유기물, 색도 인 난분해성 유기물, 세균, 색도 암모니아성 질소, 중금속
생물학적 처리	생물학적 질산화 탈질 생물학적 탈인 생물학적 탈질, 탈인 산화지	질소 인 질소, 인 질소, 인

6. 고도처리 공정 설계

고도처리 공정 구성은 목표로 하는 수질에 따라 적당히 조합하여 사용

1) 석회응집 - 질산화 - 탈질 - 탈인 - 여과 - 염소살균
2) 석회응집 - 암모니아 탈기 - 재탄화 - 여과 - 활성탄흡착 - (역삼투)
3) 응집제주입활성슬러지법 - 질산화 - 탈질 - 염소살균
4) 응집침전 - 여과 - 파괴점염소주입 - (활성탄흡착)
5) 응집침전 - 여과 - 활성탄흡착
6) 응집침전 - 여과 - 파괴점염소주입 - 활성탄흡착
7) 응집침전 - 여과 - 오존산화 - 활성탄흡착

7. 질소제거 고도처리

1) 물리 · 화학적 처리방법

(1) 파괴점 염소주입(Breakpoink Chlorination)

파괴점 염소주입 공정은 폐수에 파괴점 이상으로 염소를 주입하여 암모니아성 질소를 산화시켜 질소 가스나 기타 안정된 화합물로 바꾸는 공정

① 충분한 염소를 주입하기 전에 유기물질 등과 같이 쉽게 산화되는 물질을 우선적으로 산화시켜야 하며, 산화되기 쉬운 유기물질 등이 존재하면 염소는 일차적으로 이들과 반응하고 이차로 암모니아와 반응하게 되므로 제거효율이 극히 낮아짐

② 수중의 암모늄염은 염소와 반응하여 다음 반응식과 같이 질소가스로 변환

$$3Cl_2 + 2NH_4^+ \rightarrow N_2\uparrow + 6HCl + 2H^+$$

③ 실제로 암모니아성 질소 1mg을 제거하는 데 약 7.6mg의 염소가 필요하며 반응 중에 생성된 산성화합물들을 중화하기 위하여 가성소다, 석회석 등의 투입이 필요

④ 이 반응은 총 용해성 유기물질과도 반응하므로 운전비용이 과다하게 소요되나 본 처리방법의 가장 중요한 장점 중의 하나는 적절하게 운전될 경우 폐수 내의 암모니아성 질소를 산화시켜 거의 완벽하게 제거(단, NO_3-N 및 NO_2-N은 본 처리방법으로는 제거되지 않음)

(2) 암모니아 탈기법(Ammonia Stripping)

암모니아 탈기는 폐수에 공기를 주입하여 암모니아의 분압을 감소시키면 암모니아가 물로부터 분리되어 공기 중으로 날아가는 현상을 이용한 공정

① 폐수 중 암모니아 탈기를 위해서는 석회석 등을 첨가하는 방법으로 pH를 10.5~11.5로 높여 암모늄(NH_4^+)형태가 아닌 자유암모니아(Free Ammonia : NH_3)로 변화시킨 후 폐수에 다량의 공기(암모니아가 없는 공기)를 접촉시켜야 함

② 석회석을 첨가하므로 종종 인산염도 처리되는 효과를 나타내지만 Organic $-N$, NO_2-N, NO_3-N는 처리되지 않음

③ 본 처리방법은 따뜻한 계절에는 유입되는 암모늄을 90%를 제거하는 처리효율을 보이지만 추운 계절에는 제거효율이 극히 저하되며 결빙 시에는 운전이 불가능해지고 특히 탈기탑에서 탄산칼륨의 스케일이 형성되어 처리효율을 저하시키는 문제점이 있음

(3) 선택적 이온교환법

폐수 중 암모늄염을 제거하는 선택적 이온교환법은 암모늄 이온에 높은 감수성을 나타내는 천연 제올라이트인 Clinoptilelite Column을 통과시킴으로써 암모늄 이온을 제거하는 방법

① 본 처리방법은 처리수의 수질관리가 용이한 반면에 여과 등 전처리의 필요성이 있고, 이온교환 매질의 수명이 불투명하고 복잡한 재생과정 때문에 활용성이 제한되는 편이다.

② 암모니아 제거효과는 90~97%에 달하는 높은 제거효율을 나타내지만 이 역시 다른 공정과 마찬가지로 질산염, 아질산염, 유기질소 등은 제거되지 않는 편이다.

(4) 기타 처리방법

① 여과처리는 유기질소를 제거하는 데 높은 효과를 나타내며 전반적으로 부유성 유기질소의 처리에 효과적이나 대부분 질소화합물이 암모니아성 질소인점을 고려한다면 TN 처리효율에 있어 그렇게 높은 효과를 나타내지 못한다.

② 활성탄 흡착법은 미량의 난분해성 및 유기물질을 제거하기 위하여 이용하는 처리공정이지만 역시 유기질소 화합물도 제거되나 TN 처리효율을 평가하면 비효과적이다.

③ 전기투석과 역삼투 처리법은 용해성 고형물질을 제거하는 고도처리공정으로 이용되지만 암모늄염이나 질산염도 효과적으로 제거된다. 전기투석법은 이들 질소화합물의 약 40%가 제거되며 역삼투법은 약 80%가 제거되나 이 처리공정은 도시하수 처리에 적용하기에는 여러 가지 문제점이 있다.

2) 생물학적 처리방법 : 질산화 및 탈질산화 방법

(1) 질산화(Nitrification) - 호기상태

단백질함유 폐 · 오수는 가수분해하여 Amino Acid가 되고 호기성균인 질산화균에 의해 NH_3N, NO_2-N, NO_3-N로 되는데 이것을 크게 2단계로 구분하면 NO_3-N이 아질산균에 의해 NO_2-N이 질산에 의해 NO_3-N이 되어 안정화함

(2) 탈질산화(Dinitrification) - 혐기상태

질산화반응의 반대로 NO_3-N이 혐기성균에 의해 $NO_2-N \rightarrow N_2$로 환원되는 것

8. 인 제거 고도처리

질소 제거와 마찬가지로 하 · 폐수의 인 제거를 위해 사용되는 공정은 물리화학적 방법과 생물학적 방법으로 구분한다.

1) 화학적 처리에 의한 인 제거

(1) 인의 제거를 위해 금속염 등의 응집제를 투여하여 응집 · 침전 제거하는 화학적 처리방법은 제거효율이 높아 비교적 많이 이용되어 왔으나 화학적 처리법은 첨가약품 비용과 발생된 슬러지의 처리비용이 상당히 높은 단점이 있다.

(2) 하 · 폐수처리 공정에서 화학적 탈인법으로 가장 널리 사용되고 있는 응집제로 알루미늄염과 철염의 금속염에 의한 처리방법이 가장 많이 이용

(3) 알루미늄 화합물 첨가법

알루미늄은 다음과 같이 인과 반응하여 불용성 침전물을 형성

$$Al^{3+} + PO_4^{3-} \rightarrow AlPO_4 \downarrow$$

- 용해상태의 Al^{3+}은 OH^-와 반응하여 Hydroxo Complex와 같은 $Al(HO)_3$의 침전물을 형성하기 때문에 $Al_2(SO_4)_3$, $NaAlO_2$ 또는 PAC(Poly Aluminium Chlroride) 등이 응집제로 많이 사용
- 수용액에서 알루미늄은 Al^{3+}뿐만 아니라 용액의 pH에 따라서 $Al(OH)_2^+$, $Al(OH)_4^-$, $Al_2(HO)_2^{4+}$ 등의 다양한 형태를 가지므로 pH는 중요한 변수로 작용
- 또한 인의 일부는 $AlPO_4$ 외에 Aluminium Hydroxy-phosphate($Al_x(OH)_y(PO_4)_z$) 형태의 침전물로 제거된다. 적정 주입 약품량은 유입수의 인의 농도와 처리수의 배출 허용기준에 의해 결정

(4) 철화합물 첨가법

- 일반적으로 사용되는 응집제는 $FeCl_2$, $FeCl_3$, 및 $FeSO_4$, $Fe_2(SO_4)_3$ 등의 철화합물이 있으며 철염은 Fe^{3+} 및 Fe^{2+}형태로 다음 반응식과 같이 인과 결합하여 $FePO_4$, $Fe_3(PO_4)_2$ 형태의 침전물을 형성되어 인을 제거

$$Fe^{3+} + PO_4^{3-} \rightarrow FePO_4 \downarrow$$

$$3Fe^{2+} + 2PO_4^{3-} \rightarrow Fe_3(PO_4)_2 \downarrow$$

- Fe^{3+}는 Al^{3+}와 마찬가지로 수용액에서 $Fe(OH)_2^+$, $Fe(OH)_4^-$, $Fe_2(OH)_2^{4-}$ 등의 다양한 Hydroxo Complex를 형성하고 침전물로는 $Fe(OH)_3$뿐만 아니라 $Fe(OH)_2$, $FeCO_3$, ($Fe_x(OH)_y(PO_4)_z$) 등을 형성하므로 중간 생성물의 역할도 무시할 수 없음
- 이 역시 알루미늄 화합물 첨가법과 같이 약품 적정 주입량은 유입수의 인의 농도와 처리수의 배출허용기준에 의해 결정

2) 생물학적 처리에 의한 인 제거

인은 생물의 성장에 필요한 필수 영양소이기 때문에 생물학적 하·폐수처리 과정에서 일부가 제거되나 세포의 주성분 중 인의 비중이 낮기 때문에 효과적인 인 제거를 기대하기 어려우며 일반적인 활성슬러지 공정을 통해 제거되는 인의 양은 0.5~1mg/L 정도에 불과하다.

(1) 생물학적 탈인 방법은 활성슬러지가 혐기상태에서 인을 방출하고 호기상태에서 인을 과잉 섭취하는 원리를 응용하여 하·폐수 중 인을 제거하는 것이다.

(2) 혐기과정에서 인이 방출되고 호기과정에서 인이 과잉 섭취되는 과정은 매우 복잡하여 아직 이론상 정립되지 못한 단계이지만 대체적으로 Acinetobacteria가 중요한 미생물로 작용하며 혐기성 상태에서 유기물이 PHB(PolyHydroxy-butyrate) 형태로 미생물의 세포 내에서 저장될 때 세포 내에 있던 Poly phosphate(다중인산염)가 Orthophosphate로 변화되면서 방출되며 호기성 상태에서는 축적된 유기물이 산화 분해되면서 인이 과잉 섭취(Luxury Uptake)되므로 잉여슬러지로서 인을 제거

(3) 인의 과잉섭취를 이용한 혐기-호기법에 의한 생물학적 인 제거공정으로서는 Phostrip 공정을 시초로 Bardenpho, UCT 공정 등이 개발되어 있다. 또한 혐기·호기법에 의한 유기물 제거효율은 표준활성슬러지법에 비하여 낮지 않으며 슬러지 침강성도 저하되지 않는다.

9. 고도처리 공정 선정 시 고려사항

고도처리 공정을 도입하기 위해서는 처리 대상 하수의 성상에 맞는 공정을 선정하고 생물학적 방법과 화학적 방법을 비교하며, 질소와 인을 동시에 제거할 것인지 그 중 하나만을 제거할 것인지 등에 따라 경제적이고 효율적인 공정을 선정하여야 한다.

- BNR(Biological Nutrient Removal) Process : 생물학적 질소·인 제거 공정
- BPR(Biological Phosphorus Removal) Process : 생물학적 인 제거 공정
- CPR(Chemical Phosphorus Removal) Process : 화학적 인 제거 공정

1) 적용 하수 성상에 적합한 공정이어야 한다.
일반적인 하수는 유입 BOD가 100mg/L 정도이므로 이에 맞는 공정을 선정

2) 하수처리장 설계 시 하수관거와 연계하여 공정을 결정한다.
하수가 어떤 식으로 유입되느냐 하는 체류시간과 온도 등에 따라서 유기물질(Sa, Sf)이 달라지므로 이에 알맞은 Process 적용

3) 장래 수질 예측을 과다하게 하지 않는다.
현재 유입 BOD 100mg/L, 장래 150mg/L 정도로 예측하여 설계하고 있으나 앞으로 환경 보호의식의 변화 등으로 수질이 개선될 가능성이 커서 고농도로 설계 시 저농도 하수에서의 운전조건을 고려하여 설계한다.

4) 인 제거 미생물(PAOs)을 성장시켜 정상적으로 처리하기 위해서는 최소 3개월에서 6개월까지 안정화 기간이 소요되므로 시운전기간을 충분히 확보하도록 한다.

10. 향후 고도처리 적용 추세

1) 고도처리는 좁은 국토에 높은 인구밀도로 수계의 환경용량이 적은 우리나라에서 자연적인 생태계 유지가 곤란하여 필연적으로 적용해야 할 방지 시설물이나 좀 더 효율적이고 지속 가능한 공법으로의 많은 과제를 안고 시행되고 있다.
2) 하수관거 및 하수처리시설 정비사업과 병행하여 고도처리 갱신 사업이 실행되어야 하며
3) 현장에 맞는 실용적인 고도처리공법을 선정해야 하고 화학적인 방법보다 생물학적인 친환경적 공법을 적용하여 경제적이면서도 유지관리 비용을 최소화하고 수생태계를 안정적이고 지속 가능하게 보호할 수 있도록 고도처리시설을 확충해 나가야 할 것이다.

12 | 고도처리에 관여하는 미생물의 종류를 설명하시오.

1. 개요

질소·인 제거 공정에 관여하는 미생물은 유기물 제거미생물, 질산화미생물, 탈질미생물, 인제거미생물 등이 있으며 이들은 서로 서식조건이 다른 경쟁적 공생관계에 있다. 따라서 제거하려는 물질에 따라 해당 미생물이 선택적 우위에 있도록 환경조건을 조성하여야 한다.

2. 미생물의 분류

1) IAWQ Model에서 분류한 미생물종은 다음과 같다.

미생물 종류	표기(명명)	특성
유기물 제거 미생물	X_H(Heterotrophs)	유기물 섭취, DO 필요
질산화 미생물	X_{AUT}(Autotrophs)	DO 필요
인 제거 미생물	X_{PAO}(Phosphorus Assimul-ating Organisms)	유기물 섭취, DO필요(혐기조건에서 인 방출, 호기조건에서 인 흡수)
탈질 미생물	X_{DN}(Denitrification)	유기물 섭취, DO 없어야 함

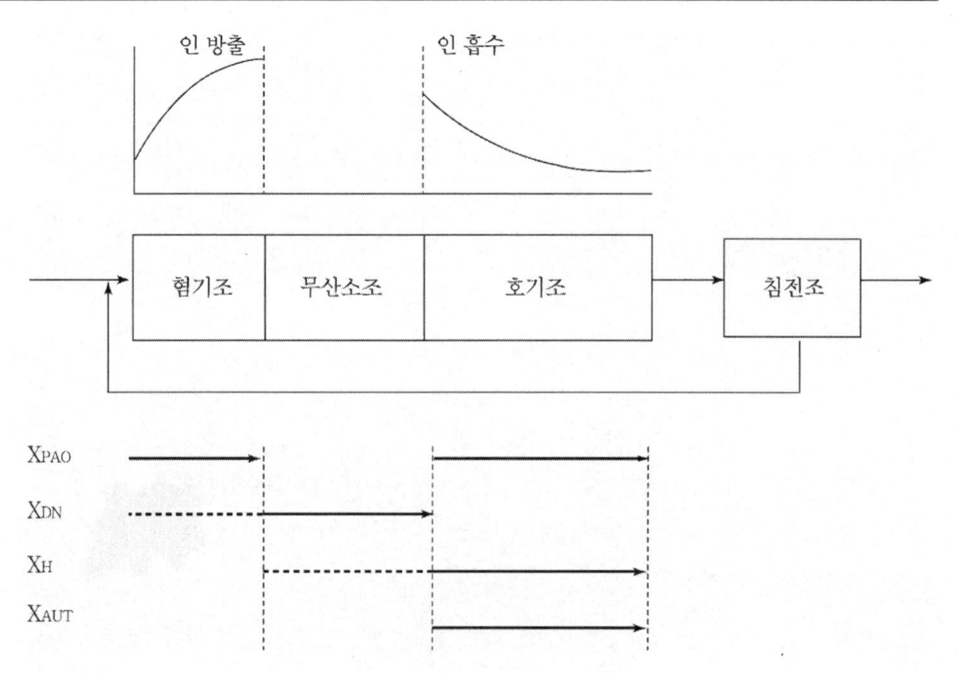

2) 반응조 별 특징
   (1) 혐기조(Anaerobic Selector) : 용존산소가 없다, 질산성질소 농도 0.5mg/L 이하
   (2) 무산소조(Anoxic Selector) : 용존산소가 없다, 결합산소 존재, 질산성질소 농도 0.5mg/L 이상
   (3) 포기조(Aerated selector) : 산소/공기 주입, DO 농도 2.0mg/L 이상
   (4) 호기조(Oxic selector) : 산소/공기 주입, DO 농도 2.0mg/L 이상

3) 반응조 내에는 여러 종류의 미생물이 존재하며 이들의 우열 관계는 대략 X_H(유기물 제거 미생물) > X_{DN}(탈질미생물) > X_{PAO}(인 제거 미생물)이므로 제거하고자 하는 대상 물질에 따라 반응조의 위치를 결정한다.
   즉 질산성질소의 존재는 인 제거를 어렵게 하기 때문에 인 제거를 위해서는 질소 제거가 선행되어야 한다.

4) 보통 반응조의 조합 시 혐기조를 가장 앞에 두는 이유
   인 제거 미생물의 생존환경이 가장 취약하므로 유입수의 한정된 유기물(특히 VFA)에서 유기물 섭취에 최적조건을 부여하기 위해서이다. 또한 호기조 체류시간이 길어지면 호기조에서 질산화 되어 질산성 질소가 혐기조에 유입되면 인 제거에 영향을 준다.

5) 반송슬러지의 질산성질소 때문에 탈질미생물이 혐기조에서도 반응하여 인 제거 미생물에 VFA를 공급하는 데 방해가 되므로 반송슬러지의 질산성질소를 제거하는 공법들(UCT, MUCT, VIP)이 개발되어 있다.

6) 고도처리의 모든 공법들은 위와 같은 미생물 X_H, X_{DN}, X_{PAO}들의 환경 조건을 최적화하기 위한 내부순환의 다양한 조합인 것이다.

3. 유기물의 분류

국내 하수(CODcr 200mg/L 기준)의 평균적인 기질 분포는 다음과 같다.

1) Sa : Substrate Acetic Acid(20~35mg/L) → 미생물들이 아주 잘 섭취한다.
2) Sf : Substrate Fermentable(20~30mg/L) → 미생물들이 잘 섭취한다.
3) Xs : Slowly(70~90mg/L) → 덩어리 형태, Enzyme 형태로 분해
   → Sa, Sf 형태로 가수분해 된다.
4) Xi : Inert(25mg/L) → BOD와 관계없으며, 단지 MLSS에 영향 미침

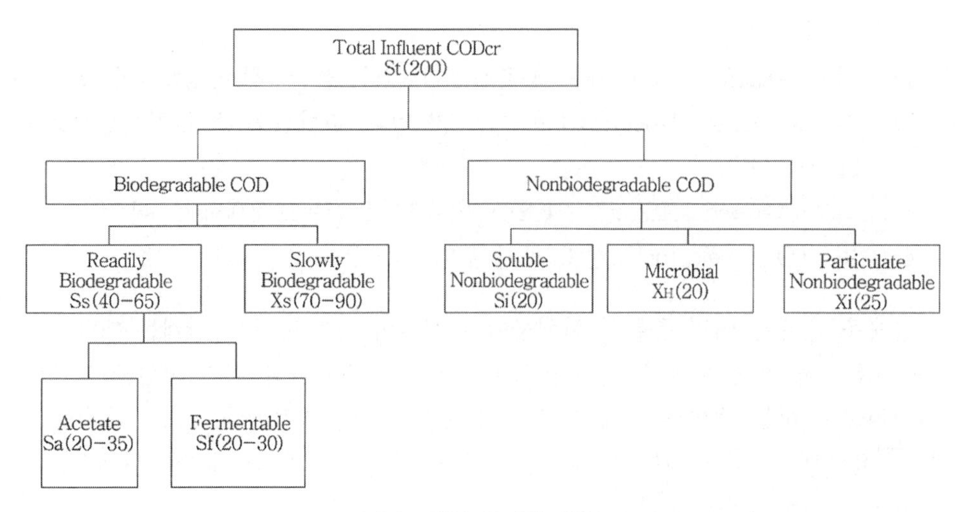

COD 기준 유기물 분류

4. 미생물과 유기물의 관계

1) 분해되기 쉬운 순서 : Sa > Sf > Xi

2) X_{AUT}(질산화미생물)는 먹이가 다르므로 다른 나머지 미생물과의 먹이 경쟁은 없음 → DO만 경쟁

3) X_H(유기물제거 미생물), X_{PAO}(인 제거 미생물), X_{DN}(탈질 미생물)는 유기물 경쟁 관계 : 유기물이 충분히 많으면 모두 잘 자람

4) 인 제거 미생물의 경쟁력이 가장 낮으므로 인 제거 시에는 인제거미생물이 성장할 수 있도록 환경을 설정해야 함

5) 만일 질소 제거에 주안점을 두고 인은 약품으로 처리 시에는 X_{DN}(탈질미생물)이 가장 중요함. 그러나 Chemical이 비싸므로 생물학적 질소, 인 동시 제거 공정 적용이 당연함

6) Sa, Sf는 하수관거 내에서도 생성 가능하므로 공정 설계 시 관거와 BNR을 동시 고려하는 것이 타당함

7) 결론적으로 인 제거 미생물에 Sa를 전달시키는 것이 가장 중요함

8) Sa가 많을 경우 혐기조 체류시간은 10~20분 정도 소요. 단시간에 인 방출 분해가 어려운 물질이 많은 경우 소요시간이 길어지면서 유기물 소모 경사가 완만함(이 경우도 1시간 이상 정도면 충분)

5. 미생물의 동력학계수

1) X_H(유기물 제거 미생물), X_{DN}(탈질 미생물)의 증식 속도가 빠르다.
2) X_{AUT}(질산화 미생물)에 맞게 SRT 설정하여 유지하면 X_{PAO}(인 제거 미생물)는 자동적으로 자람. 단 X_{PAO}에 독성을 주는 질산성질소를 반드시 제거

※ 무산소 상태

탈질 반응 시 탈질균은 유기물을 산화 분해할 때 발생하는 전자의 최종수용체(Terminal Electron Acceptor)로서 산소를 이용하는데 산소가 부족하거나 없는 상태에서는 Anoxic 호흡을 하며 이때는 최종 전자수용체로서 NO_3^-, SO_4, PO_4, 등을 이용한다. 이와 같이 용존산소가 없고 화학적으로 결합한 형태의 산소만이 존재할 때를 혐기성상태(Anaerobic)와 구별하기 위해 무산소상태(Anoxic)라고 한다.
Anoxic 상태에서 산소의 존재는 통성혐기성 미생물의 호흡에서의 산소작용을 억제하게 되는데, 이것은 최종 전자수용체로서 화학적으로 결합된 산소보다는 용존산소를 이용할 때 훨씬 더 많은 에너지가 발생하므로, 통성혐기성 미생물들이 용존산소를 더 선호하기 때문이다. 따라서 탈질을 위해서는 용존산소(분자상산소)가 존재하지 않아야 한다.

13 | 고도처리공법의 종류 및 특징을 설명하시오.

1. A/O 공법

1) 개요

본 공법은 혐기조와 호기조로 구성되며 반송슬러지가 유입수와 함께 혼합되어 혐기성 상태의 혐기조(Anaerobic Tank)로 유입된다. 시스템이 간단하여 운전이 용이하나 질소 제거가 어려운 편이다.

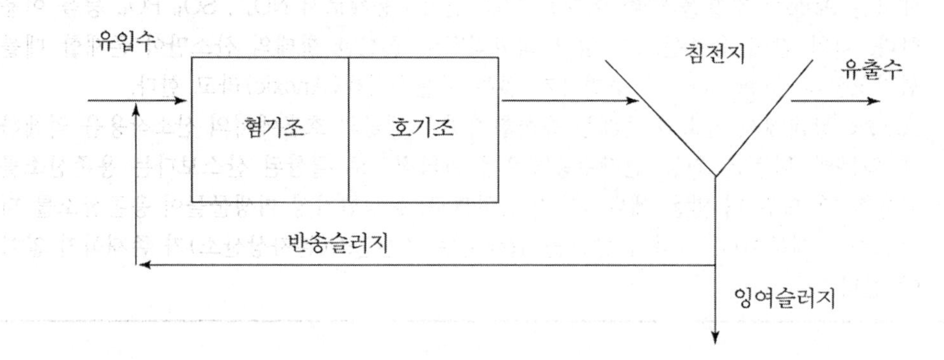

2) 원리

혐기조에서는 인 제거 미생물에 의하여 유입수의 유기물을 세포 내로 흡수하면서 세포 내의 인을 방출한다. 혐기조에서 인 방출이 이루어지고 호기성 상태의 호기조로 유입되면 유기물의 제거와 인의 제거가 이루어지게 된다. 이때 인은 미생물의 세포 합성에 필요한 양 이상으로 과잉으로 미생물에게 흡수 제거(Luxury Uptake)된다.

3) 특성

본 공법은 혐기조로 질산성질소(NO_3)가 유입되면 인의 제거 효율에 영향을 미치므로 슬러지반송률이 낮으며(10~30%) 호기조에서 질산화가 발생되지 않게 하기 위하여 SRT를 짧게 운전하여야 한다. 또한 고부하로 운전(F/M : 0.2~0.7 kg/kg.d) 하며 슬러지발생량이 다소 많다.

4) 설계인자

- SRT 2~5days
- HRT 1.5~4.5hrs(혐기조 0.5~1.0, 호기조 1~3시간)
- F/M 0.2~0.7kg/kg · d, MLSS 2,000~6,000mg/L, 슬러지반송률 10~30%

5) 장단점

(1) 장점

- 운전이 간단하고 슬러지 내의 인의 함량이 높아 비료로 이용 가능하다.
- HRT가 짧다.
- 사상미생물에 의한 슬러지 벌킹을 억제하는 효과가 있다.

(2) 단점

- 질소제거율이 낮다.(10~30%)
- 짧은 체류시간의 고부하 운전을 위하여 고율의 산소전달이 필요하다.

6) 설계 및 운전 시 고려사항

슬러지 처리시설에서 잉여슬러지가 혐기성 상태로 되면 미생물 내에 함유된 인이 재방출되어 반류수의 인부하에 의하여 처리수의 인 농도가 증가될 수 있다. 따라서 슬러지 처리시설에서 인의 재방출을 방지할 수 있는 대책을 수립하여야 한다.

2. MLE(Modified Ludzark Ettinger) 공법

1) 개요

A/O 공법이 혐기조와 호기조에 의한 인제거가 특징이라면 본 공법은 생물학적으로 질소를 제거하기 위하여 무산소조와 호기조를 조합하고 내부 순환을 추가한 것이다.

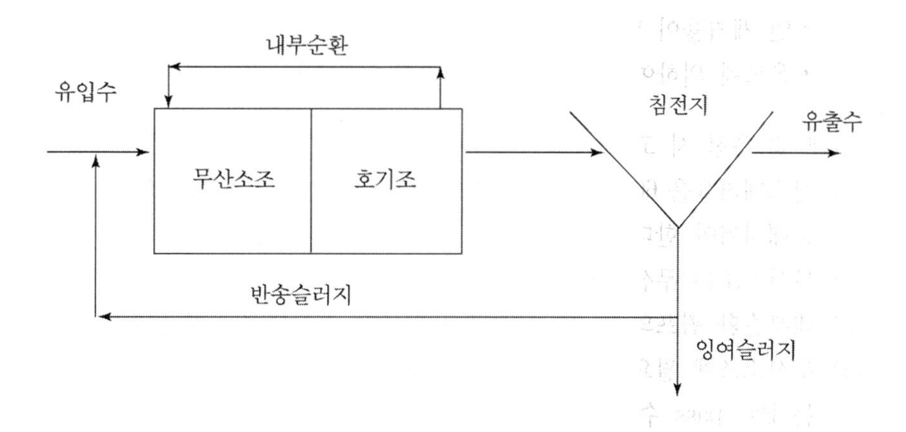

2) 원리

무산소조에서는 유입하수의 유기물을 이용하여 호기조에서 반송되는 질산성 질소를 제거한다. 호기조에서는 유기물 제거와 질산화를 통한 암모니아성 질소를 질산성 질소로 전환시키는 기능을 수행한다. 질산화를 발생시키기 위하여 SRT를 길게 유지시켜야 한다.

3) 특징

무산소조를 호기조 앞에 위치하는 것은 유입하수의 유기물 중 쉽게 분해 가능한 유기물 등을 통하여 탈질 반응 시에 충분한 효율을 유지하기 위함이다.
이 공법은 하수 중의 유기물의 일부가 탈질반응 시 이용되기 때문에 질산화 촉진형 활성슬러지법에 비하여 산소공급량이 적어지게 된다.

4) 설계인자

- SRT 10~20days
- HRT 7.0~10.0hrs(무산소조 2.0~4.5, 호기조 4.0~5.5 시간)
- F/M 0.2~0.4kg/kg · d, MLSS 2,000~3,500mg/L, 슬러지반송률 20~50%
- 내부순환율 100~300%

5) 장단점

(1) 장점

- 운전이 쉽다.
- 질소제거율이 높다.
- 슬러지발생량이 작다.

(2) 단점

- 체류시간이 다소 길다.
- 인 제거율이 낮다.(10~30%)
- 온도에 의하여 질산화 효율이 영향을 받는다.

6) 설계 및 운전 시 고려사항

(1) 질소제거율을 60~70% 정도로 유지하기 위하여서는 활성슬러지법보다 용량을 증대시켜야 한다.
(2) 무산소조는 무산소상태(DO 농도 0.5mg/L 이하)가 유지되도록 한다.
(3) 내부순환 펌프의 선정 시 저양정 펌프를 선정하여 동력을 절감하도록 한다.
(4) 무산소조에 필요한 유기물을 확보하기 위하여 유입수가 일차침전지를 우회하는 By-pass 수로를 설치한다.

3. A_2/O 공법

1) 개요

본 공법은 생물학적으로 질소와 인을 동시에 제거하기 위하여 MLE 공법 앞에 혐기조를 추가한 것으로 혐기-무산소-호기를 조합한 공정이다.

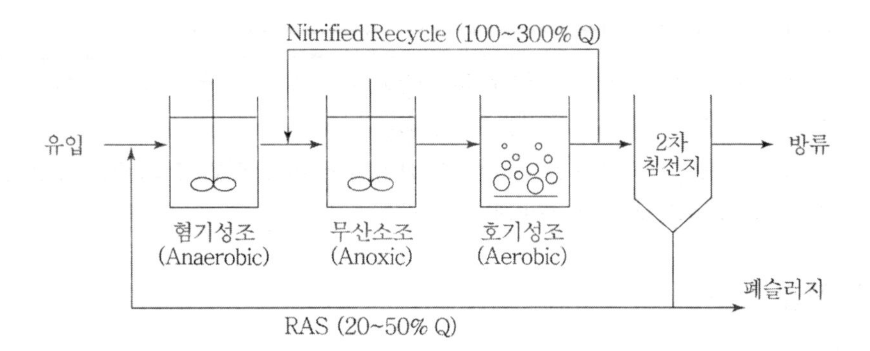

2) 원리

인을 제거하기 위하여 혐기-호기 조건을 반복시키고, 질소를 제거하기 위해서는 호기조에서 질산화를 선행시킨 뒤 무산소조로 내부 순환시키는 공법으로 혐기조에서 인을 방출시키고 호기조에서는 미생물에 의하여 인을 과잉 섭취하여 제거하고, 질산화된 내부 순환수는 무산소조에서 탈질반응에 의하여 질소가스로 제거한다.

3) 특징

(1) 본 공법의 가장 중요한 설계 및 운전인자는 SRT를 길게 운전하여 질소 제거율을 향상시키면서 인 제거율을 향상시키기 위해서는 SRT를 짧게 유지하여야 한다.

(2) 이러한 상호 모순되는 SRT 인자를 적절히 유지하여 질소와 인을 동시에 효율적으로 제거하여야 한다.

(3) 반송슬러지 내 질산성 질소로 인하여 혐기조에서 인의 방출에 방해가 없도록 반송 슬러지율을 최소한으로 운전하며 반대로 내부순환율은 높게 유지하여야 한다.

4) 설계 및 운전인자

- SRT 5~20days, F/M 0.15~0.25kg/kg · d
- HRT 5.0~8.0hrs(혐기조 1.0~1.5, 무산소조 1.0~2.0, 호기조 3.0~4.5 시간)
- MLSS 2,000~5,000mg/L, 슬러지반송률 20~50%, 내부순환률 100~300%

5) 장단점

(1) 장점

생물학적으로 질소와 인을 동시에 제거한다.

(2) 단점

- 반송슬러지 내의 질산성 질소로 인하여 인의 제거율이 낮다.
- 내부순환율이 높다.

6) 설계 및 운전 시 고려사항
(1) 도시하수의 경우 탈질을 위한 외부탄소원이 필요한 경우 알칼리제나 메탄올 같은 외부 탄소원 주입설비를 설치한다.
(2) 슬러지 처리시설에서 잉여슬러지가 혐기성 상태로 인한 인의 재방출을 방지할 수 있는 대책을 수립하여야 한다.

4. UCT 공법

1) 개요

본 공법은 A_2/O 공정의 단점인 반송슬러지 내의 질산성 질소가 혐기조로 유입되어 인의 방출기작이 방해받는 것을 보완하기 위하여, 반송슬러지를 무산소조로 반송시키는 공법이다.

2) 원리

호기조의 질산화된 것을 1차 반송(NRCY)하여 무산소조에서 탈질반응에 의하여 질산성 질소를 제거시킨 후에 혐기조로 다시 2차 내부순환(ARCY) 반송하여 인 제거율을 높인다. 따라서 A_2/O 공정보다는 향상된 인 제거율을 유지할 수 있다. SRT는 10~30일 정도로 유지하며 체류시간은 10시간 정도이다.

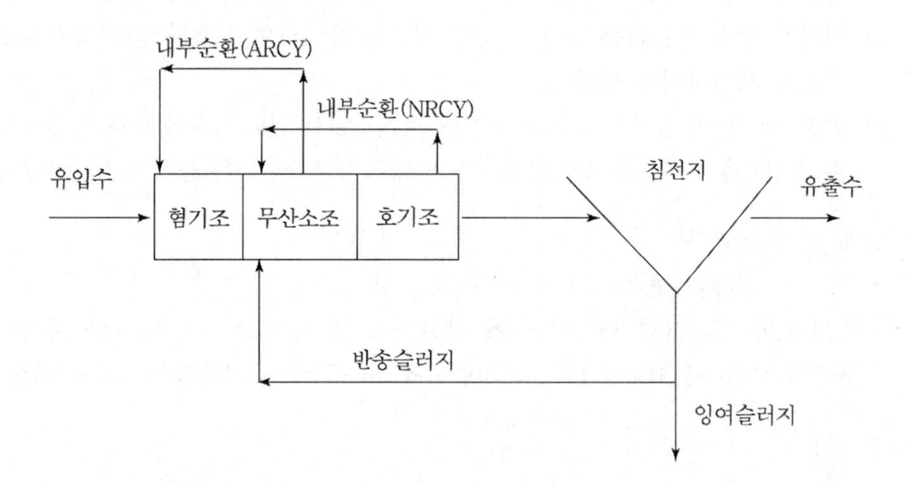

3) 설계 및 운전인자
- SRT 10~30days, HRT 10hrs
- F/M 0.1~0.2kg/kg · d, MLSS 2,000~4,000mg/L
- 슬러지반송률 50%, 제1순환(NRCY) 100~200%, 제2순환(ARCY) 100~200%

4) 장단점

(1) 장점 : 반송슬러지 내의 질산성질소를 제거하여 혐기조의 인방출률 향상

(2) 단점 : 내부순환 2번(NRCY, ARCY)으로 유지관리비 증가 및 운전의 복잡

5. MUCT 공법

1) 개요

본 공법은 A_2/O 공법의 단점인 반송슬러지에 의한 혐기조의 영향을 줄이기 위하여 UCT 공정을 보완한 반송슬러지는 제1무산소조로 유입시켜 탈질시킨 후에 혐기조로 반송(ARCY)시켜 미생물을 공급시키며, 호기조 혼합액의 반송(NRCY)은 제2무산소조로 유입시켜 탈질반응에 의하여 질산성 질소를 질소가스로 제거하는 것이다.

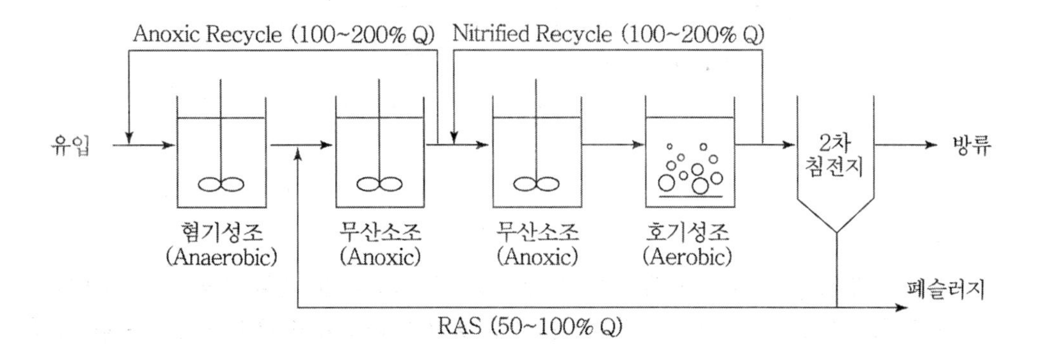

2) 원리

MUCT 공법에서는 무산소조를 2개로 분리하여 처음의 제1무산소조는 반송슬러지 내의 질산성 질소 농도를 낮추는 역할만 하며, 제2무산소조에서는 호기조에서 반송된 질산성 질소를 탈질시켜 전체의 질소 제거를 향상시키는 역할을 한다.

3) 설계 및 운전인자

- SRT 10~20days, HRT 6~8hrs
- F/M 0.1~0.2kg/kg · d, MLSS 2,000~4,000mg/L
- 슬러지반송률 50%, 제1순환(NRCY) 100~200%, 제2순환(ARCY) 100~200%

4) 장단점

(1) 장점 : 다른 생물학적 질소, 인 동시 제거 공정보다 인 제거율이 높다.

(2) 단점 : 2번의 내부순환으로 유지관리가 복잡하고 동력비가 많이 소요된다.

6. VIP 공법

1) 개요

본 VIP 공법은 UCT, MUCT 공법과 유사하게 반송슬러지를 무산소조로 보내어 질산성 질소를 제거한 후에 혐기조로 다시 반송시키는 시스템이다.

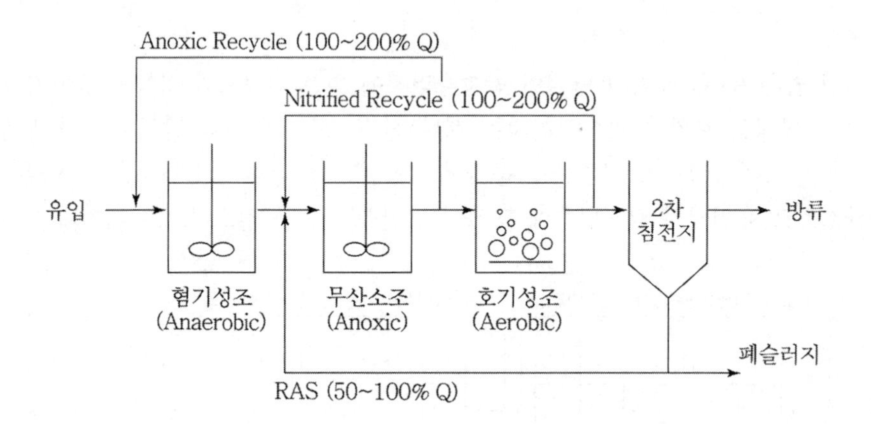

2) 원리

UCT 공법과의 차이점은 혐기조, 무산소조, 호기조를 한 개의 반응조를 사용하지 않고 최소한 2 개 이상 사용하여 첫 번째 호기조에서 유입 유기물의 농도를 높게 유지하여 인의 흡수속도를 증가시키는 것과 고율로 운전하여 활성미생물량을 증가시켜 반응조의 크기(체류시간)을 감소시킨 것이다.

3) 설계 및 운전인자

- SRT 5~10days, HRT 6~8hrs
- F/M 0.2~0.5kg/kg · d, MLSS 2,000~4,000mg/L

3) 장단점

짧은 체류시간으로 질소와 인을 비교적 효율적으로 제거하나 운전이 복잡하다.

7. Bardenpho 공법

1) 개요

본 Bardenpho 공법은 유기물의 농도가 높은 경우(BOD 200mg/L 정도)에 혐기-무산소-호기-무산소-호기 공정으로 24시간 정도의 긴 체류시간으로 질소와 인을 제거하는 공법이다.

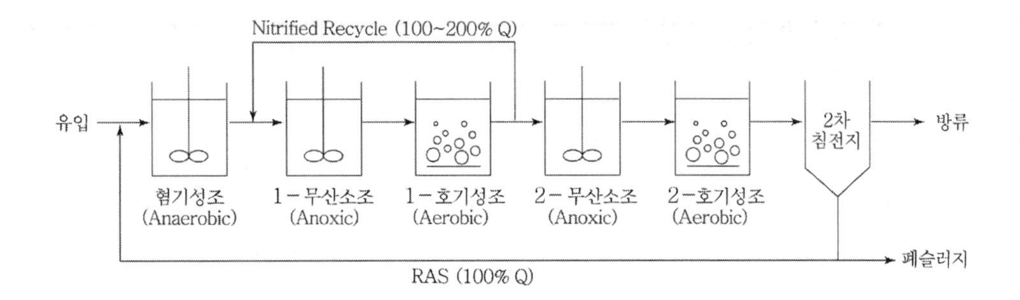

2) 원리

혐기조에서는 인을 방출하며 1-무산소조에서는 1-호기조에서 질산화된 혼합액을 유입시켜 탈질반응에 의하여 질산성 질소를 제거하고 1-호기조에서는 유기물의 제거 및 암모니아성 질소를 질산성 질소로 산화시켜 무산소조로 반송시킨다. 2-무산소조에서는 1-호기조에서 유입되는 질산성 질소를 내생탈질에 의하여 질소가스로 제거시킨다. 2-호기조는 침전지의 용존산소가 부족하여 혐기성 상태가 되면 인의 방출이 발생되는 것을 방지하기 위한 목적으로 용존산소 공급 기능을 수행한다.

3) 특징

유기물 농도가 BOD 200mg/L 정도로 유지되면 질소와 인 제거에 효율적인 공법이나, 국내처럼 BOD 100mg/L 정도에서는 긴 체류시간으로 인하여 질소 제거율이 저조하고 미제거된 질산성 질소가 혐기조로 유입되어 인 제거율도 저조하게 된다.

4) 설계 및 운전인자

- SRT 10~30days, HRT 10~24hrs
- F/M 0.1~0.2kg/kg · d, MLSS 2,000~4,000mg/L
- 슬러지반송률 50~100%, 제1내부순환율(NRCY) 100~200%

5) 장단점

(1) 장점 : 고농도 유기물이 유입되는 경우에 질소(90%)와 인(85%)의 제거율이 높다.
(2) 단점 : 긴 체류시간이 필요하며. 저농도 유기물이 유입되면 제거율이 저하된다.

8. 연속 회분식 활성슬러지법(SBR)

1) 개요

SBR은 기본적으로 Plug Flow와 회분식(Batch Reactor)의 특징을 결합한 시스템이다. 즉, 연속된 회분식을 통하여 회분식의 단점인 불연속성을 해결하여 Plug

Flow와 같은 동력학 특성을 갖도록 하며 한 개의 반응기에서 반응과 침전이 이루어진다. 연속 회분식 활성슬러지법에는 고부하형과 저부하형이 있다.

2) SBR의 구성

(1) 기본적인 운전 단계는 5단계
유입(Fill) → 반응(Reactor) → 침전(Settling) → 유출(Effluent) → 슬러지유출

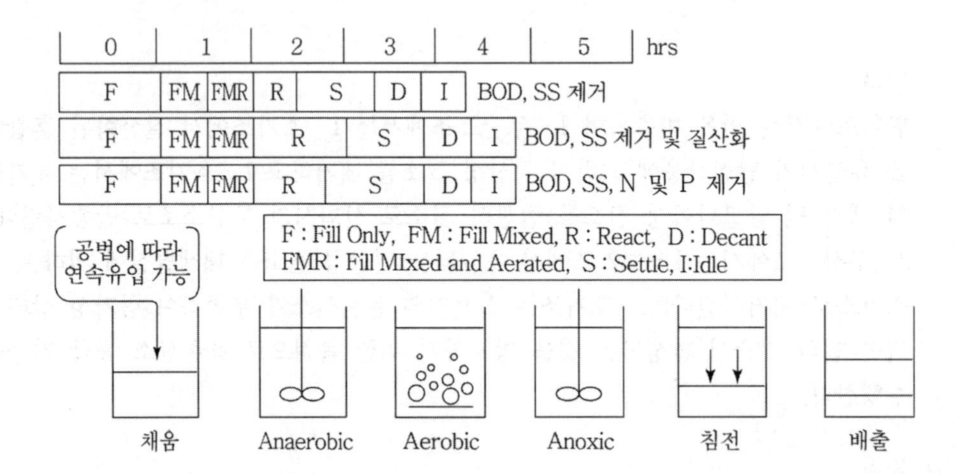

(2) 여러 개의 SBR을 운전하거나 유입수는 계속적으로 유입시키고 침전 및 유출만을 간헐식으로 하는 변형 SBR공정이 사용되기도 한다.

(3) 본법은 산기장치 및 상징수 배출장치를 설치한 회분조로 구성된다.

(4) 다른 처리방식에 비해 유입수량 변동의 영향을 받기 쉬우므로 관리를 용이하게 하기 위해서는 유량조정조가 필요하다.

(5) 본법은 원칙적으로 일차침전지가 필요 없으므로 반응조 내의 큰 고형물의 축적이나 스컴부상 등을 방지하기 위해 반응조 유입수에 스크린 등을 설치하는 것을 고려하여야 한다.

(6) 또한 처리수의 방류가 간헐적으로 이루어지게 되므로 처리수조를 설치하여 소포수 등을 확보하여야 한다.

3) 별도의 2차 침전지 및 슬러지 반송설비가 필요 없으며 연속적 간헐적으로 원수 유입 가능, 영양염류 제거효율이 30~80% 정도임

4) 설계 및 운전인자

- F/M 0.15~0.5kg/kg · d, MLSS 2,000~3,000mg/L
- 슬러지반송률 0%

5) 장단점

(1) 장점 : 충격부하에 강하고 시설이 간단하며 운전이 용이하다.

(2) 단점 : 운전방법에 따라 영양염류 제거효율이 차이가 난다.

9. 정석탈인법(CPR)

1) 개요

정석탈인법의 인제거 원리는 정인산이온(PO_4^{3-})이 칼슘이온과 반응하여 난용해성의 염인 아파타이트[$Ca_{10}(OH)_2(PO_4)_6$]를 생성하여 그 결과로 인을 제거하는 것이다.

2) 원리

아파타이트의 제거 메커니즘은 어느 물질의 과포화용액에 그 물질의 결정을 넣으면 용질이 결정을 핵으로 하여 석출되는 원리를 응용한 것으로, 인산과 칼슘이 혼합된 용액은 각각의 성분의 농도에 따라서 아파타이트를 검출하는 경계, 즉 용해도 곡선이 존재한다.

$$10Ca^{2+} + 6PO_4^{3-} + 2OH \rightarrow Ca_{10}(OH)_2(PO_4)_6$$

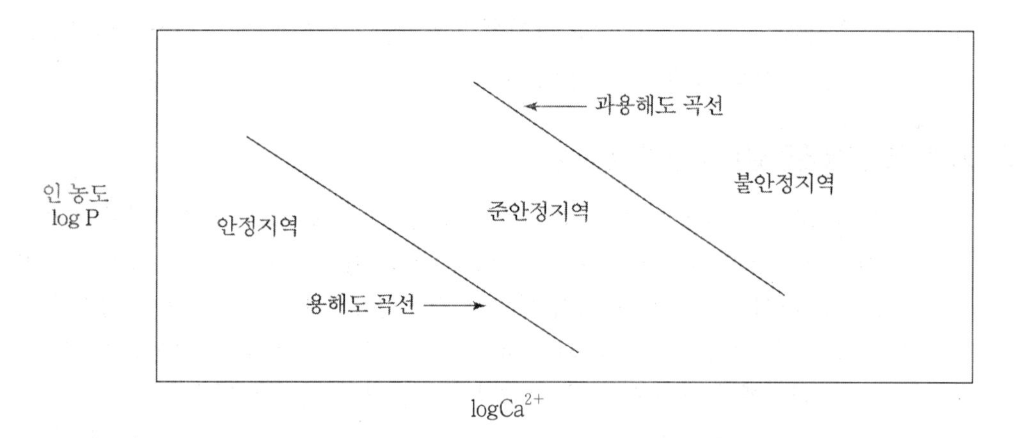

3) 특징

(1) 정석탈인법의 장점은 응집침전법에 비하여 석회의 주입량을 30~90mg/L 적게 할 수 있으며 따라서 슬러지의 발생량도 줄일 수 있다.

(2) 하수 중에 탄산이온의 알칼리도가 존재하면 정석반응을 방해하기 때문에 전단에 산 첨가에 의한 탈탄산공정의 전처리가 필요하다.

(3) 본법은 비교적 10mg/L 정도의 고농도 인을 함유하는 유입수부터 1mg/L 정도의 저농도 유입수까지 적용할 수 있으며, 처리수의 총인 농도는 0.5mg/L 정도이다.

14 | 질소 제거법에서 외부 영양원(메탄올) 공급의 필요성을 설명하시오.

1. 생물학적인 질소 제거

1) 질산화 반응

(1) 하수 중의 질소는 유기질소(Organic Nitrogen)와 암모니아(NH_3-N)로 구성되어 있으며, 이들 질소들은 질산화로 질산성질소(NO_3-N)로 변한다.

$$NH_4^+ + O_2(\text{Nirosomonas}) \rightarrow NO_2^- + O_2(\text{Nitrobactor}) \rightarrow NO_3^-$$

(2) 이 반응에서 포기조에서 유기물 제거가 이루어진 후에 질산화 반응이 이루어지므로, 질산화반응을 일으키기 위해서는, 포기시간이 길어져 포기조의 크기가 유기물 제거만을 위한 것보다 크게 설계 되어야 한다.

2) 이같이 질산화 된 질소는 탈질소 과정을 거쳐 질소 가스로 대기 중에 방출됨으로써 폐수 중의 질소 제거가 이루어진다.

2. 외부 영양원(메탄올) 공급의 필요성

1) 탈질소 과정은 산소공급이 없는 무산소조건(Anoxic)에서 탈질미생물(Denitri Fication)들이 쉽게 분해되는 유기물(RBO : Readily Biodegradable Organics)을 영양원으로 하여 결합산소를 섭취 하면서 탈질반응으로 질소가스를 생성한다.
2) 이때 유입 폐수 중에 쉽게 분해되는 유기물이 부족할 경우 탈질 미생물의 성장을 돕기 위해 외부에서 메탄올 등의 영양원을 공급하여 탈질소 반응을 촉진시킨다.
3) 무산소조로의 외부탄소원 주입량은 조건에 따라 다르나 평균적으로 75mgCOD/L가 가장 경제적인 주입량으로 보고되고 있다.
4) 연구에 의하면 메탄올은 비교적 슬러지를 적게 형성시키고 가격면에서 저렴한 외부탄소원 이라고 보고되고 있으며 현재 가장 일반적으로 이용하고 있다.

3. 질소제거 공정

1) 질산화(Nitrification)

질산화는 암모늄의 생물학적 산화이다. 이 산화과정은 두 단계로 나누어지는데, 첫 번째 단계는 Nitrosomonas Bacteria에 의한 아질산염(Nitrite)의 생성이고, 두 번째 단계는 Nitrobactor bacteria에 의한 질산염(Nitrate)의 생성이다.
이 과정에서 이들 Bacteria는 무기탄소(Inorganic Carbon)를 탄소원으로 이용한다.

$NH_4^+ + O_2$(Nirosomonas) → $NO_2^- + O_2$(Nitrobactor) → NO_3^- ················ (a)

2) 생물학적 탈질(Denitrification)
탈질은 질산염의 질소가스로의 생물학적 환원이다. 이는 다음 식과 같이 두 단계를 거치게 된다.

NO_3^- + Organic Carbon → NO_2^- + Organic Carbon → $N_2 + CO_2 + H_2O$ ··· (b)

이 반응에 관계되는 탈질 미생물은 종속영양균(Heterotrophic Bacteria)들로 알려져 있으며, 이들 미생물은 에너지원으로 유기탄소를 이용하고 전자수용체로 산소대신 질산염을 이용한다. 그러므로 혐기성 상태에서 질산염을 탈질시켜 질소가스로 배출한다.

4. 세포합성과 외부 영양원 소요량

1) 세포합성
암모니아성 질소와 아질산성 질소의 산화에 의해 생성된 에너지는 주로 질산화 박테리아에 의해 새로운 세포($C_5H_7O_2N$) 합성을 위해 이용된다.

$NH_4^+ + HCO_3^- + 4CO_2 + H_2O \rightarrow C_5H_7O_2N + 5O_2$ ·· (c)

여기에서 세포합성이 무기화합물(Inorganic Compounds)로부터 생산되었다는 점이다. 즉, 질산화 반응에 관여하는 미생물은 독립영양 미생물(Autotrophic)이다.

위 생물학적 질산화의 (a), (c)식의 총괄 반응식은 다음과 같다.

$$NH_4^+ + 1.83\ O_2 + 1.98\ HCO_3^- + 4CO_2 \rightarrow 0.021C_5H_7O_2N + 0.98\ NO_3^- + 1.04H_2O + 1.88H_2CO_3 \quad \cdots\cdots (d)$$

2) 외부탄소원
메탄올을 외부탄소원(External Carbon Source)로 이용할 경우 Cell 합성까지 고려한 경험식은 다음과 같다.

$$NO_3^- + 1.08CH_3OH + 0.24H_2CO_3 \rightarrow 0.06C_5H_7O_2N + 0.47N_2 + 1.68H_2O + HCO_3^- \quad \cdots\cdots (e)$$

위 경험식에서 N와 CH_3OH(메탄올)의 관계는

$NO_3^- + 1.08CH_3OH$에서 $N(14) : 1.08CH_3OH(1.08 \times 32) = 1 : X$ $\therefore X = 2.47$
그러므로 1g의 질산성 질소를 탈질시키기 위해서는 2.47g의 메탄올이 소모되며, 0.45g의 미생물, 3.57g의 Alkalinity가 생성된다.
또한 내생호흡에 의해서도 탈질산화가 가능한데 이를 식으로 나타내면 다음과 같다.

$$C_5H_7O_2N + 4.6\ NO_3^- \rightarrow 5CO_2 + 2.8N_2 + 4.6OH^- + 1.2H_2O \quad \cdots\cdots (f)$$

5. 종속영양 탈질에 의한 질소제거 공정의 발전 경향

1) 질소제거를 위한 공정은 1960년대에 탈질공법이 개발되어 도입되었으며, 이 공법은 많은 연구자들에 의해 새롭게 변형되고 개발되어 수많은 공법으로 발전되었다.
2) A/O 공법을 기본으로 Bernard(1973)에 의해 Aerobic Zone에서 Anoxic Zone으로의 내부반송(Internal Recyle)의 개념이 도입되어 MLE(Modified Ludzack Ettinger) Process가 완성되었고, 약 88%의 T-N 제거효율을 얻을 수 있었으나, 이 공법도 현장에 널리 도입되지는 못하였다.
3) 그러나, 이 공법을 바탕으로 많은 연구자들에 의해 A_2/O, Bardenpho, UCT, VIP 등 질소제거 공법들이 개발되었으며 활발하게 상용화되어 적용되고 있으며, 국내에서도 이들 공정을 변형한 다양한 공정이 개발되어 현장에 적용되고 있다.

15 | $MgNH_4PO_4$(Struvite)

1. 개요

화학적 처리에 의한 인 제거법 중에서 인을 암모니아 및 마그네슘과 반응시켜 Struvite ($MgNH_4PO_4$)를 생성하여 제거하는 것으로 소화슬러지의 인 제거에 이용된다.

2. 반응식

인은 암모니아 및 마그네슘과 반응하여 Struvite($MgNH_4PO_4$)를 생성하며 반응식은 다음과 같다.

$$Mg^{2+} + NH_4 + PO_4^{3-} \rightarrow MgNH_4PO_4$$

3. 성상

그 조성은 $MgNH_4PO_4 \cdot 6H_2O$이고, 비중 1.72, 100℃에서 융해하지 않고 분해한다. 외형도 침상, 기둥 모양 입상 등 여러 가지이고 명확한 결정면이 나타나지 않는 것도 있다. 물에는 극히 난용성이다.

4. 인 제거방법

폐수 중의 암모니아, 인과 마그네슘의 농도비가 1 : 1 : 1이 되도록 H_3PO_4와 MgO를 주입한 후 NaOH로 pH 8~10 정도로 조절하며 $MgNH_4PO_4 \cdot H_2O$의 백색침전이 생성된다. 이 방법을 사용하려면 먼저 폐수의 특성을 파악하고 필요한 약품량을 결정하여야 하며 특히 pH를 조절할 수 있는 장치가 필요하다. 이에 따른 T-P의 제거효율은 보통 75~98% 정도로 알려져 있다.

5. 기타 화학적 처리에 의한 인 제거법

1) 알루미늄 화합물 첨가법
알루미늄은 다음과 같이 인과 반응하여 불용성 침전물을 형성한다.

$$Al^{3+} + PO_4^{3-} \rightarrow AlPO_4 \downarrow$$

2) 철화합물 첨가법
일반적으로 사용되는 응집제는 $FeCl_2$, $FeCl_3$, 및 $FeSO_4$, $Fe_2(SO_4)_3$ 등의 철화합물이

있으며 철염은 Fe^{3+} 및 Fe^{2+} 형태로 다음 반응식과 같이 인과 결합하여 $FePO_4$, $Fe_3(PO_4)_2$ 형태의 침전물을 형성되어 인을 제거한다.

- $Fe_3 + PO_4^{3-} \rightarrow FePO_4 \downarrow$
- $3Fe_2 + 2PO_4^{3-} \rightarrow Fe_3(PO_4)_2 \downarrow$

3) 칼슘이온은 인과 반응하여 다음 식과 같이 여러 가지의 인산칼슘 침전물을 형성하나 용해도 측면에서 가장 중요한 것은 Hydroxy Apatite로서 침전반응은 다음과 같다.
   - $Ca^{2+} + HPO_4^{2-} \rightarrow CaHPO_4$
   - $Ca^{2+} + 2H_2PO^{4-} \rightarrow Ca(H_2PO_4)_2$
   - $Ca^{2+} + 2PO_4^{2-} \rightarrow Ca_3(PO_4)_2$
   - $5Ca^{2+} + 3PO_4^{3-} \rightarrow Ca_5(PO_4)_3$

차 한잔의 여유

시간과 공간은 신의 본질적 속성인 무한함과 영원함이며 당신은 마치 그것들이 당신 바깥에 있는 것처럼 인식합니다. 당신은 당신의 내면에 시간과 공간의 진정한 본성을 지니고 있습니다. 공간은 무심의 평온하고 끝없이 깊은 영역이며, 시간은 현존 즉 영원한 지금에 대한 인식입니다.

– 지금 이 순간을 살아라 중에서 –

16 | 알루미늄(Al^{3+})을 이용한 총인(T-P) 처리 시 화학반응식을 이용하여 다음을 계산하시오.(단, 총인과 Alkalinity를 제외한 알루미늄 소모량은 없다.)

1) 1mg 인(P) 제거당 Al 소요량(mg)

2) 1mg Al 주입당 Alkalinity 소요량(mg)

3) 1mg Al 주입당 슬러지 발생량(mg)

1. 응집제 반응식

황산알루미늄을 이용한 인 제거 응집반응식(다양한 반응식이 있으나 가장 일반적인 반응식)은 다음과 같다.

$$Al_2(SO_4)_3 14H_2O + 2H_2PO_4^- + 4HCO_3^- \rightarrow 2AlPO_4 + 4CO_2 + 3SO_4^{2-} + 18H_2O$$

2. 1mg 인(P) 제거당 Al 소요량(mg) 산정

상기 반응식에서 인과 알루미늄은 $Al_2 : 2(PO_4)$로 반응하므로 Al : P = 1분자 : 1분자로 반응한다.
원자량 Al : 27, P : 31이므로 1mg 인(P) 제거당 Al 소요량(mg)은 다음과 같다.

$$P : Al = 31 : 27 = 1 : x \qquad \therefore x(Al) = 0.871mg$$

3. 1mg Al 주입당 Alkalinity 소요량(mg) 산정

반응식에서 $Al_2 : 4HCO_3^- = 2 \times 27 : 4 \times 50 = 1 : x$ (HCO_3^- 알칼리도 : 50)

x(알칼리도) = 3.70mg

4. 1mg Al 주입당 슬러지 발생량(mg) 산정

반응식에서 주입하는 알루미늄과 슬러지 발생은 $Al_2 : 2AlPO_4$이므로

$$Al_2 : 2AlPO_4 = 2 \times 27 : 2 \times (27 + 31 + 16 \times 4) = 54 : 244 = 1 : x$$

x(슬러지) = 4.52mg

17 | 선택조(Selector) 유지관리

1. 개요

생물학적 반응조 앞단에 높은 F/M비를 가지는 호기조, 무산소조 등의 환경조건을 형성시켜 슬러지 팽화를 억제하는 기능을 하는 특정 미생물을 선택적으로 배양하는 반응조를 선택조(Selector)라 한다.

2. 선택조의 필요성

생물학적 처리에서 슬러지 팽화(Sludge Bluking)는 높은 SVI로 인한 침전 불량, 낮은 반송슬러지 농도, 슬러지층의 증가 등으로 인한 처리 효율 불량뿐만 아니라 슬러지 처리 계통에서의 나쁜 영향을 미친다. 이런 사상균의 성장을 억제하고 비사상균 미생물의 선택적 배양을 위해 선택조가 필요하다.

3. 선택조의 종류

선택조에는 완전호기성, 낮은 DO의 호기성, 무산소, 혐기성 등의 선택조가 있다.
슬러지 팽화의 주요원인은 낮은 DO, 낮은 pH, 낮은 F/M, 영양소 부족 등 여러 요인이 있다.

1) 호기조(Oxic Selector)
  (1) 낮은 DO 상태에서 발견되는 사상균을 제어하기 위해 높은 DO을 유지
  (2) 최소 DO농도 2.0mg/L
  (3) SBOD/Active MLSS=1.5~4.0kg/kg · d
  (4) BNR System에서는 사용 곤란

2) 낮은 DO의 호기성 선택조(Aerated Low Do/High F/M Selector)
  (1) 포기조 앞부분은 낮은 DO를 가진다.
  (2) Bulking 제어를 위해서는 F/M 비가 4.0kg · BOD/kg · MLSS · d 이상
  (3) Bulking 미생물 억제를 위해 선택조에서 용존 유기물을 상당량 제거

3) 무산소 선택조(Anoxic Selector)
  (1) 슬러지 팽화(Sludge Bulking) 제어를 목적으로 하는 무산소 선택조는 고도처리 시 인 제거(BPR System)에 나쁜 영향을 미칠 수 있다. 포기조에서 질산화된 혼합액이 무산소 선택조로 유입되어 NO_3가 인 제거 기작에 영향을 미치기 때문이다.
  (2) 선택조로 유입되는 NO_3 농도는 0.5mg/L 이상

4) 혐기성 선택조

(1) 포기시키지 않고 혼합만 하며 NO_3농도는 0.5mg/L 미만이어야 Anoxic Selector 가 되는 것 방지

(2) 혐기성 선택조는 BNR System에 가장 효과적

(3) 혐기조 앞에 혐기성 Selector 설치

4. 유지관리 방안

1) 선택조 종류별 환경조건

구분	조건
Anaerobic selector	산소가 없어야 한다, 질산성질소 농도 0.5mg/L 이하
Anoxic selector	산소가 없어야 한다, 질산성질소 농도 0.5mg/L 이상
Aerated selector	산소/공기 주입, DO농도 0.0mg/L 이상
Oxic selector	산소/공기 주입, DO농도 2.0mg/L 이상
High F/M	3kg BOD/kgMLSS · d 이상

2) 유지관리

(1) 선택조 종류별로 상기 환경조건을 만족시켜야 하며 F/M비를 높게 유지하여야 한다. 최소한 3.0kgBOD/kgMLSS · d 이상으로 운전하여야 선택조 기능인 벌킹을 억제할 수 있다.

(2) 질소, 인을 처리하는 고도처리 공정에의 적용은 혐기성 선택조가 가장 유리하며, F/M비를 최소한 3.0kgBOD/kgMLSS · d 이상으로 운전하여야 선택조 기능인 벌킹을 억제할 수 있다.

(3) 특히 F/M비 경사, 유기물부하 경사가 Bulking 미생물 제어에 적합하도록 설계 및 운전되어야 한다.

18 | 국내 고도처리시설 현황을 설명하시오.

1 고도처리시설 도입배경

강, 바다, 호수나 연안에 아질산염, 질산염, 암모니아, 인산염, 규산염 등의 유기물 염류가 흘러들어 물속에 영양물질(질소와 인)을 방출시켜 영양물질이 풍부하게 되어 수중의 질소와 인이 산화되는 과정에서 DO를 소모하여 영향을 미치고, 특히 질소의 경우 질소산화 최종단계인 NO_3^--N의 경우 독성을 가지고 있어 수중생태계를 고사시키는 "부영양화"를 방지하기 위하여 하수처리시설의 방류수 수질기준을 강화하여 하수처리 시스템에 질소/인을 제거하는 고도처리시설을 도입함

2. 국내 (기존)하수처리시설의 문제점

1) 과잉설계+현실성 부족한 설계
2) 장비 선정 과정에서 객관성 결여
3) 현장여건 및 운영관리자의 입장을 고려하지 않은 설계
4) 운전과정에서 도출된 설계·시공상의 문제점 분석 미흡

3. 고도처리시설 도입의 필요성

1) 방류수역의 방류수 수질기준 강화
2) 영양염류(T-N, T-P) 처리를 통한 폐쇄성 수역의 부영양화 방지
3) 방류수역의 이용도 향상 및 처리수의 재이용

4. 국내 하수고도처리 설치현황

2009년 말 기준으로 전국 하수도 보급률은 89.4%이고 공공하수처리시설($500m^3/d$ 이상) 가동개소는 437개소이며 그중 약 80% 정도가 고도처리 시설(T-N, T-P 처리)이 설치되어 가동 중이어서 처리장 평균 방류수질은 BOD 기준 5.4mg/L 정도로 개선되고 있다.

5. 고도처리시설 설치사업 추진방식

1) 운전개선방식(Renovation)
   운영실태분석결과 기존하수처리시설의 성능이 양호하여 운전방식개선 및 일부 설비 보완 등으로 강화된 방류수 수질기준 준수가 가능한 경우(기존처리공법 유지

또는 수정)

※ 기존에 운영 중인 하수처리시설 중 일부 하수처리시설은 유입유량의 조절, 포기방식의 개선, 구내 반송수 등 슬러지 계통의 운영개선, 연계처리수의 효율적 관리, 여과시설 설치 등의 조치만으로도 수질기준 준수 가능

2) 시설개량방식(Retrofitting)

기존하수처리시설의 성능이 운전방식의 개선 및 설비의 보완만으로는 강화된 방류수질기준 준수가 곤란하여 처리공법 변경이 필요한 경우(기존처리공법 변경)

3) 신설되는 하수처리시설은 강화되는 방류수 수질기준을 준수할 수 있는 공법으로 설치

6. 고도처리시설의 분류

구분	공법
A_2O 계열	DNR, HDF, HIBNR, DBS, P/L Ⅱ, MLE, A_2O, BNR, PID, 혐기호기(STEP형 혐기호기, 2단 혐기호기), 간헐방류식 장기포기법, CSBR, Bio-NET, VIP, MUCT, POBR, Bardenpho, PADDO, DASPro, KHBNR, Den & P, HNR, Phostrip Ⅱ, KSBNR, STAR, TEC-BNR, SENS, KNR, $2A_2O$, ASA, A/O, AOSB, SAMCO, MS-BNR, DeNiPho(간헐포기식 접촉산화구법)
MEDIA 계열	BIO-SAC BNR, BIOFIL, NPR, CNR, HINT, MPM Phosphates Recovery Process, RID & 내부순환탈질법, SWPP(고도접촉산화공법), 섬모상 담체, HYDEN, 피복미생물 접촉처리법, HFBF, SDPR, SM, SBAF
SBR 계열	PSBR, MSBR(Aqua), BIOGEST-SBR, KIDEA(연속회분식 활성슬러지법), ICEAS, CASS, BCS, NAM, Omniflo, 선회와류식-SBR, Fluidyne, TSBR
기타 계열 • 산화구 • 특수미생물 • 유동상/고정상담체	ACS, BCF, BSTS-Ⅱ, 응집순환변법, 순산소포기법, HBR-Ⅱ, B_3, KOMIAE, NAP, NPTS, Seil, HANT, OSAWA, Bio-Combinator, Biofor, Biostyr, S-BC, e-BNR, Azenit-P, ODIS, SBF, PhiCD, SymBio, RBC

7. 고도처리시설 설치 시 오염물질의 처리특성별 고려사항

1) 유기물질(BOD, COD)항목만 처리효율 향상이 필요할 경우

(1) 표준활성슬러지법과 호환성이 가장 용이한 A_2/O와 비교 시 처리효율 면에서 거의 유사하고 오히려 ASRT(호기상태의 미생물 체류시간)의 축소로 BOD 제거율이 저하되는 경우가 발생되므로

(2) 고도처리방식은 운전개선방식으로 추진하는 방안을 우선적으로 검토한다.

- 노후설비의 교체 및 개량, 유량조정시설 및 전처리시설 기능 강화
- 운전모드 개선(포기조 관리), 슬러지 처리계통 기능 개선(구내 반송수 관리)
- 연계처리수의 효율적 관리, 2차 처리시설 후단에 여과시설 설치 등

2) 부유물질(SS) 항목만 처리효율 향상이 필요할 경우

(1) 운전개선방식으로 사업을 추진할 경우
- 유량조절기능 및 전처리설비 개선
- 슬러지 설비 기능 개선(구내 반송수 관리)
- 최종 침전지 용량 및 구조개선(경사판 설치, 정류벽 설치 등), 여과시설 설치

(2) 시설개량방식으로 사업을 추진할 경우
- 운전개선방식에 의한 사항을 검토하여 반영
- 침전지 용량 증설 및 여과시설 설치 등

3) T-N 항목만 처리효율 향상이 필요할 경우

(1) T-N은 기존시설로는 제거효율이 낮으므로 새로운 처리공정을 도입하는 시설개량방식으로 추진하는 방안을 검토한다.
- 기존 포기조의 수리학적 체류시간(HRT)이 6시간 이상일 경우에는 기존 처리시설과 호환성이 있는 MLE, A_2O 계열 등의 공법으로 변경하는 것이 바람직하므로 이를 우선적으로 검토
- 기존 포기조의 수리학적 체류시간(HRT)이 6시간 이하이거나 유입 T-N 농도가 고농도일 경우는 반응조 증설방안 등을 검토하되 우선적으로 연계처리수의 처리대책(설계 T-N 유입오염부하량의 10% 이내)관리를 검토
- 표준활성슬러지법을 SBR(Sequencing Batch Reactor)로 시설을 개량할 경우에는 기존 처리시설의 사장화가 발생되므로 반드시 지양

4) T-P 항목만 처리효율 향상이 필요할 경우
기존하수처리시설의 T-P 처리는 생물학적 처리방식보다 화학적 처리방식이 효율적, 경제적이므로 운전개선방식으로 추진하는 방안을 우선적으로 검토하고, 필요시 시설개량방식을 검토

5) T-N과 T-P 항목을 동시에 처리효율 향상이 필요할 경우

(1) 기존하수처리시설에 T-N 및 T-P항목에 대하여 동시에 처리효율 향상이 필요할 경우에는 T-N처리방법은 상기의 T-N처리방식을 채택하지만
(2) T-P의 경우에는 생물학적 처리방식과 화학적 처리방식에 대한 경제성, 효율성을 비교·평가한 후 결정한다.(단, T-P의 경우에는 산이약품처리로 제거가 가능하므로 이에 대한 경제성 및 효율성에 대한 검토 필요)

19 | 최근의 고도처리 기술동향을 설명하시오.

1. 개요

1) 인 1kg이 지표수에 유입되면 111kg의 조류 생성 → COD 138kg 유발
2) 질소 1kg → 폐사된 조류 COD 20kg의 형태로 전환
3) 세계적으로 질소·인의 규제가 확대되고 있으며 국가적 지역적으로 수역의 상황에 따라 차이가 많음
4) 질소규제에 있어서도 T-N, 암모니아성 질소(NH_4-N)로 규제
5) 질소·인 처리공정이 기존 활성오니공법보다도 공정 자체는 복잡하나 BOD의 제거효율이 높을 뿐 아니라 안정적이고 슬러지량도 감소
6) 질소·인의 처리공법은 물리, 화학적, 생물학적 또는 이들의 복합공정 등이 사용되고 있으며 생물학적 처리공법의 경우 국내에 소개·개발된 변형공법이 50 여개
8) 질소·인 처리기술은 어느 경우 어디서든지 적용되는 맞춤기술의 적용이 불가능하고 조건에 따라 공정을 수정 선택할 필요가 있기 때문에 처리공정이 이미 많이 개발되어 있거나 개발 중에 있음

2. 수중의 질소·인 농도와 조류 생성

낙동강 등 오염이 심한 수계에서 외부유입 BOD 이외의 자생 BOD 비율이 약 50% 정도로 발표되고 있으며 이는 영양염류 유입에 의한 조류 번식에 의한 것으로 분석되고 있다.

3. 인 제거 원리 및 처리 공정

제거 원리	처리공정	인의 제거율(%)
재래식 처리	• 1차 처리 • 활성슬러지 • 살수여상 • 회전생물막 접촉기(RBC)	10 ~ 20 10 ~ 25 8 ~ 12 8 ~ 12
생물학적 인 제거 전용공정	• Mainstream 처리 • Sidestream 처리	70 ~ 90 70 ~ 90
생물학적 질소 및 인 제거	• 혼합공정	70 ~ 90

제거 원리	처리공정	인의 제거율(%)
화학적 제거	• 금속염에 의한 침전 • 석회에 의한 침전	70 ~ 90 70 ~ 90
물리적 제거	• 여과 • 역삼투 • 탄소흡착	20 ~ 50 90 ~ 100 10 ~ 30

4. 질소처리방법

처리운전 또는 공정	질소화합물			공정에 유입되는 총질소의 제거율(%)
	유기성질소	NH_3 NH_4^+	NO_3^-	
재래식처리 • 1차 처리 • 2차 처리	 10~20% 제거 15~20% 제거 요소 → $NH_3^-NH_4^+$	 영향 없음 < 10% 제거	 영향 없음 약간 영향	 5~10 10~30
생물학적 처리공정 • 미생물학적 동화 • 탈질화 • 조류생산 • 질산화 • 안정화지	 영향 없음 영향 없음 $NH_3^-NH_4^+$로 부분 변환 제한적 영향 $NH_3^-NH_4^+$로 부분 변환	 40~70% 제거 영향 없음 → 세포로 → NO_3^-로 Stripping에 의하여 부분 제거	 약간 80~70% 제거 → 세포로 영향 없음 질산화/탈질화에 의하여 부분 제거	 30~70 70~95 50~80 5~20 20~90
화학적 처리공정 • 파괴점염소주입 • 화학적 응집 • 탄소흡착 • 암모니아의 선택적 이온교환 • NO_3의 선택적 이온교환	 불명확 50~70% 제거 30~50% 제거 약간, 그러나 불확실 약간 영향	 90~100% 제거 약간 영향 약간 영향 80~97% 제거 약간 영향	 약간 영향 약간 영향 약간 영향 영향 없음	 80~95 20~30 10~20 70~95 70~90
물리적 처리공정 • 여과 • AirStripping • 전기투석 • 역삼투	 30~95%의 부유성 유기질소 제거 영향 없음 100%의 부유성 유기질소 제거 60~90% 제거	 약간 영향 60~95% 제거 30~50% 제거 60~90% 제거	 약간 영향 영향 없음 30~50% 제거 60~90% 제거	 20~40 50~90 40~50 80~90

5. 질소·인 제거 기본 처리 공정

1) 물리적 처리방법
2) 생물학적+화학적 처리방법
3) 생물학적 처리방법

6. 하·폐수 중의 질소·인 처리 시 고려사항

1) 원수의 특성 고려

(1) 폐수(원수)중의 질소형태 검토
- 총질소=유기질소+무기질소
- 무기질소=NH_4-N, NO_2-N, NO_3-N
- TKN=유기질소+NH_4-N

(2) C/N비의 신중한 검토 필요
- C/N비에 따라 질화균의 분율이 달라짐
- 응집침전, 부상분리의 전후처리 적용 검토

(5) 영향 물질
- 활성오니에 있어서는 비영양 물질이 질산화공정에 큰 영향을 줄 수 있다.

2) 처리공정

(1) 온도 : 동절기 처리효율 저하

(2) 산소요구량
- 혐기성, 무산소조 산소 불필요
- 질산화조를 위한 소요산소량 운전

(3) pH와 알칼리도
- 질산화조 알칼리도 소모
- 충분한 알칼리도 확보 필요

(4) 외부탄소원 : C/N비 부족에 따른 외부탄소원 추가 검토

(5) SRT
- 질산화 미생물 증식을 위한 SRT 증가(동절기 > 하절기)
- 인 제거 고려 시 적정 SRT 운영
- SRT 증가에 따라 침전조 용량 검토 등

(6) 반송량 : 내·외부 반송량 증가 → 펌프용량의 증대

7. N·P 제거 공법선택 시 고려사항

문제점	• 공정선택 시 처리효율에 집착 • 검증되지 않은 새로운 공법(국내외 신기술 등)의 수용 • 책임회피의식의 팽배 등
대안 및 대책	• 공정이 간단하고 운전이 용이한 공법 선택 • 건설비, 운영비가 저렴한 공법 선택 • 지역적인 특성을 고려한 처리수 용도에 맞는 공법 선택 • 공법보다는 운영의 효율성 제고에 역점 • 운영요원의 의식 제고(전문성)

8. Mainstream공법과 Sidestream공법

생물학적 인 제거공법 중 일반적으로 이용되고 있는 Mainstream공법과 Sidestream공법은 다음과 같다.

1) Mainstream공법
A/O공법이 PAOs 미생물을 이용한 대표적인 Mainstream공법이다.

2) Sidestream공법
Phostrip공법은 다음과 같이 반송슬러지 중 일부를 생물학적 탈인조에서 슬러지 중의 인을 방출시킨 후 상등액을 화학적 응집침전법으로 제거한다.

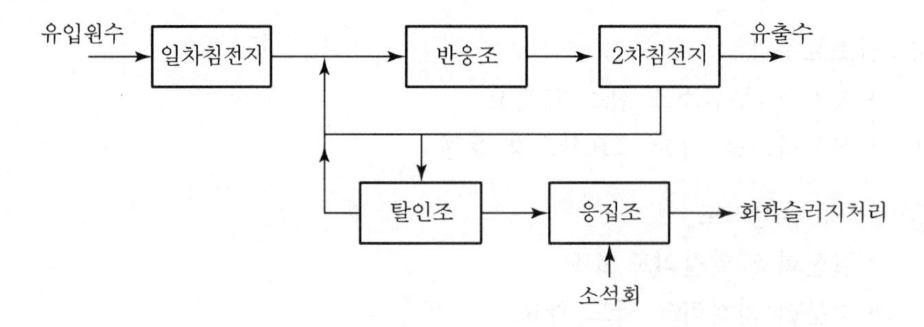

Sidestream공법

20 | 가동 중인 2차 처리 활성슬러지 하수처리장에서 인 제거를 위하여 화학적 침전을 고려하고 있다. 화학제 선택에 영향을 미치는 인자들을 기술하고, 화학제 투입지점 및 화학제의 주요특징을 설명하시오.

1. 개요

하수처리장에서 인 제거를 위하여 화학적 침전 시 알루미늄이나 철염 등의 화학제 선택에 영향을 미치는 인자들은 pH, 온도, 약품량, 슬러지 농도 등이며 최적의 응집조건을 찾아내야 한다.

2. 인 제거 화학제 선택 영향인자

1) pH 영향

금속과 인의 화합물 형성은 용해도가 낮기 때문에 쉽게 침전한다. 이 용해도는 pH에 민감한데 인이 어떤 형태로 존재하는지에 따라 제거율과 적정 pH 범위가 달라진다. Meta-P은 비교적 pH가 넓은 범위에서도 제거율이 높게 유지되는 반면, pyro형태의 인은 pH 폭이 좁다.

(1) 초기 인의 양이 5mg/L일 때 일정 pH에서 Al(AVR ; Aluminium Salts)의 첨가량이 증가할수록 증가

(2) $CaCO_3$를 이용해도 인의 제거가 가능하며 반응식은 다음과 같다.

$$10Ca^{2+} + 6PO_4^{3-} + 2OH^- \rightarrow Ca_{10}(PO_4)_6(OH)_2$$

2) 금속 첨가량의 영향

(1) pH 증가와 함께 인의 제거율은 증가하며 Ortho-P와 Poly-P의 제거율은 Ortho-P가 미소하게 높음

(2) 응집제의 염기도도 인의 제거에 영향을 미치는데 염기도가 클수록 SS 제거는 유리하나 Ortho-P의 제거는 불리

(3) 인의 제거율은 pH, 첨가하는 금속량에 따라 상당한 영향을 받고 첨가한 Fe, 혹은 Al염은 물속에서 수화반응이 빠르게 촉진되기 때문에 대부분의 인은 $Al(OH)_3$ 혹은 $Fe(OH)_3$에 흡착되어 제거되며 젤리(Jelly)형 플럭(Floc)이 생성

3. 응집제의 투입 위치

인의 제거를 위해서 금속염의 투입 위치는 중요하며 여러 가지 방법이 있다.

1) 전처리 투입

가장 일반적인 방법으로 전처리단계에서 인을 제거하는 공정이다. 이 경우 인뿐만 아니라 SS나 입자성 유기물 등 여러 가지 물질들이 금속염에 의하여 제거되므로 반드시 인만을 제거하는 것이 아니고 복합적으로 일어난다. 이 방법은 금속첨가량이 높아 하수가 과부하 됐을 때 적절하고 철염을 사용하는 경우 H_2S의 생성을 억제할 수 있다.

2) 포기조 투입

포기조에 금속염을 넣는 방법으로 전처리단계에서 금속을 투입하는 것보다 훨씬 적은 양으로도 가능하고 반송슬러지에 금속이 순환되어 축적되면 인의 제거율이 증가하는 장점이 있다. 이 방법을 쓰면, 침전효과가 상승하며 벌킹현상도 줄어든다.

3) 다중 위치 투입

금속염을 두 군데에서 투입하는 것으로 인의 제거율을 높이고 나아가 침전상태를 더 양호하게 하는 장점이 있으나 약품비용의 상승이 부담된다.

4. 화학제별 특징

1) 알루미늄 화합물 첨가법

(1) 알루미늄은 다음과 같이 인과 반응하여 불용성 침전물을 형성한다.

$$Al^{3+} + PO_4^{3-} \rightarrow AlPO_4 \downarrow$$

(2) 용해상태의 Al^{3+}은 OH^-와 반응하여 Hydroxo Complex와 같은 $Al(OH)_3$의 침전물을 형성하기 때문에 $Al_2(SO_4)_3$, $NaAlO_2$ 또는 PAC(Poly Aluminium Chloride) 등이 응집제로 많이 사용된다.

(3) 수용액에서 알루미늄은 Al^{3+}뿐만 아니라 용액의 pH에 따라서 $Al(OH)^{2+}$, $Al(OH)_4^-$, $Al_2(OH)_2^{4+}$ 등의 다양한 형태를 가지므로 pH는 중요한 변수로 작용한다.

2) 철화합물 첨가법

(1) 일반적으로 사용되는 응집제는 $FeCl_2$, $FeCl_3$ 및 $FeSO_4$, $Fe_2(SO_4)_3$ 등의 철화합물이 있으며

(2) 철염은 Fe^{3+} 및 Fe^{2+} 형태로 다음 반응식과 같이 인과 결합, $FePO_4$, $Fe_3(PO_4)_2$ 형태의 침전물을 형성하여 인을 제거한다.

$$Fe^{3+} + PO_4^{3-} \rightarrow FePO_4 \downarrow$$
$$3Fe^{2+} + 2PO_4^{3-} \rightarrow Fe_3(PO_4)_2 \downarrow$$

3) 칼슘과 마그네슘 화합물 첨가법

(1) 칼슘이온은 인과 반응하여 다음 식과 같이 여러 가지의 인산칼슘 침전물을 형성하나 용해도 측면에서 가장 중요한 것은 Hydroxy Apatite로서 침전반응은 다음과 같다.

$$Ca^{2+} + HPO_4^{2-} \rightarrow CaHPO_4$$
$$Ca^{2+} + 2H_2PO_4^{-} \rightarrow Ca(H_2PO_4)_2$$
$$Ca^{2+} + 2PO_4^{2-} \rightarrow Ca_3(PO_4)_2$$
$$5Ca^{2+} + 3PO_4^{3-} \rightarrow Ca_5(PO_4)_3OH$$

(2) 인은 암모니아 및 마그네슘과 반응하여 Struvite($MgNH_4PO_4$)를 생성하며 반응식은 다음과 같으며 소화슬러지의 인 제거에 활용 가능하다.

$$Mg^{2+} + NH_4^{+} + PO_3^{3-} \rightarrow MgNH_4PO_4$$

4) 철의 전기분해

화학제 사용법 이외에 인 제거 방법으로 전기분해법이 있다.

(1) 본 공정은 생물학적 활성슬러지 공정 중 포기조에 철봉 전극을 설치하고 직류 전원장치를 이용하여 정전압의 직류 전류를 철봉에 흐르도록 하여 전기분해에 의해 석출된 철산화물과 인산염이 반응, 불용성 침전물로 제거하는 공정이다.

(2) 인 제거는 석출된 철이온과 용해성 인이 결합되어 제거되는 화학반응과 석출된 입자상 철 표면에 인이 흡착되어 제거되는 물리화학적 반응에 의존한다.

5. 총인처리 시설의 2차오염 문제

최근 전국 하수처리시설들은 대부분 총인처리시설을 추가 설치하여 운영하고 있는데 그 공법이 대부분 응집제를 투입하는 화학적 처리법이다. 이때 응집조건이 적합하지 못하면 방류수에 응집제가 유출되고 이들은 하류수계(하천, 강, 해안)에 2차 오염을 일으킬 수 있다.

21 | 전기응집공정에 의한 총인 제거원리와 설계인자에 대하여 설명하시오.

1. 개요

전기 · 화학적으로 폐수 중의 오염물을 처리하는 방법은 전기분해(Electrolysis)와 전기응집(Electro-Coagulation) 또는 전기부상(Electro-Flotation)으로 구분한다. 전기응집은 전극판에서 이온이 용출되어 폐수 중의 오염물과 응집 · 흡착하여 수소와 염소가스에 의해 부상되거나 때로는 침전되어 물과 분리되는 원리를 이용한다.

2. 전기응집공정의 원리

물의 전기분해와 마찬가지로 전극에서 발생하는 전자가 물분자를 산소와 수소로 분해해 콜로이드 에어(Colloidal-Air)라고 불리는 미세한 기포를 발생시킨다. 하수와 같이 여러 가지 이온계 분자가 용해되어 있는 물에서는 모든 물질이 분자화, 이온화되어 있어 활성화 상태로 산화 · 환원반응이 빈번하다고 추측한다. 이러한 환경에 전기적인 전극을 만들어주면 응집, 결합 등도 촉진되어 발생한 콜로이드 에어를 흡착해 부상시킨다. 즉, 전극을 이용하여 콜로이드 에어를 효과적으로 흡착하는 응집제를 만드는 효과가 나타나며 이러한 효과를 전기응집이라 한다.

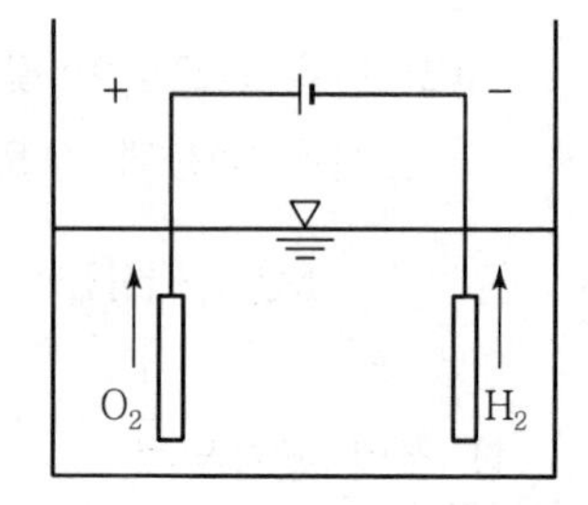

3. 전기응집공정의 제거원리

전기응집 부상장치의 특징은 다음과 같다.

1) 콜로이드 에어제너레이터 작용에 의한 강력하고 우수한 처리능력으로 SS분해, BOD, COD, 유분, 총질소, 총인, 금속이온 등 다양한 물질의 처리가 가능하다.
2) 응집하여 부상한 플록은 재활용 처리액으로의 재분산이 거의 없어 재활용이 가능하다.
3) 저전압으로 전해처리를 하기 때문에 유지가동비용은 가압부상장치의 $\frac{1}{2}$에서 $\frac{1}{3}$의 가격으로 가동할 수 있다.

4) 고밀도로 단시간 처리가 가능하기 때문에 작은 공간에 장치를 설치할 수 있다.
5) 처리원리는 응집 · 응결 폐수에 응집제를 첨가 · 통전하면 마이너스로 대전되어 서로 반발하고 분산되어 있던 오탁물질의 전하가 중화되어 서로 흡착하여 응집 · 응결된 플록의 성장이 신속하게 이루어진다.
6) 부상분해폐수를 전해하면 물의 전기분해가 일어나 미세한 기포가 발생한다. 이 미세한 발생가스는 플록에 많이 흡착되기 때문에 플록의 부상분해가 촉진된다.
7) 산화 · 환원작용 폐수를 전해하면 전극에서는 직접적으로 오탁물질을 양극 산화분해, 음극 환원분해가 일어나 폐수의 BOD 및 COD 등의 제거가 가능하다. 또 폐수 색도의 제거도 가능하다.

8) 탈질소
폐수 중의 질소분 형태에는 여러 가지가 있지만 일반적인 암모니아성 질소에 대해서는 다음과 같은 반응구조로 분해한다.

$$2NH_4^+ + 2e \rightarrow N_2\uparrow + 4H_2\uparrow$$

9) 탈인
인산성 인은 응집제로 사용되는 알루미늄이나 철에 의해 인산염으로 부상 분리된다.

$$Al^{3+} + PO_4^{3-} \rightarrow AlPO_4\uparrow$$
$$Fe^{3+} + PO_4^{3-} \rightarrow FePO_4\uparrow$$

4. 화학적 응집법의 문제점과 친환경 총인(T-P) 처리의 설계인자

1) 일반적으로 하수나 폐수 중에 포함되어 조류 증식의 제한물질로 작용하여 부영양화를 일으키는 물질인 인은 주로 생물학적 처리방법과 전기분해 · 응집에 의한 처리방법, 정석탈인방법 및 응집제를 사용한 화학적 처리방법을 사용하여 제거하는 방법이 사용되었다.
2) 생물학적 공정은 시설 운영이 어려우며 지속적이고 안정적인 유출수질을 확보하는 것이 용이하지 않고, 응집에 의한 인 제거방법은 화학적인 제거기술의 장점을 살릴 수 있지만 화학약품침전법의 단점을 해결할 수 없다.
3) 정석탈인법은 하수 중의 인을 제거하는 방법 중 실용화되어 좋은 성과를 보이고 있는 물리화학적 처리방법의 하나로 통상의 하수 이차처리수를 처리하는 것이 가능하지만, 탈인성능은 운영 pH, 칼슘농도, 수온, 원수 중의 방해물질, 접촉시간, 접촉재의 성능 등에 의해 상이하며, 또한 제거대상이 용해성 정인산이기 때문에 다른 형태의 인(폴리인산, 유기인산, 현탁성 인)은 여과 등의 부차적인 기능에 의해

제거하여야 하는 문제점이 있다. 따라서, 종래 하수 및 폐수처리장에서 화학적 처리에 의한 인의 처리방법이 가장 널리 사용되고 있는 실정이다.

4) 화학적 처리에 따른 인의 처리방법은 침전에 의한 물리적 처리방법과 미생물에 의한 생물학적 처리시설을 통해 대다수의 오염물질이 제거된 처리수에 응집제를 투입하여 처리수 중에 포함된 인을 응집시켜 제거하는 방법이 있다. 방류수 중에 인 배출농도인 0.2mg/L 이하로 유지하기 위해서는 과량의 응집제를 사용하고 있으나 방류수 수질기준에는 응집제가 오염물질로 정해져 있지 않고 응집반응에 있어 가교반응을 유도하는 중간매개체 역할을 하는 SS성분이 처리수 중엔 비교적 극미량이 포함되어 있어 인을 처리하기 위해서는 응집제를 적정량보다 많이 사용할 수 밖에 없다.
5) 과다 사용된 응집제는 시스템 내에 잔류하면서 농축효율 저하, 소화효율 저하, 탈수효율을 저하시켜 전체 운영비용이 상승하고, 하천으로 배출되어 수생태계 자정작용에 영향을 미치는 결과도 초래하고, 응집제 과다 사용으로 인한 경제적 손실도 야기하므로 이러한 문제점에 대한 해결방법이 요구되고 있다.
6) 총인(T-P)슬러지를 이용한 하·폐수처리시설은 오염물질 부하 저감과 탈수효율 개선방법 및 그 장치에 관한 것으로 응집제 과다주입에 의한 잔류응집성분을 포함하는 총인처리시설의 슬러지를 분배조로 반송시키고 반송된 총인 슬러지 내에 포함된 응집제의 작용에 따라 유입원수의 오염부하를 현저하게 낮출 수 있다.
7) 전기응집공정은 기존 설치 운영되던 하·폐수처리시설을 보존하면서 여타 오염물질의 처리효율을 높였다. 또한 운영비용을 절감할 수 있도록 한 총인(T-P)슬러지를 이용한 하·폐수처리시설은 오염물질 부하 저감과 탈수효율 개선방법 및 그 장치를 제공하기 위한 것으로 총인처리시설에서 발생한 잔류응집제를 함유하는 총인슬러지를 유입 분배조로 반송시키고 총인슬러지 내에 포함된 잔류응집제가 유입된 하·폐수 중에 콜로이드성 오염물질과 반응하여 침전되고, 오염물질의 부하를 저감시키며 탈수효율을 개선함으로써 안정적인 하·폐수처리시설의 운영이 가능하도록 하였다.

5. 총인처리공법의 종류

1) 생물학적 총인 처리
2) 화학적 응집법(Al, Fe)
3) 정석탈인법(Ca)
4) 스트루바이트법(Mg)
5) 전기응집공정

22 | 화학적 총인처리시설 설치 시 고려하여야 할 사항을 설명하시오.

1. 총인처리시설의 개요

총인처리시설을 적용하는 대부분의 하수처리시설에서 강화된 총인농도기준을 만족하기 위해서는 주로 PACl을 이용한 응집 침전, 여과의 화학적인 처리법을 적용하고 있다. 이때 처리수질을 맞추기 위한 과다한 약품 사용으로 인하여 약품비용, 슬러지 처리 문제, 처리수 인오염에 의한 주변수계 2차 오염문제 등 여러 문제점을 예상하고 있다.

2. 하수의 총인처리 필요성

최근 주요 상수원 지역의 경우 BOD는 많이 개선되었지만, 매년 녹조가 발생하여 상수원 수질관리가 어려운 실정이다. 조류성장은 수온, 각종 영양염류, 유속, 일조량 등 다양한 인자들에 의해 결정되나 국내 하천 및 호소에서는 대부분 '인(P)'이 조류성장의 제한인자로 작용한다. 조류에 의한 유기물질의 수질오염은 전체 유기물질 오염 부하량의 25~30%를 차지하는 것으로 추정되고 있다. 이에 따라 상수원 및 용수의 안정적인 수질 확보를 위해서는 상수원으로 유입되는 하수의 인 제거가 필요하다.

3. 총인처리방법의 종류

1) 생물학적 인 제거
2) 반송슬러지 탈인 제거

3) 화학적 인 제거
   생물학적 인 제거가 가장 경제적이나, 처리하는 인농도의 한계가 있으므로 목표수질에 따라 화학적 인 제거가 추가될 수 있으며, 최근의 총인처리시설들이 이에 속한다.

4) 응집제 주입에 따른 화학적 인 제거공정의 분류

(1) 일차침전지 전단 무기응집제 주입

(2) 이차침전지 전단 무기응집제 주입

(3) 이차침전지 후단 무기응집제 주입

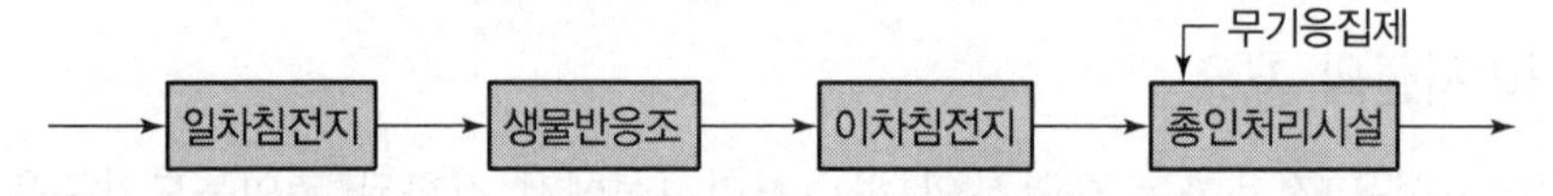

4. 화학적 총인처리시설에서 응집제 PACl(17%) 주입량과 총인(T-P) 제거율 관계

활성슬러지 Jar-Test 분석결과 강화된 방류수 총인농도기준은 총인(T-P) 0.2mg/L 이하로 이 기준의 수질을 달성하기 위한 응집제 주입비는 2~3molAl/molP 범위이며, 총인(T-P)의 최종농도는 각각 0.01~0.05mg/L 범위이다.

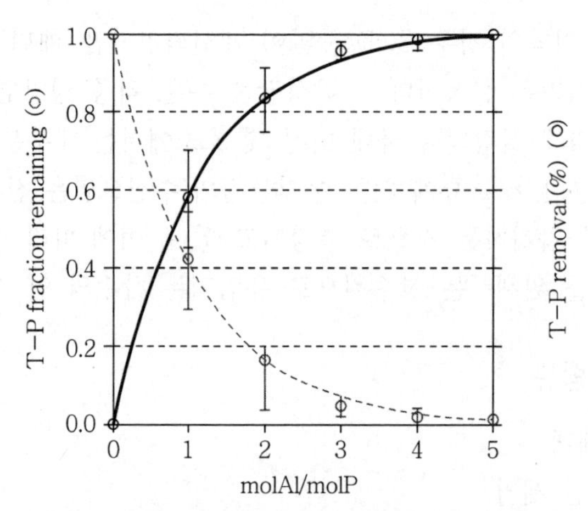

응집제 PACl(17%) 주입량에 따른 총인(T-P) 제거율 그래프

5. 총인처리시설 공법별 적용현황

총인처리시설 공법별로는 대부분 화학적 응집 후 결정체를 침전, 여과(심층여과)공법이 37%, 부상분리가 35.6% 순으로 나타났다. Ⅲ지역의 경우 인처리시설이 속하며, 전체 용량 15,117천m³/일 중 9893.6천m³/일(65.7%)로써 가장 많은 용량을 차지하였다. 지역별 인처리공법 적용현황을 보면, Ⅰ지역에는 여과(심층여과)공법(33.3%), Ⅱ지역에는 여과(표면여과)공법(36.4%), Ⅲ지역에는 여과(표면여과)공법(32.1%)이 가장 많이 적용되고 있다.

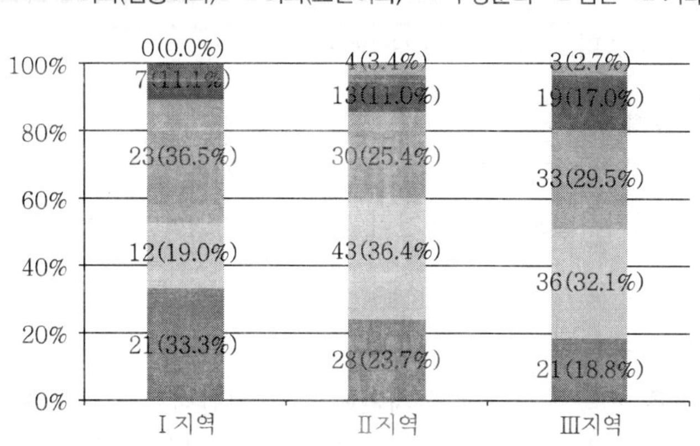

지역에 따른 인처리공법의 적용현황 (단위 : 개소수, %)

6. 화학적 총인처리시설 설치 시 고려사항

1) 목표수질

총인처리시설은 생물학적 처리 및 이차침전지 전단에서의 무기응집제 주입만으로 목표수질 준수가 곤란할 경우 설치하는 것이 일반적이다. 기존시설에 총인처리시설 설치 시에는 이차침전지 유출수의 성상조사 및 Jar-Test 등을 통하여 BOD, T-N의 목표수질을 설정하고, 총인처리시설을 포함한 모든 시설을 신설할 경우에는 유사시설을 조사하여 BOD, T-N의 목표수질을 설정하여야 한다.

2) 약품주입설비

화학적 인 제거는 무기응집제 주입에 의하여 유지관리비가 상승하므로 생물학적 인처리를 통해 최대한 인을 처리한 후 화학적 인 제거가 적용되어야 한다. 또한 비상시나 총인처리시설로 과도한 고농도 유입을 방지하기 위해서는 이차침전지 전단에 무기응집제 주입설비 설치도 고려하여야 한다.

3) 혼화 및 응집설비

주입된 무기응집제는 혼화공정에서 처리대상 원수와 완전한 혼합으로 미반응된 무기응집제가 잔존하지 않도록 하여야 하며, 혼화효율이 높은 교반설비와 단락류가 발생하지 않는 구조도 고려하여야 한다.

4) 고액분리공정

무기응집제 주입에 생성된 결정체(입자상 물질)는 고액분리공정을 통하여 제거되어야 한다. 이때 주로 적용하는 고액분리공정은 침전, 심층여과, 가압부상 등의 방법이 있으며, 적용시설의 수리계획, 부지 등에 적합한 방법을 적용하여야 한다. 기계식 여과의 경우 주기적으로 약품세정 및 여재를 탈착시켜 세척하는 경우가 있으므로 이에 대한 설비도 고려하여야 한다.

5) 역세수, 발생슬러지 처리
심층여과 등 고액분리공정에서 필요에 따라 찌꺼기 또는 역세수형태로 발생하는 하수찌꺼기는 처리시설로의 연계처리 또는 반류수처리 계통으로 이송시켜 처리해야 한다.

6) 수리계획 검토
총인처리시설은 소독시설 전에 설치되는 것이 일반적이며, 손실수두가 추가적으로 발생한다. 이에 따라 총인처리시설의 반류수량이 반영된 수리계산을 통하여 구조물을 계획하여야 하며, 기존시설에 총인처리시설을 설치 시 계획방류수위 기준으로 방류가 곤란할 경우에는 방류펌프시설 설치를 고려하여야 한다.

7. 화학적 총인처리시설의 운영비용

1) 총인(T-P)농도가 0.5mg/L 이상, 고형물(SS)농도가 10~20mg/L 정도로 시료의 운영비용이 상대적으로 적게 드는 것으로 분석되고 있다. 따라서 총인(T-P)농도가 0.5~2mg/L이며 고형물(SS)이 10~20mg/L 정도의 적절한 농도로 존재하는 2차 처리수에 최적의 약품 주입률을 통해 효과적인 응집반응을 일으킨다면 운영비용 면에서 더 효율적일 수 있음을 예측할 수 있다.
2) 각종 공법에서 약품비가 전체 비용에서 차지하는 비율이 가장 크게 산출되었다. 이를 통해 인처리시설의 운영비용을 최소화하기 위해서 가장 크게 신경 써야 하는 부분은 응집제 약품비용의 절감이라고 하겠다.
3) 약품의 과다주입은 약품소요비용뿐만 아니라 슬러지 발생량을 증가시킨다는 측면에서 응집약품의 사용량을 합리적으로 하는 것이 전체 처리비용을 절감하는 데 매우 중요하다. 인처리를 위하여 응집약품이 과량 주입되고 있는 처리시설을 우선 선별하여 적정 유지관리방안을 마련하는 것이 필요할 것으로 판단된다.

8. 총인처리시설의 현황과 효율 향상을 위한 과제

1) 현재 대부분의 하수처리시설에 도입된 인처리시설은 1차, 2차 처리시설 후단에 물리·화학적 3차 처리형태로 도입되어 있다. 따라서 1차, 2차 처리시설과의 최적 연계운전이 전체적인 인처리 효율성 측면에서 매우 중요하다.
2) 효과적인 생물학적(2차) 인 제거효율을 최대한으로 유지해서 3차 인처리시설의 투입약품비 등의 운영비를 최소화한 최적화 상태로 연계하여 운전해야 한다.

3) TMS 측점지점이 3차 인처리시설의 후단으로 이동함으로써 2차 인처리시설의 효율 저하 및 운영관리 소홀을 방지해야 한다.
4) 반류수에 내포되어 있는 높은 인 함량(슬러지 처리과정에서 재용출)을 제어할 수 있는 방안을 검토할 필요가 있으며 생물학적 2차 처리방식에서 '인 제거－재용출 순환'의 구조화된 문제점을 개선해야 한다.
5) 3차 인처리시설과의 유기적 연계방안을 고려해서 최적의 운영방안을 도출할 필요가 있으며 필요하다면 3차 처리공정과 기존의 1, 2차 처리공정의 내부 순환연계도 필요하다.
6) 약품투입지점 변경, 급속·완속 교반강도 변경, 응집제 희석 사용 등 현장조건에 맞는 다양한 운영비 절감 노력이 요구된다.
7) 물리·화학적 인처리방식을 통한 무기성 인 슬러지 발생량 증가분은 15% 미만으로 현실적인 여건에서는 이를 분리처리하지 않고 있으나, 궁극적으로는 유기성 슬러지와 별도처리 혹은 유역별 통합처리의 개선이 필요하다.
8) 유용한 인성분을 포함한 슬러지의 처분방식으로 퇴비(비료) 또는 토지개량제로 전환하여 자연녹지에 활용하는 방식과 다양한 인성분을 추출하고 회수하는 기술을 중·장기적인 관점에서 고려할 필요가 있다. 또한 슬러지 소각재로부터 인성분을 회수하는 기술, 정석탈인법(Crystallization)을 통한 인 제거방법은 회수 가능한 유용한 마그네슘－암모늄－인산염(Struvite, $NH_4MgPO_4 \cdot 6H_2O$)을 얻을 수 있다.

23 | 인 제거공정에서 전침전(Pre-precipitation), 공침(Co-precipitation), 후침전(Post-precipitation)을 비교 설명하시오.

1. 정의

전침전, 공침, 후침전은 주로 인을 침전으로 제거할 때 1차 침전지(전침전), 2차 침전지(공침), 3차 침전지(후침전)에서 제거하는 방식을 말한다.

2. 전침전 · 공침 · 후침전의 특징

인의 제거에는 주로 응집제[칼슘(Ca), 알루미늄(Al), 철(Fe), 폴리머(Polymer)]를 이용한 응집침전법이 가장 일반적으로 사용되고 있으며, 이때 응집제의 투입위치에 따라 전침전, 공침, 후침전으로 나누는데 그 방법과 특징은 다음과 같다.

1) 전침전

전침전은 1차 침전지에서 인을 침전시키기 위해 하수 유입수에 응집제를 첨가하는 방식이다. 전침전은 인을 미리 제거하는 효과는 있으나 응집제 투입량이 증가하는 경향이 있다.

2) 공침

공침은 미생물 반응조를 거친 뒤 생물학적 슬러지와 함께 인을 응집제로 응집 침전시키는 것으로 응집제를 첨가하는 위치에 따라 1차 침전지 유출수에 투입, 미생물 반응조 혼합액에 투입, 생물학적 처리공정 유출수로 2차 침전조 앞에 투입하는 방법이 있으며 시스템이 간단하고 전침전에 비하여 응집제 투입량도 감소한다.

3) 후침전

후침전은 2차 침전조 유출수에 화학제를 투입하고 연속적으로 침전물을 제거하는 방식이다. 이때 추가적인 침전시설 및 여과장치가 요구된다.

3. 처리단계별 인 제거 장단점

처리 정도	장점	단점
1차 처리	• 대부분의 처리장에 적용 가능 • BOD와 부유물질 제거효율을 높임 • 금속 누출이 낮음	• 낮은 금속유용성 • 응집을 위하여 폴리머가 필요 • 1차 슬러지보다 슬러지의 탈수가 어려움
2차 처리	• 낮은 비용 • 1차 처리보다 낮은 화학제 주입량 • 활성슬러지의 안정성 향상 • 폴리머가 필요하지 않음	• 과잉의 금속염 주입은 낮은 pH 독성 유발 • 낮은 알칼리도의 하수에서 pH 조절 시스템이 필요 • 활성슬러지에 비활성물질을 첨가함으로써 휘발성 물질의 비율이 감소함
고도-침전	• 낮은 인 유출수 • 가장 효율적인 금속염 이용 효율	• 높은 시설 투자비 • 높은 금속 누출
고도-단일 및 2단 여과	잔류 고형 물질의 제거를 위해 낮은 비용으로 결합 가능	• 1단 여과에서 여과운전주기를 조정하기 어려움 • 2단 여과에서 추가적인 비용 필요

4. 생물학적 인 제거방법(과잉섭취법)

하수 중의 인 제거는 생물학적 방법(과잉섭취법)과 화학적 응집침전법이 주로 쓰인다. 본처리에서 주로 쓰이는 생물학적인 인의 제거원리는 호기성 미생물이 인을 과잉섭취할 수 있는 특성을 이용하는 것이다.

1) 하수에서 인(Phosphorus)을 제거하는 방법은 용존상태의 인을 고형물 상태(미생물슬러지)로 전환시키고 연속해서 이러한 고형물을 제거하는 것이다.
2) 인은 화학적 침전물(Chemical Precipitates)과 생물학적 고형물(Biological Solids)로 나뉘고 부영양화를 제거하기 위해 방류수역에 따라 처리장 유출수 총인농도를 0.1~2ppm 정도로 제어한다.
3) 혐기성 상태에서는 미생물 내에 축적된 Poly Phosphate(유기인)가 가수분해되어 Orthophosphate(정인산) 형태로 방출되어 미생물의 체내에 인이 부족한 상태가 된다.
4) 인이 부족한 미생물은 호기성 상태에서 미생물에 필요한 인보다 2~3배 이상으로 인을 과잉섭취(Luxury Uptake)하는 현상이 일어나 과잉 섭취한 미생물을 제거함으로써 인을 제거하는 방법이다.

24 | 기존하수처리시설에 대한 성능개선 및 공법변경계획 수립 시 고려사항을 설명하시오.

1. 개요

기존하수처리시설에 있어서 관로정비에 의한 유입하수 수질 농도 증가 시나 방류수질 기준강화(N, P 등), 총량규제 등으로 인하여 기존 시설만으로 배출기준을 달성하기 어려울 경우 가능하면 기존시설을 최대한 이용하고 불가능할 경우에 한해서 시설의 개선 및 공법변경계획을 수립하도록 해야 한다.

2. 고도처리 및 성능 개선 시 고려사항

기존하수처리시설의 고도처리 및 성능 개선 시는 다음 사항을 고려하여 처리공법의 변경 또는 시설 증설계획을 수립한다.

1) 처리시설 운영실태 정밀분석

기존시설 운영실태 파악을 위하여 최소한 다음 사항에 대하여 운영자료를 수집하여 분석하는 것이 바람직하다.

(1) 수질현황 분석

유입수와 방류수에 대한 최소한 1년 치 이상의 수질을 평균, 최대, 최소 95% 확률수질, 연중 4회 이상 72시간 연속 수질변동 상황 등을 분석하여 검토수질과 문제 수질항목을 발췌한다.

(2) 침전지 운영실태 분석

일차침전지와 이차침전지 수리 및 고형물 부하율 분석과 슬러지 계면관리실태, 슬러지 유출에 관련된 침전지의 수리구조적 특성 및 기타사항을 분석하여 문제 발생요인을 검토한다.

(3) 합류식 하수도의 처리시설의 경우 초기 우수에 대해 1차 침전 효율과 바닥에 적체된 슬러지 유출 등을 분석하고, 슬러지 처리시설 개선시 예측되는 일차침선지 유출수질을 분석한다.

(4) 이차침전지에 대해서도 슬러지 처리계통의 과부하로 인한 계면관리 어려움이나 구조물 세부사항의 문제로 인한 슬러지 유출에 대해 일중(Day) 유출형태를 분석할 필요가 있다.

(5) 생물반응조 운영실태 분석

MLSS, MLVSS, F/M 비, 반응조 부위별 운영 DO, 슬러지 침전특성 및 벌킹(Bulking)과 핀플록(Pin Floc) 등의 이상상태 발생 여부 및 조건을 분석할 필요가 있다.

(6) 슬러지 처리시설

각 단위공정들의 월류수 및 탈리 여액에 의한 수처리 시설에 대한 부하율, 소화조 체류시간과 운영온도 및 가스 발생률, 응집제 사용량, 탈수 후 함수율 및 탈수기 부하율 등을 여건에 따라 적절히 조정하여 조사할 필요가 있다.

2) 기존시설에 의한 처리 가능성을 충분히 검토

(1) 운전방식 개선에 의한 처리효율 증대

- 유기물의 농도가 높을 경우는 생물학적 부하율이 문제가 되어 용해성 유기물 농도가 높은 경우와 벌킹(Bulking) 및 핀플록(Pin Floc) 등으로 인하여 2차 침전지에서의 침강특성의 악화, 이차침전지 계면관리 실패로 인한 경우로 나누어 판단할 수 있으며
- 침강특성에 문제가 없을 경우 F/M비 제어를 통해 제거효율 향상 가능성을 판단한다. 이 경우 운영 MLSS가 3,500~4,000mg/L 이상일 경우는 이차침전지의 부하율에 문제가 생기므로 증설이나 생물반응조로부터 미생물 유출억제방안이 필요하다.

(2) 부하율 개선에 의한 처리효율 증대

- 시간대별 부하율 변동이 과다하여 상시 수질유지가 어려울 경우 유량조정조 설치 등을 검토할 수 있다.
- 침전지의 계면관리가 불가능하여 슬러지 유출이 생길 경우는 슬러지 처리시설의 부하율과의 관계가 문제가 될 경우가 크므로 부하율 개선을 위해 농축방식의 전환, 소화율 개선, 탈수기 증설 등을 검토할 필요가 있다.

(3) 기존시설 일부 개조 또는 증설에 의한 처리효율 증대

- 전항에서 제시한 문제점들에 대하여 기능개선과 운영방법 변화 시 예상되는 처리수질을 물질수지 등을 분석하여 결정하고, 문제가 되는 수질항목을 분석한다.
- 유기물(BOD, COD)과 부유물(SS) 등이 문제가 생길 경우 이차침전지 기능개선을 먼저 검토하고
- 소화조를 설치하여 운영중인 하수처리시설에서 소화효율이 낮거나 소각 등의 추가적인 처리를 계획함에 따라 운영의 경제성이 떨어지는 경우에는 소화효율을 높일 수 있는 방안을 먼저 검토한 후 기능전환을 검토해야 한다.

3) 기존시설에 적절한 처리공법 변경계획 수립

(1) 유기물(BOD, COD)과 부유물질 문제 시 시설개선계획 수립
전항에서 제시한 사항과 문제점을 개선하더라도 충분한 처리효율을 발휘할 수 없거나 특정수질 항목이 허용수질기준을 넘어설 가능성이 있을 경우 공법 변경 또는 3차 처리, 시설 증설 등을 고려하여야 한다.

(2) 유기물(BOD, COD)과 부유물(SS) 등이 문제가 생길 경우 먼저 유량조정조에 의해서 개선이 충분할지의 가능성과 슬러지 처리시설 개선 등에 의해 해결이 불가능하다면 3차 처리시설 추가를 검토하여야 한다.

(3) 총질소(T-N) 및 총인(T-P) 문제 시 시설개선계획 수립
① 총질소(T-N)가 문제될 경우는
- 슬러지 처리계통의 소화조와 탈수기 탈리여액에 대해 별도의 처리공정을 추가하여 고농도 총질소가 수처리계통으로 반송되는 것을 막아서 해결하는 방법을 고려
- 수처리 공정의 생물학적인 공정에 혐기와 호기공간을 별도로 두어서 해결하는 방법 등을 판단하되,
- 반응조 수리체류시간이 부족하여 미생물량 확보가 충분치 못하거나 이차침전지 여건상 과다한 MLSS 유지가 어려울 경우 미생물 확보대책을 별도로 수립 하거나 생물반응조를 증설해야 한다.

② 총인(T-P)이 문제가 될 경우에는
- 생물반응조에 인방출 공정을 별도로 추가하거나 응집제에 의한 화학적인 제거를 고려할 수 있다.
- 생물학적인 처리의 경우 탈질이나 인 방출에 필요한 탄소 공급능력이 충분한지 검토되어야 하고, 응집제에 의한 인 처리 시는 슬러지 발생량이 현저히 늘어나므로 슬러지 처리시설에 대한 과부하가 함께 검토되어야 한다.

Professional Engineer Water Supply Sewage

6. 슬러지처리

1 | 슬러지의 종류 및 표시법을 설명하시오.

1. 개요

슬러지는 발생 요인에 따라 1차 슬러지, 2차(활성) 슬러지, 소화슬러지 등으로 구분하며 처리공정에 따라 생슬러지, 농축슬러지, 탈수슬러지, 건조슬러지 등으로 구분한다.

2. 슬러지의 종류별 특성

1) 생슬러지(1차 슬러지)
   (1) 최초 침전지에서 인출한 1차 슬러지이다.
   (2) 갈색이며 비중은 약 1이다. 수분함량이 95% 이상이다.
   (3) 유기물함량은 65% 정도이다. C/N비는 약 10 정도이다.

2) 활성슬러지(2차 슬러지)
   (1) 최종 침전지에서 인출한 2차 슬러지이다.
   (2) 수분함량이 98% 이상이다.
   (3) 갈색의 플록으로 흙냄새 혹은 곰팡이 냄새가 난다.
   (4) 흡착력이 강해서 오탁물을 침전시킨다.

3) 농축슬러지
   (1) 1, 2차 슬러지를 농축조에서 농축한 슬러지이다.
   (2) 함수율은 90% 정도이다.

4) 소화슬러지
   (1) 생슬러지나 활성슬러지가 생물학적 안정화(소화조)를 거친 슬러지이다.
   (2) 어두운 갈색이나 검은색으로 약간의 타르 냄새가 난다.
   (3) 함수율은 85% 정도이다.

5) 탈수슬러지
   (1) 농축슬러지나 소화슬러지를 탈수기에서 탈수한 슬러지이다.
   (2) 함수율은 60~75% 정도이다.

6) 콤포스트 슬러지
   퇴비화한 슬러지로 진한 회색 및 갈색을 띠며 퇴비화가 진행될수록 C/N비는 감소하여 C/N비가 약 30 정도에서 퇴비화가 된 것으로 본다.

7) 건조슬러지

건조된 슬러지로 함수율은 20% 정도이다.

3. 슬러지의 표시법

폐수 내에 슬러지의 함량을 나타내는 지표로는 슬러지 농도, 슬러지 용적, 슬러지 용적 지수, 슬러지 밀도지수 등이 있다.

다음 표에 그 각각의 정의 및 관계식을 정리하였다.(자주 출제되는 기본사항이므로 평소에 기억하고 있도록 한다.

구분	설명
MLSS	MLSS(Mixed Liquor Suspended Solid)란 활성오니법에서 포기조 내 혼합액의 부유물질을 말하며 그의 농도는 평균부유물농도(mg/L)로 표시한다.
X (부유물질의 농도)	포기조 내 혼합액의 평균부유물농도를 mg/L로 나타낸 값이다.
SV (Sludge Volume) (슬러지의 용적)	포기조 내의 혼합액을 1리터의 실린더에서 30분간 침전시켰을 때의 슬러지가 차지하는 부피를 mL로 나타낸 값이다.
SVI (Sludge Volume Index) (슬러지 용적지수)	• 슬러지에 1g(그램)의 MLSS가 차지하는 부피를 mL로 나타낸 값으로서 농축정도를 나타낸다. • SVI가 적을수록 농축되기 쉬우며 SVI가 80 이상, 150 이하의 범위에 있으면 양호한 침전성을 나타낸다. • 벌킹(슬러지 팽화현상) 시에는 SVI가 200 이상을 나타낸다.
SDI (Sludge Density Index) (슬러지 밀도지수)	• 포기조 내의 혼합액을 30분간 정치한 때의 침전된 슬러지 100mL 중에 포함된 활성오니부유물을 그램으로 나타낸 값을 말한다. • 100/SVI로 나타낼 수 있다.

1) SVI, SV와 X와의 관계식 : $X = (SV/SVI) \times 1,000$

2) SVI와 반송슬러지의 부유물질의 농도(Xr)와의 관계식 : $X_r = 10^6/SVI$

질의 농도와 반송률과의 관계식 유도

포기조의 물질수지식

$X_r \times Q_r = X(Q + Q_r)$양변을 Q로 나누고 반송률 $R = Q_r/Q$라면

$$X_r \times R = X(1+R) \qquad \therefore R = \frac{X}{(X_r - X)}$$

2 | 슬러지의 처리의 공정별 특성을 설명하시오.

1. 개요

슬러지처리는 폐수처리에서 오염물질의 최종적 처리로서 매우 중요한 분야이다. 슬러지 처리가 원만하지 못하면 앞공정이 아무리 우수해도 결국 처리가 불량한 것이 되고 만다.

2. 슬러지의 특성별 처분법

이들 슬러지는 농축, 안정화, 개량, 탈수, 소각처리 등 경우에 따라 필요한 처리공정을 거친 후 매립하여 최종 처분된다.

1) 하수오니는 약 50%의 유기질을 함유하고 있으며, 함수율도 최초 침전오니의 96~98%에서 활성오니의 99~99.5%로 높기 때문에 처리하기 어렵다.

2) 정수오니는 탁질과 수산화알루미늄이 주성분인데 원수에 따라서 유기물을 20~30% 함유하는 경우도 있다. 하수오니와 마찬가지로 98% 이상의 함수율이 있어 처리처분이 곤란하며, 특히 수산화알루미늄이 플록을 함유하는 오니는 탈수, 농축이 곤란하다.

3. 슬러지 처리의 목적

1) 안정화
슬러지에 포함된 부패성 유기물질을 생화학적인(소화)을 통하여 환경에 악영향이 미치지 않도록 질적으로 안정화시킨다.

2) 안전화
슬러지에 포함된 병원균, 기생충알 등이 살균되어 인체 등에 감염되지 않도록 안전화 시킨다.

3) 부피감소
수분을 분리하여 부피를 감소시키고 중량을 가볍게 하여 처분을 용이하게 하고 비용절감을 달성한다.

4. 슬러지의 일반적 처리공정

슬러지는 일반적으로 "슬러지 → 농축(중력식, 부상식, 원심력) → 소화(호기성, 혐기성, 산화지, Imhoff Tank, 습식산화) → 개량(냉동, 화학개량, 열처리) → 탈수 및 건조(건조상, 진공여과, 원심분리, 가압여과, 진동습식산화) → 소각(연소, 습식산화) → 최종 처리(비료, 토지개량, 폐기, 산화지, 매립, 살포, 해양투기)" 과정을 기준으로 여건에 알맞도록 단순화시켜 처리된다.

1) 농축

(1) 농축은 슬러지 내의 수분을 분리시켜 슬러지의 용적을 감소시키는 데 목적이 있다.

(2) 농축슬러지는 슬러지의 농축에 의해 침강 분리한 새슬러지를 말하여 농축슬러지는 보통펌프에 의해 저장조에 별도 저류하였다가 탈수시설로 이송하게 된다.

(3) 생슬러지의 함수율은 98% 이상이고 농축슬러지의 함수율은 약 90% 정도이다.

(4) 농축방법 : 중력식, 부상식, 증발식, 원심력식 등

2) 안정화

(1) 농축된 슬러지는 그대로 이용되기도 하지만 슬러지 중의 유기물을 제거하여 안정화시키고 슬러지량을 감소시키기 위해여 안정화처리과정을 거치게 된다.

(2) 슬러지는 호기성 혹은 혐기성소화방법 등으로 슬러지의 휘발성분을 제거함으로써 악취 및 병원균을 제거하여 안정화시킬 수 있다.

(3) 슬러지의 안정화는 탈수특성이 양호해지고, 슬러지 고형물의 양을 감소시키며 최종처리 후 유기물의 분해에 따른 2차 오염(악취, 병원균, 기생충)을 예방한다.

(4) 안정화방법에는 주로 소화법(혐기성소화, 호기성소화)과 습식산화법이 이용되며 그 밖에도 염소, 산소, 오존산화법, 석회주입 안정화 등을 들 수 있다.

3) 개량

슬러지의 개량은 슬러지의 탈수특성을 개선시키기 위하여 실시되며, 슬러지의 개량방법에는 세척, 생물학적 처리, 약품처리, 열처리 등이 있다.

(1) 세척은 약품요구량을 감소시키기 위하여 실시된다.

(2) 생물학적 방법

슬러지의 탈수성을 좋게하기 위하여 이를 생물학적으로 개량하는 방법에는 혐기성소화법과 호기성소화법이 있으나 주로 혐기성소화법이 많이 사용되고 있다.

(3) 약품처리

하수슬러지의 탈수 전처리로 가장 일반화되어 있으며 알루미늄, 철염, 황산반토 고분자응집제 등을 투여하고 탈수하는 형태로 많이 사용된다.

(4) 열처리

열처리법은 슬러지에 열을 가하여 무기약품으로 탈수하는 방법으로 슬러지에 열을 가하면 세포가 파괴되어 세포 내의 수분이 유출된다.

4) 탈수 및 건조

(1) 탈수공정은 슬러지의 수분을 감소시켜 슬러지의 양을 감소시킨다.

- 탈수슬러지의 함수율은 약 70~80% 정도이다.
- 가압식, 진공식, 원심식, 스크루식, 벨트프레스형이 있다.

(2) 건조

보통 슬러지 처리는 침전, 농축 및 기계적 탈수 등의 방법을 이용하여 가능한 한 수분을 저감시키고 다음 단계에 건조, 소각공정으로 처리하는 것이 일반적 처리 순서이다.

5) 최종 처분

매립, 해양투기, 퇴비화, 소각 후 매립, 토양살포, 슬러지의 토지 주입 등이 있다.

3 | 하수슬러지의 일반적인 특성을 설명하시오.

1. 슬러지의 종류 및 특성

국내 하수처리시설에서 주로 채택하고 있는 하수처리공법인 표준 활성 슬러지법에 의한 하수처리과정에서 발생되는 슬러지의 종류 및 특성은 아래 표와 같다.

슬러지 종류 및 특성

슬러지 종류	특성
생 슬러지	최초 침전지 등에서 발생하는 슬러지로 회색, 점착성, 악취가 심하다.(고형물 농도 : 4~10%)
잉여 슬러지	최종침전지에서 인발한 슬러지 중 반송 슬러지를 제외한 것으로 갈색, 흙냄새가 난다.(고형물 농도 : 0.8~2.5%)
혼합 슬러지	생 슬러지와 잉여 슬러지를 혼합한 것(고형물 농도 : 0.5~1.5%)
농축 슬러지	탈수성 개선을 위해 농축조에서 농축시킨 슬러지(고형물 농도 : 2~8%)
소화 슬러지	소화조에서 소화 처리한 슬러지로 암갈색 내지 흙갈색으로 다량의 가스 포함. 악취발생이 거의 없다.(고형물 농도 : 2.5~7%)
탈수 슬러지(Cake)	탈수기를 통해 수분을 감소시킨 슬러지(고형물 농도 : 20~40%)

1) 일반적으로 표준 활성 슬러지법에 의한 처리공정에서 발생되는 생 슬러지와 잉여 슬러지의 양은 전체 유입하수량의 약 1% 정도이며, 고형물량의 40~90%가 유기물이고 함수율은 97~99%로 이런 상태에서는 최종 처분하는 데 많은 문제점이 있다.
2) 슬러지 중에 다량 포함된 유기물은 극히 불안정하여 부패하기 쉽고 부패 시 악취 발생은 물론 인체와 생물에 유해한 물질이 발생될 수 있으며 위생상의 문제를 유발시킬 수 있다.
3) 함수율이 높은 슬러지는 최종 처분장으로의 운반에 많은 비용이 소요될 뿐 아니라 처리시설의 용량도 커지게 된다. 따라서 슬러지는 기본적으로 안정화와 안전화 및 감량화가 필수적이다.

2. 슬러지의 일반 특성

1) pH

국내 하수처리장을 대상으로 탈수 케이크의 pH를 조사한 결과 대체적으로 6.1~8.2의 범위를 보이고 있어 대부분 중성이상을 유지하고 있다고 할 수 있으며, 이러한 pH값은 소화조의 운전상태와 사용하는 응집제에 의하여 크게 좌우된다.

2) 수분함량

하수 슬러지의 성상 중에서 수분함량은 처리장치의 설계에 있어서 중요한 인자 중 하나이다.

(1) 수분함량에 따라서 전처리과정으로 적용되는 건조기의 건조조건에 영향을 미치게 된다.
(2) 현재 조사된 슬러지의 수분함량은 77~85% 정도로서 평균 80% 정도의 수분함량을 나타내고 있다.
(3) 수분함량은 각 하수처리장에서 발생하는 슬러지의 성상, 탈수기 및 응집제 종류에 따라 큰 차이를 보이고 있다.
(4) 슬러지의 처리에 있어서 부자재 및 에너지손실을 최소화하기 위하여 탈수 시 80% 이하로 탈수하는 것이 바람직하며, 효과적인 처리를 위해서는 탈수효율을 최대화시키는 것이 좋다.

3) VS 함량

하수 슬러지 중 유기물의 함량(VS 함량)은 처리방식을 결정하는 데 있어서 중요한 인자 중 하나이다.

(1) 유기물 함량은 하수관거의 종류, 하수처리 구역 내 사람들의 생활수준, 폐수유입 여부 및 소화조 적용 여부에 따라 달라진다.
(2) 우리나라의 경우에는 분리하수관거가 설치된 곳이 많지 않고, 대부분의 하수처리장은 혐기성 소화조가 설치되어 있어 유기물의 함량이 비교적 낮은 것으로 알려져 있으며, 농도범위는 40~70% 정도로 나타났다.

4) C/N비

하수 슬러지의 퇴비화에 있어서 영양균형을 위해서는 탄소와 질소비가 중요한 제어인자로서 작용한다.

(1) 다른 유기물성상과는 달리 하수 슬러지는 유기물 내에 질소함량이 높은 것으로 알려져 있다.

(2) 실제적으로 분석된 결과에 의하면 질소 소비가 상당히 높게 관찰되어 C/N비가 낮은 값을 유지하고 있는 것을 알 수 있다.

(3) 퇴비화 반응에서 질소 소비가 높은 경우는 퇴비화 반응의 초기온도가 높고, 반응이 빠르게 진행되면서, 암모니아로서의 질소원이 유실될 수 있다.

(4) 즉, 반응성의 측면에서는 효과적이라고 할 수 있으나, 질소원의 상실이란 측면에서는 비효과적이라 할 수 있다.

(5) 이러한 면에서 방법론적으로 초기의 반응속도, 즉 고온의 분위기를 유지하면서 질소유실을 방지할 수 있는 제어기법의 개발이 필요하다.

5) 중금속 함량

하수처리장을 농촌형, 도시형, 공단형으로 구분하고, 중금속을 비료공정규격에 들어 있는 항목과 기타 항목으로 분류한 결과 공단형 하수처리장에서 발생하는 슬러지에서 중금속 농도가 높게 나타났다.

(1) 하수 슬러지를 퇴비화하여 농가 혹은 산림에 사용할 경우에는 농림수산부의 비료관리법에 준해서 사용할 수 있다.

(2) 일반적으로 비료 중에서 유기질비료 및 부산물비료에 대해 크롬, 납, 카드뮴, 수은, 비소, 구리 등의 중금속 위생기준이 설정되어 있다.

6) 발열량

하수 슬러지의 처리방법에 있어서 발열량은 중요한 인자 중에 하나이다. 즉 하수 슬러지의 유기물함량 및 수분함량의 변화에 따라 처리상황이 변화되기 때문에 초기에 정확히 예측하여 설계하는 것이 필요하다. 퇴비화에 있어서는 이러한 발열량에 비례하여 미생물에 의한 분해 산화 시의 온도가 좌우되며, 소각에서는 보조연료의 양이 결정되기 때문이다.

4 | 도시 하수처리시설에서 발생되는 슬러지의 특성을 설명하시오.

1. 개요

도시 하수처리시설에서 배출되는 슬러지는 농촌 슬러지보다는 분뇨의 분리처리 및 합류식 관거로 인해 하수의 SS농도는 낮은 편이다. 하지만 정수장의 슬러지보다는 유기물을 많이 함유하고 있으며 오염성분이 많고 부패성이 매우 크므로 안정화, 안전화, 감량화를 통해 처리해야 한다.

2. 일차 슬러지의 특징

- VS/TS = 0.6 ~ 0.7
- 고형물 함량 4%
- 농축과 탈수가 용이하며 약품이 불필요
- 분뇨의 분리처리 및 합류식 관거로 하수의 SS농도는 낮은 편
- 중력식 농축조에 적합

3. 이차 슬러지의 특징

- 농축불량, 탈질로 인한 부상 가능성
- 부상식농축조에 적합
- VS/TS = 0.65 ~ 0.75
- VS 함량은 SRT가 짧을수록 증대된다.
- $C_5H_7O_2N + 5O_2 \rightarrow 5CO_2 + NH_3 + 2H_2O$
  (113g)　(160g)
  $COD/VSS = 5O_2/C_5H_7O_2N = 160/113 = 1.42$
  N/미생물 = 14/113 = 12.3%
  $\therefore\ C/N = C_5/N = 60/14 = 4.3$
- 슬러지생산량, Y = 0.5 - 0.7kgVSS/kgBODu

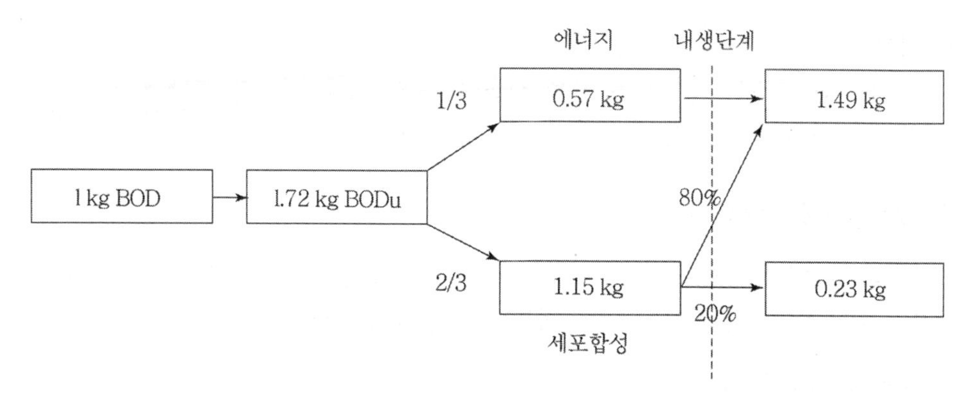

- 최대 슬러지생산량 1.15/1.42=0.81 (1kg BOD=1.42kg 슬러지)
- 최소 슬러지생산량 0.23/1.42=0.16
- 국내 슬러지생산량 0.5 kgVSS/kgBODr(미국 0.7)

4. 슬러지 농축/탈수에 영향을 미치는 인자

1) 슬러지성상

(1) 일차 슬러지가 이차 슬러지보다 농축과 탈수가 잘된다.
즉, 일차 슬러지에 필요한 약품량이 이차 슬러지보다 적다.

(2) 생물막 슬러지(Fixed Film Sludge)가 활성슬러지(Suspended Sludge)보다 약품소요량이 적다.

(3) 일차, 이차 슬러지 → (+)polymer
Chemical 슬러지 → (−)polymer

2) 슬러지농도

SS농도가 높으면 약품소요량도 증가한다.

3) 알칼리도와 pH

(1) 알칼리도가 높은 혐기성소화 슬러지는 약품소요량이 크다.

(2) 슬러지 입자표면의 전하와 응집제 전하는 pH에 따라 다르다.

4) 입자 크기와 분포

입자 크기가 작으면 비표면적이 증가하여 수분을 많이 부착하게 되므로 약품소요량이 증가하고, 입자 크기의 분포는 전체 입자 표면적에 영향을 미친다.

5) 수분보유량

수분보유량이 많아질수록 서로 결합되기 어렵고 탈수가 어려워진다.

6) 기타

(1) 장기간 저장된 슬러지는 신선한 슬러지보다 약품 소요가 크다.

(2) 슬러지 내에 지방분이 많으면 탈수에 문제가 있다.

5. 슬러지 탈수성 향상 방안

슬러지의 탈수성을 향상시키기 위해서는 미생물 Cell을 파괴하여야 한다. 슬러지를 소각하기 위해서는 수분함량이 50% 정도이면 쉽게 연소한다.

1) 초음파(Ultrasonic)
Zeta Potential 평형 상태를 파괴하여 응집 증대한다.

2) 물리적 기계적(고압력, 충격파) 파괴법

3) pH를 높여 슬러지의 생분해도를 향상시켜서 소화가 가능하게 한다.

4) 농축슬러지의 소화를 향상시켜 가스생산량 증가 및 슬러지량을 감소시킨다.

5) 반송슬러지에 오존을 주입하여 슬러지량을 감소시킨다.

6) Bio-solid 감소 방안
미생물의 세포를 파괴하여 생분해도를 향상시켜 슬러지량을 감소시킨다.

5 | 최근 법규정과 관련하여 하수슬러지를 처분하기 위한 고려사항을 기술하시오.

1. 개요

최근의 수자원 보호대책으로 하수처리시설이 지속적으로 건설되고 수질오염에 대한 경각심이 개선되어 주변 수계의 수질이 많이 개선되고 있다. 그러나 하수처리시설의 최종 부산물인 슬러지는 대부분이 해양에 투기되거나 지중매립하고 있어 2차 오염의 원인이 되고 있다.

2. 우리나라 법규에 규정된 슬러지의 처리기준

1) 유기성 오니(고형물 중 유기성 물질의 함량이 40% 이상인 것을 말한다.)처분법

(1) 소각하여야 한다.

(2) 수분함량이 85% 이하로 탈수 · 건조한 후 관리형 매립시설에 매립하여야 한다. 다만, 물을 이용하여 폐기물을 운반한 후(관로이송) 침전 처리하는 경우에는 탈수 건조 처리를 하지 아니할 수 있다.

(3) 1일 폐수배출량 2,000m^3 이상인 배출업소의 유기성 오니는 바로 매립하여서는 아니 되며, 소각하거나, 고형화 처리하거나, 퇴비로 사용하거나, 매립시설 복토용 또는 토지개량제 등으로 사용하여야 한다.

(4) 축산폐수처리시설 · 분뇨처리시설 및 1일 폐수배출량 700m^3 이상 2,000m^3 미만인 배출업소의 유기성 오니도 위와 같이 처리하여야 한다.

2) 무기성오니(유기성 오니 외의 오니를 말한다)처분법

- 소각하여야 한다.
- 수분함량이 85% 이하로 탈수 · 건조한 후 관리형 매립시설에 매립하여야 한다. 다만, 물을 이용하여 폐기물을 운반한 후 침전 처리하는 경우에는 탈수 · 건조처리를 하지 아니할 수 있다.

3. 하수슬러지를 처분하기 위한 고려사항

하수슬러지는 법규정에 맞고 안정성과 재활용성 및 경제성 등을 고려하여 최선의 방법으로 처리 · 처분하여야 하며 주요 고려사항은 다음과 같다.

(1) 안정화(유기물 제거)
하수슬러지(유기성 오니)를 안정화하여 되도록 무기성 오니로 만든다.

(2) 안전화(살균 및 유해물질 제거)
처분의 확실성

(3) 부피의 감소
향후 처리비용이 급증할 것으로 예상되는 바 총부피를 최소화하여 처리비용을 최소화한다.

(4) 재활용성 및 자원의 회수 측면
가장 바람직한 것은 고형화, 퇴비화 등 재활용하는 것이다.

(5) 환경의 보존
친환경적인 처리법을 연구·개발한다.

4. 슬러지처리의 현황과 추진방향

1) 슬러지 해양 투기 금지
(1) 2008.2부터 슬러지 발생량의 21% 해양배출금지(제1기준 초과)
(2) 2011.2부터 슬러지 발생량의 79% 해양배출금지(제2기준 초과)
(3) 2012.1부터 하수슬러지 해양배출 전면 금지

2) 검사항목을 25개 항목으로 확대, 해양배출기준은 2단계로 나누어 다소 완화된 제1기준은 '08. 2부터, 제1기준 보다 5배 강화된 제2기준은 '11년 2월부터 적용된다.

항목	폐수배출 허용기준 (mL/L)	해양배출기준(현행)		해양배출기준개정(안)	
		고상 (mg/kg)	액상 (mL/L)	제2기준	제1기준
시안화합물	1 이하	1 이하	1 이하	40	200
크롬 또는 그 화합물	2 이하	2 이하	20 이하	370	1,850
아연 또는 그 화합물	5 이하	5 이하	90 이하	1,800	9,000
구리, 카드뮴, 수은, 유기인 등	3 이하	3 이하	15 이하	400	2,000

6 | 활성슬러지조에서 슬러지 발생량 산출공식

1. SRT로부터 슬러지 발생량을 구하는 방법

$$\text{SRT} = \frac{VX}{Q_w \cdot X_r}$$

$$W = Q_w \cdot X_r = \frac{VX}{\text{SRT}}$$

여기서, V : 포기조의 용적
X : 포기조 내 MLSS의 농도
W : 슬러지 발생량(고형물)
SRT : Sludge Retention Time
Q_w : 폐슬러지 유출량
X_r : 폐슬러지 농도

2. 활성오니조에서 Eckenfelder 공식(미생물 증식량)을 이용하는 방법

$$W = Y \times \text{BOD 제거량} - k_d \times \text{포기조 내 MLVSS량}$$
$$= Y \times Q \times (S_o - S) - k_d \times V \times X$$

여기서, Y : 세포생산계수(kg-MLVSS/kg-BOD) : 0.05~0.7(보통 0.7)
k_d : 미생물의 내생호흡계수(/day) : 0.02~0.1(보통 0.05)
W : 슬러지 발생량(kg/day)

3. 활성오니조의 공정 설계식으로부터 계산하는 방법

1) 유입-유출수 내의 미생물 농도에 의한 물질수지식

$$X = \left\{ \frac{Y}{(1 + K_d \cdot \theta_c)} \right\} \cdot (S_o - S) = Y_{obs}(S_o - S)$$

$$\left(Y_{obs} = \frac{Y}{(1 + K_d \cdot \theta_c)} \right)$$

2) 1일 발생하는 슬러지의 양

$$P_X = X_r \cdot Q_w = Y \cdot \frac{Q(S_o - S)}{(1 + K_d \cdot \theta_c)}$$

여기서, P_X : 잉여슬러지발생량(kg-MLSS/day)

Y : 세포생산계수(kg-MLSS/kg-BOD) : 0.5~0.7(보통 0.5)

Q : 유입유량(m^3/day)

Q_w : 폐슬러지량(m^3/day)

S_o : 유입 BOD 농도(kg/m^3)

S : 유출 BOD 농도(kg/m^3)

K_d : 미생물의 내생호흡계수(/day) : 0.03~0.15(보통 0.08)

θ : HRT(day), θ_c : SRT(day)

X : MLVSS 농도(kg/m^3)

X_r : 반송슬러지 농도(mg/L)

3) 공식 유도(폐슬러지 발생량을 W라고 하면)

$$W = X_r \cdot Q_w = \frac{V \cdot X}{\mathrm{SRT}} = \frac{Q\left(\frac{V}{Q}\right)X}{\mathrm{SRT}} = \frac{Q \cdot \mathrm{HRT} \cdot X}{\mathrm{SRT}}$$

$$= Q \cdot X \cdot \frac{\mathrm{HRT}}{\mathrm{SRT}} = Q\left[\frac{Y(S_0 - S_1)}{1 + K_d \cdot \mathrm{HRT}}\right]\frac{\mathrm{HRT}}{\mathrm{SRT}}$$

$$= Q \cdot \frac{Y(S_0 - S_1)}{1 + K_d \cdot \mathrm{SRT}}$$

▌예 제 1

다음과 같은 조건하에서의 활성슬러지에서 1일 발생하는 슬러지량을 구하면?
(단, 유입수량 21,000m^3/d, 유입수 BOD 200mg/L, 유출수 BOD 20mg/L, Y=0.6, K_d=0.05/d, θ_c=10일)

☞ 풀 이

$$P_X = Y \times \frac{Q(S_o - S)}{1 + k_d \times \theta_c}$$

$$= 0.6 \times \frac{21,000(200-20)10^{-3}}{1 + 0.05 \times 10} = 1,512\text{kg/d}$$

▌예 제 2

다음과 같은 조건하의 활성슬러지공법을 계속 운영한다면 1일 폐슬러지 양은 얼마인가? 단, 다음을 기준 한다.

유량=1,000m^3/day　　포기조=500m^3　　Y=0.7　　K_d=0.05/d
MLVSS=2,500mg/L　　유입 BOD=400mg/L　　유출BOD=40mg/L
폐슬러지량=발생슬러지량
유출수 SS농도는 고려하지 않는다.

☞ 풀 이

$$P_X = Y \times Q \times (S_o - S) - k_d \times V \times X$$

$$= 0.7 \times 1,000 \times (400-40)10^{-3} - 0.05 \times 500 \times 2,500 \times 10^{-3}$$

$$= 189.5\text{kg/d}$$

7 | 계획발생슬러지량과 함수율과의 관계식을 설명하시오.

1. 계획발생슬러지량의 정의

계획하수 발생슬러지량이란 발생하는 슬러지의 양 및 질(성분)을 파악하는 것으로 이는 슬러지 처리 · 이용방법의 결정이나 시설계획에서 중요하기 때문에 계획슬러지량의 산정이나 추정 시에 특히 신중을 기해야 한다.

2. 계획발생슬러지량의 산정

1) 슬러지처리계획은 발생슬러지량과 성상에 따라 결정되므로 계획단계에서 충분히 검토할 필요가 있다.
2) 슬러지처리 · 이용계획의 기본이 되는 계획발생슬러지량은 계획 1일 최대오수량을 기본으로 하여 하수 중의 SS농도, BOD농도 제거율 및 슬러지의 함수율을 정하여 산정한다.
3) 계획발생슬러지량은 계획 1일 최대오수량을 기준으로 발생하는 슬러지의 양을 의미하며, 최종처리 · 처분계획의 기본이 된다.
4) 슬러지의 발생은 일차침전지 등 1차 처리시설에서 발생하는 슬러지와 2차 처리시설에서 발생하는 잉여슬러지가 주가 되며 다음과 같은 방법으로 산정한다.

$$\text{계획발생슬러지량}(m^3/d) = (\text{계획 1일 최대오수량}(m^3/d) \times \Delta SS \times 10^{-6}) \times \left(\frac{100}{100 - \text{함수율}(\%)}\right) + \text{잉여슬러지량}(m^3/d)$$

여기서, ΔSS : 일차침전지 등 1차 처리시설에서의 유입수와 유출수의 고형물질농도의 차

3. 건조 전 슬러지량과 함수율

건조 전 슬러지는 슬러지 고형물과 물로 이루어진다. 즉, 건조 전 슬러지의 부피는 슬러지 고형물의 부피와 슬러지에 포함된 물의 부피(함수율)로 이루어진다.

1) $\text{슬러지의 중량}(W_s) = \text{슬러지 고형물의 중량}(W_{fs}) + \text{물의 중량}(W_w)$

$$= \frac{\text{슬러지 고형물의 중량}(W_{fs})}{\text{고형물농도}(W_w)}$$

2) 슬러지의 부피$(V_S) = \dfrac{\text{슬러지의 중량}(W_s)}{\text{비중}(S_s)}$

3) 슬러지 고형물의 부피$(V_{fs}) = \dfrac{\text{슬러지 고형물의 중량}(W_{fs})}{\text{슬러지 고형물의 비중}(S_{fs})}$

4) 슬러지 수분의 부피$(V_w) = \dfrac{\text{슬러지 수분의 중량}(W_w)}{\text{슬러지 수분의 비중}(S_w)}$

4. 건조슬러지 고형물량

건조슬러지는 휘발성 고형물질(VS)과 강열잔류 고형물(FS)로 나눌 수 있다. 바꾸어 말하면 휘발성 고형물질의 부피와 강열잔류 고형물의 부피를 합하면 전체 슬러지의 부피가 된다.

1) 전체 슬러지의 부피

(1) 전체 슬러지(TS)의 부피(V) = 휘발성 고형물(VS)의 부피(V_v)
+강열잔류 고형물(FS)의 부피(V_f)

(2) 전체 슬러지 부피 $= \dfrac{\text{슬러지의 중량}(W)}{\text{비중}(S)} = \dfrac{W}{S}$

2) 휘발성 고형물의 부피$(V_v) = \dfrac{\text{VS 중량분율}}{\text{휘발성 고형물의 비중}} = \dfrac{W_v}{S_v}$

3) 강열잔류 고형물의 부피$(V_f) = \dfrac{\text{FS 중량분율}}{\text{강열잔류 고형물의 비중}} = \dfrac{W_F}{S_f}$

5. 슬러지의 중량과 함수율

일반적으로 슬러지의 중량과 부피는 함수율로 표현하는데 농축, 탈수 등으로 함수율이 감소하면 고형물량은 이론적으로 변화가 없으므로 슬러지량을 계산할 때 고형물을 기준으로 해석하면 혼란이 적다. 즉, 슬러지는 건조 전후 고형물량이 불변이므로 고형물량을 중심으로 문제를 해석하고, 소화 시 고형물량은 VS와 FS에서 소화 전후 각각 구성비율이 달라지는데 이때 FS량이 불변이므로 FS를 중심으로 문제를 해석한다.

▌예 제

1일 2,000m^3/day의 하수처리 시 침전고형물이 1차 침전지에서 0.4ton/day, 2차 침전지에서 0.3ton/day 생성되었다. 이때 각 고형물의 함수율은 각각 98%, 99.5%이었다. 이 고형물을 정체시간 3일로 하여 농축시키려면 농축조의 크기는?(단, 고형물의 비중은 1.0으로 가정한다.)

☞ 풀 이

$$1\text{차 슬러지량} = \frac{\text{고형물}}{\text{고형물농도}} = \frac{0.4}{0.02} = 20\text{ton/day} = 20\text{m}^3/\text{day}$$

$$2\text{차 슬러지량} = \frac{0.3}{0.005} = 60\text{ton/day} = 60\text{m}^3/\text{day}$$

$$\therefore \text{ 농축조 크기 } V = QT = (20+60) \times 3 = 240\text{m}^3$$

8 | 슬러지의 농축 방식을 설명하시오.

1. 개요

하수처리과정에서 발생되는 슬러지는 통상 일차 슬러지와 이차 슬러지로, 이들 슬러지는 보통 95~99.5% 정도의 수분을 함유하므로 농축공정을 통하여 슬러지의 고형물비를 증대시켜 슬러지량을 감소시킴으로써 후속의 슬러지 처리시설의 규모 축소와 경제적인 운전을 도모할 수 있다.

2. 농축의 목적

1) 슬러지 부피의 감소화로 소화조와 탈수시설 용량 감소 및 운전비 절감
2) 소화조의 슬러지 가열시 필요 열량 감소
3) 슬러지 개량시 소요 약품량의 감소
4) 슬러지량 감소로 슬러지 배관과 슬러지 이송 펌프 용량의 감소
5) 탈수 효율의 증대

3. 슬러지 농축 방법

중력식 농축, 부상식 농축 및 기계식 농축이 있으며, 일차 슬러지는 고형물 농도가 크므로 농축시설 없이 후속 소화조나 탈수시설로 직접 보내어 처리하고 이차 슬러지는 부상식과 기계식 농축 등으로 처리하여 후속 시설로 보내되 슬러지 중의 인의 재용출을 방지할 수 있도록 충분히 검토되어야 한다.

4. 중력식 농축조

1) 개요

중력식 농축조는 조 내에 슬러지를 체류시켜, 중력을 이용하여 농축한 후 바닥에 침강한 농축 슬러지를 슬러지 제거기(스크레이퍼)로 배출구에 모으는 것이다.

2) 특징

(1) 중력식에 의한 슬러지 농축은 계절변화의 영향을 받기 쉬워 안정적인 운전이 어려우며, 특히 여름철에는 체류시간이 길어 슬러지가 부패하기 쉽다.
(2) 중력식 농축조는 주로 일차 슬러지와 혼합슬러지(일차 슬러지+이차 슬러지)의 농축에 사용되며, 이차 슬러지의 단독 농축에는 사용되지 않는다.

3) 설계기준

(1) 체류시간 : 18시간 이하
체류시간이 길면 잉여슬러지가 부패하기 쉽다.

(2) 유효수심 : 4m 정도

(3) 고형물 부하 : 혼합슬러지 25~70kg/m^2 · d
일차 슬러지 100~150kg/m^2 · d
이차 슬러지 20~40kg/m^2 · d
국내 설계 60kg/m^2 · d(운전40 kg/m^2 · d)

(4) 수리학적 부하 : 일차 슬러지 16~32m^3/m^3 · d
이차 슬러지 4~8m^3/m^2 · d

5. 부상식 농축조

1) 개요

부상식에 의한 고액분리는 부유물질에 미세한 기포를 부착시켜 고형물의 비중을 물보다 작게 하여 부상 분리시키는 것으로, 기포를 발생시키는 방법에 따라 용존 공기 부상법과 공기부상법, 진공부상법으로 나눌 수 있다.

(1) 용존 공기 부상법 : 액체에 압력을 가하여 공기를 포화시킨 후 압력을 감소시키면 용존된 공기 중 포화상태의 여분의 공기가 분리되어 부상한다.

(2) 공기 부상법 : 대기압하에서 기계에 의한 포기로 외부에서 미세 공기 입자를 형성해주는 방식

(3) 진공 부상법 : 대기압하에서 공기로 포화시킨 후 액체를 진공으로 만들면 여분의 포화 공기가 분리되어 부상한다.

2) 특징

(1) 부상식 농축은 중력식에서는 농축성이 나쁜 이차 슬러지를 대상으로 하며 일차 슬러지 같은 무거운 슬러지는 중력식이 좋다.

(2) 부상슬러지의 농도는 공기 대 고형물질(A/S비), 슬러지 특성(SVI), 고형물질부 하율, 약품 주입 등에 영향을 받으며 특히 A/S비는 농축조의 운전에 가장 중요한 인자로 2~4% 정도에서 부상슬러지의 상태가 양호하다.

(3) 부상식에서는 적절한 크기의 미세 기포 발생과 슬러지 입자에 미세 기포를 효과적으로 부착시켜 부상효율을 높이는 것이 중요하다.

3) 종류 및 특징

가압법에는 전량 가압법, 부분 가압법, 순환수 가압법이 있고 감압법은 보통의 압력에서 공기를 용해한 후 감압해서 기포를 발생시키지만 압력조절 범위가 좁으므로 슬러지 농축에는 거의 사용치 않는다.

(1) 용존 공기 부상법(DAF)

용존 공기 부상법은 5~7 기압하에서 공기를 유입슬러지에 용해시킨 후 다시 압력을 대기압까지 감소시키는 방식에 의하여 슬러지를 부상시켜 분리 농축하는 방식으로 이에는 다시 순환수 방식에 따라 전량 가압법, 부분 가압법, 순환수 가압법으로 나누어진다.

- 전량 가압법 : 유입수의 전량을 가압펌프로 공기포화조로 보내므로 구조가 간단하고 저농도 슬러지에 사용
- 부분 가압법 : 유입 슬러지의 일부를 공기조로 보내어 포화시켜서 공기포화도가 낮아 슬러지 처리에는 사용예가 적다.
- 순환수 가압법 : 유입 슬러지와 순환수의 일부를 재순환하여 가압 처리하므로 부상효율을 임의로 조절이 가능하며, 혼합을 위해 Ejecter를 사용한다. 순환수 공급에 따른 슬러지 펌프의 동력을 절감할 수 있도록 시스템 검토가 충분히 이루어져야 한다.

(2) 공기 부상법

공기 부상법에서는 수중에서 회전하는 임펠러나 산기장치를 이용하여 공기방울을 형성하여 수중에 주입한다. 기포입자가 커지므로 효율성이 떨어지고 고형물을 부상시켜 분리하기는 어렵다.

(3) 진공 부상법

진공 부상법은 처리수를 직접 진공조 내에 유입시켜 약간의 진공을 걸어 대기압과 진공도와의 차압에 의한 포화 용존 공기가 용액으로부터 분리되어 미세한 기포가 부상한다. 부분 진공을 유지하기 위하여 밀폐된 실린더형 탱크를 사용하며 효율이 낮아 일반적으로 사용하지 않으나 냄새 등의 문제가 있는 슬러지에서는 진공상태에서 냄새 발생을 억제하는 효과가 있다.

4) 설계기준

(1) 고형물 부하 : 80~150kg/m^2 · d

약품 주입 없이 : 40~120kg/m^2 · d → 3~5% 농도

약품 주입 시 : 80~240kg/m^2 · d → 3.5~6% 농도

(2) A/S비 : 0.02~0.04kg/kg

(3) 체류시간 : 2시간 이상

(4) 가압펌프 : 토출압력 2~5kg/cm^2

(5) 공기포화조 : 체류시간 2분 정도

5) 설계영향인자

(1) 압력 : 압력이 증가할수록 기포가 많아지고 부상슬러지의 농도는 증가하나 너무 많은 공기는 Floc을 해체한다.

(2) 공기방울 크기 : 50μm 정도가 적당하다. 같은 공기량에서 기포가 적을수록 표면적 증가로 부상효율은 증대하나 저항의 증가로 소요동력이 커지므로 적당한 크기를 선정한다.

(3) 주입 슬러지 농도 : 슬러지 농도가 낮을수록 빠르게 상승한다.

(4) 처리수의 반송 : 처리수 반송으로 주입 슬러지 농도를 희석시켜 효율을 증대한다. 반송에 의한 유량 증대로 많은 양의 공기를 용해할 수 있다.

(5) 체류시간 : 3시간까지는 체류시간 증가 시 부상슬러지 농도가 증가한다.

(6) A/S비 : SVI가 크거나 농도가 크면 A/S비가 커져야 한다.

6) A/S비

(1) A/S비는 사용되는 공기의 무게를 유입슬러지의 고형물 무게로 나눈 값으로, 공기방울의 상승속도와 가압수가 고형물을 부상시킬 수 있는 능력을 결정한다.

$$A/S = \frac{1.3S_a(f \cdot P - 1)}{S} \cdot \frac{R}{Q}$$

여기서 1.3 : 공기의 밀도, mg/cm^3

S_a : 공기의 용해도, mL/L

f : 포화상태에서 공기의 실제 용해비(보통 0.5)

P : 공기포화조 내의 압력(atm)

S : 고형물 농도, mg/L

R/Q : 반송률

(2) A/S비가 어느 정도까지는 증가할수록 부상효율이 증가하나 A/S비가 너무 높으면 수중에서 심한 와류에 의한 전단력으로 Floc이 해체되어 오히려 부상효과가 나빠질 수 있다.

(3) A/S비가 클수록 농축슬러지의 농도는 증가하지만 너무 커도 동력비에 비하여 농축효과는 증가하지 않는다.

6. 원심농축기

1) 개요

원심농축기는 중력에 의하여 침강하기 어려운 슬러지를 원심력을 이용하여 효과적으로 농축하는 것으로 횡형의 솔리드 보울 콘베이어형(Solid Bowl Conveyor Type)이 주로 사용된다.

2) 특징

(1) 특징은 설치가 용이하며, 자동화에 의한 유지관리가 용이하고, 고형물 회수율이 양호하며, 고농도 농축도 가능하고, 악취 발생을 방지할 수 있다.

(2) 유입슬러지는 회전하는 보울 내에서 원심력을 받아 농축슬러지는 보울 내의 주변부에 분리되고, 보울과 약간의 회전 속도차로 반대 방향으로 회전하는 스크루에 의하여 배출되는 역류형을 사용한다.

(3) 농축슬러지의 농도, 고형물 회수율 등의 분리 효과를 높이기 위하여 유입슬러지량, 회전수, 보울과 스크루의 회전차 등이 조절 가능한 기기를 설치하여야 한다.

3) 종류

정류형과 역류형이 있다.

(1) 정류형 : 슬러지 유입방향과 농축슬러지 이동방향이 같은 형

(2) 역류형 : 슬러지 유입방향과 농축슬러지 이동방향이 반대인 것으로 효율이 높다.

7. 중력식 벨트 농축기(G.B.T)

1) 개요

중력식 벨트 농축기는 슬러지를 농축시키기 위하여 벨트로 가압하여 농축하는 방법으로 벨트는 일종의 여과포 기능을 한다.

2) 특징

(1) 2% 이하의 고형물 농도를 가지는 슬러지를 벨트로 농축하여 3% 이상의 슬러지를 약품주입 없이 생산할 수 있다.

(2) 변속 롤러 위의 중력벨트로 구성되며, 유입슬러지는 벨트에 고르게 살포되어 슬러지가 농축되면 물은 슬러지로부터 빠져나가며 농축슬러지가 제거된 후 벨트는 다시 세척된다.

8. 혼합농축과 분리농축

1) 일반적으로 일차 슬러지는 무기물이 많고 침강성, 농축성 및 탈수성이 양호하나 이차 슬러지는 다량의 유기물을 함유하며 점성이 크고 입경도 작아 침강성과 농축성이 불량하다.

2) 혼합농축은 비교적 침강성이 양호한 일차 슬러지와 침강성이 불량한 이차 슬러지를 혼합하여 공침작용에 의하여 고액 분리시키는 방식이며 시스템이 간편해진다.

3) 분리농축 방식은 일차 슬러지와 이차 슬러지를 각각 별도로 농축하는 방식으로 비교적 고농도인 일차 슬러지는 농축 없이 소화조나 탈수기로 투입하고 이차 슬러지는 기계농축하는 방식이 많이 사용된다.

9 | 농축조 크기결정을 위한 침전관 실험에 대하여 설명하시오.

1. 개요

농축조의 크기를 결정할 때에는 농축에 필요한 소요면적을 구하기 위해 침전관 실험을 하게 되는데 목표 농도와 이 농도에 도달하는 데 걸린 시간 등으로 농축조 면적을 구하게 된다.

2. 농축 원리

농축조로 유입된 슬러지는 농축조의 상부에서는 독립입자(I 형 침전)처럼 침전하나 하부로 이동하면서 서로 응결(II 형, III 형 침전)되어 결국 압축과 농축(IV 형 침전)이 동시에 진행된다. 이때 상부의 침전 속도와 하부의 농축 속도를 서로 비교하여 큰 면적을 사용하는데 일반적으로 도시 하수처리시설의 경우에는 농축에 소요되는 면적이 침전에 소요되는 면적보다 크다.

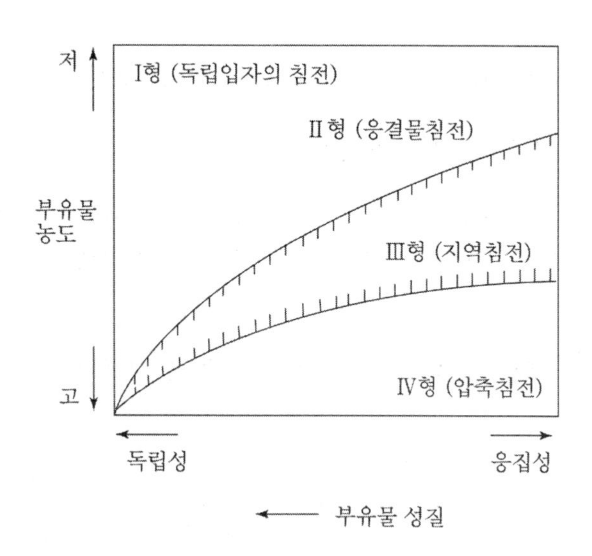

3. 침전관(Settling Vessel) 실험

침전관 실험 결과 아래와 같은 그래프를 얻었다면 변곡점 C_2에서 접선을 긋고 얻고자 하는 농도 C_U에서 H_U을 결정한다.

- 농축조 표면적 A
- 슬러지 초기 높이와 농도 H_0, C_0
- 침전을 위한 소요면적이 제한될 때의 농도 C_2
- 슬러지의 최종 높이와 농도 H_U, C_U

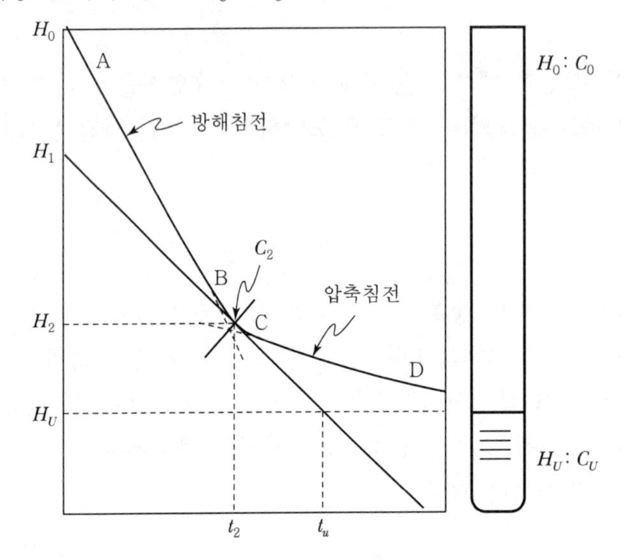

1) 슬러지 고형물량은 CHA(농도×체적=농도×높이×면적)이므로

$$C_0 \cdot H_0 \cdot A = C_1 \cdot H_1 \cdot A = C_U \cdot H_U \cdot A$$

2) $C_0 \cdot H_0 = C_1 \cdot H_1 = C_U \cdot H_U$에서 회분식인 경우 목표농도 C_U에 대한 H_U 결정
3) 연속식인 경우 H_U과 침전관 실험으로부터 구한 상기 그림에서 접선과의 교점에서 tu을 구한다.
4) $T = \dfrac{V}{Q} = \dfrac{A \cdot H}{Q}$에서 소요면적 $A = t_u \cdot Q/H_1$을 구한다.

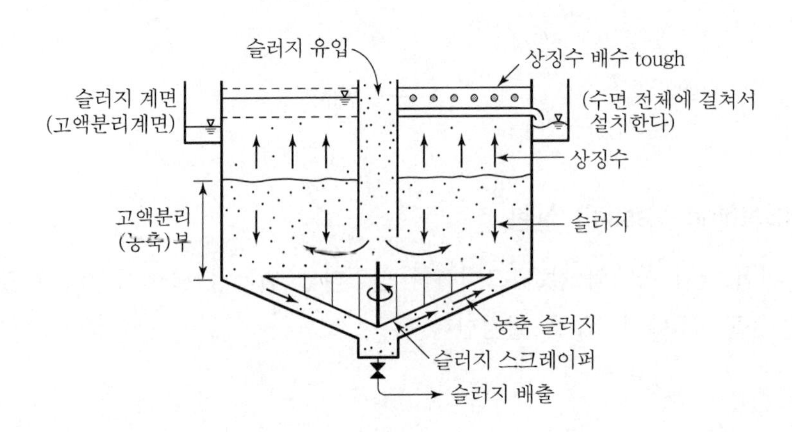

10 | 초기 농도 CO가 3,200mg/L인 활성슬러지에 대하여 다음 그림과 같은 침강곡선을 얻었다. 침전컬럼의 초기계면 높이는 0.5m이다. 농축슬러지의 농도가 16,000mg/L이고 총 유입유량이 500m³/일일 경우 필요한 면적을 구하고, 고형물부하량과 월류속도도 함께 구하시오.

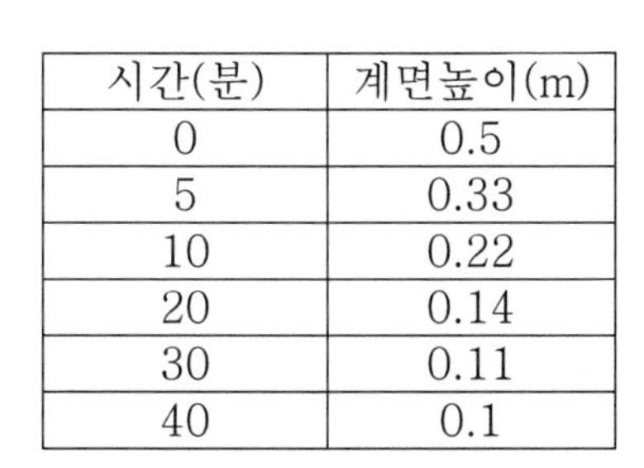

시간(분)	계면높이(m)
0	0.5
5	0.33
10	0.22
20	0.14
30	0.11
40	0.1

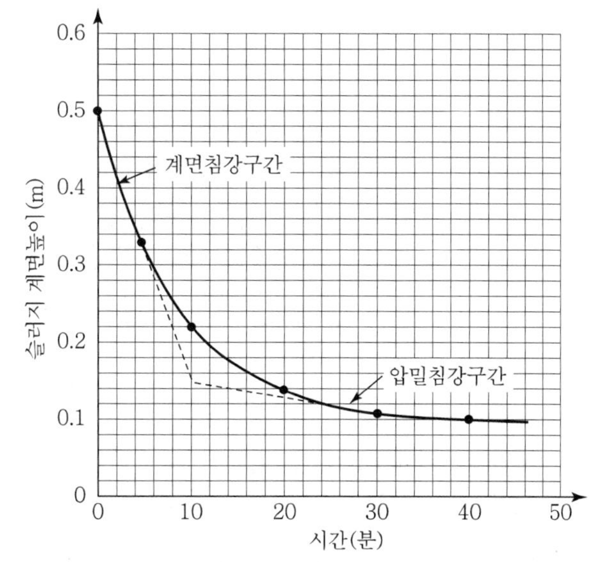

1. 침강곡선 해석

침전관 실험을 통해 얻은 위 그래프는 회분식 실험결과이며 실제 침전지는 연속식이므로 침전지 면적을 구할때는 본 실험에서 얻은 그래프에 접선을 그어 그 계면 높이로부터 추정한다.

2. 연속 농축조 해석

1) 연속식으로 침전시켜 농축슬러지의 농도가 16,000mg/L이 된다면 초기 농도 CO 3,200mg/L와 초기계면 높이 0.5m로부터 평형식을 세우면

$C_1H_1 = C_2H_2$에서 $3{,}200 \times 0.5 = 16{,}000 \times H_2$

$H_2 = 3{,}200 \times 0.5 / 16{,}000 = 0.1\text{m}$

2) 아래 그래프에서 그림처럼 변곡점에서 수선을 내리고 만나는 접점에서 접선을 그린다. 그리고 이 선상에서 침전특성을 해석한다.

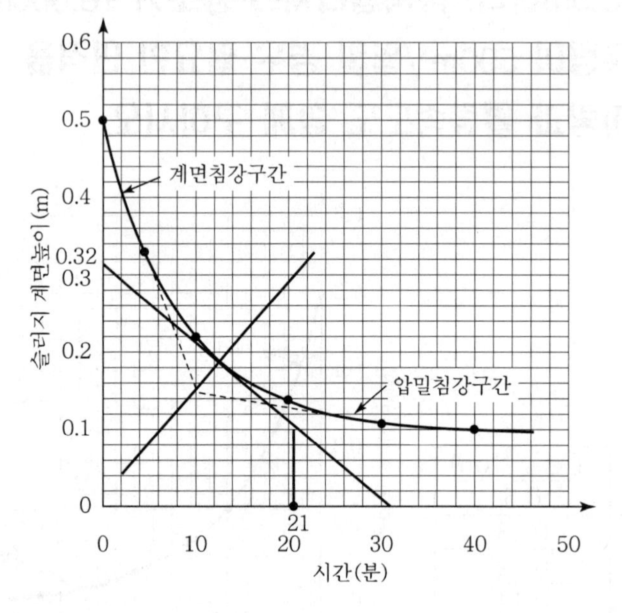

3) 계면높이가 0.1m일 때 접선과의 교점을 찾고 그때 침강시간은 21분 정도가 되며 초기 계면높이는 $H_1 = 0.32\text{m}$가 된다.

(1) 수면적 부하율에 의한 해석
체류시간(침강시간) T=V/Q=AH/Q에서 ($H = H_1 = 0.32\text{m}$ 적용)
침전지 면적 $A = QT/H = 500\text{m}^3/\text{d} \times 21\text{분}/0.32 \times 24 \times 60 = 22.79\text{m}^2$

(2) 경계면 침강시간에 의한 해석
이때 접선에서 경계면 침강속도를 구하면 경계면 높이 0.32m로부터 0.1m까지 침강시간 21분이므로 결국 침강속도 $v = 0.32 - 0.1\text{m}/21\text{분} = 0.0105\text{m/min}$으로 해석할 수 있으며
$v = (Q_o - Q_u)/A$에서 Q_o : 유입슬러지량 Q_u : 농축슬러지량
$v = (500 - 100)/A = 0.0105\text{m/min}$
$\therefore\ A = 400/0.0105 \times 60 \times 24 = 26.45\text{m}^2$
(농축슬러지량 $= C_1Q_1 = C_2Q_2$에서 $3{,}200 \times 500 = 16{,}000 \times Q_2$,
농축슬러지량 $Q_2 = 100\text{m}^3/\text{d}$)

※ 수면적 부하율에 의한 풀이와 경계면 침강속도에 의한 계산값 중 큰 값을 적용한다. 그러므로 농축조 면적은 $26.45m^2$이다.

(3) 고형물 부하량 $= \dfrac{Ts}{A} = \dfrac{3,200 \times 500}{26.45} = 60,491 g/m^2 \cdot d = 60.491 kg/m^2 \cdot d$

(4) 월류속도 = 유출 부하율 = (유입 Q − 농축 Q)/A

$= (500 - 100)/26.45 = 15.12 m/d$

별해) 회분식 해석

1) 만약 침전관 실험처럼 회분식으로 침전시켜 농축슬러지의 농도가 16,000mg/L이 된다면 초기 농도 CO 3,200mg/L와 초기계면 높이 0.5m로부터 평형식을 세우면

$C_1H_1 = C_2H_2$에서 $3,200 \times 0.5 = 16,000 \times H_2$

$H_2 = 3,200 \times 0.5/16,000 = 0.1m$

2) 농축슬러지의 농도가 16,000mg/L일때 계면 높이가 0.1m이므로 그래프에서 0.1m의 침강시간은 40분이 되며 침전지 침강시간은 40분을 기준으로 구하면 된다.

(1) 체류시간(수면 부하율)에 의한 해석법

체류시간 T = V/Q = AH/Q에서(침전지 깊이 H는 초기 경계면높이로 한다.)

침전지 면적 $A = QT/H = 500m^3/d \times 40분/0.5 \times 24 \times 60 = 27.78m^2$

(2) 경계면 침강시간에 의한 해석법

이때 경계면 침강속도를 구하면 경계면 높이 0.5m로부터 0.1m까지 침강시간 40분이므로 결국 침강속도 $v = 0.4m/40분 = 0.01m/min$으로 해석할 수 있으며

$v = (Q_o - Q_u)/A$에서 Q_o : 유입슬러지량 Q_u : 농축슬러지량

$v = (500 - 100)/A = 0.01$ $\therefore A = 400/0.01 \times 60 \times 24 = 27.78m^2$

(농축슬러지량 $= C_1Q_1 = C_2Q_2$에서

$3,200 \times 500 = 16,000 \times Q_2$, $Q_2 = 100m^3/d$)

(3) 고형물 부하량 $= \dfrac{Ts}{A} = \dfrac{3,200 \times 500}{27.78} = 57,595 g/m^2 d = 57.595 kg/m^2 d$

(4) 월류속도 = 유출 부하율 = (유입 Q − 농축 Q)/A

$= (500 - 100)/27.78 = 14.40 m/d$

※ 조건에서 유량과 농도를 주고 면적을 구하는 것이므로 연속식으로 풀어야 하며 회분식해석법은 침전 원리를 설명하기 위한 것이니 참고하시기 바랍니다.

11 | 부상식 농축조

1. 개요

부상식에 의한 고액분리는 부유물질에 미세한 기포를 부착시켜 고형물의 비중을 물보다 작게 해서 부상분리 시키는 것으로, 기포를 발생시키는 방법에 따라 가압부상농축과 상압부상농축으로 나눌 수 있다.

2. 가압부상농축

가압부상식에서는 적절한 크기의 미세 기포를 발생시키는 것과 슬러지 입자에 미세 기포를 효과적으로 부착시키는 것이 중요하다.

1) 기포의 부착특성은 입자표면의 물리적 · 화학적 성질에 따라 다르다.

2) 부분 가압법
유입슬러지의 일부를 직접 가압펌프로 공기포화조에 넣기 때문에 다른 방법에 비해 공기포화도가 낮으므로 슬러지 처리에는 별로 사용되지 않는다.

3) 전량 가압법
유입슬러지의 전량을 가압펌프로 공기포화조에 보내기 때문에 순환수 가압법에 비해 간단하지만, 공기포화도에 한계가 있으므로 유입슬러지의 농도가 비교적 낮은 경우에 쓰이는 경우가 많다.

4) 순환수 가압법
유입슬러지와 순환수의 혼합을 위해 이젝터(Ejecter)를 사용하는 방법으로 슬러지 펌프의 동력을 절약할 수 있으나, 슬러지 성상에 따라 적합성 여부를 판단하여 사용해야 한다.

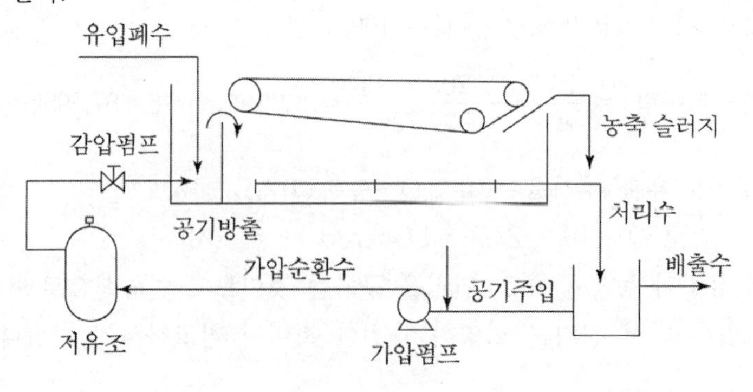

3. 상압부상농축

수중의 미세 기포를 가압으로 만들지 않고 미세 산기장치를 이용하여 얻는 것이 특징이며 상압에서 이루어지므로 동력이 적게 들고 시스템이 간단하며 최근의 미세 산기장치 기술의 발달로 점차 적용이 확대되고 있다.

4. 적용 추세

현재까지는 가압부상농축이 많이 이용되어 왔으나 최근에는 고형물 회수율이 높고 장치가 콤팩트하며 고속회전체나 고압력을 쓰지 않기 때문에 보수빈도가 적은 상압부상농축이 소규모 처리시설을 중심으로 급속하게 이용되고 있다. 부상농축을 이용하는 경우는 중력농축에서 농축성이 나쁜 잉여슬러지 등을 대상으로 처리하는 경우가 많다.

환경용어

만성독성(Chronic toxicity)
급성독성에 대한 상대적 개념으로서 장기간에 걸쳐 투입 또는 오염되었을 때 그에 대한 영향이 나타나는 경우를 가리킨다. 수은, 카드뮴 등 중금속류는 대부분 만성독성을 나타내고 있다.

12 | 슬러지의 개량

1. 개요

하수슬러지는 복잡한 구조를 갖는 유기물과 무기물의 집합체로서, 슬러지의 입자는 물과 친화력이 강하므로 적절한 예비처리를 하지 않으면, 입자와 물을 효과적으로 분리하기 어렵다. 이런 슬러지의 탈수 특성을 개선하는 처리를 슬러지 개량이라 한다.

2. 슬러지의 개량 방법

슬러지를 개량시키면 슬러지의 물리적 및 화학적 특성이 바뀌면서 탈수량 및 탈수율이 크게 증가한다. 슬러지의 개량 방법으로는 세정, 열처리, 동결, 약품첨가 등이 있다.

1) 슬러지의 세정

슬러지량의 2~4배의 물을 혼합해서 슬러지 중의 미세립자를 침전에 의해 제거하는 방법이다. 통상 세정작업만으로는 충분한 탈수특성을 높이기 어려우므로 응집제를 첨가해야 하는 경우가 생기는데 이때 세정작업에 의해 슬러지 중의 알칼리성분이 씻겨져서 응집제량을 줄일 수 있는 효과가 있다.

2) 약품첨가

슬러지 중의 미세립자를 약품첨가로 결합시켜 응결물을 형성시켜 고액 분리를 쉽게 하여 탈수성을 향상시키기 위한 것이다.

3) 열처리법

단백질, 탄수화물, 유지, 섬유류 등을 포함한 친수성 콜로이드로 형성된 하수슬러지를 130℃ 이상으로 열처리하여 세포막의 파괴 및 유기물의 구조 변화를 일으켜 탈수성을 개선시키는 방법이다. 열처리법은 약품첨가에 의한 슬러지량의 증가가 없고 탈수케이크중의 미생물이 사멸되는 이점이 있는 반면, 상징수의 수질이 나쁘며 가열중에 악취가 나는 경우도 있음을 고려해야 한다.

4) 동결 - 융해(Freeze - Thaw)법

이 슬러지 개량법은 열처리와 마찬가지로 슬러지의 탈수성을 증대시키는 데 효과적이라는 연구결과가 있으나 에너지 소비가 크고 설비의 유지관리비가 높아 경제적인 면에서 적용이 어려운 것으로 알려지고 있다.

13 | 하수슬러지의 처리기술(중간 및 최종처리)을 설명하시오.

1. 개요

슬러지 처리에서 건조, 소각, 고화, 퇴비화 등은 슬러지의 처분을 안전하고 경제적으로 처분할 목적으로 중간, 최종처리에 적용되고 있는데 처리방법에 따라 2차 오염과 과다한 비용이 소요되므로 처리조건에 따라 적절한 방법을 선정한다.

2. 건조기술

건조기술은 슬러지 내에 포함되어 있는 수분을 낮출 목적으로 적용하는 기술이며, 건조결과 처리용량의 감소에 따른 물류비용의 감소, 미생물 사멸에 따른 안정화, 열량가치 향상 등의 효과를 기대할 수 있다.

1) 건조는 열을 이용한 처리기술이기 때문에 건조 열원의 종류 및 건조과정에서 발생하는 악취문제에 대한 신중한 검토가 필요하다.
2) 슬러지를 열풍과 직접 접촉시켜서 건조하는 직접건조기술과 증기 등의 열매체에 의해 가열된 전열면에 슬러지를 접촉시켜 건조하는 간접건조기술이 있다.
3) 건조된 슬러지는 토지이용, 시멘트원료 등으로 재활용하거나 소각, 용융 등의 중간처리시설에 공급한다.
4) 건조기의 종류는 건조기 하부에 위치한 산기장치에서 열풍을 불어 넣어 슬러지를 유동시키면서 건조시키는 유동상건조기(Fluidized Bed Dryer), 회전하는 수평형 드럼 내에 슬러지를 투입하여 열풍과 접촉시키면서 건조시키는 드럼건조기 (Drum Dryer), 여러 개의 원형디스크를 전열면으로 이용하는 디스크건조기(Disc Dryer), 디스크와 유사한 패들(Paddle)을 이용하는 패들건조기(Paddle Dryer) 등이 있다.

(1) 유동상건조기(Fludized Bed Dryer)

건조기의 상부로 투입되는 탈수슬러지가 건조기 하부에 설치된 파이프 노즐에서 분사되는 열풍에 의해 유동되면서 건조되는 형식의 건조기로, 열원으로는 버너와 열교환기에 의한 열풍 및 약 103～105℃의 수증기를 동시에 사용한다.

(2) 드럼건조기(Drum Dryer)

대류를 이용한 열풍건조 방식의 건조기로, 대표적인 형식의 건조기는 약 8～10rpm으로 회전하는 수평형 드럼에 탈수슬러지를 투입하여 열풍(주로 350～400℃)과 향류로 접촉시킴으로써 건조시키는 방식이다.

이 형식의 건조기 중에는 슬러지의 이송 및 열풍과의 접촉효율을 높이기 위해 나선형으로 배열된 버킷과 외부의 드럼에 비해 상대적으로 고속 회전하는 분산날개를 드럼 내부에 설치하여 슬러지를 분쇄함으로써 건조 효율을 높인 건조기도 있다.

(3) 디스크건조기(Disc Dryer)

슬러지 건조에 여러 장의 원형디스크와 자켓을 통과하는 스팀의 열을 이용하는 건조기로 간접 건조방식의 대표적인 건조기라 할 수 있다.

건조효율을 높이기 위해 여러 장의 디스크를 촘촘히 배열한 관계로 건조과정에서 발생하는 고점도의 점성구간을 피하기 위해 많은 양의 건조슬러지를 재순환시킨다.

(4) 패들건조기(Paddle Dryer)

디스크건조기와 유사하며 건조기 내부에 디스크 대신 패들(Paddle)이 부착되어 있는 2개 혹은 4개의 축을 설치하여 슬러지를 이송하도록 하고 있다.

3. 소각기술

소각기술은 공기 중의 산소를 이용하여 슬러지 중의 가연성 물질을 연소시키는 열적 처리기술이며 가연성분의 연소에 따른 감량화 및 안정화, 효율적인 열 이용 등의 장점이 있는 기술이다.

1) 소각에 따른 다이옥신 등의 오염물질 배출로 인한 민원발생이 예상된다.
2) 이용되는 소각기술로는 전용소각시설에서 슬러지를 소각하는 단독소각기술과 생활쓰레기 등의 다른 폐기물과 혼합하여 소각하는 혼합소각기술, 다른 열 사용 플랜트의 연료로 이용하는 기술이 있으며, 소각 후 남는 불연물은 매립하거나 시멘트 공장의 원료로 공급한다.
3) 소각시설의 종류는 여러 단으로 구성된 수평고정상에서 슬러지를 소각하는 다단식 소각로(Multiple Hearth Furnace), 수직원통형의 로 내에 충진된 모래를 가열한 뒤 압축공기를 이용, 유동시키면서 모래와 슬러지의 접촉에 의해 소각시키는 유동상 소각로(Fluuidized Bed Furnace), 완속회전(0.5~3rpm)하는 킬른 내부에서 슬러지를 투입하여 소각시키는 Rotary Kiln 소각로 등이 있다.

(1) 다단식 소각로(Multiple Hearth Furnace)

다단식 소각로는 투입슬러지의 신행방향이 연소공기의 흐름과 향류식이며, 상부에서 공급된 하수슬러지는 여러 단으로 칸이 나뉘어져 있는 수평고정상에서 교반암(Arm)에 의해 교반되면서 하단으로 이동한다. 이때 하부로부터 상승해 오는 고온의 가스와 접촉하여 건조, 연소되며 소각재는 로의 하부로 배출된다.

(2) 유동상 소각로(Fludized Bed Furnace)

유동상 소각로는 로 내에 충진되어 있는 가열된 모래가 압축공기에 의해 유동하면서 슬러지와 접촉하여 자신이 가지고 있는 열을 슬러지에 전달해 줌으로써 연소되게 하는 방식으로 최근 들어 슬러지의 가연성분의 함유량 향상, 폐열회수 효율증진을 위한 공정개발과 타 소각로에 비해 악취발생이 적은 이유로 꾸준한 증가추세를 보이고 있다.

(3) Rotary Kiln 소각로

예로부터 광물류의 건조, 소성 등에 많이 사용되어 왔던 형식의 소각로로 완속회전(0.5~3rpm)하는 Kiln에 투입된 슬러지는 킬른 내부에 설치되어 있는 긁어 올리는 날개에 의해 조쇄, 분쇄, 교반 등이 이루어지면서 후단으로 이동하는 사이에 연소영역에서 발생한 향류의 고온연소 배기가스에 의하여 건조되고(건조영역 : 200~400℃ 정도), 소각된 다음 잔재는 고온영역(1,100~1,300℃)에서 용융되어 배출 시에는 입자상태의 클링커로 배출된다.

4. 용융기술

용융기술은 슬러지 중의 무기물을 용융시켜 최종 처분되는 물질이 남지 않도록 하기 위해 적용하는 기술이며

1) 배출되는 잔재물이 유리상의 결정체들이므로 중금속 등의 유해물질이 함유된 슬러지의 안정화처리 및 슬래그의 유효이용 측면에서 괄목할 만한 효과를 나타낸다.
2) 용융에 이용되는 열량이 과다하여 운영비가 많이 소요되고, 고온의 처리과정이 요구되는 관계로 시설설치비가 많이 소요된다는 단점이 있다.
3) 이용되는 기술은 용융에 이용하는 열원의 종류에 따라 화석연료를 이용하는 화염로방식 용융기술과 전기의 아크열 등을 이용하는 전기로방식 용융기술이 있으며, 배출되는 슬래그는 건축자재로 주로 이용된다.
4) 용융로의 종류는 표면용융로, 코크스상용융로, 선회용융로 등의 화염로방식 용융로와 플라즈마용융로, 아크용융로, 전기저항식 용융로, 유도가열식 용융로 등의 전기로방식 용융로가 있다.

5. 고화기술

고화기술은 슬러지와 같이 무른 성질을 가진 물질에 고화제를 첨가함으로써 물리·화학적 성상을 개선시키는 기술이다.

1) 고화 처리된 생성물은 상당한 정도의 강도를 나타내기 때문에 최종처분 시 작업능률이 촉진되고 중금속류 등 유해물질의 무해화, 안정화 등의 효과를 기대할 수 있다.
2) 고화제의 종류에 따라서는 고화과정에서 심한 악취를 발생시킬 수 있어 신중한 검토가 필요하다.
3) 이용되는 기술은 투입되는 고화제의 종류에 따라 생석회를 이용한 고화, 시멘트고화, 아스팔트고화, 제강전로슬래그를 이용한 고화 등의 기술이 있다.

(1) 생석회를 이용한 고화

하수슬러지에 생석회를 주성분으로 하는 고화제를 소각재와 함께 주입하여 혼합시키면 흡수발열반응이 일어나 슬러지 중의 수분을 화합수의 형태로 만들고 석회 자체의 수화반응에 의해 발생하는 열에 의해 수분이 증발되며 압밀이 촉진되는 원리를 이용한 방식의 고화기술이다.

(2) 시멘트 고화

보통의 포틀랜드시멘트, 조강시멘트 등은 단기간에 강도를 얻기 힘들며 첨가량도 많이 필요해서 잘 사용하지 않으며 단시간에 효과를 얻을 수 있는 알루미늄계 특수시멘트를 주로 사용하고 있다. 이 시멘트는 단시간에 응결화되며 동시에 탈취, 유해물의 흡착, 고착성 등을 높이는 작용을 한다.

(3) 아스팔트 고화

아스팔트를 혼합제로 이용한 아스팔트 고화는 슬러지를 아스팔트와 혼합 반죽하여 고화 처리함으로써 토질역학적 강도를 증가시킴과 동시에 유해물이 용출, 확산되지 않도록 안정화하는 방식이다.

6. 퇴비화기술

퇴비화기술은 하수슬러지 중에 포함되어 있는 비료성분을 이용하기 위해 분해가 쉬운 유기물을 토양미생물에 의해 분해시키는 기술이다.

1) 퇴비화된 슬러지는 높은 농업용 가치를 가지고 있고 감염성이 없을 뿐 아니라 안정화되어 있기 때문에 악취가 나지 않고 수분 함량이 40% 정도로 이용이 편리하다.
2) 퇴비화는 열적 처리를 하지 않기 때문에 온실가스 발생이 없어 바람직한 이용방법이라 할 수 있지만 중금속 등의 유해물실은 거의 처리되지 않기 때문에 퇴비화 이전에 유해물질의 농도를 측정해 보는 것이 매우 중요하다.
3) 주로 이용되는 방식은 공기공급채널 위에 통기제를 혼합한 슬러지를 둑처럼 쌓은 다음 공급 공기량, 과도한 온도상승 등을 기계적으로 관리하는 Windrow 방식 퇴비

화, Composting Pad 위에 통기제를 혼합한 슬러지를 쌓아 퇴비화시키는 Aerated Static Pile 퇴비화, 용기 내에 통기제를 혼합한 슬러지를 투입하여 퇴비화시키는 Vessel System 퇴비화의 3가지 방식이 이용된다.

7. 연료화기술

연료화기술은 슬러지가 가지고 있는 열량을 연료로 이용할 수 있는 수준까지 높여서 연료를 만드는 기술이다.

1) 연료화된 슬러지는 석탄 대체연료로 활용되므로 연료수입 대체효과를 기대할 수 있다.
2) 생산된 연료는 연소조건이 일반 연료는 상이할 수 있으므로 수요처의 상황, 열량을 높이기 위해 투입하는 첨가제의 수급상황 등을 종합적으로 검토할 필요가 있다.
3) 이용되는 기술은 열량보조제로 어떤 것을 이용하느냐에 따라 석탄을 이용한 연료화기술과 플라스틱을 이용한 연료화기술이 있다

8. 탄화기술

탄화기술은 저산소 상태에서 처리 대상물질에 열을 가하여 잔류수분 및 휘발분을 제거함으로써 고정탄소를 분리해내는 일종의 열분해기술이다.

1) 탄화물은 악취발생물질이 제거된 상태이므로 냄새가 나지 않을 뿐 아니라 큰 비표면적을 가지고 있어서 흡음제, 탈취제 등으로 이용할 수 있다.
2) 탄화기술 역시 열적 처리기술이기 때문에 효율적인 열 이용방안을 검토할 필요가 있다.
3) 탄화과정은 건조기에서 함수율을 20~30%로 건조한 후 탄화로에 넣고 400~550℃의 저산소 상태에서 20~40분 처리하여 함수율 5~8%의 탄화물을 얻는다.

9. 국내 기술개발 현황

현재 국내에는 소각, 용융, 건조, 퇴비화, 고화 분야 등의 다양한 분야의 하수슬러지 처리기술이 개발 또는 도입되어 있어 현장 상황에 맞추어 적합한 기술을 선택할 수 있다. 하지만 국내 설치사례가 많지 않고, 적용실적도 소각과 같은 일부 기술에 한정되고 있어 소개되고 있는 다양한 기술의 안정성을 입증할 만한 충분한 자료가 제공되고 있지 못하며 이에 따라 개발된 기술이 제대로 현장에 적용되지 못하고 있는 실정이다.

14 | 소규모 처리시설의 합리적인 슬러지 처리방법을 설명하시오.

1. 개요

슬러지 처리 및 이용의 목적은 경제적으로 자연환경 또는 사회환경에 수용 가능한 상태와 양으로 하여 슬러지를 환원하는 것이다. 따라서 슬러지 처리시설 설계에 있어서는 해당처리시설의 입지조건을 고려하여 최종적인 이용처(녹지 및 농지이용이나 매립 등)의 질 및 양 등 제약조건에 적합한 경제적인 배려가 필요하다.
소규모 처리시설에 있어서 슬러지 처리 · 이용의 기본방침은 주변 처리시설과의 연대에 의한 경제성과 자연 친화적 처리기법 등을 충분히 고려한다.

2. 슬러지 처리법 결정 시 고려사항

소규모 처리시설의 슬러지 처리시설 및 이용은 해당 시설의 자연적, 사회적, 경제적 환경을 염두에 두고 아래의 각 항목에 대해 충분히 고려하여 정하도록 한다.

1) 복수 처리시설을 대상으로 한 슬러지 처리 · 이용의 공동화
슬러지 처리 및 이용시설은 일반적으로 건설비와 유지관리비가 높으며 설비의 유지관리에 숙련된 조작원을 요구하는 경우가 많다. 그러므로 소규모 처리시설에 있어서는 슬러지 처리 및 이용에 있어서 에너지 절약과 경제성을 고려하면 인근 처리시설과 슬러지 처리 · 이용의 공동화를 적극적으로 행하는 것이 바람직하다.

2) 해당 처리시설에 대한 슬러지의 최종 이용법
슬러지의 최종 이용방법은 계획대상지역의 상황을 고려하여 장래에 가장 경제적인 방법으로 한다. 슬러지의 최종적인 이용방법을 각 처리시설단위에서 분류하면 다음과 같다.

(1) 녹지 및 농지 이용
소규모 처리시설에 있어서는 처리시설 주변에 농지 및 녹지가 충분히 존재한다고 예상되므로 슬러지 자원의 유효이용 및 경제성의 관점에서 녹지 및 농지 이용을 적극적으로 추진한다.

(2) 매립 또는 해양 투기
녹지 및 농지 이용이 가능하지 않은 경우 일반적으로 탈수 슬러지의 형태로 매립 또는 해양투기하게 되는데 매립지의 확보가 곤란한 경우에는 매립량의 감량화, 매립슬러지의 안정화를 위한 슬러지 소각도 고려할 수 있다.

(3) 다른 처리시설에의 이송
다른 처리시설에의 이송은 슬러지 처리시설이 있는 인근의 대규모 처리시설에 슬러지를 이송하여 처리하는 방법이다.

3) 해당 처리시설의 최종 처리 슬러지 형태
이 밖에도 건설자재로 이용하는 것도 있는데 건설자재로서 이용할 때에는 소각재 또는 용융 후 생성물을 다시 건설자재로서 이용 가능한 형태로 가공하여야 한다.

(1) 이 방법은 경우에 따라 처리 비용이 높거나 고도의 유지관리가 필요하며 수요와 공급 균형 조정과 유통시스템의 구축 등이 필요하며
(2) 소규모 시설에서 단독으로 실시하는 것은 바람직하지 않기 때문에 건설자재로서의 이용은 어렵다.
(3) 슬러지의 성상 및 수요의 상황에 따라서는 최종 이용방법이 제한되는 경우가 있으므로 주의가 필요하다.

4) 해당 처리시설의 유지관리체제
소규모 처리시설의 운전관리 기술자의 수준이 높을수록 탈수기, 건조기, 탄화설비 등의 적극적인 처리법을 적용할 수 있다.

15 | 슬러지의 최종 처분법으로 토지주입법의 장단점을 설명하시오.

1. 개요

폐기물이나 슬러지를 매립 등에 의하여 처분하지 않고 경작지나 산림 등 토지에 주입 또는 살포하여 최종 처분하는 것을 슬러지의 토지주입이라고 한다.

2. 토지주입의 특징

1) 슬러지의 토지주입에 대한 관심은 매립, 소각, 해양투기법 등이 환경오염으로 인해 곤란해지고 있으며 물질의 재순환 측면에서 좋은 장점을 가지므로 새로운 슬러지 처분방법으로 관심이 증가되고 있다.
2) 안정화된 도시 폐수 슬러지의 토지주입은 토지 표면의 하단 또는 상부에 슬러지를 살포하는 것이며 이러한 방법은 농경지, 삼림지, 개간지, 전용처분지 등에 이용할 수 있다.
3) 토양 개량제로서 사용되는 슬러지는 영양분의 공급, 수분 체류시간의 증가 등을 통하여 토양경작을 향상시키며 또한 값비싼 화학비료의 대체품으로 자연 유기물 공급 측면에서 유용하게 사용될 수 있다.

3. 장단점

1) 장점
   (1) 유기물 영양소 공급 및 토양의 단립조직을 증대시킨다.
   (2) 토양의 투수성 수분함량이 증가된다. 따라서 강우시 유출량을 감소시킨다.
   (3) 토양의 침식을 저하시키며 비점오염 물질의 유출을 감소시킨다.

2) 단점
   (1) 농축 슬러지 특성상 질소와 염분 등이 과잉될 수 있다.
   (2) 위생적으로 충분히 안전하지 못하고 병원균 오염 등이 우려된다.
   (3) 슬러지는 하수 중의 오염물질이 농축되어 고농도의 중금속 축적 우려

4. 토지주입 시 고려사항

1) 슬러지 주입율은 ton/ha로 나타내며 연간 또는 전체 사용기간당 부하율로 나타낸다.
2) 슬러지 부하율은 토양의 종류, 작물의 종류, 지형, 기호 및 슬러지의 특성에 따라 결정된다.

5. 슬러지 주입율을 결정하는 슬러지의 특성은 다음과 같다.

1) 유기물 함량 및 병원균의 감소

(1) 유기물질과 병원균은 토지주입 이전에 요구되는 수준까지 전처리를 통하여 감소시켜야 한다.

(2) 유기물질은 악취와 파리, 모기 등 병균 매개체를 유발할 수 있다.

(3) 병원균(바이러스, 원생동물, 기생충의 알)은 인간에게 질병을 유발할 수 있다.

2) 영양소에 의한 허용 부하량

(1) 질소, 인, 칼륨 등 영양소는 식물의 필수 영양소이지만 과다할 경우 질산염에 의한 지하수 오염 가능성 때문에 토지주입에 주의해야 할 영양소는 질소이다.(Blue Baby 유발)

(2) 슬러지 부하율=슬러지 주입 허용량
=(작물의 질소요구량－토양 내의 질소량)/(슬러지 내 질소량)

3) 금속 또는 중금속에 의한 허용부하량

(1) 중금속을 함유한 슬러지가 토양중에 존재하게 되면 식물, 동물, 인간에게 해를 줄 위험성이 있다.

(2) 중금속에 의한 허용 부하율을 결정하는 기준

- ZE(Zink Equivalent : 미 EPA 제안) Chumbley는 'pH가 6.5 이상 되는 토양에서 ZE(아연 당량)가 250 이상이면 슬러지를 주입시킬 수 없다'라고 규정하고 있다.
- CEC(Cation Exchange Capacity) : 토양에서의 양이온교환(Cation Exchange) 능력에 따라 토양의 중금속 오염도를 판단하는 것으로 토양의 확산이중층(Diffuse Double Layer) 내의 양이온과 수용액 중의 양이온이 그 위치를 바꾸는 것을 말한다. 토양의 확산 이중층 내의 양이온을 치환성 양이온이라고 하는데 건조토양 100g이 가지는 치환성 양이온의 총량을 mg으로 표시한 것을 양이온 교환능력(Cation Exchange Capacity)이라고 한다.
- Cd/Zn : 아연에 대한 카드뮴의 비가 100 이상, 이하로 나누어 주입율 제한
- Interim Finalo Regulation(US EPA, 1979) : 기간별로 Cd 부하율을 정하며 작물은 가축 사료용으로만 허용

4) 유기화합물에 의한 부하율의 제한

(1) 유기화합물은 뿌리로 흡수되므로 특별한 유기화합물에 대한 부하율의 제한을 고려해야 한다.

(2) 흡수된 유기물질은 먹이연쇄에 의해 가축이나 사람에게 섭취될 수 있으므로 중요한 고려대상이 된다.

5) 기타 고려사항

(1) 법적 요구사항

(2) 토지상태 및 부지평가

(3) 지하수의 깊이

(4) 특별지역과의 거리

(5) 주입방법

(6) 토지소요량

16 | 슬러지의 혐기성 소화와 호기성 소화의 특징을 비교하시오.

1. 개요

슬러지의 소화란 휘발성 유기물을 제거하여 안정화시키는 것으로 혐기성 소화는 혐기성 미생물에 의해 휘발성분을 무기물(CH_4 와 CO_2)로 변환시키고 호기성 소화는 호기성 미생물에 의해 내생 호흡단계에서 자산화 시켜 제거하는 것이다.

2. 호기성 소화

1) 개요
산소를 주입하기 위한 포기장치가 필요하고 공장이나 소규모 하수처리시설의 저농도 유기물 폐수에 적용이 적합하고 질산화 작용이 용이하다.

2) 장기간 포기(5일 이상) 시킴으로써 미생물의 내생성장단계에 있게 하여 슬러지를 감소시킨다. 즉 내생호흡에 의한 자산화를 이용하여 유기물을 산화

3) 특징

(1) 장점
- 시설비가 저렴하고 악취가 없다.
- 자산화에 의해 처리수의 BOD가 낮고 운전이 용이하다.

(2) 단점
소화슬러지의 탈수성능이 불량하고 고농도 폐수에는 포기에 필요한 운영비(동력비)가 많이 소요되며 동절기에는 효율이 감소하고 슬러지 Bulking 문제 등이 있다.

3. 혐기성 소화

1) 개요
포기가 없어 고농도 폐수에 유리하고 체류시간이 길어서 대용량의 소화조가 필요하나 유용한 가스(CH_4)의 회수로 에너지 회수 효과를 얻는다.

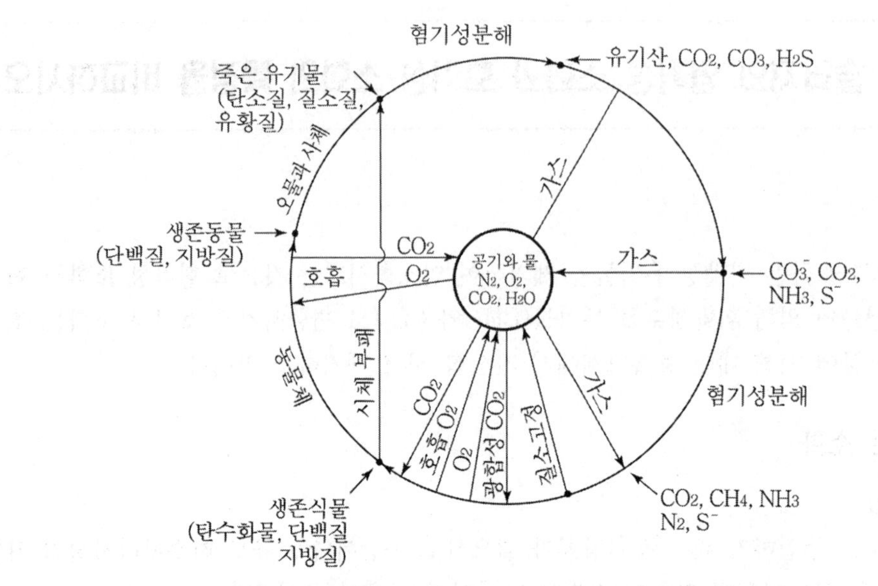

혐기성 환경에서의 탄소, 질소 및 유황의 순환

2) 특징

(1) 장점

CH_4 생성되고, 슬러지량이 적다. 운영비가 저렴

(2) 단점

- 소화조가 커서 시설비가 고가이고 처리수의 BOD 농도가 높다.
- 운전이 까다롭고, 혐기성 Gas(H_2S, NH_3) 등에 의해 냄새가 유발되고 일정한 온도 유지를 위해(20℃, 35℃, 54℃) 가열 필요

3) 혐기성 소화 4단계

(1) 1단계(가수분해 단계) : 탄수화물, 지방, 단백질이 효소에 의해 가용성 유기물인 당류(글루코스), 아미노산으로 전환

(2) 2단계(산생성 단계) : 산형성균이 가수분해 된 당류, 아미노산, 글리세린 등을 분해시켜 유기산과 알코올, 알데히드로를 생성

(3) 3단계(초산생성 단계) : 산생성 단계에서 생긴 아세트산을 제외한 물질(Isopro panol, Propionate 방향족 화합물)들을 초산생성균에 의해 초산으로 변화

(4) 4단계(메탄생성 단계) : 메탄 생성균에 의해 유기산이 CH_4, CO_2, NH_3, H_2O로 바뀐다. 메탄 생성은 초산에서 72% 생성되며 나머지 28%는 수소와 CO_2가 반응하여 생성

17 | 혐기성 소화조의 설계인자 및 운전조건을 설명하시오.

1. 혐기성 소화의 개요

고농도 폐수와 유기성 슬러지를 혐기성 상태에서 pH 6.8~7.2 정도로 조정한 후 일정 온도를 유지하면서 교반하여 주면 혐기성 미생물에 의해 유기물의 50~60%가 CH_4와 CO_2로 분해되어 안정화되는 공정으로 보통 중온소화(30~38℃)를 적용한다.

2. 혐기성 소화조의 구조

1) 소화조는 원형, 직사각형, 환형이 있으나 원형을 주로 사용하고
2) 원형 소화조는 직경 6~35m 이하로 38m 이상은 사용하지 않는다.
3) 바닥의 구배는 모래가 축적되지 않도록 1/4 이상의 경사진 원추형이며
4) 가스(CH_4, CO_2)를 수집할 수 있게 천장과 슬러지면 사이에 여유고를 둔다.
5) 교반은 기계식, 액순환식, 가스순환식이 있으나 가스순환식을 가장 많이 사용하며 가온방식은 조의 열교환 방식이 많이 사용된다.

3. 혐기성 소화 운전조건

1) pH 조절
   최적 pH는 7.0~7.2 정도의 중성부근이나 운전에 따라 범위가 다르다.

2) 온도
   중온소화(33~36℃), 고온소화(54℃)

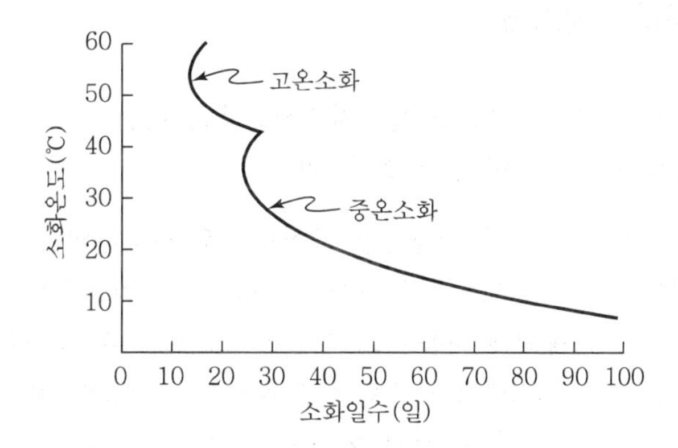

3) 유기산 조절
유기산이 축적될 경우 CH_4 발생이 감소하여 처리속도가 감소하므로 유기산 축적을 방지하기 위해 2,000mg/L 이하로 조절하며 유기산이 축적된 경우 유입 폐수의 pH를 높혀 pH 하락을 방지한다.

4) 발생가스
CH_4 함량이 혐기성 처리 상태의 지표가 되며 60% 이상일 때 정상이다.

5) 소화슬러지 처리
슬러지의 발생은 호기성 처리의 1/10 정도이며 TS를 측정하여 5~6% 이상시 폐기

6) 유기물 부하 및 농도
총 유기산 농도가 1,000mg/L 이하가 되도록 운전하고 COD 제거효율 80% 이상 유지한다.

4. 혐기성 소화 초기 운전 시 식종 및 pH 조절

1) 1차 식종(유효용적의 3% 투입) 후 24시간 유입 중단
→ 24시간 후 0.5㎏COD/m^3 · d 주입(10일 정도)

2) 2차 식종(유효용적의 5% 투입) 후 24시간 유입 중단
→ 2~3개월가량 점차 증가

3) Buffer Solution을 주입하여 pH의 저하 방지

4) 일반적으로 안정화 기간은 4~6개월

5. 소화가스 에너지회수시스템

1) 국외에서 추진된 에너지 자급형 하수처리시스템을 위한 혐기성 소화조의 메탄 이용방안은 3세대로 구분하여 설명할 수 있다.

(1) 1세대는 소화조 가온 및 난방에만 제한적으로 사용하였다.
(2) 2세대에서는 발전과 열회수가 동시에 가능한 Co-generation System이 채택되어 전기는 Blower용 동력에 사용되고, 폐열은 소화조 가온 및 난방에 사용되었다.
(3) 최근 적용되고 있는 3세대 시스템은 연료전지를 이용한 발전으로, 메탄으로부터 수소를 추출하여 연속적으로 에너지를 생산하고 있다.

2) 2세대 메탄회수시스템의 예를 살펴보면 처리인구 30만인 네덜란드 Garmerwolde 하수처리장에서는 42,600m^3 천연가스당량의 에너지를 절감하고 있으며, 미국 샌디에고 Point Loma 하수처리장은 발전을 통하여, 캐나다 오타와시 Robert O. Pickard 하수처리장은 에너지 회수시스템을 설치하여 운영하고 있다.
3) 3세대 메탄회수시스템이 설치된 예로는 미국 Portland 및 Seattle을 들 수 있다. 일본 고베의 경우도 음식물쓰레기를 원료로 Fuel cell을 이용한 에너지생산시스템을 운영하고 있다.

18 | Glucose의 혐기성 발효 경로를 설명하시오.

1. 개요

유기물이 혐기성 분해하는 과정은 크게 2단계로 1단계 산생성 단계, 2단계 메탄 생성 단계로 나눈다.

2. 혐기성 발효 경로 : 세분하여 4단계로 나누면

1) 1단계(가수분해 단계)
탄수화물, 지방, 단백질이 효소에 의해 가용성 유기물인 당류(글루코스), 아미노산으로 전환

2) 2단계(산생성 단계)
산형성균이 가수분해 된 당류, 아미노산, 글리세린 등을 분해시켜 유기산과 알코올, 알데히드로를 생성

3) 3단계(초산생성 단계)
산생성 단계에서 생긴 아세트산을 제외한 물질(Isopropanol, Propionate 방향족 화합물)들을 초산생성균에 의해 초산으로 변화

4) 4단계(메탄생성 단계)
메탄 생성균에 의해 유기산이 CH_4, CO_2, NH_3, H_2O로 바뀐다. 메탄 생성은 초산에서 72% 생성되며 나머지 28%는 수소와 CO_2가 반응하여 생성

3. Glucose($C_6H_{12}O_6$)의 분해

$$C_6H_{12}O_6 \rightarrow \text{초산}(CH_3COOH) \rightarrow CH_4 + CO_2$$

1) 보통의 경우 600L Gas/유기물1㎏

2) $CH_4 : CO_2 = 60 : 40$

3) 발생량 예측 : CH_4가스량 $= 0.35(EQ\ So - 1.42Px)$
E = 효율　Q = 유량　So = 유입슬러지 BOD 농도　Px = 슬러지량

▌예 제

혐기성소화를 실시하여 유기물 2㎏을 안정화(Ultinate BOD)시킬 경우에 발생되는 이론적인 CH_4 부피는? 유기물은 글루코스로 가정하고 유기물의 60%가 분해한다.

☞ 풀 이

$C_6H_{12}O_6 \rightarrow 3CH_4 + 3CO_2$

CH_4 발생량은 글루코스 1몰(180g)당 3몰(3×22.4L=67.2L) 발생

$C_6H_{12}O_6 : 3CH_4 = 180 : 3 \times 22.4L = 2{,}000 : X$

$X = 747L = 0.747m^3$

60% 소화 시 $CH_4 = 0.747 \times 0.6 = 0.448m^3$

차 한잔의 여유

청렴결백하면서도 도량이 넓고 인자하면서도 결단을 잘 내리며
총명하면서도 남의 결점을 잘 들춰내지 않고
정직하면서도 지나치게 따지지 않는다면
그것은 마치 꿀을 넣은 과자이면서도 달지 않고
해산물이면서도 짜지 않은 것과 같으니
이것이야말로 아름다운 덕이다.

– 채근담 –

19 | 혐기성 소화처리와 혐기성 소화공정 종류를 설명하시오.

1. 개요

유기물질의 농도가 매우 높은 폐수는 유기물질을 충분히 산화시키기 위한 호기성 처리가 어려우므로 산소공급이 필요 없는 혐기성 반응으로 처리하여 유기물 농도를 감소시킨 후 호기성으로 처리하는 경우가 많다.
따라서 유입수의 COD가 2,000mg/L 이상인 경우에는 혐기성 처리가 호기성보다 경제적인 경우가 많다. 혐기성 처리는 분뇨, 폐수슬러지 및 유기질 농도가 높은 공장폐수의 최초처리에 주로 사용된다.

2. 혐기성 처리를 위한 조건

1) 유기물 농도가 높아야 하며 탄수화물보다는 단백질이나 지방이 높을수록 좋다.
2) 혐기성 미생물에게 필요한 무기성 영양소가 충분해야 한다.
3) 알칼리도가 적당해야 한다.
4) 독성물질이 없어야 한다.
5) 온도는 비교적 높은 것이 좋다.(35℃ 중온소화)

3. 혐기성 처리의 장단점

1) 장점
- 고농도의 폐수를 처리할 수 있다.
- 슬러지가 적게 생산된다.
- 영양소가 호기성보다 적게 소요된다.
- 부산물로 메탄이 생성된다.

2) 단점
- 소화기간이 길다.
- 처리수를 다시 호기성 처리하여 방류하여야 한다.
- 소화가스는 냄새 및 부식성이 있다.

4. 혐기성 소화처리 공정

1) 개요

(1) 혐기성 공정은 소화법 또는 메탄발효법이라고도 하며 BOD 10,000mg/L 이상의 고농도 배수나 유기성 슬러지를 밀폐된 탱크(소화조)에 넣고 pH 6.8~7.2 정도로 조정한 후, 반응온도(보통 중온소화 : 30~38℃)를 유지하면서 30일 정도 교반하여 주면 휘발성 유기물질의 약 60% 정도가 메탄가스, 탄산가스, 암모니아, 황화수소 등으로 분해되어 안정화되는 공정이다.

(2) 혐기성 공정은 보통 표준 소화조(재래식 단단 소화조), 고율 소화조(단단 혹은 2단) 및 분리형 혐기성 소화조로 구분된다. 또한 대부분의 공정은 중온소화(30~38℃)를 기준으로 하지만 고온소화(50~57℃)공정이 사용되기도 한다.

2) 표준 소화조(재래식 단단 혹은 2단 소화조)

(1) 개요

표준 소화조는 보통 단단으로 구성되며 소화, 농축, 상징액 형성 등이 동시에 같은 단에서 이루어진다. 단단 소화조에서 슬러지가 소화되며 가스가 발생하는 층에 미처리된 슬러지를 주입한다.

(2) 특징

표준 소화조는 직접 교반은 실시하지 않고 전체 부피의 50% 이상은 사용되지 않으므로 표준공법은 주로 소규모 처리에 활용된다.

(3) 중온소화 : 30~38℃, HRT 30~60 days
고온소화 : 50~57℃, HRT 15~20 days

3) 단단 고율 소화조

(1) 개요

단단 고율 소화법은 고형물질 부하가 아주 크다는 점에서 표준 소화법과 구별된다. 높은 부하율과 혼합방법을 제외하면 재래식 2단 소화공정의 1차 소화조와 별다른 차이가 없다.

(2) 특징

슬러지는 가스의 재순환, 기계적인 혼합장치, 펌프 및 흡인관에 의해 잘 혼합되며 소화속도를 최적으로 유지하기 위하여 가열된다. 상징액과 슬러지를 분리하지 않으며 소화슬러지의 농도는 주입슬러지의 절반 정도이다.

(3) 고율 소화장치의 조건

- 혼합장치의 용량이 충분하고 탱크 깊이가 깊어야 한다.
- HRT : 10~15days
- 유기물 부하 : 0.4~8.0kg/m^3 · day

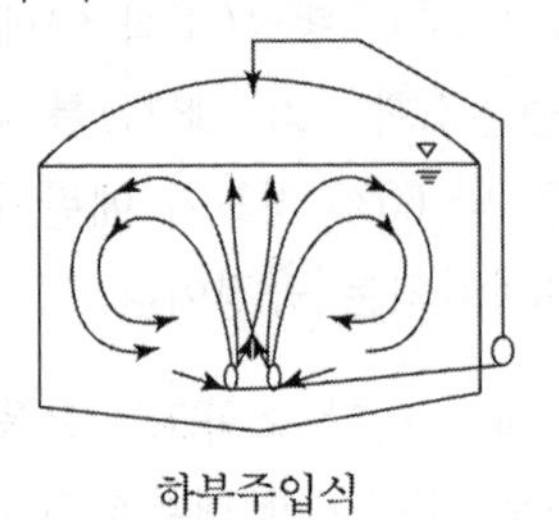
하부주입식

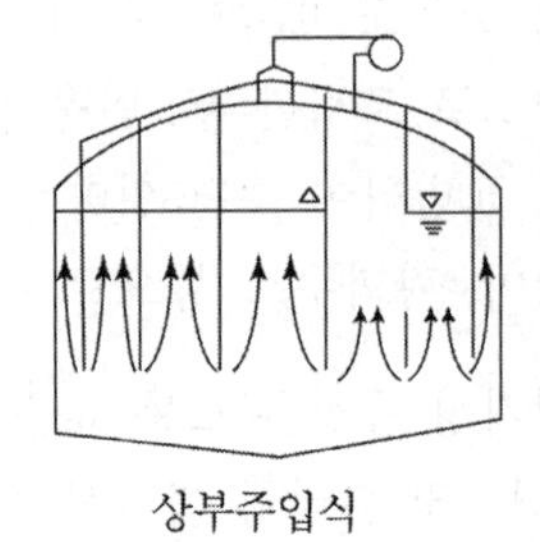
상부주입식

4) 2단 고율 소화조

(1) 개요

고율 소화조는 2단 소화조를 직렬로 연결하여 1차 소화조는 소화에 사용되며 2차 소화조는 소화된 슬러지를 저장하고 농축시키며 정화된 상징수를 만드는 데 사용된다. 소화조는 통상 고정된 지붕이나 부동형 지붕을 가진다.

(2) 보통 소화조 용량은 직경이 6~35m, 수심이 7.7~13.5m, 바닥은 중앙의 슬러지 제거관을 합하여 4 : 1의 경사를 갖는다. 메탄가스 생성비는 1단 : 2단=25 : 1 정도이다.

5) 1, 2차 슬러지 분리소화법

대부분의 폐수 처리시설에서 혐기성 소화는 1차 슬러지와 2차 슬러지의 혼합슬러지에 사용한다. 2차 슬러지가 혼합되면 1차 슬러지의 고액분리가 잘되지 않으므로 최근 일부에서는 1차 슬러지와 생물학적 슬러지를 분리하여 소화시키기도 하며 생물학적 슬러지는 호기성소화를 사용하기도 한다.

6) 고온 혐기성 소화

(1) 개요

고온소화는 고온 박테리아에 의하여 50~57℃의 온도범위에서 수행되다. 생화학적 반응속도는 한계온도에 이를 때까지 10℃마다 2배로 증가하기 때문에 중온소화보다 반응속도는 빠르다.

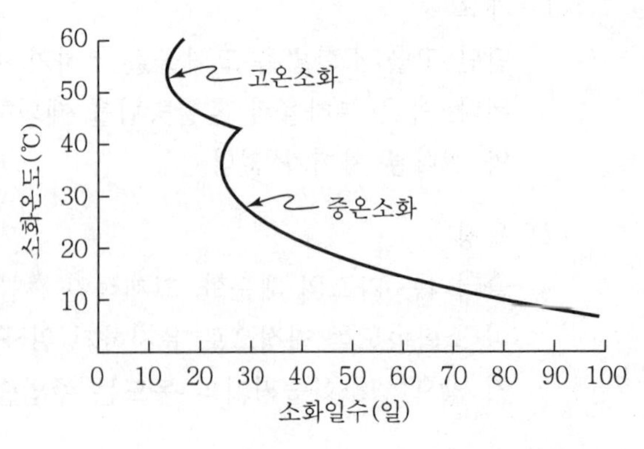

(2) 특징

고온소화는 처리효율이 증가되고, 슬러지의 탈수성이 개선되며 박테리아의 사멸률이 증가되는 등의 장점이 있다.

(3) 적용 제한 : 다음과 같은 단점 때문에 고온소화의 적용은 제한적이다.

- 54℃ 가열에 많은 에너지 소요
- 상징수에 많은 양의 용존성 고형물질이 함유되어 수질의 저하, 냄새, 처리의 안정성 저하

5. 혐기성 소화처리의 신공정

1) 개요

생물학적 폐수처리 방법 중 혐기성 공법은 호기성 공법에 비해 고농도의 폐수처리에 적합하며, 슬러지 생성량 및 영양 물질 요구량이 적고 부산물로 CH_4이 생성되는 장점을 가지고 있음에도 불구하고 체류시간이 긴 단점으로 인하여 지금까지 주로 슬러지의 처리에 이용되어 왔다.

2) 신공정의 개발

위와 같은 혐기성 처리의 장점을 살리고자 최근 체류시간의 단축 및 저농도 폐수의 처리에 중심을 두고 혐기성 처리에 대한 연구가 활발하게 수행되어 왔으며 그 결과 AF(Anaerobic Filter), UASB(Upflow Anaerobic Sludge Blanket), AAFEB (Anaerobic Attached Film Expanded Bed), ABR(Anaerobic Baffled Reactor) 등의 고율 혐기성 반응조 및 2단소화법이 개발 실용화되었으나 이 중 가장 널리 쓰이고 있는 것이 UASB 및 AF이다.

3) 신공정의 일반적인 특징

이들 반응조는 일반적으로 미생물의 체류시간을 높임으로써 용해성 유기물의 함량이 높은 전분폐수, 사탕무폐수, 알코올폐수 등의 처리 및 유기물 함량이 낮은 폐수 처리 시 기존의 완전혼합형 반응조보다 우수하다고 알려져 있으며 최근에는 일부 산업폐수처리와 도시하수 처리에도 이용되고 있는 추세이다.

4) 혐기성 폐수처리 신공정의 종류

구분	종류	
균체부착 (충진물, 담체)	• 상승류 혐기성 고정상/AF • 팽창상 반응기/AAFEB	• 하강류 혐기성 고정상/DAFF • 유동상 반응기/FB
그래뉼, 플록형성	• UASB	• 상승류 혐기성 고정상/AF
기타	• 막분리 반응기 • 2단 소화법	• ABR • AUSB

5) 혐기성 반응의 원리
혐기성 처리 시 유기물 분해과정은 크게 3단계로 나눌 수 있으며 각 단계에서 일어나는 반응은 다음과 같다.

(1) 가수분해 및 발효단계
이 단계에서는 탄수화물, 단백질, 지방 등이 용해성 저분자 물질로 가수분해 되고 이들은 다시 유기산, 알코올, CO_2, H_2, NH_3 등으로 발효된다.

(2) 아세트산 생성단계
이 단계에서는 가수분해 및 발효단계에서 생성된 고분자 유기산, 프로피온산, 부트릭산, 알코올 등이 아세트산과 수소로 전환된다.

(3) 메탄 생성 단계
이 단계에서는 Acetate, H_2 그리고 CO_2로부터 메탄이 생성된다. 발효 및 아세트산 생성단계에서 생성된 Acetate는 Acetociastie 메탄균에 의해 메탄으로 변화한다.

6. 혐기성 소화처리 신공정의 종류 및 특징

1) UASB(Upflow Anaerobic Sludge Blanket) 반응조

(1) 개요
UASB 반응조에서는 미생물이 부착하여 성장할 수 있는 매질을 사용하지 않고 미생물이 스스로 밀도가 높은 Granules을 형성하여 반응기 내에 머무르므로 미생물 체류시간이 길게 되어 처리 효율이 향상된다.

(2) 특징
UASB 반응기는 Lettinga 등에 의해 개발되었으며 반응기 상부에 고형물과 가스를 분리할 수 있는 가스-고체 분리기(Gas Solid Separator)가 설치되고 저부로부터 미생물과 유기물 간의 접촉이 증대된다. Granules의 형성은 단순히 슬러지의 침강성 개선에 의한 미생물량의 증가뿐만 아니라 메탄균의 고밀도 집적화에 의한 활성도의 향상도 초래한다.

(3) Granules의 구분
UASB 반응조에서 형성되는 Granules는 다음과 같이 3가지로 분류할 수 있다.
- 사상성 Granules : 아세트산을 이용하는 Methanotrix 속 메탄균이 수백 개의 세포단위로 사상 증식하고 국수같이 엮여 집합되어 형성
- 막대상 Granules : Methanotrix 속 메탄균이 사상 증식하는 대신 4~10개의 세포가 연결된 형으로 증식하므로 사상성 Granules에 비해 입경은 작고 (2mm)세포밀도 및 기계적 강도는 크다.

- Sarcina 형 : 높은 아세트산 농도에서 Methanosarcina 속 메탄균이 Cyst를 형성하여 우점종이 되며, 입경은 대개 0.5mm 이하로 작아 유출하기 쉬워 처리수질이 악화되기 때문에 바람직하지 않다.

(4) 장치구성 : 반응기의 구조는 폐수 유입부, 슬러지 베드부, 슬러지 블랭킷 및 가스슬러지 분리장치 등 크게 4가지 부위로 대별된다.

(5) 특징
- 높은 유기물 부하로 반응기 용량의 소형화가 가능하다.
- 온도변화, 충격부하, 독성물질 등에 상당한 내성을 보유한다.
- 저농도의 유기 폐수나 무가온 폐수의 처리가 가능하다.
- 호기성 처리와 비교하여 전력비 절감 등 잉여슬러지가 감소한다.
- 종전의 혐기성 처리에 비해 체류시간 단축된다.
- 용적부하율은 2~20kg/m^3 · day 정도이다.

2) AF(Anaerobic Filter) : 생물막 공법

(1) 개요

AF는 호기성 살수여상의 변형으로 자갈, 쇄석, Plastic 등의 충전여재 표면에 미생물이 부착 성장함으로 미생물의 유실이 적고 충격부하에 강한 장점을 가지고 있다.

(2) 특징
- 살수여상과 같이 뚜껑이 있는 탱크 내에 여재로 채워진 형태이다.
- 폐수는 바닥에서 주입되고 상단에서 유출된다.
- 슬러지를 재순환시키지 않아도 긴 세포체류시간을 얻을 수 있다.
- 낮은 온도에도 처리가 가능하다.
- 유기물 농도가 낮을 경우 1일 이하의 짧은 HRT 내에 처리가 가능하다.
- 간헐적 운전이 가능하다.

3) ABR(Anaerobic Baffled Reactor)

(1) 개요

ABR은 칸막이로 분리된 반응기로서 장시간 운전시 각 칸마다 Granules이 형성될 수 있으므로 CSRT과 UASB의 중간형태로 취급된다.

(2) 특징
- 이 반응기의 장점은 발생하는 가스에 의해 고형물의 침전과 부상이 중간에 설치된 Baffle에 의해 수직적으로 반복하여 일어나므로 미생물과 폐수 간의

접촉이 커지고
- 유출수 중의 미생물량이 적게 되므로 미생물 체류시간이 길어져 고농도 폐수 및 저농도 폐수를 짧은 HRT(수리학적 체류시간)에서 처리할 때 효과적이다.
- 반응조의 전단에서 발효 및 아세트산 생성이 일어나고 후단에서 메탄이 형성되는 구조로 폐수의 흐름이 PLUG Flow 형태에 가깝다.
- 고농도의 미생물 농도를 유지할 수 있으며 슬러지 제거 없이 장기간 운전 가능한 점 등이다.

4) AAFEB(Anaerobic Attached-film Expanded Bed)

(1) 개요

AAFEB는 유동층 소화조로서 반응조 내부에 가벼운 충진여재를 채우고 처리수의 일부를 재순환시켜 부상시킴으로써 AF에서 발생할 수 있는 미생물의 과도한 증식에 의한 막힘현상을 방지할 수 있는 장점을 가지고 있다.

(2) 특징

또한 산생성 반응조와 메탄생성 반응조를 나누어 처리하는 2단 소화조는 각 반응조마다 조건을 달리하여 운전하며 짧은 체류시간에서도 운전할 수 있다는 장점이 있다.

5) AUSB(Aerobic Upflow Sludge Blanket) 생물반응조

(1) 개요

AUSB 생물반응조는 상향류 슬러지 블랭킷으로 되어 있으며 기계적인 혼합작용을 통해 반응조 내부의 미생물그래뉼이 폐수와 접촉하여 미생물의 저기 고정화 현상이 촉진된다.

(2) 특징
- 미생물의 자동 고정화(Self-immobilization)를 이용한 생물반응조이다.
- 유기물의 생물 분해 작용과 슬러지 블랭킷으로 인해 부유고형물이 제거되므로 추가적인 고액분리장치는 필요하지 않은 것이 특징이다.
- AUSB 반응조는 유기물질의 생물분해가 이루어지는 구역과 고액분리가 이루어지는 두 구역으로 구분할 수 있으며
- 일반적인 생물학적 처리공정보다 소요부시와 에너지의 절감효괴기 있으며 최종 침전지와 슬러지 반송이 필요 없고 처리효율이 좋다.

7. 혐기성 소화처리 신공정의 종류 및 특징

1) 혐기성 반응조의 운전시에는 반응조의 상태를 예측할 수 있는 운전변수의 사용이 매우 중요하다.
2) 일반적으로 지금까지 유기산, pH, 가스 생성량 및 조성이 운영변수로 사용되어 왔다.
3) 유기산은 가장 확실한 운전변수로서 만일 유기산이 반응기 내에 축적되면 메탄생성량이 적어지고 pH의 저하를 유발한다.
4) pH는 유기산의 축적 결과 변하고 반응기 내에 pH 완충능력이 높을 경우에는 pH의 변화폭이 작다는 단점이 있다.

차 한잔의 여유

기생도 늘그막에 남편을 따르면 한평생의 분 냄새가 사라져 버리고
열녀라도 머리가 센 뒤에 정조를 잃으면 반평생의 절개가 물거품이 된다.
옛말에 이르기를 "사람을 보려거든 그 후 반생을 보라" 고 했으니
이는 실로 명언이다.

– 채근담 –

20 | 소화가스에 포함된 황화수소 제거기술을 설명하시오.

1. 황화수소 제거의 필요성

소화조에서 발생하는 소화가스 구성 성분은 메탄(CH_4)이 60~65% 정도를 이루고 이산화탄소(CO_2)가 30~35%이며 여기에 미량의 황화수소(H_2S)가 포함되어 있다. 소화가스 중에 포함되어 있는 H_2S 성분은 그 유독성이 매우 심하고 금속과 반응하여 설비를 부식시키고 연소 후 SO_2으로 산화하여 산성비의 원인물질로 대기환경을 오염시키는 역할을 하고 있어 그 제거가 필수적이다. 현재 각 하수처리장에서는 메탄가스 중 H_2S 농도가 2,000ppm을 상회하고 연소 후 SO_2 농도가 배출허용기준을 초과하여 고효율의 탈황설비가 필요한 상황이다.

2. 소화가스 탈황공정의 분류

소화가스 중에 포함된 H_2S를 제거시키는 공정으로는 산화철(FeO_3)계통의 흡착제를 이용한 건식 탈황과 알칼리약품을 이용한 습식 탈황으로 구분할 수 있다.

1) 탈황제를 이용한 건식 탈황

건식 탈황공정은 산화철(FeO_3)이 포함된 탈황제를 충진한 탈황탑에 소화가스를 통과시켜 황화수소(H_2S)를 흡착 산화시키는 공정으로 탈황탑에 충진되어 있는 탈황제를 주기적으로 교체하여 탈황을 실시하고 있다.

(1) 건식 탈황은 설비의 구조가 간단하여 유지관리가 간단하다.
(2) 소화가스 중에 포함된 수분이 응축하여 탈황제에 부착되어 압력손실을 증가시키므로 소화가스의 처리공정이 불안정하다.
(3) 고농도의 황화수소(H_2S)가 유입되는 경우 탈황효율을 급격히 저하시켜 빈번한 교체를 실시해야 한다.

2) 알칼리약품을 이용한 습식 탈황

황화수소(H_2S)의 농도가 높고 양이 많이 포함되어 있는 경우 알칼리약품을 이용한 습식 탈황공정을 사용하고 있다. 습식 탈황의 원리는 황화수소(H_2S)가 다량 포함되어 있는 가스를 알칼리약품으로 세정하여 황화수소(H_2S) 성분이 알칼리 약품과 반응하여 제거시키는 공정이다.

$$H_2S + 2NaOH \rightarrow Na_2S + H_2O$$

(1) 습식 탈황의 공정은 건식 탈황의 공정에 비해 고농도의 황화수소(H_2S)가 유입되어도 적절하게 처리가 가능하고 높은 제거효율을 가진다.

(2) 황화수소(H_2S)가 반응하여 발생된 염이 고형물로 석출되어 세정탑 내부에 침적되므로 흡수탑의 선정에 많은 주의가 필요하다.

(3) 처리공정에서 발생된 폐액은 pH 8~9.5 정도를 유지하므로 하수처리공정에 재투입하여 처리한다.

3. 탈황공정 적용 시 고려사항

1) 도시하수만을 처리하는 경우 하수슬러지를 소화시켜 발생하는 소화가스 중에 포함된 황화수소(H_2S)의 농도는 100~200ppm 전후이다.

2) 음식물쓰레기 침출수, 매립장 침출수, 분뇨처리장의 1차 처리수, 각 소화조에서 발생하는 정화조 오니 등을 처리하는 경우에는 소화가스 중에 발생된 황화수소(H_2S) 농도가 계속 증가하여 현재에는 2,000ppm 수준을 상회하고 때로는 3,000ppm을 넘는 경우도 있어 건식 탈황의 한계점을 보이고 있으며 보다 빈번한 탈황제의 교체가 요구되는 실정이다.

3) 알칼리약품을 이용한 습식 탈황공정에서 H_2S의 제거효율은 기체와 액체의 접촉면적과 접촉시간에 관계, 흡수액의 농도와 반응속도에 영향을 받으며 물에 대한 기체의 용해도가 흡수탑의 선정에 매우 중요하다.

4) 알칼리약품과 반응하여 생성된 물질은 세정수에서 석출되어 세정탑 내부에 침적하여 흡수효율을 저하시키고 잦은 청소 등을 요하게 한다. 또한 습식 세정의 장점으로 35% 정도 포함된 이산화탄소(CO_2) 성분을 제거하여 메탄가스의 함량이 높아지므로 소화가스의 열량을 높여 열효율을 상승시킬 수 있다.

5) 습식 세정에 의한 탈황은 소화조의 소화가스 개량에 많은 이점이 있다. 이는 소화가스 중에 포함된 황화수소(H_2S) 성분을 완벽하게 제어할 수 있으며 이산화탄소 성분도 동시에 제거하게 됨으로써 메탄함량이 증가하여 소화가스의 열량을 높일 수 있어 여러 가지 용도로 사용할 수가 있다.

6) 탈황공정에서 흡수세정 후 배출되는 메탄가스 중에 포함된 수분은 제습장치를 도입하여 수분을 제거함으로써 배관 내부와 가스저장조에서 수분의 응결을 막고 설비의 부식과 가스의 건도를 상승시켜 열효율을 높이는 효과가 있다.

7) 하수처리장 혐기성 소화조에 적용되는 습식 탈황장치는 일반적으로 플랜트로 제작 설치되어 운전 중에 있다.

21 | 혐기성 소화의 이상(異常)현상 발생원인 및 대책에 대하여 설명하시오.

1. 혐기성 소화의 원리

혐기성 처리단계는 산생성 단계와 가스생성 단계인 2단계로 나누어지며 세분하면 다음 같이 4단계로 나누기도 한다.

1) 1단계(가수분해단계)
탄수화물, 지방, 단백질이 효소에 의해 가용성 유기물인 당류(글루코스), 아미노산으로 전환한다.

2) 2단계(산생성 단계)
산형성균이 가수분해된 당류, 아미노산, 글리세린 등을 분해시켜 유기산과 알코올, 알데히드를 생성한다.

3) 3단계(초산생성 단계)
산생성 단계에서 생긴 아세트산을 제외한 물질(Isopropanol, Propionate 방향족 화합물)들을 초산생성균에 의해 초산으로 변화한다.

4) 4단계(메탄생성 단계)
메탄생성균에 의해 유기산이 CH_4, CO_2, NH_3, H_2O로 바뀐다. 메탄생성은 초산에서 72% 생성되며 나머지 28%는 수소와 CO_2가 반응하여 생성한다.

2. 혐기성 소화단계별 특징

1) 산발효(생성)

(1) 혐기성의 1차 처리과정으로 유기물 중의 셀룰로스(Cellulose)나 전분 등의 탄수화물은 보다 간단한 구조의 당류로 분해한다.
(2) 단백질은 아미노산(Amino Acid)류로 되고 지방질은 글리세롤이나 지방산으로 가수분해된다. 이와 같은 산발효작용은 고형물 형태를 용존성 물질로 또는 다당류를 단당류 형태로 전환시키는 산생성균의 역할에 의하여 이루어지며 pH가 저하한다.
(3) 지나친 pH의 저하(pH 4 이하)는 산발효 자체를 저해할 수 있다. 이런 소화과

정을 산발효기라고도 한다.

2) 메탄발효

(1) 혐기성의 2차 처리과정으로 가스화과정에서는 앞에서 생성된 유기산이 절대혐기성의 메탄생성균에 의하여 가스상태의 최종생성물로 된다.
(2) 이때 혼합가스의 주성분은 탄산가스(CO_2)와 메탄(CH_4)이다. 소화의 균형이 유지될 때는 산발효 및 메탄발효가 동시에 진행된다.
(2) 소화조에서는 일반적으로 소화반응을 촉진시키기 위해 조 내부의 교반과 수온이 낮을 때 가온을 한다. 또한 생성된 메탄가스는 소화조 가온용 보일러의 연료 및 가스발전용 엔진연료로 회수하여 재이용한다.

3. 혐기성 소화의 이상(異常)현상 발생원인 및 대책

1) 소화시간과 가스발생량

혐기성 소화에서 발생되는 가스는 여러 가지가 있으나 크게 메탄, 이산화탄소, 황화수소로 나눌 수 있다. 일반적으로 가스는 메탄(60~80%)과 이산화탄소(20~40%), 미량의 황화수소(1~500ppm) 순으로 발생되는 편이다.

(1) 이상현상의 발생원인

혐기성 소화 시 가스발생량은 통상 유기물 1kg당 400~700L로 평균 500L 정도인데 이보다 적은 양이 발생하거나, 발생하는 소화가스 구성 비율이 부적절할 때 이상현상이라 할 수 있다.

(2) 대책

슬러지 유입수의 농도나 소화효율에 따라서 각각의 가스함량이나 발생량이 달라질 수 있으며 유입수의 농도가 높거나 SS가 다량 함유되어 있을 경우 더욱 불량해지므로 이를 조정한다.

2) 유기산농도

소화슬러지 중의 유기산농도는 소화상태를 알기 위한 가장 좋은 지표 중 하나이다.

(1) 유기산농도가 허용농도 이상으로 되면, 메탄균의 활동이 저해되어 유기산을 메탄가스로 분해하는 속도보다 유기산 생성 속도가 빠르게 되어 가속적으로 유기산이 축적된다.
(2) 정상적인 소화상태에서의 유기산농도는 300~500mg/L 정도이고, 2,000mg/L 이상에서는 pH가 저하하며, 가스발생량이 억제됨으로 통상 300~2,000mg/L 범위를 유지하는 것이 가장 좋다.

(3) 이상현상의 발생원인

유기물의 혐기성 분해 결과 발생되는 초산, 프로피온산, Formic산, 유산 등의 저급 지방산의 농도가 기준값 이상으로 증가하며 가스발생량이 감소한다.

(4) 대책

유기산농도를 일정 농도로 유지하는 것은 어렵기 때문에 산발효조와 혐기발효조를 별도로 놓고 산발효조에서 혐기발효조로 유입되는 유량을 조정하는 것이 혐기성 소화조를 적정하게 운전하는 방법으로 추천되고 있다. 또한 유기산과 알칼리도비(VA/Alk)도 매우 중요하며 소화조 투입량, 농도 등을 조절하여 VA/Alk비를 0.3 이하로 유지하는 것이 좋다.

3) 유기물질의 비율

혐기성 소화에 있어서 거의 모든 유기물이 분해되어 메탄과 이산화탄소를 발생시킨다. 일반적으로 유기물 중에 포함되는 셀룰로스 등의 탄수화물의 비율이 많아지면, 가스 중에 이산화탄소의 농도가 높아지게 된다.

(1) 이상현상의 발생원인

유기물질 비율 증가로 소화가스 중 이산화탄소 함유비의 증가는 유기물 부하와 온도, 소화일수의 균형이 깨져서 소화가 불완전하게 되고, 더욱 악화되면 거품이 일어나는 현상이 생긴다.

(2) 대책

일반적으로 유기물의 처리 가능한 조건은 호기성 처리의 경우 부하는 0.5~30kgCOD/m^3 · 일이고, 혐기성의 경우 부하는 3.2~80kgCOD/m^3 · 일 정도이다.

4) 저해물질

(1) 이상현상의 발생원인

혐기성 소화의 저해물질로는 중금속류, 시안, 페놀 등의 독물, 강산, 고농도의 암모니아, 강알칼리, 강산화제 등이 있고, 가용성의 동, 아연, 니켈 등은 저농도라도 혐기성 처리에 저해물질로 작용한다.

(2) 대책

저해물질로 인한 이상현상은 우선 저해물질을 제거한다. 암모니아가 다량 발생될 수 있는 고농도 폐수의 경우 중온소화에서 처리를 유도하되 반응기 내부의 슬러지농도를 최대한 높여 미생물의 안정성을 확보하고 처리시간을 단축시킨다. 암모니아의 경우 원수 자체에서는 나타나지 않으나, 산발효나 메탄발효과정에서 극단적으로 높게 나타나는 경우가 많아 사전에 검토되어야 한다.

5) 소화일수

소화일수는 혐기성 처리에서 가장 중요한 요소가 된다. 과거 수처리의 속도는 미생물을 확보할 수 있는 조건 기작에 의해서 정해지므로 정해진 혐기성 처리시간은 상수로 사용되어 왔다.

(1) 이상현상 발생원인

소화일수의 부적합으로 소화효율이 불량하다.

(2) 대책

고형물 생산계수(Y), 분해계수(k)에 의해 소화시간이 결정되므로 혐기성 미생물량을 최대한 증가시키고 그에 따른 교반효과, 가스배출, pH 조정, UASB의 형태나 Granular 형태의 반응기로 이러한 조건을 최대한 만족시키는 시도를 해야 한다.

6) 영양조건

혐기성 소화가 적정하게 진행되기 위해서는, C, N, P 및 그 밖의 영양소가 적당한 비율로 유입수 중에 포함되어 있어야 한다.

(1) 이상현상 발생원인

유입수 중의 C/N비는 가스발생량과 기질의 분해속도에 크게 영향을 준다.

(2) 대책

일반적으로 유입수의 C/N비는 12~16 범위 내일 때 가장 효율적인 소화가 행하여져 가스발생량 및 혐기성 세균의 새세포가 가장 많이 형성된다.

7) 유입 · 유출량

(1) 이상현상의 발생원인

유입유량을 다량 투입하면 소화조의 온도가 저하되어 소화액 중에 탄산수소염(HCO_3^-)농도가 낮아지게 되고 소화가 불량해진다.

(2) 대책

소화효율은 유입유량, 유입수성상, 유입수농도, 반응기의 체류시간, 반응기 내 슬러지 등에 의해서 영향을 받으므로 적합하게 조정한다.

8) 교반

소화조의 교반목적은 투입유입수와 미생물과의 충분한 접촉, 소화조 내의 물리적 · 화학적 · 생물학적인 반응을 균일하게 하고, 대사생성물이나 유입저해물질을 급속히 확산시켜 저해효과를 희석, 표면에 스컴층이 형성하거나 소화조 하부(밑바닥)에 부유물질이 퇴적하는 것을 방지하여 소화조의 용량을 유용하게 한다.

(1) 이상현상의 발생원인

교반 불량으로 스컴 발생, 스컴을 방치하면 점차로 고형화되고 누적되어 소화조의 유효용량을 감소시키는 결과를 초래하여 소화불량이 발생한다.

(2) 대책

가스교반방식의 경우 소화조의 단위용적당 0.15~0.3m³/m³ 정도, 기계교반방식의 경우 교반기의 설치 또는 드래프트 튜브 교반기를 사용하여 조 내 하부의 슬러지를 수면으로 올려서 조 내에 확산·순환시킨다. 펌프에 의한 순환방식인 경우, 소화조 외부에 펌프를 설치하여 조 내 액을 인출하고 다시 조의 저부에서 상부로 순환시켜서 교반하는 방식을 사용한다.

9) pH

메탄균의 활성에 최적의 pH 범위는 7.0~7.2 정도이고, 이 범위로부터 크게 벗어나면 메탄균의 증식은 급격히 감소한다.

(1) 이상현상의 발생원인

메탄균은 pH에 민감하여 과부하 투입, 온도저하, 유해물질의 혼입 등 소화방해가 일어나면 휘발산이 축적되어 pH 5.0~6.8 또는 그 이하로 저하하고 가스 발생도 억제된다.

(2) 대책

이러한 때에는 석회 등을 투입하여 pH 7.0~7.2 정도로 조정한다. 소화조의 pH 변화는 소화과정에 기인하는 경우가 많다. 따라서 알칼리도의 변화가 감지되었을 때 pH 저하를 예방할 수 있는 방안을 찾아야 한다.

4. 혐기성 소화조 구조와 기능

1) 혐기성 소화조의 재질

(1) 혐기성 소화에 관여하는 세균인 초산생성 세균이나 메탄생성 세균은 산소가 존재하는 상태로는 기능 발휘가 어려운 절대혐기성 세균이기 때문에 혐기성 소화조는 공기의 혼입이 없는 상태로 유지되어야 한다.

(2) 소화조는 공기의 혼입을 방지하기 위하여 조 내를 200mmAq 정도의 정압상태로 유지시킬 수 있도록 운전한다. 또한 소화조의 구조는 이와 같은 정압상태에 있어서도 발생가스가 누출되지 않도록 기밀한 것으로 해야 한다.

(3) 일반적으로 소화조는 PC콘크리트 구조 또는 철근콘크리트 구조가 이용된다.

2) 혐기성 소화조의 형상

소화층의 형상은 구조적인 강도와 기능을 유지하도록 적은 동력으로도 조 내에 사(Dead)영역이 생기지 않고 충분히 교반되어 스컴의 축적이나 퇴사·퇴니가 방지되는 것이어야 한다. 또한, 가온효율의 관점에서 비표면적(표면적/체적)이 작은 것이 좋다.

3) 혐기성 소화조의 주요 부속설비

(1) 가온장치

가온장치는 조 외 가온 또는 직접가온 등의 방식에 의하는 것으로서 열효율, 재질, 가온의 평균화 및 유지관리의 관점에서 적절한 것이어야 한다.

(2) 가스압 안전장치

혐기성 소화조는 통상 가스압이 150~200mmAq가 되도록 설계되어 있지만 분뇨투입조작, 탈리액 및 소화슬러지의 인발조작, 교반혼합조작의 유무에 따라 가스압은 변동한다. 소화조에는 이와 같은 조작오인 또는 사고에 따라서 일어날 우려가 있는 이상압력을 피하기 위한 가스압 안전장치를 설치해 둘 필요가 있다.

(3) 가스배관

소화조에서 배출되는 소화가스는 수증기로 포화되어 있어 배관 내에서 온도가 저하하면 응축수가 생성한다. 따라서, 관 내 특히 곡부에 배치된 관부에는 응축수가 축적되어 관부를 폐색시킬 우려가 있다. 소화가스는 부식성이기 때문에 가스배관에는 내식성 아연도금동관 또는 경질염화비닐관, 스테인리스강관 등이 사용된다.

(4) 탈황장치

탈황방식에는 습식과 건식이 있으며, 건식이 널리 이용되고 있다. 습식 탈황은 기액접촉탑 하부에 소화가스를 도입하여 상부에서 떨어지는 NaOH액과 접촉시켜 가스 중에 함유된 황화수소를 NaOH액에 흡수시키는 것이다.

(5) 가스탱크

가스탱크에는 고압형, 중압형, 저압형이 있으며 분뇨처리시설에 널리 이용되는 것은 저압형이다. 저압형은 다시 수봉을 이용하는 유수형과 무수형으로 분류된다. 가스탱크용량은 가스발생량과 가온장치의 운전시간에 따라 결정한다.

(6) 잉여가스연소기(Waste Gas Burner)

잉여가스연소기는 연소용 공기를 드래프트(Draft)효과에 의한 자연통풍에 따라 노 내에 끌어넣어 소화가스를 연소시키는 형식의 것으로 많이 사용되고 있다.

22 | 기존 하수처리장의 소화조를 개선하여 소화가스 발생량을 높이고자 할 때 고려해야 할 사항을 설명하시오.

1. 개요

하수처리장 소화조를 혐기성 상태로 발효시키면 약 60%의 CH_4, 약 38%의 CO_2가 발생되며 약 2%에 해당되는 H_2O, NH_3, H_2S 등이 발생하는데 공정관리가 나빠지면 CH_4 발생량이 감소하고 CO_2 비율이 증가한다.

2. 혐기성소화 공정 및 소화가스 발생 영향인자

1) 혐기성 소화시 발생되는 CH_4은 훌륭한 에너지원으로 이용되는데, 이때 메탄가스 생성은 pH, 염기도, 휘발성산의 농도, 온도, 이용 가능한 영양소 수준, 독성물질의 잔존량 여부 등에 따라서 발생 정도에 영향을 받는다.
2) 환경적인 여건 외에도 혼합방법, Screening 방법, Pumping 방법, Sum의 형성, Grit의 축적 등에 따라서 Biogas(메탄) 생성량은 지대한 영향을 받으며, 또 발효과정에서 이용되는 기계의 작동기술이나 환경여건을 알맞게 맞추어 주는 기술의 숙련 정도 역시 Biogas의 경제성에 큰 영향을 미친다.

3. 혐기성 분해의 주요 운전조건

혐기성 반응조에서는 여러 가지 환경적 요소들에 의해 성장률이나 가스 생성률, 기질의 감소율, 유입수의 변화에 의한 초기반응 등이 더 향상되거나 혹은 저해되기도 한다.

1) 온도

(1) 온도는 가장 중요한 인자 중 하나로, 고온성 혐기 미생물이 그리 많지 않기 때문에 혐기성 미생물 반응기에는 일반적으로 중온성(25~45℃) 미생물이 사용된다. 혐기성 미생물의 최적 성장온도는 35℃ 이상
(2) 25℃보다 낮은 온도에서는 분해율이 급격히 감소
(3) 온도가 45℃를 초과하는 경우, 중온성 미생물이 성장 한계점에 도달하면서 분해율이 급속히 감소
(4) 고온성 미생물을 이용한 반응(약 55℃)은 중온성 소화에 비해 반응조 내에서 체류시간(Solid Retention Time)이 짧고 효율이 좋으며 병원균을 쉽게 죽일 수 있는 장점이 있으나 중온성 소화에 비해 온도변화에 민감한 것이 단점이다.

2) pH

(1) 일반적으로 pH 6.5~7.5 정도가 적절하며, 5.0보다 낮거나 8.5보다 높았을 경우에는, 아주 적은 양의 Acetobacter Spp.를 제외하고는 미생물의 성장이 저해된다.
(2) pH와 온도와의 관계는 미생물의 성장온도가 높아질수록 적정 pH 또한 높아지므로 결국 pH의 제어가 미생물의 적정 성장과 분해율을 결정하는 기초가 된다.

3) 영양소(Nutrient)

(1) Bacteria는 성장 및 활동에 있어 여러 영양소(C, N, O, H, P, S 등)를 필요로 하는데, 가장 중요한 것은 질소와 인 등이다.
(2) 보통 C/N 비율(BOD/NH-N)은 20 : 1 또는 30 : 1이 좋고 유기물에 대해 질소가 적으면 발생가스 중에 탄산가스가 많게 됨(CO_2 50% 이상). 또한 질소가 많으면 메탄가스 생성량이 많아지나, 암모니아의 축적에 따른 pH의 저하로 시스템에 문제를 일으킬 수 있다.

4. 혐기성 분해 및 메탄가스 발생에 미치는 저해요소

1) 유기산 저해

(1) 혐기성 반응기의 불안정성은 일반적으로 반응기 내의 VFA 농도가 급속히 증가하는 것을 보고 판단하며, Shock Loadings이나 영양분의 고갈, 유해성 기질의 유입 등에 의한 다른 환경적 붕괴에 따른 원인으로 작용
(2) Propionate는 반응기 운전실패의 중요 영향
(3) 고농도 VFAs에 의한 과부하가 발생하면, VFAs 자체와, 분해가 안 되고 남아있는 Alcohol에 의해 저해성(Inhibition)이 크다.

2) 황산화물 저해

(1) Sulfate와 다른 산화된 황 화합물은 양호한 상태의 혐기조에서는 쉽게 Sulfide로 분해되며, 이러한 Sulfides는 반응기 내부의 미생물들의 활동에 의해 형성되는데, 그들과 연관된 양이온들에 의해 좌우된다.
(2) 만약 많은 금속 황화합물처럼 불용성의 형태라면, 그들은 반응조 운전에 부정적인 영향을 미침

3) 암모니아 질소 저해

(1) 혐기성 소화조에서 암모니아가 중요한 완충역할을 하고는 있지만, 그 농도가 높아지면 주요한 저해요인으로 작용
(2) 운전의 안정성 면에서 볼 때 역치 수준 이상의 과도한 경우에 있어서는 암모니아 질소의 농도에 의한 영향으로 유해성을 띠지 않는다.
(3) 매우 높은 농도의 자유 암모니아는 암모니아 이온에 대한 양이온 반발 메커니즘의 고려보다 중요하지 않다.
(4) 소화조의 조화로운 상태는 초기 적응과정을 향상시키는 역할을 한다.

4) 기타 저해성 화합물

(1) 유기화학물질 : Chloroform, Phenol Benzene, Pentachlorophenol, tyrosine, 지질, 무인합성세제, Raurine acid Formal dehyde, 고분자응집제, 탄닌산, 항생물질화학요법제, 유기염소화합물

(2) 무기화합물 : 시안, 메탄균의 발육저해제

5) 금속

(1) 수은 : 유기수은(0.1~4μg/ml), Hg_2Cl_2(0.5~135μg/ml)
(2) 철 : 10%
(3) 유산반토, 염화제2철 : 저해가 아니라 응집현상에 의한 균의 활성 저하
(4) 니켈 : 단일로서는 효율의 증대가 보임
(5) 니켈과 아연 : 메탄가스의 감소
(6) 아연 · 크롬 · 동 : 각각 160, 90, 132ppm에서 저해가 보이기 시작함

23 | 슬러지처리에서 ATAD(Auto Thermal Aerobic Digestion)를 설명하시오.

1. 원리

ATAD란 슬러지처리 시 자체 발열을 이용한 고온 호기성소화로, 호기성소화 시 발생되는 열을 이용하여 주입되는 슬러지와 소화조의 온도를 높여 약 5~10일 정도의 체류시간으로 슬러지를 소화시키는 공법이다.

2. 세포합성 시 열량

미생물은 먹이를 섭취하여 세포를 합성하고 합성된 세포는 내호흡에 의하여 감소되는데, 이때 생산되는 열량(Hg)은 다음과 같다.

1) 세포합성 시 생산되는 열량(Hg_1)
   미생물이 먹이를 이용하여 세포합성 시 생산되는 열량은

   $$Hg_1 = K(Fi - F)$$

   여기서 K : 합성 시 비열, Fi, F : 유입 BOD, 유출 BOD

2) 내호흡에 의하여 세포감량 시 발생되는 열량(Hg_2)

   $$Hg_2 = C\Delta M$$

   여기서 C : 산화 시 비열, ΔM : 미생물 감량

3) 호기성소화 시 발생되는 열량은 $Hg = Hg_1 + Hg_2$이며 COD 제거당 3,600kcal/kgCODr 정도이며, VS 제거당은 5,100kcal/kgVS이다.

4) 이러한 열량은 소화조 온도를 높이기에 충분하며 공기를 사용하여 온도를 50도 정도로 유지하기 위해서는 주입되는 슬러지의 고형물 농도를 높이고 처리수 온도를 회수하여 이용한다.

3. ATAD의 특징

1) 호기성소화이므로 소화속도가 빠르다.
2) 병원균을 사멸시킨다.
3) 슬러지 성상에 따라 슬러지 내 VS 함량이 낮을 경우 온도가 잘 올라가지 않는다.
4) 분뇨를 자체 발열을 이용한 호기성소화시키면 25℃까지 온도를 상승시킬 수 있다.

24 | 슬러지 탈수성 시험법을 설명하시오.

1. 개요

1) 슬러지의 탈수성을 측정하는 방법은 비저항계수를 측정하는 Buchner Funnel 시험, 진공여과기의 운전자료를 제공하기 위한 Filter Leaf 시험, 약품투여량 결정을 위한 모세관 흡입시간을 측정하는 CST(Capillary Suction Time) 시험 등이 있다.
2) Buchner Funnel 시험, Filter Leaf 시험은 숙련된 기술과 시간이 요구되는 반면에 CST(Capillary Suction Time) 시험은 시험법이 간단하고 측정시간이 짧으며 비저항계수와 상관관계가 높아 널리 이용되는 시험법이다.

2. Filter Leaf 시험

1) 실험절차
그림과 같이 진공압에서 여과막을 통과한 여액량으로 탈수성을 평가한다.
(1) 사용하려는 여과막(Filter Leaf)을 흡입구 측에 부착한다.
(2) 실제 탈수기의 케이크형성시간과 사용하려는 진공흡인력으로 슬러지를 흡입시킨다.
(3) 흡입구의 여과막을 노출시켜 소요되는 시간만큼 건조시켜 케이크의 성질을 결정한다.

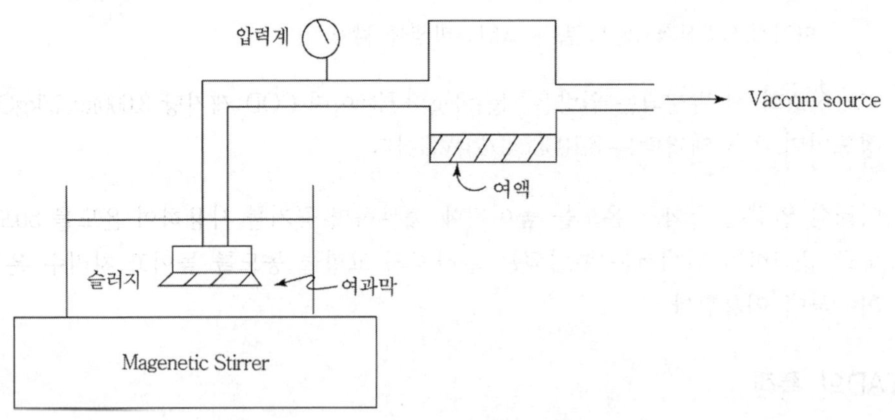

2) 적용
진공여과(Vaccum Filteration) 시 약품소요량, 탈수시간(Cycle Time), 드럼의 소요수심 및 소요진공 흡입력의 크기 결정에 사용한다.

3. 비저항계수 시험(Buchner Funnel 시험)

1) 실험절차

(1) 여과지를 Funnel 위에 놓은 후

(2) 진공흡입력을 조정한다.

(3) 시료(슬러지)를 여과지 위에 주입

(4) 경과시간(t)에 따르는 탈리액(V)을 기록한다.

(5) t/V와 V의 관계그림에서 기울기 b를 구한다.

$$b = \mu rc / 2PA^2$$

여기서 P : 진공압력
A : 여과면적
μ : 점성계수
r : 비저항계수
c : 슬러지 농도

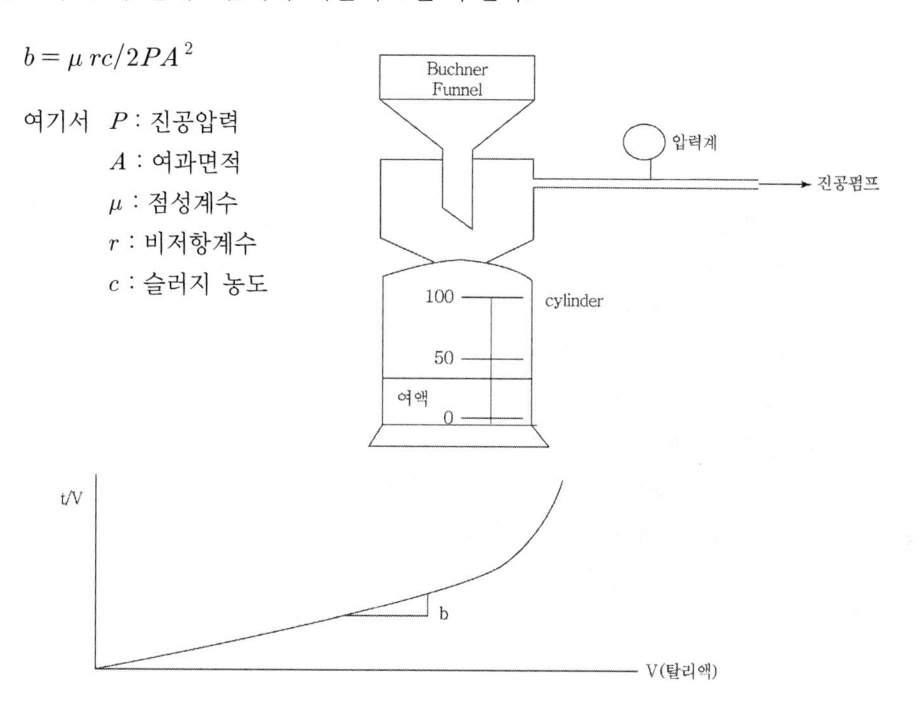

2) 적용

Buchner Funnel 시험은 Filter Leaf 시험과 마찬가지로 진공압에 의한 여과비저항을 측정하여 탈수 특성을 분석하기 위한 것이다.

4. CST(Capillary Suction Time)

1) 원리

여과지 위에 슬러지를 놓고 모세관 흡입압력(Capillary Suction Pressure)에 의해 여액을 얻는 데 걸리는 시간을 측정하여 슬러지 탈수능(약품종류, 약품량)을 평가하는 시험으로, 약품이 첨가된 슬러지 시료를 여과지를 통하여 중력과 모세관 흡입압으로 여과한다.

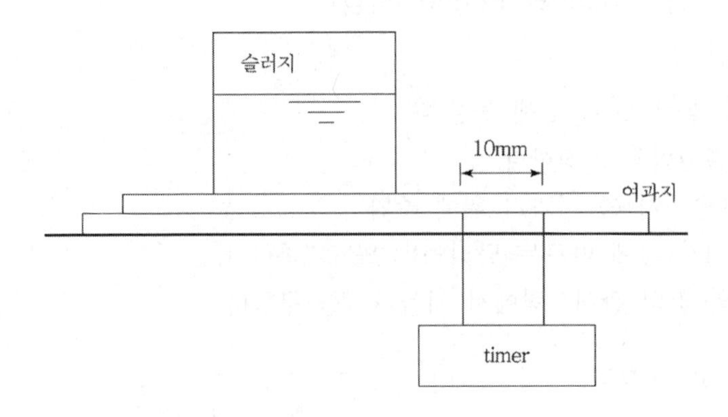

2) 실험방법

(1) 실험장치는 Probe가 부착된 Timer 장치의 제작으로 쉽게 만들 수 있다. 모세관 인력에 의하여 슬러지로부터 액체를 끌어들이는 여과지 위에 놓인 실린더에 슬러지를 주입하여 이 용액이 10mm를 흐르는 시간을 측정하여 기록한다.
(2) CST는 슬러지의 여액이 모세관 흡입현상으로 흘러나와 10mm 이동하는 데 소요되는 시간으로 정의되며 시간이 짧을수록 탈수가 잘되는 것을 의미한다.
(3) 시간측정장치는 시료의 여액이 흘러나와 첫 번째 감지부에 도달하면 자동으로 시간이 측정되고 두 번째 감지부에 여액이 도달하면 자동으로 꺼진다.
(4) CST 값은 여러 번 측정하여 평균값을 사용하고, 실험의 일관성을 위하여 시료의 부피는 일정하게 유지한다.
(5) 비약품 첨가 슬러지의 CST는 200초 이상이나, 약품을 첨가한 슬러지의 CST는 10초 미만으로 짧다.

3) 특징
(1) 실험방법이 간단하고 측정시간이 짧다.
(2) 비저항계수와 상관관계가 높다.
(3) 슬러지의 여과능력이나 탈수능력(약품종류, 약품량)을 결정할 수 있는 실험이다.
(4) 같은 슬러지에 대하여 거의 같은 값을 나타내는 장점이 있다.

25 | 슬러지의 탈수법을 설명하시오.

1. 개요

슬러지를 최종 처분하기 위해서는 탈수를 하게 되는데 부피와 중량을 줄이고 처분에 알맞도록 함수율을 조정하기 위해서이다. 최근의 매립 조건 강화와 해양 투기 불허를 위한 법적 조건의 변화는 슬러지 탈수기술을 필요로 한다.

2. 진공탈수(Vaccum Filteration)

1) 개요

원액조 내에 투입된 슬러지가 일정한 수심으로 회전하는 드럼 내 진공압 300~600 mmHg에 의하여 여포면에 부착하여 케이크를 형성한 후 드럼의 회전에 따라 수면 위에서 스크레퍼로 제거된다.

2) 구조

고형물을 걸러내고 물은 통과시키는 다공성 여재를 사용하는데 다공성 여재는 강철재 코일 금속망 및 섬유막 등이 이용된다.

슬러지를 여과시킴에 따라 여재 위에 고형물 층이 형성되는데 이 케이크도 여재와 같이 여과작용을 하며 그 두께가 증가하게 된다.

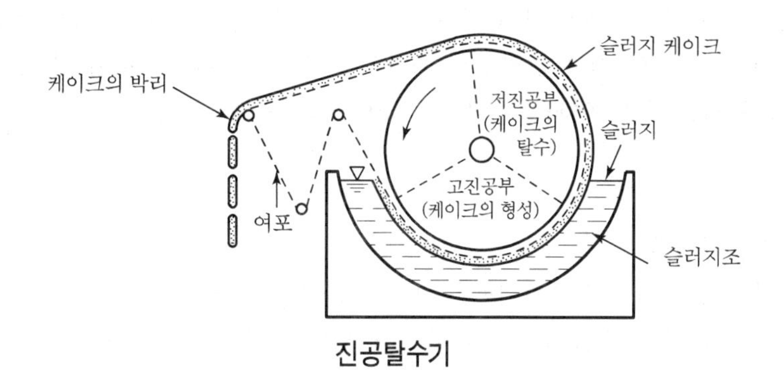

진공탈수기

3) 특징

일차 슬러지나 소화슬러지의 탈수에 모두 적용이 가능한 방법이나 국내에 사용된 실적은 거의 없다. 미국에서는 70년대 중반까지 널리 사용된 방법이었으나 점차 사용이 감소하는 추세이다.

4) 장점

조작이 단순, 피로를 받는 부분이 적다, 슬러지를 보면서 운전이 가능
케이크 함수율의 조정이 가능, 전자동 장치이다.

5) 단점

여포교환이 필요, 설치 면적이 크다, 여포세정수가 많다.

6) 진공 탈수기 면적 산정식

$$t/V = \mu rc/2PA^2$$

여기서 t : 탈수 시간　　V : 탈리액량　　P : 진공압력
A : 여과면적　　μ : 점성계수　　r : 비저항계수
c : 슬러지농도

3. 가압탈수(Filter Press)

1) 개요

(1) 가압탈수기는 여과판에 여과포를 걸고, 이것을 필요용량에 맞는 매수로 나란하게 한 여과실을 갖고, 슬러지를 여과실내에 압입하여 가압탈수 한다.

(2) 여과판의 배열방법, 여과포의 거는 방향, 탈수케이크나 여과액의 배출방법 등에 따라서 횡형과 입형의 것이 있다. 고가이나 최근의 함수율 저하 목적으로 적용이 증가하고 있다.

(3) 여과포는 각 여과판에 단독으로 거는 고정식, 상하에 주행하는 단독 여과포주행식 및 여과판 전부에 일련의 여과포를 걸어 주행하는 것이 있다. 하수슬러지용으로서는 횡형 여과포주행식이 많이 이용되고 있다.

2) 구조

(1) 정량압력여과

주입된 슬러지가 압력을 받아 쥐어 여과막을 통하여 탈리액은 유출되고 여과 후에 슬러지가 배출되는데 짜지는 용적이 여과실의 크기에 한정되어 있어 일정하다.

(2) 변량압력여과

여과실에 불투수막(다이어프램)이 있어 공기나 수압으로 이 막을 밀어서 여과실 내의 슬러지를 더 짜는 역할을 한다.
공급되는 압력에 따라 탈수 정도 즉, 슬러지의 부피가 변한다.

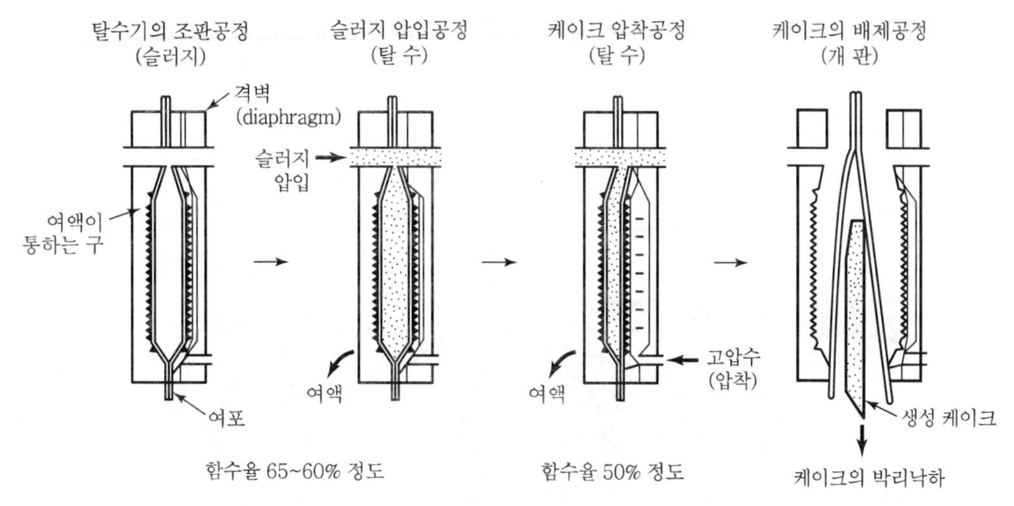

필터프레스

3) 장점

함수율이 적다, 배출 케이크량이 적다, 케이크 함수율의 조정이 가능
전자동이 가능하고 소음이 적다.

4) 단점

설치면적이 크고 기계 중량이 무거워 건물 구조가 강화된다.
여포의 교환이 필요하고 슬러지 공급이 고압상태이므로 펌프의 고장이 잦다.
케이크 발생이 batch 식으로 불연속적이다.

4. 벨트프레스(Belt Press)

1) 개요

벨트와 롤러를 사용하여 압력을 가하는 방식으로 여포를 연속 이동시키면서 슬러지를 주입하면 상하2매 이상의 여과포와 이들에 장력을 걸어 주는 롤러 및 압력을 가하는 롤러에 의해 응결물 사이의 간극수가 중력에 의하여 여과탈수 된 후 이동된 슬러지는 상하의 여포 압착에 의하여 탈수된다.

2) 탈수 과정

(1) 1단계는 화학적 개량 단계로 혼합장치에 의하여 슬러지에 고분자 응집제를 중비하여 슬러지를 개량한다.

(2) 2단계는 중력에 의한 배수 단계로 여포를 연속 이동시키면서 여포 위에 고분자 응집제를 첨가한 슬러지를 공급하면 중력에 의하여 탈수된다.

(3) 3단계는 이 슬러지가 이동하면서 상하의 여포 압력에 의하여 탈수되는 단계이다.

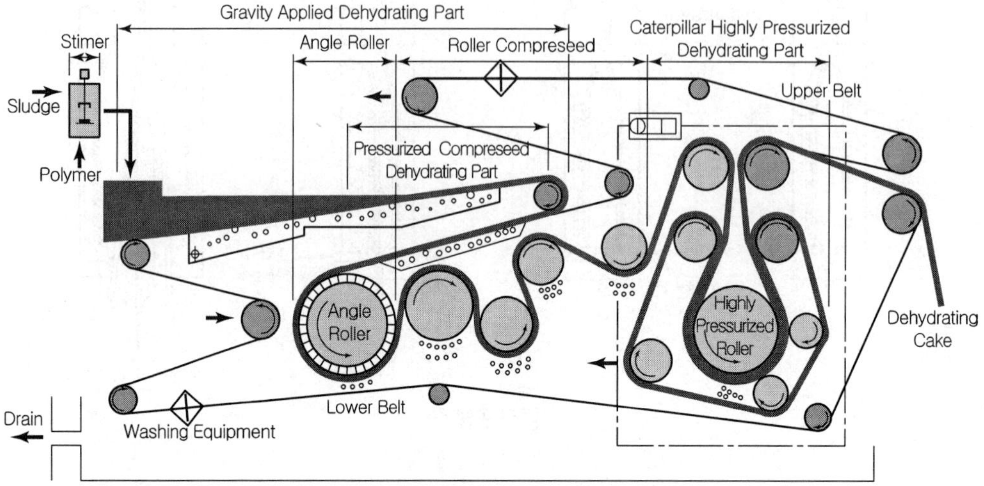

밸트프레스 구조의 예

3) 장점

운전이 간단하고 유지관리가 용이하며 케이크의 함수율이 낮고 안정적이다.
사용 전력이 최소이며 과거에는 소규모 처리시설에 사용되었으나 현재는 대규모 처리시설에서도 널리 사용되고 있으며 시설비 및 운영비가 저렴하여 현재 설치된 탈수기종 중 가장 보편적이다.

4) 단점

여포의 교환이 필요하고 약품 사용비가 비싸다. 여포세정수가 많다. 슬러지의 성상에 따라 운전결과가 상이하므로 개량은 필수적이다.

5. 원심탈수

1) 개요

슬러지에 약품을 첨가하여 중력가속도의 2,000~3,500배의 원심력으로 원심 분리시키면 슬러지가 탈수된다. 원심농축기는 중력에 의하여 침강하기 어려운 슬러지를 보울이라 불리는 고속 회전하는 외통내부의 원심력을 이용하여 효과적으로 탈수하는 것으로 횡형의 솔리드 보울 콘베이어형(Solid Bowl Conveyor Type)이 주로 사용된다.

2) 원리

유입슬러지는 회전하는 보울 내에서 원심력을 받아 농축슬러지는 보울 내의 주변부에 분리되고, 보울과 근소한 회전속도차로 반대 방향으로 회전하는 스크루에 의하여 배출된다.

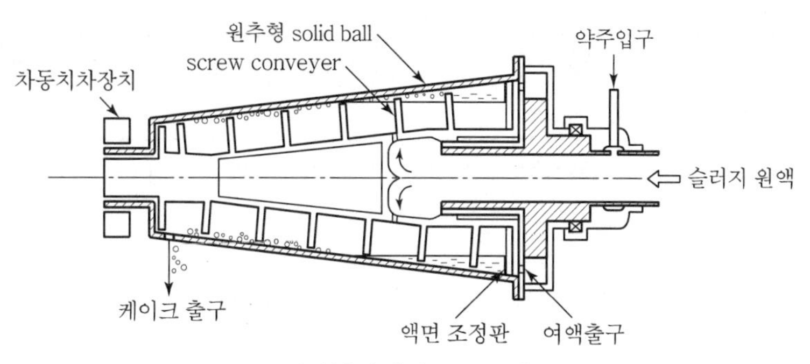

원심분리기의 구조 예

3) 특징

원심력은 회전속도, 회전반경, 각속도에 비례하여 증가하며 원심력이 증가할수록 고형물의 분리속도가 증가한다.

• 성능 : 원심력×보울의 용적

4) 장점

설치가 용이, 유지관리 용이, 고형물 회수율 양호, 고농도 농축이 가능하다. 악취 발생 방지, 슬러지와 약품의 혼합이 용이하다.

5) 단점

고속회전으로 진동, 마모 및 기계적 고장이 문제이다. 약품대가 비싸고, 사용전력이 많고, 케이크량이 많다.

6. 다중원판 외통형 스크루형

본체는 일정하게 회전하는 스크루와 그 회전에 따라 미세하게 상하운동을 하는 여과부로 구성되어 있고, 스크루는 여과부를 관통하므로 그 끝이 항상 다중원판을 밀어 올리고 있어 원판의 유동에 의해 여과부의 공극을 청소하여 막힘이 발생하지 않는 구조이다.

7. 유동 다중원판 스크루형

본체는 저속으로 회전하는 스크루와 고정판, 유동판으로 구성되어 있으며, 농축부는 유동판과 고정판이 번갈아 가면서 적층을 형성하고, 고정판 사이에서 일정 간격의 틈새를 유지하는 유동판은 2개의 편심축에 의해 미세한 운동을 하여 농축·탈수하는 장치로서 고정판과 유동판 사이의 틈새에 유동성을 유지시켜 막히지 않는 구조이다.

8. 탈수기의 비교

1) 탈수 효율(Cake 농도)

구분	진공탈수기	가압탈수기	벨트프레스	원심탈수기
케이크 함수율	72~80%	65~75%	72~80%	75~80%

효율은 필터프레스(가압탈수기) > 벨트프레스 > 원심분리 > 진공여과의 순이다.

2) 소화시킨 슬러지의 탈수
Cake 내의 고형물 함량은 이차 슬러지가 많이 포함될수록 감소한다.

3) 약품 소요량
필터프레스 > 진공여과 > 벨트프레스 > 원심분리의 순으로 약품이 많이 소요된다.

4) 에너지 소요
원심분리 > 진공여과, 필터프레스 > 벨트프레스

9. 탈수기종 선정

이들 탈수방식에는 각각의 특징이 있으므로 그 선정에 있어서는 슬러지의 처리 및 처분에 적합하고, 입지조건, 경제성 및 유지관리를 고려한다.

1) 탈수기의 기종선정은 에너지 소비 및 소음 및 진동(원심분리가 가장 불리), 악취발생(벨트프레스가 불리), 슬러지처리 공정 전체를 파악하여 종합 평가하여 결정한다.
2) 종합평가에 있어서는 경제성, 운전의 용이성, 공정의 적합성 등의 기종선정인자를 감안하여 선정하는 것이 바람직하다.
3) 탈수기는 농축－소화－저류－조정－탈수－반출 또는 소각－최종처분의 슬러지 처리공정에서 일부를 담당하는 탈수공정이므로 탈수기의 기종선정에 있어서는 슬러지처리 공정 전체를 파악하여 종합적인 평가를 하여 기종을 결정할 필요가 있다.
4) 운전의 용이성면에서 원심탈수기와 스크루형(다중원판 외통형, 유동 다중원판)은 보조기기가 적고 세정수량도 소량이므로, 최근에 많이 사용되고 있다.
5) 소규모처리시설에서는 발생슬러지량이 적어 탈수기 가동율이 낮으며 초기투자비가 높고, 주변의 악취발생 방지, 설비의 중복투자 방지, 유지관리의 간소화 등을 고려하여 진공차 등을 이용한 광역처리시설과 연계처리를 검토하여야 한다.

26 | BPR(Biological Phosphorus Removal) 슬러지 처분법

1. 개요

생물학적 탈인공정에서 발생되는 BPR 슬러지는 정상적인 미생물의 원형질 구성과 대사 작용에 필요한 양 이상의 인을 특정한 조건에서 섭취시킨 것으로 슬러지 중 인의 함유량이 보통의 활성슬러지보다 2~4배인 3~8% 정도가 되는 슬러지이다.

2. BPR 슬러지 처리의 필요성

BPR 슬러지는 인 함량이 많아서 일반 슬러지와 같이 처리할 경우 인 용출에 의한 제 2 오염을 유발할 수 있으므로 인 함유 슬러지는 다음 과정들을 이용하여 인의 농도를 경감시킨 후 처분하도록 한다.

3. BPR 슬러지 처리법

하수처리에서 슬러지 처리는 크게 나누어 농축 → 탈수와 농축 → 소화 → 탈수의 두 가지 방법이 주류를 이루고 있는데 인 함유 슬러지는 다음과 같이 처리하여 탈수 여액 중 인의 농도를 최소화한다.

1) 응집침전 : 슬러지를 소화시키고 않고 농축 → 탈수하는 경우의 생물학적 탈인 슬러지 처리방법에서는 탈수 전에 무기응집제를 첨가하여 탈수여액을 응집 처리하여 슬러지의 인의 농도를 경감시킨다.
2) 호기성 퇴비화 : 고농도 인 함유 탈수슬러지의 호기성 퇴비화
3) 스트러바이트를 이용해 인을 고정 : 혐기-호기법 슬러지를 소화조에 투입한 경우는 고농도 인이 방출되어 암모늄 이온, 마그네슘 이온의 농도가 높을 경우 인산마그네슘 암모늄(광물명 : 스트러바이트)이 생성되는 경우가 있어 스트러바이트를 이용해 인을 고정하는 방법이다.
4) 화학적으로 고정하는 방법 : 슬러지 처리계에서 반송되는 인을 수처리계에서 화학적으로 고정하는 방법 등으로 인의 농도를 경감시킨 후 처분한다.(인의 응집침전제로서 철과 알루미늄을 사용)
5) 수산화인회석칼슘으로 침전 : 또한 탈인조에서 방출된 인을 슬러지와 효율적으로 분리하기 위해 인 농축액에 석탄을 가하고 pH 9 부근으로 조정하면 수산화인회석칼슘으로 인이 침전, 제거된다.

27 | Disk Filter(DF)

1. 정의

디스크필터(Disk Filter, DF)란 두 개의 수직으로 세워진 평행한 디스크 양면에 여과막을 댄 여러 개의 디스크로 이루어져 있고 각 디스크는 중앙의 유입수 공급관과 연결되어 있다.

2. 여과 원리에 의한 분류

여과기는 적당한 재료를 써서 액체 중의 고체분을 분리하는 기기 및 장치이다. 재료에는 종이, 천, 철망, 유리솜 등이 쓰이며 여과촉진기구로서 중력, 가압, 진공, 원심력 등의 방식이 있다.
여과기의 종류에는 다음과 같은 것들이 있다.

1) 압력여과기
필터 프레스라고도 하며, 널리 사용된다. 고체 안의 잔류액분이 낮다.

2) 중력여과기
운전비가 저렴한 여과기로, 수돗물의 정화 등에 쓰이는 모래여과기가 그 대표적인 것이다.

3) 엽상여과기
필터 프레스에 비해 세정특성은 좋으나 설치비가 비싸다. 연속여과기는 압력, 중력, 엽상방식의 회분식에 비하여 연속 조작이 가능하며 대량처리가 된다.

4) 원심여과기
원심여과기는 회분식, 연속식이 있다. 고체 안의 잔류액분이 가장 적으나, 여과비용이 높다.

5) 특수여과기
일반적으로 처리량이 적은 특수공정에 사용된다. 다공성 금속을 사용한 고압여과기, 유리섬유를 여과재로 하는 가압여과기, 여과지를 사용하는 진공여과기 등이 있다.

6) 청징여과기
미립자를 포함하는 입자농도가 작은 현탁액에서 청징액을 얻을 때 사용한다.

3. 디스크 필터의 구분

1) 디스크 필터는 표면여과(Surface Filtration)의 방식이며 얇은 격벽(Septum, 여재)을 통해 액체를 통과시켜 기계적 체거름에 의해 액체 안의 부유입자들을 제거하는 것으로 여과 격벽으로 사용되는 물질에는 엮인 금속 직물, 섬유 직물, 합성물질 등이 있다.
2) 여재(여과막) 표면여과의 간극 크기는 10~30μm 정도
3) 대표적인 여재(여과막) 표면여과기에는 디스크필터(DF : Disk Filter)와 섬유 여재 디스크 필터(Cloth-Media Disk Filter, CMD(6) 등이 있다.

4. 디스크 필터의 구조 및 특징

1) 디스크필터(DF : Disk Filter)

전형적인 디스크필터(DF)는 두 개의 수직으로 세워진 평행한 디스크 양면에 여과막을 댄 여러 개의 디스크로 이루어져 있고 각 디스크는 중앙의 유입수 공급관으로 연결되어 있다.

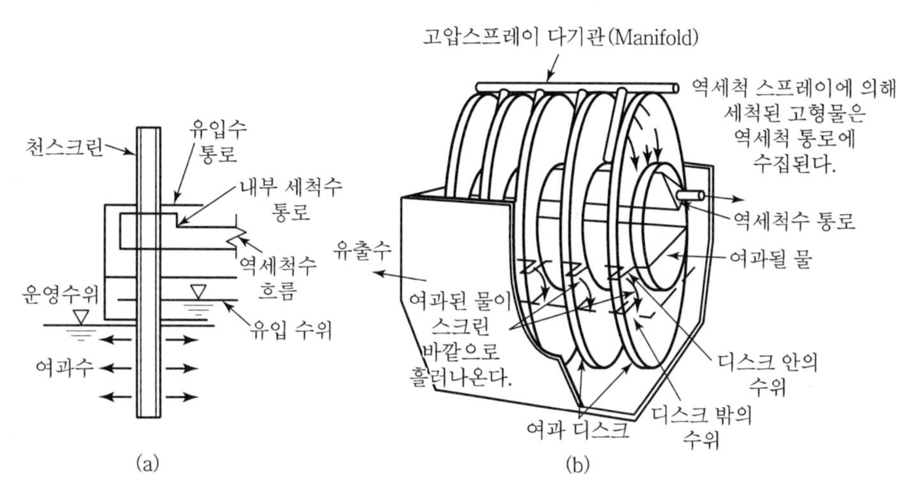

전형적인 디스크 필터(DF)의 (a) 운전개념도, (b) 모식도

(1) 전형적인 운전방식은 유입수가 중앙수로로 들어와서 여과막을 통과하여 처리수는 밖으로 흐름
(2) 일반적인 운전 시 DF 표면적의 60~70%가 물에 잠기고 디스크는 수두손실에 따라 1~8.5회전/분의 속도로 회전
(3) DF는 간헐식 또는 연속식 역세척 방식으로 운전할 수 있으며, 역세 중에도 처리가 가능한 연속여과방식

(4) 운전 초기에 유입수가 중앙 유입관으로 들어온 뒤 디스크로 배분되고 디스크가 잠겨 있는 동안, 물과 여과막의 간극보다 작은 입자들은 여재를 통과해서 유출수 집수로로 흐르고 스크린보다 큰 입자들은 여과된다.

(5) 최근에는 섬유여재 바깥에서 안으로 물이 흐르는 여과기도 이용되고 있다.

2) 섬유여재디스크필터(Cloth-media Disk Filter)

(1) 전형적인 섬유여재디스크필터(CMDF)는 탱크에 수직으로 세워진 몇 개의 디스크로 구성되고 유입수가 유입수조로 들어와서 섬유여재를 통해 중앙의 집수관이나 드럼으로 흐르는 구조이다.

(2) CMDF 여액은 중앙의 파이프나 드럼에 모인 후 유출수로의 월류 위어를 넘어 최종 방류한다.

(3) 부유물질이 여재의 표면이나 안에 축적됨에 따라 흐름에 대한 저항이나 수두손실이 증가한다.

(4) 섬유여재의 수두손실이 미리 정해진 수준에 도달하면 디스크를 역세척하고 역세척 주기가 끝난 후 여과지는 다시 정상적으로 운전한다.

28 | 고도처리(BNR) 슬러지의 처리 시 고려사항을 기술하시오.

1. 개요

현재 대부분의 하수처리시설에서 질소, 인을 처리하기 위한 고도처리시설이 신설, 증설되고 있으며 이때 발생하는 슬러지(BNR 슬러지)의 특징은 미생물이 질소와 인을 다량으로 함유하고 있다는 점이다. 따라서 슬러지 처리과정에서 이런 영양소 들이 재용출 되지 않는 처리시스템을 도입하여야 한다.

2. 기존 슬러지 처리시설의 현황

기존의 활성슬러지법으로 운전 중인 하수처리시설의 슬러지 처리는 소규모 처리시설의 경우는 일차 슬러지+이차 슬러지의 혼합 → 농축 후 → 탈수하는 방법이 주종을 이루며, 대규모 처리시설은 농축 후 혐기성 소화조를 통하여 슬러지의 감량 및 안정화 후에 탈수하는 방법이 대부분을 차지하고 있는 상태이다.

3. 슬러지 처리의 문제점

신설되는 고도처리시설의 슬러지나 기존의 처리시설을 고도처리시설로 변경한 경우에도 발생슬러지는 질소와 인을 다량으로 함유하고 있으므로 슬러지 처리계통을 적당한 처리시설로 변경하여야 수처리시설의 질소와 인의 제거효율을 유지할 수 있다.
기존 슬러지 처리시설로 BNR 슬러지를 처리하는 경우에 예상되는 문제점은 다음과 같다.

1) 중력식 농축조
중력식 농축조는 일차 슬러지(고형물 농도 3% 내외)와 이차 슬러지(고형물 농도 1%)를 혼합하여 농축(농축슬러지 농도 4%)하는 시설이다. 이 중 이차 슬러지는 질소와 인을 다량으로 함유하고 있는데 중력식 농축조의 실제 운전시간은 약 18시간 정도로 이 정도의 체류시간은 혐기성 상태를 유발하므로 인이 재용출 될 수 있는 시간이다.

2) 혐기성 소화조
혐기성 소화 시 일차 슬러지나 이차 슬러지 모두 매우 많은 양의 질소와 인을 방출한다. 따라서 일반적으로는 혐기성 소화 시에는 질소, 인 제거 공정과 함께 설치하지 않는 것이 바람직하다. 하지만 혐기성 소화조에는 슬러지 내에 함유된 중금속(Ca^{2+}, Mg^{2+})이 질소와 인과 반응하여 Struvite를 형성 침전물을 형성함으로써 처리수 중에 방출되는 질소, 인 농도의 상당량을 제거시킬 수 있으므로 공정 검토가 필요하다.

3) 호기성 소화조

호기성 소화는 미생물이 내생단계에서 슬러지를 감량화, 분해하는 과정이다. 내호흡에 의한 자산화 공정에서도 질소와 인이 용출될 수 있으며 또한 질산성질소(NO_3-N)의 발생으로 수처리시설로 재순환 될 경우 혐기조로 유입 시 인의 방출작용을 방해하여 인의 제거율을 저하시킬 수 있다.

4. BNR 슬러지의 처리법

1) 슬러지의 저장

슬러지 처리의 반송수 등이 수처리 시설과 연계되어 있으므로 BNR 슬러지의 효율적이고 성공적인 처리는 수처리 전체 공정의 질소와 인 제거에 직접적인 영향을 미친다. 즉 슬러지를 장기간 저류하면 질소와 인이 용출되어 부하를 증가시키므로 이 경우에는 슬러지를 농축조나 저류조보다 BNR 반응조에 저장하는 것이 좋다.

2) 슬러지 인발방법

(1) 일차 슬러지

질소와 인의 용출을 최소화하기 위하여 침전지로부터 신선한 상태로 인발한다. 즉 슬러지 인발 간격을 최대한 자주, 조금씩 하여 슬러지 호퍼에서 혐기상태로 저류하지 않도록 한다.

(2) 이차 슬러지

항상 호기성 상태에서 인발하여야 한다. 반송슬러지를 침전지에서 인발하는 것보다 포기조에서 혼합액 상태로 인발하는 것이 질소, 인 처리 관점에서는 유리하다.

3) 농축 공정

(1) 일차 슬러지와 이차 슬러지의 혼합은 반드시 피한다.
중력식으로 혼합 농축시 인은 100mg/L까지 용출되었다고 한다.

(2) 일차 슬러지는 중력식 농축으로 처리한다. VFA(Volatile Fatty Acid)생성을 위한 Acid Fermentation 공정으로 운전할 수도 있다.

(3) 이차 슬러지 농축은 침전/농축 특성에 따라 결정한다. 호기성 상태 유지를 위하여 부상식 농축이나 체류시간이 짧은 기계식 농축을 적용한다.

4) 소화 공정
BNR 슬러지는 소화를 시키지 않는 것이 바람직하다. 소화 시에는 질소와 인의 상당 부분이 용출(Release)되기 때문이다.

(1) 혐기성 소화
질소와 인이 용출되므로 Struvite 침전물을 형성하여 질소와 인의 부하를 최소화하고 상징수를 수처리시설로 순환 유입시키기 전에 전처리가 필요하다.

(2) Composting
고도처리 슬러지의 가장 이상적인 슬러지 안정화 공법이며 호기성 공정으로 질소, 인 등의 영양소를 최대한 활용하기 위하여 분리 농축 후 Composting 전에 일차 슬러지와 이차 슬러지를 혼합 처리한다.

5) 탈수

(1) 소화 안 된 이차 슬러지의 탈수는 질소와 인의 용출을 최소화하기 위해 가능한 신속히 수행한다.
(2) 벨트프레스 사용이 일반적이다.

6) 상징수의 처리

(1) 인 : 금속염으로 처리, 높은 pH의 Lime 주입
(2) 질소 : 생물학적 질산화/탈질 공정적용, 높은 pH의 Stripping, Struvite 침강

5. 적용 추세

1) 일차 슬러지 : Acid Fermentation 공정운영으로 VFA 생성
상징수 : 일차 침전지 또는 BNR 반응조의 혐기조로 환수
슬러지 : 농축이나 소화 없이 바로 탈수 공정으로

2) 이차 슬러지 : 혼합액에서 인출 → DAF 공법처리
상징수 : BNR 반응조의 호기조로 환수
슬러지 : 신속히 탈수

6. 고도처리 슬러지 처리 시 고려사항

1) BNR 슬러지는 질소와 인을 다량 함유하고 있는 슬러지며, 가능한 호기성 상태를 유지하기 위해 농축과 탈수 시간을 최소화하여 질소, 인의 용출을 최소화한다.

2) 일차 슬러지와 이차 슬러지의 혼합은 피한다. 가능한 분리하여 처리하고 처리계통의 맨 마지막 부분에서 혼합되게 한다.

3) 혐기성 소화
질소와 인이 용출되는 공정으로 가능한 혐기성 소화는 피한다.

4) BNR 슬러지의 상징수
전처리하여 질소와 인의 부하를 감소시키거나 호기성 상태를 유지하여 수처리계통으로 재순환 하는 것이 바람직하다.

5) Composting
혐기성 소화의 대안으로 영양원 자원 회수가 가능한 공법이다.

29 | Fermenter

1. 개요

고도처리 공정운영 중 일차 침전지에서 일차 슬러지를 인발하여 즉시 슬러지 처리계통으로 이송하지 않고 침전지 내에서 반송시키면 슬러지의 체류시간을 증가시킬 수 있다. 이런 경우에 일차 슬러지가 가수분해 되면서 VFA(Volatile Fatty Acid)를 생성시키는 공정을 Fermentation이라고 한다. 또 Fermentation을 목적으로 설치하는 반응조를 Fermenter라고 한다.

2. Fermenter의 필요성

1) 미생물 처리에 있어서 질소, 인을 동시에 제거하기 위해서는 공존하는 4종의 미생물 중에서 경쟁력이 약한 인 제거 미생물에게 쉽게 분해되는 유기물(Sa, 아세트산)을 우선적으로 공급하여야 한다.
2) 인 1mg/L를 제거하기 위해서는 약 VFA 5mg/L 정도가 필요하다. 따라서 유입수 중에 VFA가 부족하여 인 제거가 불충분할 경우에 외부탄소원을 이용하여 인의 제거를 향상시킬 수 있으나 아세트산 공급을 위한 비용이 너무 비싸므로 비경제적이어서 거의 이 방법은 사용치 않는다.
3) 경제적인 공법으로 VFA 공급을 위해 1차 생슬러지 중 유기물을 가수분해하여 부족한 VFA를 공급하기 위해 Fermentation 공정을 도입한다.

3. Fermenter 처리 구성도

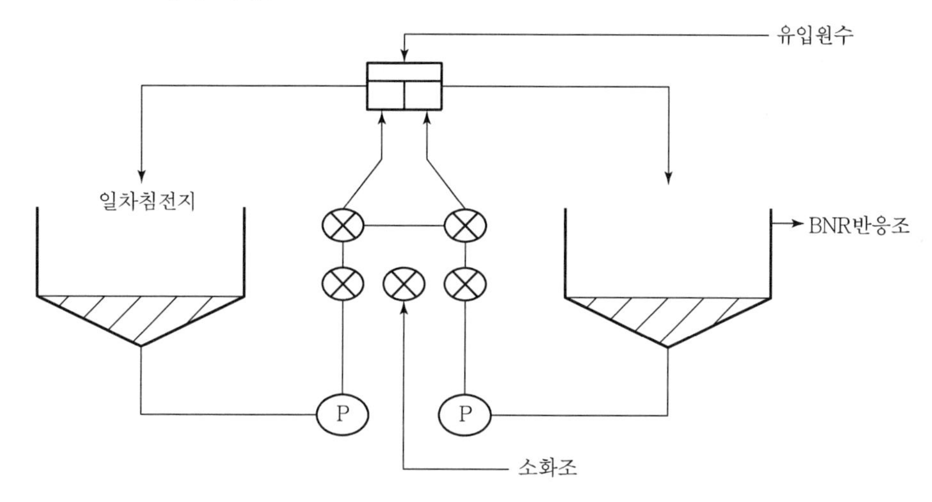

계통도에서와 같이 일차 침전지의 슬러지를 유입하수와 함께 순환시켜 SRT를 6~8일 정도로 유지시키면 침전지에서 발효되어 유기산을 생성한다. 생성된 유기산은 BNR 반응조에서 발효과정을 거쳐 영양소 공급을 위한 유기물(VFA)로 사용된다.

4. Fermenter의 특징

1) 발효과정을 거치면 pH가 5.5 정도까지 저하되며 회색을 띠면 발효가 잘되는 것으로 판단할 수 있고, 냄새 문제 발생는 적절히 해결해야 한다.
2) 순환 공정에서 고형물의 과도한 Carry Over는 저농도로 유입하는 처리시설에서는 장점이 될 수 있으나 고농도 유입하수에서는 Overload의 원인이 될 수 있으며 제어가 곤란해진다.
3) VFA 생성을 위하여 SRT 6~8일 정도 소요되므로 장기 체류에 따른 문제점에 적절히 대응해야 한다.

30 | 슬러지처리 공정의 반송수 처리방안을 기술하시오.

1. 개요

하수처리시설의 농축-소화-탈수 등 전형적인 슬러지처리 공정에서 발생하는 소화조, 농축조 상징수 및 탈리여액 등은 전체 하수처리 공정 내에서 수처리계통으로 반송되기 때문에 반송수(Return Flow)로 명명된다. 이러한 반송수는 유량은 적으나 고농도로써 수처리계통에 충격부하를 유발하기 때문에 전체 처리효율에 심각한 영향을 주는 것으로 알려져 있다.

2. 반송수 현황

하수처리시설은 대개 수처리계통(Liquid Treatment Flow)과 슬러지처리계통(Sludge Treatment Flow)으로 나누어 전체 공정을 설계한 후 운전·관리하고 있으며 국내 반송수의 발생유량은 유입유량 대비 평균 1~3% 이내이나, 유기물(BOD) 및 영양소(N, P) 부하 증가는 유입부하 대비 20~30%에 달한다.

3. 반송수의 문제점

반송수 첨두부하 시에는 유기물 부하가 유입수의 40~70%에 달하는 경우도 있으나 기존 하수처리시설 설계기술이 슬러지 처리 및 반송수의 영향에 충분히 대비하고 있지 않은 실정이다.
특히 농축조 및 소화조는 설계와 운전상의 문제점이 복합적으로 작용하여 고농도의 반송수를 간헐적으로 수처리 계통으로 반송시키고 있기 때문에 수처리 계통의 공정 자동화를 가로막는 큰 장애요인이 되고 있다.

4. 반송수 대응 방법

반송수로 인한 문제를 해소하기 위해 첫 번째는 기존 하수처리시설 슬러지계통에서의 운전 방법과 관리 방안을 개선하여 반송수를 저감시키는 측면이 있고, 두 번째는 발생된 반송수를 처리하는 공정 개발의 측면이 있다.

1) 반송수 저감 방안

(1) 농축특성개선에 의한 반송수 저감
약품 농축에 의해 농축특성을 개선하여 반송수 농도를 저감한다.(처리대상 유

량이 많고 약품사용으로 인한 비용증대로 비경제적)

(2) 탈수특성개선에 의한 반송수 저감
슬러지에 Steam을 주입하여 탈수성 개선을 도모한다.(유지관리의 어려움과 경제성 문제로 실적용 곤란)

2) 반송수 처리 방안

(1) Ammonia Stripping에 의한 반송수 처리
Ammonia Stripping 공정을 소화상징수에 적용하여 별도의 pH 조절 없이 체류시간 1일에서 과량의 공기 주입으로 암모니아성 질소의 70~90%가 제거 가능하나 소요 공기량이 과다하며 탈기로 인한 2차 오염의 방지가 필요한 것으로 판단된다.

(2) 생물학적 처리에 의한 반송수 처리
생물학적 아질산화에 의한 반류수 처리(기존의 생물학적 질소처리 방법은 암모니아성 질소를 질산성 질소(NO_3)로 산화시킨 후 이를 질소 Gas로 탈질시켜 제거하는 방법 대신에 암모니아성 질소를 아질산성질소(NO_2)까지만 산화시킨 후 이를 탈질시키는 것으로 질산화시 산소 소요량 25%, 탈질시 탄소 소요량 40% 가량을 절감 가능)

5. 최근의 기술 동향

1) SHARON공법은 Sharon(Single Reactor System for High Ammonium Removal Over Nitrite)공법은 NH_4-N을 NO_2-N으로 질산화시키는 공법으로 탈질 시에 소요 탄소량을 절감시키는 최신의 공법이다.
2) Anammox(Anaerobic Ammonium Oxidation)공법은 $NH_4-N+NO_2-N \Rightarrow N_2$로 변화시키는 공법으로 Deammonification공법이라고도 불리고 있는 최신 공법이다.

6. 현장 운영 시 주의 사항

현재의 처리시설은 슬러지 및 반송수에 대한 대비가 충분하지 못하여 각 슬러지처리 계통에서 발생하는 반송수는 하수처리시설의 충격부하(Shock Load) 시 단회로(Short Circuiting)에 의해 고농도의 암모니아성 질소를 방류하여 인근 방류 수역의 수질을 악화시키고, 최초 침전지의 효율을 저하시켜 후속공정 부하증가의 원인이 되기도 하며 특히 강우 시 By-pass로 인하여 유입원수보다 높은 농도의 초침 유출수를 방류하는 등 많은 문제를 야기시키고 있으므로 운영자는 이에 대한 대비가 필요하다.

31 | 분뇨와 하수의 합병처리에 대하여 기술하시오.

1. 개요

분뇨는 인체 배설물로 그 특성상 고 BOD와 높은 질소 함유물로 수거식 변기에서 발생하며 보통 슬러지나 하수와 함께 처리하면 효과적이다.

2. 분뇨의 특성

1) 하루 1인당 BOD(50g/인/일) 중 분뇨에 의한 것은 약 40%(20g/인/일)정도

2) 분뇨 내에는 Ca, Mg이 많고 pH가 높다
   - $Ca+PO_4 \rightarrow CaPO_4$ 로 침전시켜 인 제거
   - $Mg+NH_3 \rightarrow$ Struvite 형성시켜 질소 제거

3) 하수슬러지에 비하여 염분 농도와 질소 농도가 높은 것이 특징이고 분뇨 내에는 토사와 협잡물이 많다. 같은 TS에 대하여 분뇨는 BOD가 매우 높다.

4) 호기성 소화에 의한 처리 시 산소 공급은 이차 슬러지는 미생물 내호흡에 필요한 양만 공급하여 주면 되나 분뇨 처리 시 필요 산소량은 합성에 필요한 양에 내호흡에 필요한 양까지 공급해야 한다.

3. 분뇨와 슬러지의 비교

구분	분뇨	슬러지
1. BOD농도	25,000mg/L로 매우 높다.	–
2. BD VS	VS 중 60% 분해 가능	일차 슬러지 VS 중 60% 이차 슬러지 VS 중 30%
3. NBD COD	많다(25% 이상)	적다(15% 정도)
4. 질소	4,000mg/L로 매우 높고, 분해 가능	분해 불능 질소가 많다.
5. 알칼리도	높다.	분뇨보다 낮다.
6. 침전성	불량	양호
7. Cl 농도	5,000mg/L로 높다.	낮다.

4. 하수와 합병처리 시 고려사항

1) 분뇨처리용량
분뇨를 하수처리시설에 합병 처리할 경우 하수처리 및 슬러지 처리계통 전체 용량을 고려하여 여유 있는 용량으로 제한한다.

2) 주입 위치는 혐기성소화조나 전처리 후 생물반응조(수처리시설)에 투입한다.

3) 전처리 방법 : 처리시설에 투입 시 분뇨는 협잡물이 많으므로 협잡물 및 모래를 제거하기 위한 드럼스크린, 파쇄기, 침사제거설비를 설치한다.

4) 운전방법
(1) 혐기성 소화 시 : 슬러지와 특성이 다르므로 분리 운전한다.
(2) 수처리 생물반응조 주입 시 : 유기물 부하가 균등히 되도록 운전한다.

5) 상징수 처리
고농도의 질소와 인을 함유하므로 수처리시설의 부하가 최소가 되도록 운전한다.

5. 정화조 슬러지(폐액)의 특성 및 처리

1) 분뇨 발생 : 수거식 변소 → 수거 → 분뇨처리시설
정화조 슬러지 발생 : 수세식 변소 → 정화조 → 정화조 슬러지

2) 정화조 슬러지의 성상
(1) 정화조 슬러지는 분뇨가 정화조 바닥에서 장시간 체류하며 분해된 잔류물이므로 TS, VS는 높은 반면에 BOD는 낮다.
(2) 인체 배설물이므로 일반 슬러지보다 중금속 함량은 낮다.
(3) NBD VS가 다량 함유(30% 정도)되어 있다.

3) 분뇨와 정화조 슬러지의 비교

구분	정화조 슬러지	분뇨
1. CODcr	37,000	70,000
2. BOD	8,000	25,000
3. TS	25,000	50,000
4. VS	20,000	35,000
5. TKN	850	4,000
6. TP	140	650
7. pH	6~9	7.2~7.5

4) 정화조 슬러지의 처리방법

(1) 단독 처리에 비하여 혼합 처리가 경제적이며 분뇨처리시설(분뇨와 혼합 처리) 또는 하수처리시설(하수 또는 하수슬러지(농축조)와 혼합 처리)에서 합병 처리한다.
(2) 정화조 슬러지는 혐기성 분해가 어느 정도 진행된 것으로 분뇨에 비하여 농도가 1/3 정도이고 수거 상태에 따라 농도변화가 심하지만 침전성은 좋다.

(3) 하수와 합병 처리할 경우
- 생분해성 물질의 함량이 낮으나 VS/TS 함량이 높으므로 혐기성소화에 의하여 유기물질을 분해한 후 고액분리로 무기성 고형물질을 제거한다.
- 침전성이 좋으므로 일차 침전지에 투입하여 고형물질을 제거 후 포기조로 투입할 수도 있다.

차 한잔의 여유

벼슬자리는 너무 높지 말아야 하나니
너무 높으면 위태롭다.
뛰어난 재주는 다 쓰지 말아야 하나니
다 쓰면 쇠퇴하게 된다.
행동은 너무 고상하지 말아야 하나니
너무 고상하면 비난과 핀잔을 받게 된다.
\- 채근담 -

32 | 하수슬러지 자원화 최종 처분방법을 설명하시오.

1. 개요

1) 슬러지처리의 최종 목표는 감량화, 안정화, 안전화를 통한 경제적이고 친환경적으로 자연에 환원시키는 것이다.
2) 슬러지를 최종 처분하는 데 중요사항은 가용토지의 유무, 경제성 및 슬러지 특성 등을 고려하여 최종처분 방법을 결정한다.

2. 슬러지 최종 처분방법

1) 토지살포법

(1) 과잉 질소 주입으로 수원 오염 가능성
(2) 소화가 불량하게 이루어진 슬러지는 혐기성 분해되어 악취 발생
(3) 병원균이나 바이러스 등에 의한 공중보건상 위해성
(4) 중금속에 의한 지하수 및 토양오염 및 먹이연쇄에 의한 생체 축적

2) 늪 처리법

(1) 자연적 또는 인공적인 못에 슬러지를 채워 혐기성 혹은 호기성으로 처리 처분
(2) 악취 문제, 미관상 문제
(3) 지하수 침투 문제 → 차수막 설치

3) 투기법(Dumping)
폐기된 채석장 등에 투기하는 것으로 사용하지 않는 게 바람직하다.

4) 매립법

(1) 위생매립(Sanitary Landfill)법은 복토에 의한 외부수 유입방지와 방수층 및 침출수 처리시스템을 갖춰서 지하수 오염을 방지한다.
(2) 고체폐기물과 함께 매립 시 정상적인 부패를 위한 필요 수분과 질소성분 제공

5) 슬러지 퇴비화

(1) 개요
유기성 성분을 안정화시키는 방식으로 퇴비는 토양 개량제 역할을 한다.

(2) 퇴비화의 필요조건

적절한 입도, 적당한 수분 보유, C/N비(퇴비화하기 위한 C/N비는 30~50 정도이므로 슬러지와 분뇨, 폐기물을 적절히 혼합한다.)

- 적절한 미생물 확보, 적정 pH, 적당한 공기 공급
- 적절한 온도 유지, N, P, K 등의 손실 방지

6) 슬러지 소각

(1) 개요

고온상태에서 수분을 제거하고 유기물을 산화시켜 가스화하는 것으로 부피 최소화 위생적 안전 등 경제적인 문제와 대기오염을 제외하면 가장 완벽한 처리법이다.

(2) 특징

- 위생상 안정성, 부패성 완전 제거, Sludge Cake에 비해 혐오감이 절감
- 부피의 최소화(1/50~1/100), 소요 면적의 최소화, 동력비 및 유지관리비가 고가
- 고도의 운전 기술 요구, 대기오염을 유발

(3) 슬러지 소각 방법

① 다단 소각로

- 열 회수율이 높으며 비교적 함수율이 높은 탈수슬러지 소각에 적합
- 배기가스의 악취 제거가 필요, 소각 온도 700~900℃

② 회전 소각로

연속 운전이 원칙, 소각온도 700~900℃

③ 유동층 소각로

- 유동사를 이용하여 소각, 탈취시설이 필요 없다.
- 구조가 간단하고 Compact, 소각온도 700~850℃

(4) 슬러지 소각 시 고려사항

① 열 회수의 경제성을 검토

② 소각재 처분법

특수 비료, 노반재료 및 아스팔트 필러(Asphalt Filler)

벽돌 또는 경량골재 제조, 슬러지 탈수를 위한 응집보조제

3. 슬러지 자원화 방안

1) 연료화 · 퇴비화분야

(1) 지렁이를 이용한 하수슬러지 퇴비화

(2) 슬러지 부숙화에 의한 퇴비화

(3) 탄화처리 및 재활용기술 - 자체열 이용 연료 소각화

(4) 하수 및 유기성 슬러지 연료화 처리

(5) 초음파를 이용한 슬러지감량 및 바이오 가스 생산기술

(6) 하수 슬러지의 경량 골재 자원화 기술

(7) 건조 및 고형 연료화 기술

2) 건조 · 고화분야

(1) 하수 슬러지의 발효 · 고화를 통한 매립장 복토재로의 재활용기술

(2) 유동상 건조기술을 이용한 하수 슬러지 자원화

(3) 건조 · 성형 · 소성과정을 거쳐 인공 경량 골재로 자원화

(4) 시멘트 연료화 기술

33 | 하수처리시설 에너지 자립화 계획에 대하여 설명하시오.

1. 개요

하수처리시설은 하수의 수집, 처리과정에서 다량의 에너지가 소비되는바 최근의 친환경 친생태적 관점에서 하수처리시설의 높은 에너지 소비에 대한 대책이 필요하며 에너지자립이란 처리시설의 필요한 에너지를 자체적으로 생산하여 사용하는 것으로 자원순환의 개념을 도입한다.

2. 에너지 자립 및 자원 순환 방안의 필요성

지구촌의 기후변화에 대응하고 지속 가능한 발전과 저탄소 녹생성장의 성장동력을 위하여 에너지 저소비형 하수처리시설 즉, 자원 선순환의 개념에서 처리해야 할 폐기물을 유용한 유기물로 이용하고 에너지 다소비 시설에서 에너지 재생산 시설로의 패러다임 전환이 필요하다. 정부는 저탄소 녹색성장과 관련, 에너지 다소비 시설인 하수처리시설에 녹색기술을 적용하여, 에너지를 절감하고 청정에너지를 생산하는 '하수처리시설 에너지 자립화 기본계획'을 수립 추진 중이다.

3. 하수처리장 에너지 자립화 방안

1) 소화가스 · 소수력 · 태양광 등 이용

하수슬러지는 생활에서 필히 발생하여 양적 · 질적으로 안정적이며, 수집을 위한 별도 에너지가 필요 없는 집약형 유기성 자원이다. 하수처리장은 바이오매스(하수슬러지, 분뇨, 음폐수 등)를 에너지로 전환할 수 있는 소화조 등의 처리공정 도입이 용이하다.

2) 에너지 절감 패키지형(시스템구축) 시범사업 추진

에너지 이용 · 생산 확대를 위해 선도적 적용이 적합한 지자체를 대상으로 소화가스 · 소수력 · 하수열 이용 등이 결합된 패키지형 시범사업을 추진하고, 에너지 자립화 확대를 위해 적용 가능 에너지 고효율 기기설비 진단 및 적용 모델개발, 에너지 고효율 기기설비 교체 추진

3) 에너지 절감 시스템 구축 확대

저에너지, 고효율 설비기기를 하수도시설 기준에 반영하고 하수처리시설 에너지 고효율 시스템 적용 모델에 따라 에너지 고효율 기기 · 설비의 교체 및 도입 확대

등을 통해 하수처리시설에 에너지 절감시스템의 구축을 확대하고 있다.

4) 하수처리장 운영효율 향상을 통한 에너지 절감 추진

(1) 침사설비 : 침사기계 스크린설비의 타이머 운전
(2) 주펌프 : 펌프의 인버터 제어
(3) 초침 및 종침설비 : 반송슬러지펌프의 인버터 제어
(4) 반응조 : 초미세기포장치 도입, 포기 풍량 설정 최적화, 반응탱크의 풍량제어 밸브 도입, 인버터형 터보블로어 도입, 저동력 · 무동력 교반기 도입
(5) 여과설비 : 여과 역세블로어 간헐 운전
(6) 슬러지처리 : 슬러지 탈수설비, 고효율 탈수기 채용에 의한 탈수효율 향상

5) 에너지 자립화율

$$\text{에너지 자립화율} = \frac{\text{신재생에너지 생산량} + \text{에너지 절감량}}{\text{연간 전력사용량}}$$

에너지 자립화율이란 하수처리시설에서의 연간 전력사용량 대비 신 · 재생에너지 생산을 통한 전력발생량과 에너지 절감량 합계의 비율을 말하며 자립화율의 제고가 필요하다. 현재 기준으로 전국 357개 하수처리장에서 하루 2천382만 톤의 하수가 처리되고 있다. 하수처리시설의 에너지 자립화율은 0.8%이며, 16개 처리시설에서 신 · 재생에너지 설비를 운영하고 있다. 2030년까지 에너지 자립률 50% 달성을 목표로 하고 있다.

4. 에너지 이용과 재생산 확대방안

1) 하수처리장 연계 미활용에너지 이용

(1) 소화가스 이용
소화조 가온, 열병합발전, 냉난방 연료, 정제판매(차량용, 도시가스 연료) 등 적용 시설별 공급여건 및 용도 고려

(2) 소화조 미설치시설
처리용량 10만 톤/일 이상의 소화조 미설치시설에 소화조 신규설치 추진

(3) 소화가스발생량 증가 대책 추진
소화효율개선사업 지속추진, 소화가스발생량 증가를 위한 음식물, 분뇨 등과 고함수 바이오매스 연계처리

2) 소수력 발전

하수처리장 내에서 방류수 낙차 2m 이상, 발전설비 용량 10kW 이상인 곳에 소수력 발전을 도입하여 연간 6Gwh 전력생산 : 저낙차 및 관거유속을 이용한 마이크로 소수력 발전 도입

3) 하수열 이용

하수는 계절에 영향을 받지 않고 안정된 양 · 온도를 유지, 히트펌프를 활용하여 여름에 냉열원, 겨울에 온열원으로 이용이 가능하다. 특히 하수관망이 도시 내에 펼쳐져 있어 에너지 주수요지인 도시 내 추가 열원으로 활용 잠재력이 광범위하다.

4) 하수처리장 부지활용 자연에너지 생산

(1) 풍력발전

강가 및 해안가에 위치한 연평균 풍속 5m/s 이상인 하수처리시설에 풍력발전 도입

(2) 태양광발전

하수처리시설의 침전지, 생물반응조, 관리동 지붕 등 시설공간을 활용해 태양광발전 도입이 가능하다.

5) 소화조 효율 개선사업 연계 추진

시범사업 분석 · 평가, 에너지 잠재력 지도를 바탕으로 적용기준 및 모델 등을 마련하여 단계별 에너지 이용 · 생산사업을 추진한다. 특히 소화가스 이용은 소화조 정밀진단 · 개선공사를 통해 소화조 운영효율을 높여 슬러지 발생량 감소 및 소화가스 발생량 증대를 도모하는 '소화조 효율 개선사업'과 병행, 태양광 · 풍력발전은 '환경기초시설 탄소중립프로그램'과 연계 추진한다.

5. 에너지 이용과 재생산 확대에 따른 기대 효과

1) 2030년까지 에너지 자립율 50% 달성, 온실가스 감축효과
2) 에너지 절감, 생산설비 설치 및 운영으로 고용창출

6. 에너지 자립화를 위한 향후 추진방향

1) 환경부는 에너지 자립화 기반을 마련하기 위해 하수처리시설별 에너지 이용 실태 조사 및 진단, 중 · 대형 하수처리시설별 에너지 자립화 목표 및 시행계획 수립 등을 통해 시설별 목표 및 시행계획을 수립, 전국적인 확대 기반을 마련하고

2) 에너지 자립화 확대를 위한 관련 제도를 개선, 하수처리시설 신·증설 시 에너지 자립화 관련 사업에 대해 국고 우선 지원 추진 및 국고 지원 대상을 조정한다.
3) 에너지 절감 설비·기기, 에너지 생산 설비 도입 시, 생애주기 전 과정의 CO_2를 평가하여 LCC뿐만 아니라 $LCCO_2$ 관점에서 유리한 경우 적극적으로 지원한다.
4) 에너지 자립화 촉진을 위한 관계법령 정비를 추진, 에너지 자립화사업 국고·기술지원 근거, 소화가스 발전시설 설치 기준, 하수열 이용 관련 근거 등을 신설할 계획이다.
5) 국산 초미세기포장치 등 에너지 고효율 기기·설비 개발, 저낙차용 수차개발 등 하수처리과정 연계 신·재생에너지 기술개발 지원을 통해 에너지 자립화 관련 R&D 활성화 방안도 추진할 예정이다.
6) 에너지 자립화 관련 신기술 평가자문, 관련 제도 연구·건의를 위해 산·학·연 하수도 및 에너지 전문가로 구성된 에너지 자립화 전문가 포럼을 운영하고,
7) 하수처리시설 에너지 자립화와 연계하여 하수처리장을 친환경기초시설로 이미지를 개선하는 한편, 저탄소·녹색성장 홍보 및 교육의 장으로 활용할 계획이다.

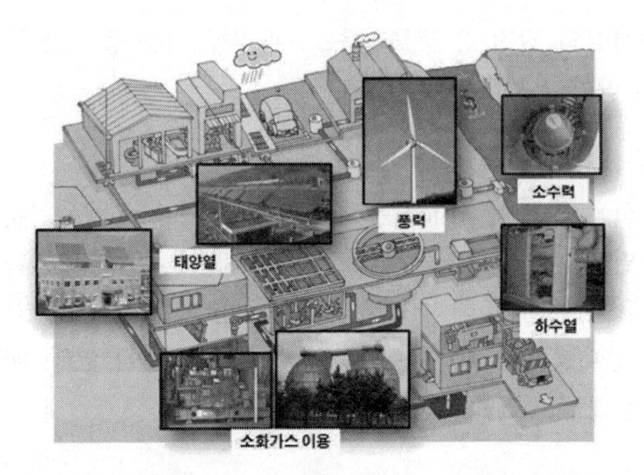

하수처리시설의 에너지 자립을 위한 활용가능 에너지

34 | 퇴비화(Composting) 반응인자를 설명하시오.

1. 개요

퇴비화란 유기성 폐기물 중 분해성 유기물의 생물학적 분해를 촉진시켜 안정화하는 방법, 하수슬러지 중 분해가 쉬운 유기물을 호기, 혐기성 조건으로 미생물에 의해 분해시켜 녹지, 농지에 이용 가능한 형태로 안정화 시키는 과정을 말한다.

2. 퇴비화의 목적

1) 유기물 성분 중 유기탄소 성분이 CO_2 또는 CH_4 등의 가스성분으로 전화 제거되어 전체적인 부피와 질량이 감소
2) 질소, 인 등 비료성분이 풍부해짐 → 퇴비로 활용 가능
3) 분해성(또는 부패성) 물질의 분해로 악취가 제거
4) 분해과정에서 발생하는 열로 자체 반응을 촉진 : 온도상승(60～70℃)으로 인해 유해성 병균 사멸

3. 퇴비화 공정

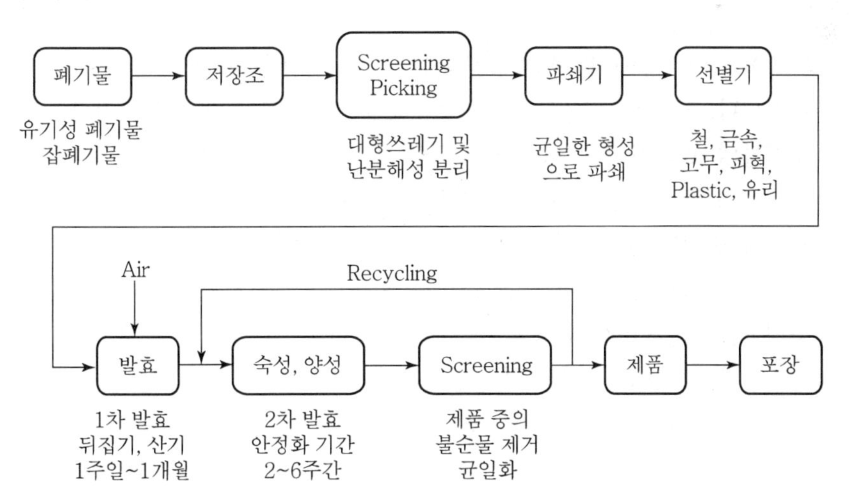

4. 퇴비화 반응인자

1) Aeration

(1) 산소의 농도에 따라 반응이 혐기성 혹은 호기성으로 진행

(2) 공기(산소)의 적절한 공급
- 호기성 분해에 적절량의 산소가 필수
- 통기성 확보가 관건 : Bulking Agent(나뭇조각, 톱밥, 짚단 등) 첨가
간헐적 또는 연속적 교반 실시
- 공기공급이 지나치게 많으면 온도를 저하시켜 분해효율 저하

(3) 하수슬러지를 퇴비화 할 경우
- 호기성 : 1~2주 분해
- 혐기성 : 2~3주 분해

2) 통기개량제(Bulking Agent)

하수슬러지, 식품폐수 등과 같이 유기물이 점성을 유지할 경우 산소의 통기가 나빠져 혐기성 상태로 전환되므로 볏짚, 쌀겨, 톱밥, 나뭇조각 등을 혼합하여 통기상태를 개량한다.

3) 온도

(1) 퇴비화 과정 중에서 자연 발생되는 열(발열반응)에 의하여 온도가 적절하게 유지되나, 급격하게 온도가 높거나 낮을 때는 분해율이 떨어진다.
(2) 유기물의 효과적인 제어온도 : 60~70℃(고온조건 필요)
(3) 미생물의 활성도는 온도와 직접적인 상관성을 가진다.
(4) 퇴비화 중 병원균 사멸을 위해서는 55~60℃에서 최소 2~3일간 유지 필요
(5) 퇴비화 중 온도는 자체 발열로 대부분 유지가 되나 폐기물의 종류나 주변온도 등에 따라 온도조절이 필요한 경우도 있다.
(6) 온도가 높을 경우 공기의 통풍량을 늘리고, 온도가 낮을 경우 보온이 필요하며 뒤집기 속도에 의해 조절 가능

4) 수분함유량

(1) 물질에 따라 차이는 있으나 수분이 보통 60~65% 이상 존재할 경우, 산소의 확산을 저해하고 통기성을 저하
(2) 적정량의 수분 유지
- 미생물의 활발한 생육을 위해서는 적정량의 수분이 필요

• 수분이 너무 많으면 산소공급이 어려워 혐기성 조건으로 됨
• 적정수분함량은 40~65% 수준
• 분해과정에서 발생하는 열로 수분이 증발되나 분해과정에서 수분이 생성되어 상쇄

5) C/N비

(1) 미생물의 성장을 위해서는 적절량의 질소가 필요(기타 성분은 충분)
(2) 유기물 내에 원소로서 존재하는 탄소와 질소의 비에 따라 반응속도에 영향
• 일반적인 C/N비(하수 슬러지 : 8~15, 주방 폐기물 : 20~30)
(3) C/N비가 클수록 반응시간이 길어지므로 C/N비에 따른 영양원을 공급하여 적정 C/N비를 맞추어 준다.
(4) 적정 C/N비는 30~50 정도이나 유기탄소의 분해성에 따라 달라짐
(5) C/N비가 높을 경우 과잉 탄소를 소모하기 위한 퇴비화 소요일수 증가
(6) C/N비가 낮을 경우 질소분이 암모니아 형태로 유출(질소분 유출, 악취 등)

6) pH

(1) 미생물의 최적 활성도를 위해서는 적정 pH의 유지가 필요 : 중성영역
(2) 급격히 낮은 pH와 높은 pH에서는 pH 조절기가 필요
(3) 하수 슬러지 : 응집제로서 생석회를 사용 시에 pH 11~12
(4) CO_2 혹은 산성폐기물에 의하여 중화
(5) 퇴비화 초기에 유기산의 축적으로 pH가 낮아지는 경향이 있다.
(6) 퇴비화 후반기에는 암모니아의 생성으로 pH가 높아지는 경향
• $NH_3 + H^+ \rightarrow NH_4^+$: pH 9.7 이하
• pH가 5.5 이하로 떨어지면 탄산칼슘($CaCO_3$)을 첨가해 주기도 한다.
• $CaCO_3 \rightarrow Ca^{2+} + CO_3^{2-}$
• $CO_3^{2-} + H^+ \rightarrow HCO_3^-$: pH 9.3 이하

7) 종균제의 필요성

(1) 퇴비화 초기에는 미생물 존재수가 반응속도를 좌우
(2) 원료 퇴비 중의 미생물 수(고온균 $10^{4\sim5}$/g, 중온균 $10^{6\sim7}$/g)
(3) 제품 퇴비 중의 미생물 수(고온균 $10^{8\sim9}$/g, 중온균 $10^{9\sim10}$/g)
(4) 미생물을 공급하기 위한 수단
• 상품화된 퇴비를 재순환(20~30%)
• 특수미생물(분해율의 상승) 등을 분리 동정하여 주입

5. 퇴비화 단계별 특징

1) 초기단계
   (1) 퇴비화 초기단계로 온도 35℃ 이하
   (2) 중온성 미생물의 활동이 시작

2) 중온성 단계(Mesophilic Stage)
   (1) 중온성 진균과 세균들이 유기물을 분해하고 고온성 세균과 방선균으로 대체되기 시작하는 단계
   (2) 온도 : 40℃ 이상

3) 고온성 단계(Thermophilic Stage)
   (1) 본격적인 퇴비화 진행단계 : 온도 45℃ 이상(최적 55~60℃)
   (2) 고온성 미생물의 활동 활발 : 고온성 미생물(60~70℃ 내외) 밀도 증가
   (3) 고온으로 인하여 병원균과 기생충란이 사멸됨
   (4) 관여하는 미생물은 Bacillus sp, Streptomyces sp 등

4) 감온단계(Cooling Stage)
   분해성 유기물이 소진되고 분해가 어려운 셀룰로오스, 리그닌 등을 만나면 발생열량 부족으로 외부 온도 수준까지 감소

5) 숙성단계(Maturing Stage)
   (1) 분해가 어려운 유기물질만 남아 분해속도가 느려짐
   (2) 온도 40℃ 이하로 떨어짐
   (3) 암모니아 등 기체성분 휘발
   (4) 리그닌 잔류물+미생물의 화학적 반응을 통하여 휴믹물질(Humic Matter 또는 Natural Organic Matter) 형성
   (5) 중온성 미생물이 재정착하는 데 Cellulose와 lignin의 분해능이 있는 곰팡이류와 방선균이 우점

35 | 하수처리 분야의 바이오에너지에 대하여 설명하시오.

1. 정의

바이오 에너지란 미생물에 의한 작용으로 얻어지는 에너지이며 하수처리 시 주로 혐기성 소화 시 발생하는 메탄가스와 활성 미생물을 이용한 연료전지 시스템의 전기생산을 의미한다.

2. 하수 바이오 에너지의 특징

1) 기존의 하수처리는 자원을 소비하는 시스템이었으나 이 바이오 에너지 시스템은 연료나 전기 생산을 하면서 동시에 폐수를 처리하는 에너지 생성공법이다.
2) 슬러지 생성 등 부가적인 2차 오염 발생량이 감소한다.
3) 지속 가능하고 클린에너지를 자급자족적으로 생산할 수 있다.
4) 적합한 혐기성 소화 조건이나 연료전지 미생물군의 발견과 적응에 한계가 있으며 대규모 발전의 한계, 저효율 등이 문제점이다.

3. 혐기성 소화와 메탄가스

혐기성 처리 시 유기물 분해과정은 크게 3단계로 나눌 수 있으며 각 단계에서 일어나는 반응은 다음과 같다.

1) 가수분해 및 발효단계
   이 단계에서는 탄수화물, 단백질, 지방 등이 용해성 저분자 물질로 가수분해되고 이들은 다시 유기산, 알코올, CO_2, H_2, NH_3 등으로 발효된다.

2) 아세트산 생성단계
   이 단계에서는 가수분해 및 발효단계에서 생성된 고분자 유기산, 프로피온산, 부트릭산, 알코올 등이 아세트산과 수소로 전환된다.

3) 메탄(CH_4) 생성단계
   이 단계에서는 Acetate, H_2 그리고 CO_2로부터 메탄(CH_4)이 생성된다. 발효 및 아세트산 생성단계에서 생성된 Acetate는 Acetociastie 메탄균에 의해 메탄으로 변화한다.

4. 혐기성 소화조의 종류

1) 표준 소화조(중온소화)

(1) 표준 소화조는 보통 단단으로 구성되며 30~38℃에서 소화, 농축, 상징액 형성 등이 동시에 같은 단에서 이루어진다. 단단 소화조에서 슬러지가 소화되며 가스가 발생하는 층에 미처리된 슬러지를 주입한다.

(2) 단단 고율 소화조
단단 고율 소화법은 고형물질 부하가 아주 크다는 점에서 표준 소화법과 구별된다. 높은 부하율과 혼합방법을 제외하면 재래식 2단 소화공정의 1차 소화조와 별다른 차이가 없다.

(3) 2단 고율 소화조
고율 소화조는 2단 소화조를 직렬로 연결하여 1차 소화조는 소화에 사용되며 2차 소화조는 소화된 슬러지를 저장하고 농축시키며 정화된 상징수를 만드는 데 사용된다. 소화조는 통상 고정된 지붕이나 부동형 지붕을 가진다.

2) 고온 혐기성 소화
고온소화는 고온 박테리아에 의하여 50~57℃의 온도범위에서 수행된다. 생화학적 반응속도는 한계온도에 이를 때까지 10℃마다 2배로 증가하기 때문에 중온소화보다 반응속도가 빨라서 소화조 용적이 작아지는 장점이 있으나 온도를 높이기 위해 자체 발열량과 외부 가열장치가 필요하다.

5. 미생물 연료전지

1) 미생물 연료전지란 미생물을 이용하여 전기를 생산하는 방법을 말하며 기존의 수소가스를 이용한 연료전지에 비하여 생태적이고, 폐수를 처리하며 동시에 전기를 얻는 일석 이조의 효과를 얻는다.
2) 미생물 연료전지는 기존의 미생물 발효 시 발생하는 탄화가스(메탄가스 등)를 이용한 연료전지와 전기화학적으로 활성을 지닌 미생물을 이용하여 직접 전기를 생산하는 2가지 방식이 있다.

(1) 메탄가스 이용 연료전지
혐기성 분해 시 발생하는 메탄가스를 개질하여 수소를 만들고 이를 산소와 반응 시 전기와 열을 생산하는 연료전지

(2) 활성 미생물 이용 연료전지

최근의 미생물 연료전지는 전기적 활성 미생물(무기호흡 박테리아)을 이용하여 혐기성 상태에서 폐수 중의 유기 오염물을 분해하여 직접 전기 에너지를 생산하는 것으로 폐수처리와 전기 생산을 동시에 수행하여 획기적인 공법으로 기대되고 있다.

6. 바이오에너지의 향후 추세

이론적으로 가장 완벽한 하수처리 시스템(오염물처리와 에너지를 동시에 얻는) 획기적인 공법임에도 불구하고 실용화, 효율성, 초기의 시설 투자비면에서 경쟁력이 큰 편은 아니다. 그러나 최적의 혐기성 소화 시스템을 개발하고 특히 연료전지의 최적 효율의 미생물 군을 찾아내고 적응시키는 작업이 활발히 진행되고 있으며 상당한 효과를 얻고 있다. 우리도 이러한 오염물 제거와 에너지 생산의 이중효과를 얻을 수 있는 미래 청정 바이오 에너지 생산의 생태적 폐수처리 공법 연구에 적극적으로 기술개발과 시설비 투자를 집중해야겠다. 또한 최근의 국가적 화두인 저탄소, 그린에너지, 녹색성장, 자연 생태적 기반시설 확충과 함께 생태적 폐수처리 공법을 종합적으로 연구해야 한다.

Professional Engineer Water Supply Sewage

7. 상하수도 계획

1 | 상하수도 정책의 목표를 설명하시오.

1. 개요

상하수도 정책은 자연환경을 관리 보전하여 양질의 수자원 확보 및 보호를 통한 목표한 양질의 수돗물을 안전하고 경제적으로 전 국민에게 공급하고자 하는 것이다.

2. 양적 수자원 확보를 위한 기술

1) 친환경적 수자원 관리 : 지속가능발전
   담수 자원 통합 관리 : 지표수, 지하수, 처리수 재이용의 연계관리
2) 저수량 산정법(리플법)에 의한 저수지 확보
3) 처리수 재이용 계획 : 중수도

3. 수자원 보호(질적 측면) : 하수처리 목표

1) 목표수질 및 유지방안
   (1) 수질환경기준, 배출수 허용기준, 방류수 허용기준
   (2) 수질오염 총량제
   (3) 하천 정비 계획

2) 하수 정비 기본계획
   (1) 배수구역 : 하수도 유역 통합 관리 시스템
   (2) 하수 관거 정비 계획 : CSO 관련
   (3) 하수 종말 처리 시설(원인자, 수혜자 부담금)
   (4) 하수 처리수 재이용, 중수도
   (5) 소규모하수처리시설 사업(대안 집수 시스템)

4. 상수 공급 목표 : 안전, 맛있는 물, 균등 보급

1) 수도 정비 기본 계획
   (1) 급수구역, 인구추정법, 정수장 송배수시설 개선 확충
   (2) 원격 감시 시스템 : 말단 잔류 염소 농도 유연성

2) 고도 정수 처리
   정수처리 기준, 수질기준 항목 보완

3) 상수도 공급 통합 관리
광역 상수도 운영 : 동일 수질, 평등 비용, 균등 분배

4) 물수요관리 종합 대책
(1) 누수량 저감 및 유수율 제고 방안
(2) 절수 대책 : 수도요금 체계, 절수설비, 절수 홍보 등
(3) 상수도 중수도 현황 파악 및 정보화
(4) 빗물 이용, 처리수 재이용, 우수량 및 유입량: 합류식 분류식, 우수처리 시스템 (CSOs)

5. 친환경적, 지속 가능발전시설 운영

정수, 하수처리의 에너지 절약 방법

1) 환경 기초 시설 원격 통합 운영 시스템
2) GIS 시스템 구축

2 | 상하수도 설비와 관련한 법규의 종류를 열거하시오.

1. 환경정책 기본법

이 법은 환경보전에 관한 국민의 권리 · 의무와 국가의 책무를 명확히 하고 환경정책의 기본이 되는 사항을 정하여 환경오염과 환경훼손을 예방하고 환경을 적정하고 지속 가능하게 관리 · 보전함으로써 모든 국민이 건강하고 쾌적한 삶을 누릴 수 있도록 함을 목적으로 한다.

1) 수질환경기준
2) 원인자 부담, 수혜자 부담
3) 친환경적 계획기법
4) 4대강 물관리 기본계획

2. 수도법

수도에 관한 종합적인 계획을 수립하고 수도를 적정하고 합리적으로 설치 · 관리함으로써 공중위생의 향상과 생활환경의 개선에 이바지함을 목적으로 한다.

1) 수도정비 기본계획, 물수요관리 목표제
2) 상수원 보호구역
3) 중수도, 절수설비, 정수처리 기준
4) 물 수요관리 종합 계획

3. 먹는 물 관리법

이 법은 먹는 물에 대한 합리적인 수질관리 및 위생관리를 도모함으로써 먹는 물로 인한 국민건강상의 위해를 방지하고 생활환경의 개선에 이바지함을 목적으로 한다.

4. 지하수법

이 법은 지하수의 효율적인 개발 · 이용과 적절한 보전 · 관리에 관한 사항을 정함으로써 공공의 복리증진과 국민경제의 발전에 이바지함을 목적으로 한다.

5. 수질 및 수생태계 보전법

수질오염으로 인한 국민건강 및 환경상의 위해를 예방하고 하천·호소 등 공공수역의 수질 및 수생태계를 적정하게 관리·보전함으로써 국민으로 하여금 그 혜택을 널리 향유할 수 있도록 함과 동시에 미래의 세대에게 승계될 수 있도록 함을 목적으로 한다.

1) 수질오염 총량관리
2) 공공수역의 수질 및 수생태계 보전
3) 배출허용기준, 배출시설 및 방지시설
4) 폐수종말처리시설
5) 비점오염원 관리

6. 하수도법

이 법은 하수도를 개량하고 정비하기 위하여 그 설치 및 관리의 기준 등을 정함으로써 도시 및 지역사회의 건전한 발전과 공중위생의 향상에 기여하고 공공수역의 수질을 보전함을 목적으로 한다.

1) 하수 정비 기본계획, 공공하수도 시설 기준
2) 공공하수처리시설, 마을 하수도, 방류수 수질 기준
3) 오수 분뇨 및 축산폐수 처리법

7. 각 수계별 상수원 수질개선 및 주민지원 등에 관한 법률

각 수계별 상수원을 적절하게 관리하고 상수원 상류지역의 수질개선 및 주민지원사업을 효율적으로 추진하여 상수원의 수질을 개선함을 목적으로 한다.

1) 수변구역 지정관리
2) 오염 총량제 실시
3) 주민지원
4) 환경기초시설 설치 촉진

3 | 상수도시설의 기본계획부터 설계, 공사에 이르기까지의 흐름을 사업단계, 주요 업무내용 및 수도법상의 절차로 도식화하여 설명하시오.

1. 상수도시설 기본계획 및 정비절차 흐름도

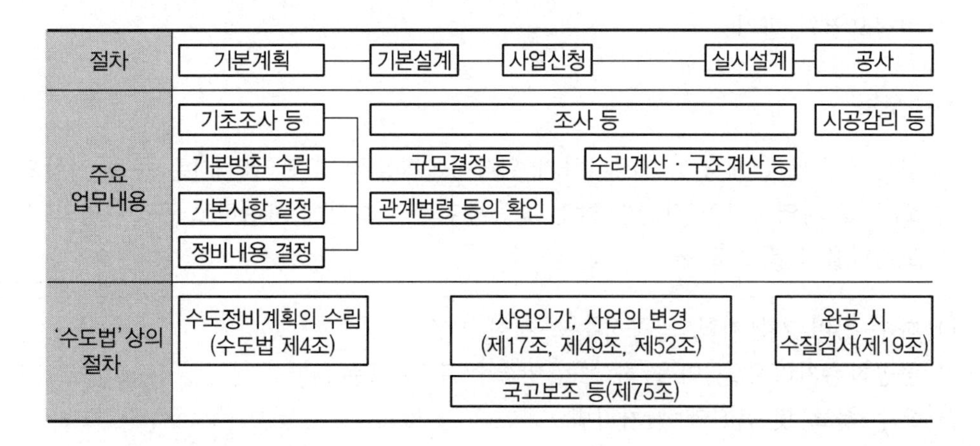

2. 수도정비 기본계획 수립 시 기본방침

1) 수도에 관련한 계획은 수도사업자가 관할구역 내의 수도정비를 목적으로 10년마다 작성하는 수도정비 기본계획과 환경부장관이 10년마다 전국의 수도정비 기본계획을 바탕으로 국가수도정책의 체계적 발전, 용수의 효율적 이용 및 수돗물의 안정적 공급을 위하여 수립하는 전국수도종합계획이 있다.
2) 수도정비 기본계획은 수도사업자나 광역상수도사업자 등이 처한 자연적 · 사회적 · 지역적인 여러 가지 조건을 기초로 하여, 미래를 대비하는 수도사업내용의 근간에 관한 장기적이고 종합적인 계획이어야 하며, 기본방침, 기본사항, 정비내용으로 이루어진다.
3) 수도정비 기본계획을 수립할 때에는 수도법에 제시된 각종 사항들과 함께 다음과 같은 기본방침을 고려해야 한다.
   - 수량적인 안정성의 확보
   - 수질적인 안전성의 확보
   - 적정한 수압의 확보

- 지진 등의 비상대책
- 시설의 개량과 갱신
- 환경대책
- 기타

3. 안정급수 확보를 위한 절차

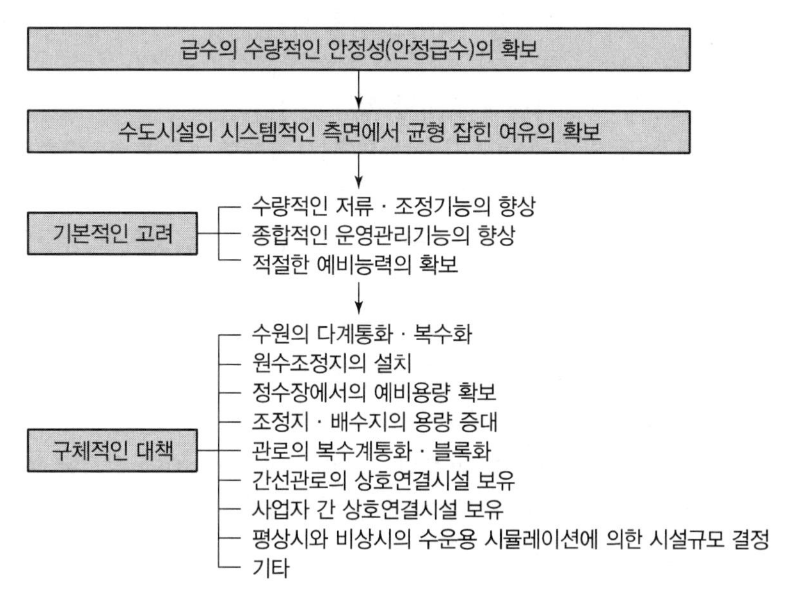

주) 안정급수의 확보대책은 일률적인 것이 아니라 수도사업자가 처한 여러 조건 등에 적합한 것을 선택해야 한다.

4. 상수수요량의 산정절차

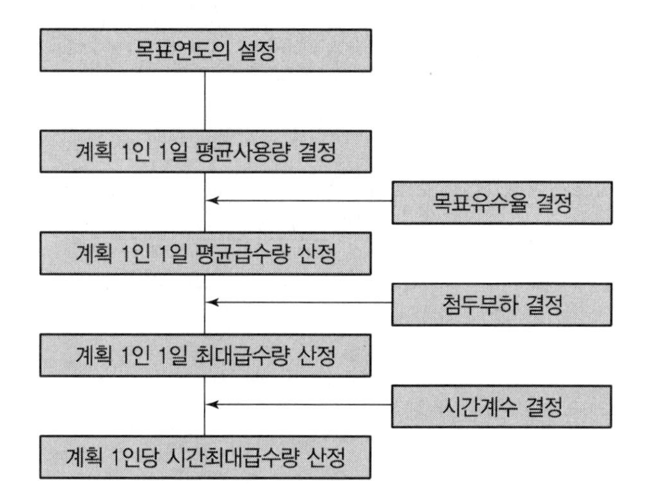

5. 기본설계 총칙

상수도는 취수, 저수, 도수, 정수, 송수, 배수의 각 시설 및 급수설비로 구성되어 있고 토목, 건축, 기계, 전기, 계측제어 등의 기술분야가 연결된 시스템으로 이루어지며, 이들이 조화롭게 연계되어야 원활하게 기능이 발휘된다. 따라서 상수도시설은 각 요소들이 유기적으로 조화되도록 다음 사항에 유의하여 설계되어야 한다.

1) 구조상 안전하고 수리적인 제반조건이 만족되어야 하며 필요한 급수능력이 구비되어야 할 것
2) 생산수질이 먹는물 수질기준에 적합할 것
3) 지진, 홍수, 태풍 등 자연재해나 사고 등의 비상시라도 가능한 한 단수되지 않아야 하며 피해를 입더라도 조속히 복구될 수 있도록 할 것
4) 예비용량의 확보, 시설의 분산배치, 수원의 다계통화 등을 통하여 급수의 안정성을 높일 것
5) 법령이나 기준에 근거하고, 특히 정수장진단과 관망진단의 결과가 반영되어야 하며, 정수처리기준이 달성될 수 있도록 할 것
6) 경제성을 고려하면서 시공 및 유지관리가 편리할 것
7) 장래의 확장이나 개량 · 갱신을 고려할 것. 또 검증되지 못한 신기술, 새로운 처리장치나 기자재 등은 충분히 장기간에 걸친 실험이나 실적을 바탕으로 채택 여부가 결정되고, 설계인자가 정해져야 할 것

6. 정수장의 설계절차 예

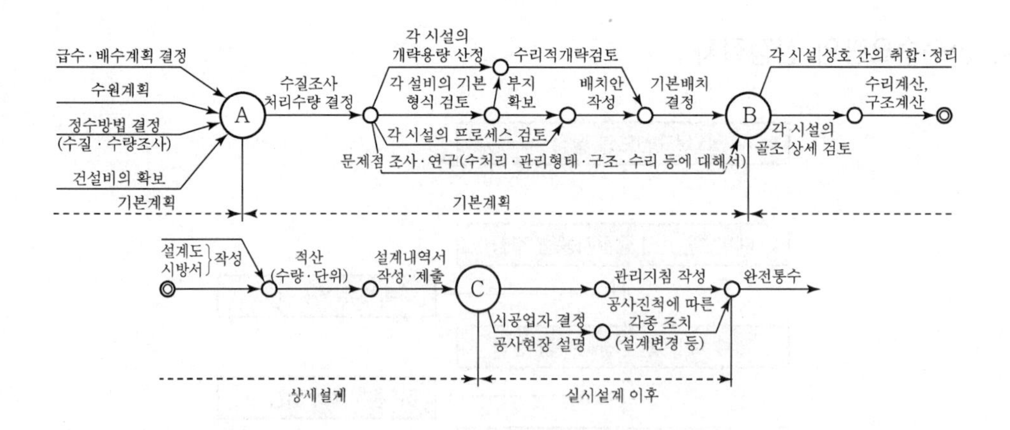

4 | 상수도 기본계획 수립 시 수량적 및 수질적인 안정성 확보 방안에 대해 기술하시오.

1. 개요

상수도 기본계획은 수도사업자나 원수공급사업자 등이 처한 자연적, 사회적, 지역적인 현재의 여러 가지 조건을 기초로 하여, 상수도시설의 확장과 개량, 갱신 등 미래까지 대비하는 사업내용의 근간에 관한 장기적이고 종합적인 계획이어야 하며, 이에는 기본방침, 기본사항, 정비내용으로 이루어진다.

2. 기본계획을 수립할 때에는 다음 사항을 고려해야 한다.

1) 수량적인 안정성의 확보
평상시의 물 수요에 해당하는 급수는 물론이고 갈수기나 지진 등의 재해 시 및 사고 등의 유사시에도 주민들의 생활에 현저한 지장을 미치지 않도록 수량적으로 안정성을 확보한다.

2) 수질적인 안전성의 확보
수돗물 수질의 안전성을 확보하기 위하여서는 수원의 수질보전이 중요하며 관계기관에 한층 더 수원의 수질보전을 촉구하면서 환경행정과의 밀접한 제휴로 수원의 수질보전에 적극적으로 관여해야 한다.

3) 적정한 수압의 확보
수압을 일정한 범위로 유지하여 직결급수를 확대하는 것은 저수조에 의한 수질 악화를 막아 수질 서비스의 향상에 도움이 된다.

4) 지진 등의 비상대책
지진 등의 비상시에도 시민의 생명과 생활을 위한 가장 기본적인 물 공급을 통하여 조기에 피해를 복구할 수 있도록 비상 급수 시스템을 구성한다.

5) 시설의 개량과 갱신
장래에 걸쳐 안정적인 물 공급을 통하여 위생적이고 안정적인 생활이 가능하도록 적합한 개량·갱신 작업을 계획한다.

6) 환경대책

전 지구적 환경 문제를 떠나서 독자적으로 존립할 수 없는 생태계에 속한 우리로서 친환경적인 관점에서 상수도를 계획하고 운영하는 자세가 필요하다.

7) 기타

상수도시설의 안정적인 운영과 2차적인 오염방지, 주변 주민과의 상호 우호적인 유대관계 등이 필요하다.

3. 수량적인 안정성 확보의 필요성

상수도 수량의 안정성 확보를 위해서는 수자원의 안정적인 확보를 비롯하여 상수도시설 전체의 균형을 유지하는 여유용량을 확보하는 것이 필요하고 원수 및 정수의 수량적인 저류와 조정기능이나 종합적인 수운용 기능을 높여야 하며 정수장에서도 예비용량을 확보하는 것 등을 고려해야 한다.

4. 수량적인 안정성 확보방안

구체적으로는 수원의 복수계통화, 원수 조정지의 설치, 정수장의 예비용량 확보, 배수지의 용량증대화 적정배치, 관로의 루프화와 복수계통화, 간선관로의 상호연결, 사업자 간의 상호 연결시설 등을 고려해야 한다.

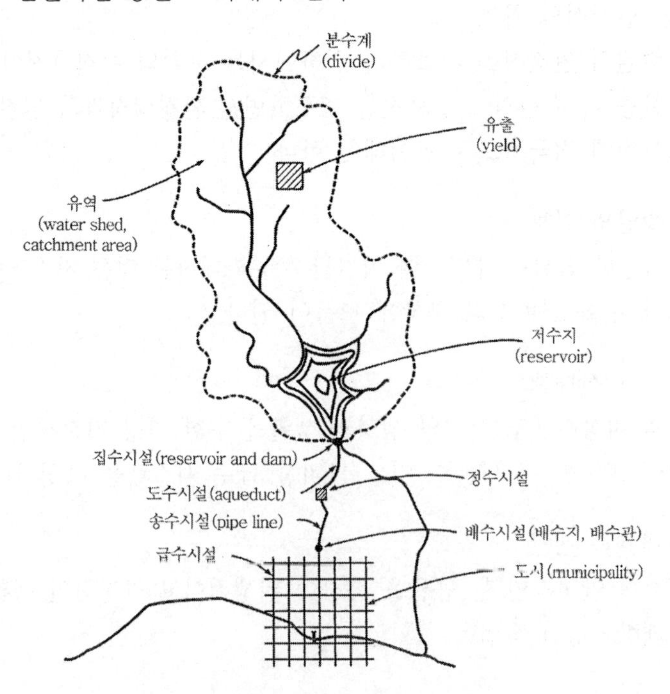

지표수의 집수, 정수, 급배수의 관계

급수의 안정성 확보는 기본적인 요건이지만 이를 위하여 필요한 대책으로

1) 저수시설 및 수원시설은 계획취수량을 안정적으로 확보할 수 있어야 한다. 댐은 시간이 지날수록 퇴사되어 저수용량이 줄어들므로 준설 및 제방 증축 등을 고려한다.
2) 지하수는 적정 양수량 범위 내에서 양수기능 유지 및 수질을 고려한다.
3) 수원의 다계통화 복수화 상호 운용시설 설치, 빗물이용, 해수의 담수화 등을 고려한다.
4) 취도수시설은 계획 1일 최대 급수량에 10% 여유를 두어 설정하지만 도수시설의 일부로 원수 조정지를 두는 것도 고려한다.
5) 정수시설은 계획 1일 최대 급수량을 기준하며 사고시를 대비하여 복수계열로 분할하고 복수의 정수장을 분산 설치도 고려한다.
6) 송수시설은 계획 1일 최대 급수량을 기준하고 배수시설은 계획시간 최대 급수량을 기준하며 다른 정수장 계통과 송배수 간선 및 배수계통을 상호 연결하여 백업 체계를 갖춘다.
7) 배수지의 유효용량은 12시간분 이상을 표준으로 하며 잔류염소 감시 등 수질관리를 적절히 한다.

5. 수질 안전의 필요성

상수도와 관련된 수질문제는 복잡해지고 있으며 상수원의 오염, 호소수나 댐의 부영양화에 따른 냄새와 이상한 맛, 화학물질, 그 밖에 수질사고 등 다양한 문제가 대두되고 있다. 또한 수요자의 요구수질은 지속적으로 고급화되고 있다. 그러므로 필요에 따라 정수장에 고도정수시설 등을 도입하여 보다 양질의 물을 급수하는 것을 목표로 해야 한다.

6. 수질의 안전성 확보 방안

1) 상수원 대책
   (1) 상수원의 수질보전대책은 주로 관계되는 환경행정기관에서 이루어지는 것이 많기 때문에 수도사업자 스스로 적극적으로 대처해야 한다. 또 복수의 수도사업자가 관련되었을 경우에는 서로 제휴관계를 가지고 협력하여 추진해야 한다.
   (2) 구체적인 상수원수질보전대책(하천, 호소, 댐)생활하수대책, 사업장폐수대책, 농축산폐수대책, 폐기물침출수대책, 유역환경의 보전과 개발억제, 호소수 순환, 선택취수, 바닥준설, 수서식물에 의한 수질개선 저류수 방류 상수원지역 조림사업 등

2) 정수대책
고도정수처리시설 도입, 곰팡이냄새나 THM 저감대책으로 전염소주입의 억제나 주입지점 변경, 산화제의 변경 등 고려. 기름제거 설비, 분말활성탄 주입설비 설치

3) 급수전에서 적정 잔류염소를 유지하기 위해 급수구역이 광범위한 경우 정수장 이외에 송수 배수 계통에서 소독제 추가 주입과 잔류염소 감시체계를 갖춘다. 적수, 탁질수 해소를 위해 노후관 개량 갱신 대책 등을 수립한다.
4) 직결급수를 위한 배수관 최소동수압은 150kPa 이상 최대정수압 700kPa 이하를 기본으로 수도시설의 정비상황에 따라 250~300kPa 내외를 급수압으로 지역에 따라 적정한 배수말단압을 유지한다.
5) 지하수 수원에서는 철, 망간, 질산성 질소, 트리클로로에틸렌, 테트라클로로에틸렌 등에 대한 대책을 수립한다.

5 | 정수장의 설계절차를 CPM Network 형식으로 도식화하여 설명하시오.

1. 정수장의 설계 개요

상수도시설 설계 시에는 기본설계를 통하여 시설의 개요가 정해진 다음에 상세설계가 실시된다. 또한 안정적인 급수 확보를 위한 실시설계를 포함한 상수도시설의 계획 및 많은 인허가사항, 규제사항 등이 관련되어 있는 상수도시설 설계, 일반적인 정수장(주로 토목시설)시설 설계, 배수관로 설계는 적절한 절차에 따라 설계되어야 한다.
토목시설 및 건축물의 설계는 설계 당시에 가장 최근의 법령, 제반시방서 및 기준·지침에 따라야 한다.
전기설비의 설계는 「전기통신설비의 기술기준에 관한 규정」(방송통신위원회) 등의 관계법령 및 전기설비에 관한 한국산업표준(KS) 등에 근거하여 수행되어야 하며, 기계설비의 설계는 관련법령 및 기계설비에 관련되는 KS 등에 근거하여 수행되어야 한다.

2. 정수장의 설계절차(CPM Network 형식)

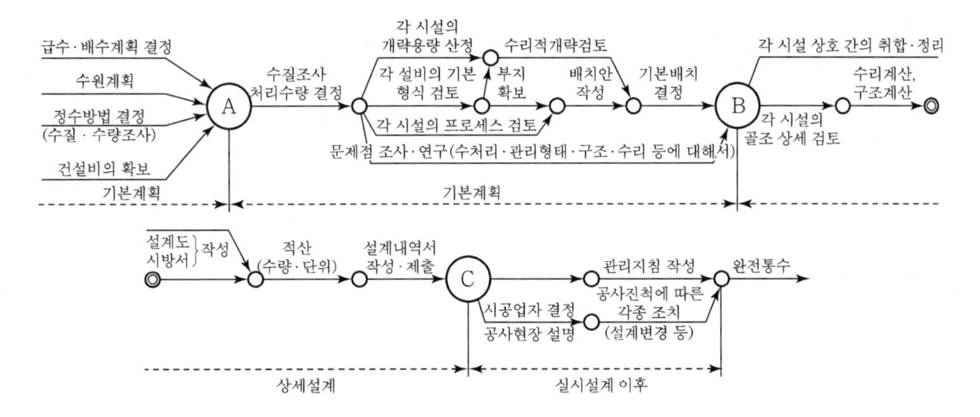

3. 배수관로의 설계순서

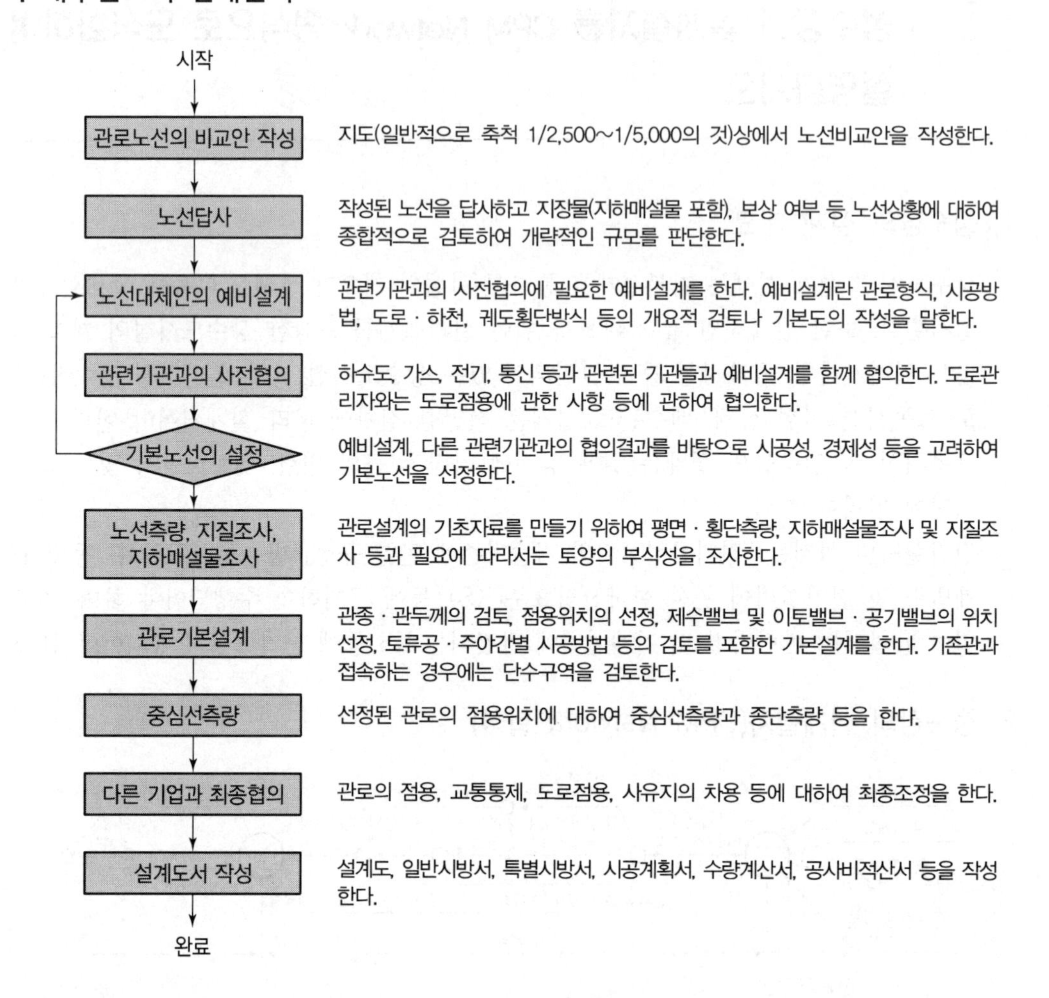

4. 설계도서의 구성

1) 토목관계

(1) 일반평면도(안내도 포함)
(2) 수위관계도(동수경사선도, 수리종단도 등)
(3) 종횡단면도, 가시설도
(4) 기초공도(토목관계)
(5) 구조도
(6) 상세도[구조물 신축이음상세도, 난간(Hand Rail) 설치상세도 등]
(7) 배근도

(8) 구내 배관도(평면도, 종단도 등)
(9) 부대공[구내 도로, 출입문, 울타리상세도 등, 구내 배수(排水)상세도]

2) 건축관계

(1) 건축의장도
안내도, 배치도, 구적도, 마감표, 평면도, 입면도, 단면도, 단면상세도, 상세도, 전개도, 천장도(Ceiling Drawing), 창호도, 건구도, 특별시방서, 공사범위일람표, 법규확인목록 등

(2) 건축구조도
복도, 축조도, 단면목록, 라멘(Rigid Frame)도, 배근상세도, 슬리브(Sleeve)참고도, 배근규준도(Bar Arrangement Standard Drawing) 등

(3) 건축기계설비도
(공기조화, 환기, 급배수, 위생, 소화, 기타)계통도, 각 층 배관평면도, 특별시방서 등

(4) 건축전기설비도
(조명설비, 설비동력, 화재경보설비, 약전설비, 통신, 시계, 방송, 피뢰설비, 기타)계통도, 각 층 배치평면도, 특별시방서 등

(5) 주요 건물의 투시도

3) 기계관계

(1) 플로시트(Flow Sheet, 전체 및 시설 또는 설비마다)
(2) 전체 배치평면도
(3) 배치평면도(시설마다)
(4) 배치단면도(시설마다)
(5) 전체 배관계통도
(6) 상세도

4) 전기관계

(1) 구내 일반평면도
(2) 주회로 단선결선도
(3) 기기외형도
(4) 기기배치도

(5) 배선 · 배관계통도
(6) 접지계통도
(7) 배선 · 배관도(랙, 덕트, 비트, 기타)

5) 계측제어관계

(1) 감시제어시스템 구성도
(2) CCTV설비 구성도
(3) 정수처리단계별 감시제어 계통도
(4) 정보통신설비 계통도
(5) 통합운영실 배치도

6 | 물수요관리 종합계획을 설명하시오.

1. 개요

수도법에서 시·도지사는 수도사업의 효율성을 높이고 수돗물의 수요관리를 강화하기 위하여 1인당 적정 물사용량 등을 고려하여 관할 시·군·구별 물수요관리 목표를 정하고, 이를 달성하기 위한 종합적인 계획을 5년마다 수립하여 환경부장관의 승인을 얻어야 하며, 환경부장관은 종합계획을 승인하기 전에 국토해양부장관과 협의하여야 한다.

2. 물수요관리의 중요성

1) 물은 인간생활에 가장 필수적이며 모든 산업의 기본이 되는 소중한 자원이다. 그러나 물은 다른 재화와 달리 대체재가 전혀 없다는 데 그 심각성이 있다.
2) 따라서 물 부족이 발생한다면 국민이 받는 고통과 경제적 손실은 매우 심각할 것이다. 또한, 댐건설 등 수자원개발사업은 조사에서 건설까지 10년 이상 걸리기 때문에 물이 부족할 때 시작하면 이미 시기를 놓치게 된다.
3) 그래서 미리미리 준비해야 하나 장래 계획이란 불확실한 것이어서 정확한 예측으로 경제적 손실을 최소화해야 하며 예측이 어렵고 현실감이 적은 미래를 위한 적기 투자가 매우 어려운 실정이다.

3. 공급측 물관리

1) 물관리의 기본원칙

물은 유한하고 취약한 자원으로서 인간과 동식물의 생명을 유지하고 문명을 지속시키는 데 필수적이므로 물관리에는 모든 이용자와 관리자, 정책결정자가 함께 참여해야 하며 물이 경제적 재화라는 인식 아래 경제적 가치를 적용하여 과학적으로 관리해야 한다.

2) 물관리의 문제점

(1) 기능별로 연계된 유역차원의 종합적인 수자원 보존 및 활용 계획과 관리가 체계적으로 이루어지지 못하고 있다.
(2) 국토해양부의 용수수급계획과 환경부의 상하수도계획, 농림부의 농업용수계획, 그리고 국토해양부의 치수계획과 행정안전부의 소하천정비계획이 유역차원에서 유기적으로 연계되어 있지 않다.

(3) 수자원계획과 관리의 기능별 연계성 부족으로 수량은 확보되나 수질은 확보되지 않을 수 있으며, 도시개발로 인하여 잉여 농업용수가 발생해도 생활공업용수로 전환하기 어려우며, 상류의 소하천 정비로 홍수피해가 중하류 하천으로 전이되어 예기치 않은 홍수가 발생할 수 있다.

(4) 수자원의 계획이 유역주민과 지방자치단체의 충분한 참여 없이 중앙부서 정책결정자 위주로 수립된다.

(5) 국토해양부는 유역주민의 물 부족과 홍수피해 저감을 위하여 댐개발을 추진하고 있으나 해당 유역주민과 지방자치단체의 반대에 직면해 있다.

(6) 환경부는 하천수질개선을 위하여 유역별 수질관리종합계획을 수립하여 추진하고 있으나 상하류 주민과 지방자치단체의 이해가 상반되어 추진에 어려움을 겪고 있다.

(7) 효율적인 물관리를 위해서는 자연현상과 인간활동에 대한 정확한 정보의 수집이 필수적이나 관련 정보가 수집되지 않거나 수집된 자료도 부정확하여 활용도가 낮다.

(8) 그동안 수자원에 대한 가치성이 충분히 인식되지 않았기 때문에(가장 흔하고 얻기 쉬운 것이 물이다) 수자원을 효율적으로 운영하기 위한 기술이 낙후되어 있다.

3) 물관리의 전략과 지침

(1) 자연 생태계와 사회·문화·경제적 관점에서 전체적으로 접근하고 국가적 관점에서 통합적으로 관리한다.

(2) 수자원 개발과 관리는 관련 정보를 공개하고 관련자를 참여시켜 추진한다.

(3) 수자원 개발과 관리는 원칙적으로 유역별로 추진하여 효율성을 극대화한다.

(4) 물관리 정책에는 경제적 인센티브 제도를 도입한다.

(5) 국내외에서 개발된 환경적으로 건전한 기술(Environmentally Sound Technology)들을 우선적으로 도입한다.

(6) 지표수와 지하수의 연계성을 인식하여 담수자원의 통합관리 원칙을 세운다.

(7) 물은 수량과 수질을 종합적으로 관리한다.

4) 안정적인 용수 확보

(1) 안정적인 수자원 확보 및 홍수조절을 위한 다목적댐 건설 및 환경 친화적인 중소 규모 댐을 연차적으로 추진하되 원활한 댐건설 추진기반 마련

(2) 취수원의 다변화를 위해 다양한 용수원 확보 추진

(3) 확보된 물을 지역적으로 고르게 공급하는 광역상수도 및 국가산업단지에 대한 공업용수도 확충

4. 물수요 측면 관리

1) 물절약 유도를 위한 시책 강구 · 추진
   물값을 단계적으로 현실화하여 물의 과소비 방지 및 수자원개발의 투자 재원 확보

2) 기존 수자원시설에 대한 활용도 제고와 관리의 효율화
   수력 발전댐을 이 · 치수를 고려한 다목적댐으로 전환, 기존 다목적댐과 연계 운영함으로써 용수공급 및 홍수조절 능력 증대 댐건설 입지가 한정된 점을 감안하여 전국에 산재한 소규모 농업용 저수지 및 용수 전용댐의 재개발 · 이용방안 추진

3) 하천 상류의 깨끗한 용수는 생활용수로 활용하고, 공업용수는 가급적 강하류에서 이용방안 추진

4) 지하수의 효율적인 이용 · 관리방안 강구
   지하수의 체계적인 개발 · 이용 · 관리를 위해 관련 정보 인프라 구축 및 수문 지질도 작성 및 지하수 관측망설치 등 종합계획 수립

5) 강력한 물수요관리 등을 반영하여 21세기 새로운 시대환경에 부합되는 '수자원장기종합계획(2001~2020)'을 수립

6) 중수도 · 빗물이용시설 활용 및 하 · 폐수처리수의 재이용 등을 종합적으로 검토하여 합리적이고 효율적인 수자원 절약 및 활용방안 강구

5. 수요관리 정책수립 시 고려사항

1) 수요관리에 대한 종합적 접근
   물 수요관리는 일반적으로 수요를 억제 또는 절수하여 수요를 공급 가능량에 맞추어 나가는 소극적인 관리방식으로 인식되고 있다.

   (1) 단기적 수요관리방안
       절수기기 보급, 수도요금 인상, 홍보, 급수제한 등

   (2) 장기적 수요관리방안
       수도요율체계 개선, 중수도 보급확대, 절수형 산업구조유도

2) 물 수요절약을 도시 전체 차원에서 검토
   (1) 절수설비 등 단위 건물별 시책과 더불어 배수지 배치, 하수관망 설치, 도시물이용체계 개선(재이용 등), 물 절약형 도시설계 등 차원에서의 절수 가능성에 대한 종합적인 측면에서 접근이 필요

(2) 누수저감과 수압의 조절 등을 고려한 관망과 배수지 배치, 물의 흐름과 용수량을 고려한 도시설계, 용수이용의 효율화를 도모할 수 있는 건물 및 단지설계 및 배치, 우수 이용과 지하수 이용 등 물 순환을 고려한 도시계획 등 거시적인 차원에서의 접근도 필요하다.

3) 지자체별 물수요관리종합계획 시행 지원

물수요관리종합계획 수립지침을 제정하여 지자체별로 여건에 맞는 계획을 수립·추진할 수 있도록 한 것은 바람직하다.

4) 수요관리 대안에 대한 효과의 계량화

각각의 수요관리 방안에 대한 효과의 지속적인 모니터링과 계량화가 필요하다. 특히 절수기기의 보급방안이 가장 많이 쓰이고 있는데 이는 절수기기의 보급이 다른 방안들에 비해 쉽고 가장 확실한 효과를 가시적이고 지속적으로 보장해 줄 수 있기 때문이다. 절수형 양변기, 수도꼭지, 샤워헤드를 실제 가정에 설치하여 물 사용량을 점검함으로써, 절수기기 보급효과를 장·단기적으로 계량화할 필요가 있다.

5) 신뢰할 수 있는 절수기기의 보급

7 | 물 재이용 관리계획 기본방침을 설명하시오.

1. 개요

물 재이용 관리계획은 각 지자체별 물 재이용을 종합적이고 효율적인 방법으로 관리함으로써, 시·도 및 시·군의 장기적인 물 재이용 관리 정책방향과 정책방안 등을 수립하는 지역 물 재이용 관리에 관한 최상위 행정계획이다.

2. 물 재이용 관리계획의 성격

1) 물 재이용 관리계획은 관할지역 내 물 재이용을 종합적·효율적으로 관리하기 위하여 관할 지방자치 단체의 장이 수립·시행하는 법정계획
2) 지자체별 물 재이용 관리계획 수립자는 상위계획인 물 재이용 기본계획 등의 내용을 수용하고 관할지역의 지역적·환경적 특성을 고려하며 향후 장기적인 물 이용 여건 변화를 전망하여 체계적이고 종합적인 계획을 수립한다.

3. 물 재이용 관리계획수립의 주체·범위·절차

1) 관리계획수립의 주체는 「물의 재이용 촉진 및 지원에 관한 법률」에 따라 각 지자체의 장이 담당한다.

2) 계획수립의 범위

(1) 시간적 범위(목표연도)
계획기간은 "물 재이용 기본계획"에 따라 목표연도는 10년 후로 하고 2년마다 구분된 5단계로 계획을 수립

(2) 지역적 범위(계획구역)
시·군단위의 전체 행정구역을 원칙으로 하여 관리계획을 수립하고 효율적인 물 재이용 관리계획이 될 수 있도록 지역적 범위를 설정

4. 관리계획 기본방침

1) 종합성
물 재이용 관리계획은 물 재이용 관리에 관한 장기적, 종합적 계획이므로 물 재이용시설 설치 등 물적 분야는 물론 행정·재정 등 비물적 분야까지 포함하여 작성한다.

2) 실현가능성

물 재이용 관리계획 전체의 구상이 포괄적이고 실현 가능하며 시행의 과정과 변화에 대한 탄력성이 확보될 수 있도록 수립한다.

3) 적합성

물 재이용 기본계획 등 상위계획의 내용을 수용하고, 기본방침, 목표설정, 부문별 계획, 재정계획 등 계획의 내용은 물 재이용 기본계획 목표와 부합하고 일관성이 확보되도록 계획되어야 하며 관련 법령에 적합하게 작성한다.

4) 관련계획의 반영

물 재이용 관리계획의 수립은 「국토의 계획 및 이용에 관한 법률」 제18조의 규정에 의한 도시기본계획을 기본으로 하되 관련 계획을 고려하여야 하며, 특히, 수도정비기본계획, 하수도정비기본계획, 종말처리시설 기본계획 등을 충분히 검토하고 시행계획의 내용을 반영한다.

5) 명확성

물 재이용 관리계획의 중요한 기능인 정책방향 제시 기능이 저하되지 않도록 계획서 내용 중 각종 현황조사 및 자료의 양이 과다하지 않으며, 지역주민과 관할기업에게 예측 가능한 행정계획이 되도록 작성

6) 물 재이용의 목표는 물 재이용 활성화 및 지속 가능한 친환경 수자원을 확보하는 데 있으므로 지표설정 및 세부계획의 수립에 있어서는 항상 이 목적을 달성하는 데 방향을 맞추도록 함

7) 관리계획 수립을 위한 기초조사는 실측조사를 원칙으로 하고 실측 조사된 자료는 공인된 기관에서 발간된 최근 자료를 활용하여 비교·검토

8) 관리계획의 내용은 구체적인 물 재이용 목표를 제시하고 이를 달성하기 위한 체계적, 합리적, 효율적인 수단을 개발함과 동시에 다른 분야의 계획과 상호 관련체계를 유지하도록 하고 산출 근거와 자료 출처를 명확히 함

5. 하수처리수 재이용의 용도구분 및 제한조건

구분	대표적 용도	제 한 조 건
도시 재이용수	① 주거지역 건물 외부 청소 ② 도로 세척 및 살수(撒水) ③ 기타 일반적 시설물 등의 세척 ④ 화장실 세척용수 ⑤ 건물 내부의 비음용, 인체 비접촉 세척용수	• 도시지역 내 일반적인 오물, 협잡물의 청소 용도로 사용하며 다량의 청소용수 사용으로 직접적 건강상의 위해가능성이 없는 경우 • 비데 등을 통한 인체 접촉 시와 건물 내 비음용·비접촉 세척 시에는 잔류물 등에 의한 위생상 문제가 없도록 처리하여야 함
조경용수	① 도시 가로수 등의 관개용수 ② 골프장, 체육시설의 잔디 관개용수	주거지역 녹지에 대한 관개용수로 공급하는 경우로 식물의 생육에 큰 위해를 주지 않는 수준이어야 함
친수용수	① 도시 및 주거지역에 인공적으로 건설되는 수변 친수(親水)지역의 수량 공급 ② 기존 수변(水邊)지구의 수량 증대를 통하여 수변 식물의 성장을 촉진시키기 위하여 보충 공급 ③ 기존 하천 및 저수지 등의 수질 향상을 통하여 수변휴양(물놀이 등) 기능을 향상시킬 목적으로 보충 공급되는 용수	• 재이용수를 인공건설된 친수시설의 용수로 전량 사용하는 경우, 친수 용도에 따라 재이용수 수질의 강화 여부를 결정 • 일반 친수목적의 보충수는 기존 수계 수질을 유지 혹은 향상시킬 수 있어야 하며 목적에 따라 재이용수의 처리 정도를 강화할 수도 있음
하천유지 용수	① 하천의 유지수량을 확보하기 위한 목적으로 공급되는 용수 ② 저수지, 소류지 등의 저류량을 확대하기 위한 목적으로 공급	기존 유지용수 유량 증대가 주된 목적이므로 수계의 자정(自淨)용량을 고려하여 재이용수의 수질을 강화시킬 수 있음
농업용수	① 비식용 작물의 관개를 위하여 전량 또는 부분 공급하는 용도 ② 식용농작물 관개용수의 수량 보충용으로 인체 비유해성이 검증된 경우 • 직접식용은 조리하지 않고 날것으로 먹을 수 있는 작물 • 간접식용은 조리를 하거나 일정한 가공을 거친 후에 식용할 수 있는 작물	기존 농업용수 수질을 만족하여야 하나, 관개용수의 유량 보충시 농업용수 수질이상 및 기존 수질보다 향상 가능하도록 처리하여야 함
습지용수	① 고립된 소규모 습지에 대한 수원으로 사용하는 경우 ② 하천유역의 대규모 습지에 대한 주된 수원으로 공급하는 경우	습지의 미묘한 생태계에 악영향을 미치지 않도록 영양소 등의 제거와 생태영향 평가를 거쳐 공급하여야 함
지하수 충전	① 지하수 함양을 통한 지하수위 상승 목적 ② 지하수자원의 보충용도	• 지하수의 수위조절을 위한 공급용수 • 지하수법 제6조의2제1항 및 제2항에 따른 지역 지하수관리계획에 포함된 경우로 한정함
공업용수	① 냉각용수 ② 보일러 용수 ③ 공장 내부 공정수 및 일반용수 ④ 기타 각 산업체 및 공장의 용도	일반적인 수질기준은 설정하되 공업용수는 기본적으로 사용자의 요구수질에 맞추어 처리하여야 하므로 산업체 혹은 세부적인 용도에 따른 수질 기준은 지정하지 않음

8 | 물수요관리 종합계획의 수립지침

Ⅰ. 물수요관리 종합계획의 개요

1. 종합계획수립의 목적
2. 종합계획수립의 범위
3. 종합계획수립의 주체 및 절차
4. 기타 행정사항

Ⅱ. 물수요관리 종합계획 수립지침

1. 기본방침
2. 종합계획의 작성기준

   제1장 총설
   제2장 기초조사
   제3장 물수요관리 목표설정
   제4장 물수요관리 추진계획
   제5장 교육·홍보 및 기술개발계획
   제6장 물수요관리 추진성과 평가계획
   제7장 사업시행 및 재정계획

3. 기타사항

Ⅰ. 물수요관리 종합계획의 개요

1. 계획수립의 목적

물수요관리 종합계획은 수도사업의 효율성을 높이고 물의 수요관리를 강화하기 위해 1인당 적정 물사용량 등을 고려하여 지자체별로 물수요관리 목표를 정하고, 이를 달성하기 위하여 수립하는 종합적인 계획으로서 수도에 관한 정책의 우선순위를 물수요관리에 두고 종합적으로 시행하여 국가의 물 부족사태를 미리 예방하는 데 그 목적이 있다.

2. 계획수립의 범위

1) 계획기간 : 계획기간은 원칙적으로 5년으로 한다.
2) 계획구역 : 시 · 도 단위의 전체 행정구역을 원칙으로 하여 종합계획을 수립하고 합리적이고 효율적인 물수요관리 목표를 설정할 수 있도록 지역적 범위를 설정한다.

3) 타 계획과의 관계
 (1) 상위계획 : 도시계획, 전국수도종합계획, 수자원장기종합계획, 수질보전 장기종합계획
 (2) 하위계획 ; 물수요관리 시행계획, 각종 상수도 및 중수도 시설계획
 (3) 기타 관련계획 : 수도정비기본계획, 공단개발계획, 택지개발계획, 농어촌정비계획, 하천정비계획, 관광지조성계획 등 관련 개발계획

4) 종합계획수립의 주요사항
 (1) 물수요관리 목표 설정
 (2) 수돗물의 용도별 사용량 조사
 (3) 물수요관리 정책수단 도출 및 우선순위 결정 : 누수량 저감, 유수수량 증대, 물절약 시설 보급 확대, 용수사용 효율성 증대, 하 · 폐수 재이용, 수도요금 체계개선 등
 (4) 물수요관리 대책의 단계별 추진전략 및 사업 추진체계
 (5) 종합계획 추진을 위한 투자 및 재원조달계획
 (6) 종합계획의 추진상황 및 성과를 체계적으로 점검 · 평가하기 위한 성과 관리체계

3. 종합계획수립의 주체 및 절차

1) 종합계획수립의 주체(수도법 제4조의3) : 시 · 도지사
2) 종합계획수립 또는 변경의 절차
 (1) 시 · 도지사는 종합계획을 수립하여 환경부장관에게 승인을 요청하고, 환경부장관은 동 종합계획에 대하여 국토해양부장관과 협의한 후 승인한다.
 (2) 기 수립된 종합계획을 변경하고자 하는 때에도 또한 같다.

4. 기타 행정사항

1) 제재조치(수도법 제4조의3제3항)
 환경부장관 및 관계 행정기관의 장은 종합계획에 의한 물수요관리 목표를 달성하지 못한 시 · 군 · 구에 대해 일반수도사업, 도시개발사업, 산업단지 및 관광지 등의 개발사업 또는 행위에 대한 승인 · 허가 등을 아니할 수 있다.

2) 성과에 따른 차등지원(수도법 제4조의3제4항)
   환경부장관 및 관계 중앙행정기관의 장은 종합계획에 의한 물수요관리 목표의 추진성과에 따라 시·도 및 시·군·구에 대한 지원을 달리할 수 있다.

II. 물수요관리 종합계획의 수립지침

1. 기본방침

1) 종합계획은 물을 보다 효율적으로 사용할 수 있는 합리적인 수요관리 목표를 설정하고, 이를 달성하기 위한 실현 가능하며 현실성 있는 전략추진체계와 정책수단이 확보될 수 있도록 수립한다.
2) 물수요관리의 정책목표는 물을 효율적으로 사용함으로써 얻을 수 있는 사회적인 편익과 지속 가능한 수자원관리에 있으므로 목표설정, 정책수단의 우선순위 선정 및 제반 세부계획의 수립에 있어서는 항상 이 목적을 달성하는 데 방향을 맞추도록 한다.
3) 종합계획은 5년 단위의 목표를 달성하기 위한 정책수단 및 세부계획을 단계별로 설정·수립하고, 사업의 추진성과에 대하여 평가가 가능하도록 가급적 계량화한다.
4) 종합계획은 수돗물의 효율적 이용뿐만 아니라 중수도·빗물이용시설 활용 및 하·폐수처리수의 재이용 등을 포함하므로 관련 상·하수도 시설현황 및 계획, 중수도 시설현황 및 계획, 빗물이용시설 설치 현황 및 계획 등을 종합적으로 고려해야 한다.

2. 종합계획의 작성기준

제1장 총설
- 1.1 계획의 목적 및 범위
- 1.2 기본방향 : 물수요관리 정책의 기본방향을 제시
- 1.3 계획수립의 개요
- 1.4 사업효과

제2장 기초조사
- 2.1 자연적 조건
- 2.2 사회적 특성
- 2.3 관련계획에 관한 조사 전국수도종합계획, 광역 및 공업용수도정비계획, 도시기본계획, 수도정비기본계획 등 관련에 대한 조사
- 2.4 물수요관리 목표 산정을 위한 기초조사
- 2.5 상수도 현황
  1) 급수현황 및 관리실적 등에 관한 조사
     ○ 일평균 생산량, 일최대 생산량, 유수수량, 무수수량, 무효수량 등

2) 취 · 정수 시설현황 및 계획
  ○ 시설규모, 사용빈도 및 사용여부(가동률 등)
  ○ 시설개량 및 확장계획
3) 송 · 배수시설 현황 및 계획
  ○ 노후도, 누수율, 통수능력 등에 대한 조사
  ○ 기존 시설의 확장, 대체 및 폐쇄계획 등

2.6 중수도 현황
  ○ 중수도 설치현황 및 관리실적 등에 관한 조사
    • 중수도시설규모 및 설치비, 처리공정도, 처리수질 및 사용용도별 조사
    • 중수도의 일간, 주간, 월간 및 계절별 사용실적 조사분석

2.7 절수설비 설치 현황
2.8 빗물이용시설 설치 현황
2.9 하 · 폐수처리수 재이용 현황
2.10 기타

제3장 물수요관리 목표 설정
3.1 수돗물의 용도별 사용량 조사
3.2 물수요관리 목표 설정
3.3 정책수단 도출 및 우선순위 결정

제4장 물수요관리 추진계획
4.1 누수량 저감계획 : 노후수도관, 정수장 및 배수지, 저수조 등에서 발생하는 누수량의 저감을 위한 계획을 수립하여 제시
  ○ 누수의 발생원인을 분석하고, 누수예방 및 감소대책을 수립한다.

4.2 유수수량 증대계획
기존의 급수량 중 누수를 제외한 계량기 불감수량, 도수량 및 기타(우수량)에 대해 원인을 조사 · 분석하여 장래 유수수량을 증대하기 위한 계획을 수립하여 제시한다.

4.3 중수도 보급계획
  ○ 중수도설치대상 및 중수도설치로 인한 경제적 효과, 물 다량 사용 건축물의 업종 · 규모별 중수도 설치 타당성, 중수도 설치에 따른 인센티브 제공 등의 전반적인 조사 · 분석을 통한 중수도 보급 및 확대방안을 수립

○ 중수도 이용에 따른 상수 절감량 및 절감효과 분석 · 예측
※ 재원조달 및 재정지원 방안 제시

4.4 절수설비 보급계획
○ 신축 건물과 기존 건물을 구분하여 절수설비 보급계획을 제시한다.
• 수도법상 의무대상시설 외의 물 다량 사용업소(스포츠센터 등)의 절수설비 보급 및 확대방안 등
○ 절수설비 설치에 따른 상수 절감량 및 절감효과 분석 · 예측
※ 재원조달 및 재정지원 방안 제시

4.5 빗물이용시설 설치계획
○ 강우의 계절적 특성 등을 고려하여 수자원의 효율적 이용을 위한 빗물이용시설 설치 확대방안 수립
• 이용대상지역 또는 건축물 조사
• 빗물이용시설 설치에 따른 인센티브 제공방안
• 이용수량 산정 및 수질분석
○ 시설 설치에 따른 상수 절감량 및 절감효과 분석 · 예측
※ 재원조달 및 재정지원 방안 제시

4.6 하 · 폐수처리수 재이용 계획
○ 기존 하 · 폐수처리수의 적정 이용 가능량 등을 조사 · 분석하여 재이용 방안을 수립
• 하 · 폐수 발생량 산정 및 수질분석
• 이용대상지역, 용도 또는 건축물 조사
• 이용에 따른 인센티브 제공방안
○ 신규 하 · 폐수종말처리시설은 적극적으로 처리수를 장외지역에 공급하여 재이용하는 계획을 수립
※ 처리수 공급을 위한 송 · 배수시설에 대한 설치비 및 유지관리비용의 조달 또는 재정지원 방안 제시

4.7 수도요금체계 확립
○ 합리적인 원가산정에 따라 수도요금체계를 확립하고 수도시설의 정비 · 확충 및 수도에 관한 기술향상을 포함하여 감가상각비 등을 고려한 요금수입을 확보
○ 요금체계는 정확한 조사분석을 통하여 원가를 산정하고, 절수형 수도요금제도의 도입방안 수립

- 수도요금 현황 및 원가분석
- 중수도 및 절수설비 설치 등으로 인한 수도요금 절감액 분석 · 검토

4.8 기타

○ 지하철 용출수 이용 계획, 산업체 물 재이용 확대 방안, 불량계량기 교체 및 보수 · 정비계획 등 물의 효율적인 이용 방안과 기타 지자체가 추진하고 있는 사항

제5장 교육 · 홍보 및 기술개발 계획

5.1 교육 · 홍보 계획

5.2 물절약 기술개발 계획

제6장 물수요관리 추진성과 평가계획

6.1 평가체계 제시

6.2 시민참여 방안

제7장 사업시행 및 재정계획

7.1 소요사업비

7.2 사업시행순위

7.3 재정계획

9 | 수리학적 종단면도(Hydraulic Profile)

1. 개요

1) 수처리 시설은 시설 내에서 처리수의 중력에 의한 자연유하방식에 의하여 처리가 진행된다.
2) 장치의 설계를 위해서는 주요 설비의 기본설계 사양이 작성되고 Pilot Plant가 결정되고 나면 Hydraulic Profile을 계산하여 수리학적 종단면도를 작성한다.

2. 수리학적 종단도 작성 목적

1) 가급적 자연유하 흐름으로 에너지 절약형 처리 설비(지반, 장치, 조의수위)
2) Q, HRT가 적정 유지될 수 있도록
3) 유체의 유동 및 단회로 흐름이 방지되도록
4) 강우 시, 홍수 시 등에도 운전에 지장이 없도록
5) Pumping 위치/개소, 유량, 양정, 동력 결정

3. 작성 시 고려사항

1) 공정설계사양과 각 장치별 설계사양에 일치하도록 방류구로 배출하는 맨 마지막 처리장치부터 장치 내의 흐름과 역순으로 수면의 높이를 계산
2) 그 결과를 이용하여 수리학적 종단면도 작성

4. 작성순서

1) 설계기준 방류구 기준 수위를 정한다.
2) 설계유량, Weir 수/현상, Weir당 유량, Weir별 수두, 수면의 자유낙하 높이를 정한다.
3) 유속
4) 손실수두 계산
5) 슬라이드 게이트 높이를 정하고 포기조로 유입되는 수면 높이를 구한다.
6) 각 장치별 수위를 정함
7) 수리학적 종단면도 작성

10 | 하수도 설계기준상의 하수도계획 기본적인 사항에 대하여 설명하시오.

1. 하수도시설의 목적

1) 생활환경의 개선(오수 제거)
2) 기상이변의 국지성 호우 대응 및 침수피해 방지(우수처리)
3) 공공수역의 수질환경기준 달성과 물환경 개선(수질환경)
4) 자원절약·순환형 사회 기여 및 하수도의 다목적 이용 등 지속발전 가능한 도시구축에 기여(지속 가능한 친환경적 수생태계)

2. 하수도계획 수립의 범위

하수도의 역할이 다양화되고 있는 사회적인 요구에 부응할 수 있도록 장기적인 전망을 고려하여 하수도계획을 수립하되 다음 사항을 포함하여야 한다.

1) 침수방지계획
2) 수질보전계획
3) 물관리 및 재이용계획
4) 슬러지 감량화, 최종처리 및 자원화계획

3. 하수도계획의 기본방침

1) 기본적인 요건
하수도의 계획에 있어서는 하수·분뇨의 유출 및 처리·이용, 슬러지처리·이용의 기능을 함께 갖출 것을 기본적인 요건으로 한다.

2) 우수배제계획
우수배제에 관한 하수도계획은 국지성 집중호우를 고려하여 자연재해 발생 방지를 위한 우수배제와 대상지역의 우수배제와 관련 있는 하천, 농업용 배수로 및 기타 배수로 등과 함께 하수도를 포함한 종합적인 우수배제계획을 수립한다. 또한 수로와 하수도, 펌프장 위주의 우수배제계획 이외에도 기후변화와 도시화에 따른 유출량 증가에 대처하기 위해 도시의 공공용지의 지하공간 등을 이용한 하수저류시설이나 배수터널 등 다양한 하수도계획을 지역단위로 수립한다.

3) 하수처리 · 재이용계획은 다음 사항을 고려하여 정한다.

(1) 수질환경기준과 하수도
수질환경기준이 설정되어 있는 수역의 하수도계획은 해당수역 수질환경기준의 달성을 전제로 하여 정한다. 한편, 수질환경기준이 설정되어 있지 않은 수역의 하수도계획은 물이용상황에 따른 수질환경기준을 예상하여 기준설정수역에 준하여 정한다.

(2) 하수도정비 기본계획
하수도정비 기본계획이 정해져 있는 관할구역 내의 개별적인 하수도계획은 하수도정비 기본계획에 적합한 것이어야 한다.

(3) 물이용계획과 하수도
처리수를 계획적으로 순환 이용하는 경우의 하수도계획은 지역의 물이용계획을 고려한다.

4) 슬러지처리 재이용계획
슬러지처리 · 재이용에 관한 계획은 해양투기가 전면 금지됨에 따라 하수슬러지 발생량을 원천적으로 감량하고 발생슬러지의 성상과 지역여건을 고려하여 슬러지의 자원적 가치가 충분히 활용되어 최대한 에너지 자립이 되도록 수립한다.

5) 통합운영관리계획
통합운영관리계획은 관할구역 내 하수도시설 전체와 환경기초시설을 포함하여 추진하고, 하수도시설의 운영관리가 효율적이고 유지관리비용이 저감되도록 계획하여야 하며, 유역별 수질관리체계에 부응되어야 한다.

6) 친환경에너지 절약계획

(1) 하수도시설은 해당지역의 여건을 고려하여 친환경 · 주민친화적 시설이 되도록 하여야 한다. 친환경 · 주민친화적 하수도는 사용자재, 주변지역의 향후 개발 가능성, 인구밀집지역과의 이격거리, 주변토지 이용현황 등을 종합적으로 고려하고 필요 이상의 과도한 시설이 되지 않도록 한다.

(2) 하수도시설은 운영 및 유지관리 시 에너지를 절약할 수 있는 시설로 계획하고 궁극적으로는 에너지 자립률을 최대화하는 것을 목표로 하여야 한다.

4. 하수도계획의 기본적인 사항

1) 계획의 목표연도

하수도계획의 목표연도는 원칙적으로 20년으로 하며, 해당지역에 따라 도시기본계획을 고려하여 계획목표연도를 결정하도록 한다.

2) 계획구역

하수도의 계획구역은 처리구역과 배수구역으로 구분하여 다음 사항을 고려하여 정한다.

(1) 하수도의 계획구역은 원칙적으로 관할행정구역 전체를 대상으로 하되, 자연 및 지역조건을 충분히 고려하여 필요시에는 행정경계 이외구역도 광역적, 종합적으로 정한다.

(2) 계획구역은 원칙적으로 계획목표연도까지 시가화될 것이 예상되는 구역 전체와 그 인근의 취락지역 중 여건을 고려하여 선별적으로 계획구역에 포함하며, 기타 취락지역도 마을단위 또는 인근마을과 통합한 하수도계획을 수립한다.

(3) 공공수역의 수질보전 및 자연환경보전을 위하여 하수도정비를 필요로 하는 지역을 계획구역으로 한다.

(4) 새로운 시가지의 개발에 따른 하수도 계획구역은 기존시가지를 포함한 종합적인 하수도계획의 일환으로 수립한다.

(5) 처리구역은 지형여건, 시가화상황 등을 고려하여 필요시 몇 개의 구역으로 분할할 수 있다.

(6) 처리구역의 경계는 자연유하에 의한 하수배제를 위해 배수구역 경계와 교차하지 않는 것을 원칙으로 하고, 처리구역 외의 산지 등 배수구역으로부터의 우수 유입을 고려하여 계획한다.

(7) 슬러지처리시설과 소규모 하수처리시설의 운영에 대해서는 필요시 광역적인 처리와 운전, 유지관리가 가능하도록 시설을 계획한다.

3) 배제방식

하수의 배제방식에는 분류식과 합류식이 있으며 지역의 특성, 방류수역의 여건 등을 고려하여 배제방식을 정한다.

(1) 분류식은 오수와 우수를 별개의 관로계통으로 배제하는 방식이고, 합류식은 동일 관로계통으로 배제하는 방식이다.

(2) 분류식은 하수만을 처리장으로 수송하는 방식으로서 우천 시에 수역으로 직접적으로 배출되는 미처리하수가 합류식에 비해 적으므로 수질오염 방지상 유리하다.

(3) 합류식은 단일관로로 오수와 우수를 배제하기 때문에 침수피해의 다발지역이

나 우수배제시설이 정비되어 있지 않은 지역에서는 유리한 배제방식이며, 분류식에 비해 시공이 용이하다.

(4) 합류식은 우천 시에 관로 내의 침전물이 일시에 유출되어 처리장에 큰 부담을 주는 경우나 우수토실로부터 어느 일정 배율 이상으로 희석된 하수가 수역으로 직접 방류되는 점 등 수질보전상 바람직하지 않은 문제점이 있다.

4) 분뇨처리와 하수도

하수처리구역 내에서 발생하는 수세분뇨는 관로정비상황 등을 고려하여 하수관로에 투입하는 것을 원칙으로 한다. 또한, 수거식 화장실에서 수거되는 분뇨는 하수처리시설에서 전처리 후 합병처리하는 것을 원칙으로 한다.

5) 하수도시설의 배치, 구조 및 기능

하수도시설의 배치, 구조 및 기능은 다음 사항을 고려하여 정한다.

(1) 하수도시설의 배치, 구조 및 기능은 유지관리상의 조건, 지형 및 지질 등의 자연조건, 방류수역의 상황, 주변환경조건, 시설의 단계적 정비계획, 시공상의 조건 및 건설비 등을 충분히 고려한다. 특히, 토구(吐口)의 위치 및 구조는 방류수역의 수질 및 수량에 미치는 영향을 종합적으로 고려하여 결정하여야 한다. 계획외수위는 하천의 경우 해당하천의 계획홍수위, 해역의 경우 삭망만조위(朔望滿潮位)로 한다.

(2) 하수도시설의 용량은 시설의 변동요인에 대응할 수 있도록 여유를 둔다.

(3) 하수도시설은 예측하기 어려운 사고 및 고장뿐만 아니라 보수 및 점검 시에도 시설로서의 일정한 기능을 유지할 수 있도록 필요에 따라 예비시설을 설치하고, 시설의 신뢰성, 확실성 및 안전성을 높이기 위해 시설의 복수화를 고려한다.

(4) 하수관로시설은 인근에 도로함몰이나 지반침하를 발생시키지 않아야 하며, 누수 또는 지하수 침입의 염려가 없어야 한다.

(5) 하수관로, 펌프장 및 처리장의 시설계획은 오수의 양 및 질의 파악과 시설의 운전관리를 원활히 하기 위하여 적절한 계측제어설비를 설치한다.

(6) 장래 하수량의 증감이 예상되는 경우에는 이를 반영한 시설계획을 하여야 한다.

6) 법령상의 규제

하수도계획은 하수도법 및 관련법령상의 규정을 검토하여 반영하여야 한다. 또한 법령상의 규정에 위배됨이 없도록 하여야 하고 국토의 이용 및 계획에 관한 법률 등과 이들 법령에 따른 시행령 및 조례, 환경정책기본법의 수질오염에 관한 환경기준, 물의 재이용 촉진 및 지원에 관한 법률, 기타 환경관련법규상의 규제에 대하여 충분히 고려해야 한다.

11 | 인구추정 방법을 설명하시오.

1. 개요

상하수도 계획 시 목표연도의 인구를 추정하여 시설규모나 용량을 결정하므로 인구추정은 가장 기본적이며 중요한 설계요소이다.

1) 한 지역의 상수도 시설용량(급수량)이나 하수도 시설용량(오수량)은 추정인구와 1인당 부하량으로 결정
2) 과거의 인구자료(약 20년간)를 바탕으로 시계열적으로 추정
3) 그 지역의 경제적, 사회적 변화요인에 대해서 충분한 검토가 필요하며 특히 과거의 인구 증가추세에서 인구 감소추세로의 변화상을 충분히 검토한다.

2. 인구추정의 필요성

상하수도 계획 등 대부분의 도시 및 지역계획에서 필수적으로 예측되어야 하는 변수는 인구이다. 예측 인구는 주택, 토지이용, 교통, 공공시설 등의 긱종 투자계획에 이용되므로 정확한 인구의 추정은 해당도시 및 지역의 미래상을 결정짓는 중요한 지표이다.

3. 장래인구 추정방법

인구추정방법은 지역 내 인구특성의 변수를 고려하는 요소모형과 요소를 고려하지 않는 비요소모형(외삽법)으로 나눈다.

1) 요소모형(생존모형)
   지역 내 인구의 성별과 나이 특성을 이용하여 인구의 성장요인을 고려한 생존모형이 최근에 주로 쓰인다.
2) 비요소모형(외삽법)
   외삽법이란 과거 인구자료를 이용하여 지역인구를 예측하는 방법으로 지역 내 인구의 특성(성별, 교육수준, 출산력) 등의 변수를 고려하지 않고 총량적 인구를 이용하고 또한 지역 인구의 성장(쇠퇴)의 요인을 고려하지 않고 예측하는 기법으로 다음과 같이 여러 가지 방법 중에서 그 지역 특성에 알맞은 방법을 선정한다.
   (1) 등차급수법　　(2) 등비급수법
   (3) 베기함수법　　(4) 지수 함수법
   (5) 논리법(로지스틱)　　(6) 수정지수함수식

4. 인구 추정방법의 특성

1) 등차급수법

(1) 매년의 인구증가가 일정하다고 가정하고 매년 혹은 특정기간 동안 일정한 인구변화

(2) 과소평가될 우려가 있으며 발전이 느린 도시, 발전 중에 있는 대도시에 적용

$$Pn = Po + ng$$

여기서, Pn : n년 후 추정인구

Po : 현재인구

n : 현재부터 계획연차까지 연수(Year)

g(연평균 인구증가수) $= Po - Pt/t$

Pt : 현재로부터 t년 전 인구

2) 등비급수법

(1) 매년의 인구증가율이 일정하다고 가정

(2) 발전적인 도시에 적용

(3) 인구증가율이 감소되는 도시는 과대평가될 우려

$$P_n = P_o(1+r)^n$$

3) 베기함수

y절편 a를 유연하게 확장하여 추정하는 곡선식

$$y = a(1+b)^x + c \quad y\text{절편} : a,\ c$$

4) 지수함수

(1) 완만한 증가나 감소에 어울리는 추정식으로 매개변수가 3개

$$y = ax^b + c \quad \text{매개변수} : a,\ b,\ c$$

(2) 인구가 단기간에 급격히 팽창하거나 할 것으로 예상되는 도시 추정식

(2) 장기적인 예측에서는 매우 과도한 인구 추정

5) 논리법(Logistic Curve, S형 곡선법)에 의한 인구추정

(1) 개요

한 지역에서 요구되는 상하수도 용량은 그 지역의 추정인구와 1인당 단위시간당 급수량 또는 오수량에 의하여 결정된다. 한 지역의 장래인구를 정확히 추정한다는 것은 어려운 문제로서 일반적으로 과거의 인구자료로부터 장래인구를 추정하게 되는데 그 지역의 규모, 국가 도시 발전 정책, 지형적 특성, 사회적, 경제적인 변화요인에 대해서도 충분한 검토가 필요하다.

(2) Logistic 공식에 의한 장래인구 추정방법

이 방법을 논리법 또는 수리법(Mathmatical Method), S형 곡선법이라고도 하는데 이는 인구가 시간이 증가함에 따라 초기에는 점차 증가하다가 중간에는 증가율이 가장 커지는 변곡점이 나오며 그 이후에는 증가율이 차차 감소하여 무한년에는 포화에 도달하게 된다는 이론에 기초를 두고 있다.

① 인구의 극한치를 K라 하고 인구증가율은 S형 곡선으로 본다.

② 인구증가율이 극한치와 현재인구 차에 비례한다.

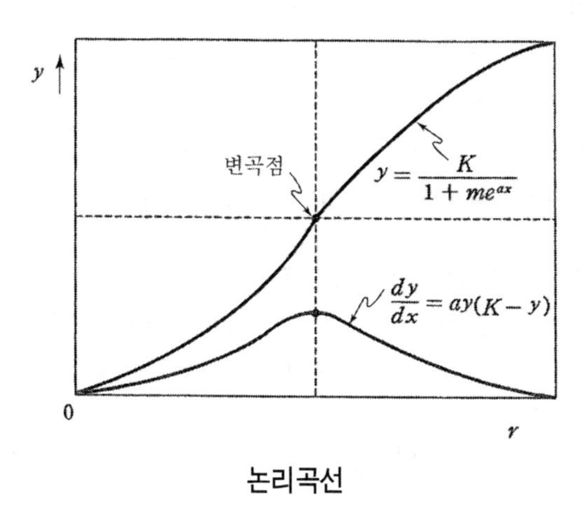

논리곡선

$$dy/dx = ay(K - y)$$

$$y = \frac{K}{1 + me^{-ax}} = \frac{K}{1 + e^{a - bx}}$$

6) 수정지수함수식

(1) 로지스틱과 같은 모습

(2) 도시의 자원, 개발가능토지 등을 볼 때 현실적으로 인구성장의 상한선이 있으리라는 가정

$$y = k - ab^x \quad K : \text{극한값} \quad a,\ b = \text{매개변수}$$

7) 생존요소모형

5. 인구추정의 신뢰도

1) 상기 인구추정방법은 실제와는 차이가 있으며 특히 소도시에는 차이가 크게 나타나며 20% 이상 차이가 발생할 수도 있다.

2) 신뢰도에 영향을 주는 요소
   (1) 추정연도가 커질수록
   (2) 인구가 감소되는 경우가 많을수록
   (3) 인구증가율이 증가될수록 신뢰도는 감소

6. 수용모델 적용방법

1) 위 6개의 후보곡선식을 선형화하여 최적곡선 추정(최소자승법 적용)
2) 최소자승법은 두 개의 매개변수(a, b)만 추정 가능하므로 c, k값은 오차자승 합이 최소가 되는 곡선을 찾음(시산법)
   - 과거에는 c, k를 일정 기준 없이 추정하여 오류발생
   - 과거 5가지 시계열 추정법 중에서 등차급수법과 최소자승법은 동일

3) 일부데이터가 과도하게 크거나 적을 경우 → 분석하여 사용유무 결정
4) 이상한 값들에 대해서 클러스터 분석을 통해 그룹별 오차한계에 대한 기준을 정하고 보정하거나 버리는 방법(평균오차법, 분산분석) 사용

7. 인구 추정 모델 적용 시 고려사항

인구추정은 사회적, 지리적, 국가 도시계획 등에 따라 복잡한 관계를 가지며 분석 가능한 모든 요인을 종합적으로 고려하여 추정하되, 대도시의 경우 기하급수적으로 증가하는 경향이 커서 지수 함수식의 적용이 일반적으로 적용되었으나, 최근 우리나라의 경우 인구감소지역도 나타나는 등 외삽법에 의한 인구추정이 부적합하여 요소적기법인 생존요소모형이 더 적극적으로 적용되고 있다.

12 | 상수도 수요량 예측 및 계획하수량 산정 시 고려사항을 설명하시오.

1. 개요

상하수도 설비 용량 산정의 기본은 급수량과 하수량을 산정하는 것으로 가장 정확히 추정해야 설비 이용 효율성과 경제성을 높일 수 있다.

2. 상수도 수요량 예측

1) 상수도 수요량 예측의 기본 인자는 계획인구, 1인 1일 급수량, 첨두부하율 등으로 합리적인 산정기준 정립이 필요하다.

2) 생활용수 수요산정
 (1) 자연적 요구에 의한 수요산정
 (2) 개발계획에 의한 수요산정
 (3) 기타 용수 : 관망, 항만, 군대

3) 공업용수 수요산정
 (1) 가동연수 : 가동률, 현용수사용량 고려
 (2) 계획공단 : 업종별 원단위, 부지면적

4) 생활용수 수요산정 시 문제점
 (1) 사회적 증가분 산정방법과 외부 유입률 산정을 위한 방법이 모호하다.
 (2) 표준 도시 원단위 적용의 타당성 부족
 (3) 1인 1일 사용량 산정방법의 부적절

5) 공업용수 수요량 산정 시 문제점
 (1) 기초자료 부재로 원단위 신뢰성 저하
 (2) 표준산업 분류체계의 잦은 개정

6) 장래인구 예측
 (1) 통계청의 시·도별 추계인구 적용
 (2) 공식적 개발계획(인가, 고시, 공사착수)만 적용하고 순수한 외부유입 인구만 산정

7) 급수보급률
  (1) 국가계획, 광역계획은 지자체 계획, 정부목표 감안
  (2) 지방상수도 계획 시 상위 계획 보급률 전망과 다를 경우 지방자치단체 관거 보급률 추세 고려

8) 1인 1일 평균사용량
  (1) 국가계획/광역상수도 계획 시 10만 이상 도시는 개별 추정을 원칙으로 하며 그 외 도시는 표준 원단위 적용
  (2) 지방자치단체 생활용수 추정은 용도별(가정, 비가정, 공업용 등)로 20년 이상 사용량을 기반으로 추정
  (3) 1인 1일 평균급수량 : 1인 1일 평균사용량에 장래 계획 유수율 적용하여 산정

9) 첨두부하율(일최대급수량/일평균)
  (1) 과거 3년 이상 자료(일일공급량)로 산출(광역계획은 표본조사가능)
  (2) 첨두 부하율은 2~3년 첨두부하 중 가장 큰 것을 적용하거나, 확률개념(10년 확률빈도)으로 결정하거나, 유사 도시 자료이용법 등이 있다.
  (3) 동일 도시라도 지자체 상황을 고려한다.

10) 수요관리계획반영 : 물수요관리정책 추진에 따른 절감량 고려

3. 계획하수량 산정

1) 하수량의 원인은 생활오수량(가정, 영업), 관광오수량, 지하수사용량, 공장폐수량, 연계처리수량, 지하수량 등이 있다.

2) 생활오수량 원단위(가정, 영업별로 고려)
  =1인 1일 최대급수량×유효수율×오수전환율

3) 관광오수량 원단위
  (1) 영업오수량에 포함되어 있음(일반적)
  (2) 국립공원, 도립공원, 지정공원, 특정관광단지 등에 대해 계획, 월별, 일별로 추정
  (3) 숙박객과 귀경객을 구분하고 숙박객은 상주인원 원단위 50%, 일귀객 15%(일별)

4) 지하수 사용량=지하수 사용량(지하수 대장기준)×오수전환율

5) 공장폐수량 원단위
  (1) 별도의 구분이 없는 한 영업오수량에 포함되어 있음(전용공업용수)
  (2) 실제 폐수량을 기초로 부지면적당 원단위 산출

6) 지하수량 원단위

(1) 1인 1일 최대 용수량(생활) 10~20%

(2) 하수관길이 1km당 0.2~0.4L/sec

4. 인구추정(최근 적용추세)

1) 생존요소모형

2) 수정지수모형 : 지수모형이 장래 과도한 인구를 예측할 가능성이 있어 인구성장 상한선을 미리 정해놓고 상한선에 가까울수록 성장률이 둔화되는 인구추정 모형이다.

3) 예측모형(도시의 자원, 개발가능토지 등 고려)

13 | 유수율과 무수율

1. 정의

1) 유수율

전체 생산량에서 유수수량이 차지하는 비율을 유수율이라고 한다.

유수수량이란 상수도 공급량 중 요금수입의 대상이 되는 요금수량으로 다른 수도 사업자에게 분수하는 분수수량, 기타 공원녹지용수, 공중화장실용수 및 공사용수 등으로 타 회계로부터 요금징수로 수입이 있는 수량 등을 유수수량이라고 한다.

유수율(%)=(유수수량/총급수량)×100

2) 무수율 : 무수수량을 배수량으로 나누어 백분율로 나타낸 것을 말한다.

(1) 무수율이란 일반적으로 누수나 도수 및 기타 원인으로 수용가에게 수돗물을 공급하는 과정에서 누수되어 버린 수량의 비율로서, 보다 엄밀하게 말하면 총 생산량 중에서 요금수입으로 받아들여진 수량을 제외한 나머지 수량의 비율

무수율(%)={(유효무수수량+무효수량)/총급수량}×100

(2) 유효무수수량 : 계량기불감수량+수도사업용수량+공공수량+부정사용량

(3) 무효수량 : 조정감액수량+누수량

2. 유수율 향상의 필요성

유수율이란 상수도 공급 계통의 효율성을 의미하는 것으로 유수율 저하는 누수, 손실, 부정사용 등으로 낙후된 수도시설의 특징이다. 그러므로 양질의 수질을 공급하고 경제성, 효율성을 향상하기 위한 척도로 유수율을 관리해야 하며 성실한 노력으로 유수율을 향상시켜야 한다.

3. 유수율과 상수도보급률 현황

1) 2020년 현재 우리나라 유수율은 전국 평균 85.7%(서울시 97.3%)로서 선진국 수준이다.

2) 상수도보급률은 2020년 기준 99.4%이고, 1일 1인당 급수량은 295L로 선진국 수준이다.

연도별 상수도 보급현황(전국 평균)

구분	2004	2005	2006	2007	2008	2009	2020
보급률(%)	90.1	90.7	91.3	92.1	92.7	93.5	99.4
시설용량(만m^3/일)	2,755	3,095	2,854	2,846	2,833	2,889	2,739
1일 1인당 급수량(L)	365	363	346	340	337	332	295
급수량(만m^3/일)	1,605	1,637	1,565	1,566	1,577	1,570	1,786

4. 유수율 분석

생산량이 과다하여 유수율이 저조한 것인지, 부과량이 작아 유수율이 저조한 것인지 파악하여 부과량을 증대시키고 생산량을 감소시킴으로서 유수율 제고를 시행하여야 할 것이다.

1) 부과량 증대 방안
계량기 적정구경 및 설치위치, 불량상태 등을 조사 검토

2) 생산량 절감

(1) 공급량이 높을 경우 옥외 · 옥내 누수탐사 및 절수 등으로 생산량을 절감하여야 한다.
(2) 공급량의 변동을 Check하기 위하여 수시로 공급유량을 감시
(3) 구역의 곳곳에 수압계를 설치하여 누수 등에 의한 수압변동 상황을 수시로 감시

5. 생산량의 분류 및 특징

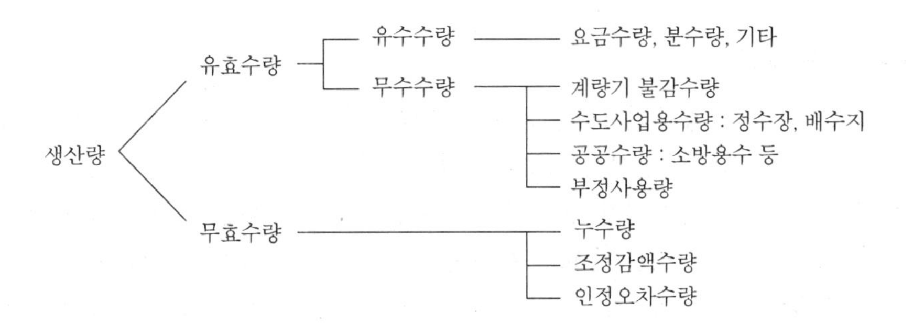

상수도 생산량	정수장의 송수관 시점에서의 연간합계 수량으로 유효수량과 무효수량으로 구분
유효수량	생산된 상수도 수량 중 어떤 원인으로 외부로 누수되고 난 후의 수량으로, 유수수량과 무수수량으로 구분
유수수량	유효수량 중 상수도 사용량을 요금으로 징수할 수 있는 수량
요금수량	계량기에서 직접 계측되어 상수도요금을 징수하는 수량으로 타 수도사업자에게 나누어 준 수량을 제외한 수량
분수량	상수도가 부족한 다른 수도사업자에게 나누어 준 수량으로 수입을 받을 수 있는 수량
기타	공원녹지용수, 공중변소용수 및 공업용수 등으로서 타 회계로부터 요금징수로 수입이 있는 수량
무수수량	유효수량 중 수입으로 징수되지 않는 수량
계량기 불감수량	유효수량 중 계량기 불감으로 요금징수 대상이 되지 않는 수량
수도사업 수량	정수장, 배수지 등에서의 사용수량과 수도관 세정수량, 누수방지 작업용수 등 수도사업자가 사용한 수량
공공수량	소방용수 및 운반공급 용수 등으로 요금수입이 없는 수량
부정사용 수량	수도사업자의 허가를 받지 아니한 수도용수 및 급수 업종변경, 계량기 조작 등의 방법으로 불법적으로 사용한 수량
무효수량	사용상 무효라고 인정되는 수량
조정감액 수량	오염 등으로 요금징수시 조정에 의하여 감액대상이 된 수량
누수량	수도사용자의 계량기 이전까지 발생한 누수량
기타	타 공사 등으로 인한 수도시설의 손상에서 오는 수량 및 계측오차, 인정오차 등의 불명 수량

6. 유수율 향상방안

1) 이상적인 상수도 공급시스템은 최소의 수량손실로 취수, 정수 및 송배수 체계를 갖추는 것이다. 그러나 현실적으로 다량의 수량손실이 발생되며, 생산된 수돗물 중에서 요금수입으로 계량되지 않는 수량의 비율, 즉 무수율은 약 20% 정도에 달한다.
2) 유수율을 높인다는 것은 유효 무수수량과 무효수량을 줄이는 것으로 유효 무수수량 중 계량기 불감수량, 수도사업수량, 공공수량은 그 양이 크지 않을 뿐더러 현실적으로 많이 줄이기가 어렵다.
3) 유수율을 향상시키기 위해서는 약 20% 정도에 달하는 누수량과 부정사용량을 적극적으로 줄이는 것이 가장 효과적이며 확실한 방법이다.

4) 최근의 유수율 향상을 위하여 수도정비기본계획 아래 지속적인 노력과 기술의 발달로 70% 정도의 유수율이 80% 정도까지 좋아졌으며 90% 정도까지 높일 수 있으리라 기대한다.

7. 유수율 향상 추진대책

1) 이와 같이 공급량과 부과량을 정확히 계측하기 위하여서는 급수구역의 완벽한 Block System을 구성하여 Block별로 관리를 시행하고 정확한 관망도의 보유 및 누수탐사 및 관리를 전문적으로 실시할 수 있는 전문인력 및 장비의 보유가 중요하다.
2) 누수다발지역을 일제 조사하여 노후관 교체사업을 통하여 수돗물 수질개선 및 누수방지로 인한 유수율 향상을 꾀한다.
3) 유수율 제고를 위해 TM/TC 전산화시스템 운영감시, 수압계, 유량계 설치, 관로 누수 탐사 등을 통하여 유수율의 저하를 방지하고 목표 유수율을 향상시킨다.
4) 급수구역 인입부에 적정구경의 유량계, 수압계를 설치하여 유입량 및 수압의 증·감을 감시하고 문제를 해결하여야 할 것이며 차후 T/M(Tele Metering) 등을 통하여 현장에 나가지 않고 통제 사무실에서 효율적인 감시와 통제 등으로 유수율을 향상시킨다.

14 | 유역단위 용수공급체계의 구축방안에 대하여 설명하시오.

1. 개요

유역단위 용수공급체계란 기존의 시·군 단위 등 지방자치단체별로 구분하여 개발 및 관리하고 있는 상수도(용수) 확보·공급체계를 보다 넓은 유역단위(수계영향권)로 통합관리하기 위하여 유역단위 용수공급체계 구축을 위한 단위유역의 설정을 말한다.

2. 유역단위 용수공급체계의 필요성

물관리 일원화법에 의해 물관리기능이 환경부로 일원화됨에 따른 후속조치로 국가·유역단위 통합물관리체계 구축이 필요하게 되었으며, 상수도분야 외 물관련계획인 수자원 및 하수도분야에서는 이미 유역별 관리를 시행하고 있다. 하지만 상수도분야 관리만 기존의 상수도공급체계가 행정구역단위로 관리하고 있어 계획간 연계가 어려운 실정으로 행정구역단위의 관리에서 유역별 관리로의 전환이 필요하다.

3. 유역단위 용수공급체계의 구축방안

유역단위 용수공급체계 구축을 위하여 물순환체계, 수자원, 운영관리의 효율성 및 상·하위 관련계획과의 연계성을 고려한 결과, 유역하수도 기본계획상의 단위유역이 상수도분야의 단위계획과 가장 부합하는 것으로 검토되고 있다. 유역하수도 기본계획의 세부단위유역을 바탕으로 수자원과 상수도체계 등을 고려하여 단위유역을 설정함이 바람직하다. 예를 들면, 다음 그림과 같이 4대강을 중심으로 각 단위유역을 설정하고, 중권역과 지방자치단체별로 구분하는 방안을 제시한다.

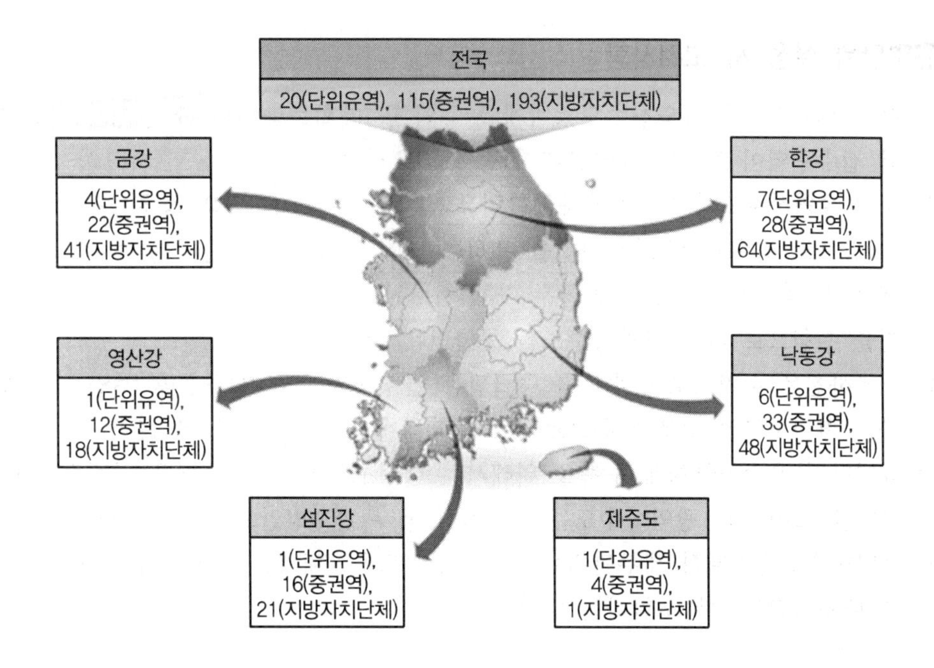

4. 유역단위 용수공급체계 구축 시 고려사항

합리적인 유역단위 용수공급체계를 구축하기 위하여 집수구역과 물순환체계, 행정구역을 고려하여 설정하는 것이 바람직하다.

집수구역 감안	• '수계영향권별 환경관리지역'을 토대로 설정한 물환경관리기본계획을 고려 • 유역하수도정비 기본계획 연계(중권역 115개를 동일하게 적용) • 하천시설(댐, 보 등)을 고려하여 설정
물순환체계 및 상하수도시설물 운영현황 고려	• 물순환체계를 고려하여 설정 – 상수도급수구역과 하수도처리구역 간의 연관성 고려 – 기존 용수공급체계의 유사성 고려 ※ 물순환체계 : 하천 → 상수도 → 유역(수용가) → 하수도 → 하천(해양) • 설정된 단위유역 내에서 용수공급체계 검토함을 고려 – 주요 취수원(국가하천 등)의 위치를 고려 – 최소 5개 이상의 지방자치단체 규모 확보
행정구역기준 권역계획 배제	• 기존 행정구역단위의 상수도계획 권역 배제 – 유역별 물관리 시행 – 물환경관리 기본계획 및 유역하수도정비 기본계획 연계 • 기존 광역 상수도공급체계에 따른 권역계획 배제 – 광역상수도는 보조적인 용수공급체계로 설정 • 동일 대규모 댐을 취수원으로 하는 유역계획 배제 – 기존 다목적 댐 및 용수전용 댐 생·공용수 배분체계 배제 – 단위유역 규모의 적절성 확보(대규모 댐을 기준으로 설정 시 단위유역이 커짐)

5. 유역단위 설정 시 고려사항

1) 유역단위 설정은 유역하수도정비계획 등의 타 계획들과 원활한 연계가 가능하도록 집수구역이 감안된 유역단위 설정이 필요하다.
2) 현재 유역하수도정비계획의 세부단위유역은 해안 및 섬지역의 경우 하수처리수가 4대강으로 집수되지 않고 하천을 통하여 직접 해양으로 유출되는 경우도 있다.
3) 해안 및 섬지역의 상수도 공급은 자체 취수원을 개발한 경우도 있으나 내륙의 하천을 수원으로 하는 광역상수도를 공급받는 경우가 많다.
4) 내륙하천을 수원으로 상수도를 공급받는 급수구역이 하수처리 후 해양으로 방류하는 처리구역인 경우 하천으로의 물순환체계가 이루어지기 어려운 구역이다.
5) 유역단위 용수공급체계 구축을 위해서는 행정구역이 아닌 유역을 기준으로 단위유역을 설정하고, 광역상수도는 보조적인 용수 확보방안으로 활용한다.
6) 유역하수도정비계획 세부단위유역에서 상수도공급체계를 고려하여 해안지역유역을 내륙지역유역에 포함하는 방안도 있다.

15 | 계획시간 최대급수량과 계획 1일 최대급수량의 관계

1. 정의

계획시간 최대급수량과 계획 1일 최대급수량이란 일정 급수구역(배수구역)에 대하여 정수장이나 배수지에서 공급해야 할 급수량을 말하며 계획사용수량(수요량)과 유수율 등을 기초로 산정할 수 있다.

2. 급수설비의 계획사용수량

급수설비의 계획사용수량은 급수관의 관경, 저수조용량 등 급수설비계통의 주요 제원을 계획할 때의 기초가 되는 것으로, 건물의 용도나 면적, 물의 사용용도, 사용인원수, 급수기구의 수 등을 고려한 다음에 1인 1일 사용수량 또는 각 급수기구의 용도별 사용수량과 이들의 동시사용률을 고려한 수량을 표준으로 한다. 단, 저수조를 만들어 급수하는 경우에는 사용수량의 시간적 변화나 저수조의 용량을 감안하여 정한다.

3. 계획 1일 최대급수량과 계획 1일 평균급수량의 관계

1) 계획 1인 1일 평균급수량 $= \dfrac{\text{계획 1인 1일 평균사용수량}}{\text{계획유효율}}$

2) 계획 1일 평균급수량 = 계획 1인 2일 평균급수량 × 계획급수인구

3) 계획 1일 최대급수량 = 계획 1인 1일 최대급수량 × 계획급수인구
= 계획 1일 평균급수량 × 계획첨두율

4. 상수도수요량의 예측 필요성

상수도계획에서 가장 기본적인 사항은 장래 상수도수요량이다. 장래 상수도수요량에 따라 상수도 시설용량이 결정되기 때문에 정확한 수요량 예측이 중요하다. 수요량은 예상인구수와 1인 1일 급수량 산정이 기본요소가 된다.

5. 상수도수요량의 예측방법

1) 목표연도의 설정

목표연도란 계획연도라고도 하며 상수도시설을 수명이나 용도에 따라 사용하는

목표연도를 말한다. 대략 정수장처럼 중요시설은 30년 정도, 배수본관 정도는 20년, 지관은 10년 정도로 한다.

2) 계획 1인 1일 평균사용량의 결정

계획 1인 1일 평균사용량을 구하기 위해 목표연도의 인구와 급수량을 추정한다. 이때 인구 추정은 과거의 외삽법에서 정밀한 인구 추정을 위해 시계열법이나 생존모형 요소법을 이용하고 급수량은 단순한 증가율을 적용하기보다 정책적인 물수요관리, 절수, 친수생태, 지방자치단체의 현황자료와 추세에 따라 결정한다.

계획 1인 1일 평균사용량=계획급수인구×계획 1인 1일 급수량×(1+누수율)

3) 목표유수율의 결정

지방자치단체의 노후수도관 현황과 총 누수량, 수도정비계획에 따라 결정한다.

4) 계획 1인 1일 평균급수량의 결정

(1) 목표연도의 1인당 급수량은 지방자치단체마다 약간의 차이는 있으나 보통 300~350L/cd를 기준한다.

(2) 계획 1인 1일 최대급수량=계획 1인 1일 평균급수량(1.5~3)

5) 첨두부하

피크부하라고도 하며 평균부하에 대한 피크부하로 대규모에서 1.5~2 정도 소규모에서 2~3 정도를 적용한다.

6) 시간계수

시간 평균급수량에서 최대급수량을 구할 때 적용하는 계수를 말하며 첨두부하처럼 1.5~3 정도를 적용한다.

6. 계획시간 최대급수량과 계획 1일 최대급수량의 관계

$$\text{계획 1인 시간 최대급수량 결정} = \frac{\text{계획 1일 최대급수량}}{\text{사용시간}} \times \text{시간계수}$$

16 | 수도시설의 세부시설기준을 수도법에 근거하여 설명하시오.

1. 개요

수도법 제9조에서 수도시설(취수~급수)에 대한 시설기준은 계획급수량을 공급하기 위한 기본적인 조건으로 다음과 같은 구비조건을 요구하고 있다.

2. 취수시설

1) 지표수 취수시설의 구비요건

(1) 연중 계획된 1일 최대취수량을 취수할 수 있어야 한다.
(2) 재해나 그 밖의 비상사태 또는 시설을 점검하는 경우에 취수를 일시 정지할 수 있는 설비를 설치하여야 한다.
(3) 홍수(洪水)·세굴(洗掘 : 강물에 의하여 강바닥이나 강둑이 패는 일)·유목(流木) 또는 유사(流砂) 등에 따른 영향을 최소화할 수 있는 위치 및 형식으로 설치하여야 한다.
(4) 보(洑) 또는 수문 등을 설치하는 경우에는 그 보 또는 수문 등이 홍수 시 유수(流水)의 작용에 대하여 안전한 구조이어야 한다.
(5) 계획취수량을 원활하게 취수하기 위하여 필요에 따라 스크린·침사지(沈沙池) 또는 배사문(排沙門) 등을 설치하여야 한다.

2) 지하수 취수시설의 구비요건

(1) 연중 계획된 1일 최대취수량을 취수할 수 있어야 한다.
(2) 재해나 그 밖의 비상사태 또는 시설을 점검하는 경우에 취수를 일시 정지할 수 있는 설비를 설치하여야 한다.
(3) 수질오염 및 염수침투의 우려가 없는 위치에 설치하여야 한다. 지하수인 경우에는 대수층(帶水層)에서 가장 가까운 위치에, 복류수(伏流水)인 경우에는 장래 유로(流路)변화 또는 하상(河床)저하가 발생하지 아니하고, 하천정비계획에 지장이 없는 위치에 설치하여야 한다.
(4) 집수매거(集水埋渠)는 노출되거나 유실될 우려가 없도록 충분한 깊이로 매설하여야 하고, 막힐 우려가 적은 구조이어야 한다.
(5) 외부로부터의 오염, 독극물 유입 등을 방지하기 위한 차단장치를 갖추어야 한다.

3. 저수시설

1) 저수시설은 갈수기에도 계획된 1일 최대급수량을 취수할 수 있는 저수용량을 갖추어야 한다.
2) 저수용량, 설치장소의 지형 및 지질에 따라 안전성과 경제성을 고려한 위치 및 형식이어야 한다.
3) 지진 및 강풍에 따른 파랑(波浪)에 안전한 구조이어야 한다.
4) 홍수에 대처하기 위하여 여수로(餘水路)와 그 밖에 필요한 설비를 설치하여야 한다.
5) 수질악화를 방지하기 위하여 포기(曝氣)설비의 설치 등 필요한 조치를 마련하여야 한다.
6) 저수시설은 움직이거나 뒤집어지지 아니하도록 설치하여야 한다.

4. 도수시설 및 송수시설

1) 송수시설은 이송과정에서 정수된 물이 외부로부터 오염되지 아니하도록 관수로(管水路) 등의 구조로 하여야 한다.
2) 도수시설 및 송수시설은 연결된 수도시설의 표고 및 유량, 지형, 지질 등에 따라 자연유하방식을 최대한 이용할 수 있도록 하고, 재해로부터 안전한 위치와 형식으로 설치하여야 한다.
3) 지형 및 지세에 따라 여수로 · 접합정(接合井) · 배수(排水)설비 · 제수밸브 · 제수문(制水門) · 공기밸브 및 신축이음(관)을 설치하여야 한다.
4) 관 내에 부압(負壓)이 발생하지 아니하여야 하며, 작용하는 수압에 적합한 수격(水擊)완화시설을 설치하여야 한다.
5) 펌프는 최대용량의 펌프에 이상이 발생하여도 계획된 1일 최대도수량 및 송수량이 보장될 수 있도록 설치하여야 한다.

5. 정수시설

1) 정수시설의 구비요건

(1) 정수시설은 상수도시설의 규모, 원수의 수질 및 그 변동의 정도 등을 고려하여 안정적으로 정수를 할 수 있도록 설치하여야 한다.
(2) 정수시설에는 탁도, 수소이온농도(pH), 그 밖의 수질, 수위 및 수량 측정을 위한 설비를 설치하여야 한다.
(3) 정수시설에는 다음과 같은 요건을 구비한 소독시설을 설치하여야 한다.
- 소독기능을 확보하기 위하여 적절한 농도와 접촉시간을 확보할 수 있도록

설치하여야 한다.

- 소독제의 주입설비는 최대용량의 주입기가 고장이 나는 경우에도 계획된 1일 최대급수량을 소독하는 데에 지장이 없도록 설치하여야 한다.
- 소독제로 액화염소를 사용하는 경우에는 중화설비를 설치하여야 한다.

(4) 지표수를 수원으로 하는 경우에는 여과시설을 설치하여야 한다.

2) 완속여과를 하는 정수시설의 구비요건

(1) 여과지(濾過池)의 설계여과속도는 5m/일 이하로 한다.
(2) 여과사(濾過沙)의 유효경(有效徑)은 0.3~0.45mm, 균등계수(均等係數)는 2.0 이하, 모래층 두께는 70~90cm로 한다.
(3) 약품을 사용하지 아니하는 보통침전지에 설치할 수 있다.

3) 급속여과를 하는 정수시설의 구비요건

(1) 급속여과지의 설계여과속도는 5m/시간 이상으로 한다.
(2) 급속여과지는 여과층에 축적된 탁질(濁質) 등을 역세척으로 제거할 수 있는 구조로 한다.

4) 막여과를 하는 정수시설의 구비요건

시설용량이 5,000m³/일 이상인 정수시설에 대하여는 막모듈의 종류 및 계열구성, 전처리 여부, 공정구성 등에 관하여 환경부장관이 정하여 고시하는 기준에 따라 막여과를 하는 정수시설을 설치할 수 있다.

(1) 원수의 수질 및 수온 등의 변동에도 불구하고 적절한 정수성능을 확보할 수 있어야 한다.
(2) 쉽게 파손되거나 변형되지 아니하여야 하며, 적정한 통수성 및 내압성을 갖추어야 한다.
(3) 원수의 수질에 따라 약품주입, 혼화설비, 응집지, 침전지 등의 전처리시설(前處理施設)을 설치하지 아니할 수 있다.

6. 배수시설

1) 배수시설은 연결된 수도시설의 표고 및 유량, 지형, 지질 등에 따라 자연유하방식을 최대한 이용할 수 있도록 하고, 재해로부터 안전한 위치와 형식으로 설치하여야 한다.
2) 배수시설은 시간적으로 변동하는 수요량에 대응하여 적정한 수압으로 수돗물을 안정적으로 공급할 수 있도록 배수지 및 배수용량조절설비(배수지 등)와 적정한

관경의 배수관을 설치하여야 한다.

3) 배수시설은 필요에 따라 적정한 구역으로 배수구역을 분할하여 설치할 수 있다.
4) 배수관에서 급수관으로 분기되는 지점에서 배수관의 최소동수압(最少動水壓)은 150kPa(1.53kgf/cm^2) 이상이어야 하며, 최대정수압은 740kPa(7.55kgf/cm^2) 이하여야 한다. 단, 급수에 지장이 없는 경우에는 그러하지 아니하다.
5) 소화전을 사용하는 경우에는 4)에도 불구하고 배수관 내는 대기압(大氣壓) 이상을 유지할 수 있도록 하여야 한다.
6) 배수지 등은 수요변동을 조정할 수 있는 용량(계획하는 1일 최대급수량의 12시간분 이상)이어야 하며, 저류용량 500m^3 이상인 배수지는 비상시 또는 청소 시 등에도 배수가 가능하도록 2개 이상으로 구분하여 설치하여야 한다.

7) 배수관의 구비요건
   (1) 배수관은 부압이 발생하지 아니하고, 부식을 최소화할 수 있는 구조 및 형식으로 설치하여야 한다.
   (2) 상수도관로의 필요한 위치에 수량·수질측정 및 점검·보수 등 관리를 위한 점검구를 설치하여야 한다.
   (3) 수돗물이 장기간 적체되는 배수관에는 주기적으로 수돗물을 배수할 수 있는 제수밸브와 배수(排水)설비를 갖추어야 한다. 배수설비를 설치하는 경우에는 부압으로 인한 수질오염을 방지하기 위한 역류방지설비 등을 설치하여야 한다.
   (4) 배수관은 단수의 영향이 최소화되도록 하고, 오염물질이 흘러들지 아니하도록 연결체제를 갖추어야 한다.

7. 기계 · 전기 및 계측제어설비

1) 기계·전기 및 계측제어설비는 고장 등에 따른 수돗물 공급에 지장을 주지 아니하도록 안정성과 효율성을 확보할 수 있어야 한다.
2) 취수펌프 및 송수펌프는 가장 큰 용량의 펌프가 고장이 난 경우에도 계획된 1일 최대급수량을 안정적으로 보장할 수 있는 예비용량을 확보하여야 하며, 상호 교대운전이 가능하도록 설치하여야 한다.
3) 배수펌프 및 가압펌프는 수요변동과 사용조건에 따라 필요한 수량의 정수를 안정적으로 공급할 수 있는 용량·대수 및 형식이어야 한다.
4) 전선로를 포함한 전기설비는 시설용량을 고려하고, 계측제어설비는 고장과 사고에 대비한 예비설비를 확보하여야 한다.
5) 재해나 비상사태 시에 피해 확대를 방지하기 위하여 차단밸브 등 재해대비설비를 설치하여야 한다.

6) 수도시설에는 유량 · 수압 · 수위 · 수질, 그 밖의 운전상태를 감시하고 제어하기 위한 설비를 설치하여야 한다.

8. 안전 및 보안을 위한 시설기준

1) 취수장의 시설용량이 10,000m³/일 이상인 정수시설은 상수원에 유해미생물이나 화학물질 등이 투입되는 것에 대비하기 위하여 지표수의 취수장 · 정수장에 원수를 측정하는 생물감시장치를 설치하여야 한다. 단, 다른 지천 등이 유입되지 않는 같은 수계 상류에 측정망이 설치되어 있어 그 측정자료를 공동으로 이용할 수 있는 경우 또는 동일한 원수를 사용하는 취수장의 측정자료를 공동으로 이용할 수 있는 경우에는 생물감시장치를 설치하지 않을 수 있다.
2) 정수장의 시설용량이 10,000m³/일 이상인 정수시설은 정수장에 유해미생물이나 화학물질이 투입되는 것에 대비하기 위하여 정수지 및 배수지에 수소이온농도(pH), 온도, 잔류염소 등을 측정할 수 있는 수질자동측정장치를 설치하여야 한다.
3) 상수도시설에 대한 외부침투에 대비하기 위하여 폐쇄회로 텔레비전(CCTV)설비와 같은 감시장비를 설치하는 등 시설보안을 강화하여야 한다.
4) 재해가 발생한 경우에도 인구 30만 명 이상의 도시지역에 급수를 할 수 있도록 재해대비 급수시설을 설치하여야 한다.

17 | 하수도 계획 시 바람직한 방안을 제시하시오.

1. 개요

하수도는 우수·하수의 배제 및 처리, 이용 그리고 슬러지 처리, 이용의 기능을 가진 시설로 이들 기본적인 요소를 모두 만족할 수 있도록 계획한다.

1) 배제 기능
우수, 하수의 배제에 대응하는 하수도의 역할은 우·하수를 신속히 배제하여 침수 및 오염에 의한 재해의 방제로서 하수관거 설비가 담당한다.

2) 처리 및 이용계획
발생된 우·하수를 적절히 처리하여 생활환경의 개선 및 수질 보전을 꾀하며 하수처리 및 슬러지처리, 처리수 재이용 등으로 하수처리시설이 담당한다.

2. 우수배제계획

1) 시가지에서의 우수배제는 오수배제, 처리와 함께 하수도 기능의 중요한 부문이나 우수배제는 단지 하수도만에 의하여 이루어지는 것이 아니므로 하천, 농업용 배수로 및 기타의 기존 수로와 함께 하수도를 포함한 종합적인 배수체계로서 고려할 필요가 있다.
2) 해당지역의 우수배제 실태(하천, 구거, 기타 기존 수로, 농업용 배수로, 도로측구)를 충분히 조사, 정리하여 기존 하수도와 새로 계획된 하수도를 포함한 종합적인 배수 계획을 수립한다.

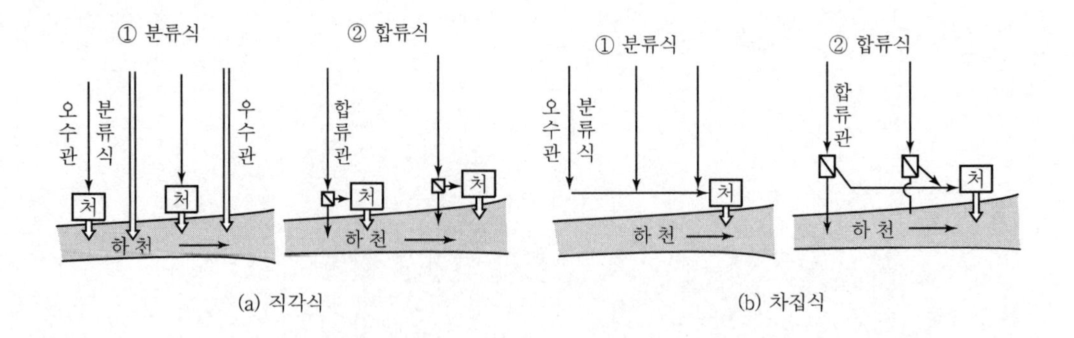

(a) 직각식 (b) 차집식

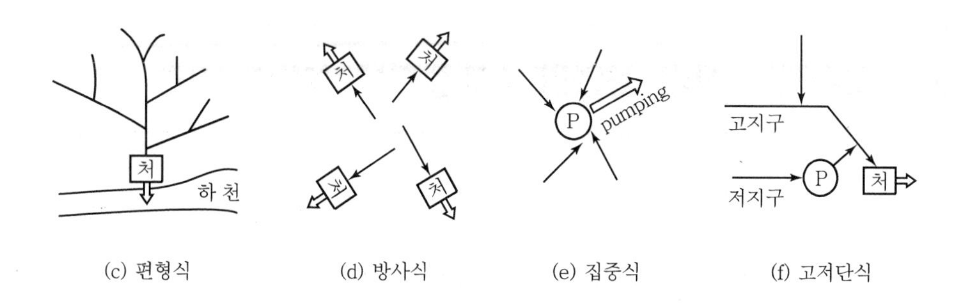

(c) 편형식 (d) 방사식 (e) 집중식 (f) 고저단식

배수계통 형식

3. 하수처리 · 이용계획 기준

1) 수질환경기준과 하수도

대부분 지역이 수질환경기준이 설정되어 있는 수역이므로 하수도계획은 해당수역 수질환경기준의 달성을 전제로 하여 정한다. 특히 유역 내 시가지의 하수가 수질 오염의 주원인이 되는 경우에는 하수도정비가 수질환경기준 달성의 근본적인 대책이 된다.

2) 하수도정비기본계획

지자체별로 또는 광역적으로 하수도정비에 관한 종합적인 기본계획(하수도정비기본계획)을 정하여 이를 기본으로 하여 개별 하수도사업을 실시하여야 한다.

3) 물이용계획과 하수도

처리수는 하수도 보급률의 향상과 함께 계속 증가할 것이며, 장래 물이용의 불균형을 보충하는 데 충분한 양이 될 수도 있다.

4) 지속적인 발전을 위한 친환경적 재순환 하수도 계획

대량으로 발생되는 처리수는 기본적으로 물순환 시스템의 중요한 구성요소로 하천 등 공공수역으로 환원되거나 재이용을 포함한 자원화가 필요하다.

4. 슬러지처리 · 이용계획

1) 하수처리에 의하여 발생되는 슬러지를 처리, 이용하기 위해서는 하수도계획 시에 장기적인 전망을 고려하여 처리, 이용계획을 수립한다.
2) 발생되는 슬러지 성상은 유입하수의 수질에 따라 다양하기 때문에 슬러지성상, 도시화 상황 및 지리적 조건 등 지역 특성에 적합하게 처리하고 자원 재활용 측면에서 자원 회수가 가능한 최종 처분법을 경제성 이전에 우선적으로 고려한다.

18 | 하수관거 정비 사업의 수행절차를 설명하시오.

1. 개요

하수관거 정비 사업은 장기간 대규모의 예산이 투자되며 한정된 사업비로 경제적이고 효율적인 정비사업을 추진하기 위해서는 철저한 관거조사와 조사우선지역, 사업우선 순위 등을 적합한 절차에 따라 수행하여야 한다.

2. 합류식 지역 개선 절차

1) 처리시설 유입수량, 기초자료 조사
2) 광역적 우선 조사지역 선정
3) 제반여건을 고려하여 조사여건(조사지점수, 비용 등)의 적절성 평가
4) 불명수 조사
5) 세부적 조사 우선지역 선정

3. 분류식 지역 개선절차

1) 처리시설 유입수량 평가
2) 건기 시 우수관 유량 조사
3) 우기 시 오수관 유량 조사
4) 조사 우선지역 선정

4. 관거조사방법

1) 육안조사
2) CCTV 조사
3) 염료조사
4) 음향조사

5. 관거 개보수 판단기준

1) 우오수를 계획한 만큼 배제할 수 있는 관거의 구조적 기능석 개선에 목표를 둔나.
2) 관거 개보수사업에 적용될 수 있는 합리적이고 경제적인 공법 선정
3) 관거 개보수사업을 수행하는 지역의 우오수 배제능력, 하수처리시설 운전조건, 방류수역의 목표수질, 지역주민의 민원, 재정능력 등을 융통성 있게 적용한다.

6. 하수관거 정비 사업 수행절차

1) 관거 정밀조사 우선지역 선정 및 정밀조사 실시
2) 조사 구역별 맨홀 구간별 평가 총점의 산정
3) 사업시행 순위 및 보수규모 결정
4) 관거 교체, 개보수 여부 결정
5) 공법 평가 및 선정
6) 사업 집행계획의 수립, 집행

차 한잔의 여유

남을 믿는 사람은 남이 반드시 성실해서가 아니라
자기 스스로 성실하기 때문이며
남을 의심하는 사람은 남이 반드시 속여서가 아니라
자기가 먼저 속이기 때문이다.

– 채근담 –

19 | 하수도정비 기본계획의 작성기준 목차

1. 총설

1.1 계획의 목적 및 범위
1.2 기본방침
1.3 계획의 수립

2. 기초조사

2.1 자연적 조건에 관한 조사 : 지역의 연혁, 지역의 개황, 하천 및 수계현황, 기상개황 및 재해현황
2.2. 관련계획에 대한 조사 : 장기 및 상위계획, 오염총량관리계획 및 수계 환경관리계획, 자연재해대책 계획 및 물수요관리종합계획, 기타 계획
2.3 공공수역에 대한 조사 : 공공수역의 현황, 공공수역 수계의 하수처리구역 외 오염원의 분포현황
2.4 부하량에 관한 조사 : 오염원별 오염물질의 발생, 삭감, 배출부하량의 조사, 하수처리구역 내 오염원별 오염부하량의 발생특성조사, 하수처리구역 내 오염부하량의 배출특성조사, 공공수역의 허용부하량 조사, 오염부하량의 관리목표, 배출허용기준고시 현황 조사
2.5 환경기초시설에 대한 조사 : 분뇨 및 축산폐수처리시설의 처리현황 및 계획
2.6 GIS 구축에 관한 조사
2.7 기타 : 고적 · 문화재의 위치

3. 지표 및 계획기준

3.1 목표연도
3.2 계획구역
3.3 계획인구 및 하수처리인구 : 계획인구, 처리인구 및 하수도보급률
3.4 공공수역의 수질개선목표 : 수질개선목표의 설정, 수질측정 및 측정지점의 선정

4. 배수구역 및 하수처리구역

4.1 총설
4.2 배수구역의 설정

4.3 하수처리구역 : 하수처리구역의 설정, 공공하수도 유입제외

4.4 계획하수량 : 계획하수량의 산정기준, 생활오수량 원단위, 지하수사용량, 공장폐수량 원단위, 관광오수량 원단위, 군부대오수량 원단위, 지하수량 원단위, 계획하수량 결정

4.5 계획수질 : 생활오수 및 영업오수 오염부하량, 관광오수 오염부하량, 공장폐수 오염부하량, 군부대오수 오염부하량, 계획유입수질 산정, 계획방류수 수질

5. 하수관거계획

5.1 총설

5.2 현황 및 문제점 : 시설현황 및 운영현황, 문제점

5.3 관거정비의 기본방향 : 기본방향, 관거정비계획의 기준

5.4 배제방식 : 하수배제방식의 현황, 하수배제방식의 선정

5.5 관거개량 계획 : 개량계획의 수립, 개량계획의 내용

5.6 관거신설 계획 : 신설계획의 수립, 신설계획의 내용

5.7 분류식 관거계획 : 우수관거계획의 수립, 우수관거계획의 기준, 우수관거계획의 내용, 오수관거계획의 수립, 오수관거계획의 내용

5.8 합류식 관거계획 : 차집관거계획의 수립, 차집관거계획의 내용, 합류식 관거계획의 수립, 합류식 관거계획의 내용

5.9 펌프장 계획

5.10 우수유출 저감시설계획

5.11 물받이, 연결관 및 배수설비 : 계획의 수립, 계획의 내용

5.12 사업우선 순위

6. 공공하수처리시설 계획

6.1 현황 및 문제점 : 시설현황 및 운영현황, 문제점

6.2 계획의 기본 방향 : 시설계획, 처리시설의 운영관리 계획

6.3 시설개량 및 고도처리계획 : 시설개량계획, 고도처리계획

6.4 공공하수처리시설 신설(증설)계획 : 총설, 계획하수량, 계획유입수질, 시설계획, 공공하수처리시설 위치선정, 환경친화시설 및 공간조성 계획

7. 하수처리수 재이용계획

7.1 총설

7.2 재이용 현황조사

7.3 계획의 기본방향

7.4 처리수 재이용 계획 : 처리수재이용 용도의 종류 및 처리수질, 재이용 용도 및 구역 결정, 단계별 시설계획 및 재이용계획,

8. 하수찌꺼기(슬러지) 처리·처분계획

8.1 기초조사

8.2 계획의 기본방향

8.3 하수찌꺼기(슬러지) 처분방법(처리방법 포함)

9. 분뇨처리시설 계획

9.1 현황 및 문제점

9.2 계획의 기본방향

9.3 시설계획

9.4 시설개량계획

10. 재정계획

10.1 총설

10.2 소요 사업비 : 소요사업비의 산정, 단계별 투자계획

10.3 유지관리비 : 유지관리비의 운영 현황, 유지관리비의 산정

10.4 재원조달계획 및 하수도원가 : 재원조달계획, 하수도총괄원가

10.5 민간자본 조달방안

11. 하수도시설 운영 및 유지관리

11.1 총설

11.2 운영관리 : 현황, 문제점, 개선방안

11.3 하수도시설의 통합·운영관리체계 구축

11.4 민간위탁 관리방안

12. 사업의 시행효과

12.1 사업의 효과분석

12.2 공공수역의 수질개선

20 | 하수도정비 기본계획 수립 지침에서 기초조사 항목을 설명하시오.

1. 자연적 조건에 관한 조사

1) 지역의 연혁

기본계획수립대상 지역의 역사, 행정, 발전과정 서술

2) 지역의 개황

위치, 면적, 지세, 지형 및 지질

3) 하천 및 수계현황

- 계획구역 내 및 그 인근의 수계현황 : 주요 배수로의 현황 포함
- 하천 및 호소의 개요 : 조사지역 내 하천, 호소 등의 유량 · 수위의 현황
- 공공수역에서는 갈수위(하천)나 저수위(호소)때가 한계수질 상태가 되므로 평수위와 평수량을 포함하여 하천이나 호소의 유량이 최저일 때를 조사하여 수록

4) 기상개황 및 재해현황

- 강설, 강우, 침수의 기록 및 침수피해상황, 국지성호우, 태풍 : 최근 20년 이상의 강우기록(월별기록 및 최대 · 최소 강우량 포함)
- 펌프장, 처리시설 및 처리시설 예정위치 부근의 주요풍향 등
- 재해지도 작성기준에 등에 관한 지침에 의해 재해지도(침수흔적도, 침수예상도)가 작성된 지역은 재해지도를 수록
- 침수원인을 분류하고 자연재해발생 현황을 분석하여 제시
- 강우자료 해석 시에는 최근 20년 이상의 강우자료를 이용
- 지진 : 발생했던 지진의 규모, 피해상황, 최고 진동수

2. 관련계획에 대한 조사

1) 장기 및 상위계획

- 국토계획, 도시기본계획, 댐건설기본계획, 도 종합계획, 시 · 군 종합계획, 부문별 계획, 지역계획, 국가하수도종합계획
- 수자원 장기종합계획, 환경보전 장기종합계획
- 인구, 산업배치 등 계획지역에 관련된 각종 장기계획
- 도시계획(국토의 계획 및 이용에 관한 법)

2) 오염총량관리계획 및 수계 환경관리계획

- 오염총량관리기본계획, 오염총량관리시행계획(시행지역 자료활용) 제시 : 해당 수계의 오염총량관리제가 수립된 지역에 한하여 추진현황 및 계획 제시
- 수계영향권별 환경관리계획 : 정비계획 대상지역내 수계별 종합계획(4대강수계 물관리종합대책 등)
- 하천정비기본계획 및 하천환경정비사업계획

3) 자연재해대책 계획 및 물수요관리종합계획

- 댐 및 식수전용저수지 계획
- 도시관리계획구역 내 자연재해 예방을 위한 종합적 치수계획 및 강우유출수 관리계획
- 수도정비기본계획 및 유수율 제고계획
- 수돗물의 공급과 이용에 있어 수요관리를 위한 물수요관리 목표 및 물수요관리 종합계획

4) 기타 계획

- 농어촌 발전계획
- 인접지역의 하수도정비기본계획
- 환경정비계획 : 상수원보호구역의 환경정비구역
- 기타 관련계획 : 공유수면매립계획, 토지개량사업계획
- 휴양시설현황 및 개발계획 : 골프장, 온천, 콘도, 종합리조트 등
- 지하수관리기본계획 : 계획구역 내 지하수위 및 수질관측을 위한 지하수측정망을 조사하여 최근 3년 이내 수질 및 수위현황과 위치도를 제시

3. 공공수역에 대한 조사

1) 공공수역의 현황

- 물의 이용현황 및 장래계획
- 수계영향권별 환경관리계획 및 수계영향권별 환경관리지역의 조사
- 수질환경보전지역의 지정현황 및 수질환경등급의 구간별 조사
- 수질현황

2) 공공수역 수계의 하수처리구역 외 오염원의 분포현황

하수처리구역 외 오염원의 분포현황 및 위치도 제시 : 1일 물사용량이 $50m^3$/일 이상인 사업장, 200인 이상의 정화조 및 1일 $10m^3$ 이상 오수처리시설, 축사규모(허가, 신고, 간이대상)의 면적 및 시설수, 사육두수 등

4. 부하량에 관한 조사

1) 오염원별 오염물질의 발생, 삭감, 배출부하량의 조사
- 인구, 주택, 산업, 농축산업, 양식업, 매립시설의 현황 및 계획 : 수계오염총량관리 기술지침에 따라 조사를 실시하여 소유역별, 하수처리구역 내·외로 구분하여 발생부하량, 삭감부하량 및 배출부하량을 산정한다.
- 상수도현황 및 계획(광역, 지방, 마을상수도, 소규모 급수시설 포함)
- 공업용수도 현황 및 계획
- 주요 공장 및 사업장의 폐수량 및 수질자료 등
- 공장폐수 관련 부하량 조사는 공공기관의 자료 활용
- 하수처리구역 내 지하수 사용현황 및 계획
- 하수처리구역 내 토지이용 현황조사(주거, 상업, 공업, 농지 등)

2) 하수처리구역 내 오염원별 오염부하량의 발생특성조사
- 하수처리구역 내 오염량 조사지점의 설치현황 및 계획
- 조사지점의 위치도 및 수질자료 : 조사기간, 조사목적(하수처리구역 내에서 발생하는 점오염원 및 비점오염원)에 의한 오염부하량과 하수도시설로 유입되지 못하는 오염부하량을 하수도정비기본계획 수립기간 중 정기적으로 측정·분석하여 하수처리구역 내 오염부하량의 발생특성을 파악하고 변화상황을 추계함으로써 오염부하량을 지속적으로 관리하고 오염부하량의 저감을 위한 대책을 수립하기 위함) 제시
- 조사방법 : 하수처리구역 내 오염부하량의 조사방법은 기준에 따라 실시
- 유량측정 : 건기 시와 강우 시로 구분하여 측정(유량측정은 하수관거관리를 위한 시스템이 구축된 경우는 제외)
- 수질조사 : 수온, pH, BOD, CODMn, CODcr, SS, T-N, T-P, 소수계는 DO추가, 강우관련자료(강우 시)

3) 하수처리구역 내 오염부하량의 배출특성조사
- 조사방법 : 하수처리구역 내 오염부하량의 조사방법은 다음을 기준으로 실시하되 오염총량관리대상지역은 환경부의 관련지침을 참고하여 조사함

4) 공공수역의 허용부하량 조사
- 수질현황 및 수질측정 시의 수량
- 해양환경측정망, 하천 또는 호소수질측정망의 수질현황(최근 5년 이상 조사하여 변화추이를 제시)
- 수질환경기준 및 수질측정망 지점의 위치(위치도 제시)
- 해당 하천에 오염총량관리를 위한 기준유량과 목표수질이 설정된 경우 오염 총

량관리를 위한 계획에 근거하여 허용 부하량을 산정하고, 공공하수처리시설의 방류량과 방류수질은 합류되는 공공수역의 허용 부하량을 고려하여 설정

5) 오염부하량의 관리목표
- 오염부하량은 발생부하량, 유입부하량, 삭감부하량 등으로 구분하여 단계별로 제시(2.4.3 하수처리구역 내 오염부하량의 배출특성조사)
- 하수처리구역 내 조사된 오염부하량에 대한 자료를 분석하여 발생특성에 따라 점오염원 및 비점오염원에 의한 오염부하량의 관리목표를 단계별, 하수처리구역별로 제시

6) 배출허용기준고시 현황 조사
- 공공하수처리시설
- 산업단지 폐수종말처리시설
- 농공단지 폐수종말처리시설
- 하수처리구역 내 별도배출허용기준지정 현황조사 제시

※ "수질환경보전법 시행규칙 제15조(배출허용기준)" 참조

5. 환경기초시설에 대한 조사

- 분뇨 및 축산폐수처리시설의 처리현황 및 계획
- 폐기물처리시설 및 처리현황, 침출수처리시설 현황 및 계획
- 공업단지, 농공단지 폐수종말처리시설 현황 및 계획 : 과거 5년 이상의 운전현황(월별기준)조사 분석 · 제시
- 기타 환경기초시설 현황 및 계획 : 공공하수처리시설과 연계처리 시(동일부지 내 연계처리 시는 제외) 이송방법을 포함하여 위치도로 제시

6. GIS 구축에 관한 조사

- GIS 구축 현황 및 계획, 상하수도시설 통합관리계획
- GIS 구축을 위한 사전연구 및 기본계획수립, 연도별 사업추진 계획
- 국가지리정보체계(NGIS) 수치지도제작, 수치지도활용 관련부서 및 활용업무
- 활용 시스템 개발 및 활용 효과

7. 기타

고적 · 문화재의 위치

21 | 하수도정비 기본계획 시 배수구역 및 하수처리구역의 설정방법을 설명하시오.

1. 배수구역 및 하수처리구역 목차

1.1 총설

1.2 배수구역의 설정

1.3 하수처리구역 : 하수처리구역의 설정, 공공하수도 유입제외

1.4 계획하수량 : 계획하수량의 산정기준, 생활오수량 원단위, 지하수사용량, 공장폐수량 원단위, 관광오수량 원단위, 군부대오수량 원단위, 지하수량 원단위, 계획하수량 결정

1.5 계획수질 : 생활오수 및 영업오수 오염부하량, 관광오수 오염부하량, 공장폐수 오염부하량, 군부대오수 오염부하량, 계획유입수질 산정, 계획방류수 수질

2. 배수구역의 설정방법

1) 그 지역의 지형을 기초로 하여 지세, 빗물의 흐름 방향, 도로, 철도, 하천, 해역, 총량관리 단위유역 및 소유역 등 현황 및 장래 도시개발계획 등을 면밀히 검토 후 설정

2) 기본계획의 시행단계에 따라 단계별로 구분하고 필요한 경우 배수분구로 세분

3) 배수구역의 설정내용을 도면 및 도표로 제시

- 도면 : 1/5만~1/2만5천 원도상에 표시(도면의 축척은 필요에 따라 조정)
- 도표 : 배수구역 및 배수분구명, 용도지역, 면적 등 표시

3. 하수처리구역의 설정방법

1) 하수처리구역을 설정할 때는 원칙적으로 하수처리구역의 설정기준에 따라야 하나 계획구역의 특성을 고려하여 별도의 기준을 정할 수 있으며 설정된 기준을 제시(설정기준은 보고서에 수록)

2) 하수처리구역 및 시설의 규모는 시설 설치, 운영의 경제성, 하수처리의 효율성을 고려하여 결정

3) 하수처리구역의 설정 및 편입(발생원처리 또는 통합처리)은 경제성보다는 도시자연환경보전을 위한 환경성을 우선으로 고려하여야 함

- 환경성 및 경제성에 대한 비교 · 검토사항은 보고서에 수록
- 하수처리구역 설정은 하수관거로부터 직선거리 300m 이내로 정하되, 하수처리구역의 지정범위에 관한 세부기준을 지방자치단체장이 조례로 정한 경우 이에 따라야 함

4) 방류수역의 수질개선목표 달성 및 공공하수처리시설 설치계획과 연계하여 단계별로 하수처리구역을 설정 · 확장함
5) 오염총량관리대상지역에 해당하는 경우의 하수처리구역의 설정 및 편입은 하수처리구역의 오염원 증가에 따라 하수관거, 공공하수처리시설로부터 배출되는 오염부하량이 허용총량범위 이내가 되도록 설정
6) 하수처리구역은 기본계획의 시행단계에 따라 단계별로 구분하고 필요한 경우 하수처리분구로 세분하되 반드시 분구명을 명명하여야 함
   - 단계별 구분기준 : 방류수역에 대한 단계별 수질개선목표를 달성하기 위하여 수질조사 및 분석결과를 반영하여 오염원 밀집지역을 우선적으로 하수처리구역에 포함
   - 하수처리분구 : 하수처리구역을 구분하는 주간선관거로부터 분기되는 지간선관거에 하수를 유입시키는 경우를 말함
7) 하수처리구역 설정내용을 도면 및 도표로 제시
   - 도면 : 전체계획평면도는 1/5만~1/2만5천 원도상에 단계별로 구분하여 표시. 공공하수처리시설별 하수처리구역 평면도는 1/5천~1/1만 수치지도를 이용하여 작성(도시규모에 따라 축척조정 가능)
   - 도표 : 하수처리구역명, 용도지역, 단계별인구, 면적, 용도지구내의 세분화된 인구, 주거밀도 등

4. 하수처리구역의 설정기준

1) 국토의 계획 및 이용에 관한 법에 의한 도시지역, 관리지역 중 도시지역의 인구와 산업을 수용하기 위하여 도시지역에 준하여 관리가 필요한 지역
   - 국토의 계획 및 이용에 관한 법에 의한 도시지역, 관리지역, 농림지역, 자연환경보전지역으로 구분된 용도지역은 별도 "국토의 용도구분 계획평면도"(1/5만~1/1만)상에 제시(도시계획구역, 배수 및 하수처리구역 포함)

2) 도심하천의 건천화를 방지하고 하수관거의 침입수/유입수의 저감 및 하수의 누수방지, 하수처리수의 효율적인 재이용 등을 감안하여 하수관거 연장이 최소화될 수 있도록 발생원 중심의 하수처리체계 구축
   - 발생원처리 또는 통합처리의 결정은 경제성 및 환경성을 비교 · 검토하되 환경성을 중시(결과는 보고서에 수록)

• 지형여건(압송 및 하천횡단이 필요한 지역 등)으로 통합처리가 어려운 지역은 발생원 중심의 하수처리 구축

3) 관리지역의 하수처리구역 편입은 현지 실사 후 해당유무를 결정하고 타당한 근거를 경제성·환경성을 분석한 결과와 함께 제시

4) 국토의 계획 및 이용에 관한 법률에 의한 도시지역, 관리지역
   • 소규모 하수도의 적용범위에 대한 경제성 및 환경성을 검토하여 단독처리 또는 공공하수도와의 연계처리방안을 제시(결과는 보고서에 수록)
   • 기타 처리대상지역이 농어촌 취락지구에 해당하는 경우에는 방류수역의 수질상황을 고려하여 공공하수처리시설 처리구역으로 적용(방류수역의 수질등급이 '환경정책기본법 시행령 별표 1'의 생활환경기준 Ia(매우 좋음)인 지역은 하수처리구역에서 제외)

5) 농어촌발전특별조치법에 의한 농어촌 정주권 생활권 개발지역
6) 수도법에 의한 상수원보호구역
7) 오염부하량이 큰 산업단지, 공업지역 등은 폐수종말처리시설의 공동처리구역으로 설정함이 처리효율상 바람직하며, 공동처리구역으로 설정된 지역은 하수처리구역에서 제외
8) 산업폐수는 과거 5년 이상의 산업폐수량 및 오염부하량의 추세를 비교·검토하여 공동처리구역 명시(결과는 보고서에 수록)

9) 공공하수도 유입제외
   하수처리구역 설정 시 하수도법 제28조 규정에 의한 공공하수도 유입제외 유입여부를 조사하여 그 결과를 제시

22 | 하수도정비 기본계획 수립지침에서 관거정비계획의 방향과 기준을 설명하시오.

1. 하수관거계획 목차

1.1 총설

1.2 현황 및 문제점 : 시설현황 및 운영현황, 문제점

1.3 관거정비의 기본방향 : 기본방향, 관거정비계획의 기준

1.4 배제방식 : 하수배제방식의 현황, 하수배제방식의 선정

1.5 관거개량 계획 : 개량계획의 수립, 개량계획의 내용

1.6 관거신설 계획 : 신설계획의 수립, 신설계획의 내용

1.7 분류식 관거계획 : 우수관거계획의 수립, 우수관거계획의 기준, 우수관거계획의 내용, 오수관거계획의 수립, 오수관거계획의 내용

1.8 합류식 관거계획 : 차집관거계획의 수립, 차집관거계획의 내용, 합류식 관거계획의 수립, 합류식 관거계획의 내용

1.9 펌프장 계획

1.10 우수유출 저감시설계획

1.11 물받이, 연결관 및 배수설비 : 계획의 수립, 계획의 내용

1.12 사업우선 순위

2. 관거정비의 기본방향

1) 하수가 발생원으로부터 공공하수처리시설까지 원활하게 운반되도록 하는 하수관거의 기능을 충분히 달성할 수 있도록 기본방향을 수립

2) 하수관거의 체계적인 보급촉진, 도시형 침수의 예방, 공공수역의 수질보전, 강우유출수 관리대책, 하수관거시설 유지관리의 고도화 등을 위한 관거정비 방향을 지역여건(지형, 토질조건, 기존관거의 형태 등)을 고려하여 수립

3) 하수관거 정비가 저조한 지역에서 공공하수처리시설 저농도 하수유입 시 공공하수처리시설 용량확대에 우선하여 하수관거정비

4) 하수관거정비는 처리구역 전체에 대한 "하수관거 기술진단" 결과를 토대로 사업 우선순위를 투자대비 비용 효과가 높은 지역부터 단계별로 결정 · 계획하고 이에 따라 기본 및 실시설계의 시행, 공사발주방식 변경 및 감리제도의 시행을 위한 방향 제시

5) 하수관거의 신설 또는 관거정비 이후 공공하수처리시설에서 관로 내 유량의 변화와 관로의 이상유무를 지속적으로 검측 또는 관리·점검할 수 있으며 하수도관거의 기능을 극대화하도록 하수관거 유지관리 방안 제시(설치여부의 효율성 포함). 특히, 공공하수처리시설 운영체계와 연계하여 월류수(CSOs)의 적정처리, 적정 유입수질을 확보하는 방안을 수립
6) 유입대상 하수처리구역 내 하수량의 변동부하 특성을 일별, 월별, 계절별 및 공공하수처리시설별로 정량화하는 방안을 수립
7) 하수배제방식, 오수관거, 우수관거, 차집관거 등 관거기능 및 종류별로 설치 목적에 적합하도록 물받이 및 연결관, 배수설비의 설치 및 공공하수도와의 연결범위, 기준을 제시
8) 계곡수, 하천수, 농업용수 등의 불명수는 하수관거로 유입되지 않아야 하며 하천차집 및 하천복개차집, 계곡수 차집, 농업용수 차집 등의 차집방법을 개선하는 근본적인 정비방향을 수립
9) 도시지역 대규모 시설물에서 발생하는 지하수는 경제성, 시공성 등을 검토하여 가능한 별도 관로를 이용하여 방류처리
10) 하수처리구역 내 비점오염원에 대한 기초자료의 축적을 위해 CSOs의 단계별 계획을 수립

3. 관거정비계획의 기준

1) 오수관거는 계획시간 최대오수량을 기준으로 계획
2) 관거단면, 형상 및 경사는 관거 내 침전물이 퇴적하지 않도록 적정한 유속(1.0~1.8m/초)을 확보하여야 하며 부득이한 경우 0.6~3.0m/초 적용하고 맨홀 저부에는 반드시 인버트 설치
3) 관거의 흐름은 자연유하를 원칙으로 하되 지역특성에 따라서 진공식, 압송방식을 도입토록 하며, 경제성 및 유지관리성을 비교·검토하여 하수수송에 가장 적합한 방법을 조합하여야 함
4) 관거의 역사이펀은 가능한 배제하고 오수관거와 우수관거가 교차하여 역사이펀을 피할수 없는 경우에는 오수관거를 역사이펀으로 함
5) 하천차집 또는 하천복개차집 등의 차집방법은 금하고 합류식의 경우 청천시 오수만 차집
6) 하수도시설을 하천변에 설치하는 것은 원칙적으로 금하고 불가피하게 우수토실, 맨홀 등 하수관거시설을 하천변에 설치할 경우에는 유지관리가 용이하고 하천수 등의 유입여부를 지속적으로 관리할 수 있는 유지관리 계획을 수립

7) 합류식에서 하수의 차집관거는 우천 시 초기오염물질이 차집·처리될 수 있도록 계획하며 청천 시 시간최대오수량의 3배 이상(3Q)을 채택하되, 별도의 초기강우 대책이나 객관적이고 타당한 근거를 제시할 경우 변경 가능
8) 합류식 하수도는 우천 시 방류부하량의 저감목표 및 저감계획을 단계별로 수립하되 우수저류지는 대규모시설은 지양하고 하수처리분구 또는 블록단위의 소규모 시설로 계획
9) 분류식과 합류식이 공존하는 경우에는 원칙적으로 분류식과 합류식 관거를 분리하여야 하며 분류식지역의 발생오수는 우천 시에도 공공하수처리시설까지 이송 도중 공공수역으로 방류되지 않도록 계획

4. 관거정비계획수립 시 유의할 사항

1) 공장배출수의 경우 수질환경보전법 제32조 및 동시행규칙 제15조의 규정에 의하여 환경부장관의 고시가 있는 경우에는 고시에서 정한 수질로 배출할 수 있으므로, 분류식 하수관거가 정비되어 있고 공공하수처리시설에서 처리할 수 있는 유기물질만 배출하는 공장의 경우에는 개별 방지시설을 설치하지 말고 원폐수를 직접 하수관거로 유입하도록 함(별도의 개별 방지시설 설치에 따른 중복투자를 방지토록 행정지도)
2) 하수도법 제28조의 규정에 의한 공공하수처리시설의 방류수 수질기준을 초과하지 아니하는 하수를 배출하는 자(공공하수도관리청의 허가를 받은 경우)는 하수를 공공하수도에 유입시키지 않을 수 있음
3) 공공하수처리시설까지 분류식 하수관거가 설치된 하수처리구역의 경우나 하수관거정비구역으로 공고된 지역에서 합류식 하수관거로 배수설비를 연결하여 공공하수처리시설에 오수를 유입시켜 처리하는 경우 하수도법 제34조에 의하여 개인하수처리시설의 설치가 면제됨

※ 세부 관거정비계획의 기준은 하수도시설기준 참조

23 | 중수도 개발 효과를 설명하시오.

1. 개요

물 부족에 대처하고 수자원 재활용 차원에서 고도의 수질을 요하지 않는 용도의 용수로 한번 사용한 물을 어떤 형태로든 다시 또는 반복적으로 사용하는 중수도를 적극 보급하여야 한다.

2. 중수도의 정의 및 용도

1) 중수도의 정의

우리나라 수도법에서는 "사용한 수돗물을 생활용수, 공업용수 등으로 재활용할 수 있도록 처리하는 시설"이라 정의되어 있다. 용어상으로는 상수도와 하수도에 대응하는 것으로 고도의 수질을 요하지 않는 용도의 용수로 한번 사용한 물을 어떤 형태로든 다시 또는 반복적으로 사용하는 것을 말한다.

2) 중수도의 원수

현행 수도법에서는 최초 사용한 원수를 상수로 한정하고 있는데 이는 단순히 수도요금을 감면할 수 있는 범위의 중수도를 칭하며 넓은 의미에서 수자원 전체에서 접근해야 하는 것으로 상수로만 국한시킬 필요는 없으며 다음과 같은 범위로 해야 한다.

(1) 하수처리수 : 하수의 재이용이란 측면에서 가장 바람직함
(2) 가정 생활오수와 빌딩 업무용수
(3) 하천수, 지하수, 우수
(4) 오염된 상수도 수원

3) 중수도의 용도

지역의 실정을 고려하여 하천의 유지용수, 공업용수, 농업용수, 조경용수, 화장실 세정용수, 청소용수 등으로 이용할 수 있다. 그러나 사회적 인식과 안정성을 감안하여 원칙적으로 인체와의 접촉 가능성이 적은 곳이나 미관용수로 한정사용하고 있다.

(1) 원칙적으로 음용이 불가능한 곳에 사용
(2) 음용수 이외의 화장실 세정용수, 청소용수, 소방용수, 살수용수, 조경용수
(3) 별로 깨끗한 수질을 요구하지 않는 공업용수

(4) 중수도 시설기준 및 유지관리 지침(1992, 건교부)에 따른 접촉 가능성 면에서 본 중수도 급수용수의 분류는 다음과 같다.

접촉의 가능성	중수도 급수 용도
비교적 가능성이 적은 것	수세식 화장실용수, 냉각용수, 살수용수, 미관용수
가능성이 높은 것	세차용수, 청소용수, 소방용수
체외 접촉하는 것	세탁용수, 목욕용수, 세척용수
체내 접촉하는 것	여과용수

3. 중수도의 필요성

한정된 수자원으로 새로운 수자원 확보가 한계에 도달한 지금 생활수준의 향상, 산업의 발전으로 장래의 물수요는 계속 증가할 것이며, 한정적인 수자원을 효율적으로 이용하여 물 부족 사태에 능동적으로 대처하기 위하여 식수와 같이 청정하지 않아도 되는 화장실용수, 살수용수, 조경용수 등으로 사용하기 위하여 중수도의 도입이 필요하다.

- 갈수기 물 부족 사태 발생
- 하수의 재이용으로 방류수계로 배출되는 오염부하량의 저감

4. 중수도 개발 효과

1) 수자원 부족에 대한 대응 효과(수량 측면)

중수도 도입에 따른 가장 큰 효과는 수자원의 양적 감소에 따른 대처이며 다음과 같은 효과가 있다.

(1) 한정된 수자원의 효율적인 이용
(2) 용수사용량 확보를 위한 댐 건설의 부담 해소
(3) 갈수기 및 물수요 Peak 시 물 부족에 대한 수자원의 유효 이용
(4) 평상시 물사용의 감소로 댐의 저수 여유량을 확보하여 댐 효율의 극대화 가능
(5) 지역적인 물수급 압박 해소

2) 수질오염 방지효과(수질 측면)

(1) 공공하수도의 하수량 부하 경감
(2) 하수 발생량이 감소하여 하천의 수질오염 부하 경감
(3) 댐의 여유수량 증대로 하천의 유지용수가 증가하여 하천수질을 개선하고 양질의 상수원수 유지 가능

3) 경제적 효과

(1) 댐 건설이나 정수시설 및 하수처리시설 시설확충 시기의 연장과 시설용량의 축소
(2) 상수원수 수질개선으로 정수처리 비용 및 슬러지 처분비용 감소
(3) 중수도 설치로 얻어지는 비용을 공공시설에 투자 대체

4) 절수 효과

(1) 중수도 설치로 물을 절약하는 분위기 조성
(2) 절약되는 수량만큼 에너지 절감

5. 중수도 이용의 문제점

1) 기술상의 문제점

중수도의 이용을 확대하는 가장 결정적인 요인은 상수보다 중수의 생산 및 유지관리 비용이 낮고 사용이 간단하여야 한다. 기존의 중수도는 처리 및 공급 계통에 복잡하고 기술적 어려움이 따른다.

(1) 중수도의 용도별 적합처리기술의 개발
(2) 중수도 사용시 급수시설 및 기구 등에 미치는 부식, Scale 등 장애요인 해결
(3) 소량의 슬러지 처리 방안 확립
(4) 상수도와 중수도 배관의 오접합 가능성

2) 위생상의 문제점

중수도의 용도를 가급적 피부접촉이나 음용 이외의 사용에 제한하고 있으나 위생상의 다음과 같은 문제점은 있다.

(1) 물사용 단계에서의 오음, 오사용 방지
(2) 세균, 바이러스 등의 병원성 미생물의 효과적인 제거
(3) 냉각탑이나 처리공정 등에서 발생되는 물방울, 휘발성 물질의 비산에 따른 악영향

3) 법령상의 중수도 설치

현행 수도법에서는 일정 규모 이상의 건물은 중수도의 설치를 의무사항으로 하여 급수량의 10% 이상을 중수도로 공급하게 하고 있으나 의무 규정만 있고 혜택이 없어 건축주의 자발적인 참여가 부족하다.

4) 관리상의 문제점

일정한 기술을 소지한 유지관리자의 배치 : 소규모의 단독이용방식에서는 별도의 관리자를 두는 것이 어려우면 정기적으로 관리자가 순회하여 점검하는 제도 이용

5) 경제적인 문제점

(1) 중수도 보급의 최대 장애요인은 중수 생산비가 수도요금보다 높다는 점이다. 따라서 중수도 보급을 확대하기 위해서는 금융, 세제상의 촉진책을 마련해서 경제성을 높여야 한다.
(2) 중수도 생산비와 수도요금의 격차를 줄이고, 상수도 재정의 격차를 줄이기 위하여 수도요금의 현실화와 중수도 요금 혜택을 준다.

6) 기타

에너지 소비가 적은 중수도 이용체계 확립 : 소규모 처리시설은 대규모 처리시설에 비하여 단위수량 대비 에너지 소비가 크다. 따라서 에너지 효율이 높은 대규모 중수 이용체계를 확립해야 한다.

7) 용도별 중수도 수질기준

구분	수세식변소용수	살수용수	조경용수	세차·청소용수
대장균군수	불검출/100mL	불검출/100mL	불검출/100mL	불검출/100mL
잔류염소 (결합)	0.2mg/L 이상일 것	0.2mg/L 이상일 것	–	0.2mg/L 이상일 것
외관	이용자가 불쾌감을 느끼지 아니할 것	이용자가 불쾌감을 느끼지 아니할 것	이용자가 불쾌감을 느끼지 아니할 것	이용자가 불쾌감을 느끼지 아니할 것
탁도	2NTU를 넘지 아니할 것	2NTU를 넘지 아니할 것	2NTU를 넘지 아니할 것	2NTU를 넘지 아니할 것
BOD	10mg/L를 넘지 아니할 것	10mg/L를 넘지 아니할 것	10mg/L를 넘지 아니할 것	10mg/L를 넘지 아니할 것
냄새	불쾌한 냄새가 나지 아니할 것	불쾌한 냄새가 나지 아니할 것	불쾌한 냄새가 나지 아니할 것	불쾌한 냄새가 나지 아니할 것
pH	5.8~8.5	5.8~8.5	5.8~8.5	5.8~8.5
색도	20도를 넘지 아니할 것	20도를 넘지 아니할 것	20도를 넘지 아니할 것	20도를 넘지 아니할 것
COD	20mg/L를 넘지 아니할 것	20mg/L를 넘지 아니할 것	20mg/L를 넘지 아니할 것	20mg/L를 넘지 아니할 것

6. 중수도 보급 대책

1) 보급대상

(1) 단기적 대상
물 수급이 긴박한 지역 및 장래 수원 개발이 곤란한 지역과 대규모 건축물 또는 건축물이 집중되는 지역

(2) 장기적 대상
공공 차원에서 도시의 기능을 최대한 발휘할 수 있는 도시용수 및 환경용수 등으로 한다.

2) 보급방식

(1) 단독이용방법(개별순환방식)
단독 건축물이나 공장의 폐수를 자체적으로 처리하여 화장실용수, 냉각용수, 청소용수 등으로 사용하는 것으로 경제성과 효율성이 떨어진다.

(2) 복합이용방식(지구순환방식)
인접한 두 개 이상의 건축물, 공동주택 등 도시개발지역이나 대규모 공동주택 단지에서 발생하는 오수를 처리하여 중수도로 이용한다.

(3) 공공이용방식(광역순환방식)
하수처리수나 공단폐수를 용도에 맞게 처리한 후 중수로 이용하는 방식으로 대량공급이 가능하여 절수효과, 경제성 등이 우수하여 적극적인 추진이 필요하다.

3) 중수도 개발의 경제성 확보

(1) 중수도 생산단가가 현 수도요금보다 비싸므로 보급에 한계가 있다. 따라서 수도요금보다 저렴한 중수도 생산기술의 개발이 필요하다.
(2) 상수도 요금의 현실화로 중수도의 경제성을 확보할 수 있다.
(3) 중수도 생산단가와 수도요금의 차액에 대한 금융지원, 세제혜택, 수도요금 감면 등 간접적으로 중수도의 경제성을 확보할 수 있는 지원 필요

4) 중수도 원수의 수량 및 수질 특성 파악
5) 중수도 수요량 분석
6) 중수도 대상기준 및 보급 모델 개발

7. 중수도 시설 추진 대책

1) 고려사항

(1) 처리시설이 간단하고 운전관리가 쉽고 무인관리가 가능할 것
(2) 원수의 수질 및 수량 변동에 강할 것
(3) 설치비 및 운전경비가 저렴할 것
(4) 시설이 위생적이고 슬러지의 발생량이 적을 것

2) 수질조건

(1) 위생상의 문제점, 불쾌감이 없을 것
(2) 배관 스케일 등 시설이나 기구에 악영향이 없을 것
(3) 처리비용이 경제적일 것

3) 용도별 처리방식

(1) 처리방식은 원수의 수질, 이용수량, 용도별 수질기준, 소요 부지면적 등을 고려하여 결정한다.

(2) 제거성분
부유물질, 탁도, 색도, 냄새, 암모니아성 질소, 음이온계면활성제 등 이며 사용용도에 따라 소독공정이 포함된다.

(3) 처리공정
생물처리, 응집침전, 여과, 활성탄 흡착, 막분리 등이 있으며 이들 공정 몇 개를 조합하여 적용한다.

① 생물학적 처리
전처리(스크린, 유량조정조) → 주처리(포기조, 접촉포기조, RBC 등)

② 막처리

③ 소독시설

24 | 물 재이용에 대하여 설명하시오.

1. 개요

기상이변과 인구증가, 도시화 등으로 물 수요의 증가로 물 부족 현상(2025년 14억 톤 예상)이 심화되면서 기존 이용 가능한 수자원(빗물, 중수도, 하수처리수)을 최대한 활용하는 방안(재이용)이 요구되고 있어 정부는 이를 위한 「물의 재이용 촉진 및 지원에 관한 법률」을 2010년에 제정하여 시행하고 있다.

2. 재이용 개념 및 현황

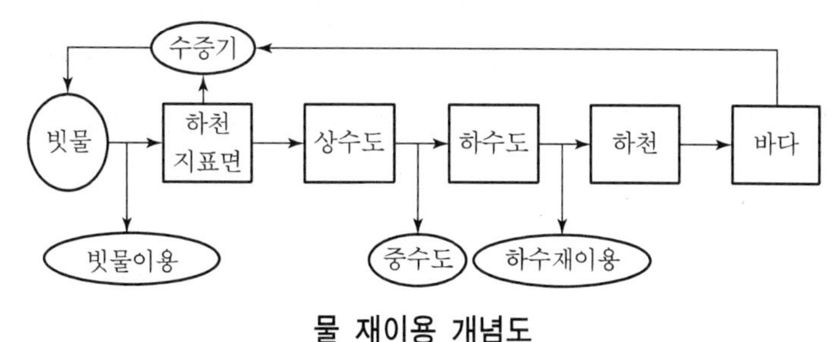

물 재이용 개념도

1) 물 재이용의 개념
물 재이용이란 이전에 버려지던 빗물이나 하수를 건전한 수자원으로 재이용하여 물 부족을 방지하고 건전한 물 순환을 유지하여 친환경적인 생태계를 조성하는 것이다.

2) 현황

(1) '09년 현재 빗물, 중수도 및 하수처리수에 의한 물 재이용량은 총 9.4억 톤으로 우리나라 총 수자원이용량(337억 톤)의 2.8%에 불과
(2) 하수처리장에서 방류되는 하수처리수량은 총 67억 톤/년('09)으로 소양강댐(29억 톤)의 2.3배, 팔당댐(2.4억 톤)의 약 28배 규모임

3. 물 재이용 개발 효과

1) 수자원 부족에 대한 대응 효과(수량적인 측면)

(1) 한정된 수자원의 효율적인 이용과 자원 재활용
(2) 용수사용량 확보를 위한 댐 건설에 따른 환경파괴 등 부담 해소

(3) 갈수기 및 물수요 Peak시 물부족에 대한 수자원의 유효 이용
(4) 평상시 물사용의 감소로 댐의 저수 여유량을 확보하여 댐 효율의 극대화 가능
(5) 강우 시 하천 유량 저감과 건전한 물 순환으로 지역적인 물수급 압박 해소

2) 수질오염 방지 효과(수질적 측면)

(1) 자연환경에 대한 공공하수도의 하수량 부하 경감
(2) 하수 발생량이 감소하여 하천의 수질오염 부하 경감
(3) 댐의 여유수량 증대로 하천의 유지용수가 증가하여 하천수질을 개선하고 양질의 상수원수 유지 가능

3) 경제적 효과

(1) 댐 건설이나 정수시설 및 하수처리장 시설용량의 축소
(2) 상수도의 원거리 수송에 비하여 근거리 재순환에 의한 이송동력 감소
(3) 상수원수 수질개선으로 정수처리 비용 및 슬러지 처분 비용 감소

4) 절수 효과

(1) 빗물이용, 중수도 설치, 하수처리수 이용으로 물을 절약하는 분위기 조성
(2) 절약되는 수량만큼 에너지 절감

4. 물 재이용 촉진을 위한 제도적 기반 강화

1) 「물의 재이용 촉진 및 지원에 관한 법률」 제정 · 시행('10. 6)
빗물업무는 「수도법」, 중수도 및 하수 재이용 업무는 「하수도법」 등 개별 법령에 분산되어 있는 물 재이용 업무를 통합하여 새로운 법률 제정

2) 동법 시행과 함께 빗물이용시설 및 중수도 의무화 확대('11. 6)

구분	종전 (수도법, 하수도법)	확대 (현행법률)
빗물이용시설	종합운동장, 실내체육관	종합운동장, 실내체육관 공공청사
중수도시설	목욕장업, 숙박업, 공장, 대규모점포, 운수시설, 업무시설, 교정시설, 방송국, 전신전화국,	목욕장업, 숙박업, 공장, 대규모점포, 운수시설, 업무시설, 교정시설, 방송국, 전신전화국, 물류시설, 택지개발사업, 관광단지개발사업, 도시개발사업
하 · 폐수 처리시설	• 하수처리시설 • 재이용 : 배출량의 5%	• 하수처리시설, 폐수처리시설 • 재이용 : 배출량의 10%

5. 빗물 이용 방법 : 빗물 이용법 참조

6. 중수도 이용

1) 중수도 개념
개별시설물이나 개발사업 등으로 조성되는 지역에서 발생하는 오수(汚水)를 공공 하수도를 배출하지 아니하고 재이용할 수 있도록 개별적 또는 지역적으로 처리하는 시설

2) 중수도 수질기준

(1) 대장균군수 : 불검출 /100mL
(2) 잔류염소(결합) : 0.2mg/L 이상일 것
(3) 외관 : 이용자가 불쾌감을 느끼지 아니할 것
(4) 탁도 : 2NTU를 넘지 아니할 것
(5) BOD : 10mg/L를 넘지 아니할 것
(6) 냄새 : 불쾌한 냄새가 나지 아니할 것
(7) pH : 5.8~8.5
(8) 색도 : 20도를 넘지 아니할 것
(9) COD 20mg/L를 넘지 아니할 것

7. 하수처리수 재이용

하수처리수의 재이용은 중수도의 개념으로 하수처리시설의 방류수를 하천순환수, 농업용수, 살수용수, 조경용수, 화장실용수 등 고도의 수질을 요구하지 않는 용수에 재이용하는 것으로서 중수도가 건물별, 단지별 소규모 재이용이라면 하수처리수 재이용은 지역별, 도시별 대규모 재이용이라 볼 수 있다.

1) 하수처리수 재이용 방식
중수도와 마찬가지로 한정적인 수자원을 효율적으로 이용하여 물부족 사태에 능동적으로 대처하기 위하여 식수와 같이 청정하지 않아도 되는 잡용수에 하수처리수를 재이용하는 것이 필요하다.

① 자연유하방식(종전방식)

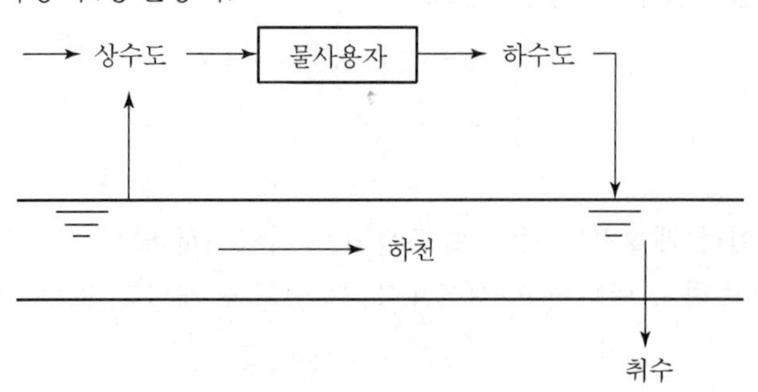

② 유황조정방식(갈수 시만 가동)

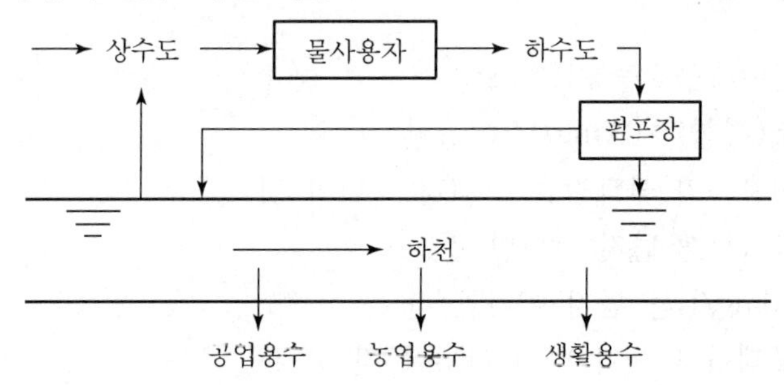

③ 지표에 살포, 침투방식

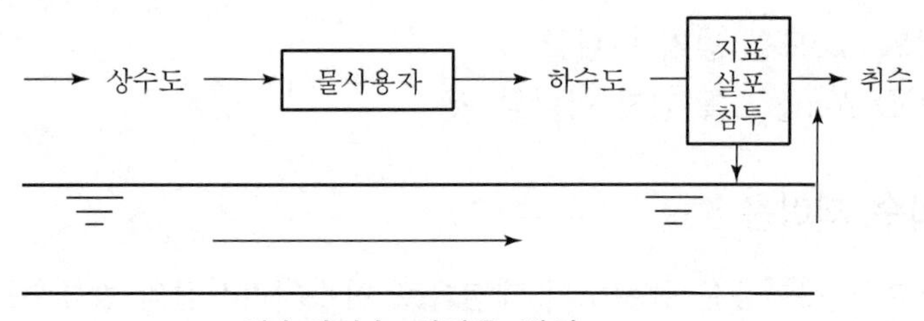

하수처리수 재이용 방식

2) 하수처리수 재이용 시의 문제점

(1) 중수도의 원수로 활용

현행 수도법에서는 중수도의 원수를 상수로 한정하고 있는데 하수의 재이용이란 측면에서 하수처리장 처리수를 지역이나 도시 전체에 공급하면서 중수도의 원수로 활용하면 경제성, 효율성 면에서 가장 바람직한 중수도의 원수가 될 수 있다.

(2) 하수처리 소독시설 설치 및 운영

현행 중수도 수질기준에는 살수용수나 화장실용수인 경우 대장균수가 불검출이고 결합잔류염소가 0.2mg/L 이상이어야 한다. 즉, 하수처리장에서 염소소독을 실시하여 대장균 사멸 및 잔류염소를 유지하여야 하는데 현재 국내 하수처리시설에서는 염소소독시설의 운영이 거의 없어 하수처리장 처리수를 재이용하기 위해서는 이들 염소소독시설을 설치하여 운영하여야 한다.

(3) 위생상의 문제점

염소소독하고 대장균군이 없는 위생상 안전한 물이지만 급수처럼 완전하지 못하므로 되도록 피부접촉이나 음용 이외의 사용에 제한되어야 한다.

(4) 경제상의 문제점

하수처리수를 조경용수나 살수용수로 사용하기 위해서는 하수처리수를 시가지로 이송하는 별도의 관거시설과 각 가정으로 보내어 화장실용수로 사용하기 위한 급수 계통도, 별도의 중수배관망이 필요하다.

(5) 하수처리수를 재이용함에 따라 방류수역의 하천 유지용수가 부족하여 건천화될 가능성이 있다.

(6) 재이용 용도에 적합한 수질을 유지하도록 하수처리 효율을 향상시켜야 한다.

(7) 하수처리수라는 시민의 심리적 거부감을 해소시키기 위한 노력이 필요하다.

3) 하수처리수 처리기술

하수처리시설 처리수를 재이용하기 위해서는 현행 중수도 수질기준인 BOD 10mg/L 미만과 탁도, 대장균수, 잔류염소 기준을 만족시켜야 한다.

(1) 여과시설의 설치

BOD와 탁도 기준을 만족시키기 위해서는 여과시설을 설치하는 것이 가장 경제적이면서 효율적이다. 막여과 공법은 시설비와 유지비가 과도하여 대규모의 하수처리수 재이용에 적용하기에는 비경제적이다.

(2) 소독시설의 설치

대장균군수와 잔류염소 기준을 만족시키기 위해서는 결합염소(클로라민) 소독을 실시하여야 한다.

(3) 질소, 인 처리시설+여과시설+소독시설

향후 2005년까지 국내 하수처리장에 질소와 인을 처리하는 시설을 적용할 예정이고 현재도 대부분의 하수처리장 방류수 상태가 중수도 수질기준을 거의 만족하는 정도이므로 여기에 여과와 소독시설을 설치 운영하면 중수도가 요구하는 수질기준을 만족시킬 것이다.

8. 물 재이용 향후 추진방향

1) 물 재이용 산업의 국내 육성 및 해외 진출을 위해 재이용 산업의 활성화 필요
   하수처리수 재이용 산업에 '10년까지 37개 지자체에 국고 총 956억 원 지원
2) 하수처리수의 공업용수 재이용에 민간투자사업(BTO 방식) 확대
   전국 23개 하수처리장을 대상으로 단계별로 공업용수 재이용 사업 추진

3) 빗물이용시설 및 중수도 의무화 확대를 위한 법률 개정 추진 필요
   (1) 빗물이용시설 의무화 대상에 지붕에서 빗물 집수가 용이하고 경제성이 있는 공동주택, 학교, 대규모점포, 골프장 등을 추가
   (2) 중수도 의무화 대상에 물 사용량이 많은 발전시설 추가

4) 물 재이용시설 설치·관리(빗물, 중수도, 하·폐수처리수) 통합지침 제정 필요
   빗물이용시설, 중수도 및 하·폐수처리시설 관리방법, 용도별 수질검사방법, 기술관리인 의무, 지자체 지도점검 방법 등

차 한잔의 여유

벼슬자리는 너무 높지 말아야 하나니
너무 높으면 위태롭다.
뛰어난 재주는 다 쓰지 말아야 하나니
다 쓰면 쇠퇴하게 된다.
행동은 너무 고상하지 말아야 하나니
너무 고상하면 비난과 핀잔을 받게 된다.
― 채근담 ―

25 | 하수도시설에서 유역 통합 관리의 타당성을 설명하시오.

1. 개요

기존의 하수도시설의 설치 및 관리는 행정구역을 중심으로 이루어지고 있어서 하천의 건천화 발생, 수생태계 환경유지의 어려움, 하천유지용수에 대한 종합적인 검토곤란, 비점오염원의 효율적 관리의 어려움과 하수처리시설물의 증가로 관리의 효율성 요구, 다수의 유지관리 인력이 필요한 현행 운영관리체계 개선을 위하여 하수도 시설물의 효율적인 통합관리, 원격지 시설자동제어 시스템이 필요하게 된다.

2. 하수도사업 운영의 구조적 문제점

하수도사업은 기본적으로 지방자치단체를 중심으로 이루어지고 있으며, 하수처리율의 지역 간 불균형이 심하게 나타나고 있다.

1) 하수도시설사업 추진의 지역적 불균형
하수도사업의 추진현황은 지역적으로 도시의 규모에 따라 상당한 차이를 보인다. 하수도시설사업에 대해서는 중앙정부에서 양여금으로 지원해 주고 있으나(하수처리장 10~70% 정도, 하수관거 10~30%) 재정상태가 열악한 지자체에서는 지방비 조달이 어려워 시설사업이 추진되기 어렵다. 특히 현재 하수처리율이 낮은 지자체는 재정자립도도 낮은 경우가 많다.

2) 재정자립도가 낮은 지자체는 이러한 투자재원조달이 상당한 부담이 된다 - 하수처리시설을 행정구역단위로 설치 · 운영함에 따라 중복투자 및 지자체 직영으로 인한 전문성 부족으로 운영비 과다 등 비효율적 운영의 문제점

3) 하수도정비기본계획 수립지침에 따른 지자체 간 하수처리시설 건설사업 추진의 협조 및 조정이 제대로 이루어지지 않아 사업추진 지연과 예산낭비가 발생하고 있다. 또한 하수처리장 용량에 여유가 있어 인접지역의 하수를 추가 처리할 수 있는 경우에도 협조가 이루어지지 않아 수질개선 효과 저하를 가져온다.

3. 하수도 유역별 통합운영관리 기본방향

1) 기존의 시설별, 지역적 하수도 운영관리에서 탈피하여 유역별 통합운영관리체계를 구축 운영함으로써 운영관리의 효율화, 유지관리비용의 저감을 목적으로 한다.
2) 하수도 정비주체의 행정구역 구분을 지자체장(시 · 도지사 등)에서 국가하수도 종합계획에 따라 유역별 하수관리체계로 전환한다.
3) 행정구역 내 유역뿐 아니라 수질오염 총량관리제도상의 관할구역 수계를 고려한다.

하수시설 통합 개념도

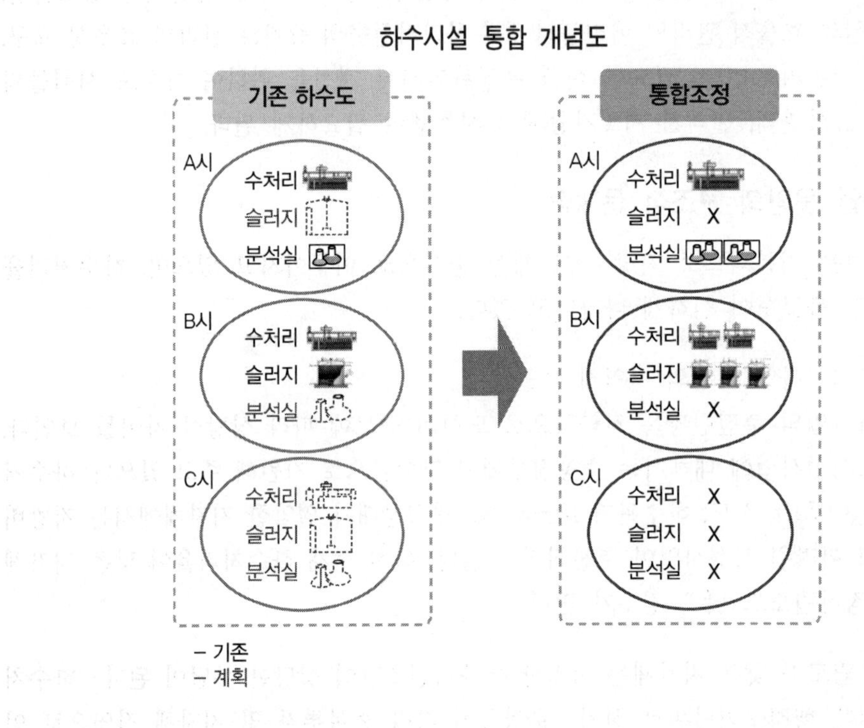

4. 유역별 통합운영관리방안

1) 중심 하수도시설을 선정, 계획하고 유역범위 및 시설범위 등을 고려하여 소유역별 중심시설을 추가 계획한다.
2) 통합 운영 관리계획에는 현재 및 장래계획의 모든 하수도 시설을 포함하고, 하수도 시설의 환경기초시설 통합운영관리도 함께 검토, 반영되어야 한다.
3) 통합운영관리시스템은 하수도시설의 무인 자동화, 유지관리 인원의 최소화로 계획
4) 중심처리시설은 운영관리시스템뿐 아니라 행정, 유지보수, 실험실 등 전체적 유지관리의 중심시설로 구성해야 한다.

5. 통합운영관리시스템 구축 시 고려사항

1) 통합관리시스템은 감시 및 제어기능, 시설물 정보관리기능, 운영관리기능을 갖추어야 함
2) 중심처리시설 통합운영관리시스템은 최상위 시스템으로 소유역 중심시설 및 단위시설의 운영관리시스템의 모든 기능을 수행
3) 소유역 중심시설은 단위시설 운영관리와 밀접하게 관련되는 시설로 단위시설의 원격감시 및 제어기능에 우선을 둔 시설관리기능 수행이 요구
4) 하수처리시설, 펌프장 등 개발단위 하수도시설은 자체시설의 원격감시 및 제어에 우선. 일부 예측된 하부시설에 대한 원격감시 및 제어기능 수행

6. 물관리체계(상하수도) 조정의 방향

상하수도는 궁극적으로 수계별로 통합 운영하는 것이 효율적이고 생산성을 도모할 수 있다.

1) 수계별 상하수도 사업 통합방안
   궁극적으로 수자원 재산권과 비용부담원칙은 수계에 걸친 외부효과의 조정 및 물공급 관련 비용분담을 사업관리체계 내에서 이루어지도록 함으로써 해결될 수 있다. 즉, 광역상수도 체계나 수계에 걸친 물사업 통합체계가 하수처리 관련부문을 체계 내에 포함하도록 함으로써 가능하다.

2) 이를 위해서는 물사업의 계획 및 관리주체가 전체적인 물관리체계 내에서 상하수를 함께 고려하도록 하여야 하며, 궁극적으로는 수계에 걸친 상하수도 사업의 통합형태가 대안이 될 것이다. 다만 지역적인 특성과 통합에 따른 손실 요인을 충분히 검토해서 조정해야 한다.
3) 수자원의 균형 있는 배분과 관리를 위해서도 이러한 통합운영체계가 필요하다. 통합운영체계에서 상수도 사업의 주체는 수계별 하천청 또는 수계관리기구가 될 것이며 하천청 또는 유역청체계의 정착이 이루어진 후에는 민영화도 가능할 것이다.
4) 민간사업자의 비용부과방식은 기업의 이윤을 최대화하도록(규제체계 내에서) 하는 것이므로 그것이 사회후생을 최대화하는 방향과 일치하도록 유인체계가 필요하다.
5) 상하수도 사업 운영 주체의 다원화에 따라 파생된 제문제점에 대한 근본적이며 종합적인 해결 방안으로서는 상하수도 사업의 유역별 통합운영체제가 바람직한 것으로 생각된다.
6) 또한 수계에 걸친 지역 간 외적인 문제를 사업 내에서 조정할 수 있으며, 경영 측면에서는 사업 관리의 전문성 제고로 생산성 향상을 도모할 수 있다. 민간사업 유치 시에도 전문적인 관리가 가능하다.

26 | 상수도 사업 광역화 방안에 대하여 설명하시오.

1. 개요

1) 우리나라는 구조적으로 용수분쟁의 발생의 소지를 안고 있다고 보아야 할 것이다. 우리나라는 건기와 우기가 뚜렷하여 특히 건기 시 물 부족이 심각하며, 이때 용수 수요와 공급이 불일치할 경우 용수분쟁이 발생할 여지가 크다.
2) 특히 지자체별 상수공급체계를 가지고 있으므로 지역의 이익만을 위해 용수를 사용하거나 지역의 수입증대를 목적으로 용수를 자원화 할 소지도 배제할 수 없다. 따라서 경제재화로서 수자원 권리(수리권)에 대한 분쟁이 나타나기 쉽다.
3) 상수원 수질보전을 위한 환경기초시설의 설치 및 운영비용 분담 문제, 상수원 수질보전을 위한 개발억제 지역의 피해보상 문제 등 물이용을 위한 수질보전 비용부담 문제로 인한 지역 간 분쟁여지가 크다.
4) 오염자 부담 및 수혜자 부담원칙의 적용 문제, 수자원 재산권의 문제 등 이러한 지역 간 분쟁소지를 완화하고 합리적이며 효율적인 상수도 사업을 위해 지역적, 수리적 특성을 같이하는 유역을 통합하여 운영함이 필요하다.

2. 물관리체계 조정의 필요성-유역통합관리체계

1) 하천의 수량과 수질은 유기적으로 관련되어 있음에도 불구하고 중앙정부차원에서 수량과 수질관리기능이 이원화되어 있어 유역 내 수자원의 종합관리기능 수행에 문제가 있다.
2) 수자원, 특히 하천수는 그 속성상 다수의 지자체를 관류하게 되며 따라서 상류지역 지자체가 선점의 논리로서 하천수를 과다하게 사용하는 경우 하류지역 지자체는 심각한 용수 난을 겪을 가능성이 있다.
3) 따라서 국가는 국토 전역의 균형 있는 발전을 위하여 수자원의 균형 있는 배분이 이루어지도록 하여야 할 것이다.
4) 하천관리에 있어서 수량관리는 국토해양부가 주관부처가 되어 직할하천을 관리하고 있으나, 지방하천과 준용하천은 지방자치단체에서 관리하고 있어 수자원 이용에 있어서 지자체 간 이해대립을 예상할 수 있다.
5) 물의 연속성을 고려하지 않고, 사업목적에 따라 하천구간 및 지방 행정구역별로 유수점용 및 수리권 조정 등이 이루어지고 있어 지자체 간 용수이용분쟁 발생시 조정기능이 미약하며 합리적인 용수배분에 장애를 가져올 수 있다. 또한 수자원의

난개발 방지 및 보전에 관한 대책이 부재한 것도 문제이다.

6) 환경기초시설 운영이 시설의 특성이나 지리적 여건 등을 고려하지 않고 행정구역을 중심으로 이루어지고 있으므로 규모의 경제 달성이 어려운 등 비효율의 가능성이 있다.
7) 물관리에 있어 유역관리(River－basin Management)가 이루어지지 않고 있는 상황에서 지역 간 외부효과로 인한 비합리적인 비용분담의 문제가 발생한다.

3. 상수도 공급체계(상수도 사업 광역화) 조정 필요성

1) 상수원 취수 및 공급에서 지자체 간 협력 혹은 상위정부 조정이 필요하게 된다. 또한 기초자치단체가 단독 상수도 사업을 수행하기 어려운 경우도 존재한다.
2) 인구의 증가, 도시화의 확대, 생활수준의 향상, 공업입지 및 지역개발수요의 확대 등으로 용수수요는 늘어나는 반면 수원의 고갈, 수질오염의 악화 등으로 인해 기존의 수원이 아닌 다른 행정구역의 댐을 취수원으로 이용해야 하는 경우가 증가하고 있는데, 강우량의 계절편재, 수원의 지역적 편재로 이러한 문제를 구조적으로 가지고 있다.
3) 지자체별로 각기 상수도 사업을 추진하는 것은 시설의 적정수준 미달과 중복투자로 인한 비효율을 창출하기 쉽다. 따라서 취수조직의 공동관리로 인력 및 투자의 효율을 증대시키고 관리의 전문화로 생산성을 향상시켜야 할 필요성이 있다.
4) 또한 수자원을 공동으로 이용 관리함으로써 급수량 및 요금수준의 지역 간 격차를 완화할 필요가 있다. 상수도 사업 운영적 측면에서는 행정체계의 분산, 수자원전문기관 부재, 전문인력 부족의 문제들에 대해 물관리 효율화 및 상수도 관리 전문화의 추구가 필요하다.

4. 물관리체계 조정

1) 다양한 물의 위기에 대한 각종 대책을 보다 효율적으로 설계 진행하기 위해서는 수량 확보, 수질 보전 및 물 절약 대책의 효율을 극대화하도록 하기 위한 효율적인 수자원 관리체계의 확립이 필요하다.
2) 용수의 안정적 공급면에서 갈수 시 및 이상 저수 시 또는 수질사고 시 능률적으로 대처하기 위해서는 유역단위 물관리체계의 수립이 필요하다.
3) 이를 위해서는 우선 수자원 관련 국가업무의 통합이 필요한데, 즉 효율적 수자원 관리를 위해 수질, 수량 업무의 통합과 중앙정부 차원에서 조정기능을 강화할 필요가 있다.
4) 하천의 연속성을 고려하여 이수, 취수, 하천환경을 하나의 유역단위 관리로 전환하는 유역단위 수자원 관리체계의 확립이 필요하다.
5) 유역단위 수자원 관리를 위해 환경부 산하의 (지방)환경관리청에 수질수량 관리 기능을 부여하거나 유역단위 수자원을 관리하는 수계관리기구를 신설하는 방안을

고려할 수 있다.

6) 완전 민영화하는 경우는 수계에 걸친 상수도 사업을 통합된 형태로 허가(Licensing) 함으로써 외부비용을 내부화하도록 유도한다.

5. 수계별 상수도 사업 통합방안의 종류 및 특징

1) 수계별 일괄 통합 관리 방안
   (1) 각 지자체로부터 수자원의 이용에 관한 제반 사업을 위임받아 이를 수계별로 통합 관리하는 공사형태의 조직을 운영하는 방안이다.
   (2) 수계에 걸친 외부효과의 조정 및 물 공급 관련 비용분담을 통합관리체계 내에서 해결함으로써 물 관련 지역 간의 마찰을 최소화하고자 하는 것
   (3) 상수도 사업을 위임받은 통합관리조직이 물관리 업무뿐 아니라 상수의 공급에 관련된 제반 사업을 수행하는 방안으로 물관리 및 상수 공급에 소요되는 비용은 수혜자부담의 원칙과 오염자부담의 원칙에 의거해서 관련 지방자치단체들이 분담하는 형식이다.

2) 생산만 통합 관리하는 방안
   (1) 수계별로 통합 상수도 사업에서 지방상수도 생산과 공급에 관련된 모든 업무를 통합관리, 조직이 수행하기보다는 상수의 생산부분은 통합관리조직에서 전담하되 공급은 각 지자체가 수행하도록 하는 것이 바람직할 것이다.
   (2) 통합관리조직은 상수를 생산해서 지방자치단체에 전달하는 역할만을 하며, 그것을 지역 내의 개별 수용가에게 전달하는 것은 지방자치단체가 수행하는 체계를 말한다.

3) 단일 광역 상수도 요금 체계
   (1) 수자원 분배의 형평성 측면에서 적용할 수 있는 방안으로, 동일한 품질의 물(원수)이 각 지자체에게 동일한 가격으로 이용될 수 있도록 하는 체계를 고려할 수 있다.
   (2) 구체적 방안으로는 광역 상수도를 일반화하고 단일의 광역 상수도 요금을 적용함으로써 각 지자체의 취수 원수비용을 평준화하는 것이다. 이때 원수의 품질이 유사하다면 정수비용 또한 평준화될 것이다.

4) 원수 공급(취수와 도수)만 통합하는 방안
   다른 방안으로는 지방자치단체의 상수도 사업 중 취수와 자체 정수장까지의 도수는 국가사업으로 통합 추진하고 생산 및 공급 요금 체계 등은 지자체별로 특성에 따른 차별화를 인정하는 방안도 고려될 수 있다.

27 | 우리나라 소규모 수도시설 개선방안에 대해 서술하시오.

1. 정의

소규모 수도시설은 수도법에서 마을상수도와 소규모 급수시설로 구분된다.

1) 마을상수도(「수도법」 제3조제9호)
지방자치단체가 대통령령이 정하는 수도시설에 의하여 급수인구 100인 이상 2,500인 이내에게 정수를 공급하는 일반수도로서 1일 공급량이 20m^3 이상 500m^3 미만인 수도 또는 이와 비슷한 규모의 수도로서 시장 · 군수 · 구청장이 지정하는 수도

2) 소규모 급수시설(「수도법」 제3조제14호)
주민이 공동으로 설치 · 관리하는 급수인구 100인 미만 또는 1일 공급량 20m^3 미만인 급수시설 중 시장 · 군수 · 구청장이 지정하는 급수시설

2. 소규모 수도시설 이용현황

'08년말 기준 전국의 소규모 수도시설은 20,953개소가 운영 중이며, 이용인구는 2,055천명

1) 마을상수도는 9,658개소에 1,437천명이 이용 중
2) 소규모급수시설은 11,295개소에 618천명이 이용 중

3. 소규모 수도시설 개선목표

1) 그간 농어촌 생활용수 공급사업(면지역) 등으로 소규모수도시설 사용지역에 대한 지속적인 지방 및 광역상수도 공급과 '08년부터 소규모수도시설에 대해 국고지원으로 개선사업을 추진 중이며
2) 이에 따라 소규모수도시설에 대한 폐지(상수도 공급 포함), 존치, 개량에 대한 종합적인 기준을 마련하여 안전하고 안정적인 용수공급으로 국민의 삶의 질을 개선하고, 국가 예산의 효율적 집행을 하고자 한다.

4. 소규모 수도시설 검토방향

1) '10. 6월 현재 기 설치된 소규모수도시설의 현황조사가 어려운 점을 고려하여, 신규 소규모 수도시설 설치방안과 상수도 공급방안의 2가지 방안을 경제성을 검토

하여 선정하고자 함

2) 신규 소규모수도시설 설치는 취수원을 저수지, 계곡수, 지하수로 구분하여 사업비 산정
3) 상수도 공급계획은 신규 소규모수도시설 설치 사업비(배수탱크 사업비 제외)로 설치가능한 관로 연장을 산정 : 배수관로는 기 상수도 공급지역에서 분기하되, 공급량 증가로 인한 기존 관의 개·대체와 가압장 등은 고려하지 않음
4) 급수관 설치는 신규 소규모수도시설 설치와 상수도 공급조건이 동일하므로 검토시 제외
5) 소규모수도시설과 배수관로의 운영 및 유지관리 비용을 제외하고 수량 및 수질, 주민요청 등의 여건은 미고려

5. 소규모수도시설의 비교·검토

검토용량 급수인구 100~2,500인, 시설용량 20~500m³/일인 소규모수도시설에 대하여 각각의 경우 상수도 공급과 소규모수도시설의 경제성을 비교·검토함

1) 취수원이 저수지인 경우

(1) 검토결과 : 신규 취수원이 저수지인 경우로서 상수도 공급을 위한 관로연장이 38km 이내인 경우 상수도 공급이 경제적

(2) 특히, 기존 수원의 수질저하로 대체 취수원으로 저수지를 개발하는 경우, 기존 상수도 공급지역에서 해당지역으로 용수공급을 위한 관로연장이 38km 이내인 지역은 상수도 공급이 경제적

2) 취수원이 계곡수인 경우

(1) 검토결과 : 신규 취수원이 계곡수인 경우에는 소규모수도시설이 경제적

(2) 지방(또는 광역) 상수도 공급을 위한 관로연장이 0.2km 이내인 지역은 현실적으로 소규모수도시설 신설지역이 없음(기 보급지역)

3) 취수원이 지하수인 경우

(1) 검토결과 : 신규 취수원이 지하수인 경우에는 소규모수도시설 설치가 경제적

(2) 용수 수요량이 400m³/일 이상이고, 상수노 공급을 위한 관로연징이 3km 이내인 지역은 상수도 공급 검토

6. 수도 공급방식의 선정

1) 소규모수도시설 설치(개량 및 지속사용)가 경제적인 지역

(1) 취수원이 계곡수와 지하수인 지역으로서, 수질이 대체로 양호한 지역(막여과나 불소제거 설비가 필요치 않은 지역)

(2) 기존 소규모수도시설의 경우 수질이 먹는 물 수질기준 이내이고 수량이 상시 안정적으로 확보되는 경우로서, 설비의 단순 개량 후 지속 사용 가능한 지역

2) 상수도 공급이 경제적인 지역

(1) 취수원으로 저수지를 개발하여야 하는 경우(기존 수원의 수질악화로 대체취수원이 저수지일 경우 포함)로서, 기존 상수도 공급지역에서 38km 이내인 지역

(2) 취수원이 지하수로서 용수수요량이 400m^3/일 이상이며, 기존 상수도 공급지역에서 관로 연장이 3km 이내인 지역

3) 기타 지역

(1) 소규모수도시설의 취수원이 노로바이러스, 방사성 물질 등 수질이 문제시되는 시설은 정수처리시설을 개량하거나 상수도 공급을 검토 필요

(2) 기후변화 등으로 수량확보와 주민들이 상수도 공급을 요청하는 경우에도 수도서비스의 형평성 측면에서 상수도 공급을 검토함이 적정

(3) 그 외, 급수인구가 20인 이하 지역은 규칙적인 수질검사를 통해 우물, 약수, 소규모수도시설 등의 수질 부적합 시 시설폐쇄 등의 조치 필요

7. 소규모 수도시설에서 각종 수질 오염에 따른 처리공정 개선 방향

1) 질산성 질소의 문제 - 비교적 다수(천층수)
치밀한 Nano Membrane이나 RO막 필요, 이온교환수지와 결합공정이 필요

2) 미량 유기물질과 소독부산물
Nano Membrane 이상, 활성탄과 연계공정

3) 불소의 문제 - 지하 심층수인 경우
치밀한 Nano Membrane이나 RO막 필요, 활성알루미나 수지와 결합공정이 필요

4) 철, 망간의 문제 - 지하 심층수
- 철은 Tray Aerator
- 망간은 산화제와 망간제거사 Greensand 또는 이온교환수지

5) 경도 : Nano Membrane 이상, 연수화공정과 연계

8. 소규모 수도시설에서 소독시설에 대한 고려사항

1) Virus와 Giardia 등의 제거에 대한 고려가 필요

2) 소독시설 개선
- 액체 소독제의 사용(차아염소산나트륨 등)
- 원수펌프와 연동
- UV 또는 MIOX 등 새로운 소독장비의 조합
- 저류조의 구조개선

28 | 인구당량(Population Equivalant)

1. 정의

인구당량이란 어떤 부하를 사람의 부하량으로 환산할 때 몇 명의 인구에 해당하는 지로 계산하는 것으로 하수도에서 산업폐수를 유입하는 경우에 그 폐수의 BOD 부하가 몇 사람이 배출하는 BOD에 해당하는가를 나타내는 인구수를 말한다.

인구당량=BOD 부하총량/원단위

2. 생활하수 원단위

1) 오수량 원단위
하수 원단위란 1인당 오염물질 발생량으로 급수 원단위로부터 무수율(10~15%)과 오수전환율(80%)을 고려하여 산정하며 지역마다 다르나 약 250L/c d 정도를 취한다.

2) 하수 오염농도 원단위(예)
오염농도 BOD(150~250mg/L), COD(150~50mg/L), SS(150~00mg/L), T-N(15~30mg/L), T-P(5~10mg/L)

3) 발생량과 농도를 곱하여 원단위 부하량(BOD g/c d)으로 계산한다.

3. 인구당량의 이용

1) 하수처리시설에 산업폐수를 유입시킬 때 하수처리시설에 유입되는 하수와 폐수를 통합하여 인구당량에 대한 부하량으로 환산함으로써 하수처리시설의 용량 등을 결정하기 위하여 사용한다.
2) 처리시설 유입 시 혼합수의 농도를 파악하기 위한 지표로 활용할 수 있으며 산업폐수의 경우 BOD, SS, COD보다는 중금속 및 독극물에 의한 처리효율 저하를 유발할 수 있으므로 생분해 가능한 유기물이 주종을 이루는 산업폐수만이 합병처리가 가능하다.

4. 인구당량 계산 예

1) 원단위 : 원단위란 1인 1일 배출하는 오염물질의 양을 말한다.
   1인 1일 배출하는 오염물질의 양은 생활양식이나 지역에 따라 차이가 있으나 국내는 통상 45~55g BOD/인/일로 잡는다. 이 중 55~60% 정도는 불용성이고 나머지 40~45% 정도가 용해성이다. 불용성 BOD의 약 60% 정도는 침전이 가능하다.

2) 어느 공장에서 발생되는 산업폐수는 BOD 2,000kg/d를 배출한다. 이 공장의 인구당량은 얼마인가?(1인당 원단위는 BOD 50g/인/일이다.)

$$\text{인구당량} = \frac{\text{BOD 부하량}}{\text{BOD 원단위}}$$

$$= \frac{2{,}000\text{kg/d}}{50\text{g/인/일}} = 40{,}000\text{인}$$

환경용어

환경경영체제(Environment Management System)
환경경영(Environment Management)이란 기존의 품질경영(Quality Management)을 환경분야에까지 확장한 개념으로, 환경관리를 기업경영의 방침으로 삼고 기업활동이 환경에 미치는 부정적인 영향을 최소화하는 것을 말하며, 환경경영체제는 환경경영의 구체적인 목표와 프로그램을 정해 이의 달성을 위한 조직, 책임, 절차 등을 규정하고 인적·물적인 경영자원을 효율적으로 배분해 조직적으로 관리하는 체제를 의미한다. ISO 14000에서는 환경방침의 개발, 시행, 달성, 검토, 유지하기 위한 조직구조, 활동계획, 책임, 관행, 절차, 과정 및 자원을 포함하는 전반적 경영체제를 정의하는 규정이다.

29 | 수질오염 총량관리제 도입 시 고려사항을 설명하시오.

1. 수질오염 총량관리제 정의

수질오염 총량관리제도는 관리하고자 하는 하천의 목표수질을 정하고 이를 달성하기 위하여 필요한 수질오염물질의 허용부하량(허용총량)을 산정하고 해당 유역에서 배출되는 오염물질의 배출부하량(배출총량)을 허용부하량(허용총량) 이하로 규제하고 관리하는 제도이다

2. 수질오염 총량관리제 개념

1) 오염총량제도는 일반적으로 수계나 수역의 수질현황, 오염부하량의 발생상황, 수질오염메커니즘 등의 특성을 충분히 파악하여 해당 수역의 수질보전상의 목표수질을 달성 유지하기 위한 오염물질의 허용한도량을 말하며, 허용한도량의 범위 내에서 상시 유지되도록 해당 수역의 유입 오염부하량을 규제하는 방식
2) 수질오염총량관리제도는 4대강특별법의 제정과 함께 오염총량제를 도입하여 하천에 배출되는 오염총량을 기준으로 수질을 관리하여 하천의 오염부하량을 근본적으로 감축하려는 제도이다.
3) 수질오염총량관리제도는 개발과 보전을 함께 추구하는 정책으로 지역에 따라서는 개발에 제한이 가해지기도 하며, 여러 처리장의 경우 방류수허용 기준보다 엄격한 기준(총량관리)을 만족시키기 위한 시설개선이 필요한 실정이다.
4) 수질오염 총량관리제가 도입되면 오염 발생량이 많은 아파트 단지나 도시 개발, 관광지 개발, 공장을 새로 지을 때 허가 절차가 훨씬 까다로워진다.

3. 오염 총량제의 도입 필요성

1) 배출농도 규제
   지금까지 정부에서 추진해 온 수질관리정책은 점오염원으로부터 배출되는 배출수를 배출 허용기준 이내로 적정하게만 처리하면 그 양이 얼마이든 배출을 허용하는 제도로서 농도 위주 규제의 일변도로 진행되어 왔다.

2) 배출 허용 농도 규제의 문제점
   농도만 규제할 경우 배출시설이 증가하는 경우 오염 총량의 증가를 억제할 수 없어 유역의 오염이 심해지고 수질환경기준을 초과하게 된다.

3) 오염 총량제 도입

오염원으로부터 배출되는 방류수만을 규제하는 방식에서 탈피하여 정부에서는 4대강 유역의 수질개선을 도모코자 또한 수질환경기준을 충족할 수 있도록 일정한 유역 내에 위치한 모든 오염원에서 배출되는 오염물을 배출 총량으로 관리하는 유역별 수질관리 방식으로 전환해야 할 필요성이 대두됨에 따라 오염총량 관리제도를 도입하게 되었다.

4. 오염 총량제의 목적－자정능력과 지속 가능한 개발

1) 개발과 환경보전을 함께 고려함으로써 지속 가능한 개발 유도
2) 과학적인 수질관리를 통하여 환경규제의 효율성을 제고하여 불필요한 규제를 줄이면서 총량제 시행지역에 대한 건축면적 규제 등 합리적 조정 가능
3) 지자체별 오염자별 책임을 명확히 하여 광역수계의 수질을 효율적으로 관리
4) 하천유역의 수질관리 근본은 유역으로부터의 오염물질 배출량이 대상 수역을 오염시키지 않는 자연환경의 생태계 보존능력(자정 능력) 범위 내에서 이루어지도록 관리하는 것이며 오염이 심하여 수질환경기준을 초과하거나 이수 목적상 부적정한 수역에 대하여 최후의 수단으로 오염물질 총량규제를 실시하도록 되어 있다.

5. 오염 총량제의 조건

1) 유역의 환경 용량

총량규제를 실시하기 이전에 이에 대응하기 위해서는 유역 또는 수역에서의 수질오염이 더 이상 가속되지 않으면서 지속 가능한 개발을 할 수 있는 유역의 자정능력이 포함된 환경용량을 알아야 각 오염원에서 삭감해야 될 오염물질량을 배분할 수 있기 때문에 총량규제 실시 이전에 대상유역에서 오염물질을 받아들일 수 있는 능력, 즉 환경용량을 먼저 파악하여야 한다.

2) 공공수역의 목표 수질

수질오염 총량관리제는 공공수역의 수질을 지정목적에 적합한 수준으로 개선하기 위해 해당 수역으로 유입되는 대상오염물질의 부하를 총량에 근거하여 제한하는 수질관리제도이다.

3) 총량관리제는 이미 육상 및 연안수역에 대해 각각 수질환경보전법과 해양오염방지법에 그 시행을 위한 근거규정이 있었으나 강력한 규제를 받아들일 수 있는 사회 경제적인 여건의 미비와 정량적인 부하량 산정 수질예측 이행을 담보할 수 있는 모니터링 등의 기술적인 문제로 인해 그 도입이 미루어져 왔다.

4) 유역의 환경 특성을 고려한 행위 제한
   총량제 실시에 효과적으로 대응하며 유역의 환경특성을 고려한 지역개발에 따른 행위 제한의 적용 등으로 인한 사전 피해의 방지 및 환경 친화적 개발을 종합적으로 검토한다.

6. 오염 총량제 도입 시 고려사항

1) 총량 관리목표 설정을 위한 수질환경기준의 적정성을 평가하여야 하고 관리단위가 적정한가를 검토하여야 한다.
2) 또한 오염 총량을 산정하였다면 그것을 객관적이고 지역특성에 맞게 할당하는 방안이 필요하다.
3) 오염 총량관리제의 고찰과 더불어서 이러한 오염총량관리제가 그 지역에 어떠한 영향을 미치는지 객관적으로 평가를 내려야 한다.
4) 총량관리제에 필요한 관리대상오염물질을 설정하고 설정된 오염물질의 총량관리제를 평가할 지표로서의 대표성과 타당성을 검토하여야 한다.
5) 오염 총량관리제의 발전방안으로서 유역단위의 관리체계를 구축하여야 하며 이를 위해서 유역환경 조사자료를 정비하고, 지역 간에 객관적인 부하량 산정 기법을 위한 유량, 오염물질의 원격 계측장비의 개발과 보급이 필요하다.

7. 오염 총량관리제 추진체계

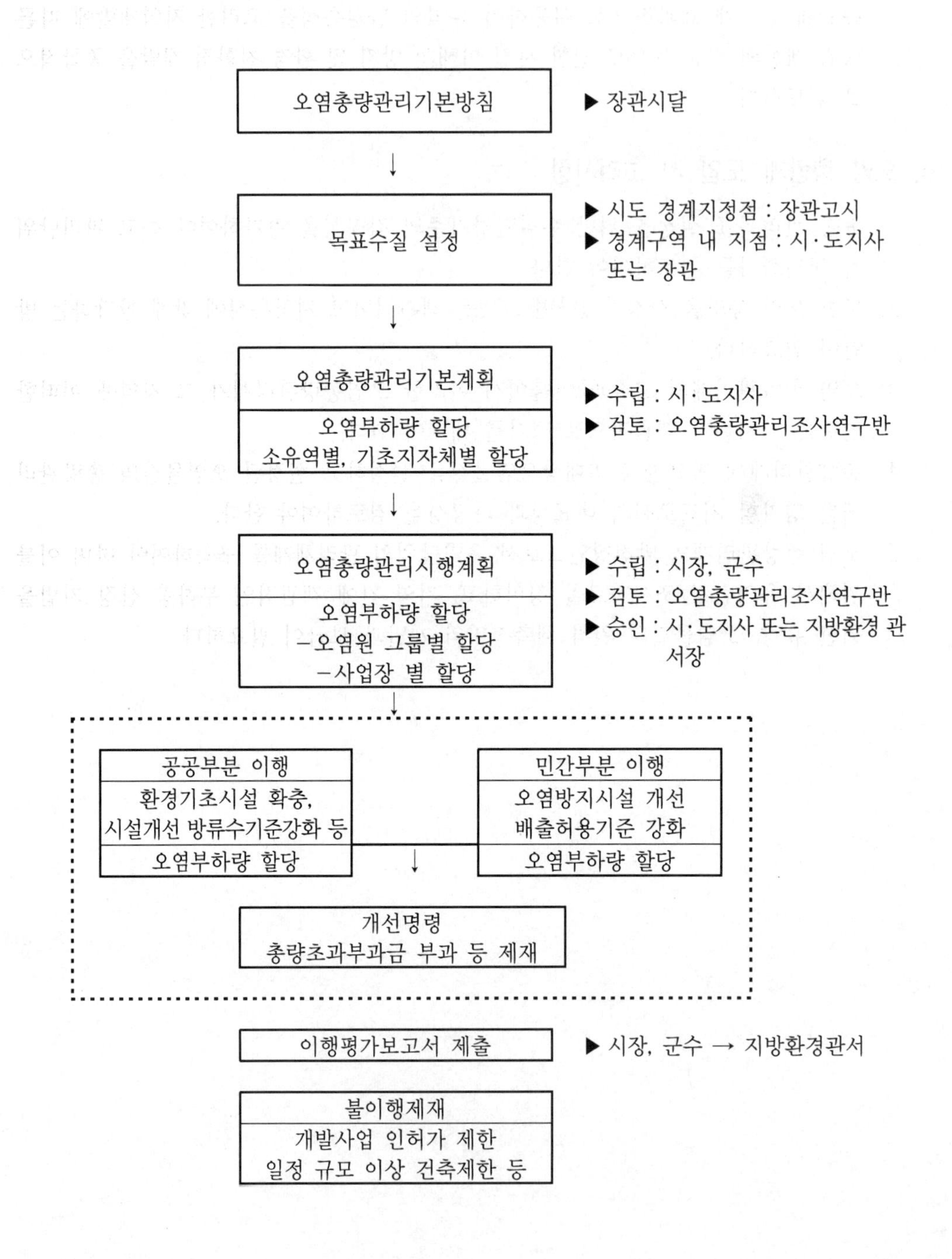

8. 오염 부하량의 할당방법

1) 할당절차

(1) 단위유역별 할당
(2) 소유역(지자체)별 할당
(3) 오염원 그룹별 할당
(4) 사업장별 할당

2) 오염부하량의 할당 시 고려사항

(1) 실행가능성(Feasibility)
(2) 형평성(Equity)
(3) 오염부하량 삭감에 소요되는 비용(Cost)
(4) 지역의 정책(Policy)

9. 수질오염 총량관리제도의 문제점

1) 기초환경시설(하수처리, 분뇨, 쓰레기 등)의 절대부족 : 수질오염의 60% 이상이 생활하수에 의한 것임을 감안할 때 기존환경시설의 확충 없이 배출업소를 대상으로 총량규제를 실시하는 것은 문제가 있다.
2) 자연적 환경용량(비점오염원)의 산정이 곤란 : 우리나라는 하상계수가 다른 나라보다 매우 크고 유역의 특성 계절적 변화가 매우 크다. 따라서 총량규제의 가장 기본적인 사항인 수역의 환경용량 산정이 어려운 실정이다.
3) 비점오염원에 대한 원단위 산출이 어렵고 자료가 미흡하다.
4) 외국의 경우 총량관리는 제한적으로 적용하며 총량규제를 실시할 경우 비점오염원의 원단위 산출과, 지역별 수질오염모델링 적용과 최상의 모델링 적용, 환경용량의 설정을 위한 조사연구가 필요
5) 짧은 시간 동안의 조사연구만으로 환경용량의 설정은 많은 문제점을 야기할 수 있다.
6) 기존의 환경오염이 심각한 지역의 경우 환경기초시설의 확충, 하수관거 정비, 비점오염원의 저감대책을 수립 후 점진적으로 시행함이 바람직하다고 판단된다.
7) 총량관리제를 실시한다면 규제대상물질을 수역의 부영양화와 관련된 영양물질 위주로 적용함이 합리적이다.

10. 오염 총량제 추진 현황과 도입의 문제점

1) 지역 개발의 장애요인은 팔당호 수질 개선을 위한 한강수계 수질오염 총량관리제 시행이 어려움을 겪는 이유는 이 제도의 시행으로 지역 개발에 상당한 제한을 받기 때문에 일부 지자체가 총량관리제 의무 시행에 강력히 반발하고 있다.
2) 환경부는 그동안 수도권 2000만 주민의 상수원인 팔당호 수질을 1급수로 개선하기 위해서는 총량관리제 도입이 반드시 필요하다는 입장을 밝혀 왔다. 상수원보호구역과 수질보전특별대책지역 지정, 수변구역 도입 등을 통해 오염시설의 배출 허용 기준을 강화하고 새로 들어서는 것을 억제했으나 오염 배출을 줄이기에는 한계가 있었다.
3) 팔당호는 생물학적 산소요구량(BOD)만으로 따지면 1.3ppm 수준으로 1급수에 가깝지만, 화학적 산소요구량(COD)이나 질소, 인 등을 종합적으로 고려하면 고도정수 처리가 필요한 3급수 수질을 오르내리고 있다.
4) 이런 상황에서도 팔당호 인근 지자체들은 총량관리제 도입을 꺼리고 있다. 수질 개선의 필요성은 인정하지만 총량관리제가 도입되면 지역 내 거센 개발 요구를 수용할 수 없고, 세수 확보도 어려워지기 때문이다.

30 | 농촌지역에 적합한 하수처리시설

1. 개요

농촌지역은 소규모로 배출시설이 분산되어 있고 배출량의 계절별 변동이 심하고 농촌지역 및 농업배수의 특성상 질소, 인 등이 다량 함유된 하수로서 이에 알맞은 처리시설을 갖추어야 한다.

2. 농촌 하수처리시설의 요구 특성

요구된 수질기준치를 만족시키고, 유지관리가 간편하며, 오염부하량의 변동에 적절히 대응해야 하고 농촌지역에 적합한 하수처리시설이 갖추어야 할 조건을 요약하면 다음과 같다.

1) 연중 계속하여 수질기준치를 효과적이고 신뢰할 수 있게 만족시켜야 한다.
2) 유지관리가 거의 불필요하고 약간 필요해도 비숙련인력으로 가능해야 한다.
3) 전력공급이 필요 없거나 적어야 한다.
4) 슬러지 발생량이 적어서 슬러지 제거작업 등 관리가 간단해야 한다.
5) 시간적, 계절적 부하량 변동 등에 유동적으로 처리할 수 있어야 한다.
6) 주변의 자연경관과 잘 조화되어야 한다.
7) 소음, 냄새, 파리 등으로 주민에게 불편을 주지 않아야 한다.

3. 공정개요

우리나라 농촌지역의 소규모 하수처리 방법은 접촉산화법, 장기포기법, 토양피복형 접촉산화법, 회전원판법, 회분식 활성슬러지법, 모관침윤트렌치법(회분모관침윤) 등이 고려될 수 있다.

1) MBR(하수처리 참조)

2) 접촉산화법

(1) 포기조에 접촉여재를 침적시켜 포기교반시키고 오수를 접촉여재 사이에 균등하게 순환시켜 접촉여재 부착에 의해서 오수를 정화하는 방식이다.
(2) 오수처리시설을 지하식이나 반지하식으로 피복하기가 용이하며, 악취발생을 억제하고 겨울철에 보온 효과가 있다.

(3) 피복토양을 한 경우에는 접촉여재의 상태를 직접 점검하기가 곤란하여 감시창을 적당히 둔다.
(4) 접촉여재의 막힘 현상을 방지하려면 접촉여재의 공극률을 가급적 크게 하고 과잉된 생물막을 적절히 제거한다.

3) 장기포기법

(1) 저부하로 장기간 포기를 하는 방식이므로 포기조의 용량이 커야 한다.
(2) 유입오수의 부하 변동을 완화시킬 수 있으므로 안정된 처리가 가능하다.
(3) 장기간 포기에 따른 전력소모가 많고, 슬러지의 제거반출 등 유지관리가 필요

4) 토양피복형 접촉산화방식

(1) 처리시설 상부에 토양을 피복하여 토양의 정화력을 간접적으로 이용하는 방법
(2) 처리시설은 침전분리조, 접촉산화조, 침전조, 여과조 등으로 구성
(3) 접촉산화가 긴수로형식의 구조, 자연월류에 의한 압출식으로 오수를 유동시킴.
(4) 유입오수 → 원수펌프조 또는 유량조정조(균일한 유량으로 조정) → 최초침전조(중력침전과정) → 접촉산화조(정화) → 접촉산화조의 하부(슬러지 반출, 산기)
(5) 탈취효과, 동절기 토양피복에 의한 보온효과, 안정적 처리기능
(6) 포기가 필요하며, 처리시설이 지하에 매설되어 보수점검이 어렵고, 처리시설이 넓은 면적을 차지하는 데 드는 비용

5) 회전원판법

(1) 원판을 약 40% 정도 오수 중에 침적하고 회전시킴으로서 회전원판 표면에 생성된 생물막이 오수 중에 있을 때 유기물 분해, 공기 중으로 나왔을 때 산소 공급을 통하여 오수를 정화하는 방식이다.
(2) 공기 중에서 자연스럽게 산소를 보급 받음으로 포기시설이 필요 없다.
(3) 회전원판조는 칸막이판을 설치하여 3~4실로 분할하는 것이 원칙이다.
(4) 회전원판을 회전시키는 동력만 필요하므로 동력비는 비교적 적게 든다.
(5) 회전원판에 부착된 생물막이 과대하게 성장하여 막히는 현상, 수질 제어가 어려우며, 미생물막이 유독성 물질로 손상시 회복이 어렵다.

6) 회분식 활성슬러지법(SBR)

(1) 회분식 활성슬러지법(Sequencing Batch Reactor)
하나의 반응조에서 활성슬러지법에 의한 처리조작(오수혼합, 침전, 상등수 배출, 슬러지 제거 등)을 시간적으로 구분하면서 진행하는 방식이다.

(2) 회분식 슬러지방식
장기포기방식에서의 포기조와 침전조의 기능을 동일한 한 개의 처리조에서 시간차에 의해 진행

(3) 슬러지 반송설비가 불필요하나, 회분조에 슬러지 제거설비가 필요하다.
(4) 오수의 유입 → 포기와 반응 → 침전 → 상등류의 월류 → 휴지기 등 과정 반복
(5) 여러 처리과정이 한 개의 반응조에서 이루어지므로 처리 소요면적이 적으나 포기가 필요하고 각 반응과정의 정밀한 조작이 필요하다.

7) 모관침윤트렌치법

(1) 모관침윤트렌치법
지표면에서 깊이 약 1m 이내의 토양미생물 및 토양동물이 생존 가능한 토양 권역에 정화 1차 처리된 유출수를 침투시켜 처리

(2) 트렌치의 최종처리수
지하수로 환원되어 지하수고갈방지, 식물에 수분공급

(3) 오수 → 모관침윤트렌치의 유공관을 통하여 토양으로 투입

(4) 구조
유공관 주위는 자갈층으로 쌓여 있고, 자갈층 아래에는 모래층이 있으며, 모래층의 하부는 불투수막을 넣어서 중력침투를 차단한다.

(5) 불투수막에 고인 오수는 모래, 자갈, 토양 등의 모세관 작용에 의하여 다공질의 통기성 피복토양의 토양미생물로 분해
(6) 오수가 불포화상태의 토양권으로 이동하므로 다양한 호기성 미생물 및 토양 소동물(원생동물, 지렁이, 지네 등)에게 좋은 조건이 형성되어 토양생태계를 충분히 이용하며 오수의 부하 변동에도 적응력이 우수하다.
(7) 질소, 인, 대장균 등의 제거능력도 커서 별도의 소독처리가 필요 없고, 처리효과가 높아서 처리수의 수질이 좋다.
(8) 포기가 필요 없고, 유지관리가 간편하고 비용이 저렴하며, 상부에 식재를 통한 조경이 가능하여 주변경관과 조화되어 미관을 저해하지 않는다.
(9) 지하에 처리시설이 있어서 점검이 어렵고, 지하수위가 모관트렌치까지 상승할 경우에는 토양특성이 까다롭고, 처리에 상당한 면적이 필요하다.

31 | 하수도시설 확충 및 성능개선에 대하여 설명하시오.

1. 하수처리투자의 필요성

1) 물은 생명의 근원으로서 공기와 더불어 인간을 비롯한 모든 생물이 살아가는 데 없어서는 안 될 가장 소중한 것이다. 그러나 산업의 발달과 인구증가로 인해 늘어나는 산업폐기물과 기타 공해 배출물은 수질오염이라는 심각한 문제를 일으키고 있다.

2) 각종 생활하수 및 폐수 등이 아무렇게나 버려지고 있으며 수자원의 원천인 하천으로 흘러들어가 우리의 생명은 물론 생태계를 위협하고 있다. 이러한 문제를 방지하기 위하여 우리가 버리는 각종 생활하수 및 오수 등을 정화하여 생태계 수용능력 범위 내에서 수자원의 재사용이 가능하도록 각종 처리가 필요하며 이와 같은 기능을 하는 것이 바로 하수처리시설이다.

3) 우리가 쓰고 버리는 오수는 많은 영양염류(질소와 인)와 부유물질(SS) 그리고 유기물을 함유하고 있다. 이 물이 바로 강으로 유입될 경우 수생생물들이 용존 산소 부족 및 부영양화로 많은 피해를 보게 된다.

4) 하수처리를 하면 수질이 개선되어 해충의 감소와 악취감소 등 환경개선이 이루어지게 되며 많은 사람들이 처리시설을 두어야 하는 것을 한곳에서 처리하므로 경제성 및 유지관리 면에서 훨씬 유리하다.

2. 하수처리시설 확충 및 고도처리시설 설치

정부는 대규모 투자를 통하여 하수처리시설 신설과 하수도 보급률 향상 또한 호소 등의 부영양화를 방지하기 위하여 새로 설치하는 공공하수처리시설은 우선적으로 질소·인 처리 위주로 시설을 설치하고, 기존의 공공하수처리시설에도 탈질·탈인 처리공정 도입을 추진하고 있다.

3. 하수처리시설 성능·구조개선(Renovation) 사업 추진

하수처리시설 성능·구조개선(Renovation) 사업이란 대규모 시설투자 없이 하수처리공정 및 운전방법 개선 등을 통하여 하수처리능력과 하수처리효율을 증대시키는 시설개선 프로그램이다.

4. 부실 하수관거 정비사업 추진

하수관거 부실시공으로 인한 문제점이 계속 제기되어 왔으며 부실공사가 발견된 경우 이에 대한 시정이 대단히 어렵기 때문에 정부는 하수관거공사 실명제 및 지하매설물도의 전산관리방안 등 여러 가지 부실공사 예방대책을 추진 중이다.

5. 방류수 수질기준 강화 및 하수도 관련 기준 개선

정부는 하수처리시설의 방류수 수질기준을 선진국 수준으로 개선하기 위하여 BOD, 질소 · 인, 대장균 등 기준을 상수원 수계에 따라 연차별로 강화할 계획이다.
아울러 하수도시설의 최적 설계 및 부실시공 방지 등을 위해 정부는 '하수도시설 설계지침 및 표준시방서'를 제정하고, 하수도용 기자재는 품질 보증된 규격품을 사용하도록 '하수도용 기자재 기준'을 설정하는 한편, 하수도 발생 원단위 기준도 개정할 계획이다.

32 | 집중호우에 대응한 우수량 산정에 대하여 설명하시오.

1. 개요

우수배제 계획은 우수량 산정, 우수관거설비 결정, 우수펌프설비 계획, 우수 저류시설 계획 등으로 이루어지며 이들 상호 간은 밀접한 상관관계를 가지므로 연관성을 검토하되 최근의 집중호우에 대비한 저류시설 등을 능동적으로 고려해야 한다.

2. 우수배제의 전반적인 계획

1) 계획우수량은 합리식으로 산출하며 우수관거는 수두손실을 최소화하여 계획우수량을 기초로 계획한다.
2) 빗물펌프장의 계획 시에는 입지조건 및 환경조건을 고려하여 결정하여야 하며 관거의 용량, 저류시설의 용량 등을 고려해야 한다.
3) 필요에 따라 우수유출량의 억제에 대해 검토를 하여야 하며, 도시화에 의해 우수유출량이 증대하고 하류시설의 유하능력이 부족한 경우에는 필요에 따라 우수조정지의 설치를 계획하여야 한다.

3. 계획우수량 산정 시 고려사항

강우로 인한 우수유출량의 산정에는 합리식과 경험식이 주로 사용되는데 경험식은 해당지역에 적합한 우수유출량 산정을 실험 또는 경험에 의하여 유도하는 방법이고 합리식은 강우강도식을 구한 후 우수유출량을 산정하는 방식이다.

1) 강우강도식 산정

(1) 경험식은 해당지역에 적합한 우수유출량 산정을 실험 또는 경험에 의하여 유도하는 방법으로 강우강도가 배수면적의 대소에 관계없이 일정하다고 생각하고 지표구배를 고려하여 간단히 우수유출량을 산정한다.
(2) 합리식은 유달시간을 강우의 지속시간으로 가정하여 이에 해당하는 강우강도식을 구한 후 이러한 강우가 배수구역 전체에 균등히 내린다는 가정 아래 우수유출량을 산정하는 방식으로 배제 계획 우수량은 배출지점에 모이는 최대 우수량을 의미한다.

(3) 강우강도식은 강우강도와 강우의 지속시간과의 관계를 표시한 것으로 지역에 따른 강우량 차이가 달라지며 같은 지역이라도 확률년에 따라 달라진다.

(4) 해당지역에 대한 기존의 강우강도식이 없는 경우는 가까운 지역의 강우강도식을 사용하거나 강우자료가 있을 경우에는 강우강도식을 유도하여 사용한다.

2) 계획확률년수의 결정

계획확률년수는 배수구역의 크기, 지역의 중요도에 따라 결정되며 일반적으로 우리나라에서는 간선 하수관거의 경우 10년, 지선 하수관거의 경우는 5년의 확률년수를 채택한다.

3) 유달시간의 산정

유달시간=유입시간+유하시간(L/v)

- 유입시간 : 강우가 배수구역의 최원격 지점에서 하수거에 유입할 때까지의 시간을 유입시간(Time of Inlet)이라 하며 지표상태, 구배, 면적에 따라 다르나 보통 5~10분 정도이다.
- 유하시간 : 하수거에 유입한 우수가 관길이 L을 흘러가는 데 소요되는 시간을 유하시간(Time of Flow)이라고 하며 관거 내의 유속이 v이면 유하시간은 L/v이다.
- 유달시간(Time of Concentration)=유입시간+유하시간=강우지속시간

4) 유출계수

배수구역 내의 강우 중 일부는 증발하고 일부는 지하로 침투하며 나머지가 하수관거에 유입하게 된다. 이 하수관거에 유입하는 우수유출량과 전 강우량의 비를 유출계수라 한다.

- 유출계수=(하수관거에 유입하는 우수유출량)/(전 강우량)
- 총괄유출계수 산정식

  총괄유출계수는 기초 유출계수(도로, 공지, 지붕 등)로부터 아래 식으로 구한다.

$$C=\frac{\sum_{i=1}^{m} C_i \cdot A_i}{\sum_{i=1}^{m} A_i}$$

C : 총괄 유출계수

C_i : 각 기초 유출계수

A_i : 각 토지 이용도별 면적

공종별 기초 유출계수

공종	유출계수	공종	유출계수
단독주택	0.80	어린이 공원	0.45
공동주택	0.65	근린공원	0.30
근린생활시설	0.80	학교	0.40
상업용지	0.80	공용의 청사	0.75
도로	0.85	종교용지	0.75

일반적인 총괄 유출계수(지역별)

공종	유출계수	공종	유출계수
상업지역, 택지지역	0.80	산지 및 교외지역	0.35
일반주택지역	0.65	공원 및 시설녹지	0.20
독립주택지역	0.50		

5) 배수구역의 크기 산정

배수면적은 대상 우수관거에 우수가 모여드는 구역을 말하며 경사에 관계하므로 정확하게 지형도에 의하여 구한다. 배수면적은 정확히 구할 수 있는 유일한 요소이며, 강우량은 배수구역에 비례한다.

6) 우수유출량의 산정

합리식에 의하여 우수유출량을 산정한다.

$$Q = 1/360\ CIA$$

Q : 최대계획우수유출량, m^3/sec

C : 유출계수

I : 유달시간(t) 내의 평균강우강도, mm/hr

A : 배수면적, ha(10,000m^2)

4. 우수관거 계획 시 고려사항

우수관거의 계획 시에는 다음 사항을 고려하여야 한다.

1) 관거는 계획우수량을 기초로 계획한다.
2) 관거의 배치는 수두손실을 최소화하도록 고려하며 지형, 지질, 도로 폭 및 지하매설 등을 충분히 고려하여 배치하여야 한다.
3) 동수경사선이 지표면 위에 오지 않도록 한다. 따라서 지표면 위에 오는 경우에는 관거의 단면을 크게 하는 등 필요한 방법을 강구하여야 한다.
4) 이상의 검토로도 불충분한 경우에는 압력관으로 함과 아울러 우수가 분출하지 않도록 대책을 강구한다.
5) 관거의 단면 형상 및 경사는 관거 내에 침전물이 퇴적하지 않도록 적절한 유속이 확보될 수 있게 정한다.
6) 관거를 우수저류관으로 계획하는 경우에는 침전물이 퇴적하지 않도록 고려할 필요가 있다. 또한 관거의 분류·합류점, 굴곡부 및 맨홀 등에서의 에너지 손실을 가능한 적게 하도록 배려한다.
7) 우수배제 계획구역 내에 기존의 배수로가 있는 경우에는 그 이용을 검토할 필요가 있다. 그때에는 배수로의 계통, 능력, 구조 및 장래 계획에 대하여 충분히 고려한다.

5. 빗물펌프장 계획 시 고려사항

1) 가능한 자연유하 방식을 적용하되 곤란하거나 비능률적일 때 펌프장을 계획하며 펌프장 위치의 선정 및 시설 계획에 대해서는 입지조건 및 환경조건을 충분히 고려하여 계획한다.
2) 펌프에 의한 배수구역은 원칙적으로 방류수역의 계획외수위를 기준으로 하여 동수경사선을 끌어 이것이 지표면에 나타나는 구역으로 한다. 자연배수가 가능한 경우에는 펌프장을 통과시키지 않고 바이패스 시켜 우수의 자연배수를 하는 것도 고려할 필요가 있다.
3) 우수펌프는 계획우수량을 기초로 계획한다.
   물펌프장의 용량은 계획우수량을 지체 없이 배제하도록 계획하며, 미리 우수저류관으로 계획한 경우를 제외하고는 관내의 저류는 고려하지 않는다.
   합류식 하수도의 경우에는 하수관으로의 유출량을 제외한 차집량을 계획수량으로 한다.

4) 펌프장의 위치는 대부분 저지대이므로 강우 시에 침수로 인해 기능이 정지하지 않도록 계획할 필요가 있다. 또한 침사지 등에서 물이 차오르지 않도록 배수시설을 충분히 하며, 전기 관련 기기는 침수되지 않도록 높은 위치에 설치할 필요가 있다.
5) 펌프장의 위치는 배수구역 내로부터 하수를 합리적으로 집수할 수 있는 지점이면서 효율적인 방류수역을 확보할 수 있는 곳으로 한다.

6. 집중호우에 대응한 우수유출량의 억제

최근 강우의 형태는 과거에 경험하지 못한 집중, 국지적 호우의 특성을 자주 보이는데 우수배제 계획의 수립에 있어서 이러한 강우량을 순간적으로 배제하기 위해서는 관거와 펌프설비가 과도하게 증가하기 때문에 우수유출량의 억제에 대하여 검토할 필요가 있다.

1) 우수유출량의 집중 원인

(1) 이상 기후에 의한 집중호우
(2) 도시의 재개발, 도시 주변의 시가화 촉진 등에 따라 유출계수 증가, 우수의 침투면적이 감소에 의한 우수의 유출량이 증가
(3) 하수 관로 직선화에 의한 단기간에 우수가 유출

2) 대응 방안

- 우수를 신속히 유출시키는 우수배제 계획 : 시설용량 확대
- 우수를 지표면 아래에 침투시켜 되도록 우수를 천천히 유출시키거나 감소시킨다.
- 우수저류조 설치 : 일시적인 저류시설을 갖추어 피크부하 감소 및 침전에 의한 초기강우의 부유물질 제거효과로 비점오염원에 의한 하천오염 방지

(1) 우수침투형

① 우수침투형은 우수를 지중에 침투시키므로 우수유출량을 감소시키는 효과를 발휘한다.
② 이러한 방식의 우수유출 억제 대책은 합류식 하수도의 우천 시 월류수 대책으로도 유효하다.
③ 우수 침투시설은 도시의 경우 지하수 함양 대책으로도 이용할 수 있다.
④ 우수유출량의 억제는 유출수가 관거에 유입하기 이전에 우수량을 감소시키는 대책을 포함한 토지관리가 중요하고 유입한 이후의 우수침투관 등 시설의 대응도 필요하다.
⑤ 우수침투방식 : 우수침투관, 침투우수받이, 침투성 포장, 침투 측구

(2) 우수저류형

우수저류형은 우수의 유출 총량은 변하지 않으나 유출량을 평균화시켜서 첨두 유출량을 감소시키는 효과를 발휘한다.

① Onsite 저류시설 : 강우 장소에서 우수를 저류
공원 내 저류, 학교 운동장 내 저류, 광장 내 저류, 주차장 내 저류, 단지 내 저류, 주택 내 저류, 공공시설용지 내의 저류

② Offsite 저류 : 유출한 우수를 집수하여 별도의 장소에서 저류
우수조정지, 우수저류관, 우수체수지, 다목적 유수지

7. 우수배제 계획 시 고려사항

1) 우수배제 계획 시 계획우수량은 보통 합리식으로 산출하며, 합리식은 유달시간을 강우의 지속시간으로 가정하여 이에 해당하는 강우강도를 구한 후 면적과 강우강도로 우수유출량을 산정하는 방식이다.
2) 우수관거의 계획 시에는 수두손실을 최소화하도록 고려하며 지형, 지질, 도로폭 및 지하매설 등을 충분히 고려하여 배치하여야 한다.
3) 빗물펌프장 계획 시 펌프장 위치의 선정 및 시설계획에 대해서는 입지조건 및 환경조건을 충분히 고려하여 계획하며, 집중 강우 시에 침수로 인해 기능이 정지하지 않도록 계획할 필요가 있다.
4) 시가지의 경우 우수의 침투 면적이 감소하고 유출계수 증가로에 단기간에 우수가 유출하고 있다.
5) 우수를 저류 또는 침투시켜 되도록 우수를 천천히 유출시키거나 감소시키는 우수의 유출억제대책에 대하여 검토할 필요가 있다.

33 | 우수유출량 산정과 우수관거의 설계를 설명하시오.

1. 개요

우수관거의 합리적인 설계는 우선 그 지역의 특성과 배수구역에 알맞은 우수유출량을 산정한 다음 적절한 유속으로 적합한 단면을 가진 우수관거를 설계해야 한다.

2. 강우강도식(강우강도와 강우 지속시간의 관계) 산정

1) 경험식(지역 특성을 개별적으로 경험에 의해 적용)

2) 합리식(유달시간=강우의 지속시간)

3) 강우강도와 강우 지속시간의 관계

(1) 강우강도(Intensity)는 단위시간에 내리는 강우량(mm/hr)으로 지역과 년수에 맞도록 강우강도식을 만들어 사용하며 우수관거, 빗물펌프장등 빗물과 관련한 설계 시 기본적으로 적용되는 것이다.

(2) 어느 지점의 강우량은 강우와 그 지속시간(Duration)에 관계하며 앞으로의 강우량을 추정하기 위하여 확률적인개념으로 접근하기 때문에 지역마다, 확률년수마다 다양한 식들이 있으며 적합한식을 선정하여 적용한다.

3. 우수유출량 산정

강우로 인한 우수유출량의 산정에는 합리식이 주로 사용되는데, 합리식에 따른 우수유출량 산정의 순서는 다음과 같다.

- 해당지역의 강우강도식 산정
- 계획확률년수 결정 : 배수구역의 크기 및 지역의 중요도 고려
- 유달시간을 산정하여 강우의 지속시간으로 한다.
- 강우강도를 구한다.
- 유출계수와 배수면적을 강우강도에 곱하여 유출량을 산정한다.

1) 강우강도식 산정

상우강도식은 강우강도와 강우의 지속시간과의 관계를 표시한 것으로 지역에 따른 강우량 차이가 달라지며 같은 지역이라도 확률년에 따라 달라진다.

(1) 강우강도식에는 다음과 같은 4가지 형태가 있다.

① Talbot형 : $I = a/(t+b)$

② Sherman형 : $I = a/t^m$

③ Japanese형 : $I = a/\sqrt{(t+b)}$

④ Cleveland형 : $I = a/(t^m + b)$

여기서, I : 강우강도, mm/hr

t : 강우지속시간(min)

$a,\ b,\ m$: 상수

Talbot형은 유달시간이 짧은 관거 계획 시 채용하는 것이 좋으며, 24시간 우량 등의 장시간 강우강도에 대해서는 Cleveland형이 가까우며 저류시설 등을 계획하는 경우에 사용하는 것이 좋다.

(2) 강우기록으로부터 강우강도식을 유도하는 방법

① 과거 N년 간(최소 20년간)의 강우기록 자료로부터 연도별, 강우의 지속시간별 강우량을 구한다. 강우의 지속시간은 5, 10, 20, 30, 40, 60, 80, 120분으로 구분한다.

② 위에서 구한 자료를 이용하여 확률년별, 지속시간별 확률강우량을 구한다. 확률년은 2, 3, 5, 10, 20, 30, 50, 80, 100년으로 한다.

③ 위에서 구한 확률강우량 중 대상도시의 강우특성에 적합한 형을 선택하든지, 아니면 평균치를 채택하든지 하여 확률년별과 강우지속시간별 강우강도를 정한다.

④ 확률년별, 지속시간별 강우강도를 이용하여 Talbot형, Sherman형, Japanese형의 공식형에 따른 I와 t를 연립방적식으로부터 각 공식의 상수를 구하여 강우강도공식을 구한다.

⑤ ③에서 구한 확률년별, 지속시간별 강우량과 ④에서 각 강우강도식에 의한 결과치 사이의 편차를 계산하여 가장 편차량이 적은 적합한 공식을 채택한다.

2) 권장 강우강도식(서울 기준)

지역	토목학회지		산업기술 연구소	시청	건설부			수문 학회지
	지역별	권역별			T	S	J	
서울 (5년)	$\frac{420}{\sqrt{t+0.39}}$	$\frac{520}{t^{0.58}}$	$\frac{370}{t^{0.47}}$	$\frac{420}{\sqrt{t+0.09}}$	$\frac{5705.9}{t+39.1}$	$\frac{363.6}{t^{0.469}}$	$\frac{458.9}{\sqrt{t+0.497}}$	$\frac{8935}{t+101}$
서울 (10년)	$\frac{497}{\sqrt{t+0.15}}$	$\frac{612}{t^{0.58}}$	$\frac{450}{t^{0.47}}$	$\frac{560}{\sqrt{t+0.09}}$	$\frac{5184.8}{t+38.3}$	$\frac{465}{t^{0.46}}$	$\frac{579.7}{\sqrt{t+0.451}}$	$\frac{10420}{t+96.6}$
서울 (20년)	$\frac{569}{\sqrt{t+0.11}}$	$\frac{697}{t^{0.58}}$	$\frac{530}{t^{0.47}}$	$\frac{655}{\sqrt{t+0.09}}$	$\frac{8661}{t+37.7}$	$\frac{566.3}{t^{0.461}}$	$\frac{700.3}{\sqrt{t+0.419}}$	$\frac{946}{t^{0.609}}$

※ 강우강도식 : Talbot식, Sherman형, Japanese식 일반적으로 적용

3) 계획확률연수의 결정

계획확률연수는 배수구역의 크기, 지역의 중요도에 따라 결정되며 일반적으로 우리나라에서는 간선 하수관거의 경우 10년, 지선 하수관거의 경우는 5년의 확률년수를 채택한다.

4) 유달시간의 산정

유입시간과 유하시간의 합을 유달시간(Time of Concentration)이라 하며 강우강도식을 사용할 때 강우지속시간으로 유달시간을 이용한다.

유달시간 = 유입시간 + L/v

(1) 유입시간

유입시간은 최소단위 배수구의 지표면 거리, 경사 및 조도계수 등에 따라 변한다. 유입시간의 표준값은 아래와 같다.

① 인구밀도가 큰 지역 : 5분
② 인구밀도가 작은 지역 : 10분
③ 간선 관거 : 5분
④ 지선 관거 : 10분

(2) 유하시간

유하시간은 관거 구간마다의 거리와 계획유량에 대한 유속으로부터 구한 구간당 유하시간을 합계하여 구한다. 평균유속이 0.8~3.0m/sec가 되도록 하며, 하류로 갈수록 경사는 완만하고 유속은 빠르며, 소류력을 크게 할 수 있도록 한다.

(3) 유달시간과 강우지속시간과의 관계

① 유달시간이 강우지속시간보다 적으면
전 배수면적에서의 우수가 동시에 하수관 지점에 모일 때가 있다.
② 유달시간이 강우지속시간보다 큰 경우에는 지체현상 발생
전 배수면적의 우수가 동시에 하수관 시점에 모이는 일이 없다. 즉 최원격 지점의 우수가 최후로 그 점을 통과할 때는 이보다 하류에서 유입한 우수는 이미 그 점을 통과한 후이다. 이것을 지체현상이라 한다.
③ 광대한 배수구역의 최대우수배출량을 산정할 경우에는 이것을 고려한 것이 최대유량이 될 때가 있고 또 유달시간을 강우지속시간으로 하여 지체현상을 고려하지 않는 편이 최대유출량을 표시할 때가 있으므로 이 양자를 비교해서 큰 편을 채택하는 것이 좋다.

5) 유출계수

배수구역 내의 강우 중 일부는 증발하고 일부는 지하로 침투하며 나머지가 하수관거에 유입하게 된다. 이 하수관거에 유입하는 우수유출량과 전 강우량의 비를 유출계수라 한다.

유출계수 = 최대우수유출량/(강우강도×배수면적)

6) 배수구역의 크기 산정

배수면적은 비교적 경사가 있는 지역은 정확하게 지형도에 의하여 구한다. 배수면적은 정확히 구할 수 있는 유일한 요소이며, 유량에 비례적으로 영향을 미치므로 신중히 검토한다.

7) 우수유출량의 산정

합리식에 의하여 우수유출량을 산정한다.

$$Q = 1/360\ CIA$$

4. 우수관거의 설계

1) 계획우수량 산정

합리식에 의하여 산출한 우수유출량을 계획우수량으로 한다.

2) 유속의 결정

우수관거의 유속범위는 최소 0.8m/sec, 최대 3.0m/sce이며 적정범위는 1.0~1.8m/sec이다. 유속을 선정할 경우에 토사의 침전, 하수의 정체, 관거의 마모 등이 발생치 않도록 적절히 선정한다.

3) 단면의 결정

합리식에서 구한 계획우수량과 위에서 가정한 유속을 이용하여 하수관거의 단면을 결정한다. 단면 결정에는 구형관일 경우 Manning 공식, 원형관일 경우 Kutter 공식을 이용한다.

4) Manning 공식

$$Q = A \cdot V$$

$$V = 1/n \cdot R^{2/3} \cdot I^{1/2}$$

여기서, Q : 유량(m^3/sec)
V : 유속(m/sec)
R : 동수반경(경심) = A/P　　A : 단면적(m^2)
P : 윤변(m)
n : 조도계수(보통 0.013)
I : 동수경사 = $\Delta h/L$　　Δh : 손실수두(m)
L : 관거길이

5) 우수관거의 최소관경은 배수시설의 설치 및 유지관리를 고려하여 450mm 이상으로 한다.

6) 호우시 퇴적에 의한 단면축소를 고려한 우수관 설계
〈건교부 "도로배수시설 설계 및 유지관리 지침"에 의한 계산〉

- 토사퇴적 및 홍수 시 토사유입을 고려한 계획 우수량(Q)/여유(Q_0) 유량비 적용

$$\frac{Q}{Q_0} = \frac{1}{1 + a_1 + a_2}$$

a_1 = 토사퇴적에 의한 단면축소(20% 이상)
a_2 = 호우 시 대량토사 유입고려

- 계획 우수량(Q)/여유 유량(Q_0)비를 적용하여 계획 우수량으로부터 위식에서 토사 퇴적을 고려한 여유 유량(Q_0)을 구한 후 이 값으로 관경을 설계한다.

34 | 유달시간과 강우지속시간과의 관계를 설명하시오.

1. 지체현상

배수구역이 넓어 유달시간이 강우지속시간보다 큰 경우에는 전 배수면적의 우수가 동시에 하수관 시점에 모이는 일이 없다. 즉 최원격지지점의 우수가 최후로 그 점을 통과할 때는 이보다 하류에서 유입한 우수는 이미 그 점을 통과한 후이다. 이러한 현상을 지체현상이라 하며 배수구역이 넓을 경우 유달시간이 길어져 발생한다.

2. 유달시간

유달시간이란 유입시간과 유하시간의 합을 말하며 강우강도식을 사용할 때 강우지속시간으로 유달시간을 이용한다.

$$\text{유달시간} = \text{유입시간} + L/v$$

1) 유입시간 : 강우가 배수구역의 최원격 지점에서 하수거에 유입할 때까지의 시간을 유입시간(Time of Inlet)이라 하며 지표상태, 구배, 면적에 따라 다르나 보통 5~10분 정도이다.
2) 유하시간 : 하수거에 유입한 우수가 관길이 L을 흘러가는 데 소요되는 시간을 유하시간(Time of Flow)이라고 하며 관거 내의 유속이 v이면 유하시간은 L/v이다.

3. 유달시간과 강우지속시간과의 관계

1) 유달시간이 강우지속시간보다 적으면 전 배수구역에서의 우수가 동시에 하수관 설계 지점에 모일 때가 있다. 이때 유량을 최대우수유출량으로 한다.
2) 반면에 유달시간이 강우지속시간보다 큰 경우에는 전 배수면적의 우수가 동시에 하수관 설계 지점에 모이는 일이 없다. 즉, 최원격 지점의 우수가 설계 지점에 도달하기 이전에 비가 그쳐, 가까운 지점으로부터 우수가 그 점을 통과한 후에 최원격지 우수가 도달하는 지체현상이 발생한다. 따라서 최대유량에는 관계가 없다.
3) 최대우수배출량을 산정할 경우에 지체현상을 고려한 것이 최대유량이 될 때가 있고 또 유달시간을 강우지속시간으로 하여 지체현상을 고려하지 않는 편이 최대유출량을 표시할 때가 있으므로 이 양자를 비교해서 큰 편을 채택하는 것이 좋다.
4) 실제의 경우는 강우지속시간이 유달시간보다 크므로 지체현상이 생기지 않는다는 가정하에 우수량을 산정하며 합리식의 경우 배수구역이 $0.4km^2$ 이상일 때는 주의해서 적용하고 $5km^2$ 이상에서는 사용을 삼가야 한다.

35 | 그린빗물인프라(GSI : Green Stormwater Infrastructure)를 설명하시오.

1. 정의

그린인프라는 광의적으로 자연생태계의 가치와 기능을 보전하며 인류에게 다양한 혜택을 제공하는 전략적으로 상호 연결된 녹색공간의 네트워크를 의미한다. 그리고 그린빗물인프라는 도시 강우유출수 관리에 그린인프라의 개념을 적용하는 것으로 자연의 물순환체계를 보전, 복원, 개선 또는 모방하는 모든 강우유출수 관리기술을 말한다.

2. 그린인프라의 목적과 특징

1) 그린인프라(Green Infrastructure)는 기존 구조물, 시설물 등을 이용하는 회색인프라(Gray Infrastructure)와 대비되는 개념으로 수로, 습지, 숲, 야생동물 서식지, 공원, 보전용 토지, 농장, 목장 등과 같은 자연자원을 포함하며 이들을 연결하는 네트워크를 의미한다.
2) 그린인프라는 지속 가능한 자원을 관리할 수 있는 틀을 제공하며 야생, 공원, 그린스트리트, 생활공간 등을 전략적으로 계획하고 관리함으로써 사람에게 건강과 높은 삶의 질을 제공하고자 하는 데 그 목적이 있다.

3. 그린빗물인프라의 목적과 특징

1) 그린빗물인프라(Green Stormwater Infrastructure)는 자연의 물순환체계를 모방하여 강우의 차단, 침투, 침루, 증발산을 유도함으로써 빗물의 직접 유출량을 저감하고 오염물질을 처리하는 방법으로 옥상녹화, 빗물정원, 빗물이용시설, 투수성 포장 등의 기술요소들을 포함한다.
2) 그린빗물인프라의 개별 기술요소들은 저영향개발방법의 기술요소들과 일맥상통하며, 개발사업에 한정되어 적용되는 저영향개발방법과 달리 그린빗물인프라는 광범위하게 적용된다.

4. 그린빗물인프라의 분야별 요소

구분	요소
환경	• 탄소 격리(Carbon Sequestration) 증가 • 대기질 개선 • 친수공간 확보 • 효율적 토지이용 • 보건 향상 • 홍수 예방 • 식수원 보호 • 지하수 함양 • 유역 건강성 개선 • 야생생물의 서식지 보호·복원 • 관거월류 저감 • 손상수체 복원 • 공공수역 규제·요구사항 충족
경제	• 하드인프라(Hard Infrastructure) 건설비용 절감 • 노후인프라(Aging Infrastructure) 유지 • 토지의 가치 증대 • 경제발전 장려 • 에너지 소비 및 비용 절감 • 생애주기비용(LCC : Life Cycle Cost) 절감
사회	• 보행 및 자전거 접근성 제공 • 매력적인 가로경관 및 옥상 창출로 도시 녹지공간 및 거주성 향상 • 우수관리에 있어서 국민의 역할에 대해 교육 • 도시 열섬효과 완화

36 | 기저유출(Baseflow)을 설명하시오.

1. 정의

기저유출이란 강우나 지표수가 지중에 침투되어 지하수에 함양된 후 대수층에서 하천으로 유출되는 것을 말한다.

2. 직접유출과 기저유출

강우가 지표면에 곧바로 유출되는 직접유출에 비하여 지중에 침투하여 지하수에 저장된 후 일정 시간 뒤에 유출되는 기저유출은 하천유량 유지나 수원으로서 많은 장점에도 불구하고, 그 해석이 난해하여 기존 지하수 수위의 변화와 수문지질적 변화에 대해 충분한 조사가 필요하다.

3. 하천유량에서 직접유출과 기저유출

하천의 수문곡선(Hydrograph)상에서 직접유출과 기저유출을 분리하는 일은 수문곡선의 해석을 위한 첫 단계로 유역의 정확한 범위, 지하 대수층의 지질, 투수능력, 통수능력 등 유역의 특성을 정확히 파악할 필요가 있으나 지하수 감수곡선법 또는 수평직선분리법 등의 간략법이 사용되고 있다.

4. 물순환과 기저유출

최근 기후변화와 같은 자연현상으로 물부족이 사회문제로 대두되고 있으며 이와 같은 물부족문제는 앞으로 더욱 심화될 것으로 예상된다. 물순환에 있어 대기 중에서 떨어지는 빗물 중 대부분은 비포장면에서는 지하로 침투되며 직접유출량은 상대적으로 적다. 건전한 물순환을 위해서는 유출계수가 큰 비포장면을 줄이고 침투효과가 큰 침투성 지표면을 확대할 필요가 있다.

5. 하천유량 관리

국내 하천에서 기저유출지표를 산정한 결과 기저유출이 전국 하천유량에 기여하는 비율은 연평균 약 40%인 것으로 나타났으며 지역별로 20% 미만, 80% 이상인 것으로 예측되었다. 따라서 기저유출지표가 낮은 지역에서는 주변생태계보전을 위해 지하수 이용과 개발을 제한하는 것이 타당할 것이다. 또한 갈수기 때에는 그 비율이 더 증가하게 되는데, 낙동강유역을 기준으로 약 72%의 하천유량이 지하수로부터 공급되고,

계절별로는 12월과 1월인 겨울철에 90%를 상회하는 것으로 분석되었다. 이렇듯 기저유출은 하천유량의 대부분 특히 갈수기 때의 유량을 지배하는 것으로 나타났다. 따라서 갈수기의 하천 관리핵심은 기저유출 관리와 밀접한 관계가 있다.

6. 기저유출과 자연배수시스템

최근 건전한 물순환을 위하여 자연배수시스템, 이중배수시스템을 적극적으로 도입하고 있으며 이렇게 지중에 침투한 지하수는 결국 기저유출로 하천에 유입되어 건천화를 막고 건전한 물순환에 기여하고 있다.

37 | 다음은 어느 도시의 분류식 하수도 계획구역이다. 주어진 조건을 참조하여 다음을 구하시오.

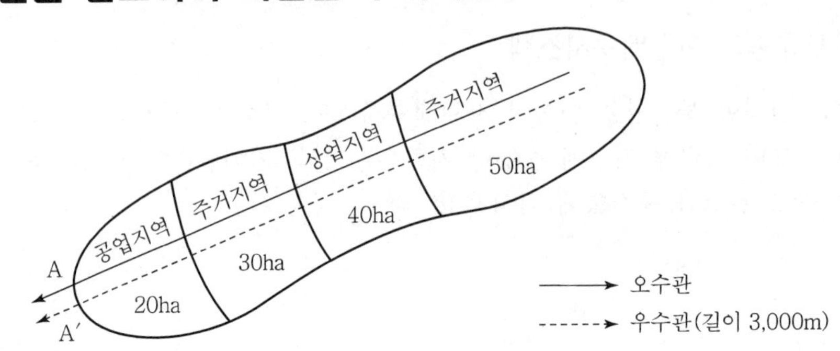

〈조건〉

구분	인구밀도(인/ha)	1인 1일 최대급수량(L)	영업용수율	평균유출계수
주거지역	100	300	0.2	0.5
상업지역	200	300	0.6	0.7
공업지역	40	300	0.3	0.4

- 공장배수량 : 2,000m³/day
- 지하수량 : 공장배수량은 제외하고 10%
- 시간변동비 : 1.8
- 유입시간 : 5분
- 강우강도 공식 : $I=\dfrac{5,500}{t+50}$(mm/hr)
- 관내 평균유속 : 1.0m/sec(우수관)

1) A지점에서 계획 1일 최대오수량(m³/day) 및 계획시간 최대오수량(m³/h)을 구하시오.

2) A′지점에서 합리식을 이용하여 우수유출량(m³/sec)을 구하시오.

1) A지점에서 계획 1일 최대오수량(m³/day)은 인구밀도(인/ha)와 1인 1일 최대급수량(L), 영업용수율로 구하며 공장배수량과 지하수량을 더하여 된다.

계획 1일 최대오수량(m³/day)

$=(50\times100\times300\times0.2+40\times200\times300\times0.6+30\times100\times300\times0.2$

$\quad+20\times40\times300\times0.3)\times1.1\times10^{-3}+2,000$

$=4,164.8\text{m}^3/\text{day}$

계획시간 최대오수량(m^3/h)은 계획 1일 최대오수량(m^3/day)과 시간변동비로 구한다.

$$계획시간\ 최대오수량(m^3/h) = \frac{계획시간\ 최대오수량}{24} \times 시간변동비$$
$$= \frac{4,164.8}{24} \times 1.8 = 312.12m^3/h$$

∴ 계획 1일 최대오수량(m^3/day) =4,614.8m^3/day
계획시간 최대오수량(m^3/h) =312.12m^3/h

2) 합리식을 이용한 우수유출량은 $Q = \frac{1}{360} CIA$로 구한다.

$$총합\ 평균유출계수\ C = \frac{50 \times 0.5 + 40 \times 0.7 + 30 \times 0.5 + 20 \times 0.4}{50 + 40 + 30 + 20} = 0.543$$

강우강도 $I = \frac{5,500}{t+50}$ (mm/hr)에서

$$t(강우지속시간) = 유입시간 + 유출시간 = 5 + \frac{3,000}{1 \times 60} = 55min$$
$$I = \frac{5,500}{t+50} = \frac{5,500}{55+50} = 52.38mm/hr$$
$$Q = \frac{1}{360} CIA = \frac{1}{360} \times 0.543 \times 52.38 \times (50+40+30+20) = 11.06m^3/sec$$

∴ 우수유출량(m^3/sec) =11.06m^3/sec

38 | 합류식 하수도 우천 시 방류부하량 저감계획을 설명하시오.

1. 개요

합류식 하수도의 우천 시 오염 방류부하량 문제는 간단히 우수토실과 병행한 펌프장의 월류수(CSOs)대책뿐만 아니라 하수처리시설의 우천 시 하수처리대책 등 합류식 하수도 시스템 전체의 종합 수질오염 대책의 일환으로서 검토할 필요가 있다.

2. 우천 시 방류부하량 저감 목적

합류식 하수도에서 공공수역의 수질보전을 위해 우천 시에 배출되는 방류부하량을 저감한다. 궁극적인 우천 시 오염 방류부하량의 저감목표는 인근수계에 악영향을 미치지 않아 주민의 쾌적한 생활환경이 확보되고 수생태계가 건강하게 유지되는 수준을 확보하는 것이다

3. 합류식 하수도의 특징

합류식 하수도는 우수 및 오수를 신속하게 배제 · 처리하여 공중보건위생 대책과 침수방재대책을 동시에 진행하는 것이 가능하다는 측면에서 설비가 간편하고 경제적으로 우수한 시스템이지만 우천 시에 기능적 불완전성으로 인해 오수 관내퇴적물, 도시비점오염원 문제 등 문제가 있다.

1) 월류수(CSOs)의 일부가 적절히 처리되지 않고 하천 등의 공공수역에 방류되는 위생 측면, 수질오염 방지 측면, 미관 측면에서 불합리한 측면이 있다.
2) 우리나라의 도시형태 및 지역특성 등을 고려할 때 일부지역은 합류식 하수도 체계를 그대로 유지하면서 하수도 정비를 수행하여야 하는 경우가 많이 있으며 종합적인 합류식 하수도시설의 성능개선을 통해 수계에 배출되는 방류오염부하량을 저감한다면 분류식 하수도 체계와 견줄 수 있는 장점이 있다.
3) 최근의 수변환경과 친수공간에 대한 관심이나 요구 등이 높아지는 것을 고려할 경우 우천 시 인근수계로 방류되는 오염부하를 저감하는 대책은 가장 우선적으로 검토할 필요가 있다.

4. 우천 시 방류부하량 저감계획

합류식 하수도의 우천 시 방류부하량 저감계획은 각종 부하량 조사 및 산정, 유역의 물질수지 파악, 부하량 저감목표 설정, 저감 시나리오 구축 및 검토, 저감대책 시행, 시행효과 분석 및 관리계획 구축 등과 같은 단계 순으로 종합적으로 비교·검토해야 한다. 합류식 하수도의 개선은 도시의 강우에 기인하는 침수문제와 수질오염 문제를 통합적으로 접근하여 대책을 세우는 것이 중요하며 해당 합류식 하수도 지역의 여건, 수질항목 문제의 긴급성, 하수도정비 상황, 연간투자액 개선효과, 사업기간 등에 가장 적합하도록 단계적으로 방류부하량 저감계획을 수립한다.

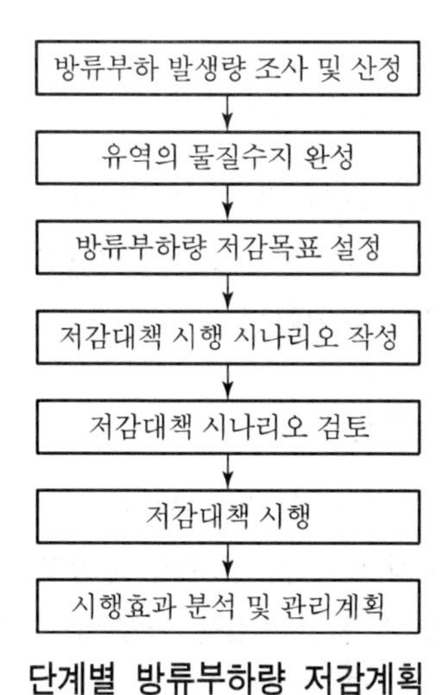

단계별 방류부하량 저감계획

1) 모니터링을 통한 방류부하 발생량의 조사 및 산정

모니터링은 방류 부하(월류수+처리장 우천 시 하수처리수 방류부하)의 현황을 조사하여 저감대책의 효과 검증과 공공수역의 영향을 파악하기 위하여 행한다.

2) 모델링을 통한 합류식 하수도 유역의 물질수지 완성

오염부하 물질수지의 계산은 유역 내 하수관거와 처리장으로 연계된 합류식 하수도 시스템 전체와 방류수역 간의 물질수지의 계산으로 이루어지며 유역에서 발생하여 배출되는 총 오염부하를 파악하고 저감대책의 효과를 검증하기 위해 행한다.

3) 단계별 방류부하량 저감목표의 설정

단계별 방류부하량 저감목표의 설정은 장기적인 관점에서 최종 오염부하 저감목표를 설정하고 이를 시행하기 위한 구체적인 단기계획 및 목표를 수립하여 단계적인 저감대책을 시행하도록 한다.

4) 저감목표 달성을 위한 다양한 저감대책 시행 시나리오 작성
저감목표 달성을 위한 저감대책 시행 시나리오 작성은 여러 가지 대책 중 유역의 특성을 고려하여 가장 적합한 대책을 도출하기 위하여 수행한다.

5) 시뮬레이션을 통한 저감대책 시나리오의 검토
저감대책 시나리오의 검토는 저감대책의 시행에 앞서 가장 효과적이며 경제적인 방법을 택하기 위해 시행한다. 단기 강우 혹은 장기 연속강우에 대한 시뮬레이션을 수행하여 각 대책별 오염부하 저감효과를 비교하며 동시에 저감시설이나 방법에 소요되는 비용에 대해서 분석 평가하는 것이 바람직하다.

6) 저감대책의 시행
검토를 통해 선정된 저감대책을 시행한다.

7) 모니터링을 통한 저감대책 시행효과 분석 및 관리계획
저감대책의 시행효과 분석은 각 단계별 저감목표의 달성 여부를 파악하고 지속적인 유지관리를 행하기 위해 수행한다.

5. 우천 시 방류부하량 저감 목표

우천 시 합류식 하수도의 방류부하량 저감목표는 대상 처리구역 혹은 배수구역에서 배출되는 연간 오염 방류부하량이 인근 수계에 악영향을 미치지 않을 수준 이하로 삭감하거나 혹은 분류식 하수도로 전환하였을 경우에 배출되는 연간 오염 방류 부하량과 같은 정도로 하거나 그 이하로 한다.

1) 우천 시 합류식하수도의 방류부하량 저감목표는 지역특성에 따라 다양한 목표수준이 결정될 수 있다.
2) 지역의 특성을 고려한 수질보전계획을 실시할 필요가 있으며 폐쇄성 수역으로 부영양화가 염려되는 수역 및 관광레크리에이션 등 물이용 관점에서 보다 높은 수질보전목표를 달성하기 위한 계획을 검토할 필요가 있다.
3) 한편 합류식 하수도대상지역을 분류식 하수도로 정비한 경우로 가정 하였을때 대상 합류식 하수도 처리구역에서 배출되는 총오염 부하량(월류수+처리장 우천 시 하수처리수의 합)이 정비된 분류식 하수도에서 배출되는 총오염부하량(우수+처리장 우천 시 하수처리수의 합)과 같은 정도 혹은 그 이하로 되는 관리 수준을 또 다른 목표로 설정할 수가 있다.

4) BOD 수질항목을 평가지표로 선정하고 방류부하량 삭감률을 산정한 경우에는 아래의 예와 같으며 방류수역의 수생태환경 및 오염총량규제 관점을 고려하여 BOD 이외의 추가적인 수질항목으로 동일한 방식으로 평가할 수 있다.

① 연간 BOD 발생부하량에 대한 연간 방류부하량 삭감량의 비율

$$\text{연간 BOD 부하량 삭감률} = \left(1 - \frac{\text{연간 방류 BOD 부하}}{\text{연간 BOD 발생부하량}}\right) \times 100$$

② 연간 우천 시 BOD 발생부하량에 대한 우천 시 방류부하량 삭감량의 비율

$$\text{우천 시 BOD 부하량 삭감률} = \left(1 - \frac{\text{우천 시 방류 BOD 부하}}{\text{우천 시 BOD 발생부하량}}\right) \times 100$$

6. 유량가중평균농도

합류식 하수도의 우천 시 방류부하량 계산은 분류식 하수도의 우수에 의한 오염부하량과 비교하여 산정할 수 있다. 우수에 의한 오염부하량은 다양한 방류지점의 우천 시 유량 및 수질의 모니터링자료를 충분히 확보한 다음 모델링을 통해 산정하여야 하며 이때 사용되는 수질특성은 원칙적으로 유량가중평균농도(EMC)를 구해 산정한다. 수량 및 수질데이터는 각 지역별로 독자적인 데이터를 쓰거나 방류특성이 유사한 다른 지역의 수질데이터를 참고로 하여 계산한다.

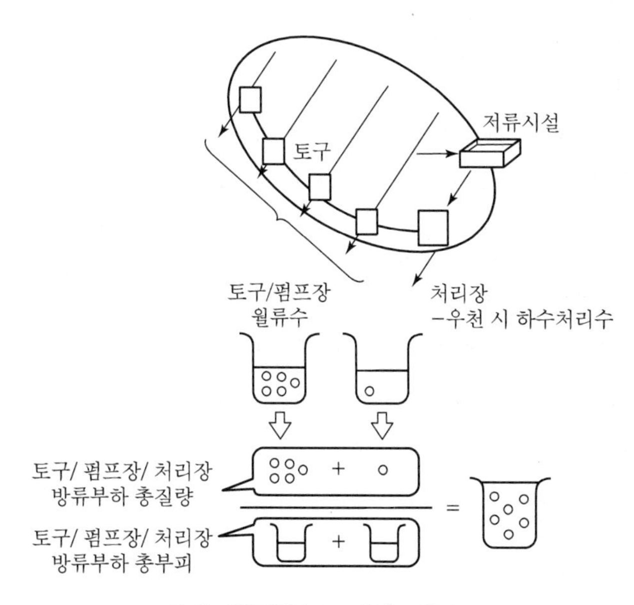

유량가중평균농도 산출 개념도

7. 우천 시 방류부하량 저감대책

합류식 하수도 방류부하량을 저감하는 대책은 실효적 효과, 경제성, 유지관리성 등을 종합적으로 평가하여 결정한다. 합류식 하수도 유역의 특성을 감안하여 단계별 저감목표에 부합하는 다양한 저감대책의 효과검증 및 생애주기평가(LCA)를 반영하여 종합적으로 대책을 수립한다.

1) 합류식 하수도에서 발생하는 우천 시 방류부하량을 저감하는 대책은 크게 하수관거시스템에서 대응하는 월류수(CSOs) 대응방식과 우천 시 하수를 처리하는 하수처리시설 대응방식으로 구분할 수 있다.
2) 동시 다발적으로 발생하는 월류수 오염부하에 대응하는 방식은 단기대책과 중장기 대책 등 다양한 저감목표에 부합하는 단계별 저감대책을 시행하여야 한다.
3) 단기 최소 요구 충족 저감대책(NMC : Nine Minimum Control)은 다음과 같은 9가지 항목을 말하며 이는 월류수 문제에 대응하기 위하여 단기적 우선적으로 수행해야 하는 최소한의 대응방법의 제시를 의미한다.

(1) 합류식 관거시스템의 적정운영과 정기적인 유지관리
(2) 관거시스템 차집시스템에서의 저류능 극대화
(3) CSOs 영향을 최소화 하기위한 전처리 요구조건들의 평가 및 개선
(4) 하수처리시설에서의 처리를 위한 이송의 극대화
(5) 건기 시 CSOs 발생금지
(6) CSOs 내의 고형 및 부유물질 제어
(7) 사전오염예방
(8) CSOs 발생 및 영향에 대한 적절한 주민공지
(9) CSOs 영향 및 제어효율을 효과적으로 규정하기 위한 모니터링

4) 중·장기저감대책(LTCP Long-Term Control Plan)은 월류수제어를 위한 장기적 대응방법론을 의미하며 합리적이고 실효적인 월류수대책을 도출하기 위한 접근방법으로 반드시 포함되어야 할 내용이며 다음과 같은 항목을 제시하고 있다.

(1) 합류식 하수도 시스템의 특성조사 모니터링 및 모델링
(2) 주민참여
(3) 민감한 지역의 고려
(4) 대안들의 평가
(5) 비용효과의 검토
(6) 운영계획

(7) 하수처리시설 처리능의 극대화
(8) 저감대책 시행의 계획
(9) 시설 기능 체크를 위한 모니터링

5) 합류식 하수도 방류부하량을 저감하는 대책을 적용 대상 관점으로 세분하여 살펴보면 발생원, 관거 및 부속시설펌프장 저류시설 침투시설 등, 하수처리시설 등으로 구분할 수 있으며 적용 기술적인 측면에서는 아래와 같이 자세히 구분할 수 있다. 이러한 기술적 저감대책이 실효성을 얻으려면 대상지역 특성이나 상황에 따라서 단독 혹은 다양한 조합의 형태로 적용해야 하며 그에 따르는 효과검증 및 생애주기 평가(LCA)를 수행하여 종합적으로 대책을 수립해야 한다.

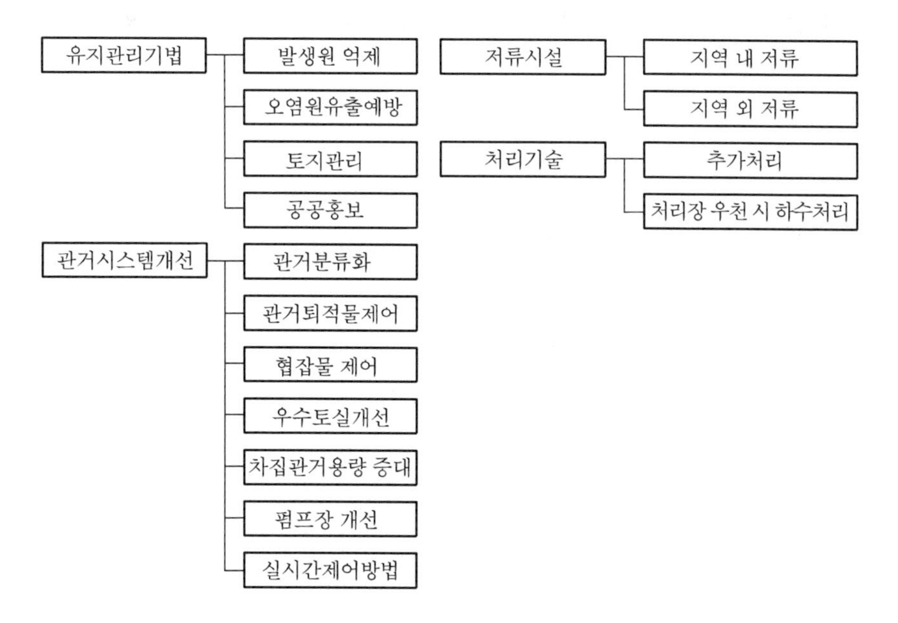

우천 시 방류부하량 저감대책

6) 우천 시 방류부하량을 저감하기 위한 대책이 수단적 관점으로는 다음의 4가지 방식으로 대별될 수 있다.

(1) 유지관리기법
유지관리기법은 ① 발생원 억제 ② 오염원유출예방 ③ 토지관리 ④ 공공홍보 등을 이용하여 우천 시 방류부하량을 예방 혹은 저감하는 방법이다.

(2) 관거시스템 개선
하수관거시스템에 관한 개선대책은 월류수부하량에 의한 공공수역에의 영향을 저감시키기 위해 지역특성이나 기존시설의 상황을 고려하여 ① 관거분류화 ②

관거퇴적물 제어 ③ 협잡물 제어 ④ 우수토실개선 ⑤ 차집관거 용량증대 ⑥ 펌프장 개선 ⑦ 실시간 제어방법 등의 대책 적용을 활용한다.

(3) 저류시설

저류에 의한 우수유출량의 제어는 합류식 하수도 월류수 개선대책뿐만 아니라, 침수대책 지하수 보충 등의 효과가 기대되는 시책이다.

(4) 처리기술

합류식 하수도의 입자성 혹은 용존성 오염부하량을 처리하는 기술들을 의미하며 크게 처리장으로 이송되기 전에 방류 월류되는 오염부하량을 처리하는 기술(① 추가처리)과 하수처리시설에 이송된 우천 시 하수를 하수처리시설에서 처리하는 내용(② 처리장 우천 시 하수처리)으로 구분할 수 있다.

39 | CSOs와 SSOs

1. 정의

1) 합류 방류 부하량(CSOs : Combined Sewer Overflows)
합류식 하수도에서 초기강우를 차집(遮集)하여 하수처리시설로 보내고 그 나머지는 우수토실에 의하여 월류 시켜 공공수역으로 방류되는 부하를 CSOs라 한다.

CSOs = 미처리 방류수 + bypass량 + 2차 처리수

2) 분류 방류 부하량(SSOs : Separated Sewer Overflows)
분류식 하수도에서 초기강우의 비점오염물질이 우수관을 통해 방류되거나 집중강우나 침입수/유입수 과다 등으로 오수관의 유량이 과다할 경우 계획 오수량을 초과하는 나머지는 토실에 의하여 월류 시켜 하천 등 방류수역으로 방류하게 되는데 이런 부하를 SSOs라 한다.

SSOs = 우수 + 2차 처리수

2. CSOs와 SSOs 수질의 성상

CSOs 성상은 초기 강우 시 지표면에 존재하고 있는 오염물(First Flush)과 하수관거 저부에 퇴적되어 있는 저니들, 오수와 혼합된 하수가 함께 유출되므로 CSOs 내에는 고형물, 유기물, 영양염류, 병원균과 중금속류 및 기타 유독성 물질들이 포함되어 있다. SSOs 성상도 CSOs와 유사하다.

1) 각 수질 항목별로는 일반적으로 유기물과 고형물 항목(T-S)에서 CSOs 발생 시 가장 큰 폭의 증감을 보인다.
2) 분류식의 SSOs 성상은 비점오염원의 특징에 가까우며 초기 강우 시 오염물질의 농도가 크게 증가한다.
3) T-P는 특성상 토양점토와 결합하여 다른 수질항목의 유출과 유사한 형태를 보이고 T-N은 토양 내 용해상태로 존재하고 있어 고형물 등의 유출형태와 다른 형태를 보이며 그 영향도 다른 항목에 비하여 크지 않은 것으로 보고되어 있다.

3. CSOs, SSOs 유량의 유출특성

도시지역은 개발에 따른 영향으로 불투수층이 커서 강우초기에 유량 및 오염물질이 다량 유출되는 현상이 발생한다.

1) CSOs의 방류구에서의 유량의 변화상태는 강우강도의 변화상태와 그 형상이 매우 유사하며, 강우발생과 유량 증가의 시간차가 적은 것은 우수가 합류식 하수관거로 유입되는데 걸리는 시간이 짧다는 것을 보여준다.
2) 하수처리시설에서의 유입 유량의 변화는 완만하며 강우가 끝난 지 수 시간이 경과된 후에야 정상상태의 유량으로 환원된다.
3) 하수처리시설의 유량이 증가한 이유는 합류식 하수관거에서 유입된 폐수에 기인되며, 유량 변화가 완만한 이유는 수리 수문 효과와 상당량의 하수가 월류(CSOs) 되었기 때문이다.
4) 분류식에서 SSOs 발생은 초기 강우 시 지표면 오수의 유출이 직접적인 원인으로 우수관거 계통에 초기 강우 시(2~20mm) 비점오염물질 제거대책을 세워야한다.
5) 이론적으로는 분류식에서 오수관은 강우에 무관하게 년 중 계획된 오수 유량을 유지하여 월류량이 없어야 하나 관거오접 및 접합부의 불량으로 침입수, 오수받이에서의 유입수 등으로 집중 강우시나 지하수위에 따라 SSOs가 발생하는 경향이 있다.

4. CSOs, SSOs 저감계획 필요성

CSOs, SSOs는 하천오염을 증대시키고 수 생태계를 교란 시키므로 최대한 감소시켜야 하지만 이는 또 다른 하수처리시설 부하로 전환될 수 있으므로 침투형 하수도 등을 적절히 계획하여 우수는 최대한 지중 침투나 지표 유출로 하천 상류에 방류토록 한다.

1) 차집관거 용량 증대 : 초기 우수 저장
2) 우수토실 위어 가변형 적용 : 초기 우수 차집관거 유입증대
3) 저류형 : 초기강우 2~20mm 저장용량
4) 침투형
5) 식생형
6) 장치형

40 | 차집관거 설치목적

1. 정의

차집관거란 합류식 하수관거 시스템에서 평상(청천)시 배출된 하수를 우수토실로 분류하여 차집관거를 통하여 하수처리시설로 배수하는 관거를 의미한다.

2. 차집관거의 설치목적

청천 시에는 배수가 모두 차집관거를 통해 하수처리시설로 보내지지만 우천 시에는 하수와 우수가 함께 유입되므로 이를 모두 하수처리시설에서 처리할 수 없으므로 우수토실로 일정량(최대 오수량의 3배 정도)을 차집(遮集)하여 하수처리시설로 보내고 그 나머지는 우수토실에 의하여 월류시켜 공공수역으로 방류된다.

3. 차집관거의 방류부하량(CSOs) 저감 필요성

1) 합류식 하수도의 우수토실은 강우 시 오수는 최대한 차집하고(오수 방류는 공공수역을 오염) 우수는 방류하며(우수의 처리장 유입은 부하증대 및 처리효율 저하) 또한 초기 강우 시 비점 오염원이 고농도 하수로써 공공수역에 방류되는 현상(First Flush)을 막아야 하는 모순적인 기능을 발휘해야한다.
2) 이러한 강우 시 월류수에 대한 문제는 오염부하 방류를 최대한 억제하면서도 시스템이 복잡하지 않고 유지관리가 간편해야 하며 획일적 대책보다는 각 지역 특성에 맞는 대책을 수립하여야 한다.

4. 적용 추세

1) 최근의 합류식 하수도는 강우 시에 오수에 의한 수질오염 문제가 사회 일반의 문제로 대두되고 있어 이를 방지하기 위한 대책을 적극적으로 모색하고 있다.
2) 현실적인 저감방법은 차집용량 증대, 우수저류지 및 Swirl Regulator 등의 방법이 있으며 외국의 경우 지하에 대규모 저류터널(도쿄)을 설치하여 월류수를 저류 후 강우 종료 후 처리장이나 합류식 관거로 이송시키는 경우도 있다.
3) 이런 월류수에 대한 대책은 복잡하고 많은 시간과 비용을 요구하는 것들이지만 자연 환경의 보호와 친환경적 처리설비의 확대 측면에서 비용보다 효과를 우선하는 쪽으로 과감한 전환이 필요하다 하겠다.

41 | 합류식 하수도에서 우천 시 방류부하량(CSOs) 저감방법을 설명하시오.

1. 개요

합류식 하수도의 우수토실은 강우 시 오수는 최대한 차집하고(오수 방류는 공공수역을 오염) 우수는 방류하며(우수의 처리장 유입은 부하 증대 및 처리효율 저하) 또한 초기 강우 시 비점 오염원이 고농도 하수로써 공공수역에 방류되는 현상(First Flush)을 막아야 하는 모순적인 기능을 발휘해야 한다. 따라서 수질오염 방지의 관점에서 강우 시 우수토실에서 방류되는 월류수에 의한 수질오염을 최소화하는 대책이 필요하다.

2. 우수월류량(월류위어에서 Over Flow)

우수토실에서의 우수월류량은 그 지점에서의 우천 시 계획하수량에서 오수로 취급하는 하수량, 즉 우천 시의 계획오수량을 뺀 양으로 한다.

1) 강우의 초기에는 오수는 우수에 의하여 그다지 희석이 되지 않으며, 강우 초기의 우수는 도로 면의 오물, 먼지 등을 포함하고 있으므로 이들 우수를 방류하면 방류수역을 오염시킬 우려가 있다.(초기 강우는 처리장으로 유도할 수 있도록 한다.)
2) 우수량이 상당히 커져 오수가 희석되면 이와 같은 위험성은 적어지며 또한 다량의 우수까지 처리장으로 도입하는 것은 처리장의 시설이 커지므로 비경제적이 된다.
3) 따라서 오수로 취급하는 하수량은 일반적으로 시간최대오수량의 3배 이상으로 하는 것이 바람직하며, 우수토실에 의한 우수월류량은 계획하수량(오수+우수)에서 우천 시 계획오수량을 뺀 양이 된다.

∴ 우수월류량=계획하수량-우천 시 계획오수량(계획시간 최대오수량의 3배)

3. 우천 시 방류부하량 저감 방법

1) 차집관거의 용량 증대

합류식 하수도는 우천 시 합류식 하수의 일정량을 차집하고 나머지는 하천에 직접 방류하므로 차집관거의 용량을 증가시켜 공공용수역에의 직접방류량을 감소시킴으로써 토구의 경우 월류부하량의 저감을 도모할 수 있다.

(1) 차집관거의 용량은 청천 시 계획시간 최대오수량에 차집우수량(초기 강우 2~5mm/h 이상)을 더하여 계산한다.

차집관거의 용량=청천 시 계획시간 최대오수량+차집우수량(2~5mm/hr)

(2) 가장 간단하고 보편적인 방법이나 처리장에서의 용량 증설 및 효율 저하를 유발시키는 단점이 있다.

2) 차집관거와 합류관거의 접속 개선

차집관거는 우천 시 하수 중에서 처리장으로 보내야 할 계획오수량의 유입을 목적으로 하는 관거이다.

(1) 개선 전 : 차집관거에 합류관거가 직접 연결되는 경우 처리해야 할 하수로 간주되는 우천 시의 오수가 다시 희석됨으로써 차집관거 본래의 목적에 어긋나고 합류식의 결점이 더욱 심해지므로 반드시 피한다. 특히 강우초기에 하수수질이 매우 나쁘므로 문제가 더욱 심각해진다.

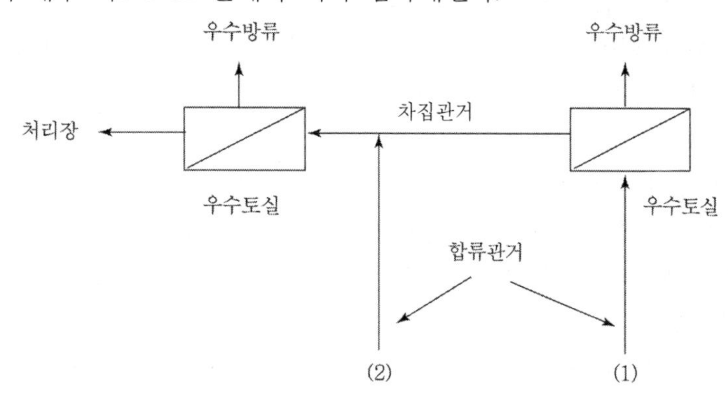

(2) 개선 후 : 합류관거가 차집관거에 연결되기 전에 우수토실을 거쳐 우수를 방류하고 나머지는 차집관거에 연결시킨다. 예를 들면 다음 그림과 같다.

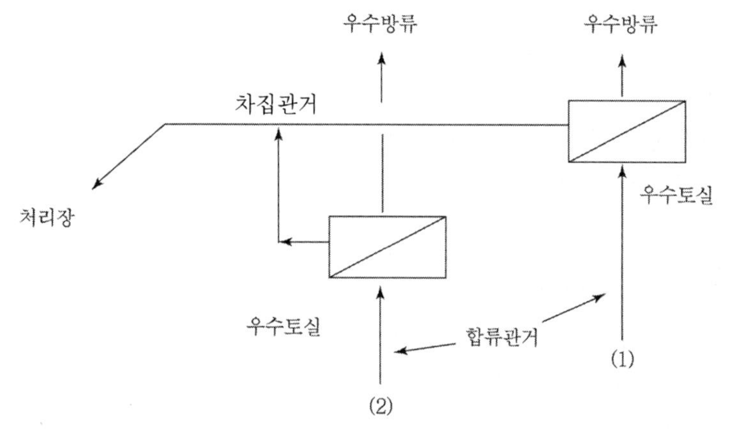

3) 우수체수지(우수저류지)

우천 시 초기우수나 우수토실, 펌프장에서의 월류수, 혹은 차집우수의 일부를 저류 또는 침전방류하고, 우천시 저류한 합류하수를 강우 종료 후 원칙적으로 처리시설에 송수하여 처리함으로써 배수구역 및 처리구역 전체에서 배출시키는 우천 시 방류부하량의 저감을 도모하는 시설이다.

(1) 우수저류지 용량은 저류한 우수를 처리장에서 처리하는 우천 시 방류부하량의 저감 효과에 의해 결정한다. 즉 방류부하를 적게 하려면 저류조를 크게 해야 한다.

(2) 우수저류지는 우수토실, 펌프장 등과의 위치에 따라 다음과 같이 분류한다.

① 우수토실, 펌프장 뒤에 설치

② 우수체수지 내에 월류위어를 설치하고 우수토실을 병설

③ 우수토실, 펌프장 등의 앞에 설치

(3) 우수체수지의 형식

① 우수가 차집관거 용량을 초과하면 우수체수지에 유입되고, 우수체수지가 만수가 되어도 차집관거 용량을 상회하는 수량은 계속 우수체수지로 유입하며 유입수량과 같은 유량이 방류

② 차집관거 용량을 초과하면 우수체수지에 유입되고, 우수체수지가 만수되면 그 이후에는 우수체수지를 우회하여 공공수역에 방류

③ 우천 시 합류식 하수가 계획시간 최대오수량을 상회하면 우수체수지에 유입한다. 체수지가 만수가 되기까지는 계획시간 최대오수량 만이 처리장에 송수된다.

④ 계획시간 최대오수량을 상회하면 차집관거 용량 이하의 차집우수량을 우수 체수지로 유입시킨다.

4) Swirl Regulator(원심 고액분리기)

(1) 원리

Swirl Regulator는 유입하는 하수의 유속에 의해 장치 내에 선회류를 일으켜 선회류에 수반한 원심력과 관성력에 의한 고액분리현상을 이용하여 고형물을 중앙에 모아 제거하여 방류부하량을 저감한다.

(2) 기능

합류식 하수도의 우천 시 방류부하량을 저감하기 위해 필요에 따라 종래의 우수토실을 대신하는 시설로 Swirl Regulator를 설치할 수 있다. 스월조절조는 저류, 유량조정, 침전성 물질의 농축, 수면 부상성 물질의 제거 등 기능이 있는 우

천 시 방류부하량의 저감을 도모하는 시설로 설계 제거율은 하수처리시설의 간이처리와 같은 정도의 약 30% 정도를 표준으로 하고 있다.

(3) 계획 시 고려사항

① 스월조절조는 방류지점 공공수역의 용도, 다른 방류부하량 저감방법과 조합시킬 때의 효과 및 경제성 등을 종합적으로 고려하여 검토한다.

② 스월조절조는 비교적 소유역에 적합한 시설이고, 차집관거 용량 증대나 우수체수지 등은 비교적 대유역을 대상으로 한 시설이다.

③ 스월조절조는 우수토실과 비교하여 오수유입지점과 방류지점과의 수위차가 커야 하므로 충분한 수위차를 확보할 수 있는 지점을 선정할 필요가 있다.

5) 우수토실 및 펌프장으로부터의 방류에 처리시설

우수토실 및 펌프장으로부터의 방류수는 필요에 따라 대장균이나 세균을 소독하는 조치나 큰 고형물의 유출을 방지할 수 있는 스크린을 설치하여 처리 후 방류한다.

6) 외국의 적용 추세

외국의 경우 지하에 대규모 우수저류지나 터널 등을 설치하여 월류수의 일시 저류와 고액분리 기능을 가진 시설로 간이처리 한다.

(1) 미국, 일본의 예를 들면 방류수역 내 합류식 하수도의 월류수 저류시설을 지하 100~300m에 체류용량 2.5일분을 저류하는 대규모 터널형 저류지를 건설하여 펌프장 및 포기시설을 갖추어 강우 후 배제하며 저류된 우수의 부패를 방지한다.

(2) 스웨덴의 경우도 지하 30~50m에 30,000m³ 용량의 지하 우수저류터널을 설치하여 강우 후 저류수를 펌프로 합류식 하수도에 반송시키는 시설이 있다.

(3) 영국의 경우는 우수용 침전지 겸 저류지를 청천 시 하수량의 6배 이상으로 설치하여 하수를 저류 후 강우 종료 후에 양수하여 하수처리시설에서 처리 후에 방류한다.

42 | 합류식 하수관거지역에서 강우 시 하수처리(3Q)에 대한 문제점 및 운영 개선방안에 대하여 설명하시오.

1. 합류식 하수도의 문제점

1) 합류식 하수도는 재원의 제약이 따르는 중에서도 침수지구의 해소와 하수도의 보급에 대하여 상당한 역할을 수행해 왔으나, 우천 시 하수가 일정 용량 이상을 초과하는 경우, 우수에 의해 희석된 하수가 우수토실이나 우수배수펌프장에서 공공수역으로 방류되는 구조로 되어 있기 때문에 여러 문제를 유발하고 있다.
2) 하수차집량은 각 도시의 특성을 고려하여 결정되고 있으나, 합류식 하수도가 많이 채용되던 시점인 1968년 일본의 경우, 계획시간 최대오수량의 2~3배로 제시되었다.

2. 합류식 하수도의 CSOs(3Q)와 간이공공하수처리시설

합류식 하수도에서 강우 시 방류부하량(CSOs) 감소를 위한 차집량 확대방안에 따라 차집관거를 3Q로 키우는 조치를 취했으나 실제 운영 시 하수처리시설에 3Q가 유입되면, 처리공정에서는 1Q만 처리되고 2Q는 그대로 방류되어 방류하천의 오염이 증가하는 현상이 나타났다. 이 현상에 대하여 간이공공하수처리시설을 설치하여 오염을 감소시키려는 법이 운영되고 있다.

1) 합류식 하수도를 채용하고 있는 중대도시에서는 급격한 인구 증가에 의해 계획차집량(3Q) 이상의 우천 시 하수가 공공수역으로 CSO로서 월류하는 상태가 빈발하는 상황이 되었다.
2) 강우 초기에는 관거나 펌프정에 퇴적된 오염물질이 재부상하여 충분히 희석되지 않은 상태, 즉 일시에 고농도로 공공수역에 방류되는 초기 강우(First Flush)현상이 관찰되는 경우가 많다.
3) CSO는 BOD로 표현되는 유기물이나 SS 이외에도 질소, 인화합물, 대장균, 병원성 박테리아, 장관계 바이러스(Enteric Viruses), 중금속 등의 미량물질 및 유지스컴 등 다양한 문제를 내포하고 있어서 상당한 수준으로 희석되었다고 하더라도 '미처리'상태라는 사실 그 자체가 문제로 인식되고 있다.
4) 시민들의 눈에 직접 관찰되는 협잡물도 큰 문제가 되고 있다. 우수토실로부터 쓰레기나 화장실용 휴지 등이 유출되고, 방류수역에서는 공중위생상의 문제가 우려되고 있을 뿐만 아니라, 경관을 현저하게 해치고 있다.

5) 우수토실이나 펌프장의 방류수역, 우수받이 등에서 강우 종료 후에 악취가 발생하는 경우도 보고되고 있다.
6) 근래에는 하수도의 정비가 착실하게 진행되어 공공수역의 수질이 상당한 수준까지 개선되고 있음에도 불구하고, 보다 양질의 수환경에 대한 사회적 요구가 높아지고 있는 추세이다.

3. 합류식 하수도의 개선방안

1) 합류식 하수도의 오염부하를 분류식 하수도와 같은 수준으로 삭감하기 위한 핵심적인 시책으로는 '하수처리장과 연계한 우수저류시설의 운영'이 가장 일반적으로 채택되고 있는 점이 큰 특징이라 할 수 있다.
2) 일본에서도 합류식 하수도의 개선실적이 여전히 충분하지 않은 상황이지만 그중에서도 우수저류시설이 비교적 많은 실적을 갖고 있는 것은 이 개선대책이 경제성, 처리효율 및 유지관리의 용이성 등의 측면에서 매우 유력하기 때문이라고 판단된다.
3) 우수저류시설은 오염부하의 삭감 이외에도, 사회문제화한 유지스컴의 제거, 대장균 등의 병원성 미생물, 질소나 인화합물 및 도로나 지표면에서 유출되는 중금속 등의 미량물질 등이 고농도로 함유된 초기 강우를 포함한 일정량의 우수를 저류함으로써 상당한 처리효율을 기대할 수 있다.

4. 합류식 하수도의 추후 대응방향

1) 건설실적이 비교적 많음에도 불구하고 실제 운전조건에 기반한 오염부하 삭감효과 및 적정 운전방안 등 우수저류시설의 운영에 대한 연구실적은 매우 적은 실정이다.
2) 보다 많은 건설 및 운영실적을 축적함과 동시에 다양한 강우사상에 대응할 수 있는 우수저류시설의 적정 운전방안을 확립하는 것이 향후 과제로 요구된다고 할 수 있다.
3) 향후에는 우수저류뿐만 아니라 우수침투기술을 활용한 분산형 대책의 적용 및 실시가 병행될 것으로 기대되고 있다.
4) 가능한 한 강우유출수를 하수도로 유입시키지 않는 것을 우선시하고, 도로나 주택행정과의 연대를 포함한 투수성 포장이나 지붕빗물 침투받이 등의 우수침투시설을 적극적으로 도입하는 것이 더욱 효과적인 하수도시스템의 구축으로 연계될 수 있음이 점차 인식되고 있다.
5) 하수도시스템에 있어서 우수침투에 의한 도시 비점오염부하의 삭감효과도 무시할 수 없을 것으로 판단된다.

43 | 간이공공하수처리시설 계획 시 고려사항에 대하여 설명하시오.

1. 정의

간이공공하수처리시설은 하수도법 제2조 제9의2에서 강우(降雨)로 인하여 공공하수처리시설에 유입되는 하수가 일시적으로 늘어날 경우 하수를 신속히 처리하여 하천·바다, 그 밖의 공유수면에 방류하기 위하여 지방자치단체가 설치 또는 관리하는 처리시설과 이를 보완하는 시설을 말한다.

2. 합류식 하수도의 CSOs(3Q)와 간이공공하수처리시설

합류식 하수도에서 강우 시 방류부하량(CSOs) 감소를 위한 차집량 확대방안에 따라 차집관거를 3Q로 키우는 조치를 취했으나 실제 운영 시 하수처리시설에 3Q가 유입되면, 처리공정에서는 1Q만 처리되고 2Q는 그대로 방류되어 방류하천의 오염이 증가하는 형상이 나탔다. 이 현상에 대하여 간이공공하수처리시설을 설치하여 오염을 감소시키려는 법이 운영되고 있다.

3. 간이공공하수처리시설의 설치계획

1) 간이공공하수처리시설은 배수구역(하수처리구역) 내 강우량, 하수처리시설의 강우 시 유입량, 방류량, 유입수질, 처리수질에 대한 모니터링 실시 결과, 일차침전지 유무, 일차침전지가 있는 경우 시설용량 및 처리효율, 새로 설치할 경우 필요한 부지의 확보 여부 등을 고려하여 설치계획을 수립하여야 한다.
2) 간이공공하수처리시설의 규모는 하수도정비 기본계획상의 단계별 분류식화 계획을 고려한 우천 시 계획오수량 및 강우 시 실제 유입하수량 등의 모니터링 자료를 근거로 지역여건을 종합적으로 검토하여 합리적으로 결정하여야 한다.
3) 모니터링 분석 및 결과(강우량, 강우 시 유입량, 방류량, 유입수질, 처리수질 등)를 토대로 간이공공하수처리시설 설치계획을 수립하되 경제성, 수질 개선효과 등을 고려하여 강화되는 방류수 수질에 따라 단계별 설치 또는 설치 초기부터 강화되는 기준에 따른 시설 설치를 검토할 수 있다.

4. 간이공공하수처리시설 계획 시 고려사항

1) 기초조사

강우현황, 하수도시설의 현황, 공공하수처리시설의 현황(시설개요, 하수처리공정, 강우 시 운영현황 및 자료 등), 차집관로 및 우수토실의 현황, 구조를 조사한다.

2) 간이공공하수처리시설의 설치 타당성 검토

(1) 유량 및 수질조사

배수구역(하수처리구역)의 강우량, 청천 시와 강우 시의 유입유량 및 수질, 강우 시 미처리하수의 발생현황 등을 모니터링하여 간이공공하수처리시설 설치를 위한 기초자료를 수집한다.

(2) 유량 및 수질조사를 실행하고 유효성이 확인된 자료의 분석결과를 활용하여 강우 시 공공하수처리시설의 정량화된 문제점을 도출하여야 한다.

(3) 강우 시 미처리하수 처리방안 결정

강우 시 발생하수의 처리방안은 기존 처리공법의 운전개선, 기존 처리공법의 시설개량, 새로운 간이공공하수처리시설 설치 등 몇 가지 대안(장단점, 경제성, 환경성 등)을 비교하여 가장 효율적인 방안을 결정하여야 한다.

3) 간이공공하수처리시설의 용량 산정

(1) 간이공공하수처리시설 용량(A)

간이공공하수처리시설의 용량은 우천 시 계획오수량과 공공하수처리시설의 강우 시 처리가능량을 고려하여 결정하여야 한다.

※ 분류식화 사업을 추진 중인 경우 간이공공하수처리시설의 방류수 수질기준 적용시점의 분류식화율을 기준으로 간이공공하수처리시설 용량을 산정하여야 한다.

(2) 우천 시 계획오수량(B)

- 합류식 지역의 우천 시 계획오수량은 계획시간 최대오수량의 3배(3Q)로 산정하여야 한다.
- 합류식과 분류식이 병용된 지역에서 분류식 지역의 우천 시 계획오수량은 계획시간 최대오수량(Q)으로 하고 합류식 지역의 우천 시 계획오수량과 합

산하여 전체 우천 시 계획오수량을 산정하여야 한다.

(3) 공공하수처리시설의 강우 시 처리가능량(C)
공공하수처리시설의 강우 시 처리가능량은 강우 시 유입하수량, 유입수질, 체류시간, 처리수량, 처리수질 등을 종합 검토하여 기존 공공하수처리시설에서 최대 처리할 수 있는 용량으로 한다.

차 한잔의 여유

남의 단점을 되도록 덮어 주어야 한다.
만일 그것을 들춰내어 남에게 알린다면
이것은 자기의 단점으로 남의 단점을 공격하는 것이다.
남이 완고하면 잘 타일러 깨우쳐 주어야 한다.
만일 성내고 미워한다면
이것은 완고함으로써 완고함을 구제하는 것이 된다.
- 채근담 -

44 | 우수토실(Storm Overflow Diverging Tank, Storm Overflow Chamber)

1. 개요

합류식 하수도시설에서 우수유출량의 전량을 처리장으로 보내어 처리하는 것은 관로 및 처리장 시설의 증대를 초래하여 비경제적이기 때문에 우수토실을 설치하여 오수로 취급하는 하수량(우천 시 계획오수량) 이상의 우수는 우수토실(월류위어)에서 Over Flow 시켜서 방류관거에 의하여 하천, 해역 및 호소 등 공공수역으로 방류한다.

2. 설치 시 고려사항

우수토실의 설치 위치는 차집관거 배치, 방류 수면의 관계 및 방류 지역의 주변 환경 등의 관계를 고려하여 선정한다.

1) 우수토실의 위치는 되도록 방류수역 부근에 충분히 방류되는 지역을 선정한다. 방류관거는 하천, 해역 및 호소 등의 방류지역 부근에 배치한다.
2) 방류수로 인하여 하천 등에 오염 우려가 있으므로 하천, 해역 및 호소 등의 흐름방향, 상수원 등에 영향을 주지 않도록 위치를 선정한다.
3) 도로, 교대, 지하매설물 등에 지장을 주지 않아야 하며 부지확보에 유의한다.
4) 우수토실은 세분화할수록 차집 기능은 좋아지나 너무 많은 수를 설치하는 것보다 어느 정도 통합 설치하여 방류량을 다량으로 만들어 방류하는 것이 건설, 유지관리 면에서 유리하다.

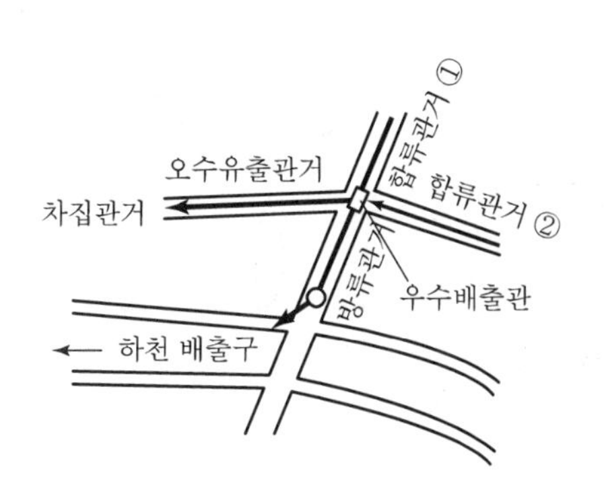

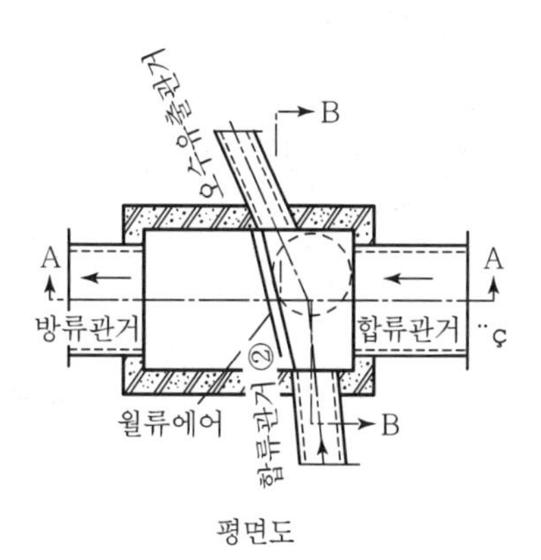

평면도

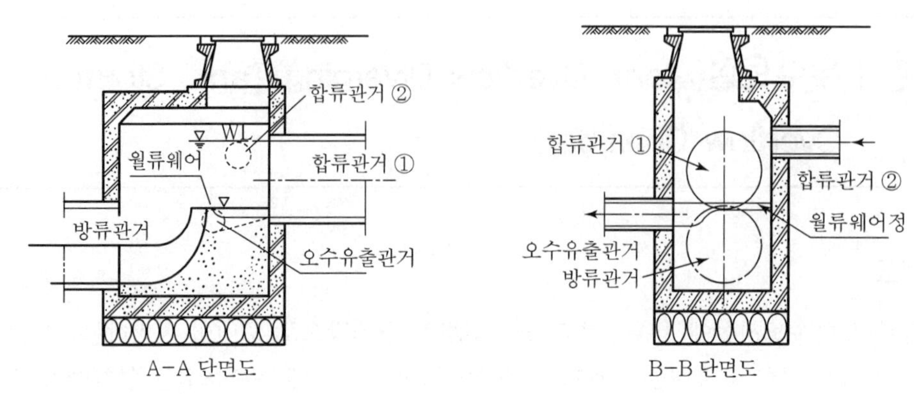

우수토실의 예

3. 우수월류위어

1) 우수월류위어의 길이는 완전월류를 원칙으로 한다.

$$L = \frac{Q}{1.8H^{3/2}}$$

L : 위어의 길이(m), Q : 우수월류량(m^3/sec), H : 월류 수심(m)

2) 우수월류량을 조절하는 것은 월류위어의 높이로 결정되며 유입관거에서 월류가 시작할 때 수심은 계획하수량과 월류 시작시의 유량과의 비에 의해 수리특성곡선으로 구하며 이 수심을 표준으로 위어 높이를 정한다. 오수유출관거의 수위는 월류위어 높이보다 낮게 하며 오수유출관거의 관저고는 유입관거의 관저고보다 높지 않게 한다.

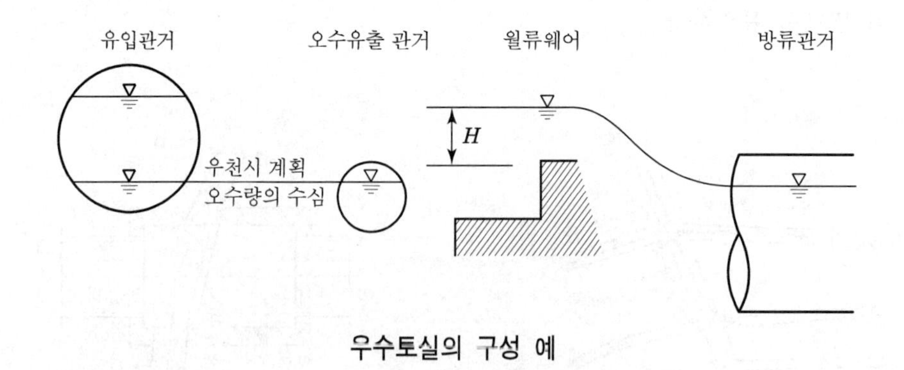

우수토실의 구성 예

4. 우수토실 구조

우수토실의 구조는 오수 차집방법, 토구의 형태 및 위치, 유량조절방법에 따라 종류가 다양하여 구조의 선택은 차집유량 조절 효과, 유지관리, 시공성, 경제성 등을 고려하여 각 지역의 여건에 따라 적절한 형태를 택하여야 한다.

1) 우수토실은 차집유량의 조절 기능에 따라 고정식, 수동식 및 자동식으로 분류하며, 각 형태에 대하여서는 지역적 여건을 고려하여 비교 검토 후 오수유출관의 크기에 따라 다음과 같이 채택한다.

2) 오수유출관경 200mm 이하 : 고정식 수직 오리피스형
오수유출관경 250~800mm 이하 : 수동식 수문형
오수유출관경 900mm 이상 : 전동식 수문형
위어조절형 우수토실

5. 우수토실의 형태에 의한 분류

형태	분류	개요	설치부지
고정식	횡월류위어	기존우수토실형태로 합류식 관거 내의 흐름방향에 평행하게 위어를 설치하여 차집량 이상은 월류시킨다.	부지가 협소한 곳에 적합
	수직오리피스	분류위어에 의해 차집된 오수를 다시 수직 오리피스를 통해 차집하는 방식으로 구조는 간단하나 우수토실 내 수위증가에 의한 차집량 조절이 곤란하다.	비교적 작은 부지에 적합
	볼텍스밸브류	볼택스밸브의 수리특성을 이용하여 우수토실의 수위가 증가하여도 외부동력이나 구동부없이 일정유량을 효과적으로 차집할 수 있다.	비교적 작은 부지에 적합
기계식	수동식 수문	수직오리피스형에 수동식 수문을 설치하여 수동으로 조작하여 차집량을 조절한다.	오리피스형에 수문실을 설치
	부표 연동식 수문	수동식수문과 같은 원리이나 수문 조절을 수위와 연동하여 작동되도록 기계장치가 있는 것으로 구조가 복잡하고 고장이 많다.	오리피스형에 부표설치
자동식	중앙제어식 수문	수문을 전동모터로 작동시키는 것으로 수위나 유량 등을 감지하여 중앙통제실에서 제어하는 것으로 가장 이상적이나 비용과 유지관리 기술 등이 필요하다.	전동모터실, 비상동력실로 큰 부지 필요

45 | 비점오염 저감시설 종류별 설치기준에 대하여 기술하시오.

1. 개요

물환경보전법 제53조의 2 관련 우수로 인한 방류부하량(CSOs)을 최소화하기 위해 적절한 비점오염 저감시설을 설치 · 운영하도록 하고 있다.

2. 비점오염 저감시설의 종류별 설치에 대한 공통사항

1) 비점오염 저감시설을 설치하려는 경우에는 설치지역의 유역특성, 토지이용의 특성, 지역사회의 수인 가능성(불쾌감, 선호도 등), 비용의 적정성, 유지 · 관리의 용이성, 안정성 등을 종합적으로 고려하여 가장 적합한 시설을 설치한다.
2) 시설을 설치한 후 처리효과를 확인하기 위한 시료채취나 유량측정이 가능한 구조로 설치하여야 한다.
3) 침수를 방지할 수 있도록 구조물을 배치하는 등 시설의 안정성을 확보한다.
4) 강우가 설계유량 이상으로 유입되는 것에 대비하여 우회시설을 설치하여야 한다.
5) 비점오염 저감시설이 설치되는 지역의 지형적 특성, 기상조건, 그 밖에 천재지변이나 화재, 돌발적인 사고 등 불가항력의 사유로 시설별 기준에 따른 시설유형별 기준을 준수하기 어렵다고 유역환경청장 또는 지방환경청장이 인정하는 경우에는 기준보다 완화된 기준을 적용할 수 있다.
6) 비점오염 저감시설은 시설유형별로 적절한 체류시간을 갖도록 하여야 한다.
7) 비점오염 저감시설의 설계규모 및 용량은 다음의 기준에 따라 초기 우수(雨水)를 충분히 처리할 수 있도록 설계하여야 한다.
   (1) 해당 지역의 강우빈도 및 유출수량, 오염도 분석 등을 통하여 설계규모 및 용량을 결정하여야 한다.
   (2) 해당 지역의 강우량을 누적유출고로 환산하여 최소 5mm 이상의 강우량을 처리할 수 있도록 하여야 한다.
   (3) 처리대상면적은 주요 비점오염물질이 배출되는 토지이용면적 등을 대상으로 한다. 단, 비점오염 저감계획에 비점오염 저감시설 외의 비점오염 저감대책이 포함되어 있는 경우에는 그에 상응하는 규모나 용량은 제외할 수 있다.

3. 시설유형별 시설 설치기준

1) 자연형 시설

(1) 저류시설

- 자연형 저류지는 지반을 절토·성토하여 설치하는 등 사면의 안전도와 누수를 방지하기 위하여 제반토목공사 기준을 따라 조성하여야 한다.
- 저류지 계획최대수위를 고려하여 제방의 여유고가 0.6m 이상이 되도록 설계하여야 한다.
- 강우유출수가 유입되거나 유출될 때에 시설의 침식이 일어나지 아니하도록 유입·유출구 아래에 웅덩이를 설치하거나 사석(砂石)을 깔아야 한다.
- 저류지의 호안(湖岸)은 침식되지 아니하도록 식생 등의 방법으로 사면을 보호하여야 한다.
- 처리효율을 높이기 위하여 길이 대 폭의 비율은 1.5 : 1 이상이 되도록 하여야 한다.
- 저류시설에 물이 항상 있는 연못 등의 저류지에서는 조류 및 박테리아 등의 미생물에 의하여 용해성 수질오염물질을 효과적으로 제거될 수 있도록 하여야 한다.
- 수위가 변동하는 저류지에서는 침전효율을 높이기 위하여 유출수가 수위별로 유출될 수 있도록 하고 유출지점에서 소류력이 작아지도록 설계한다.
- 저류지의 부유물질이 저류지 밖으로 유출하지 아니하도록 여과망, 여과쇄석 등을 설치하여야 한다.
- 저류지는 퇴적토 및 침전물의 준설이 쉬운 구조로 하며, 준설을 위한 장비 진입도로 등을 만들어야 한다.

(2) 인공습지

- 인공습지의 유입구부터 유출구까지의 유로는 최대한 길게 하고, 길이 대폭의 비율은 2 : 1 이상으로 한다.
- 다양한 생태환경을 조성하기 위하여 인공습지 전체 면적 중 50%는 얕은 습지(0~0.3m), 30%는 깊은 습지(0.3~1.0m), 20%는 깊은 못(1~2m)으로 구성한다.
- 유입부부터 유출부까지의 경사는 0.5% 이상 1.0% 이하의 범위를 초과하지 아니하도록 한다.
- 물이 습지의 표면 전체에 분포할 수 있도록 적당한 수심을 유지하고, 물 이동이 원활하도록 습지의 형상 등을 설계하며, 유량과 수위를 정기적으로 점검한다.

- 습지는 생태계의 상호작용 및 먹이사슬로 수질정화가 촉진되도록 정수식물, 침수식물, 부엽식물 등의 수생식물과 조류, 박테리아 등의 미생물, 소형 어패류 등의 수중생태계를 조성하여야 한다.
- 습지에는 물이 연중 항상 있을 수 있도록 유량공급대책을 마련하여야 한다.
- 생물의 서식공간을 창출하기 위하여 5종부터 7종까지의 다양한 식물을 심어 생물다양성을 증가시킨다.
- 부유성 물질이 습지에서 최종방류되기 전에 하류수역으로 유출되지 아니하도록 출구부분에 자갈쇄석, 여과망 등을 설치한다.

(3) 침투시설

- 침전물(沈澱物)로 인하여 토양의 공극(孔隙)이 막히지 아니하는 구조로 설계한다.
- 침투시설 하층 토양의 침투율은 시간당 13mm 이상이어야 하며, 동절기에 동결로 기능이 저하되지 아니하는 지역에 설치한다.
- 지하수오염을 방지하기 위하여 최고지하수위 또는 기반암으로부터 수직으로 최소 1.2m 이상의 거리를 두도록 한다.
- 침투도랑, 침투저류조는 초과유량의 우회시설을 설치한다.
- 침투저류조 등은 비상시 배수를 위하여 암거 등 비상배수시설을 설치한다.

(4) 식생형 시설

길이방향의 경사를 5% 이하로 한다.

2) 장치형 시설

(1) 여과형 시설

- 시설의 제거효율, 공사비 및 유지관리비용 등을 고려하여 저장용량, 체류시간, 여과재 등을 결정하여야 한다.
- 여과재 통과수량을 고려하여 여과면적과 여과깊이 등을 설계한다.

(2) 와류형(渦流形) 시설

- 입자성(粒子性) 수질오염물질을 효과적으로 분리하기 위하여 와류가 충분히 형성될 수 있도록 체류시간을 고려하여 설계한다.
- 입자상 수질오염물질의 침전율을 높일 수 있도록 수면적 부하율을 최대한 낮추어야 한다.
- 슬러지 준설을 위한 장비의 반입 등이 가능한 구조로 설계한다.

(3) 스크린형 시설

- 제거대상물질의 종류에 따라 적정한 크기의 망을 설치하여야 한다.
- 슬러지의 준설을 위한 장비의 반입 등이 가능한 구조로 설계한다.

(4) 응집 · 침전처리형 시설

단시간에 발생하는 유량을 차집(遮集)하기 위하여 저감시설 앞단에 저류조를 설치한다.

(5) 생물학적 처리형 시설

- 미생물 접촉시설에 이들 수질오염물질이 유입하지 아니하도록 여과재 또는 미세스크린 등을 이용하여 토사 및 협잡물을 제거하여야 한다.
- 미생물 접촉시설은 비가 오지 아니할 때에도 미생물 정화기능이 유지되도록 설계한다.

46 | 비점오염 저감시설의 관리 · 운영기준에 대하여 기술하시오.

1. 개요

물환경보전법 관련 우수로 인한 방류부하량(CSOs)을 최소화하기 위해 설치한 비점오염 저감시설의 관리 · 운영기준은 다음과 같다.

2. 비점오염 저감시설의 관리 · 운영 공통사항

1) 설치한 비점오염 저감시설의 보존상태와 주변부의 여건, 상황 등을 파악하여 시설물의 기능을 유지하기 어렵거나 어렵게 될 우려가 있는 부분을 보수하여야 한다.

2) 슬러지 및 협잡물 제거

(1) 비전오염 저감시설의 기능이 정상상태로 유지될 수 있도록 침전부 및 여과시설의 슬러지 · 협잡물을 제거하여야 한다.
(2) 유입 및 유출수로의 협잡물, 쓰레기 등을 수시로 제거하여야 한다.
(3) 준설한 슬러지는 '폐기물관리법'에 따른 기준에 맞도록 처리한 후 최종처분하여야 한다.

3) 정기적으로 시설을 점검하되, 장마 등 큰 유출이 있는 경우에는 시설을 전반적으로 점검하여야 한다.
4) 주기적으로 수질오염물질의 유입량, 유출량 및 제거율을 조사하여야 한다.
5) 시설의 유지관리계획을 적절히 수립하여 주기적으로 점검하여야 한다.
6) 사업자는 물환경보전법에 따라 비점오염 저감시설을 설치한 경우에는 지체 없이 그 설치내용, 운영내용 및 유지관리계획 등을 유역환경청장 또는 지방환경청장에게 서면으로 알려야 한다.

3. 시설유형별 관리 · 운영기준

1) 자연형 시설

(1) 저류시설
저류지의 침전물은 주기적으로 제거하여야 한다.

(2) 인공습지
• 동절기(11월부터 다음 해 3월까지)에는 인공습지에서 말라죽은 식생(植生)

을 제거 · 처리하여야 한다.

- 인공습지의 퇴적물은 주기적으로 제거하여야 한다.
- 인공습지의 식생대가 50% 이상 고사하는 경우에는 추가로 수생식물을 심어야 한다.
- 인공습지에서 식생대의 과도한 성장을 억제하고 유로(流路)가 편중되지 아니하도록 수생식물을 잘라내는 등 수생식물을 관리하여야 한다.
- 인공습지 침사지의 매몰 정도를 주기적으로 점검하여야 하고, 50% 이상 매몰될 경우에는 토사를 제거하여야 한다.

(3) 침투시설

- 토양의 공극이 막히지 아니하도록 시설 내의 침전물을 주기적으로 제거하여야 한다.
- 침투시설은 침투단면의 투수계수 또는 투수용량 등을 주기적으로 조사하고 막힘현상이 발생하지 아니하도록 조치하여야 한다.

(4) 식생형 시설

- 식생이 안정화되는 기간에는 강우유출수를 우회시켜야 한다.
- 식생수로 바닥의 퇴적물이 처리용량의 25%를 초과하는 경우에는 침전된 토사를 제거하여야 한다.
- 침전물질이 식생을 덮거나 생물학적 여과시설의 용량을 감소시키기 시작하면 침전물을 제거하여야 한다.
- 동절기(11월부터 다음 해 3월까지)에 말라죽은 식생을 제거 · 처리한다.

2) 장치형 시설

(1) 여과형 시설

- 전(前)처리를 위한 침사지(沈砂池)는 저장능력을 고려하여 주기적으로 협잡물과 침전물을 제거하여야 한다.
- 시설의 성능을 유지하기 위하여 필요하면 여과재를 교체하거나 침전물을 제거하여야 한다.

(2) 와류(渦流)형 시설

침전물의 저장능력을 고려하여 주기적으로 침전물을 제거하여야 한다.

(3) 스크린형 시설

망이 막히지 아니하도록 망 사이의 협잡물 등을 주기적으로 제거하여야 한다.

(4) 응집·침전처리형 시설

- 다량의 슬러지(Sludge) 발생에 대한 처리계획을 세우고 발생한 슬러지는 '폐기물관리법'에 따라서 처리하여야 한다.
- 자테스트(Jar-Test)를 실시하거나 자테스트를 통하여 작성된 일람표 등을 이용하여 유입수의 농도변화에 따라 적정량의 응집제를 투입하여야 한다.
- 주기적으로 부대시설에 대한 점검을 실시하여야 한다.

(5) 생물학적 처리형 시설

- 강우유출수에 포함된 독성물질이 미생물의 활성에 영향을 미치지 아니하도록 관리한다.
- 부하변동이 심한 강우유출수의 적정한 처리를 위하여 미생물의 활성(活性)을 유지하도록 한다.

47 | 강우 시 지붕면, 도로면, 합류식 하수관, 분류식 우수관, 농경지 등 우수가 모아지는 장소에 따라 제거해야 할 오염물질의 종류를 들고, 그것을 처리하는 방법을 설명하시오.

1. 개요

강우 시 비점오염원부하는 오염물질이 특정한 지점(특점오염원)으로부터가 아닌, 불특정지점에서 분포하여 강우에 의해 운반되어 배수계통으로 유출되는 것으로 강우 지점에 따라 오염물질 특성이 다양하고 이에 적합한 처리방법을 검토하고 대응할 필요가 있다.

2. 비점 오염물질 종류 및 저감의 필요성

1) 도시지역 비점오염원으로서 큰 역할을 하는 것은 도로면에 쌓인 각종 퇴적물이며, 이들 퇴적물은 유기성 부유슬러지, 자동차 타이어분진, 수생 동식물 사체, 기름, 중금속, 각종 도시 폐기물, Silt, 모래, 자갈 등으로 이루어진다.
2) 이러한 비점오염원은 유출의 간헐성, 배출지점의 광범위, 오염원 종류 및 부하의 다양성 때문에 점오염보다 관리하기 매우 어렵고 자연 생태계를 심하게 오염시키고 특히 환경 호르몬의 원인으로 주목되고 있어 유입 전에 가능한 제거해야한다.

3. 도시화와 비점 오염물질 처리문제

1) 도시화에 따른 지역의 불투수율의 증가로 인해 지역의 우수유출 특성이 변화하여 수량적인 면에서는 급격한 우수유출로 인해 홍수피해가 증가하고 수질적인 면에서는 각종 오염물질이 우수유출수와 함께 수계로 유출되어 수질 저하의 원인이 되고 있다.
2) 따라서 하천 및 호소의 수질 개선 및 급격한 우수유출로 인한 홍수 피해의 저감을 위해서는 우수 유출수에 대한 관리가 시급하다.

4. 강우 시 유출수 오염물질의 특성

1) 우수유출에 따른 비점오염물질의 유출특성을 살펴보면, BOD, COD, SS, T-N, T-P의 경우 초기 우수유출수에서 비교적 높은 농도를 나타내는 초기세척효과(First-flushing)를 나타내었으나, 중금속(Zn, Cd, Pb, Cu)의 경우는 초기세척효

과 및 우수유출 경향과의 연관성이 적은 편이다.

2) 토지이용별 비점오염물질의 지역평균농도를 살펴보면, BOD는 5.3~12.1mg/L의 범위로 비교적 낮은 농도를 나타내었으며, 토지이용별 큰 유의성을 보이지는 않았다.
3) COD 및 SS는 자동차도로에서 가장 높은 농도를 나타내었다. T-N농도는 3.26~9.62mg/L의 범위를 보이고 있으며, 상업지역에서 가장 높은 농도를 나타내었으며, T-P는 0.09~0.48mg/L의 범위를 나타내었다.
4) 중금속(Zn, Cd, Pb, Cu)은 비교적 자동차도로 및 주차장에서 높은 농도를 나타내었는데, 이는 자동차 운행에 의한 영향으로 판단된다.

5. 우수유출수 처리방법

1) 소규모 강우의 오염물질
   강우에 의한 오염물질 유출특성은 초기 우수 유출수(초기 강우 2mm/hr)에서 비교적 높은 오염농도를 나타내고 있어 최소한의 초기 강우 처리는 2mm/hr 정도로 하고

2) 우리나라의 경우 전체 강우 정도의 80% 이상이 20mm 이하의 소규모 강우이므로, 비점오염원 저감을 위한 안정적인 우수유출수 처리시설은 약 20mm 정도의 강우를 기준으로 설계하면 해당 집수유역의 비점오염부하의 상당부분을 저감할 수 있을 것이다

3) 그러나 실제로 해당 지역에 우수유출수 처리시설을 설치하고자 할 때는 지역의 지형학적 특성, 수리·수문학적 특성, 기후특성, 경제적 여건, 처리기술 및 방법 등을 고려하여 적정 시설규모를 결정하여야 할 것이다.

4) 빗물 펌프장의 저류조 기능
   기존의 홍수방재 시설인 빗물펌프장의 유수지를 비점오염물질 저감을 위한 우수유출수 저류조 시설로 이용할 수 있다. 우수유출수의 12시간의 침전으로 총고형물질의 60~90% 정도가 침전제거 가능한 것으로 보고되고 있다.

48 | 강우 시 불완전분류식 지역에서 우수 유입을 차단하기 위한 하수관리방안에 대하여 설명하시오.

1. 개요

하수관거는 합류식과 분류식으로 구분되며 분류식에는 우수관, 오수관을 완전히 별도의 계통으로 매설하는 완전분류식과 오수는 암거화한 오수관계통으로 배제하되, 우수는 도로 측구 및 기존(재래)수로를 활용하여 주로 배제하는 불완전분류식(오수분류식)의 두 가지 종류가 있다.

2. 하수관거의 현황

우리나라의 하수도정비는 1970년대 이후 시작되었다. 초기에는 하수도사업의 중심이 기존 도시지역을 대상으로 합류식 관거(차집관거 포함)를 포함한 하수처리시설 설치에 주력하였으며 합류식·분류식 하수관거 정비에 대한 충분한 검토는 없었다.
최근에는 분류식 하수관거 설치가 증가하여 보급률이 45% 이상에 달하고 있다. 따라서 합류식 하수관거 위주로 편재되어 있는 현행 하수도 관련규정과는 별도의 분류식 하수관거에 대한 기준이 마련되어야 하고 하수관거의 재해 예방기능 강화에 따른 분류식 하수관거체계에서의 내수 배제 및 우수 유출 저감방안의 보강이 필요하다.

3. 분류식 관거의 적용 이유

합류식은 경제성과 유지관리의 편리성 등의 장점에도 불구하고 방류부하량에 의한 공공수역의 수질오염 방지 등 하수도의 역할이 커지고 있다. 앞으로의 하수도계획에 있어서 하수의 배제방식은 우수에 의한 침수 방지뿐 아니라 오수에 의한 공공수역의 수질오염 방지 및 슬러지 자원화 등의 미래형 하수도정비를 위해 원칙적으로 분류식을 채용하는 것이 바람직하다.

4. 불완전분류식의 특징

분류식에는 완전분류식과 불완전분류식(오수분류식)의 두 가지 종류가 있다. 오수분류식은 완전분류식에 비하여 유지관리면에서 다소 불리하지만 건설비가 훨씬 적게 들어가고 지중침투성을 증대시켜 건전한 물순환을 촉진시키므로 친환경적인 하수관거 시스템이다. 또한 공공수역의 수질보전 목적도 조기에 달성할 수 있는 배제방식으로써 우리나라 농어촌을 포함한 지방도시의 하수도정비모델로 이 오수분류식의 채택을 적극 검토할 가치가 있다.

5. 분류식 하수도의 특징

1) 분류식 하수도의 경우에는 집중호우 시 오수관거계통으로 과량의 우수(지하수)가 유입되어 분류식 하수도의 월류수(SSOs)문제를 야기하는 등 분류식에서도 우수 배제대책은 합류식과 마찬가지로 대단히 중요하다.
2) 분류식 하수도계획을 채택하는 경우에는 완전분류식의 경우는 물론이고 '오수분류식'을 채택하는 경우라 하더라도 계획수립의 순서는 우선 우수배제계획부터 세우고 다음으로 오수배제계획을 수립하는 것이 수순이다.
3) 완전분류식의 경우 우수배제는 완전히 우수관을 매설하는 등 암거화시설로 우수를 배제하는 것이 보통이며, 오수분류식의 경우는 기존의 배수로시설을 최대한 활용하여 우수를 배제하도록 계획한다.
4) 기존 우수관거 중심의 우수관리방법의 단점을 보완한 자연배수시스템(NDS : Natural Drainage System)을 사용하면 분류식 하수도에서 도로면보다 낮게 위치하도록 설계된 화단 등의 자연배수로를 이용하여 될 수 있는 대로 자연지표면(나무, 풀 등의 식물, 인공낙차공, 소형 습지 등)과 빗물이 많이 접촉한 후 배수되도록 한다. 이때 물이 침투가 되고, 유속을 느리게 하여 여러 가지 오염물질들을 여과하는 친환경적인 기능을 하게 된다.
5) 오수분류식을 선택하는 경우 현재 하수구로 사용 중인 도로 측구(U자구 등)는 우수거로 전용할 수 있어 대단히 경제적인 하수도정비가 가능하나, 우수배제계통에 오수관을 잘못 연결시키는 소위 '오접'을 적극 방지하여야 하며 정기적으로 청소를 해야 하는 등 유지관리에 세심한 주의가 필요하다.
6) 처리구역 내에서도 지역 형편에 의하여 합류식과 분류식을 부분적으로 병용하는 경우도 있으며, 이 경우를 합병식으로 부르기도 한다.

6. 불완전분류식 지역에서 우수 유입(오염물질)을 차단하기 위한 하수관리방안

1) 강우유출수의 하천유입부 등에 저류시설, 침투시설 등 적절한 비점오염물질 저감시설을 설치하여 초기 강우유출수 내의 오염물질을 제거한다.
2) 광장, 공사지역, 공장, 주택단지, 농지 등의 강우유출부에 저류시설, 침투시설, 연못 등 적절한 비점오염물질 저감시설을 설치한다.
3) 비점오염물질 저감시설로 초기 강우(5~10mm)가 유입될 수 있도록 지면에 적절한 구배를 주거나 관거시설을 설치하고, 초기 강우가 유입된 후 추가적으로 유입되지 않도록 우회시설을 설치한다.
4) 비점오염물질 저감시설 내의 상등수는 24~48시간 체류 후 방류하고, 바닥침전물은 시설유효용량 초과 시 폐기물관리법의 관련규정에 따라 처리한다.

5) 하천으로 유입되는 비점오염물질의 감소뿐만 아니라 관개, 침식조절을 위해 침식지역, 농경지와 하천 사이 지역 등에 식생여과대, 연못, 저류지, 인공습지 등 적절한 비점오염물질 저감시설을 설치한다.
6) 우수관거시스템에도 초기 강우유출수에 포함된 비점오염물질을 저감하는 시설을 설치한다.
7) 강우 시 합류식 하수관거로부터 강우와 함께 하수가 월류되는 장소(우수토실)에는 저류시설, 연못 등의 비점오염물질 저감시설을 설치하여 월류하수가 하천으로 직접 유입되지 않도록 한다.
8) 하천변에 주차장 설치 등의 불투수성 지역 조성을 제한하고, 식생을 조성하여 오염물질을 흡수하고 완충지대 역할을 하도록 한다.
9) 경작지를 벗어나기 전에 강우유출수에 의한 침식 방지, 침식물의 퇴적 등을 목적으로 하는 식생대를 조성한다.
10) 축사의 강우유출수를 처리하기 위해 식생여과대, 저류지 등의 비점오염물질 저감시설을 설치한다.

7. 국내 하수관거 적용현황과 발전방안

1) 합류식 하수관거체계와 분류식 하수관거체계는 다양한 측면의 장단점을 비교할 수 있으나 전 세계적으로 분류식 하수관거체계로 전환하는 추세는 하수종말처리장에서 처리해야 할 대상으로 우수를 제외시키는 것이 처리장 건설비와 운영비를 절감할 수 있기 때문이다.
2) 하수배제방식에 관한 전과정 비용분석을 시행하면 합류식 하수관거체계와 분류식 하수관거체계의 경제성 비교를 할 수 있을 것으로 사료되지만 어떤 도시나 지방자치단체에서 합류식 하수관거체계와 분류식 하수관거체계를 선택하는 것은 경제성 비교논리보다는 기술적 장단점과 경제성, 정책집행의 용이성 등을 고려해 의사결정자의 고차원적인 정책결정에 따라 이루어진 것으로 볼 수 있다.
3) 기존 분류식화가 진행된 지역에서는 오수관거와 우수관거의 오접, 침입수와 유입수의 문제로 인한 하수량 예측의 오류, SSOs의 발생 등으로 최근에 투자가 이루어진 하수관거 정비사업을 실해한 것으로 간주하는 것은 섣부른 판단으로 이러한 문제들은 이미 선진국에서도 경험하고 있는 매우 고전적인 분류식 하수관거체계의 문제이다.
4) 합류식 하수관거체계는 비점오염원의 저감 등 여러 장점을 갖고 있지만 가정분뇨의 하수관거 직투입과 부엌 음식물파쇄기의 설치를 통한 음식물쓰레기의 하수관거 직투입이 불가능하고, 대기에 노출되는 물받이와 맨홀의 구멍으로부터 발생되는 고질적인 악취문제 등을 해결하기는 어려워 더욱 고차원적인 하수관거체계로

발전하는 데 한계가 있음에 유의해야 한다.

5) 분류식 하수관거체계로 발전하게 된 것은 더욱 높은 수준의 선진하수도를 갖추게 되는 첫 걸음이며, 분류식 하수관거체계의 문제점들은 앞으로 지속적으로 해결해야 할 과제가 될 것이다.

차 한잔의 여유

입에 맞는 음식은 모두가 창자를 곯게 하고 뼈를 썩게 하는 독약이니
반쯤 먹어야 재앙이 없고
마음에 즐거운 일은 모두 몸을 망치고 덕을 잃게 하는 매개물이니
반쯤서 그쳐야 후회가 없을 것이다.

– 채근담 –

49 | 음식물류 및 분뇨 직투입 하수관거 정비사업 시행 시 우선적으로 고려하여야 할 사항을 설명하시오.

1. 개요

최근 하수도 정비사업의 큰 화두는 음식물쓰레기와 분뇨를 하나의 관에서 동시에 처리하는 방식을 도입하는 것이다. 즉, 음식물쓰레기 처리 중간과정을 없애고, 도심 악취의 근원인 정화조를 폐쇄해 분뇨가 정화조를 거치지 않으며, 빗물, 생활하수, 분뇨(수세식) 모두를 하나의 관에 직접 투입하여 하수처리시설(물재생센터)에서 처리되도록 하고, 최첨단기술을 접목해 하수처리의 효율성을 높이는 것이다.

2. 음식물류 및 분뇨 직투입효과

음식물쓰레기와 분뇨를 하수관거에 직투입하여 처리하면 시민들의 생활이 편리해짐과 동시에 정화조 등에서 발생하는 악취도 사라질 것이다. 또한 도시기반시설인 하수도의 수명이 늘어나 도로함몰, 침수 등의 재해를 예방해 시민의 생명 및 재산보호 효과도 높아질 것이다.

3. 음식물류 및 분뇨 직투입 하수관거 정비사업 시행 시 우선적 고려사항

1) 수세식 분뇨는 하수도법상 '하수'에 해당되고 하수관로에 투입하여 하수처리시설에서 처리하여야 하나 수세식 분뇨의 하수도 투입은 처리구역 내의 관로정비상태에 따라 그 시기를 결정해야 하고, 하수관로 투입에 앞서 반드시 관로정비가 선행되어야 한다.
2) 기존시가지 등에서 하수배제방식이 합류식인 경우에는 하수운송체계가 완벽하게 정비될 때까지는 정화조 등 개인하수처리시설을 설치하는 것이 불가피하다.
3) 개인하수처리시설 설치는 관로정비가 시행되기까지의 잠정적인 조치일 뿐이며, 개인하수처리시설 설치를 위한 공사비 및 유지관리비 등에 따른 이중투자의 방지를 위해서도 처리구역 내에서 발생하는 수세식 분뇨는 하수관로를 통하여 하수처리시설로 유입하는 것이 원칙이다.
4) 하수처리구역 내외의 수거식 화장실에서 발생하는 분뇨(개인하수처리시설의 청소과정에서 발생되는 찌꺼기 포함)는 하수처리시설에서 전처리 후 합병처리하는 것을 원칙으로 하되 필요에 따라 분뇨처리시설에서 처리하여 방류한다.

4. 음식물류 및 분뇨 직투입을 위한 합류식 · 분류식 검토

1) 우리나라의 분류식 하수관거 보급률이 45%에 달하고 있다. 따라서 합류식 하수관거 위주로 편재되어 있는 현행 하수도 관련 규정과는 별도의 분류식 하수관거에 대한 기준이 마련되어야 한다. 또한 하수관거의 재해 예방기능 강화에 따른 분류식 하수관거체계에서의 내수 배제 및 우수 유출 저감방안의 보강이 필요하다.
2) 최근 분류식 하수관거가 많이 보급되고 있는 현실을 감안하여 필요시 분류식 하수관거 시설기준 마련에 필요한 사항과 분류식 하수관거 유지관리기준, 분류식 하수관거계획 시 유의사항과 규모 설정요령을 마련해야 한다.

3) 하수 배수계통의 하수관거 배치방식 개략도

(1) 부지(건물) 내 합류식 또는 분류식+부지 외 합류식 하수도

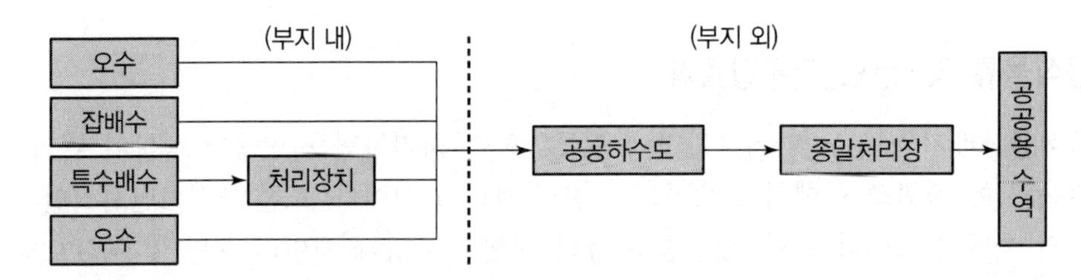

(2) 부지(건물) 내 합류식 또는 분류식+부지 외 하수도 미정비

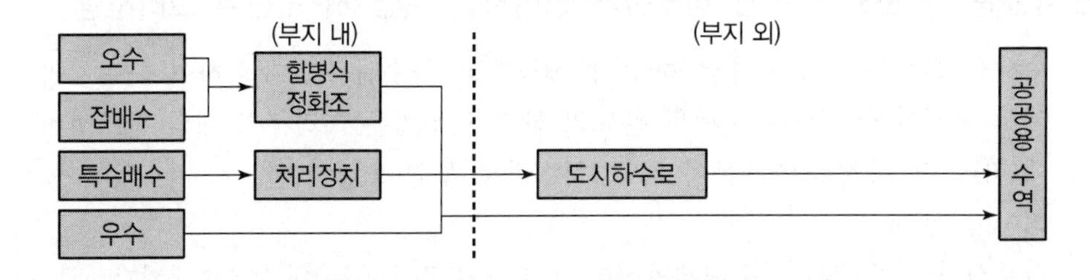

(3) 부지(건물) 내 합류식 또는 분류식+부지 외 분류식 하수도

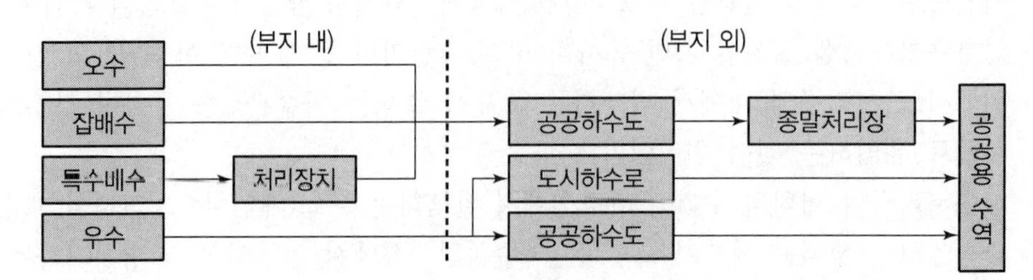

5. 하수배제방식(합류식 · 분류식)별 특성 분석

1) 우리나라의 하수도정비는 1970년대 이후 시작되었으며 기존 도시지역을 대상으로 합류식의 하수처리시설(차집관거 포함) 설치에 주력하였다.
2) 본격적인 하수도사업은 1980년대 이후 하수처리시설 설치를 중심으로 시작되었다. 하수관거 정비사업은 사실상 2000년 이후라고 볼 수 있으며 서울 등 대도시를 제외하고는 시작단계부터 분류식 우선을 원칙으로 하였다.
3) 최근 공공수역의 수질오염 방지 등 하수도의 역할이 커지고 있다. 앞으로의 하수도계획에 있어서도 하수배제방식은 우수에 의한 침수 방지뿐 아니라 오수에 의한 공공수역의 수질오염 방지 및 슬러지 자원화 등의 미래형 하수도정비를 위해 원칙적으로 분류식을 채용하는 추세이다.
4) 분류식에는 우수관, 오수관을 완전히 별도의 계통으로 매설하는 '완전분류식'과 오수는 암거화한 오수관계통으로 배제하되, 우수는 도로 측구 및 기존(재래)수로를 활용하여 주로 배제하는 '오수분류식'(불완전분류식)의 두 가지 종류가 있다.
5) 오수분류식은 완전분류식에 비하여 유지관리면에서 다소 불리하지만 건설비가 훨씬 적게 들고 공공수역의 수질보전 목적도 조기에 달성할 수 있는 배제방식으로써 우리나라 농어촌을 포함한 지방도시의 하수도정비모델로 이 오수분류식의 채택을 적극 검토할 가치가 있다.
6) 하나의 도시(처리구역) 내에서도 지역형편에 의하여 합류식과 분류식을 부분적으로 병용하는 경우도 있으며, 이 경우를 '합병식(合併式)'이라고 부르기도 한다.

6. 분류식 하수도와 자연배수시스템의 특징

1) 분류식 하수도의 경우에는 집중호우 시 오수관거계통으로 과량의 우수(지하수)가 유입되어 분류식 하수도의 월류수(SSOs)문제를 야기하는 등 분류식에서도 우수배제대책은 합류식과 마찬가지로 대단히 중요하다.
2) 분류식 하수도계획을 채택하는 경우에는 완전분류식의 경우는 물론이고 '오수분류식'을 채택하는 경우라 하더라도 계획수립의 순서는 우선 우수배제계획부터 세우고 다음으로 오수배제계획을 수립하는 것이 수순이며, 하수도 정비계획 시 이 순서를 반드시 지켜야 함을 강조해야 한다.
3) 완전분류식의 경우 우수배제는 완전히 우수관을 매설하는 등 암거화시설로 우수를 배제하는 것이 보통이며, 오수분류식의 경우는 기존의 배수로시설을 최대한 활용하여 우수를 배제하도록 계획한다.
4) 기존 우수관거 중심의 우수관리방법과는 기본적으로 다른 혁신적인 대안인 자연배수시스템(NDS : Natural Drainage System)의 사용을 제안할 수 있다. 기존의

우수관거를 이용한 배수시스템은 유분, 페인트, 비료성분, 중금속 등 우수에 포함된 미량의 유해성분물질이 곧바로 하천이나 호소 등으로 유출되어 방류수역의 수질을 저하시키고, 하천 및 해양 먹이사슬을 교란시키는 등 수생생태계의 보전에 많은 문제를 야기시켰다.

5) 자연배수시스템은 신도시나 신규단지를 조성할 경우 분류식 하수도로 정비하면서 도로면보다 낮게 위치하도록 설계된 화단 등의 자연배수로를 이용하여 될 수 있는 대로 자연지표면(나무, 풀 등의 식물, 인공낙차공, 소형 습지 등)과 빗물이 많이 접촉한 후 배수되도록 한다. 이때 물이 침투가 되고, 유속을 느리게 하여 여러 가지 오염물질들을 여과하는 친환경적인 기능을 하게 된다.

7. 국내 하수관거의 현황과 개선방안

1) 합류식 하수관거체계는 비점오염원 저감 등 여러 장점이 있지만 가정분뇨의 하수관거 직투입과 부엌 음식물파쇄기의 설치로 인한 음식물쓰레기의 하수관거 직투입이 불가능하고, 대기에 노출되는 물받이・맨홀 구멍으로부터 발생되는 고질적인 악취문제 등을 해결하기는 어려워 더욱 고차원적인 하수관거체계로 발전하는 데 한계가 있다.

2) 우리나라의 하수관거는 1396년(태조 5년)에 홍수피해 저감을 위해 청계천 배수 및 정비사업을 시행한 것이 시초라 하겠다. 현대식 하수도사업은 1960년대 초반까지 합류식 관거의 보급실적이 600km 이내로 매우 미비하다가 1976년 청계천 하수종말처리장 준공 후 지속적인 하수도 보급이 이루어지면서 1979년 말에는 합류식 관거 위주로 약 1만km의 관거가 보급되었다.

3) 1980년대부터 분류식 관거가 보급되기 시작했으며, 환경부는 2002년을 '하수관거 정비 원년의 해'로 선포하고, 한강수계 하수관거 정비사업, 댐 상류지역 하수도시설 확충사업, BTL 하수관거 정비사업 등 분류식 하수관거 설치가 급증하기 시작했다.

4) 우리나라가 향후 상하수도시설의 유지관리 등을 민간에게 위탁할 경우, WTO의 TBT협정(무역의 기술적 장해에 관한 협정) 등에 따라 그 사양이 ISO/TC224(상하수도 서비스 표준화)의 규정에 준해야 할 것이며, WTO의 무역자유화에 기초하여 현재 세출 규모만으로 연간 약 9조 원의 국내 상하수도 시장에 외국기업의 진출을 허용해야 할 것이다.

5) 상하수도 산업분야가 시상에 개방되기 위해서는 먼저 환경서비스의 분류에 상하수도서비스가 포함되어야 하고, 각 국의 정부나 지방자치단체가 공영방식으로 운영하고 있는 상하수도사업을 개방해야 하는데 우리도 거대 물기업을 가지고 있는 선진국들과 협조 경쟁해야 한다.

6) 합류식 하수관거체계와 분류식 하수관거체계는 다양한 측면의 장단점을 비교할 수 있으나 전 세계적으로 분류식 하수관거체계로 전환하는 추세는 하수종말처리장에서 처리해야 할 대상으로 우수를 제외시키는 것이 처리장 건설비와 운영비를 절감할 수 있기 때문이다.
7) 합류식 하수관거체계와 분류식 하수관거체계의 정량적 비교는 어려우며 하수배제방식에 관한 전 과정 비용(LCC)분석을 시행하면 합류식 하수관거체계와 분류식 하수관거체계의 경제성 비교를 할 수 있다. 그러나 어떤 도시나 지방자치단체에서 합류식 하수관거체계와 분류식 하수관거체계를 선택하는 것은 경제성 비교논리보다는 기술적 장단점과 경제성, 정책집행의 용이성 등을 고려해 의사결정자의 고차원적인 정책결정에 따라 이루어진 것으로 볼 수 있다.
8) 현재 분류식화가 진행된 지역에서는 오수관거와 우수관거의 오접, 침입수와 유입수의 문제로 인한 하수량 예측의 오류, SSOs의 발생 등이 하수관거 정비사업의 실패로 간주하는 것은 섣부른 판단이며 이러한 문제들은 매우 고전적인 분류식 하수관거체계의 문제이다.
9) 분류식 하수관거체계로 발전하게 된 것은 더욱 높은 수준의 선진하수도를 갖추게 되는 첫 걸음이며, 분류식 하수관거체계의 문제점들은 앞으로 지속적으로 해결해야 할 과제가 될 것이다.

50 | 오수받이

1. 오수받이의 설치 목적

오수받이는 공공도로와 사유지 경계 부근의 유지관리상 지장이 없는 장소에 설치하여 분류식 또는 합류식의 각 수용가에서 발생하는 오수를 공공하수관로에 유입시키는 역할을 한다.

2. 오수받이의 설치

오수받이는 목적 및 기능상 공공도로와 사유지의 경계 부근에 설치한다. 부득이 사유지에 설치시는 소유자와 협의하여 정한다.

1) 분류식의 경우 오수받이는 오수만을 수용하도록 하고 우수의 유입은 방지될 수 있는 구조로 설치한다.
2) 합류식의 경우에도 택지 내의 우, 오수를 분류시켜 각각의 우, 오수받이에 연결하여 배제시킨다.
3) 단독주택 지역의 경우 오수받이의 설치간격은 유지관리상 1필지 당 하나가 바람직하나 택지와 도로의 상황에 따라 2필지 당 하나를 설치할 수도 있다.

3. 형상 및 구조

1) 형상 및 재질은 원형 및 각형의 콘크리트 또는 철근콘크리트제, 플라스틱제로서 일반적으로 원형을 많이 사용하고 있다. 그 이유는 구조적인 안정성과 물받이로 연결되는 오수관의 연결을 용이하게 하기 위함이다.

2) 오수받이의 규격은 내경 200~700mm, 깊이 700~1,000mm 정도로 한다.
물받이의 내부치수는 사람이 물받이 내에 들어가지 않고서도 원활한 유지관리와 오수의 지체현상 등 수리학적 문제점을 최소화할 수 있는 크기로 한다. 즉 물받이 크기가 너무 작으면 유지관리가 불편하고, 또 너무 크면 다른 지하매설물에 지장을 초래하거나 통행에 불편을 줄 수 있다. 따라서 30~70cm 정도의 크기가 사용되는데 이 중 2호 오수받이 인 내경 50cm의 오수받이가 보편적으로 사용되고 있다.

3) 오수받이의 저부에는 인버트를 반드시 설치한다.
오수받이로 유입되는 하수를 원활히 유하시키고 오수받이 바닥에 침전물이 퇴적되지 않도록 하기 위하여 오수받이 저부에 인버트를 설치하고, 설치 후에는 오수

유입관과 인버트 재질에 따라 생기는 손실수두를 줄이고 파손을 방지하기 위해 1 : 2 모르터 또는 콘크리트로 덧씌운다.

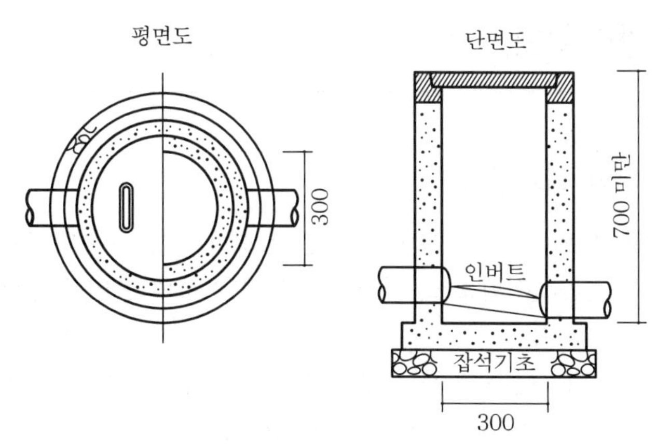

1호 오수받이(내경 30cm) 구조표준도

4) 오수받이에서 가장 문제가 되는 것은 악취의 발생이다. 따라서 오수받이는 악취를 차단할 수 있는 구조로, 그리고 뚜껑은 밀폐형으로 설치하는 것이 바람직하며 오수받이 뚜껑재질은 주철제 및 철근콘크리트제, 플라스틱제 등 견고하고 내식성이 있는 재질의 것을 사용하도록 한다.

4. 배수관 부속설비

배수관은 필요에 따라 다음과 같은 부속설비를 둔다.

1) 쓰레기 차단장치(10mm 이하 스크린)
2) 방취설비(트랩)
3) 유지류 차단장치(그리스 트랩)
4) 이토실(토사 배출장치)
5) 통기장치
6) 펌프실(강제 압송식)

51 | 도로상 빗물받이 설치현황 및 문제점, 집수능력 향상방안을 설명하시오.

1. 도로상 빗물받이의 설치현황

1) 빗물받이는 도로 옆의 물이 모이기 쉬운 장소나 L형 측구의 유하방향 하단부에 반드시 설치한다. 단, 횡단보도, 버스정류장 및 가옥의 출입구 앞에는 가급적 설치하지 않는 것이 좋다.
2) 빗물받이의 설치위치는 보·차도 구분이 있는 경우 그 경계로 하고, 보·차도 구분이 없는 경우 도로와 사유지의 경계에 설치한다.
3) 노면배수용 빗물받이 간격은 대략 10~30m 정도로 하나 되도록 도로폭 및 경사별 설치기준을 고려하여 적당한 간격으로 설치하되, 상습침수지역에 대해서는 이보다 좁은 간격으로 설치할 수 있다.
4) 빗물받이는 협잡물 및 토사의 유입을 저감할 수 있는 방안을 고려해야 한다.
5) 빗물받이에 악취발산을 방지하는 방안을 적극적으로 고려해야 한다.

2. 도로상 빗물받이의 문제점

1) 빗물받이는 도로 내 우수를 모아서 공공하수도로 유입시키는 시설로써 원칙적으로 공공도로 내에 설치하지만 분류식에서는 우수배제에 기존 우수관거 또는 도로측구 등을 이용하는 경우가 있어서 협잡물 유입이 많다.
2) 합류식에서 사유지 내 우수와 도로배수를 함께 처리하는 경우가 많으나, 사유지 내 우수배제는 차도 측 도로배수와 별도로 처리하며, 택지 내 우수도 택지 내에 설치된 빗물받이에 연결하여 유하시키는 것이 바람직하다.
3) 우수관로 종단경사가 큰(약 5% 이상) 곳에서는 우수의 차집능력을 고려하여 낙수공면적이 큰 빗물받이를 차도 측에 설치하도록 해야 한다.

3. 도로상 빗물받이의 집수능력 향상방안

빗물받이는 우천 시 우수와 지표면의 오염물질이 쓸려 유입되고, 이후 접속된 관거망을 따라 유하하게 된다. 그러나 협잡물의 과도한 유입, 인근 상가 등지에서 쓰레기 불법투입 등으로 빗물받이 유입구의 막힘현상이 발생하며, 이로 인해 본래 기능을 상실한 경우가 빈번하여 도로 침수가 유발되는 등 많은 문제점이 발생하고 있다. 따라서 빗물받이는 집수능력 향상을 위하여 다음과 같은 점을 고려하여야 한다.

1) 협잡물 및 토사 등의 유입 감소를 위한 방안의 수립이 필요하다.
2) 빗물받이 청소가 용이하도록 빗물받이 구조형식이 요구된다.
3) 도로포장 시 원활한 노면배수에 대한 고려가 필요하며, 도로보수공사 등으로 인한 노면경사 변화에 따른 대응방안 수립이 요구된다.

4. 빗물받이 악취발산의 문제점과 방지방안

1) 건물의 배수시설에서 공공하수도로 방류된 오수는 혐기성 상태에서 황화수소를 생성한다. 이때 발생된 황화수소는 도로상 빗물받이 등의 주변으로 발산되어 사람의 후각에 불쾌한 악취로 감지된다.
2) 우수배제시스템이 합류식일 경우에는 건물의 배수시설에서 공공하수도로 유입한 악취가 개구부가 많은 빗물받이에서 발산하는 등 문제점이 발생하고 있다.
3) 빗물받이에서 악취가 발생하는 것을 방지하기 위해서는 연결관과 빗물받이 입구에 악취방지장치를 설치하는 것을 적극적으로 고려해야 한다.

4) 빗물받이에서 발산하는 악취를 방지하기 위하여 다음과 같은 점을 고려해야 한다.

(1) 빗물받이 유입부의 악취방지시설
- 빗물받이의 뚜껑 바로 아래에 설치하고 도로상에서는 우수를 배제한다.
- 본관에서 발생된 악취의 발산을 방지하는 구조로 하되 우수의 원활한 유입이나 유지관리의 지장을 초래해서는 안 된다.

(2) 연결부의 악취방지시설
- 빗물받이의 연결관에 설치하여 하수관거에서 빗물받이로 악취가 유입되지 않도록 한다.
- 링에 흐름방향으로 폴리프로필렌 수지를 붙인 장치로 연결관에 설치하여 악취의 발산을 방지한다.

(3) 빗물받이의 이토실에 쌓인 토사에서 냄새가 발생하지 않도록 주기적으로 청소하는 등 냄새발생원을 제거해야 한다.

5. 빗물받이의 형상 및 구조

1) 형상 및 재질은 원형 및 각형의 콘크리트, 또는 철근콘크리트제, 플라스틱제로 표준치수로 하되 설치위치, 설치장소, 제조사 등에 따라서 다양한 조건들이 있을 수 있음에 유의하여 필요에 따라 변경 적용한다.
2) 빗물받이의 규격은 내폭 30~50cm, 깊이 80~100cm 정도로 한다.
3) 빗물받이의 저부에는 깊이 15cm 이상의 이토실을 반드시 설치한다.

4) 빗물받이의 뚜껑은 강제, 주철제(덕타일 포함), 철근콘크리트제 및 그 외의 견고하고 내구성이 있는 재질로 한다.
5) 빗물받이는 표준형 이외에 협잡물 및 토사 유입을 막기 위한 침사조(혹은 여과조), 토사받이 등을 설치한 개량형 빗물받이를 설치할 수 있다.

6. 개량형 빗물받이와 저감장치

개량형 빗물받이는 협잡물 및 토사 등에 의한 하수관거 막힘과 도로 침수를 방지하기 위해 침사조나 토사받이를 빗물받이 상부 및 외부에 1~2개 설치하여 토사, 쓰레기 등이 하수구에 유입하기 전에 상부에서 손쉽게 제거할 수 있도록 한다. 개량형 빗물받이에서 침사조(혹은 여과조) 및 토사받이가 외부와 내부에 설치된 경우 합류식에서 일종의 저감장치기능을 담당한다.

52 | 유수지(우수조정지) 설치 방법을 설명하시오.

1. 개요

우수 관거 설비에서 하류의 우수간선의 유하능력이나 빗물펌프장의 우수배제능력으로는 상류 구역의 우수를 신속히 배제하기 어려운 경우에 우수조정지의 설치를 검토할 필요가 있으며, 특히 도시화에 의해 우수유출량이 증대하는 경우 하류의 시설 및 관거 등의 능력을 증대시키기보다는 우수조정지를 설치하는 것이 합리적일 수 있다.

> * 우수체수지(우수저류지)와 우수조정지
>
> 기본적으로는 우수를 일시 저장하여 방류하는 개념으로 같은 의미이나 기능적으로 분류한다면
> * 우수체수지 : 합류식에서 우수토실 근처에서 우천시 초기우수를 일시 저장 후 처리시설에 송수하여 처리하는 우천시 방류부하량의 저감이 목적
> * 우수조정지 : 상류측 우수의 일시저장으로 하류측 우수설비 부하 경감 목적

2. 유수지 설치 목적 및 위치

1) 유수지 설치 목적

(1) 기존 관거의 하수배제능력이 부족할 경우 강우시 일시 저류하였다가 나중에 방류
(2) 홍수 시 관거나 방류하천의 유하능력이 부족할 경우 일시 저류
(3) 홍수 시 하천 수위가 시가지보다 높아져 침수가 되는 경우에 배수펌프장과 함께 대규모 우수조정지를 설치

2) 유수지 설치 위치

(1) 기존 관거의 유하능력이 부족한 곳
- 합류식 하수도의 경우

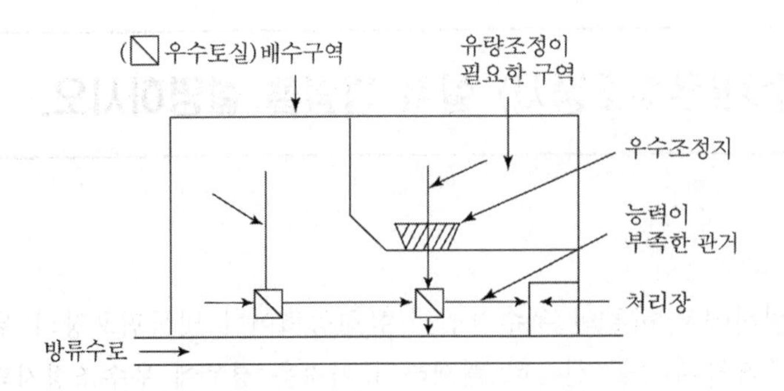

(2) 하류지역의 펌프장 능력이 부족한 곳
• 분류식 하수도의 경우

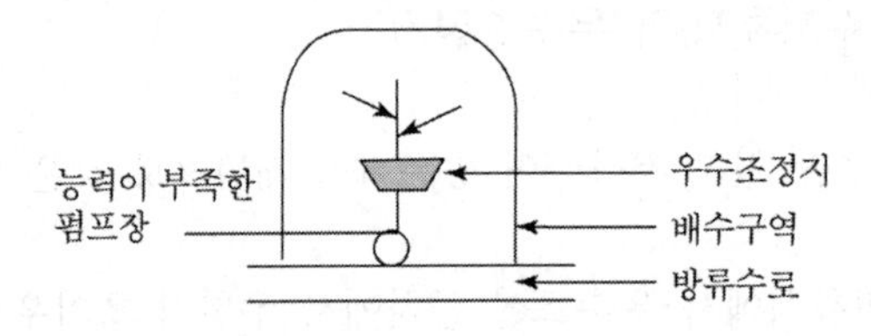

(3) 방류지역 수로의 유하능력이 부족한 곳
• 분류식 하수도의 경우

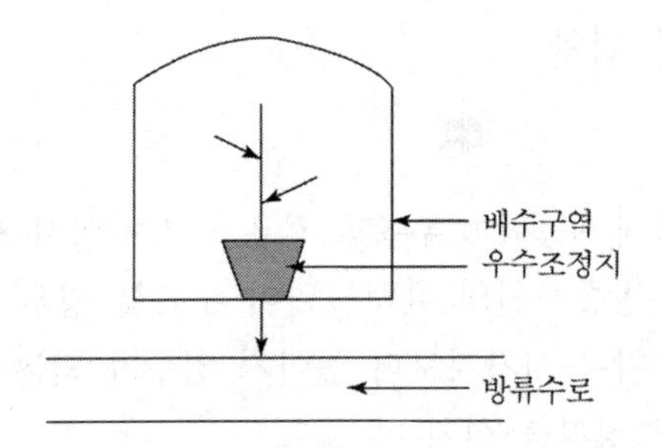

3. 유수지 구조형식

1) 댐식 : 흙 댐 또는 콘크리트 댐에 의해서 하수를 저류하는 형식으로 제방 높이는 15m 미만으로 하며 방류조절방식은 자연유하식이 일반적이다.

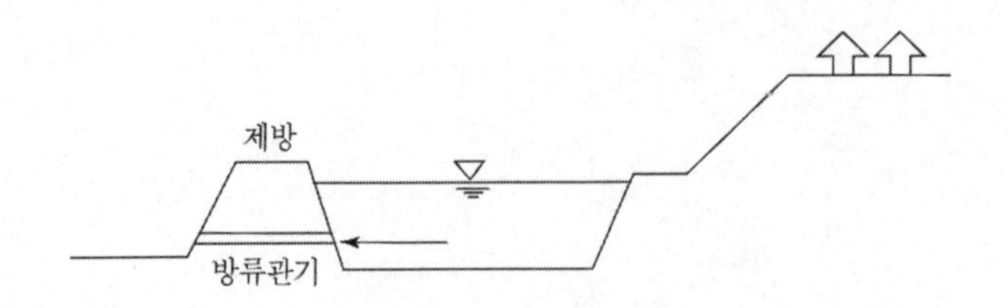

2) 굴착식 : 평지를 파서 지면 아래에서 하수를 저류하는 방식
3) 지하식 : 일시적으로 지하의 저류조, 관거 등에 하수를 저류하여 우수조정지로서의 기능을 갖도록 하는 것으로 방류조절방식은 저류수심이 크지 않아 펌프에 의한 배수가 일반적이다. 대규모 조정지에는 이 방식이 이상적이다.

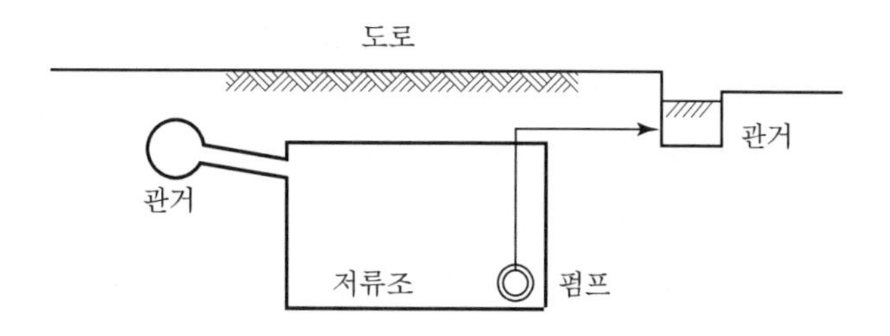

4. 우수조정지의 용량 산정

1) 유입우수량의 산정

우수조정지에서 각 시간마다의 유입우수량은 장시간 강우자료에 의한 강우강도 곡선에서 작성된 연평균 강우량도를 기초로 하여 산정한다.

(1) 강우강도곡선 작성 : 강우량을 단위시간별로 강우강도곡선을 작성한다.
(2) 누가우량곡선 작성
(3) 연평균 강우량도 작성 : 연평균 강우강도를 구한다. 이 경우 피크(Peak)의 위치는 계획지점에서의 강우 실적에 의하여 정해야 되지만 지금까지의 통계에 의하면 거의 중앙에 위치한다.
(4) 유입수문곡선 작성 : 앞에서 구한 연평균 강우량 그래프에서 합리식을 사용하여 유입수문곡선을 작성 하고 유입우수량을 산정한다.

2) 우수조절용량의 산정

조절용량이란 계획강우에 따라 발생하는 첨두유량을 우수조정지로부터 하류로 허용되는 방류량까지 조절하기 위하여 필요한 용량으로 그 산정은 우수조절계산에 따른다.

(1) 우수조절계산은 수위-저류량 곡선과 수위-방류량 곡선에서 작성된 저류량-방류량 곡선과 수치계산식을 연립시켜 반복하여 계산한다.

(2) 우수 조정지 용량

$$dV/dt = Qo - Qi$$

(3) 개략적인 크기

우수유입량과 방류수량과의 차에 유입시간을 곱하여 계산

$$V = k(Q - q)T$$

여기서, V : 유량조정조 용량(m^3)

K : 조정유량비(1.5 이하 : 통상 1.15~1.3)

T : 우수유입시간(hr) = 강우지속시간

Q : 평균 우수 유입량(m^3/h) = 1/360 CIA

q : 평균 방류수량(m^3/h)

(4) 우수조정지 바닥 퇴사량은 1.5m^3/ha · year 정도로 본다.

3) 필요한 조절용량은 아래 그림에서 하류에서 방류되는 관거유출량이 CD일 때, 유입유량도에서 방류 오리피스로부터 유출유량도를 초과하는 부분의 면적, 즉 점선 부분 ABC의 수량을 저류할 수 있는 용량이 된다.

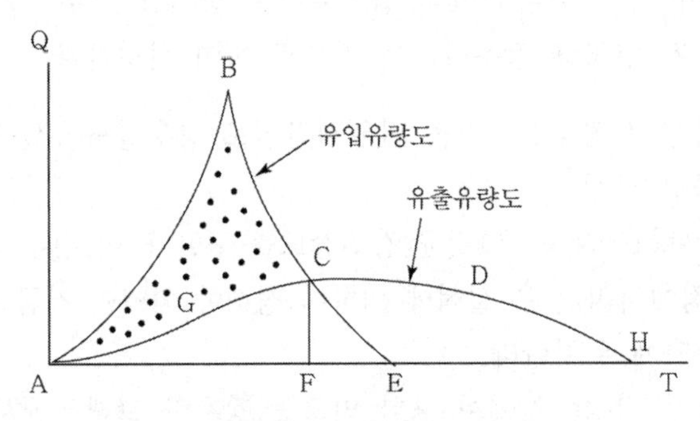

유입 및 유출수문곡선

$$V_t = 60\left(I_i - \frac{I_c}{2}\right)\frac{t_i \cdot f \cdot A}{360}$$

여기서, V_t : 조절용량(m^3)

I_i : t_i시 강우강도(mm/h)

I_c : 하류로 방류가 허용되는 강우강도(mm/h)

t_i : 강우지속시간(min)

f : 유출계수

A : 면적(ha)

5. 배수펌프장 및 유수지의 관계

1) 배수펌프장

배수펌프장은 도시지역이나 농경지 지역에서 제내측의 지반고가 제외측 홍수위보다 낮은 저지대에 설치하여 제외측의 홍수위가 제내측의 지반고보다 높은 시간에 유입하는 제내측의 홍수량을 강제 배수하기 위하여 설치하는 시설이다.

(1) 설치목적

- 홍수위가 제내측의 지반고보다 높을 때 유입하는 홍수량 강제 배수
- 기존 관거의 하수배제 능력 부족 시

(2) 고려사항

- 갑작스런 정전에 대비한 2회선 수전방식 또는 비상발전기 비치
- 제내지 저지대에 설치되는 구조물로 수밀 콘크리트 구조로 설치

2) 배수펌프장과 유수지(우수조정지)의 관계

유수지가 없는 경우에는 펌프장에서 배제할 수 있는 시설용량이 유입 첨두홍수량을 배제할 수 있어야 침수를 피할 수 있고 유수지가 있는 경우에는 배수펌프 용량과 유수지 용량은 강우자료, 하천 홍수위에 의하여 결정되며 첨두유량에 대한 유수지저류 가능 용량에 따라 배수펌프 시설용량이 결정된다.

(1) 유수지의 규모가 클 때

유수지의 규모가 클수록 배수펌프 시설용량이 작아지며 유입하는 홍수량을 전량 저류할 수 있다면 펌프설비는 설치할 필요가 없다.

(2) 배수 펌프설비의 시설용량이 클 때

펌프장의 용량이 큰 경우에는 반비례하여 유수지의 저류 용량은 작아질 수 있다.

(3) 펌프장의 용량과 유수지의 용량은 서로 반비례하는 관계를 가지며 크기의 결정은 그 지역의 여러 상황을 고려하여 가장 경제적인 규모가 되도록 설치한다.

53 | 하수관거의 악취방지시설

1. 개요

하수설비의 관로 및 접속부(오수받이, 빗물받이 등)에서는 각종 악취가 발생하기 때문에 이를 방지하기 위한 조치를 적절히 취해야 한다.

2. 악취발생원 조사

악취는 소음과 같이 감각 공해에 해당되며 후각 등의 신경계통에 작용하고 많은 사람에게 피해를 주고 있다. 악취발생의 주요 원인별로 조사를 실시하여 그 정도에 따른 계획 및 시설 또는 방취시설을 고려한다.

3. 악취발생을 저감할 수 있는 계획 및 시설

1) 가정잡배수와 화장실 배관을 별도 연결하여 분뇨로 인한 악취가 주방 내로 악취유입방지를 차단하는 방법
2) 부엌에서 배출되는 배수관을 화장실 배수관보다 뒤쪽에 배치하여 가정 내 잡배수 유출 수류를 이용하여 분뇨의 배관 내 정체현상을 보완하는 방법
3) 오수받이 내 분뇨 유하에 따른 지체현상을 최소화하기 위해 인버트 설치로 침체 및 퇴적 방지
4) 악취의 외부발산을 차단하기 위해 밀폐형 뚜껑을 사용하는 방법

4. 방취시설

U트랩 내 오수에 의해 기밀 유지하는 U트랩형, 관말단에 Valve 설치하는 Flapvalve형, 곡관 말단부를 물에 잠기게 하는 봉수형 등이 있다. Flap Valve형은 오수받이 내부로 Valve가 돌출되는 형상을 갖게 되는데 유지관리를 위해서 Valve와 맞은편 벽체 또는 Valve와 Valve 사이는 최소 150mm 이상을 확보하는 것이 좋다. 이 모든 방취시설은 주기적인 청소와 점검으로 유지관리에 만전을 기하여야 한다.

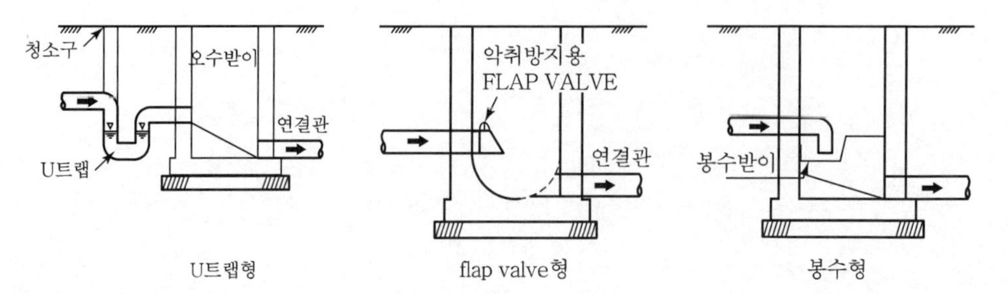

U트랩형 flap valve형 봉수형

54 | 하수도설비에서 제해시설을 설명하시오.

1. 개요

폐수의 성질에 따라서 폐수를 그대로 하수관거에 배출시키면 여러 가지 장해를 발생시킬 수 있다. 이와 같이 하수도 시설 및 처리기능에 장해를 주는 폐수에 대해서 하수도시설에 피해를 주기 않기 위해 폐수의 종류에 따른 별도의 처리시설을 거쳐 하수관거에 유입시키는데 이러한 처리설비를 제해시설이라 한다.

2. 제해시설의 종류

1) 산이나 알칼리를 함유하는 폐수와 같이 관거나 그 밖의 시설을 침식시키는 물질을 처리하는 시설
2) 부유물이나 침전물이 많아 관거의 유하를 저해할 때 이러한 이물질을 제거하는 시설
3) 독성물질과 유지류를 다량으로 함유하여 처리기능에 장해를 줄 때 이를 처리하는 것

3. 제해시설(除害施設)의 고려사항

공장폐수 등을 공공하수도에 유입시키는 경우에는 관거를 손상시키고, 그 기능을 저하시키거나 또는 처리시설에서의 처리능력을 방해하거나 방류수의 수질기준을 유지하기가 어려우므로 제해시설을 설치하여 폐수의 종류에 따라 배출 전에 배출처리 한다.

4. 종류별 제해시설

다음 사항에 해당하는 폐수를 하수도로 배출하는 경우에는 적당한 제해시설을 설치한다.

1) 온도가 높은(45℃ 이상) 폐수
온도가 높은 폐수는 관거 내에서 악취를 발산시키고 관거를 침식시킨다. 또한 처리시설에서 침전지의 분리기능을 저하시켜 활성슬러지나 살수여상의 미생물에 악영향을 미치기도 한다. 따라서 온도가 높은 폐수는 냉각탑이나 기타의 제해시설을 만들어 냉각 후 관거로 배출시켜야 한다.

2) 산(pH 5 이하) 및 알칼리(pH 9 이상) 폐수
산 및 알칼리 폐수는 관거, 맨홀, 받이 및 처리시설 등의 구조물을 침식하여 파괴한다. 산 및 알칼리 폐수는 중화설비를 설치하여 각각의 중화제에 의해 중화시킨 후에 관거로 배출시킨다.

3) BOD가 높은 폐수

다량의 부유성 유기물이 관거 내에 유입되면 유기물이 관 저부에 체류하게 되어 유해가스를 발생시킬 뿐만 아니라 악취가 발생되기도 한다. 용해성 유기물 농도가 높은 폐수는 생물처리에 과부하를 주게 되어 처리기능을 악화시킨다. 특히, 탄수화물을 다량으로 함유한 폐수는 활성슬러지의 분해와 침강성을 감소시켜 팽화현상(Bulking)을 일으키기 쉽다. 일반적인 하수도에서의 허용 농도는 생활오수의 BOD가 평균 300mg/L 정도이나 수량이 적고 또한 도중의 관거 내에서 최적의 우려가 없다고 판단되는 경우에는 600mg/L 정도까지는 허용될 수 있는 경우도 있다.

4) 대형 부유물을 함유하는 폐수

부유물이 많으면 관거 내에 침전되어 하수의 흐름을 저해하며 대형 부유물은 소량이라도 관거를 폐쇄시켜 범람의 요인이 된다. 따라서 대형 부유물은 관거에 배출되기 전에 침전지 등에서 수거하거나 스크린을 설치하여 제거한다.

5) 침전성 물질을 함유하는 폐수

침전성 불질은 폐쇄 및 범람의 원인이 되므로 침전지에서 제거한다.

6) 유지류를 함유하는(30mg/L 초과) 폐수

유지류는 관거의 벽에 부착하여 관거를 폐쇄하며 처리기능을 저해시킨다. 따라서 유지류는 침전지로 보내어 침전하는 것은 침전물과 같이 제거하고, 부상하는 것은 스컴과 함께 제거하지만 양이 많을 때에는 부상분리장치를 설치하여 스컴과 함께 별도로 처리한다. 이런 경우 필요에 따라 조의 저부에 설치한 산기장치에 의해 압착공기를 폐수 중에 불어넣어 스컴의 분리를 좋게 한다. 또한 원심분리 설비에 의해 유지류를 분리시키는 방법도 있다.

7) 페놀 및 시안화물 등의 독극물을 함유하는 폐수

페놀 및 시안화물 등은 처리 기능에 악영향을 주는 것으로, 특히 활성슬러지나 살수여상 등의 미생물을 죽게 함으로 생물학적 처리에 치명적이다. 이들 독성물질의 독성을 제거한 후에 관거로 배출시켜야 한다.

8) 중금속류를 함유하는 폐수

중금속류를 함유하는 폐수는 농도가 높은 경우에는 처리기능을 파괴하며, 농도가 낮은 경우라도 처리시설로부터의 방류수 중에 기준 이상의 중금속이 들어 있으면 안 된다. 따라서 중금속류를 제해시설로 제거시킨 후 관거로 배출시켜야 한다.

9) 기타 하수도시설을 파손 또는 폐쇄하여 처리작업을 방해할 우려가 있는 폐수, 사람, 가축 및 기타에 피해를 줄 우려가 있는 폐수
그 밖에 휘발성 물질을 다량 함유하는 폐수는 폭발의 우려가 있고, 또한 황화물, 악취를 발생하는 물질 및 착색물질 등은 여러 가지 장해를 일으키기 쉬우므로 적당한 제해시설을 설치할 필요가 있다.

5. 제해시설 계획 시 조사내용

제해시설의 설치 또는 개조에 있어서는 충분한 사전조사를 하여 적절한 처리방법을 선택한다. 공장폐수 등의 폐수 성질에 따라 제해시설에서의 폐수처리방법은 여러 가지가 있어 그 설치장소, 처리과정 등도 상이하다. 제해시설의 계획에 관한 일반적 사항은 다음과 같다.

1) 사전조사
제해시설의 계획에서는 계획 전에 다음 사항에 대하여 충분한 조사를 한다.

(1) 공장의 규모와 장래계획
(2) 생산공정 및 시간적 변화
(3) 공장 내 폐수처리시설용 부지
(4) 배제해야 할 하수도와의 관계
(5) 공장폐수와 다른 오수와의 관계
(6) 공정 중 폐수를 생성시키는 부분의 명확성
(7) 생산물 또는 원료 단위당의 폐수량 및 처리해야 할 물질의 부하량
(8) 폐수의 양 및 질의 시간적 변화와 공장측 자료의 신회성
(9) 분리처리의 가능 여부
(10) 발생슬러지의 양 및 성상

2) 처리방법의 선정
처리방법의 선정시에는 다음 사항을 사전에 검토할 필요가 있다.

(1) 종합적인 처리계획
(2) 처리해야 할 항목과 처리 정도
(3) 처리공정
(4) 처리방법의 경제성
(5) 배출지역의 특성
(6) 폐수관찰 및 시료채취장소의 결정

55 | 오수이송방식을 제시하고 방식별 장단점을 비교하여 설명하시오.

1. 오수의 이송방식

오수의 이송방법에는 자연유하식, 압력식(다중압송), 진공식이 있으며 장단점은 다음과 같다.

구분	자연유하식	압력식(다중압송)	진공식
장점	• 적은 기기류 → 유지관리 수월 • 우수 유입 용이 • 유량변동 대응 가능 • 기술수준 제한 없음	• 지형변화 대응 용이 • 공사면적 · 기간 단축 가능 • 최소유속 확보	• 지형변화 대응 용이 • 여러 중계펌프장을 1개 펌프로 사용 가능 • 최소유속 확보 가능
단점	• 평탄지 경사 확보 힘듦 → 깊은 매설 심도 • 지하매설물 대응 곤란 • 최소유속 확보 어려움	• 저지대의 경우 시설 복잡 • 지속적인 유지관리 • 정전에 대비 필요 → 펌프	• 실양정 4m 이상은 추가장치 필요 • 국내 사용빈도 낮음 • 관리자의 초기 교육 필요

2. 압력식의 원리와 특징

1) 압력식은 GP 유닛과 압송관로로 구성된다.
2) GP 유닛은 펌프와 저수탱크 등으로 이루어지는 GP 유닛 본체와 부속시설로 구성된다.
3) 펌프는 GP(그라인드펌프, 분쇄식 펌프)를 사용한다. GP에는 일반적으로 원심형과 용적형이 있다.
4) 펌프의 토출량은 GP 유닛에 유입하는 오수량, 펌프의 운전시간, 운전빈도를 고려하여 결정한다.
5) 펌프의 전양정은 실양정과 압송관로의 손실수두, 유닛 내 배관, 밸브류의 손실수두를 고려하여 결정한다.
6) 저수탱크의 상시 운전용량은 작으면 펌프의 운전횟수가 많아지고 고장의 원인이 되는 경우가 있고, 지나치게 크면 저수탱크용량이 커지고 비경제적이 되므로 1회 운전시간이 2~3분 정도가 되도록 정한다.
7) 압송관로의 재질은 내압 및 외압에 충분한 강도와 내구성이 있어야 하고 부설조건, 시공성 및 경제성을 고려하여 선정해야 한다. 표준적으로는 경질염화비닐관(PVC관), 폴리에틸렌관이 이용되는데 부설조건, 관경 등에 따라서는 강관, 덕타

일 주철관 등이 이용되는 경우도 있다.

8) 관로의 청소 및 보수를 고려하여 압송관로 상류단 및 간선의 주요 합류부, 기타 관로구 내에서는 적절한 간격으로 세정구를 배치한다.

9) 압력식 하수관거시스템의 모식도

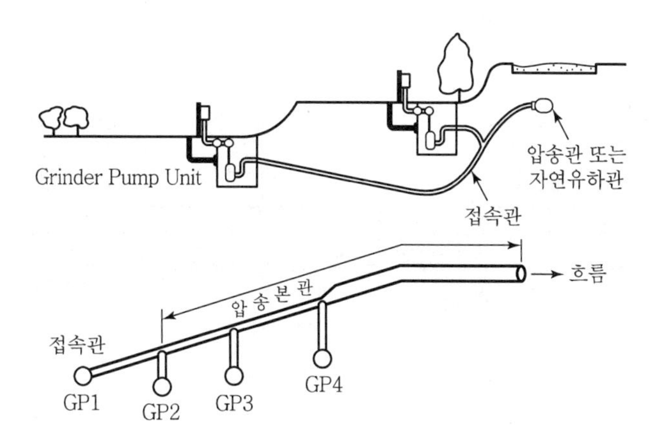

3. 진공식 하수관거시스템

1) 진공식 하수관거시스템의 구성과 원리

진공식 하수관거시스템은 진공밸브와 진공관로, 진공펌프장으로 구성되며 관로 내를 진공으로 유지하다가 진공밸브 개방 시 공기의 유입으로 인한 대기압과의 압력차이를 이용하여 하수를 수집한다. 무전원으로 진공밸브의 수위를 감지하여 자동으로 구동되는 진공밸브실과 진공관로를 이용하여 진공펌프장으로 하수 및 폐수를 수집한 후 차집관거나 하수처리장으로 이송하는 무인자동운전시스템이다.

2) 진공식 하수관거시스템의 특징

(1) 경제성

관로가 좁고 낮은 굴삭폭으로 공사기간 단축 및 공사비가 절감되고 전원 없이 작동되는 진공밸브와 저렴한 유지관리비가 든다.

(2) 수밀성 향상으로 지하수 및 토양오염이 방지되고, 맨홀 및 진공관로 내 악취 누설 방지와 빠른 유속으로 관로청소가 불필요하여 전반적으로 친환경적이다.

3) 진공식 하수관거시스템의 적용대상지역

(1) 평탄하고 넓은 지역 : 배관 매설깊이가 깊을 경우

(2) 연약지반지역 : 배관 침하가 우려될 경우

(3) 암반지역 : 일반 관거 시공 시 시공성이 현저히 낮은 경우
(4) 지하매설물이 많은 지역
(5) 최저유속 확보가 어려운 지역 : 준설이 빈번한 경우
(6) 오수발생원이 도로보다 낮은 지역

4) 진공식 하수관거시스템의 모식도

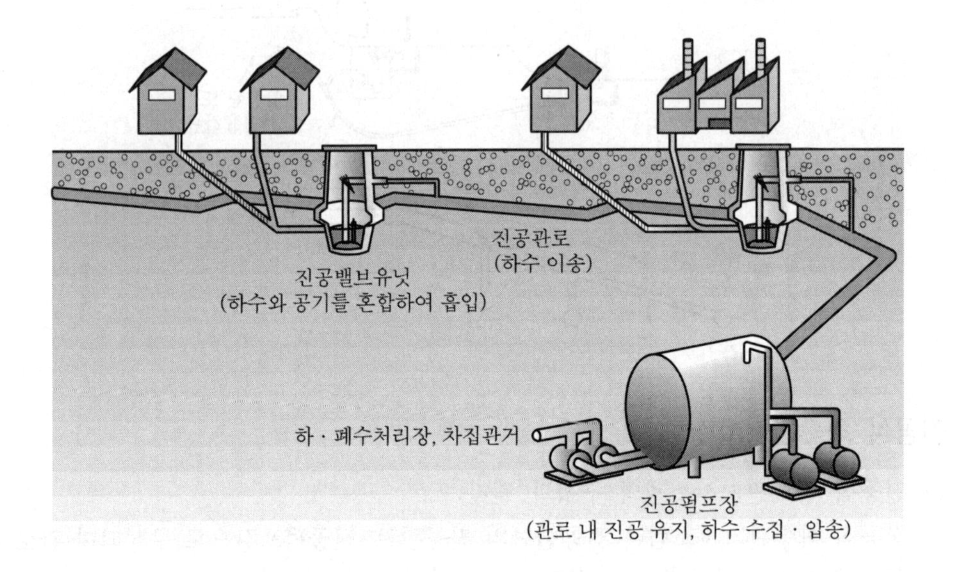

56 | 하수도 다중압송방식을 설명하시오.

1. 정의

하수도 다중압송방식이란 주압송관로에 병렬로 지관을 접속하여 펌프 압송 도중에서 유입시키는 방식이다.

2. 압송방식의 선정

하수도계통에서 하나의 정비대상구역 내에 펌프장이 복수로 필요해지는 경우에는 다음과 같은 압송방식 중에서 적절한 방식을 선정할 필요가 있다.

1) 단일압송방식
각 펌프장에서 처리장까지 단독 관로를 통하여 압송하는 방식을 말한다.

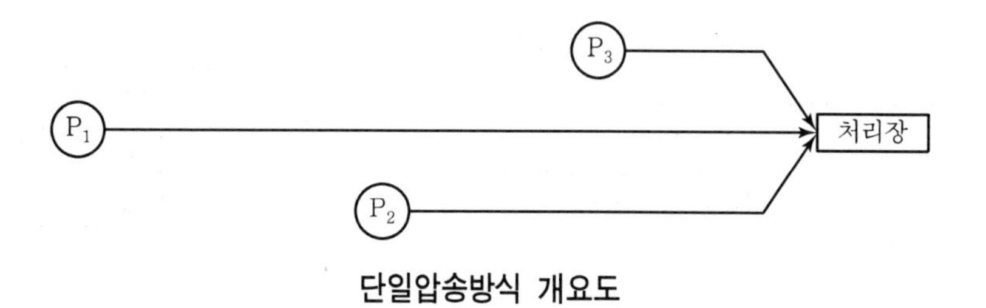

단일압송방식 개요도

2) 다중압송방식
메인 압송관로 도중에 펌프로 압송하여 유입시키는 방식을 말한다.

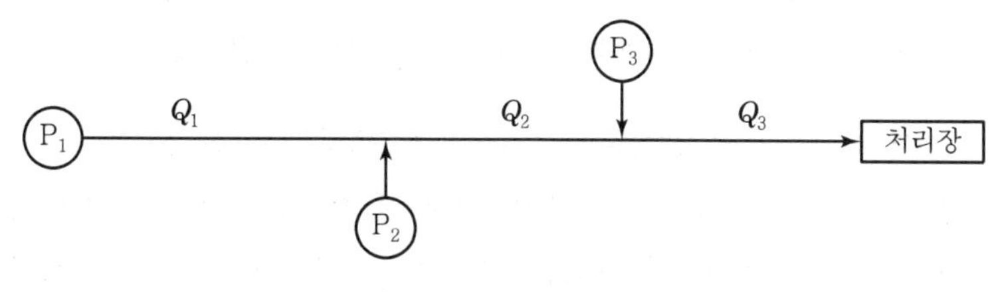

다중압송방식 개요도

3) 다단압송방식

각 펌프장을 경유하여 단계적으로 직렬 압송하는 방식을 말한다.

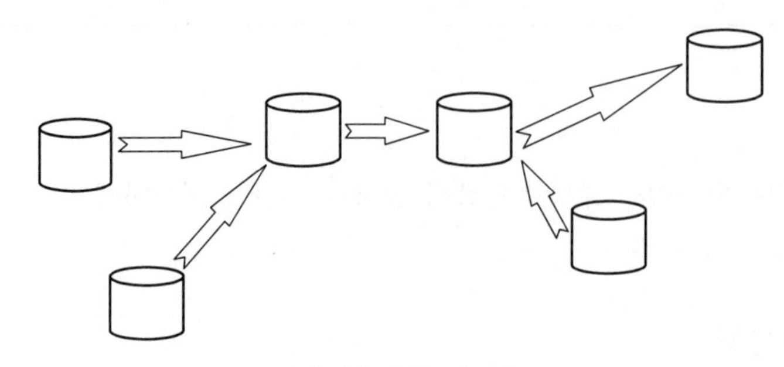

다단압송방식 개요도

4) 압송·자연유하병용 방식

압송관로와 자연유하를 조합하는 방식으로 지형 조건에 따라서는 자연압에 의한 유입도 가능하다.

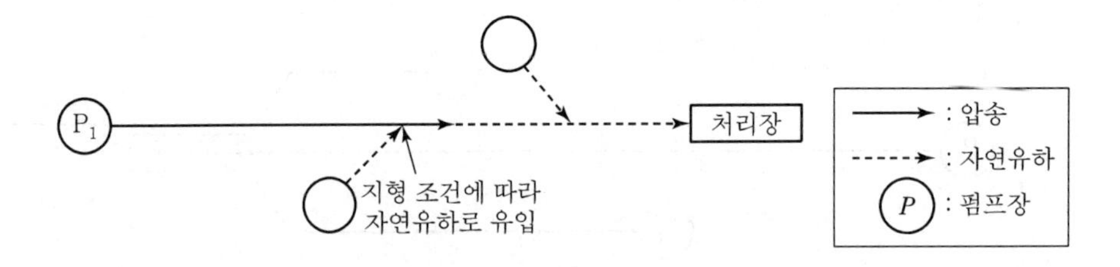

3. 다중압송방식의 특징

위 계통도에서 각 펌프의 전양정은 모든 펌프가 동시 기동하여 연속작동하는 경우에는 다음과 같이 양정을 계산한다. 단, 펌프 P_2, P_3의 가동시간이 매우 짧고, 간선펌프 P_1도 간헐적으로 가동하는 경우에는 적절하게 조정하여 결정한다.

1) P_1에서 P_2 합류점까지의 압력손실은 유량 Q_1으로 계산한다.
2) P_2 합류점에서 P_3 합류점까지의 압력손실은 유량 $(Q_1 + Q_2)$로 계산한다.
3) P_3 합류점에서 처리장까지의 압력손실은 유량 $(Q_1 + Q_2 + Q_3)$로 계산한다.

4. 하수도 압력관거시스템의 종류

하수관거시설은 자연유하방식을 표준으로 하는데, 지형·지질조건 및 하수의 유입상황 등에 따라서 양압 및 부압을 이용한 압력관거시설로 하는 것이 유리해지는 경우도 고려된다. 하수도 압력관거시스템은 수집시스템과 수송시스템의 2가지 부분으로 구분할 수 있다. 수집시스템은 분류식 하수도의 오수를 각 가정이나 사업소에서 수집하는 것이고, 수송시스템은 펌프장이나 처리시설까지 수송하는 것이다.

1) 수집시스템
주로 발생원에서 집수탱크나 처리시설로 하수를 직접 받기 위해 설치되는 관거시설로 본관, 받이, 부착관으로 구성되고 관거는 자연유하방식, 압력방식, 진공방식 등에 의해 정비된다.

2) 수송시스템
수집시스템에 의해 모아진 하수를 처리시설까지 수송하는 관거 및 펌프장의 총칭으로 주로 자연유하방식 또는 압송방식으로 정비된다.

5. 압송방식 하수도 수송시스템 적용 시 고려사항

압송방식 하수도 수송시스템은 펌프시설과 압력관거로 구성된다. 압송방식에 의한 압력관거는 다음 사항을 고려하여 정한다.

1) 정비대상구역의 지형이나 지질, 사회적 조건을 고려하여 자연유하방식과 비교 검토한다.
2) 관거노선의 선정이나 펌프장의 배치계획은 시공성, 유지관리성, 경제성 등을 고려한 것으로 한다.
3) 압송관거에는 내압이 작용하기 때문에 수격압을 포함한 설계수압에 대해 충분히 견디는 구조 및 재질로 한다.
4) 유량계산은 Hazen-Williams식을 이용한다. 또한 유속은 최소 0.6m/s, 최대 3.0m/s를 원칙으로 한다.
5) 관거의 적절한 장소에 역지밸브, 공기밸브 등을 설치한다.
6) 황화수소대책을 검토한다.

6. 다중압송방식 하수도의 검토사항

정비대상구역의 지형이나 지질, 사회적 조건(집락형태, 시공상의 제약, 정비시기 등)에 따라서는 펌프설비를 이용한 압송방식이 유리해지는 경우도 있다. 정비대상구역이 다음과 같은 특성을 갖는 경우에는 자연유하방식과 압송방식을 비교 검토하여 수송방식을 결정한다.

1) 어느 배수구의 오수를 다른 처리구·처리시설 등에 수송하는 경우나 저지대의 오수를 자연유하로 모은 후 높은 지역처리시설로 보내는 경우

2) 수송거리가 길어지는 경우
3) 하천횡단 등에서 매설깊이가 변화하는 경우(역사이펀, 사이펀 등으로 횡단)
4) 기복이 많고 처리구가 연속하지 않은 경우나 매우 적은 지역을 통과하는 경우
5) 지질조건에 따라 깊은 매설이 곤란한 경우
6) 도로상황(폭원, 교통량 등)이나 지하매설상황 등에 따라 제약을 받는 경우

7. 압송방식 결정 시 검토항목

결정에 있어서는 각 방식의 특성을 충분히 파악하고 다음과 같은 항목에 대해 비교 검토하도록 한다.

1) 시공성, 건설비 및 유지관리비
2) 보수 및 점검작업 내용, 개축 시 대응
3) 긴급 시 대응(관 내 막힘, 정전 시 사고대책 등)

57 | 수집식 압력관거 시스템에 대하여 설명하시오.

1. 개요

수집식 압력관거 시스템이란 주로 발생원에서 집수탱크나 처리시설로 하수를 직접받기 위해 설치되는 관거시설로 본관, 받이, 부착관, 펌프 등으로 구성되고 압력식, 진공식 등이 있다.

2. 수집 시스템은 다음과 같은 상황 하에 있는 지역에서는 진공식 및 압력식 하수도 수집 시스템도 검토의 대상으로 한다.

1) 지형적 · 지리적 조건, 지반, 토질 특성으로 인해 하수도 정비가 지체되는 곳
2) 급격한 인구 증가로 인해 설계 유량 이상의 수량이 발생하고 관거가 능력 부족이 된 곳
3) 지하매설물이 폭주하고 있으며 자연유하관의 부설이 곤란하거나 부설할 수 있어도 건설비가 많이 드는 곳
4) 리조트 지역과 같은 계절적 인구 변동이 심한 곳
5) 경관, 자연보호를 위해 대구경관을 매설할 수 없는 곳
6) 초기 투자를 억제, 단계적인 건설계획을 세우는 곳
7) 하수도의 조기 사용 개시를 희망하는 곳
8) 인구밀도가 낮은 곳
9) 합류식 하수도를 분류화 할 필요가 있는 곳

3. 진공식 하수도 수집 시스템의 구성

진공식 하수도 수집 시스템은 진공밸브 유닛, 진공관거, 중계펌프장 등으로 구성된다.

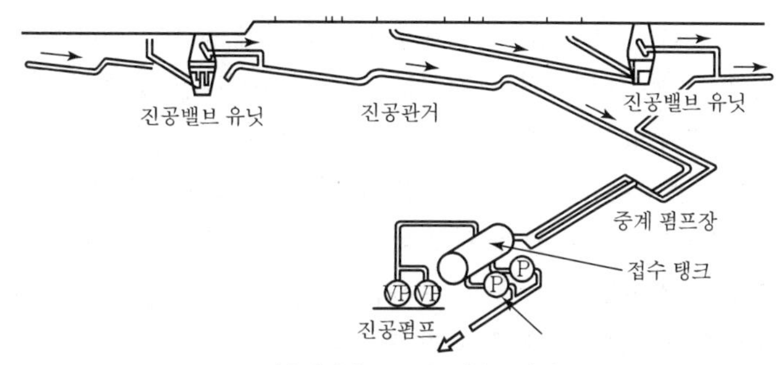

1) 진공밸브 유닛

오수와 일정한 비율의 공기를 흡입하는 것으로 진공 밸브, 컨트롤러 및 저수탱크 등으로 구성된다.

(1) 진공 밸브 구경

진공 밸브의 구경은 이물질에 의한 막힘에 대해 안전한 구경으로 하고 흡입 능력은 시설 전체의 진공도의 유지를 고려하여 정한다.

(2) 진공 밸브 유닛의 용량

진공 밸브 유닛의 구조는 가옥 등으로부터의 오수의 유입량, 유입 형태, 접속 호수, 저수탱크의 용량 설치 장소 등을 고려하여 적절하게 정한다.

2) 오수와 공기가 혼합된 상태에서 이송되는 진공 관거

진공 관거는 진공식 특성이 충분히 발휘될 수 있도록 다음 각 항을 고려하여 정한다.

(1) 진공 관거의 관경, 경사

진공 관거의 관경은 수리 계산 및 진공 밸브 유닛의 접속 상황을 거쳐 기능성, 경제성을 고려하여 정한다.

(2) 관재의 종류와 이음

진공 관거에 사용하는 배관은 관거에 작용하는 부압 및 외압에 충분히 견디는 구조 및 재질로 이음은 기밀성이 높고 안전하며 기능적 이고 경제적인 구조로 한다.

3) 중계 펌프장(진공 발생 장치)

진공을 발생시키고 오수의 수송 매체인 공기를 오수 발생원에서 흡입하고 배출하는 기계실

(1) 중계 펌프장은 설치 장소, 시설 규모 등의 조건을 통해 시공성, 경제성, 유지관리성 등을 고려하여 정한다.
(2) 진공 발생 장치는 시설 규모, 경제성, 유지관리성 등을 고려하여 방식을 선정한다.
(3) 오수 펌프는 집수탱크 내의 진공도가 가장 높고 실 양정이 가장 높은 경우에 설계 대상 오수량을 배출할 수 있는 능력을 갖는 것으로 한다.
(4) 집수탱크의 용량은 오수 펌프의 운전 빈도를 고려하여 정한다.
(5) 전기 · 계측제어설비는 중계 펌프장이 안전하게 소정의 능력 · 기능을 유지하도록 적절하게 정하고 이상을 통보하는 적절한 감시 설비를 설치한다.
(6) 관련 설비의 설치를 필요에 따라 검토한다.

4. 압력식 하수도 수집 시스템의 구성

압력식 하수도 수집 시스템이란 파쇄기 부착 소형 수중 펌프를 이용한 압송 시스템이며, 가정 등에서 배출된 오수를 저수탱크에 모으고 처리시설 또는 자연유하관까지 압송하는 오수 수집 시스템이다. 따라서 자연유하방식에 비해 소구경관을 이용할 수 있으며 본관을 지형에 따라 얕게 매설하는 것이 가능하다.

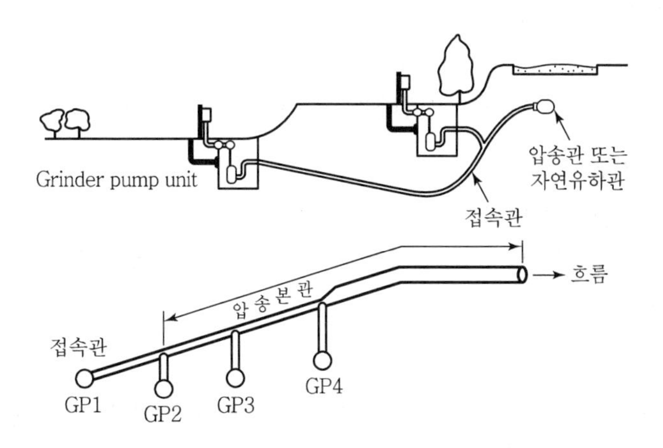

1) 용도

압력식 하수도에는 GP(Grind Pump) 시스템과 STEP 시스템이 있으며 일반적으로 GP 시스템을 말하며 오수를 분쇄 가압, 압송하기 위한 GP펌프설비와 전원이 필요하고 오름 경사지, 기복이 심한 구릉지, 암석의 노출 지형 등에 적합하다.

2) 원리

가정에서 배출된 오수는 저수탱크에 집수되어 수위 스위치에 따른 펌프의 자동운전에 의하여 처리시설 또는 자연유하관까지 압송하는 시스템이다.

3) 특징

자연유하방식에 비하여 소구경관의 사용이 가능하며 본관을 지형에 따라서 얕게 매설할 수 있다.

4) 구성

저수탱크, GP, 전기설비 등을 합쳐서 GP Unit라고 한다. GP의 토출구부터 첫 번째 분지점까지는 접속관, 그 앞은 압송본관이라 하며, 접속관과 압송본관을 합하여 압송관이라 한다.

(1) GP 유닛

오수 중 이물질을 파쇄하고 압송하기 위한 파쇄기가 부착된 소형 수중 펌프(그라인더 펌프, GP)로 GP 유닛은 유닛 본체와 펌프, 저수탱크 등으로 이루어진다.

① 펌프

- 펌프는 GP를 사용하며 펌프의 토출량은 GP 유닛에 유입하는 오수량, 펌프의 운전시간, 운전빈도를 고려하여 결정한다.
- 펌프의 전 양정은 실 양정과 압송관거의 손실수두 및 유닛 내 배관, 밸브류의 손실수두를 고려하여 결정한다.

② GP 유닛

GP 유닛으로의 접속 호수는 입지조건, 지반의 상황 등을 고려하여 정한다. 또한 저수탱크의 용량은 유입 오수량, 펌프 능력, 운전시간 및 운전빈도를 고려하여 결정한다.

(2) 압송관거

압송관거의 설계 유량은 각 펌프의 토출량과 펌프의 동시 운전 대수를 고려하여 정하며 압송관거는 내압 및 외압에 충분히 견디는 구조 및 재질로 한다.

5) STEP(Septic Tank Effluent Pump) 시스템은 부패조 유출수 펌프 시스템으로 가정오수의 고형물을 부패조에 의하여 제거한 후 그 유출수를 파쇄기가 부착되지 않은 수중펌프에 의하여 압송하는 시스템이다.

58 | 환경기초시설 통합관리 시스템 계획 시 검토사항을 설명하시오.

1. 개요

통합관리 시스템은 시·군 단위로 산재되어 있는 각종 환경 기초시설물을 시·군을 대표하는 하수처리시설에서 중앙집중식 원격감시·제어시스템을 도입하여 환경기초시설물의 효율적인 관리 시스템을 구축하기 위한 것으로 처리시설의 통합관리는 인원관리, Data관리, 운영관리를 중앙통합관리 처리시설로 집중화하여 관리의 전문화, 과학화를 통한 처리시설의 운영개선에 그 목적이 있다.

2. 통합관리 시스템 계획 시 검토사항

1) 통합관리의 범위 검토

(1) 시·군 단위의 모든 환경 기초시설을 원칙적으로 통합관리의 범위로 한다.
(2) 통합관리 대상의 단위처리시설 자동화 수준이 미약하여 통합관리가 곤란할 경우에는 최소한의 자동화 설비를 갖추거나 장래 단계별 계획으로 검토한다.
(3) 만일 단위처리시설이 중앙집중식 통합관리를 하여도 투자비용에 비하여 효과가 미비하거나, 통합관리가 특별히 곤란할 경우에는 통합관리의 범위에서 제외하는 것으로 검토한다.

2) 중앙통합관리 처리시설 선정

모든 처리시설을 통합관리하기 위한 처리시설의 선정은 다음 사항을 검토하여 선정한다.

(1) 시설물 운영의 중추적인 기능과 외래인 방문, 견학 및 교육 등을 수행하는 기능성, 상징성을 고려하여 선정한다.
(2) 시·군을 대표할 수 있는 처리시설로 한다.
(3) 처리시설 규모가 큰 처리시설로 한다.
(4) 권역 내 통합관리 대상처리시설의 효율적인 관리를 위하여 가급적 중앙에 위치한 처리시설로 한다.
(5) 교통 및 도로 여건상 접근이 용이한 위치에 있는 처리시설을 선정한다.

3) 통합관리형태 검토

(1) 시 · 군 단위별 단위처리시설의 관리체계는 단위처리시설에 관리자를 최소한으로 배치하고 실시간 원격감시 · 제어설비를 갖춘 중앙통합관리 처리시설에 관리자를 집중배치하여 중앙집중식으로 관리하는 방식으로 검토한다.
(2) 통합관리 시스템 구축에 따라 중앙통합관리 처리시설과 단위처리시설의 기구, 인원, 담당업무 한계, 자격요건 등에 대하여 검토하고, 또한 각 처리시설의 근무형태(24시간 교대근무, 주간근무, 무인화 등)에 대해서도 검토한다.

3. 통합관리 시스템 구축 시 검토사항

통합관리 시스템 구축에 있어서 아래 사항에 관하여 개별 검토하고 이들을 종합적으로 판단하여 그 시설에 알맞은 최적의 통합관리 시스템을 구축한다.

1) 감시 · 제어방식

(1) 단위처리시설의 감시는 데이터 감시, 시스템 감시, 화상을 통한 처리시설 주요 설비의 운전상태 감시에 대하여 검토한다.
(2) 단위처리시설의 비상상황 발생 시에 그 내용을 전화, 팩스, 휴대폰, PDA단말기 등 미리 지정한 매체로 신속하게 자동으로 통보할 수 있는 비상경보전달 시스템(UMS) 감시방식을 검토한다.

2) 전송방식
단위처리시설과 중앙통합관리 처리시설과의 자료전송방식은 현장여건을 충분히 조사 분석하고 데이터 종류, 데이터 처리량, 데이터 특성, 전송속도, 전송로의 신뢰성, 장래 증설계획, 유지관리비 등을 종합적으로 검토하여 선정한다.

3) 통합관리항목
중앙집중식 통합관리를 통하여 생산성 제고에 따른 예산 절감, 설비운영의 효율화, 수질관리의 향상, 시설물 사고 예방 및 긴급 대응 위기관리능력 향상, 하수처리 자료의 축적으로 과학적인 운영기반 구축 등 기대효과를 거둘 수 있도록 통합관리 항목을 검토한다.

4) 구성기기
단위처리시설 통합관리에 적정한 중앙감시제어설비(POS, PES), Data 관리용 Server, Gate Way Server, 중앙감시반, 전송장치, CCTV 설비 등을 기능별로 검토하고 증설시 기존 시설과 중복되지 아니하도록 한다.

5) 신뢰성 확보

중앙집중식 통합관리형태로 운영 중 통합관리 시스템 구성기기의 고장발생시 단위처리시설의 개별운전방식 때보다도 심각한 문제가 발생할 수 있으므로 통합관리 시스템의 중요설비는 신뢰성이 높은 기기를 선정하여야 하며, 특히 감시제어설비와 정보처리설비, 전송설비, Data Way 등에 대하여 이중화를 검토한다.

6) Web Server 구축

중앙통합관리 처리시설은 단위처리시설로부터 전송받은 자료를 필요에 따라 실시간 및 주기적으로 인터넷을 이용하여 자료 공개를 하여 외부 관련자들에게 자료 검색이 가능하도록 Web Server 구축을 검토하여야 한다.

7) 보안 및 안정성 확보

전용회선 또는 공중망 이용 시 해커의 침입으로 내부자료 손상 등 시스템 운영에 막대한 지장을 초래할 수 있으므로 시스템을 완벽하게 방호할 수 있는 다단계 보안 및 방화벽 체계를 검토하여야 한다.

8) 장래 증설에 대한 시스템

중앙통합관리 처리시설은 장래 신규 단위처리시설 건설시 기존 통합관리 시스템 설비의 운영에 지장을 주지 않고 최소한의 작업으로 증설이 가능하도록 증설 공간, CPU 처리능력, 통신 Port 여유, Data Base 구조 및 용량 등에 대하여 검토하여야 한다.

59 | 해양방류시설 설계 시 고려사항을 설명하시오.

1. 개요

일반적으로 방류수는 하천이나 강에 방류하지만 해안에 인접해 있는 도시는 배제된 우수와 처리수를 해양에 방류하는 것을 고려한다. 우수의 배제를 위한 방류관은 일반적으로 짧고 방류수위가 조위의 간조 내에 있게 된다. 처리수의 해양방류는 처리정도에 따라 달라진다. 즉, 살균된 2차 처리수는 일반적으로 해안 가까이 방류할 수 있으나, 1차 처리수는 해안의 오염을 방지하기 위하여 바다 안쪽으로 되도록 멀리 까지 끌어내어 확산 및 희석이 잘되도록 방류해야 한다.

2. 하수 해양 방류 방법

하수를 해양으로 방류하는 데는 여러 가지 방법이 있을 수 있다.

1) 표층 방류

수로 혹은 수로박스를 이용하여 해안에 인접한 수면에 직접 방류하는 표층방류 방법은 경제성 측면에서 가장 타당성이 있는 방법이나 오염물의 혼합 및 희석과정이 주로 주변 수체에 존재하는 난류성분에 의존한다.

2) 수중 방류

수중에서 방류하는 방법은 해안에서 일정거리 떨어진 해역까지 관로를 설치하고 이를 통해 해저에서 고속으로 방류하는 방법으로 고속방류에 따른 방류수체의 운동량과 주변수와의 밀도차에 의한 부력의 효과를 이용하여 방류구 근접 지역에서 높은 희석률을 유도하는 방법이다.

3. 해양방류시설 설계 시 고려사항

1) 주변해역의 이용 상황
2) 방류해역의 물이용 형태와 해안으로의 이동시간
3) 방류해역의 조위
4) 해저상태, 조석간만차 및 수위 등 제반여건
5) 기타

4. 해양 방류관의 종류 및 특징

방류관거는 처리수를 확산구역까지 수송하는데 그 길이는 유속, 수두손실, 구조물의 고려 및 경제성에 의해서 결정된다.

1) 표층 방류

2) 수중 다공 확산관(Submerged Multiport Diffuser)

(1) 일방향 확산관(Unidirectional Diffuser)

일방향 확산관은 확산관에 설치된 모든 방류구가 한 방향으로 설치되어 방류되는 확산관으로서 초기 방류운동량이 다른 확산관에 비해 크기 때문에 정체수역 또는 주변수 흐름과 방류방향이 평행한 수역에 효율적이다.

① 공류형 확산관(Co-flowing Diffuser) : 일방향 확산관 중 공류형 확산관(Co-flowing Diffuser)은 확산관 축과 주변수 흐름방향이 직각을 이루는 확산관으로 방류방향은 해류 흐름방향과 평행을 이루게 된다.

② T형 확산관(Tee Diffuser) : T형 확산관은 확산관 축이 주변수 흐름과 평행하고 방류방향은 해류방향과 수직인 확산관이다. 공류형 확산관에 비해 조석에 의해 주변수 흐름이 주기적으로 바뀌는 해역에서 효율적이다.

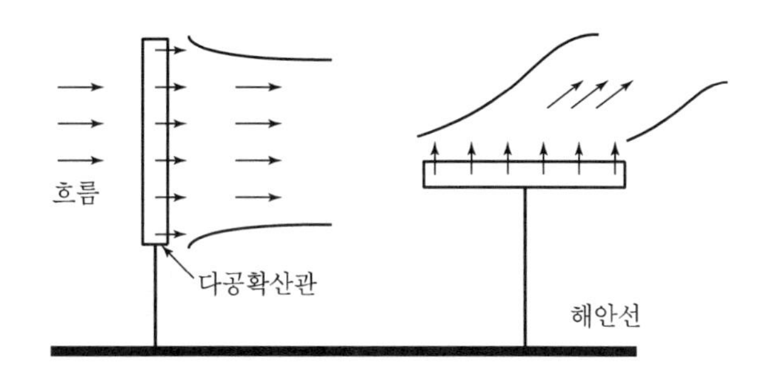

(a) 공류형 확산관　　　(b) T형 확산관

일방향 확산관

(2) 양방향 확산관(Alternating Diffuser)

양방향 확산관은 확산관 축에 대해 양쪽으로 방류공을 설치하는 형태로 일반적으로 확산관 축에 방류공들을 직각으로 설치하거나 방류각도를 확산관 축에 따라 변화시켜 설치하기도 한다. 양방향 확산관은 확산관 축에 대해 대칭으로 하수를 방류하므로 주변수 흐름이 주기적으로 변화하는 수역에 효율적이다.

(3) 축방향 확산관(Staged Diffuser)

축방향 확산관은 확산관 축과 방류방향의 각도가 20° 이내로 방류공을 설치한다. 일방향 확산관의 경우와 마찬가지로 높은 방류운동량을 외해로 발생시키므로 해안선에서 외해로 나가는 흐름이 존재하는 해역에 설치하면 효율적이다.

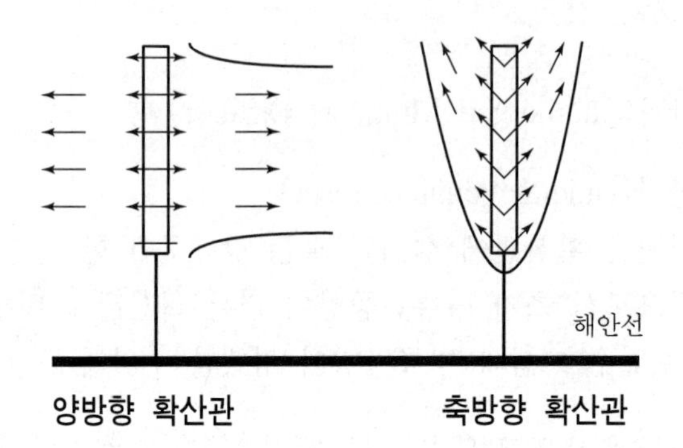

60 | 저수지의 유효저수량 산정방법과 산정절차를 설명하시오.

1. 개요

저수지의 유효저수량은 기준 갈수년에 있어서 댐지점의 하천 유입유량과 계획취수량과의 차를 누적시켜서 구하면 된다. 계획취수량을 결정할 때에는 상수도계획을 위한 취수량 외에도 하천 유지용수, 이미 얻어진 수리권수량 등을 추가하여야 한다.

2. 유효저수량의 산출계획 기준년(산정개념)

저수지의 유효저수량은 과거의 기록 중 최대갈수년을 기준으로 산출하는 것이 이상적이나, 이와 같이 산정하면 저수지용량을 너무 많이 하여 비경제적이다. 따라서 보통 10년 정도에 해당하는 갈수년을 계획기준년으로 하여 유효저수량을 산정한다. 보통 다우지역에서는 계획급수량의 약 120일분, 빈우지역에서는 계획급수량의 약 200일분의 수량을 저수지 유효수량으로 한다.

3. 저수지의 유효저수량 산정절차

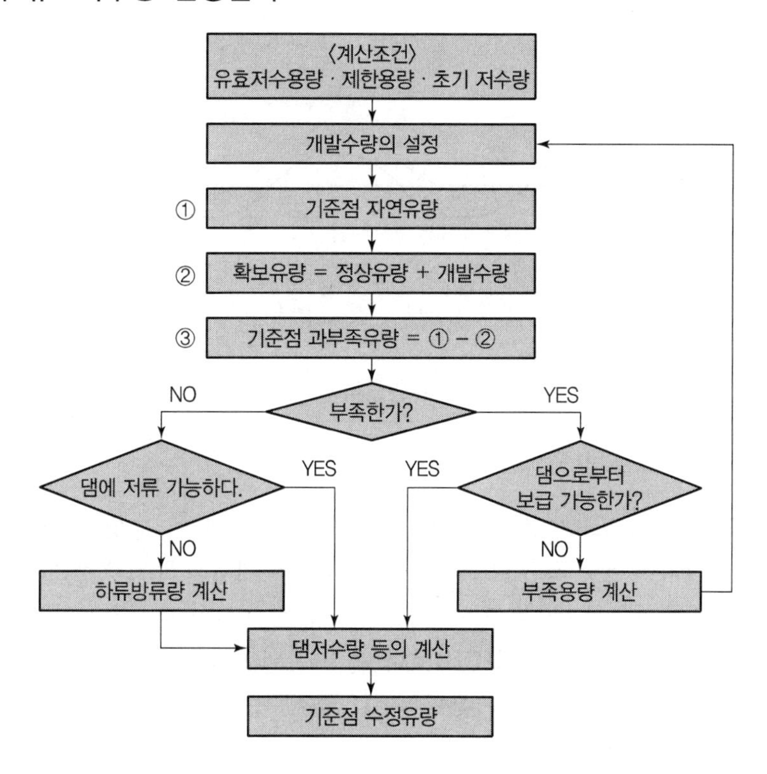

4. 유효저수용량의 산정방법

저수지의 유효용량 산정방법은 가정법, 유량도표법, 유량누가곡선도표법(Rippl's Method) 등이 있으며 이 세 값 중 가장 큰 값을 적용한다.

1) 가정법

저수용량은 강우량의 제곱근에 반비례하여 결정한다.

$$C = \frac{5,000}{\sqrt{0.8 \times R}}$$

여기서, C : 저수지의 유효용량(일), 1일 계획급수량의 배수

R : 연평균강우량(mm)

예를 들면, 연평균강우량이 1,200mm라고 하면 C=162일, 즉 162일분의 저수용량이 필요하다.

2) 유량면적법

다음 그림과 같이 월별로 하천유량의 변화를 도시하고 매월의 계획취수량을 기입하여 이들의 선으로 둘러싸인 면적 중에서 최대인 것이 그 기간의 유효저수량으로 산정하는 방법이다.

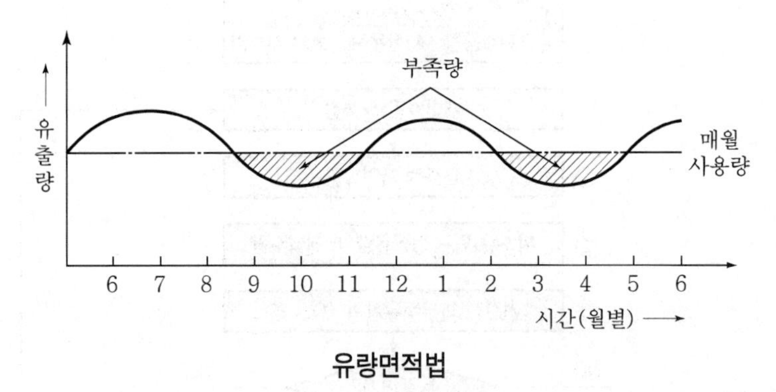

유량면적법

3) 유량누가곡선도표법(Rippl's Method)

(1) 유량누가곡선도표법은 Ripple's법이라고 부르는데 이 방법은 매월의 하천유량을 누가하여 누가곡선 OA를 작성한 다음에 매월의 소요수량을 누가하여 계획취수량 누가곡선 OB를 도시한다. 두 곡선을 비교하여 하천유량 누가곡선(OA)이 계획취수량 누가곡선(OB)보다 경사가 완만한 EG 혹은 FL 부분의 기점인 E와 F로부터 계획취수량 누가곡선(OB)에 평행한 선 EF를 긋고 여기서 최대 수직거리 IG를 구한다.

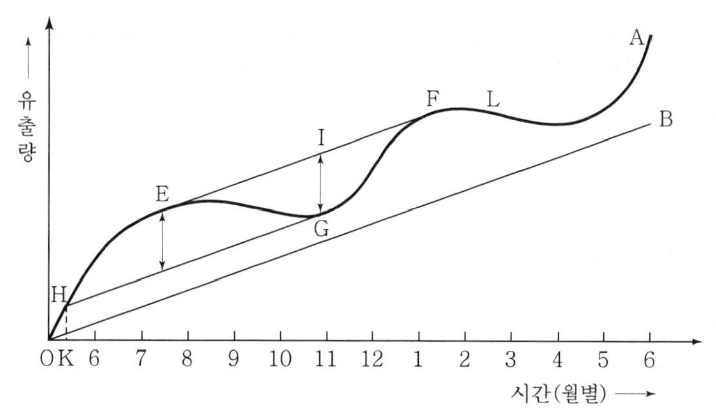

Ripple's법(유량누가곡선도표법)

(2) 어느 가뭄기간 EG에 있어서 부족수량은 IG이다. 가뭄기간 중 부족수량이 가장 큰 값이 그 기간의 유효저수량(IG)이 된다.

(3) 만일 IG값이 가장 크다면 IG가 유효저수량이 되고, 저수하기 시작하는 때에는 G에서 OB에 평행한 직선을 그어 OA와 만나는 점 H에 해당하는 날, 즉 K시점부터 저수하기 시작한다. K부터 저수하여 E에 이르러 저수지는 만수가 되고 그 후 점차 수위가 저하하여 G에 이르면 저수위가 된다. 이때 저수량이 IG이며, 다시 저수지 수위는 상승하여 F에서 만수위가 된다. 수량의 단위는 m^3/sec를 사용한다.

(4) 유효저수량은 IG, 저수시작점은 K, 만수위는 E, 저수위는 G이다.

6. 저수지의 유효용량 산정 시 고려사항

1) 저수지의 유효용량은 상기 방법 중에서 가장 큰 값을 택하는 것이 바람직하며 채택한 값에 20~30% 정도의 여유를 가산하여 저수지용량을 결정하는 것이 일반적이다.
2) 침투, 누수는 이론저수량의 20% 정도로 가정한다.
3) 퇴사량은 하천의 연평균 유출토사량을 추정하여 약 100년간의 퇴사량을 저수용량에 포함하여야 한다.
4) 일반적으로 다우지역에서는 계획급수량의 약 120일분, 빈우지역에서는 계획급수량의 약 200일분의 수량을 저수지 유효수량으로 한다.

61 | 상수도 배수지용량 결정(시간변동 조정용량)에 대하여 설명하시오.

1. 상수도 계획배수량의 결정

계획배수량은 1시간당 수량을 나타내며 각각의 배수관이 담당하는 계획배수구역의 계획 1일 최대급수 시에 계획시간 최대배수량이다. 계획시간 최대배수량은 그 배수구역 내의 계획급수인구가 그 시간대에 최대량의 물을 사용한다고 가정하여 계획 1일 최대급수량일 때의 시간평균배수량에 시간계수를 곱하여 결정한다. 계획시간 최대배수량의 식은 다음과 같다.

$$q = K \times \frac{Q}{24}$$

여기서, q : 계획시간 최대배수량(m^3/h)

Q : 계획 1일 최대급수량(m^3/d)

$\frac{Q}{24}$: 시간평균배수량(m^3/h)

K : 시간계수(계획시간 최대배수량의 시간평균배수량에 대한 비율)

2. 배수시설의 배치원칙

배수시설의 배치는 다음 내용에 따른다.

1) 배수구역 내의 지형과 지세에 적합하게 한다.
2) 관망을 정비하기 위하여 배수관 및 부속설비를 적정하게 배치한다.
3) 합리적이고 경제적으로 시설을 운용할 수 있도록 한다.
4) 유지관리가 용이하고 관리비가 경제적이어야 한다.
5) 인접하는 다른 수도사업자 등의 배수본관이나 송수관과 비상연결관을 연결하는 것이 바람직하다.

3. 배수지의 기능

1) 배수지는 정수장에서 송수를 받아 해당 배수구역의 수요량에 따라 배수하기 위한 저류지로서 배수량의 시간변동을 조절하는 기능과 함께 배수지로부터 상류 측의 사고발생 시 등 비상시에도 일정한 수량과 수압을 유지할 수 있는 기능을 갖는다. 배수지 등은 배수구역의 중앙부 또는 그곳에 되도록 가까운 곳에, 지형과 지질에

따라 안전하게 배려된 위치에 설치하며 적당한 표고차가 있으면 자연유하식의 배수가 가능하고 표고차가 없으면 펌프가압식으로 배수한다.

2) 배수지 1개소에만 의존하는 배수구역은 지형과 지세조건에 따라서는 적정한 배수압력의 확보가 어려운 경우가 많으며 비상시에 대응하기 어려운 경우도 있다. 지역의 특성, 배수관망의 구성 등을 고려하여 복수의 배수지를 분산 배치하거나 배수지 간의 상호융통이 가능하도록 할 필요가 있다.

3) 배수지의 설치형식에는 일반적으로 지상식, 지하식 및 반지하식이 있으나 지상부에서의 시공이나 용지취득이 곤란한 경우 또는 환경보호를 고려해야 하는 경우에는 터널식이 이용되는 경우도 있다.

4. 배수지용량과 시간변동 조정용량

배수지는 송수되는 양에 대한 수요수량의 시간변동을 조정할 수 있으며 비상시에도 일정한 시간 동안 급수할 수 있는 기능을 가져야 한다.

따라서 배수지의 유효용량은 "시간변동 조정용량"으로 6~12시간분과 외에 비상시의 대처용량으로서 배수지보다 상류 측의 비상대응수량(갈수, 수질사고, 시설사고 등) 및 배수지보다 하류 측의 비상대응수량(재해 시 응급급수, 시설사고 등), 소화용수량을 감안하여 계획 1일 최대급수량의 6~24시간분 정도 대비하는 것이 바람직하다. 한편 취수에서부터 정수장과 배수지, 관로 등에 예비시설이 구비되어 있어서 정수장이나 송수관로 등의 사고 시에도 수요가에게 단수되지 않고 급수할 수 있는 경우에는 예비시설들을 종합적으로 고려하여 비상대처용량을 6시간분 이상으로 하고 해당 수도사업자가 적절하게 조정하여 결정한다.

배수지의 기본적인 기능은 정수량 또는 송수량과 배수량과의 조절이다. 정수시설은 계획 1일 최대급수량을 기준으로 하고 있기 때문에 매시 일정량의 정수가 배수지로 보내진다. 한편 배수량에는 시간적 변화가 있기 때문에 사용량이 감소하는 야간에는 시간당 배수량을 상회하는 송수량을 배수지에 저류하였다가 사용량이 증가하는 주간에 송수량을 상회하는 배수량을 배수지에서 유출시켜 수급의 균형을 유지하는 것이다.

따라서 배수지의 유효용량으로서 확보하는 시간변동 조정용량은 계획 1일 최대급수량일 때의 시간평균배수량을 초과하는 시간배수량을 시간마다 누계하여 구한다.

배수지의 시간변동에 해당하는 용량을 결정하는 방법으로는 면적법, 누가곡선법 등이 사용되고 있지만, 신설하는 경우의 용량 결정에는 지금까지의 실적 또는 시설이 유사한 다른 수도사업자의 실적을 참고하여 정한다.

5. 배수지용량 산정

1) 면적법

다음 그림에 나타낸 바와 같이 종축에 계획 1일 최대급수량일 때의 시간배수량을 취하고 횡축에 시간을 취하면, 시간배수량의 변화곡선은 ACDEG로 된다. 면적 ACDEGHIA는 1일 최대급수량이고, 종축 IB는 송수량에 해당하는 시간평균배수량이다.

따라서 면적 ACDEGHIA = 면적 BFHIB로 되며 시간변동 조정용량은 평균선을 넘는 면적(사선부분) CDEC로 된다. 즉, 정수가 평균적으로 생산되어 배수지에 송수되는 것으로 하면, 평균선보다 위의 사선부분(CDEC)은 배수지의 수량 감소를 보이고, 평균선보다 아래의 부분(BCAB + EFGE)은 저류(증가)되는 것으로 된다.

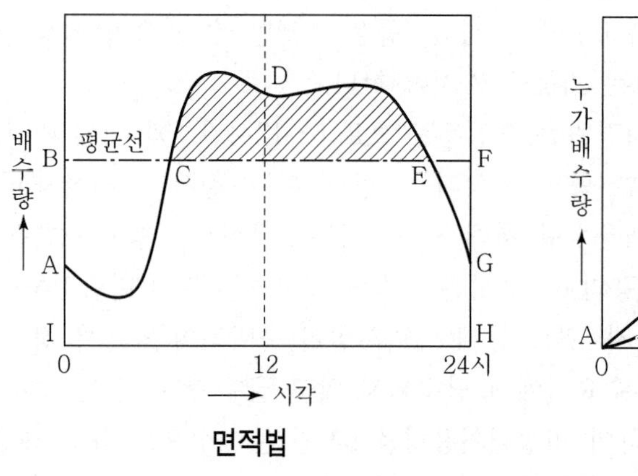

면적법

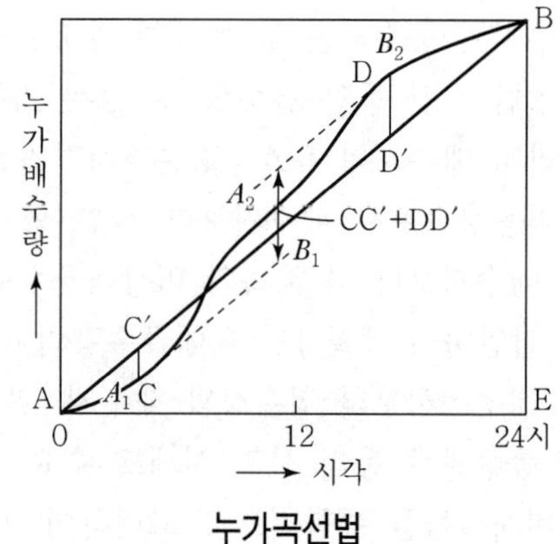

누가곡선법

2) 누가곡선법(배수지 용량 산정)

다음 그림에 나타낸 바와 같이 종축에 누가배수량을, 횡축에 시간을 취하면, 배수량의 누가곡선 ACDB를 얻는다. 여기서 BE는 계획 1일 최대급수량을, AB는 배수지로 송수한 송수량을 가리키며 송수량이 매시 일정하다고 하면 AB는 직선으로 된다. 또한 C점은 배수지수량이 증가한 점을, D점은 배수지수량이 감소한 점을 보이고 있다. 따라서 CC′+DD′가 시간변동 조정용량으로 된다.

62 | 국내 하수관거 System의 바람직한 정비 방향을 제시하시오.

1. 개요

1) 하수처리시설이 어느 정도 보급됨에 따라 하수처리시설에서 발생되는 많은 부분이 관거의 상태에 따른 유입수의 성상 변화에 의한 것이다.
2) 하수관거의 정비와 유지관리의 중요성이 하수처리시설의 처리 능력과 함께 부각

2. 국내 하수관거 시스템의 현황

1) 국내 하수관거 보급현황('08)
(1) 전국의 하수관거 설치비율(계획대비) : 약 88%
(2) 하수도 보급률 : 72.7%

2) 환경적 측면의 문제점
(1) 불명수로 인한 것 : 유입수량 증가, 처리효율 저하
(2) 설계값의 약 60%의 하수가 유입
(3) 관내 침적물의 형성으로 심한 악취 발생

3) 구조적 측면
(1) 하수관거 부족 및 경사 불량
(2) 하수관 재질 및 접합방법 문제 : 현재 대부분 흄관과 칼라접합
① 재질이 견고하지 못하고 내식성이 약함
② 수밀성 부족, 균열
(3) 관구조 변형 : 통신케이블, 가스관, 상수관 등으로 기인

4) 수리적 측면
관경 부족 및 침전물 형성

3. 갈수, 홍수 시의 문제

1) 갈수기
관저의 침적이 가장 큰 문제로 통수능력 저하가 발생

2) 홍수기

(1) 하수관거 용량 이상의 우수 유입
(2) 하수관거 경사 불량이나 퇴적물에 의한 배수 불량
(3) 지리적으로 낮은 저지대의 배제능력 부족

4. 개선 방향

1) 하수관거 관종선정 및 관 연결 개선방안

(1) 대부분 흄관을 사용하나 토질조건에 따른 하중조건과 강도에 따른 관종의 결정
(2) 외압 및 외수의 침입을 방지하는 수밀성 접합
(3) 칼라접합을 소켓접합, 수밀접합으로

2) 우수받이 시설 개선방안

(1) 청소가 용이한 구조
(2) 도로 포장 시 노면 배수에 대한 고려
(3) 노면 경사 변화에 대한 대응

3) 관거 퇴적물의 준설 및 청소

(1) 관거 내 퇴적 방지 및 준설의 민영화
(2) 준설인력 숙련도 제고 및 침사시설 설치 확대
(3) 맨홀 및 인버트 설치

4) 관거 유지관리 개선방안

(1) 자료의 전산화
(2) 유지관리 위탁제도 도입
(3) 부실시공 오접합 방지 위한 CCTV 활용 확대

5) 배수시설 개선방안
불합리한 배수관거 및 우수 배제시설 등을 합리적으로 개선

6) 관련제도의 개선방안
하수도와 관련한 제도나 법규 상호간 중복 사항은 피하고 조화를 이루면서 효율성을 높이도록 제도정비

63 | 상하수도관의 지반침하에 대하여 설명하시오.

1. 지반침하의 현황 및 문제점

최근 수년간 상하수도 시설로 인한 지반침하는 각 지자체별로 수많은 지점에서 발생된 것으로 조사되고 있다.

연도별 지반침하 발생 현황

구분	계	'12년	'13년	'14.8월 현재
건수	70	18	16	36

2. 지반침하의 형태(상하수도 관련)

상하수도관과 관련한 지반침하는 대부분 1m 이내의 소규모로 건설공사에 의한 싱크홀이라기보다는 지반침하 현상으로 나타나고 있다. 아래 그래프에서 나타나듯이 건설공사에 의한 싱크홀은 면적과 깊이가 대규모인 것에 비하여 상하수도관과 관련된 침하는 규모가 적은 것으로 나타나고 있다.

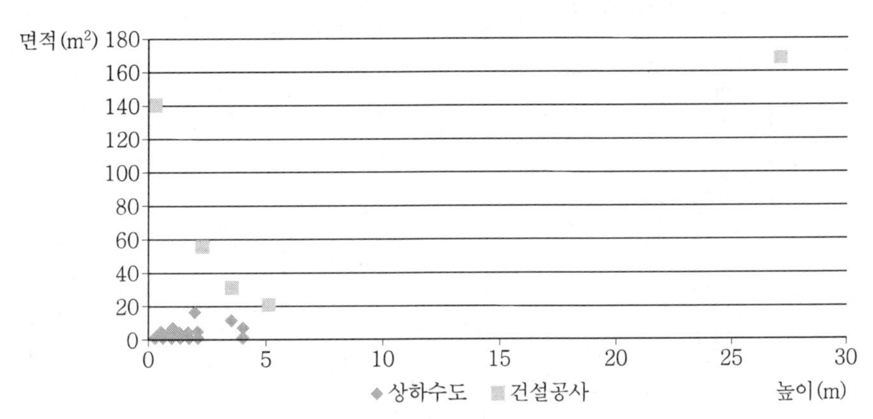

상하수도 지반침하와 건설공사 싱크홀 비교

3. 지반침하 발생 메커니즘

1) 지반의 공동화·이완에 따라 지반침하 발생

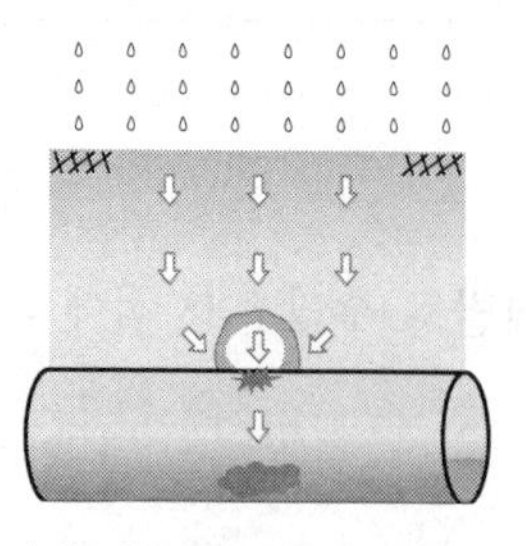

(a) 강우 침입수에 의한 공동형성 메커니즘

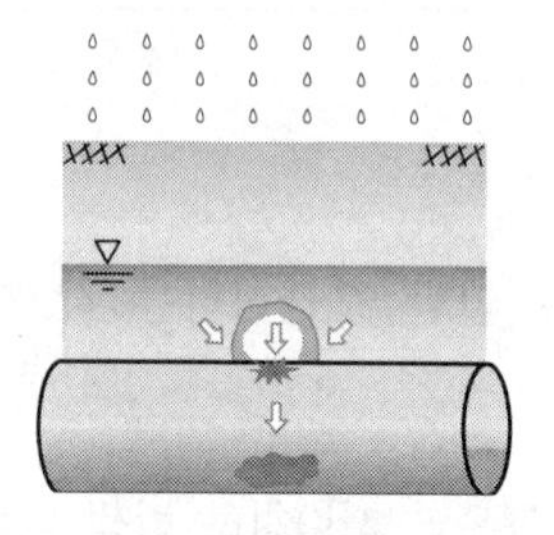

(b) 지하수위 상승에 의한 공동형성 메커니즘

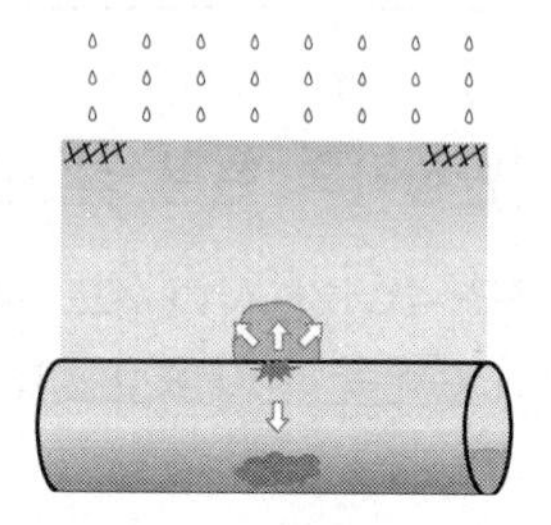

(c) 하수유출 반복에 의한 공동형성 메커니즘

2) 관로이음부 불량에 따라 지반침하 발생

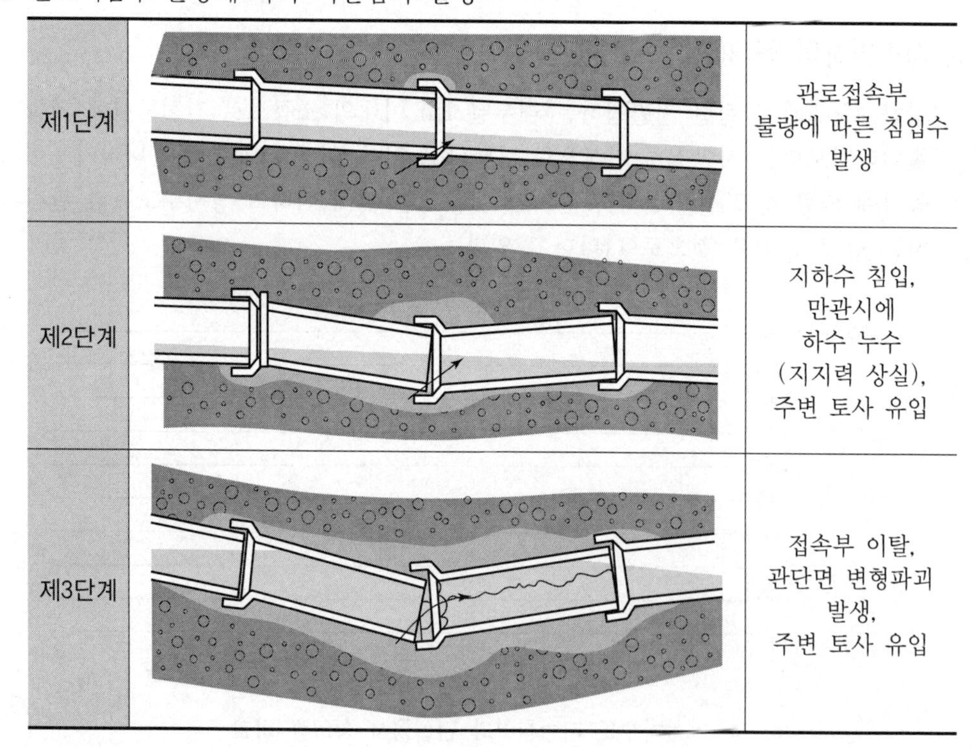

제1단계	관로접속부 불량에 따른 침입수 발생
제2단계	지하수 침입, 만관시에 하수 누수 (지지력 상실), 주변 토사 유입
제3단계	접속부 이탈, 관단면 변형파괴 발생, 주변 토사 유입

4. 지반침하의 특징

상하수관 주변에서 발생하는 지반침하는 상하수도 관로의 누수뿐 아니라 주변의 지질, 지하공사, 집중 호우 등 다양한 요인의 영향을 받기 때문에 일반적인 경향성을 찾기가 어렵다.

1) 시설 노후화에 따른 균열과 누수가 있거나, 주변 지하공사에 의해 하수관의 뒤틀림이나 파손이 있을 경우 발생
2) 주변의 지질이나 지하 공사의 되메움 잘못 등으로도 발생하여 사전 예측이 어려움
3) 도로 하부에 매설된 노후관은 진단 및 교체 · 개보수가 기술적으로 쉽지 않으며, 막대한 예산 소요
4) 매년 수차례 상하수도에 의한 지반침하가 발생하고 있으나, 그동안 단순 되메움 및 파손 관로의 복구 등 응급처치로 대응
5) 상하수도와 관련된 지반침하의 다양한 원인에 대한 종합적인 조사나 분석이 미흡
6) 노후 상하수도관은 내부의 수압, 유속에 의한 충격, 외부 하중 및 충격 등 파손 우려가 높으나 개보수가 현실적으로 어려움

5. 지반침하 대응방안

1) 점검대상

   1,000mm(Box는 1.0m×1.0m) 이상 및 20년 이상 하수도관로 중 다음과 같은 침하 가능성이 큰 지역에 매설된 관로를 점검한다.

   (1) 과거 지반침하(함몰) 발생지역, 도로지역(지하 굴착공사가 있었거나 있는 지역)
   (2) 대형 건축물 또는 지하철 등 대형 지하굴착 공사지역(매립지역, 지하수 유동이 큰 지역 위주로 실시)
   (3) 우기 전 상하수도 관로 공사지역, 지하수 유동으로 지반변동이 있는 지역 중 부분적인 지반침하 현상이 발생되는 지역
   (4) 기타 도로나 지표면의 균열 발생 지역 등 각 지자체의 관로 매설 여건을 고려, 지반침하가 우려되는 지역을 추가 등

2) 점검방법

   육안조사를 원칙으로 하며 필요시 CCTV 검사 등 정밀한 조사방법을 강구하며 관로 내 조사 시 반드시 가스 질식 등에 대한 보호장구 착용 등 안전조치 강구 후 조사를 실시한다.

3) 결과조치

점검 결과, 누수 등 지반침하 개연성이 있는 관로는 시급히 개보수를 추진토록 하고, 최우선적으로 소요 예산 지원

4) 복구

지반침하(함몰) 발생 시 추락사고 등 2차 사고방지 안전 조치, 침하원인 파악 및 복구를 신속하게 실시한다.

(1) 1단계

지반침하 발생 즉시 경찰, 소방 등 관계 부서와 긴급히 협조하여 통행제한, 안전 울타리 설치 등 2차 사고방지

(2) 2단계

지반침하 발생 원인 파악은 근본대책 마련을 위해 필요하므로 복구 전 전문가가 참여, 신속하고 정확하게 파악

(3) 3단계

침하 원인, 규모, 주변 안전 등을 고려하여 응급 또는 항구 복구 추진

64 | 하수관로 정비사업의 준공 시 성과평가방법에 대하여 설명하시오.

1. 개요

하수관로 정비사업 수행 시 성과평가는 체계적이고 적정하게 이루어져 평가관리를 통한 운영 효율을 극대화해야 한다.

2. 하수관로 정비사업

하수관로 정비사업은 BTL 사업을 통해 이루어지는 경우가 많으며 설치된 하수관로의 운영관리가 실시협약서에서 정한 바에 따라 적정하게 이루어지는지의 여부에 대해 점검 및 평가하는 업무는 한국환경공단에 위탁하고 있다.

3. 하수관로 정비 BTL 운영성 평가 수행체계도

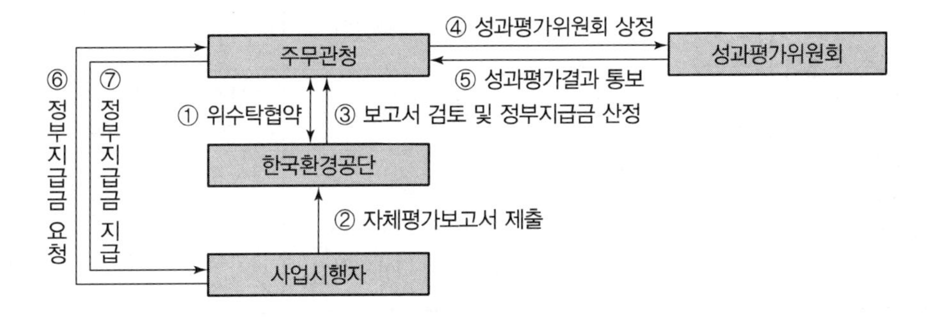

4. 하수관로 준공 시 평가지표

1) 준공 시 평가지표는 준공 전에 실시하는 준공검사에 적용하는 것을 원칙으로 한다.
2) 시공 중 시행하는 시공품질검사(QA/QC)는 하수관로시스템의 구조적 정비 위주로 실시하도록 하고, 준공 시에는 준공검사를 실시하며, 준공검사 후 준공조건을 만족하지 못한 시설물에 대해서는 사업시행자 부담으로 재시공하여야 한다.
3) 2차 및 3차 반복된 준공검사로 인한 공사기간의 지연 시 주무관청은 사업시행자에게나 공사기간 지연에 따른 페널티(지체보상금)를 부여할 수 있다.

4) 유입수와 침입수에 대한 평가

<table>
<tr><th rowspan="2">구분</th><th rowspan="2">대상</th><th rowspan="2">항목</th><th colspan="2">평가지표 및 검증방법</th><th rowspan="2">검사수량</th><th rowspan="2">허용률</th></tr>
<tr><th>평가지표</th><th>검증방법</th></tr>
<tr><td rowspan="5">침입수 (Infil-tration)</td><td rowspan="4">본관</td><td>신설관로</td><td>관로조사</td><td>CCTV 검사+수밀검사</td><td>대상관로의 5%</td><td>허용누수량 기준 이하</td></tr>
<tr><td>전체보수</td><td>관로조사</td><td>CCTV 검사+수밀검사</td><td>대상관로의 5%</td><td>허용누수량 기준 이하</td></tr>
<tr><td rowspan="2">부분보수</td><td>지하수위 낮은 구간</td><td>CCTV 검사+부분 수밀검사</td><td>대상관로의 5%</td><td>관로정비 등급기준을 만족하고 허용누수량 기준 이하</td></tr>
<tr><td>지하수위 높은 구간</td><td>CCTV 검사 7, 8월(우기 시)</td><td>대상관로의 5%</td><td>침입수의 연속 유입개소가 없어야 하며, 불연속 유입개소는 맨홀 대 맨홀 기준으로 3개 이하이어야 함</td></tr>
<tr><td>배수설비</td><td>전체</td><td>연결부조사</td><td>육안검사+내시경조사(또는 소구경 CCTV)</td><td>대상수량의 5%</td><td>이상개소가 없어야 함</td></tr>
<tr><td rowspan="4">유입수 (Inflow) · 누수 (Exfil-tration)</td><td rowspan="2">본관</td><td>전체</td><td>맨홀부</td><td>육안검사+연막시험</td><td>대상수량의 5%</td><td>이상개소가 없어야 함</td></tr>
<tr><td>전체관로</td><td>본관오접</td><td>연막시험</td><td>대상관로의 5%</td><td>이상개소가 없어야 함</td></tr>
<tr><td rowspan="2">배수설비</td><td>전체</td><td>오수받이 뚜껑</td><td>육안조사</td><td>대상관로의 5%</td><td>이상개소가 없어야 함</td></tr>
<tr><td>전체관로</td><td>배수설비 오접</td><td>연막시험 또는 염료시험</td><td>대상관로의 5%</td><td>이상개소가 없어야 함</td></tr>
</table>

주) 1. 전체관로란 사업대상지역 내에 설치되는 신설관로 및 개·보수관로를 포함한 관로를 의미한다.
2. 준공검사 구간 및 시기, 세부평가방법은 성과평가위원회에서 협의 조정할 수 있다.
3. 허용누수량 기준 : 하수도공사 표준시방서에서 제시하는 허용누수량을 말한다.
4. CCTV 조사결과 기본계획에서 제시한 불량관로정비 등급기준의 A, B항목이 없어야 한다.
5. 지하수위 높은 구간의 경우 공사일정상 7, 8월(우기 시) 시행이 어려울 경우 성과평가위원회에서 협의 조정할 수 있다.

5. 하수관로 준공 시 준공검사방법

구분	준공검사범위	비고
최초 준공검사	대상관로의 5%	준공조건 만족 시 준공처리, 만족하지 못한 경우 2차 준공검사 실시
2차 준공검사	대상관로의 10%	준공조건 만족 시 준공처리, 만족하지 못한 경우 3차 준공검사 실시
3차 준공검사	대상관로의 20%	3차 준공검사를 만족하지 못한 경우 전체 관로를 대상으로 실시

주) 1. 2차 성능확인범위는 최초 성능확인범위를 포함하며, 3차 성능확인은 2차 성능확인범위를 포함한다.
2. 준공검사범위는 고시공사비 대비 공사비 응찰률에 따라 차등 적용한다.
- 70% 미만 → 최초 준공검사 : 대상관로 7%, 2차 준공검사 12%, 3차 준공검사 22%
- 60% 미만 → 최초 준공검사 : 대상관로 9%, 2차 준공검사 14%, 3차 준공검사 24%

6. 하수관로의 검증방법

1) 수밀성 평가

(1) 수밀검사는 누수시험(양수시험)에 의해 실시하며, 사업대상지역 내 신설 및 개·보수관로(우수관로 제외)에 대하여 실시한다. 또한 누수시험이 불가능한 구간에 대해서는 연결부시험(패커시험)으로 대체할 수 있다. 필요에 따라서는 공기압시험 등으로 대체하여 실시할 수 있다.

(2) 누수시험 실시개소에 대한 허용누수량 초과 발생개소의 비율(허용누수량 초과 발생개소/누수시험 실시개소×100)에 따라 평가한다.

(3) 준공검사 시 측정된 검사결과 허용누수량을 초과하는 구간은 사업시행자 부담으로 즉시 교체 또는 보수 시공하여야 한다. 관경별 허용누수량은 하수도공사 시공관리요령(한국상하수도협회, 2006)에서 제시하는 허용누수량을 참조하여 결정한다.

2) 관로조사평가

(1) 사업대상구역 내의 대상관로를 대상으로 CCTV 촬영을 통해 검사하여 평가한다.

(2) 처리시설 기본계획에서 제시한 불량관로 판단기준에 따라 정비대상관로에 해당되는 개소수로 평가하고, 역경사구간, 과다 퇴적구간도 불량관로에 포함된다. 이러한 불량관로 발생 시 사업시행자 부담으로 즉시 교체 또는 보수하여야 한다.

3) 오접 발생 정도 평가

(1) 사업대상구역 내의 대상관로를 대상으로 연막시험 또는 염료시험 등으로 관로의 오접, 관 파손 및 맨홀 결손에 의한 누수 등을 조사하여 평가한다.

(2) 오접조사 결과 불량관로에 대해서는 사업시행자 부담으로 즉시 보수 시공하여야 한다.

차 한잔의 여유

도덕을 지키고 사는 사람은 한때 적막하지만
권세에 아부하여 사는 사람은 언제나 처량하다.
이치를 완전히 깨친 사람은 사물 밖의 사물,
즉 재물이나 지위 이외의 진리를 보고 육체 뒤의 몸,
즉 죽은 뒤의 명예를 생각한다.
차라리 한때 적막할지언정 만고의 처량함은 취하지 말라.

– 채근담 –

65 | 하수관 청소 및 준설방법을 설명하시오.

1. 개요

하수관은 갈수기에 유량 부족으로 유속 저하에 따른 퇴적물 침전으로 강우 시 통수단면 부족과 관거 폐쇄로 하수 배제능력이 감소하고 이는 저지대 침수 피해의 주된 원인 중 하나이다. 따라서 평상시 하수관 청소와 준설을 게을리 하지 않아야겠다.

2. 사전 준비 사항

1) 관할 경찰서에 도로사용 허가를 받고 표지판 및 보호시설 등을 설치하여 사고 방지
2) 간선관거 청소 시는 펌프장, 처리시설에 통보
3) 안전사고에 대비하여 교육 및 장비를 갖춘다.

3. 작업 기계, 기구

1) 기계선정 요인
(1) 토사 퇴적량 파악
(2) 하수 유하량의 시간적 변화
(3) 작업지점의 교통사정 등 작업환경
(4) 작업 전의 능력과 안전
(5) 청소용 기계기구의 적합성
(6) 작업시간 및 공정

2) 작업 기구
(1) 고압세척차
Pump와 수조를 적재하고 고압 Pump를 작동하여 수조의 수압을 5~15MPa로 하고 노즐로 분사하며 주로 소구경 청소
(2) 진공흡입차
진공 Pump와 저류탱크를 적재하여 토사 등을 흡입 제거
(3) 버킷식 준설기
① 원동기가 부착된 Winch와 Frame을 적재
② 맨홀 간의 와이어 호프를 통하고 여기에 버킷을 부착하여 토사를 지상 반출
(4) 수동 Winch
(5) Blower식 오니 흡입차
자동차에 흡입기와 호퍼를 적재한 것으로 흡입기를 운전하고 호퍼를 부압으로 하여 그 흡입력으로 토사를 뽑아 올리며 공기는 필터를 통하여 배출

66 | 상하수도, 댐 등 시설관리의 효율성 제고

1. 목적

1) 수자원 및 물공급시설 등의 수질관리체계 구축 및 해양생태계 보호
2) 4대강 오염총량제 시행으로 목표수질 조기 달성
3) 오염원 감시의 자동화 등 효율적 관리 시스템 도입

2. 방법

1) 농어촌 용수의 합리적인 관리
   (1) 전국을 464개 용수구역으로 구분
   (2) 농업용수, 축산용수, 기타 용수를 포함하여 계획 수립
   (3) 현실태 파악
   (4) 물관리 과학화, 체계화 기반 구축

2) 기존 댐의 용수위주 운영 강화
   수력발전댐의 다목적댐화 추진

3) 기존 댐의 재개발 등 효율적 이용방안 마련
   (1) 물부족이 전망되나 적지부족, 주민 반대로 어려움
   (2) 한정된 목적으로 과소개발, 이용되고 있는 기존 댐에 대한 재개발 필요성 증대
   (3) 과거 과소 개발된 댐, 시설이 노후화된 댐, 퇴사가 많이 진행된 댐 등을 재개발
   (4) 과거 한정된 목적에 국한되어 단일 목적으로 과소 개발된 댐
   (5) 건설한 지 오래되고 시설이 노후화되어 보강이 필요한 댐
   (6) 퇴사 등으로 인하여 당초 능력을 발휘하지 못하는 댐
   (7) 기상이변 등을 감안할 때 추가 홍수조절 능력이 필요한 댐
   (8) 축적된 수문자료 등을 토대로 댐 운영에 개선이 필요한 댐

4) 해양환경 측정망 운영
   (1) 해양생물, 해저퇴적물의 실태를 종합적인 해양환경 측정망으로 확대
   (2) 공정시험방법 개정 추가 : TN, TP, TBT

5) 총량관리제 시행 및 상수원 주변 난개발 방지
   (1) 한강수계 팔당호 인근 4개 시·군 오염총량 규제 수계 적극 유도

(2) 낙동강 수계 오염총량제 기본방향 결정 및 착수
(3) 금강, 영산강 오염총량제 시행 준비
(4) 상수원 이용 하천 및 호소 주변을 수변구역으로 지정 및 관리 강화

6) 오염원별 관리 정책의 효율성 제고 및 과학적 감시체계 구축
(1) 생활계 오염원 관리
(2) 산업폐수 관리
(3) 축산폐수 관리
(4) 오염원 자료의 실시간 자동경신체계 구축 추진
(5) 오염총량 관리제 이행 여부 모니터링 시스템 구축
(6) 유역관리 실태의 지속적인 점검 및 평가
(7) 24시간 연속 감시 수질 자동 측정망

7) 광역상수도 요금 현실화를 통한 물절약 유도

8) 수자원 종합정보체계 구축
(1) 수자원관리 종합정보 시스템 구축
(2) 하천GIS 구축
(3) 광역상수도 종합관리 시스템 구축
(4) 지하수 정보 종합관리체계 구축

9) 상하수도 시설 설치 · 관리 민영화
한국형 민영화 Model 연구

67 | 대도시 하수관거의 문제점 및 대책

1. 하수관거 현황

1) 전국의 하수관거 현황

'07년 말 현재 하수관거시설연장은 96,279km로 계획연장 130,773km의 73.6%이다. 이중 합류식으로 배제되는 관거는 50%이고 분류식이 50%이다. 시도별로는 서울시의 관거 보급율이 100%로 가장 높고 대전 99.8% 순이다.

2) 서울시 하수관거 현황

'07년 말 현재 서울시 하수관거 총연장은 10,261km이고 합류식이 85.9%이며 분류식이 14.1%이다. 하수관거의 파손이 심각하고 이음불량, 관 노후화로 인하여 지하수 등 불명수의 유입(160만 m^3/d)과 더불어 유입수질의 농도 저하로 하수처리시설의 효율저하 원인

2. 대도시 하수관거의 문제점

1) 설계상 문제점

서울시 등 대부분의 대도시에서 구자체로 설계가 시행되며, 칼라이음, BOX 암거의 지수판 미설계 등으로 우수배제 기능 위주로 설계되어 수밀성 확보가 곤란하다.

2) 시공상 문제점

하수의 누수 등 환경적인 측면에 대한 인식 부족으로 수밀시공이 고려되지 않고 있으며, CCTV 검사 및 수밀검사를 소홀히 하는 문제점이 있다.

3) 기타 문제점

선진국의 경우 하수관거 정비사업에 하수처리시설 건설사업비의 1~3배를 투자하고 있으나 서울시 등 대부분의 대도시에서는 30~40% 정도에 불과하다.

4) 차집관거의 문제점

차집관거는 대부분이 제외지에 설치되어 있다. 이에 따른 문제점으로는 홍수 시 맨홀이 매몰되고, 홍수 시 하천수의 유입 및 관내압에 의한 맨홀뚜껑이 열리는 것을 방지하기 위한 밀폐형 맨홀 설치로 유지관리가 불편하다. 또 하천 자연수면 이하로 매설될 경우 지하수 과다유입의 원인이 된다.

5) 합류식 하수관거 월류수(CSOs)의 문제점
기존의 유수지와 펌프장은 단지 홍수방지용으로만 설계, 운영되어 현실적으로 오염부하 저감설비로는 볼 수 없다. 그리고 대도시, 특히 서울은 대부분 개발이 완료된 실정이어서 유수지의 확보나 기존 유수지의 확장에 어려움이 있다.

3. 개선방안

1) 하수종말처리시설 건설공사와 처리구역 내의 관거정비 공사를 병행 실시한다.
2) 홍수시 초기 우수배제 및 침수방지를 도모하기 위하여 지하 대심도 저류조를 건설한다.
3) 하수관거 관리상태의 지속적인 조사 및 하수관거의 효율적이고 종합적인 관리의 전산화를 위하여 GIS를 도입한다.
4) 분류식 지역 내의 오수정화시설 및 분뇨정화조 철거를 유도한다. 또 합류식 지역은 관거정비 상태에 따라 분뇨정화조 설치를 면제할 수 있는 제도적 보완이 필요하다.
5) 관거 오접 등으로 분뇨의 직투입이 불가능한 경우에는 소규모 하수처리시설을 건설하여 고도처리하여 가까운 하천으로 방류하여 하천의 건천화 방지 및 생태계 회복방안을 도모한다. 즉 발생원에서 하수를 처리할 수 있는 시스템을 구축한다.
6) 용량이 부족한 관거, 구조적 결함관거, 역경사, 상수관로 통과 등 통수능력에 지장이 있는 관거에 대한 빠른 개보수를 시행한다.
7) 청천시 0.6m/sec 이상을 최소 유속 기준으로 하되, 기존관의 구배조정이 불가능한 지역은 0.3m/sec 이상으로 유지하도록 준설이나 세척 등 유지관리를 시행한다.
8) 하수관거의 수밀성 확보가 가능한 방향으로 적합한 설계 및 시공을 한다.

4. 하수관거의 정비

1) 지속적인 정비 및 보수
하수관 내의 지장물 제거, 파손부 보수, 갱생사업을 지속적으로 추진하고, 분류식 지역의 우수, 오수관의 오접, 시공불량 부위를 시정 조치한다.

2) 하수관거의 통수능력 증대
급속한 도시화로 유출율이 0.6에서 0.7로 증대되어 홍수시 침수가 우려되는 지역 등을 중심으로 관거 증설사업을 추진한다.

3) 하수도 공사 관리기법의 현대화 추진
하수도대장 도면의 전산화 추진, 하수도 건설시 교통장애가 없는 비굴착 공법 등 신공법 활용, 하수관거의 내부조사의 기계화와 조사자료의 D/B구축을 추진한다.

5. 차집관거의 개선방안

차집관거는 대부분 하천변 제외지에 부설되어 있으나, 차집관거 노선 계획 시 유지관리, 시공성 및 경제성 등을 종합 검토하여 가능한 제내지 측에 부설하는 방향으로 적극 검토한다.

6. 합류식 하수관거 월류수(CSOs)의 대책

1) 배출원 조절

가장 바람직한 방법으로 배수구역 내에서 강우로 인한 우수의 관거 내로의 유입을 차단, 감소시키는 방안이다. 그러나 개발이 예정된 지역에 한정시켜 적용하는 것이 바람직하다.

2) 용량의 증대

가장 보편적인 방법으로 교통혼잡과 비용이 고가인 점과 처리시설에서의 용량 증설 및 효율 저하를 유발시키는 단점이 있다.

3) 실시간 제어방법

최근에 개발된 방법으로 컴퓨터를 통한 조작 및 제어가 이루어지는 시스템이나 장치가 복잡하고 비용이 고가인 점이 단점이다.

4) 하수관거 내 유량조절 방법

우수의 방류량을 조절하는 방법으로 기존 하수관거를 효과적으로 운영하는 방법과 지하수나 우수로 인한 침투수량을 조절하는 방법이 있다.

5) 분류식화

분류식 하수관거의 건설로 CSOs로 인한 오염을 해결

6) 저류시설의 설치

유량조절과 함께 첨두유량을 줄일 수 있고 설계와 운영이 용이하다. 또 유량변화에 쉽게 대처할 수 있으며 인접 하수처리시설에서 처리가 가능하여 우수로 인한 오염을 방지할 수 있는 장점이 있다. 그러나 넓은 부지가 소요되고 저류시간이 길어지면 부패 방지를 위한 포기과정으로 유지비가 클 수 있다.

68 | 분산형 빗물관리

1. 강우의 치수 이수 개념

빗물은 잘못 관리하면 우리 생활에 큰 피해를 주는 파괴자이나 잘 활용하면 우리 생활에 유익한 자원이 된다. 강우로부터 피해를 줄이기 위해서는 빗물의 양과 힘을 분산시키는 빗물관리가 필요하다. 이러한 방법은 전혀 새롭지도 않고, 비용도 적게 드는 방법으로 우리 선조들이 해 왔듯이 산기슭에 크고 작은 저수지를 만들고 논을 만들어 빗물을 가두고, 땅속에 침투시켜 빗물의 양과 에너지를 분산시키는 것이다.

2. 분산형 빗물관리

1) 빗물관리의 중요한 것은 계절적인 집중 강우를 건기 시에도 지속적으로 활용하기 위한 시스템 즉 분산형 빗물관리 체계를 갖추기 위해 모든 지역에 걸쳐서 모든 관계자가 유기적으로 참여해야 한다는 점이다.
2) 홍수의 위험이 없는 상류에서도 하류지역을 생각해서 빗물을 분산시키는 시설을 만들어야만 전체의 피해를 줄일 수 있다. 빗물을 분산시켜 다스리는 빗물관리의 철학을 이해하고 그 부족분을 계산하여 첨단 시설로 보충하면 된다.
3) 빗물유출저감시설의 설치를 촉진하는 법률의 제정이 필요하다.

3. 현행 빗물관리의 문제점

1) 현재의 빗물처리 방법은 모든 빗물을 빨리 하천에 몰아넣고 하천에서 방어하는 시스템이다. 이 경우 비가 설계치보다 많이 오면 하천의 댐이나 제방을 더 높고 튼튼하게 만들어야 한다.
2) 하천을 직강화 하는 것도 문제이다. 빗물의 에너지를 분산시켜 주는 자연석을 빼내고 콘크리트로 반듯하게 빗물의 고속도로를 만들므로 분산되어 내려온 빗물을 속도를 증대시켜 파괴력을 키워주는 셈이다. 공사를 한 곳에서는 물이 잘 빠져 피해가 없을지 모르나 하류에서는 뭉쳐진 빗물의 엄청난 에너지로 인해 큰 타격을 받을 수 있다. 산지가 많은 곳에서는 더욱 위험하다.
3) 기존의 빗물 관리방법으로는 하류 제방의 붕괴 위험은 물론 큰유속에 의한 흙탕물로 생태계 파괴 등 국민 모두가 계속 비용을 부담해야 한다. 이와 같은 방법은 안전하지도, 지속 가능하지도 않다.

4. 분산형 빗물관리의 효과

1) 빗물을 무조건 하천으로 방류하지 않고 최대한 그 자리에서 지반에 침투시켜서 건전하고 지속적인 물 흐름을 유도하고
2) 빗물을 분산 관리하여 집중 강우 시 일시적인 대규모 방류수량을 막을 수 있도록 하면 지류의 빗물이 본류에 모두 모아진 뒤에 힘이 다량의 빗물을 하천에서 막는 것이 아니라, 빗물이 떨어진 자리에서 힘을 최대한 분산시켜 막을 수 있다.
3) 이렇게 에너지가 약해진 빗물은 기존의 하천에서 쉽게 감당할 수 있어 하류에 홍수나 흙탕물의 피해를 줄여 줄 수 있어 치수가 용이하다.
4) 분산형 빗물관리는 빗물이 떨어지는 모든 면에 걸쳐 빗물을 담아 두거나 땅속에 침투시키면 빗물의 유출량과 에너지를 분산시켜 지속적인 물이용으로 도심의 건천화를 막을 수 있고 건전한 물 순환을 유도할 수도 있다.

69 | 지하수 개발에서 적정 취수량 등에 대한 영향조사의 항목 · 조사방법 및 평가기준을 기술하시오.

1. 개요

물환경보전법 제12조 관련 지하수 개발에서 적정 취수량 산정 등을 위하여 다음과 같이 조사항목, 조사방법, 평가기준을 제시하고 있다.

2. 지하수 적정 취수량 등에 대한 영향조사의 항목, 조사방법 및 평가기준

조사항목	조사방법	평가기준
수문지질(水文地質) 현황 및 개발가능한 원수의 양	① 조사대상지역은 개발예정지점을 중심으로 반지름 0.5km를 기준으로 하고 지역여건에 따라 시 · 군 · 구의 조례로 정하는 바 2분의 1의 범위에서 늘리거나 줄일 수 있다. 단, 지하수의 영향범위가 조사대상지역을 초과하는 경우에는 그 영향범위까지를 조사대상지역으로 한다. ② 조사지역의 기존자료를 수집 · 검토하고 현지답사를 통하여 다음의 수문 및 수리지질현황을 조사한다. • 우물, 샘, 유출지하수 등의 이용현황 • 하천의 현황 • 잠재오염원 분포현황 ③ 지하수관리 기본계획 등 기존자료를 활용하여 조사지역의 지하수 함양량과 개발가능량을 산정한다. ④ ③에서 산정된 조사지역의 지하수 개발가능량을 토대로 기존 지하수이용량 등을 고려한 지하수 신규 개발가능량을 산정한다.	허가신청량이 신규 개발가능량 이내
적정 취수량 및 영향범위 산정	① 대수성시험(帶水性試驗)을 통하여 대수층의 특성 및 지하수의 산출 특성을 파악한다. • 단계대수성시험 – 단계대수성시험은 최소 3단계 이상 하여야 하며, 각 단계별 시험의 필요한 시간은 1시간 이상이어야 한다. – 양수정(揚水井) 안에 수중모터펌프를 설치하여 각 단계별로 양수율을 일정하게 유지하면서 양수정에서의 양수시간에 따른 지하수 수위의 강하를 측정한다. • 연속대수성시험 – 단계대수성시험을 마친 후 지하수의 수위가 회복된 다음에 일정 양수율 조건에서 양수정과 관측정에서의 양수시간에 따른 지하수 수위의 강하를 측정한다.	• 허가신청량이 1일 적정 취수량 이내 • 영향범위 내 기존 시설물이나 잠재오염원이 있어 영향을 받는 경우 이에 대한 대책 마련

조사항목	조사방법	평가기준
적정 취수량 및 영향범위 산정	단, 관측정이 없는 경우에는 양수정에서만 지하수 수위의 강하를 측정할 수 있다. – 연속대수성시험시간은 12시간 이상 연속으로 함을 원칙으로 한다. – 양수시간에 따른 지하수 수위 강하를 측정한 자료를 통하여 대수층의 특성을 나타내는 수리상수(水理常數)인 수리전도도(水理傳導度), 투수량계수, 저류(貯留)계수, 비양수량(比揚水量) 등을 조사한다. • 수위회복시험 – 연속대수성시험을 마침과 동시에 펌프 작동을 중지하고 양수시간에 따른 회복수위를 2시간 이상 측정한다. – 양수시간에 따른 회복수위를 측정한 자료를 통하여 수리상수를 조사하고 연속대수성시험의 결과와 비교한다. • 양수정과 관측정에서의 지하수 수위 측정 시간간격은 다음과 같다. – 시험 시작 후 5분까지 : 1분 간격 – 시험 시작 후 5분부터 1시간까지 : 5분 간격 – 시험 시작 후 1시간부터 2시간까지 : 15분 간격 – 시험 시작 후 2시간부터 6시간까지 : 1시간 간격 – 시험 시작 후 6시간부터 종료 시까지 : 2시간 간격 ② 각각의 대수성과 시험결과를 이용하여 예정된 지하수 개발·이용시설의 1일 적정 취수량을 결정하고 그 영향반경을 산정한다. ③ 이 조사에서 결정된 1일 적정 취수량으로 지하수를 취수할 때에 5년 후의 영향범위를 적절한 분석기법을 이용하여 분석·제시한다. ④ 산정된 영향범위에 기존시설물이나 잠재오염원이 있을 경우 기존시설물이나 취수정에 미칠 수 있는 영향을 검토·제시한다.	
수질	현장조사를 통하여 원수의 수질상태를 조사해야 하며, 수질검사의 방법과 항목은 물환경보전법을 기준으로 준용한다.	사용 용도에 따른 수질의 적정성

70 | 비오톱(Biotop)을 설명하시오.

1. 정의

1) Biotop은 바이오토프(Biotope)라고도 표기하며 생물의 생식 환경을 의미하는 생물학의 용어이다.
2) 이 말은 라틴어와 그리스어로부터의 조어로 「Bio(생명)+Topos(장소)」이다. 즉 Biotop이란 생물서식공간을 특성에 따라 유형화한 생물서식의 기본단위를 나타내는 생태학 용어이다.
3) 즉 특정한 식물과 동물이 하나의 생활공동체 즉 군집을 이루어 서식하도록 만든 것으로 지표상에서 다른 곳과 명확히 구분되는 하나의 인위적 서식지를 말한다.

2. Biotop 배경

산업화, 도시화와 함께 자연생태계의 순환고리가 끊기면서 환경파괴가 계속되고 이에 대한 반성으로 60년대 후반부터 독일을 중심으로 파괴된 생태계를 회복하고자 인위적으로 소규모의 고밀도 활성 생태계(Biotop)를 도입하여 황폐화된 환경을 복원하여 궁극적으로 생물다양성 확보 등 자연환경 복원을 꾀하고자 범세계적인 생태 네트워크를 구축하는 방향으로 전개되어 오고 있으며 우리나라는 개별적으로 이 운동을 도입하고자 연구와 노력을 기울이고 있다.

3. 하수처리의 Biotop 형태

현재 생활환경의 유기물 순환계통은 외부에서 독립적으로 유입되고 쓰레기와 하수처리시설에서 처리되는 Open Cycle 인데 반하여 Biotop에서는 발생 폐기물의 자체처리를 목표로 한다.

1) 쓰레기나 슬러지는 퇴비화 또는 연료화 하여 궁극적으로 지구 탄소 순환(에너지 순환)의 고리를 건전하게 유도한다.
2) 유역에서 발생하는 하수는 Biotop에서 자체 정화 되도록 계획한다. 즉 유기물 순환고리를 닫힌계(Closed Cycle)로 만들어 지역 외부로의 유입 유출을 가급적 억제하는 것이다.
3) 이때 하수처리의 Biotop 형태는 인공 수초지, 인공 습지, 늪지 형성, 다공성(역간접촉)하천, 갈대숲 형성 등의 생물 서식지를 만들어 유기물을 자체 처리한다.

4. Biotop의 의미와 효과

현재의 기계적인 하수처리 시스템은 제2의 환경오염을 유발하게 되므로 결국 자연적인 방법(생물체이용)을 통하여 해결책을 찾고자 하는 것이 Biotop의 도입 의미이다. Biotop은 산업화한 폐쇄공간에 소규모의 집약된 인위적 생물서식지를 조성하여 가능한 자연생태계에 근접한 순환계통을 만들어 주고자 하는 것이다.

5. Biotop 지도 작성의 목적 및 활용

1) 비오톱지도는 지역규모에서의 친환경적인 공간 관리와 자연환경 보전, 생태축 및 생태네트워크 조성을 위한 기초적이면서 효율적 수단임

2) 환경계획 부문 활용
   (1) 사전환경성검토 및 환경영향평가
   (2) 지자체 환경보전계획 수립
   (3) 자연환경 및 생활환경에 대한 통합적 환경관리
   (4) 생태축 및 생태네트워크 조성
   (5) 경관생태계획, 공원녹지계획 등의 기초자료로 활용

3) 비오톱지도의 구성
   토지이용현황도, 토지피복도, 지형주제도, 현존식생도, 조류 주제도

6. Biotop 추진 과제

Biotop에서 추구하는 생태계는 산업화의 논리에서는 비효율적이고 비경제적이다. 따라서 경제논리가 우선되는 현실에서 Biotop은 구호성에 그치고 실질적 효과를 기대하기는 어렵지 않을까 우려된다.
결국 소규모의 Biotop부터 가장 큰 지구 전체의 Biotop까지 자연 생태계의 보호가 지구촌 전체적으로 이득이라는 공통인식을 전국가가 공유하고 미시적 거시적 계획 아래 순차적으로 추진해 나가야 하겠다.

71 | 인공습지에 대하여 기술하시오.

1. 개요

인공습지란 야생 동식물의 인위적 집단 서식지로 늪, 소택지, 습윤초지, 조수습지와 하천을 따라 형성된 습지 등 광범위하게 형성된 습윤 환경으로 Biotop의 일종이다. 오염하수 발생지점과 최종방류 수역과의 사이에 인위적 완충지대를 조성하여 방류수역의 오염을 저감하는 것이다.

2. 인공습지의 조성 목적

1) 야생 동식물의 인위적 서식지 조성으로 침전 및 여과와 미생물 분해를 통한 수질 향상 목적
2) 상류에서 유발된 생활하수, 축산폐수 등의 점오염원과 도로, 농경지 등에서 우기 시 발생하는 비점 오염원의 오염물질을 물리적, 생물학적으로 처리
3) 최종방류 수역과의 자연완충지대 조성
4) 상수원 수질보전과 자연생태계 복원을 수행하고 조밀한 식생에 의한 유속저하로 홍수 조절 및 주변 지역의 범람 방지
5) 영양염류 및 기타 순환물질의 선순환으로 궁극적으로 자연상태의 생태계 복원
6) 자연 생태공원 조성 및 경관 향상, 조류 관찰 및 사진촬영과 같은 교육 및 레크리에이션 기능 제공으로 교육 홍보효과로 사회전반의 친환경적 분위기 유도

3. 인공습지의 특징

1) 인공습지 내 수리학적 특징은 유체흐름이 매우 느리고 저수위가 유지됨에 따라 물의 오염된 물이 습지를 통과하면서 유기/무기성 고형물이 침강할 수 있는 시간이 충분히 확보된다는 것이다.
2) 유체속도가 느리고 낮은 수위를 유지함으로서 오염된 물이 습지를 통과함에 따라 유기/무기성 고형물이 침강할 수 있는 시간 제공
3) 넓은 표면적과 식물군락, Open Water(외부식물이 살 수 없는 수심유지로 N, P 제거, 야생동물의 서식지 확보 공간 마련) 등 다량 미생물 서식 환경 제공

4. 인공습지 수질개선을 위한 방향

인공습지의 처리효과를 높이기 위하여 아래의 조건들이 유기적으로 상호 작용하도록 유도

1) 완만한 지형경사와 밀집된 식생에 의해 유속의 최소화
2) 부유물질의 자기 응집 및 침전 유도와 미생물에 의한 유기 및 무기물질의 분해 전환
3) 단위 용적당 접촉면적 최대화와 기질 및 축적된 부스러기 표면에 오염물질 흡착과 분해속도 증대
4) 식물 성장에 따른 질소와 인의 식물 생체로 전환 메커니즘 유도 및 적정 환경 유도

5. 인공습지의 구성요소

1) 물
생물상 및 생산력을 조절하는 중요요소

2) 토양
점토 및 실트질 점토(pH 6.5~8.5)

3) 식생
정수식물, 침수식물, 부유식물 등의 적정 성장 조건 유지

4) 미생물
동식물성 플랑크톤, 박테리아, 곰팡이 등이 풍부하고 미생물에 의한 유기 및 무기물질의 분해 전환, 흡착

5) 동물
곤충류, 양서류, 파충류, 조류, 포유류 등이 적절히 분포

6. 인공습지의 종류 및 특징

1) 자유흐름습지
(1) 자유흐름습지는 일반적으로 얕은 유역이나 유속이 완만한 하천을 따라 식생뿌리를 지지하는 토양이나 다른 매체를 통과하면서 흐르는 비교적 얕은 물로 구성
(2) 수면은 대기 중에 노출되어 있으며 그 형태는 자연습지와 유사

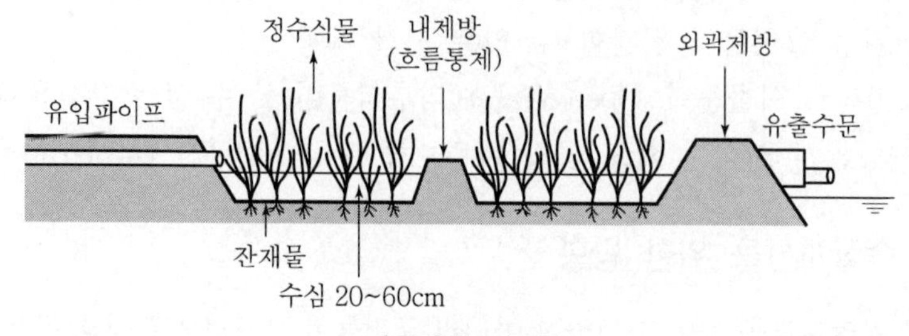

자유흐름 습지

2) 지하흐름습지

(1) 지하흐름형태의 습지는 갈대 등 정수식물과 이를 지지하는 침투성 여재(자갈, 모래, 잡석 등)로 구성되며 자유흐름습지에 비해 낮은 온도와 결빙에 적은 영향을 받음

(2) 여재속의 수리학적 흐름은 Darcy's 공식에 지배받음

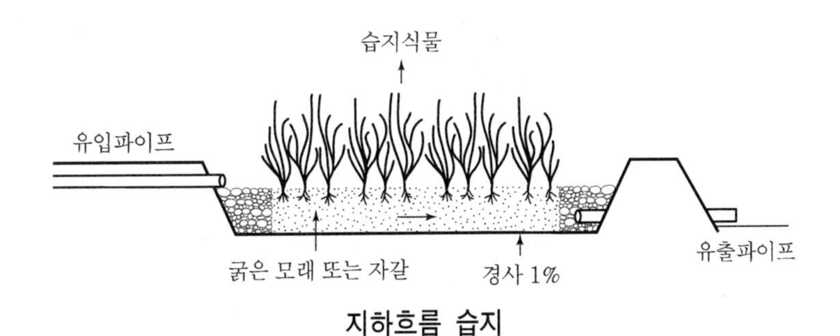

지하흐름 습지

3) 끈상접촉재형 인공습지

(1) 개요 : 습지 중간부에 미생물접촉재로서 끈상 접촉재를 포설한 것으로 끈상 미생물접촉 재에 미생물을 다량 부착시켜 정화효과를 높인 인공습지

(2) 특징 : 단위 체적당 정화효율이 높으며 유지관리가 용이하고 하천, 호수, 연못 등에 사용된다.

4) 수로형 인공습지

(1) 개요 : 농수로 또는 관거형 수로를 이용한 효율적 정화방법으로 상부에는 식물을 식재하고 그 밑에 끈상접촉재를 매달아 정화효과를 높인 습지공법

(2) 특징 : 기존 및 신설 수로에 널리 이용되며 농수로, 관거형수로, 습지수로 등에 사용된다.

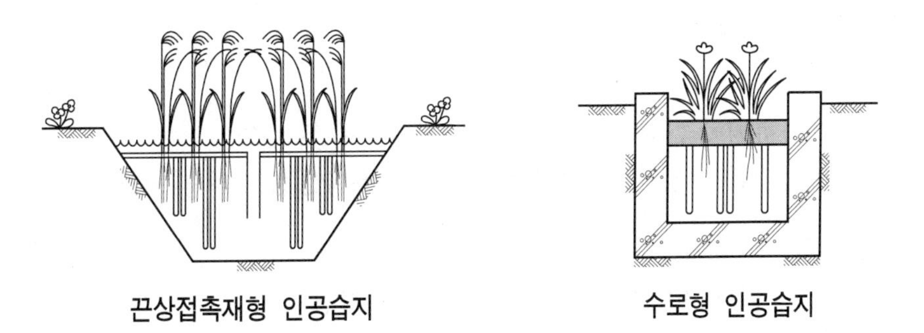

끈상접촉재형 인공습지 **수로형 인공습지**

5) 다단 경사형 인공습지

(1) 개요 : 국내의 복잡한 수환경을 최대로 고려한 부유형 인공습지로 습지 처리조를 다단과 경사형으로 설치하여 높은 포기효과 및 수체와 미생물간의 체류시간을 극대화한 친자연형 차세대 인공습지 조성기술이다.

(2) 특징 : 다단 처리로 인해 가능한 최대 유로를 확보하고 좁은 면적에서 미생물 접촉면적의 증가로 체류시간 증가 및 포기 증대 효과로 Biotope 조성에 널리 쓰이고, 수질정화용 수생식물에 의한 인, 질소 제거 및 유기물 제거 효율증대

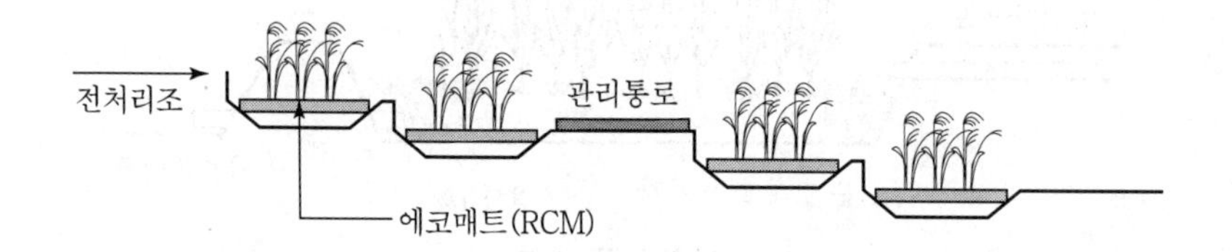

6) 조합형 인공습지

(1) 개요 : 자연상태의 습지가 가지고 있는 정화능력을 인위적으로 향상시켜 수질정화의 목적으로 이용하는 습지이다. 다양한 오염부하에 대한 적응능력이 높고 에너지의 필요성이 낮고 유지관리가 용이하여 경제적이다.

(2) 특징 : 침강연못 ⇒ 지표흐름습지 ⇒ 지하흐름습지 순으로 구성하여 오염물질 제거 능력을 향상시키고, 생태공원, 자연학습장 등으로 활용효과가 큼.

(3) 단위공정별 역할

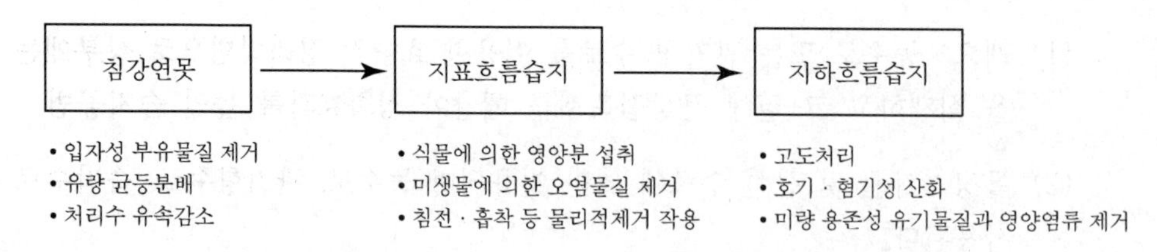

7. 인공습지의 처리효율

1) BOD 제거

(1) 침강성 유기물 : 침강 및 여과 등의 기작을 통해 제거

(2) 용존 유기물 : 식물에 부착된 미생물과 부유미생물에 의해 제거

2) 부유물질(SS) 제거

(1) 자유흐름이나 지하흐름에서 효과적으로 제거됨

(2) 얕은 수심과 정수적인 조건에서 대부분 유입부에서 제거됨

(3) 습지 수면이 식생에 의해 햇빛이 차단되지 않을 경우 조류 발생

3) 질소(N) 제거
  (1) 질산화와 탈질반응을 통해 제거되며 대략 20~90%의 제거율을 보임
  (2) 식물에 의한 질소 제거는 극히 일부분에 불과

4) 인(P) 제거
  (1) 습지는 하수와 토양 사이의 접촉이 제한되어 효율이 높지 않음
  (2) 다량의 점토를 함유한 경우 인제거율 증가

8. 인공습지 적용의 최근 추세

인공습지의 핵심은 폐수를 미생물과 접촉기회를 증대하기 위하여 폐수가 흐르는 길을 자갈로 채워 미생물이 자랄 수 있는 표면적을 넓혀 줌으로써 미생물반응을 도와주는 것이다.

1) 수생식물을 이용하고 수생식물은 긴 뿌리를 통해 산소를 공급하면서 오염물질을 제거하고 스스로 성장한다.
2) 습지대의 구역을 세분해 보면 큰 미립자를 제거하는 굵은 자갈 구역과 잔 미립자를 제거하는 잘게 뿌리박은 풀 구역이 있다. 여기에다 큰 고랭이 속 구역은 혐기성 지역에 산소를 전달해 암모니아의 질산화를 유발한 뒤 연속적으로 질산성 질소의 탈질화를 일으키게 한다.
3) 하천의 상시 유량부족으로 자정능력이 저하되고, 소량의 오염물질 유입 시에도 하천오염도가 심해지고 그 대책으로 오염총량 규제를 실시하고 있으며 이때 오염총량제에 대비하여 하천으로 유입되는 오염부하량의 저감 필요성이 대두되고 이를 인공습지로 해결하고자 노력하고 있다.
4) 인공습지 효율 극대화를 위해 바닥을 자갈로 채우고 그 위에 매트를 설치하여 매트에 정수식물을 식재하여, 자갈층 내에 수직으로 설치된 산기유도관과 산기장치를 통해 산소를 공급하고 자갈층 하부에 슬러지 인발배관을 설치하여 주기적으로 슬러지를 인발하는 방식으로 인공습지 공법으로 기존의 재래식 인공습지의 여러 문제점을 해결하고자 하고 있다.
5) 최근 연구 보고에 의하면 최적화된 인공습지에서 총 질소와 BOD 80~95%, 총 인 40% 내외, 총대장균 박테리아와 바이러스 99.9%를 제거하는 수준까지 이르고 있다.

72 | 합류식 관거에서 하천 건천화에 대한 대책을 논하시오.

1. 건천화 정의

1) 학문적으로 명확하게 정해진 것은 없으나 건천화란 하천이 거의 바닥을 보일 정도로 메말라 있는 현상을 말한다.
2) 21세기 프런티어 연구개발사업에서는 하천 건천화를 『갈수량이 기준치 이하이고 하천으로부터 필요수량을 지속적으로 공급할 수 없는 하천』으로 정의한다.

2. 일반적인 하천 건천화 원인

1) 기상여건
여름철의 강수량 집중으로 다른 계절에 물부족 발생

2) 도시개발
도시화로 인한 불투수 면적증가 및 지하침투량 감소

3) 하수처리 형태
하수관거는 하수 외에 계곡수, 지하수 등도 차집하여 하천수량 감소

4) 수자원 이용
산업화와 인구증가로 물 사용량 증가 및 지하수의 무분별한 개발

5) 치수 위주의 하천정비
하천 직강화 및 콘크리트 사용으로 저류기능 감소 및 불투수 면적 증가

6) 법제도적 문제
하천유지유량의 미정착화, 수리권의 문제, 복개행위 등

3. 합류식 관거의 하천 건천화 원인

1) 합류식 하수관거 시스템에서 초기 강우의 비점 오염물질을 제거하기 위해 우수토실에서 다량의 우수를 하수처리장으로 유도하면서 하친의 건천화를 초래하고 있다.
2) 합류식 관거는 초기 강우는 하수관거로 처리되고 일정량 이상의 강우는 하천으로 오버 플로되는 구조이나 우수토실의 용량 과대에 따라 하천 방류수가 적고, 일시적으로 오는 적은 양의 비는 하수관거를 통해 하수처리장으로 유입되고 있어서 하천의 건천화를 불러온다.

4. 하천 건천화 대책

1) 도시지역의 지표면에서 유출계수를 최소화하여 강우를 지하에 침투시킨다.
2) 합류식이든 분류식이든 강우를 관로를 통해 하류로 유도하던 방식을 지양하고 되도록 현지에서 지중에 침투시키도록 개선된(Modify) 합류식, 분류식을 적용한다.
3) 초기 강우 처리설비(저류식, 침투식, 식생식, 기계식 등)를 적용하여 우수토실에서 하천 방류량을 최대화한다.
4) 대규모 하수종말처리시설의 설치・운영으로 인근 도심 하천의 건천화를 방지하기 위하여 처리수를 하천 유지용수로 활용하는 방안을 강구하여야 한다.
5) 도심하천의 건천화를 방지하고 차집관거의 침입수/유입수의 저감 및 하수의 누수 방지, 하처리수의 효율적인 재이용 등을 고려하여 차집관거 연장이 최소화될 수 있도록 관거 체계를 개선하여 발생원 중심의 하수처리체계를 구축한다.

5. 하천 건천화 대책 추진현황

1) 수원별 추진현황
다목적댐에서 배분 및 공급(소양강댐, 충주댐 등), 타 유역에서 도수(청계천, 무심천 등), 하수처리수 재이용(안양, 광주 하수처리장 등), 지하철 역사 용출수(여의도역, 마천역 등) 등이 주로 이용되고 있음

2) 환경부 추진현황
수생태복원사업단에서 『수생태계 복원을 위한 용수확보기술 개발』 연구사업(~2014년) 추진 중

3) 건천화 방지를 위한 하천 용수공급 사업 시행 중
하수처리장 방류수 재이용, 하상여과 억제, 강변 여과수 억제, 하천수 순환 등

6. 하천 건천화 대책 및 장단점

대책		장점	단점
1) 하수처리수 재이용	하수처리수 상류도수	설치가 용이하고 단기간 유량 확보 가능	가압시설 설치 및 유지관리 비용 과다
	소규모 하수처리장 건설	• 지역특성에 맞는 처리 공법 선정 용이 • 부지확보가 용이	• 주거지역 인근에 설치되므로 민원 발생 우려 • 규모대비 건설비가 크고 유지관리가 어려움
2) 타 유역에서 도수		단기간에 안정적인 수량 확보 가능	• 외부 취수에 따른 수리권 및 물값 문제 발생 • 가압시설 설치 등 유지관리 비용 발생
3) 하천 유수사용 허가 조정		• 추가비용 불필요 • 효율적 물이용	• 하천 유수사용 모니터링 필요 • 기존 수리권자 동의 필요
4) 기존 저수지 운영률 개선 및 용수 재배분		• 추가비용 불필요 • 효율적 물이용	기존 수리권자 등 이해당사자 동의 필요
5) 신규 저수지 개발		• 하천수질 개선 • 신규 유량 증대	• 비용 과다 • 이해당사자 동의 필요
6) 기타 확보 방안	지하철 용출수 이용	• 양질의 수량 확보 • 저렴한 비용	• 도시하천에 한정 • 설치 및 유지관리 비용발생
	분류식 하수관거 설치	• 하천수질 및 기능 개선 • 하수처리장 안정화	• 비용과다 • 상류지자체 협조 필요
	우수침투 시설 설치	물순환을 개선하여 갈수기 유량 증대	• 상류 시군 협조 필요 • 가시적 효과 미미

73 | 낙동강 상수원 수질악화에 대한 귀하의 대안을 제시하시오.

1. 개요

우리나라 4대강(한강, 금강, 낙동강, 영산강)중 낙동강 유역은 상류에 대도시가 분포하고 수량이 부족한 편이어서 수질오염이 심각하고 하류지역의 정수처리 비용이 증가하고 있다.

2. 수질오염원인

낙동강 유역은 상류에 대구, 구미공단등 대도시와 공업단지가 자리하고 있어 하폐수 유입량이 상대적으로 크며 유량이 풍부하지 못하고, 공장지역 사고 시 위험물질 유입 가능성이 상존하며, 비점오염물질 유입, 하수처리시설의 처리능력 부족 등으로 연평균 BOD가 2.6mg/L 정도의 수질오염을 나타내고 있다.

3. 수질오염의 영향

1) 수질 오염으로 인하여 수 생태계가 교란되고 수자원의 활용이 어려우며 4대강 중 가장 오염이 심각하다.(2급수 초과일이 연중 3개월을 초과한다)
2) 하류지역(부산 등)의 정수장에서 고도정수처리 시설투자 및 유지비용등으로 정수처리 비용이 증가한다.
3) 하류지역 시민들이 수질오염으로 안전하고 쾌적한 자연환경의 보호를 받을 수 없어 불안이 커져 사회적 불만요인이 될 수 있다.
4) 최근 대구지역 공장 사고에 의한 페놀 유입사건에서 보듯이 원수에 치명적인 유독물질의 오염은 상수도 공급 중단, 수요자 불안감, 오염된 수돗물 섭취로 인한 시민피해 등 사회적 피해가 엄청나게 된다.

4. 추진현황

1) 한강, 금강등 기타 강의 경우도 상수원 보호구역 지정 및 상수원 특별관리 체계를 통하여 상수원 유역 관리에 박차를 가하고 있으나 지역 간 이해관계가 복잡하여 쉽지만은 않은 상황이다.
2) 낙동강 유역은 가해자(상류지역)와 수혜자(하류지역) 간의 이해관계가 복잡하여 신속한 정책 협의 및 수립이 지연되고 있는 편이다.

3) 평상시 수질오염과 유독물질 유출 등 비상시 오염에 대비한 낙동강 원수 오염을 실시간으로 감시할 수 있는 원격 자동 측정 시스템을 갖추고 낙동강 본류와 지류에 대하여 원수 관리 지자체, 정수처리 기관, 하수처리자, 소방서등 유관기관 사이에 종합적이고 신뢰성 있는 실시간 감시 정보 공유 체계를 갖추어야 한다.

5. 대안

1) 낙동강 유역 상수원 보호를 위한 상류 지역의 오염물질 유입을 최소화하기 위한 하수처리시설 설치 및 하수 고도처리시설 확충, 상수원 보호구역 및 특별대책 지역지정, 오염 총량제 실시 등 다양한 방안을 검토 협의하여 정책적인 합의점을 찾아야 한다.
2) 상수원 수질 개선을 위한 하수관거 정비 및 고도처리 시설 확충을 위한 BTL 사업 등을 우선적으로 적용한다.
3) 하천의 생태계 복원 및 친환경적 자연환경 조성을 위한 투자를 확대한다.
4) 상류지역의 가해자(발생자)는 지역발전을 위한 공장 신설 등을 경제적인 측면에서 접근하기보다 모두가 쾌적하게 잘 살기 위한 친환경적 안목으로 접근하는 양보적인 자세를 갖도록 노력해야한다.
5) 하류지역의 수혜자(피해자)는 자신의 이득을 요구하기에 앞서 발생자의 현실을 인정하고 그들의 생활을 위한 대책에 관심을 가져야 한다.(물이용 부담금의 우선권 부여)
6) 주민 홍보를 통한 점 오염원 발생량 최소화 및 비점오염원 발생 억제 등 영양염류의 사용을 억제한다.(자연과 조화되는 생활 태도)
7) 정수시설 개선 및 정수 고도처리를 통하여 수요자의 불안요인을 최소화한다.

74 | 도시화와 물순환의 통합적인 관리방안을 설명하시오.

1. 개요

도시화에 따른 물순환의 단절 등 장애요인을 개선하여 효율적, 지속적 물순환 강구

2. 도시화와 물 순환계

1) 자연적 순환계
   자연적인 공적인 물 흐름과 물에 의하여 운반되는 물질의 흐름 시스템(강우, 증발산, 지표면유출, 지하침투, 저류)

2) 인공적 순환계
   상수도(하천 취수, 지하수 양수), 하수도(우오수 배제)

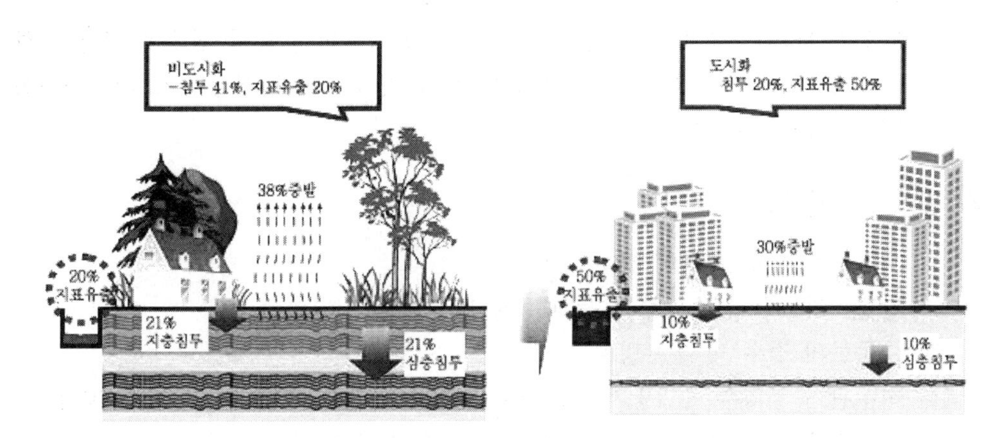

3. 도시화에 따른 물 순환계 영향인자

1) 도시홍수의 증가 : 집중강우 시 첨두유량의 증가, 유출시간의 단축
2) 각종 용수 부족 : 물 수요의 증대 및 수자원 부족
3) 수질오염 : 미처리 오수, 합류식 관거의 월류수, 비점오염원 유입
4) 하천유량의 감소 및 건천화 : 지하수 함양 및 기저유량의 감소
5) 생태계의 변화 : 토양환경 악화, 생물 서식처의 감소
6) 도시 미기후의 변화 : 증발산량의 감소로 '열섬효과' 가중

4. 도시화에 따른 물순환계 장애요인

1) 도시화에 따른 불투수면적의 증가는 빗물의 침투, 지하수 함양, 하천으로의 유출 및 증발산등 자연계 물순환의 영향을 미쳐 도시 홍수, 수질오염 등의 문제를 가중
   - 서울시의 불투수면 : 7.8%(1962년) ⇒ 37.2%(1982년) ⇒ 47.1%(2001년)

2) 각종 용수이용량의 증가와 우하수 배수시설의 발달은 급격한 표면 유출 증가와 자연적인 저류량의 감소, 지하수위 저하로 인한 기저유량의 감소로 하천의 건천화를 유발
   - 지방 2급 하천 3,773개소 중 완전 건천화 482개소(12.8%)

5. 물 순환계의 회복방안

1) 자연적 회복방안

(1) 빗물관리 : 직접적 이용(빗물을 저류조에 저장하여 잡용수 등으로 이용)과 간접적 이용(빗물을 지하에 침투시켜 지하수 함양, 지반침하 및 하류 홍수 방지 등에 기여)

(2) 녹지공간확충 : 시가지 내 공원 · 녹지공간을 확충하여 빗물 침투에 따른 지하수 함양, 표면 유출량 감소, 비점오염발생량 및 침수피해 저감과 도시의 쾌적화 및 생태환경 다양화 기대

2) 인공적 회복방안

(1) 개별 · 지역 또는 광역 하수재이용
(2) 강변여과취수, 해수담수화 등 대체수자원 개발
(3) 수돗물의 절수 및 누수방지
(4) 하수관거 불명수 유입방지, 초기우수 저류 및 합류식 관거의 월류수 저감
(5) 식수전용 또는 홍수조절용 소규모댐 · 저수지 축조

6. 기존 물 이용방식의 추진사항 및 문제점

1) 중수도

(1) 일정 규모이상의 시설에 대하여 개별중수도 설치 의무화(수도법 제11조)
(2) 반면, 저렴한 수도요금, 중수도의 설치 및 유지관리 비용이 수돗물 절감비용과 인센티브를 능가하여 현실성이 떨어지고 있다.
   ⇒ 대책 : 일률적인 건축 면적기준 대신 건물 용도에 따른 물 사용량기준으로 의무화 변경하고, 수도요금의 현실화, 설치 운영의 기술표준화, 광역하수 처리수 재이용 시 중수도 설치 의무 면제 등의 종합적인 대책 필요

2) 빗물이용

(1) 종합운동장 및 실내운동장의 지붕 면적이 2,400m² 이상이고 좌석이 1,400석 이상의 대규모 시설물에 설치 의무화(수도법 제11조의 3)

⇒ 대책 : 개별 중수도와 병행사용, 물의 순환이용 및 도시홍수 예방차원에서 빗물 이용침투 저류시설을 설치하여 현지에서 처리하는 통합적인 빗물관리 방안을 강구할 필요가 있다.

7. 통합적인 빗물이용관리 필요성

기존의 중앙집중식 빗물관리의 한계를 극복하고 물 순환구조 개선 및 도시생태계의 회복을 위하여 빗물을 현지에서 분산 처리하는 새로운 패러다임의 통합적 빗물관리 시스템을 도입할 필요가 있다.

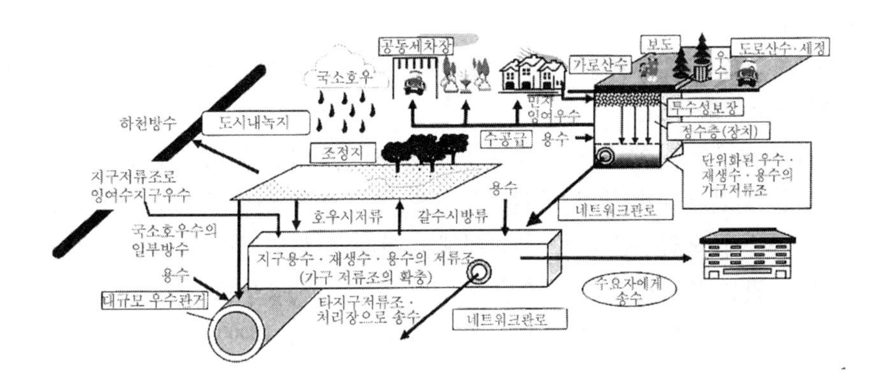

8. 물 순환 이용의 개선 방안 필요성

1) 도시화의 진전에 따른 불투수면의 증가로 도시홍수 유발, 지하수 고갈, 하천유지용수 부족, 수질오염 등 '물 순환계의 불균형 심화'되고 있다.
2) 자연적으로 가용한 수자원의 의존도를 줄여나가면서 하수처리수 재이용, 빗물이용 등
3) 지속 가능한 물 순환이용을 적극 추진하여 건전한 물 순환계 회복이 필요하다.

9. 물의 순환이용 촉진을 위한 법률 추진 방향

1) 물 순환이용 기본계획의 수립(매 10년마다 환경부장관이 수립)
2) 법적으로 하수처리수 재이용, 통합적인 빗물관리계획 등을 포함시키도록 한다.
3) 물 순환이용 관리계획을 도시기본(관리)계획에 반영하여야 한다.

75 | 저영향개발(LID) 시설계획 수립을 위한 빗물관리 목표량의 설정방법에 대하여 설명하시오.

1. 정의

저영향개발에 대한 정의는 지역, 기관 등에 따라 매우 다양하게 제시되어 있으나 도시개발로 인해 변화되는 지역의 수문특성을 개발 전과 최대한 유사하도록 하는 것을 공통된 목적으로 제시하며 다음의 특징을 가진다.

1) 자연에 미치는 영향을 최소로 하여 개발하는 것
2) 홍수 및 수질오염 저감을 위한 우수의 침투, 저류, 물순환체계를 고려한 토지이용계획기법
3) 자연이 지닌 물순환체계를 유지함으로써 강우 시 해당 지역이 받는 영향을 최소화하고자 하는 것
4) 개발 이전 수문학적 체계의 유지와 향상을 위한 광범위한 토지계획 및 공학적 설계를 고려하는 방식이며, 발생원 가까운 곳에서 빗물을 관리함(On Site System)으로써 지표유출과 오염부하를 줄이기 위해 설계된 일련의 시설들과 그 관리방법
5) 빗물의 순환을 자연상태(도시개발 전)와 유사하게 땅으로 침투 · 여과 · 저류하도록 하는 친환경 분산식 빗물관리기법

2. 저영향개발(Low Impact Development)의 필요성

1) 도시화와 개발로 인한 토지이용의 변화로 강우유출량이 증가하면서 도시 침수 등의 문제가 심화되고 유기물, 중금속 등 비점오염물질 배출량 증가로 하천에 가해지는 오염부하가 높아져 이에 대한 대책마련이 요구되고 있다.
2) 강우량 · 강우강도 증가 및 국지성 호우 등 기후변화에 대한 대비와 하천 건천화, 지하수 고갈, 도시 열섬현상 등 개발로 인한 빗물관리가 필요한 상황이다.
3) 개발로 인해 증가되는 불투수면에서 발생되는 강우유출량 및 오염부하를 효과적으로 제어하고 관리할 수 있는 저영향개발(Low Impact Development)의 적용 필요성이 대두되고 있다.

3. 저영향개발(Low Impact Development) 기술요소 선정 시 고려할 기본원칙

1) 개발지역의 물순환이 개발 전과 최대한 유사하여야 한다.

2) 빗물은 최대한 발생지점에서 관리한다.
3) 사회기반시설 고유의 기능이 저하되지 않아야 한다.
4) 심미적, 경관적 편익 제공이 가능하여야 한다.
5) 다기능(Multi Function)화를 최대한 고려한다.
6) 설계기법과 기술요소가 효과적으로 복합 적용되도록 한다.
7) 저영향개발 기술요소의 기능유지 및 유지관리가 가능한 형태이어야 한다.

4. 저영향개발(Low Impact Development)의 요소들

1) 식생체류지(Bioretention)의 주요 기능
저류기능, 여과기능, 침투기능, 생태서식처, 지하수 함양

2) 옥상녹화(Green Roof)의 주요기능
저류기능, 여과기능, 생태서식처

3) 나무여과상자(Treebox Filter)의 주요 기능
여과기능, 침투기능, 지하수 함양, 기존 가로수나 신규 가로수 부지를 활용

4) 식물재배화분(Planter Box)의 주요 기능
여과기능, 침투기능, 증발산, 생태서식처, 지하수 함양

5) 식생수로(Bio Wale)의 주요 기능
저류기능, 여과기능, 침투기능, 증발산, 생태서식처, 지하수 함양

6) 식생 여과대(Bio Slope)의 주요 기능
기능여과기능, 침투기능, 증발산, 생태서식처

7) 침투도랑(Infiltration Trench)의 주요 기능
저류기능, 여과기능, 침투기능, 증발산, 지하수 함양

8) 침투통(Dry Well)의 주요 기능
저류기능, 여과기능, 침투기능, 지하수 함양

9) 투수성 포장(Porous Pavement)의 주요 기능
여과기능, 침투기능, 증발산, 지하수 함양

10) 모래여과장치(Sand Filter)의 주요 기능
여과기능, 침투기능, 지하수 함양

11) 빗물통(Rain Barrel)의 주요 기능
빗물이용, 유출저감

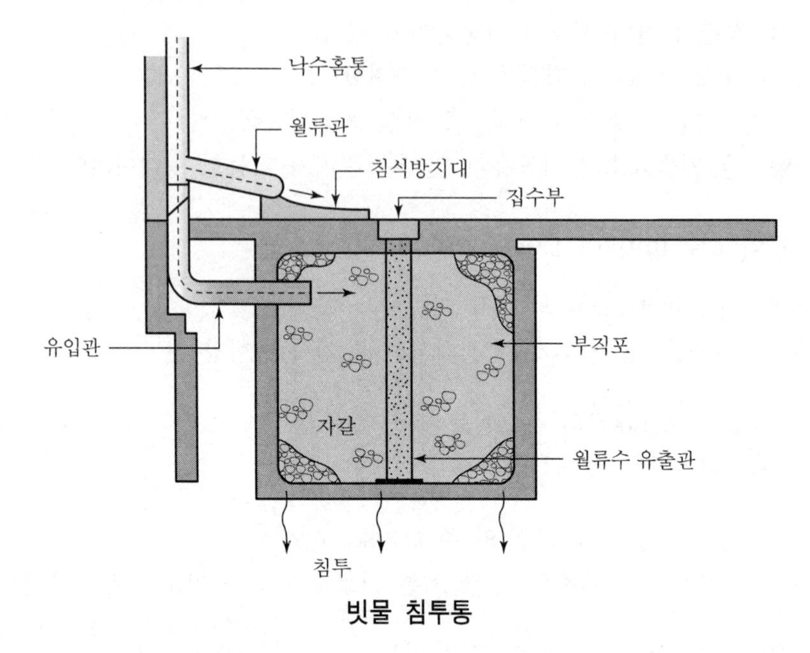

빗물 침투통

5. 빗물관리 목표량의 설정방법

1) 저영향개발을 위한 빗물의 연간유출량을 처리하기 위한 시설들의 용량은 배수지역 강우량의 일정량 이상을 처리할 수 있도록 설계하여야 한다.
2) 강우량이 많아 설계유입량을 초과할 경우 기존 우수관로로 넘어갈 수 있도록 월류부가 반드시 설치되어야 한다.
3) 월류부가 도로에 설치 시 설계기준에서 제시하고 있는 안전기능을 저하시키지 않도록 설치한다.
4) 초기 우수의 처리를 중심으로 설계되어야 하며, 대규모 저류시설 개념으로 설치해서는 안 된다.
5) 월류부에 쇄석 및 자갈층을 충분히 배치하여 여과 및 체류공간을 최대한 확보하는 것이 중요하며, 이때 도로의 침하 등 안전에 대한 검토가 반드시 필요하다.
6) 빗물처리시스템에서 과도하게 유입되는 우수는 시스템의 과부하가 발생할 수 있으므로 적정유량이 유입되도록 설치한다.

6. 저영향개발기법 도입·설치 시 고려사항

1) 설계기준 가이드라인은 저영향개발기술 개요, 기본도면, 적용효과 및 설계기준 등을 제시하여 설계자 등이 명확히 이해하고 도입될 수 있도록 한다.

2) 유지관리매뉴얼은 저영향개발 기술요소의 각 시설물에 대한 성능 향상과 안전성을 고려한 유지관리방안을 제시하는 등 효과적인 관리지침을 도입하여 편의성 증진과 유지관리비용 절감을 목적으로 마련되어야 한다.
3) 도시계획 수립단계부터 개발로 인한 물순환 왜곡을 최소화하는 '저영향개발기법'을 적용하여 개발되어야 한다. 예를 들면 빗물을 25mm까지 침투・저류시켜 자연상태의 물순환을 최대한 유지시킴으로써, 수질악화 저감 및 도시 열섬현상 완화 등 녹색도시로 조성하는 것을 목표로 할 수 있다.

76 | 기후변화로 인한 홍수와 가뭄은 기존의 상수와 하수시스템의 안전성과 안정성에 영향을 미칠 수 있다. 상수도시스템과 하수도시스템 각각에 대하여 발생하는 문제점과 그에 대한 대책을 설명하시오.

1. 개요

홍수와 가뭄은 자연계 물순환의 유량 변동을 심하게 하고 예측 불가능하게 하여 기본적으로 물 수요 공급의 안정성을 파괴하게 되어 이에 따른 치수 · 이수의 문제점과 대응책 마련을 위한 연구분석 및 시설을 위한 비용 증대가 우려된다.

2. 지구 기후변화에 따른 미래의 물 문제

산업화와 무분별한 에너지 사용에 따른 이상기후로 21세기는 온난화와 강수량의 급격한 변화 및 강수분포의 지역적 가변성과 대규모 댐 등 수공구조물 설계에 관련된 가능최대강수량 변화를 평가하고 반영해야 한다.

1) 우리나라는 광역적 대기대순환 모형만이 적용되었으므로 앞으로 기후분석 세밀화 방안이나 국지 기상예보 모형 적용 등을 통하여 지역적 강수량 및 유출의 변화를 평가하여야 한다.
2) 기존 댐의 용수공급능력 평가 및 용수수요를 추정하여 해수면 상승에 대비한 해안지역의 관리계획 등을 수립하고 기후상황을 고려하면서 단계적으로 방재활동을 수행해야 한다.
3) 온난화 상황에서는 경작지역 변화와 농업용수 부족이 우려되므로 이에 대한 대처방안을 구체화하고 단계적으로 실현해야 한다.
4) 에너지절약 기술개발을 장려하고 에너지 저소비에 국가적 노력을 투여해야 하며 이를 바탕으로 세계적인 경제규제 양상으로 진행되고 있는 이산화탄소 방출 감축활동에 적극적으로 대처해야 한다.

3. 기후변화로 인한 홍수에 대한 상수도시스템과 하수도시스템의 문제점과 대책

1) 홍수 시 상수도시스템에 대한 문제점과 대책

(1) 취수원의 오염과 침수, 세굴, 퇴적 문제 등으로 취수시설 파괴 및 운전 곤란

- 대책 : 취수시설의 홍수량에 대한 확장과 침수 방지를 위한 위치조정, 취수시설 오염에 대한 시스템 개선

(2) 홍수로 인한 수질오염 증가로 정수처리 곤란과 비용 증가

- 대책 : 정수처리공정 개선 및 고탁도를 대비한 시스템으로 변경

2) 홍수 시 하수도시스템에 대한 문제점과 대책

(1) 침수, 토사방류, 제방붕괴, 하천세굴 등

- 대책 : 우수관거 등 설계용량 증대, 저류조, 침투설비 등 유량 증대에 대한 대책 수립

(2) 우수관거 유입수량 증대로 처리 불능, 토사퇴적으로 관경 축소

- 대책 : 관거 설계 시 토사퇴적 고려, 홍수량 증대로 관경 확대 및 저류조 등 설치

4. 기후변화로 인한 가뭄에 대한 상수도시스템과 하수도시스템의 문제점과 대책

1) 가뭄 시 상수도시스템에 대한 문제점과 대책

(1) 취수원의 고갈

- 대책 : 취수시설의 저수용량 확장과 지하수 개발, 복수 취수원 개발 등

(2) 수량 부족에 의한 유기물농도 증가와 조류번식 등 수질 악화

- 대책 : 조류 및 고탁도를 대비한 시스템으로 정수처리공정 추가

2) 가뭄 시 하수도시스템에 대한 문제점과 대책

(1) 하수관거 유지관리에 필요한 최소한의 유량 확보 곤란 시 유속 감소로 협잡물 침적

- 대책 : 재이용 순환수 등 유입조치

(2) 유속 감소 시 협잡물 퇴적 및 고체화로 관경 축소

- 대책 : 인위적인 청소수 유입 및 주기적인 청소

5. 기후변화에 대응하기 위한 수자원의 분배 및 보전방안

1) 홍수 · 가뭄을 대비한 하천환경을 보호 · 복원하기 위해서는 하천수질의 정화 및 수질평가를 효과적으로 할 수 있는 방안, 비점오염원의 처리를 위한 최선관리방안, 오염원 발생지에서의 저감 및 처리방안이 필요하며, 자연상태의 하천으로 복원을 위해서는 생태계를 고려한 하천정비가 필요하다.
2) 가뭄에 효과적으로 대처하기 위해서는 가뭄대비연구와 국가적 차원에서 가뭄계획 개발을 위해 필요한 방법 제시와 홍수 대처를 위한 비구조적 방법과 구조적 방법으로 용수수요와 하천갈수량에 대한 대책을 강구해야 한다.
3) 미래의 수자원관리정책은 사회적 · 환경적인 사항을 고려하고 토지 이용과 연계되어 추진되어야 한다. 그리고 하천과 연안역의 환경용량 내에서 지속적인 개발이 가능하도록 수자원관리가 이루어져야 한다.

6. 기후변화에 대응하기 위한 물 순환 이용의 개선방안 필요성

1) 도시화의 확장에 따른 불투수면의 증가로 도시홍수 유발, 지하수 고갈, 하천유지용수 부족, 수질오염 등 '물 순환계의 불균형이 심화'되고 있다.
2) 자연적 강우에 의존하는 수자원의 의존도를 줄여나가면서 하수처리수 재이용(지하수 재충전), 빗물이용 등 지속 가능한 물 순환 이용을 적극 추진하여 건전한 물 순환계 회복이 필요하다.
3) 지하수의 건전한 개발 및 해수담수화, 친환경적 소규모 댐 개발 등 다양하고 균형잡힌 수자원 개발을 우리나라의 환경에 적합하게 연구 적용해 나가야 한다.

77 | 완충저류시설의 설치 · 운영기준을 기술하시오.

1. 개요

물환경보전법 제21조의 4 관련 사고유출수나 초기 우수로 인한 피해를 최소화하기 위해 적절한 완충저류시설을 설치 · 운영하도록 하고 있다.

2. 완충저류시설의 설치기준

1) 완충저류시설의 설치위치는 배수구역에서 발생될 수 있는 사고유출수, 초기 우수 등의 유입, 저류수의 연계처리, 지역적 특성을 고려하여 선정하여야 한다.
2) 완충저류시설은 유입시설, 협잡물 제거시설, 저류시설, 배출 및 이송시설, 부대시설 등으로 구성한다.
3) 완충저류시설은 사고유출수의 토양오염 방지를 위하여 누수가 발생되지 않는 구조이어야 한다.
4) 유입시설은 배수구역 내에서 발생될 수 있는 사고유출수, 초기 우수 등이 완충저류시설로 적정히 유입될 수 있도록 설치하여야 한다.
5) 유입시설 또는 협잡물 제거시설에 사고유출수, 초기 우수 등이 유입하면 수질의 이상징후를 상시 측정 · 감시할 수 있는 장비를 갖추어야 한다.
6) 저류시설은 사고유출수의 하천 직유입 차단 및 강우 시 비점오염 저감기능을 갖추어야 한다. 단, 비점오염 저감시설이 설치되어 있는 경우에는 사고유출수 저류기능만 갖출 수 있다.
7) 저류시설은 대상배수구역에서 발생될 수 있는 사고유출수, 초기 우수 등을 안정적으로 저류할 수 있는 구조 및 용량을 갖추어야 한다.
8) 저류시설은 사고유출수, 초기 우수 등의 저류로 인해 바닥에 쌓인 퇴적물의 처리 · 제거를 위한 시설 및 구조를 갖추어야 한다.
9) 배출 및 이송시설은 사고유출수 · 초기 우수의 배출, 이송 또는 연계처리를 신속하게 수행할 수 있어야 한다.
10) 부대시설은 환기시설, 실시간 운영관리시설 등의 적절한 시설운영에 필요한 시설로 구성한다.

3. 완충저류시설의 운영기준

1) 전담관리인을 지정하여 시설을 효율적으로 관리하여야 한다.
2) 전담관리인은 사고 발생 시 수질오염물질, 유해화학물질 등이 포함된 사고유출수의 하천 직유입을 차단할 수 있도록 신속히 조치하여야 한다.
3) 평상시 초기 우수처리를 위한 비점오염 저감시설로 운영 중이더라도 사고유출수 유입에 대응할 수 있도록 운영하여야 한다.
4) 불시에 발생하는 사고유출수 및 초기 우수를 효과적으로 관리하기 위해 유입시설 또는 협잡물 제거시설 내 수질을 상시 측정·감시하여야 한다.
5) 청천 시, 강우 시, 사고유출수 발생 시 저류 등에 대한 계획을 수립하고 운영에 반영하여야 한다.
6) 지역여건을 고려하여 목표처리수준을 정하고, 저류시설에 유입된 사고유출수 또는 초기 우수 등의 수질검사를 실시하여 배출, 이송 및 연계처리 등의 처리방법을 결정한다.
7) 시설의 운영관리 및 수질측정에 관한 사항을 기록하고 1년간 보존하여야 한다.
8) 완충저류시설의 운영은 연계처리하는 하수·폐수 처리시설의 운영자 등도 할 수 있다.

78 | 도시 침수를 해소할 수 있는 방안으로 빗물펌프장, 유수지 등의 하수도시설 계획 시 위치 선정조건 및 용량 결정방안을 설명하시오.

1. 도시 침수 개요

1) 최근 기후변화, 도시화(불건전한 대규모 도시개발) 등으로 홍수피해 규모가 대형화 추세에 있으며 침수면적, 단위면적당 피해액이 급증하고 있다.
2) 도시 침수는 인명 및 재산피해 이외에 사회적 · 환경적 · 경제적 · 심리적 피해를 유발하며, 전기 · 가스 · 수도 등 라이프라인과 도로, 지하철 등 도시기반시설의 피해로 도시기능 마비, 사회시스템이 붕괴될 수도 있다.
3) 도시 침수는 자연재해로 인식하기보다는 도시 침수피해 특성과 도시여건을 고려한 효율적 접근이 필요하다.
4) 도시화로 인한 인구 및 기반시설의 집중, 도시개발에 따른 불투수면적의 증가, 지하공간 등 인위적 창출공간이 도시 침수피해를 가중시킨다.

2. 도시 침수의 원인

우리나라 도시 침수피해의 주요 원인과 특성을 살펴보면 다음과 같다.

1) 도시 침수피해의 주요 원인은 하천범람보다는 내수범람에 의한 것이 대부분이다.
2) 하천수위 상승에 따른 내수범람으로 인해 도시 침수는 하천변 저지대에서 주로 발생한다.
3) 도시의 건물피해는 파손보다는 침수가 대부분이고, 도시규모가 클수록 침수의 비중이 매우 크게 나타난다.
4) 도시 침수피해는 도시지역에서 홍수에 의한 외수범람 또는 하수도와 그 밖의 배수시설이 우수를 배제할 수 없어 일어나는 내수범람에 의해 생명, 신체 또는 재산에 미치는 피해로 정의할 수 있다.

3. 도시 침수피해의 저감을 위한 대책

1) 도시계획적 수해관리 : 침수 위험도평가를 통한 도시 및 개발계획을 수립해야 한다.
2) 도시계획의 방재계획 및 부문별 계획의 방재를 강화해야 한다.
3) 도시하천유역 내 지방자치단체 간 관련 전문가 및 주민, NGO 등의 참여와 의견수

렴장치(거버넌스)를 구축한다.

4) 도시하천유역의 수해방지계획 수립 및 시행해야 한다.

4. 빗물펌프장, 유수지 등의 하수도시설 계획

1) 빗물펌프장의 설계빈도(확률연수) 설정기준

빗물펌프장의 설계빈도 설정기준은 일반적으로 다음을 기준한다.

(1) 자연방류조건이 지정홍수위 이하 지역
지정홍수위는 계획홍수량의 20%에 해당하는 관리수위로 20년 빈도 이상이다.

(2) 자연방류조건이 경계홍수위 이하 지역
경계홍수위는 계획홍수량의 50%에 해당하는 관리수위로 10년 빈도 이상이다.

(3) 자연방류조건이 위험홍수위 이하 지역
위험홍수위는 계획홍수량의 70%에 해당하는 관리수위로 5년 빈도 이상이다.

(4) 자연방류조긴이 계획홍수위 이하 지역은 2년 빈도 이상이다.

2) 우수관로의 설계빈도 적용

(1) 간선관로의 설계빈도와 연계하여 우수관로 설계빈도와 빗물펌프장의 시설능력을 결정하며 보통 30년 빈도를 적용한다.
(2) 설계빈도는 시설용량 결정과 사업비에 직접적인 영향을 주므로 조건과 예산을 고려하여 결정한다.
(3) 상대적으로 적은 비용으로 저지대 침수예방에 큰 효과를 낼 수 있는 빗물펌프장의 시설능력 상향을 우선 시행하고 유역 내의 우수관로를 순차적으로 개선하는 것이 타당하다.
(4) 우수관로의 확대가 시행되기 전이라도 우선적으로 유역출구부 최저지반고에 위치한 빗물펌프장과 유수지의 시설능력을 상향 조정하여 증가되는 집중호우 등 강우량에 대처하여야 한다.
(5) 빗물펌프장과 유수지의 설치로 도시 침수 해소가 예상되는 경우 30년 설계빈도를 적용함이 합리적이다.

3) 빗물펌프장과 유수지 기본 및 실시 설계 시 적용요소

(1) 우수유입량(강우강도식, 유출계수 선정) 및 강우지속시간 산출
(2) 침수유역, 침수심, 침수예상가구 등을 조사
(3) 우수관로 용량, 레벨 검토로 빗물펌프장 등의 설치 가능 여부 검토

(4) HWL, LWL 및 초기 가동수위 검토
(5) 유역면적 및 유수지 영향면적조사
(6) 동일수계의 펌프장 간 연계 운영방안 검토
(7) 토출관거 및 토구설계에서 기존 토출관로 최대활용방안 검토
(8) 초기 우수 처리방안, 저감방안 검토 및 방안 제시
(9) 구조물 설계(토출관거 및 토구설계 포함)
(10) 기계설비 및 배관설계, 전기 및 계측제어설비 설계
(11) 건축 및 조경설계(필요시), 펌프 운전계획 시공 및 유지관리
(12) 주민편의를 위한 펌프장 및 유수지 활용방안

4) 우수유출량 저감을 위한 유수지, 빗물펌프장의 설치위치 선정기준

(1) 설치지점의 부지면적을 고려한 충분한 용량확보가 가능한 지점으로 한다.
(2) 설치 시 저감효과가 우수하며, 침수피해 저감효과가 있는 지점으로 한다.
(3) 현지여건상 시공 및 교통처리에 큰 문제가 없는 지점으로 한다.
(4) 펌프장의 위치는 용도에 가장 적합한 수리조건, 입지조건 및 동력조건을 고려하여 정한다.
(5) 펌프장은 빗물의 이상유입 및 토출 측의 이상 고수위에 대하여 배수기능 확보와 침수에 대비해 안전대책을 세운다.
(6) 펌프장의 설계 시에는 펌프 운전 시 발생할 수 있는 비정상현상(캐비테이션 · 서징 · 수충격 현상)에 대해서 검토하여야 한다.
(7) 펌프장에서 발생하는 진동, 소음, 악취에 대해서 필요한 환경대책을 세운다.

5) 빗물펌프장 설계 시 고려사항

(1) 빗물펌프장은 우수를 공공수역으로 자연 방류시키기가 곤란한 경우 또는 처리장에서 자연유하에 의해 처리할 수 없는 경우에 설치한다.
(2) 빗물펌프장을 비롯한 치수시설의 규모 결정을 위한 대상 계획강우량은 강우의 발생확률 규모별로 예상되는 침수피해 규모와 대응되는 시설물의 투자비 등 편익-비용(B/C)의 관계가 최대로 되는 계획빈도를 선택한다.
(3) 치수(治水)의 편익-비용 분석에 있어서 편익의 분석은 침수에 의한 단순한 재산상의 피해뿐만 아니라 계량할 수 없는 많은 부분까지를 포함하고 있으므로 평가하기 어렵다.
(4) 도심지는 인구 및 각종 시설물의 집중에 따른 유역의 급속한 도시화로 우수유출량의 증가를 유발시켜 저지대의 부담이 가중되고 있다. 유수지 및 빗물펌프장의 운영상 문제점을 고려할 때 단순히 편익-비용계산에 의한 시설 결정보다는

민생의 안정에 주안점을 둔 방재적인 측면에서 검토되어야 할 것이다.

(5) 현재 국내에서 빗물펌프장 설계 시에는 치수 편익-비용분석보다는 관련시설 기준이나 각 지방의 관례 등에 따라 결정하고 있다. 계획설계빈도를 5~20년으로 설정하도록 하고 있다.

6) 유수지, 빗물펌프장의 용량 결정 방안

유수지와 빗물펌프장의 용량은 상관관계를 가지며 배수구역 결정 → 강우량 결정 → 유출량 결정 → 유수지용량 결정 → 필요펌프용량 결정 순으로 정한다.

(1) 펌프-유수지 용량 검토

적정한 유수지 규모의 결정을 위해 지형현황을 측량한 후 측량결과에 따른 유수지의 내용적(m^3)을 산정한다. 또한 이에 따른 펌프용량에 대하여 대상빈도인 30년 빈도에 해당하는 지속시간별 펌프용량을 산정한다.

(2) 빗물펌프장시설의 계획하수량

하수배제방식	펌프장의 종류	계획하수량
분류식	중계펌프장, 소규모 펌프장, 유입·방류펌프장	계획시간 최대오수량
	빗물펌프장	계획우수량
합류식	중계펌프장, 소규모 펌프장, 유입·방류펌프장	우천 시 계획오수량
	빗물펌프장	합류식 관로 계획하수량-우천 시 계획오수량

(3) 펌프용량의 결정을 위해 산정된 홍수량 결과와 그 홍수량에 따른 필요펌프용량을 방법별, 지속시간별로 산정한다. 또한 치수 안정성 측면에서 펌프장의 임계지속시간은 유수지 규모가 최대가 되거나 방류하는 펌프용량이 최대 발생할 때를 임계지속시간으로 결정하는 것이 타당하다.

(4) 펌프장과 펌프용량 산정

- 빗물펌프장 구조계획은 지형 여건과 흡수정 수위, 배출 측 계획 홍수위에 따라 결정하여야 한다.
- 펌프의 전양정은 토출 측 수위와 흡입 측 수위 차이의 실양정과 흡입구, 토출관, 밸브 등의 손실수두, 관로 내의 유속에 의한 마찰손실수두를 합한 총 양정으로 한다.
- 펌프양정은 펌프흡입부와 토출부 측의 실수두 차이인 실양정고와 펌프흡입으로부터 토출까지 관로 속에서 발생되는 여러 가지의 손실수두의 합으로

써 이루어진다.

- 펌프 실양정은 보통 계획외수위와 펌프계획 내수와의 차의 70~80%를 채택한다.
- 총 양정고 H는 다음 식으로 결정된다.

$$H = H_a + H_L + H_r$$

여기서, H : 총양정고

H_a : 실양정고(방류수역의 계획홍수위와 흡수정의 최저수위 간의 표고차)

H_L : 마찰손실수두고

H_r : 여유고

79 | 도시하수도 시스템의 문제점 및 대책

1. 하수 발생원 및 처분

1) 생활잡배수

(1) 수질에 비하여 수량이 많아 오염부하가 높아서 미처리 방류 시 공공수역을 오염시키는 주원인
(2) 하수처리시설이 완공된 후에도 관거 미정비로 효율적인 운영이 곤란
(3) 처리시설 유입수는 지하수 등의 유입으로 유량 증가하여 처리시설 효율 저하 및 유지관리비 증가
(4) 불량하수관거 미정비 중 하수처리시설 운전
① 시내 하수관 상당수에 오물퇴적으로 악취 발생
② 처리시설 유입 수질이 낮아 처리시설 효율 저하
③ 분뇨의 관거 직투입 불가능으로 수거식 변소, 정화조 존속
④ 수세식 화장실 유출수 일부는 미처리 상태로 방류
하수처리시설 건설과 하수관 정비가 동시에 이루어지도록 계획

2) 산업폐수

(1) 폐수의 양과 질이 다양하다.
(2) 비슷한 업종끼리 공동 처리한다.
(3) 공단 내에는 공단폐수처리시설을 설치한다.
(4) 생분해 가능 물질의 폐수는 도시하수처리시설에서 처리한다.
(5) 관거 직투입은 관 부식 및 처리시설 운전에 장애를 발생시킬 수 있다.

2. 하 · 폐수 공동처리의 문제점과 대책

공장폐수를 처리시설에서 합병처리 할 수 있는 지역에서는 개별처리 시설 없이 전처리 후 공공하수도로 유입이 가능하다. 이런 경우

1) 하수관거의 손상 및 처리시설 운전 장애를 일으킬 수 있다.
2) 상기 전제는 완벽한 하수관거 정비, 하수처리시설 건설 및 정상가동을 전제로 한 것이나 관거의 미정비 상태에서 처리시설 건설만으로는 문제

3) 대책

(1) 수량과 수질을 동시에 고려한 총량규제가 필요하다. 또한 하수도 사용료도 유량뿐 아니라 수질도 고려하여 부과하면 각 사업체마다 유량 및 수질을 줄이기 위한 노력을 경주

(2) 배출된 폐수의 감시나 안정성 확보를 위한 시설물 필요성 검토 후 설치

(3) 폐수배출 허용기준과 방류수 수질기준 강화

3. 도시하수도정비계획

1) 도시하수도는 과거에는 침수방지를 위한 우수배제가 주목적이었으나 현재는 하천수질오염방지 등의 목적을 강조. 하수도가 정상적으로 가동되는 선진국의 경우 처리시설과 관거의 건설 및 유지관리 사업비는 3 : 7 정도로 관거에 더 많이 투자

2) 하수도정비계획상 문제점

(1) 합류식과 분류식 하수배제 방식을 혼돈 사용
현실적으로 국내 대부분의 도시 기존 하수도 시설은 합류식이나 하수도정비기본 계획은 분류식으로 계획되어 하수관 정비 없이는 처리시설 설계 수질이 유입되지 않는다.

(2) 하수도에 대한 투자 미흡
국내 하수도 투자비는 미흡하고 대부분의 처리시설이 건설에 치중

(3) 하수도 보급률 지표가 외국과 다름
우리나라 하수도 보급률 지표는 하수처리 인구율을 사용하나 외국의 경우는 하수를 발생원부터 완전히 차집하여 하수처리시설까지 운송, 처리 후 방류하는 지역의 비율

(4) 하수처리시설 우선 건설 정책
하수관거 정비를 무시한 채 처리시설 우선 건설. 불완전한 하수관거는 방류수역의 수질 오염 뿐 아니라 처리시설 효율을 저하시킨다. 즉, 용비하수량 증대로 인한 유지관리비 증가, 유입 수질 저하로 인한 처리 효율 감소, 처리시설 크기 증설의 필요성, 유입 토사에 의한 침사지 폐쇄 및 유효용량 감소

3) 대책

(1) 하수처리시설 건설과 동시에 하수관거 정비

(2) 기 수립한 하수도정비기본계획의 재검토

(3) 하수도 전문 인력의 양성 및 교육

80 | 하수저류시설의 설치목적과 계획 수립 시 주요 검토사항에 대하여 설명하시오.

1. 하수저류시설의 설치목적

하수저류시설은 하수관거로 유입된 하수에 포함된 오염물질이 하천·바다, 그 밖의 공유수면으로 방류되는 것을 줄이고, 하수가 원활하게 유출될 수 있도록 하수의 일정 부분을 일시적으로 저장(첨두유출량 저감)하여 침수피해를 예방하거나 오염물질을 제거 또는 감소하게 하는 시설로서 단일목적 또는 복수목적으로 설치되는 하수도시설을 말한다.

2. 하수저류시설의 설치기준

1) 하수저류시설은 계획된 우수유출첨두량에 대응하는 것을 원칙으로 하고, 우수유출첨두량에 대응하는 것이 어려운 지역은 다른 우수유출 저감시설 등을 고려한다.
2) 기존의 하수도시설 개량만으로 통수능 확보가 어려운 경우, 계획한 단면으로 관거를 시공할 수 없는 경우, 큰 관경으로 관거연장을 길게 하는 것이 비경제적인 경우 등에서 하수저류시설 등 우수유출 저감시설을 계획할 수 있다.
3) 공공수역의 수질보전을 위해 우천 시에 배출되는 방류부하량을 저감시키기 위한 저류시설은 오염된 하수를 저류한 후 처리시설을 통한 방류부하량 저감목표를 계획하되, 우천 시 하수처리대책 등 하수도시설 전체 오염저감대책과 병행하여 검토하여야 한다.
4) 빗물 또는 저류수를 처리하여 재이용을 목적으로 저류시설을 이용하는 경우에는 농업용수, 공업용수, 조경수 등으로 사용하고자 하는 용도별 수요량 및 수질기준을 고려하여 계획하여야 한다.

3. 하수저류시설의 계획 수립 시 주요 검토사항

1) 하수저류시설의 설치 타당성 검토
   하수저류시설의 설치에 대한 타당성으로 하수저류시설의 필요성, 하수저류시설의 유입수계 범위, 해당 배수유역의 특성, 해당 지역의 개발계획, 해당 지역의 하수관거 현황을 검토한다.

2) 하수저류시설의 형식 선정
설치위치에 따른 형식구분은 지역 내(On-Site) 설치와 지역 외(Off-Site) 설치의 저류시설이 있고, 구조형식에 따른 구분은 지하식(일반형, 터널형 등)과 굴착식(사방댐, 유수지 등)의 저류시설이 있으며, 유량조절방식에 따른 구분은 하도 내 저류(In-Line)와 하도 외 저류(Off-Line)방식이 있다.

3) 도심지 내 저류시설 설치를 위한 부지 확보가 곤란한 경우에는 해당지역의 특성을 감안하여 하수터널과 같은 저류시설의 설치를 고려한다.

4) 하수저류시설의 용량 결정

(1) 침수 예방목적인 경우는 배수구역의 강우량, 하수관거의 용량 등을 고려하여 산정하여야 한다.
- 계획강우의 설정 시에는 계획빈도에 의한 확률강우량뿐만 아니라 침수피해가 발생한 대표적인 실강우를 고려한다.
- 저류용량 결정을 위한 목표우수유출 첨두저감량은 유출량의 시간적 변화를 나타내는 유출수문곡선을 통해 산정한다. 유출수문곡선은 합리식과 도시지역의 유출현상을 잘 나타낼 수 있는 유출모형을 적용한다.
- 하수저류시설의 적정용량 산정 시에는 목표확률연수에 따른 시뮬레이션 기법을 활용하여 침수발생을 모의하고 대상유역의 하수관망 개량 및 펌프시설 설치 등의 하수도정비 기본계획상의 침수 방지를 위한 시설계획 등 종합적인 검토를 통해 경제성, 유지관리성, 시공성 등을 고려하여 선정한다.
- 저류시설의 연결형식(In-Line, Off-Line)에 따라 저류시설의 규모가 달라질 수 있으므로 형식을 결정하고 저류량을 산정하여야 한다.

(2) 수질오염 저감목적인 경우는 하수의 범람으로 인한 오염부하량을 고려하여 규모를 산정하여야 한다.
- 합류식 지역의 CSOs의 처리를 위한 저류시설인 경우에는 방류오염 부하량 저감목표를 달성할 수 있는 용량으로 산정한다.
- 분류식 지역의 수질오염 저감목적의 시설인 경우에는 별도의 초기 우수처리시설을 두거나 공공하수 처리시설까지 연계처리를 고려한 규모로 산정한다.

(3) 저류수의 재이용목적인 경우에는 저류수의 재이용수요를 고려하여 규모를 산정하여야 한다.
- 빗물 또는 처리수를 저류하여 재이용목적으로 저류시설을 이용하는 경우에는 농업용수, 공업용수, 조경수 등으로 재이용수의 사용수요에 따라 저류용량을 검토하여야 한다.

5) 하수저류시설의 설치대상부지 선정

(1) 침수피해와 수질오염의 예방 및 저류수의 재이용 등 하수저류시설의 설치목적을 달성하기에 적합한 곳에 설치하여야 한다.
(2) 대상부지의 선정은 주민설명회 또는 설문조사 등을 통한 주민의견을 고려하여야 한다.
(3) 가급적 주차장, 공원 등 국・공유지의 지하에 설치하는 것을 원칙으로 하며 상부 건축물을 최소화하여 기존 부지 사용용도의 지속적 활용을 고려하여야 한다.

6) 하수저류시설의 설치계획

(1) 침수 방지목적인 경우 연결형식(In－Line, Off－Line)에 따라 첨두유출량이 원활하게 분담될 수 있도록 적정한 유입시설(위어, 수문 등)을 설치하여야 한다.
(2) 하수의 차집 또는 수집이 용이한 지역에 하수유입시설을 설치하여 하수가 저류시설로 원활하게 유입되도록 한다.
(3) 유입관거의 낙차고가 큰 경우에는 위치에너지를 감쇄시길 수 있도록 적정한 낙차공(계단식, Drop－Shaft 등)을 설치하여야 한다.
(4) 하수저류시설 내로 협잡물이나 토사의 유입을 방지하기 위해서는 침사시설이나 스크린 등을 설치하여야 한다.
(5) 하수저류시설 내 하수침전물 및 토사퇴적을 방지하기 위해서는 구조물 바닥에 경사를 두는 방안 등을 계획하여 청소 및 유지관리의 용이성을 확보하여야 한다.
(6) 하수저류시설은 수밀성과 내구성을 갖는 구조로 하여 저류된 하수의 유출 방지 및 외부 지하수 유입을 방지하여야 한다.
(7) 하수의 유입 및 유출에 따른 환기대책을 고려하여야 하며 주거지와 인접한 경우 악취 방지대책을 수립하여야 한다.
(8) 하수저류시설 내부의 유지관리 및 점검을 위한 출입설비와 조명시설을 설치하여야 한다.
(9) 하수저류시설의 설치목적에 부합하도록 저류수의 수질관리가 필요한 경우에는 수질을 계측할 수 있도록 수질측정장치를 설치하여야 한다.
(10) 수질관리의 효과 증대 및 운영에너지 비용 절감을 고려하여 하수저류시설의 내부 분할계획을 수립한다.
(11) 하수저류시설 유입수문 개폐, 서류수 배제용 펌프시설의 자동운전 등 실시간 운영관리 및 기타 하수도시설과의 연동운전을 위한 수위계 등 계측장치를 설치한다.

7) 하수저류시설의 배수계통계획

(1) 방류지점의 배수여건을 고려하여 자연 또는 강제배수로 계획하고 자연유하 방류관거의 경우는 역류방지대책을 수립한다.
(2) 수질오염 저감목적으로 유효건기일수 및 공공하수처리시설에 연계처리를 고려할 경우에는 처리능력, 차집시설의 위치, 차집량 및 차집관거용량을 검토하여 방류위치 및 배수용량을 결정한다.
(3) 침수 예방목적인 경우의 배수펌프 용량은 연속강우 등을 대비하여 5시간 내에 만수에서 완전 배수가 가능한 용량을 기준으로 하고 하류관거의 통수능을 고려하여 결정한다.

4. 하수저류시설의 설치 시 고려사항

1) 우수배제는 관거, 펌프장, 다른 저류시설, 토구·토실 등 하수도시설이 일체가 되어 이루어지므로 기존 하수도시설과의 연계, 소요비용 등의 검토를 통해 배수계통 전체에 대하여 종합적으로 판단한 후 하수저류시설 계획을 수립하여야 한다.
2) 도시 내수침수 예방을 위하여 관거, 펌프장 등 타 하수도시설과 연계하여 하수저류시설 설치의 타당성을 검토하고 하수관거에서 감당하지 못하는 첨두유출량을 저류하기 위한 저류용량의 목표를 설정하여 제시한다.
3) 강우로 인한 하수의 범람 시 유출될 수 있는 오염부하량과 오염된 하수의 저류를 통해 저감할 목표방류 부하량을 제시한다.
4) 빗물 재이용을 위한 목적으로 설치 및 활용할 경우에는 재이용 수요처, 재이용 수질기준을 만족하기 위한 저류수 처리방법 등 물 재이용계획을 제시한다.
5) 하수저류시설은 도시 내수침수 방지, 오염된 하수의 저류를 통한 오염저감, 물 재이용 등 하수저류시설을 다기능으로 활용할 수 있도록 계획을 수립한다.
6) 단기적으로 합류식 배제방식을 유지하다가 중·장기적으로 분류식화가 목표인 경우에는 합류식 배제방식의 하수저류시설을 분류식 배제방식의 하수저류시설로 개량하여 활용할 수 있는 방안을 제시한다.

5. 하수저류시설의 운영 및 유지관리

1) 하수저류시설의 운영 및 유지관리를 위한 계획은 계절별, 상황별로 나누어 설계에 반영하여야 하며, 설치 후에는 지속적인 운영 및 유지관리계획을 수립하여 저류시설의 기능이 유지될 수 있는 방안을 강구하여야 한다.
2) 하수저류시설 유지관리기준은 시설별 설치목적, 시설규모, 유입·방류시기와 방법, 하수저류시설에 유입된 하수의 처리방법, 방류 시 하류 하수도시설 및 하천수

위 등 주변여건에 적합하도록 설정한다.

3) 하수저류시설은 기술진단의 대상으로 하수의 유입 · 유출 시기 및 방법의 적정성, 시설 및 운영에 대한 방법 및 내용, 하수저류시설에 유입된 하수의 처리방법의 적정성, 시설의 문제점 및 개선방안, 시설의 유지 · 관리방안에 대한 사항에 대하여 기술진단을 시행하여야 한다.

4) 하수저류시설 사용기간 중 저류시설의 주기적인 모니터링을 통한 기초자료 축적 및 효율적인 운영을 위하여 강우 시 하수도시설의 통합운영 관리시스템 구축을 고려한 연계방안을 제시하여야 한다.

81 | 자연배수시스템(NDS : Natural Drainage Systems)을 설명하시오.

1. 자연배수시스템의 개념

자연배수시스템이란 우수처리 시에 우수관거의 매설방법 대신 빗물을 지면, 화단 등의 자연배수로를 이용하여 될 수 있는 대로 자연 지표면, 나무, 풀 등의 식물, 인공낙차공, 소형 습지 등을 최대한 경유하여 침투면을 많이 접촉한 후 배수하도록 한 시스템을 말한다.

2. 자연배수시스템 · 이중배수시스템의 원리

1) 자연배수시스템(NDS : Natural Drainage Systems)은 기존의 우수관거 중심의 우수관리방법과는 기본적으로 다른 혁신적인 대안이며 최근의 친환경적 수자원의 선순환개념으로 적극 도입되고 있는 개선 하수관거시스템(Modify Systems)과 같은 개념이다.
2) 자연배수시스템은 이중배수시스템과 같은 원리이며 이중배수시스템은 기존의 지하관로 중심 1종 배수배제방식에서 지면의 자연흐름과 지하의 관로를 이용하는 2중 배수체계로 배수하는 방식을 말한다.
3) 자연배수시스템은 신도시나 신규단지의 조성 시 분류식 하수도로 정비하면서 지금까지 해온 별도의 우수관거의 매설방법 대신 빗물을 가운데가 낮게 설계된 화단 등의 자연배수로를 이용하여 될 수 있는 대로 자연지표면, 나무, 풀 등의 식물, 인공낙차공, 소형 습지 등을 최대한 경유하여 침투면을 많이 접촉한 후 배수한다.

3. 자연배수시스템의 도입 필요성

기존의 우수관거를 이용한 배수시스템의 경우에는 유분, 페인트, 비료성분, 중금속 등 우수 중의 미량 유해성분물질이 곧바로 하천이나 호소 등으로 유출되어 방류수역의 수질을 저하시키고 하천 및 해양먹이사슬을 교란시키는 등 수생생태계의 보전에 많은 문제를 야기하였던 것이 사실이다. 이러한 문제점을 해결하기 위해 자연배수시스템은 건전한 물의 유속을 느리게 하여 최대한 지중에 침투시키고 오염물은 여러 가지 오염물질 저감시설을 이용하여 제거한다.

4. 자연배수시스템의 도입 시 고려사항

자연배수시스템은 수자원의 친환경적인 선순환개념으로 도입의 필요성은 당연하지만 적용 시 여유 토지면적이나 2차 오염 여부 등 주변환경을 충분히 고려하여야 한다. 또한 오염물질 제거와 물순환의 건전성을 증대시키는 친환경적인 기능을 하나 동시에 치수관리, 홍수재해 방지기능 및 유지관리의 용이성, 경제성도 중요하므로 적용 시 충분한 여유율에 대한 검토가 필요하다.

5. 우수배제방식 선정 시 고려사항

우수의 배제방식에는 분류식과 합류식이 있으며 지역의 특성, 방류수역의 여건 등을 고려하여 배제방식을 정한다.

1) 분류식에는 우수관, 오수관을 완전히 별도의 계통으로 매설하는 완전분류식과 오수는 암거화한 오수관계통으로 배제하되 우수는 도로 측구 및 기존 (재래)수로를 활용하여 주로 배제하는 오수분류식(불완전분류식)의 두 가지 종류가 있다.
2) 오수분류식은 완전분류식에 비하여 유지관리면에서 다소 불리하지만 건설비가 훨씬 적게 들고 공공수역의 수질보전 목적도 조기에 달성할 수 있는 배제방식으로 우리나라 농어촌을 포함한 지방도시의 하수도정비모델로 이 오수분류식의 채택을 적극 검토할 가치가 있다.
3) 오수분류식을 선택하는 경우 현재 하수구로 사용 중인 도로 측구(U형 측구 등)는 우수거로 전용할 수 있어 대단히 경제적인 하수도정비가 가능하나 우수배제계통에 오수관을 잘못 연결시키는 소위 오접을 적극 방지하여야 하며 정기적으로 청소를 해야 하는 등 유지관리에 세심한 주의가 필요하다.
4) 우리나라의 기존 대도시에서 대부분 채택하고 있는 합류식 하수도의 경우도 그 개선을 전제로 새로운 시각으로 합류식을 평가하고 있는 점도 유의할 필요가 있다. 합류식 하수도의 개선책을 구체적으로 살펴보면 다음과 같다.

(1) 차집관거의 정비로 청천 시 오수를 하수처리시설로 전부 차집하여 처리 후 방류하도록 한다.
(2) 초기 우수도 저류시설을 설치하여 강우 초기 노면세정 등으로 인한 오염부하량이 매우 큰 초기 우수를 일시 저류 후 처리하여 방류한다.
(3) 우천 시를 대비한 차집유량의 처리를 포함한 하수처리공정의 개선 등이 주요 내용이며 이러한 개선을 하면 분류식에 뒤지지 않는 공공수역의 수질보전기능을 발휘할 수 있는 것으로 알려져 있다.

5) 하나의 도시 처리구역 내에서도 지역 형편에 의하여 합류식과 분류식을 부분적으로 병용하는 경우도 있으며 이 경우를 합병식이라 부르기도 한다.

배제방식의 비교

검토사항		분류식	합류식
건설면	관로계획	우수와 오수를 별개의 관거에 배제하기 때문에 오수배제계획이 합리적이다.	우수를 신속하게 배수하기 위해서 지형 조건에 적합한 관거망이 된다.
	시공	• 오수관거와 우수관거의 2계통을 동일도로에 매설하는 것은 매우 곤란하다. • 오수관거에서는 소구경관거를 매설하므로 시공이 용이하지만, 관거의 경사가 급하면 매설 깊이가 크게 된다.	대구경관거가 되면 좁은 도로에서의 매설에 어려움이 있다.
	건설비	오수관거와 우수관거의 2계통을 건설하는 경우는 비싸지만 오수관거만을 건설하는 경우는 가장 저렴하다.	대구경관거가 되면 1계통으로 건설되어 오수관거와 우수관거의 2계통을 건설하는 것보다는 저렴하지만 오수관거만을 건설하는 것보다는 비싸다.
유지관리면	관거오접	철저한 감시가 필요하다.	−
	관거 내 퇴적	• 관거 내의 퇴적이 적다. • 수세효과는 기대할 수 없다.	• 청천 시에 수위가 낮고 유속이 느려 오물이 침전하기 쉽다. • 우천 시에 수세효과가 있기 때문에 관거 내의 청소빈도가 적을 수 있다.
	처리장으로의 토사유입	토사의 유입이 있지만 합류식 정도는 아니다.	우천 시에 처리장으로 다량의 토사가 유입하여 장기간에 걸쳐 수로바닥, 침전지 및 슬러지소화조 등에 퇴적한다.
	관거 내 보수	• 오수관거에서는 소구경관거에 의한 폐쇄의 우려가 있으나 청소는 비교적 용이하다. • 측구가 있는 경우는 관리에 시간이 걸리고 불충분한 경우가 많다.	• 폐쇄의 염려가 없다. • 검사 및 수리가 비교적 용이하다. • 청소에 시간이 걸린다.
	기존수로의 관리	• 기존의 측구를 존속할 경우에는 관리자를 명확하게 할 필요가 있다. • 수로부의 관리 및 미관상에 문제가 있다.	관리자가 불명확한 수로를 통폐합하고 우수배제계통을 하수도관리자가 총괄하여 관리할 수 있다.

검토사항		분류식	합류식
수질보전면	우천 시의 월류	–	일정량 이상이 되면 우천 시 오수가 월류한다.
	청천 시의 월류	–	–
	강우 초기의 노면세정수	노면의 오염물질이 포함된 세정수가 직접 하천 등으로 유입된다.	시설의 일부를 개선 또는 개량하면 강우 초기의 오염된 우수를 수용해서 처리할 수 있다.
환경면	쓰레기 등의 투기	측구가 있는 경우나 우수관거에 개거가 있을 때는 쓰레기 등이 불법 투기되는 일이 있다.	–
	토지이용	기존의 측구를 존속할 경우는 뚜껑의 보수가 필요하다.	기존의 측구를 폐지할 경우는 도로폭을 유효하게 이용할 수 있다.

82 | 집중호우에 대비한 도시 침수 대응방안으로 이중배수체계 (Dual Drainage)에 대하여 기술하시오.

1. 정의

이중배수체계란 기존의 오수와 우수를 하수관로에 유입시켜 단일조건에서 처리하던 방식에서 지표면의 흐름과 관로 내의 흐름을 시뮬레이션을 통해 분석하여 최적상태로 처리하는 시스템을 말한다.

2. 이중배수체계의 필요성

침수우려지역에서 집중강우로 인한 피해를 예방하고 도시 빗물관리능력을 높이기 위해 도시 침수 예방을 위한 하수도정비 종합대책(안)을 마련하게 되었으며 이에 적합한 이중배수체계를 도입하게 되었다.

3. 이중배수체계의 방법

기존의 배수체계는 합류식이든, 분류식이든 우수와 오수를 관로에 수집하여 최대한 신속히 방류하는 방식이었다면 이중배수체계는 지표면의 우수흐름, 지하 하수관로의 유량과 흐름상태를 정확히 분석하여 만수상태에 따른 배수불량을 방지하고 침수가 발생하지 않도록 조치하는 것이다. 지표면에서는 저류지와 빗물펌프장 등을 설치하고, 지하에서는 지하저류시설이나 하수관거 정비·확대를 통하여 최적의 배수체계를 확립하는 것이다.

4. 국내 이중배수체계 적용 도시 침수 SAFE 프로젝트 사업(예)

다음은 시범사업지역의 주요사업내용으로 국내 이중배수체계 적용 도시 침수 SAFF 프로젝트 사업의 한 예이다.

(단위 : 억 원)

유형	선정	사업비	주요 사업내용
계(6개소)		1,879	
합류식 시(市)지역	경기 부천시	386	우수관거, 하수저류시설 신설
합류식 군(郡)지역	충남 서천군	343	합류관거 정비, 하수저류시설 및 펌프장 신설
합류식 → 분류식	경북 안동시	460	합류관거 분류화, 펌프장 증설
분류식 시(市)지역	경남 김해시	297	우수관거, 하수저류시설 및 펌프장 증설
	충남 천안시	188	우수관거, 하수저류시설 신설
분류식 군(郡)지역	전남 보성군	205	우수관거, 하수저류시설, 펌프장 개·보수

5. 도시 침수 SAFE 프로젝트 사업방향

1) '도시 침수 SAFE 프로젝트' 사업은 단계별로 진행되며, 기본계획을 수립한 후 기본 및 실시설계 수행을 거쳐 시설공사에 돌입할 계획이다.
2) 지역별 침수원인에 대한 정밀조사를 실시하고 이를 통해 문제점 분석과 정비방향을 설정함으로써 근본적인 침수 예방대책을 수립할 계획이다.
3) 기본 및 실시설계 수행단계에서는 이중배수체계에 의한 침수 시뮬레이션기법, 저영향개발기법(LID) 등과 같은 최신기술을 도입해 과학적이고 경제적인 최적의 설계를 구현하고, 침수 예방시설의 비교 · 검토를 통해 최적 정비방안 마련 및 시공지침과 유지관리방안 등도 제시한다.

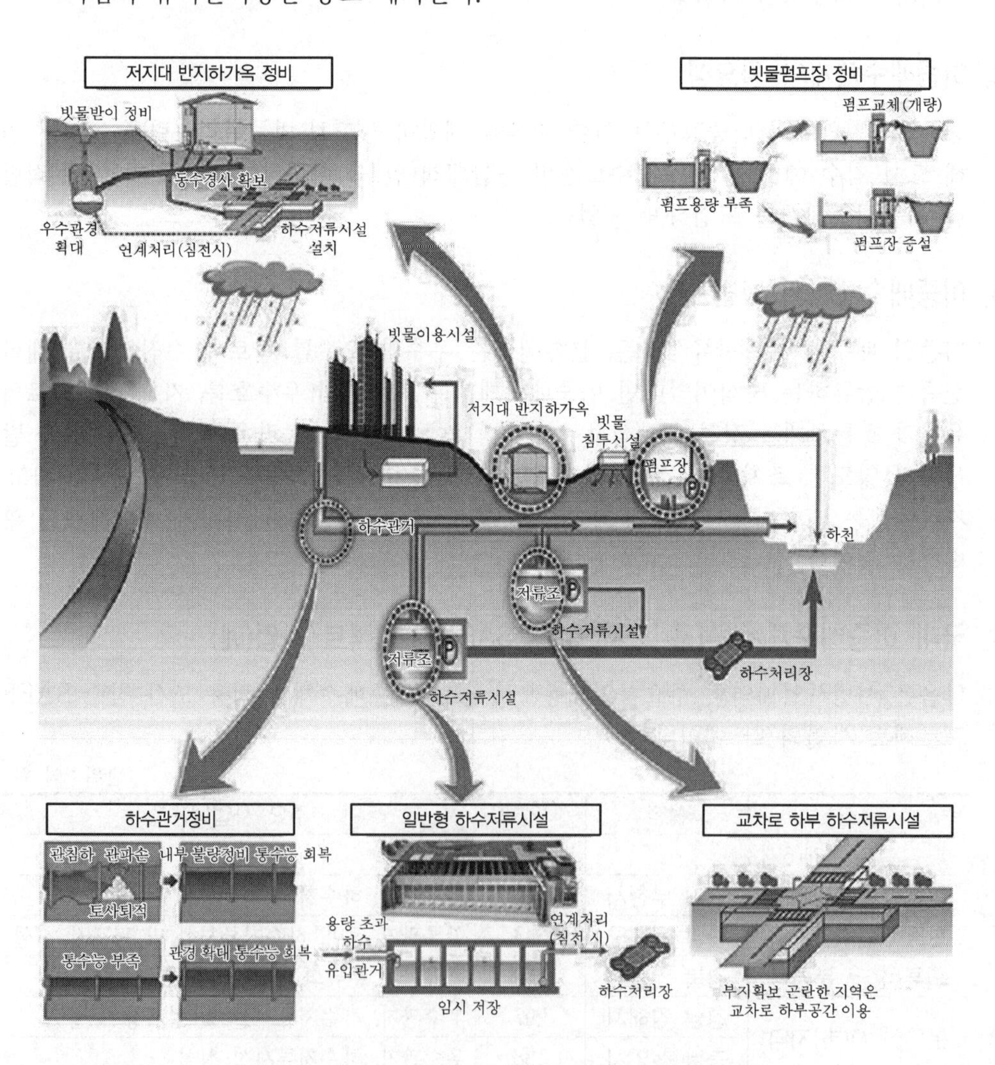

도시 침수 예방을 위한 하수도정비사업 개념도

4) 우천 시 하천의 수질보전을 위한 하수저류시설 설치 및 월류수처리시설 설치, 차집시설 구조개선 등 다양한 시설계획을 검토해 방류하천에 미치는 영향을 최소화할 수 있는 수질관리대책을 함께 마련한다.
5) 도시 침수 SAFE 프로젝트는 하수범람으로부터 국민의 생명과 재산을 보호하고, 하천오염원의 체계적 개선을 통해 공공수역의 수질개선에도 기여할 것이며 기후변화에 대응한 선진 공공하수도시스템 구축을 목표로 한다.

6. 도시 침수 SAFE 프로젝트(이중배수체계) 사업 추진현황

1) 도시 물순환체계 구축
환경부는 도시 침수 예방을 위해 강우 시 유량 · 수질을 통합관리할 방침이다. 하수관거, 하수저류시설, 빗물펌프장, 하수처리장의 실시간 연계운영을 통해 집중호우 시에는 침수에 대응하고, 일상적인 강우에는 합류식 하수도 월류수(CSOs)관리 등 수질관리에 중점을 둘 계획이다.

2) 환경부는 하수저류시설에 있는 저류수를 도로청소, 공업용수 등 다양하게 활용해서 도시 내에 물순환체계를 구축할 계획이며, 하수도의 침수 예방기능을 강화하기 위한 제도 및 정책개선도 추진할 방침이다.
3) 환경부는 '하수도법'을 개정 · 보완하고 하수도정비 중점관리지역 제도를 도입하며, 하수도시설 보호를 위한 강화규정도 마련할 계획이다. 현재 '하수도법'이 오수처리 위주의 정책으로 되어 있기 때문에 우수관리는 부족한 실정이다. 이러한 '하수도법'을 환경부는 개정 · 수정 · 보완할 방침이다. 예를 들면 '하수도법'상, 하수도의 설치목적에는 하수도시설이 도시 침수를 예방하는 기능을 한다는 내용이 포함되어 있지 않으므로 이 부분을 명문화할 방침이다.

83 | 상수도시설의 에너지 절약방안

1. 개요

상수도시설 유지관리비의 50% 정도를 전력비와 약품비가 차지하고 있다. 따라서 전력비와 약품비 절감을 통하여 상수도시설의 에너지를 절감할 수 있다. 이를 위하여 설계 시부터 정수처리시설뿐만 아니라 송배수시설과 펌프시설의 에너지 절감안을 적용하여야 할 것이다.

2. 정수처리시설의 에너지 절감 방안

1) 정수시설

정수처리시설은 처리 수량에 비례하여 소비되는 전력비와 약품비의 관리를 통하여 효과를 얻을 수 있으나, 교반기나 슬러지수집기 등과 같이 처리 수량과 관계없이 기본적으로 소비되는 전력비나 약품비는 설계과정에서 고려하여야 한다.

(1) 정수장 내의 각 시설 간의 수위차가 자연유하에 의해 흐를 수 있도록 설계한다.
(2) 응집지의 자연교반이 기계교반에 비하여 에너지를 절감할 수 있으나 교반효과는 불리하다. 기계교반 시 원수의 수량과 수질에 따라서 적합한 운전 대수로 운전되도록 한다.
(3) 약품의 최적 주입을 위하여 제타전위계나 SCM 등을 이용하여 유입수질 변화에 능동적으로 대처하는 최적 주입 시스템을 적용하여 약품량을 절감할 수 있다.
(4) 평상시에는 Alum을 주입하고 고탁도나 저수온 시에는 PAC를 주입하여 경제적이면서 효율적인 약품주입을 시행하도록 한다.
(5) 약품침전지는 고속응집식이 횡류식에 비하여 침전효율이 높고 약품 소요량도 절감할 수 있으나 횡류식은 기계부품이 적어 에너지 소비가 적다.
(6) 배출슬러지 농도를 고농도로 유지하면 슬러지 처리의 부담을 경감할 수 있다.
(7) 여과지의 여과시간을 연장하기 위하여 원수수질, 수온, 전처리 정도, 입도 등을 검토하여 최적의 여과 방식을 선정한다. 또한 적정한 역세척 빈도 및 수량을 사용하도록 한다.

2) 배수처리(슬러지 처리) 시설

농축, 탈수 시설은 기본적으로 소비되는 전력이 많으며 반송수, 펌프 등은 처리량에 비례하여 소비되는 전력이 대부분이다. 따라서 슬러지를 되도록 고농도로 배출하도록 한다.

(1) 설계 시 슬러지 성상 및 처분 등을 고려하여 최적방법을 조합하고 에너지 소비가 적은 시설이 되도록 한다.
(2) 유지관리 시에는 되도록 고농도의 슬러지가 배출되도록 운전하며 이를 위하여 과질을 정기적으로 측정하고 설비의 점검도 계획적으로 실시한다.

3. 송배수시설의 에너지 절감 방안

대부분이 펌프의 동력원이므로 펌프가 적절히 운전되는지를 검토하고 누수를 최대한 감소시켜야 한다.

1) 송배수관

(1) 경제적인 관경 결정
관부설 공사비와 펌프동력비의 총액을 산출하여 경제적인 관경을 결정한다.

(2) 관로의 Flat화
산 넘어서 급수 시 잉여수압이 발생하지 않도록 관부설 높이를 낮추어 펌프의 양정을 감소시키기 위하여 관부설비와 펌프동력비를 비교하여 가장 경제적인 관로 Flat화를 가하도록 한다.

(3) 관 내면 라이닝
손실수두의 발생을 적게 하여 펌프의 동력비를 절감한다.

(4) 중간 가압장의 측관 설치
야간이나 동절기에 잉여수압이 과대하여 누수가 발생되는 것을 방지하기 위하여 측관을 설치하여 가압 펌프를 거치지 않고 송배수하여 수압을 유용하게 이용한다.

(5) 송배수관의 개량
노후관을 교체, 개량하여 통수능력 증대와 적수를 예방하고 누수를 줄인다.

2) 배수지

(1) 배수구역 중앙에 배수지 설치
배수관경 축소, 균등수량 및 수압 유지로 에너지 절감

(2) 경제적 배수지 용량 결정
배수지 용량은 일최대급수량의 8~12시간을 표준으로 하나 펌프 설치 및 송배수관 부설공사비에 전력비를 합한 비용과 배수지 용량 증가에 따른 비용을 비교하여 유리한 경우 배수지 용량을 증가한다.

(3) 급수구역의 최적화 고저차에 따른 세분화와 가압장 설치로 수압손실 최소화

(4) 배수구역의 적정 Block화 및 상호 연결
급수구역을 블록화하여 1개의 배수구역에 1개의 배수지를 설치하고 상호 연결되도록 한다.

(5) 관말 압력에 의한 펌프 제어
관말 압력이 적정치가 유지되도록 관말 압력에 따라 유량을 제어하는 것이 바람직하다.

(6) 복수 수원의 수량 배분 적정화

4. 펌프시설의 에너지 절감 방안

1) 기본 계획 및 설계 측면

(1) 적정 토출량 및 양정 결정, 고효율 펌프 선정
(2) 배수지 수위 조절에 따른 송수 펌프 대수제어 방식 : 토출측 밸브 조작이 불필요하므로 펌프의 최고 효율점에서 운전이 가능하고 전동기 효율도 정격출력으로 운전되기 때문에 에너지 절감 효과가 크다.
(3) 대소 토출량 펌프의 조합 사용 : 유량 변화가 심한 경우
(4) 고저 양정 펌프의 조합 : 압력 변화가 심한 경우
(5) 회전수 제어 방식 : 유량 및 압력 변화가 심한 경우
(6) 펌프의 회전차 각도 제어
(7) 계장 설비의 자동화

2) 상세 설계 측면

(1) 펌프 용량의 변화

(2) 펌프 설치 높이의 적정화
펌프의 중심축이 흡수정 저수위 이하에 설치하여 공동현상 방지

(3) 경제적인 배관
펌프의 흡입 및 토출 배관은 펌프 구경보다 1단계 또는 2단계 큰 관을 설치

3) 유지관리 측면

(1) 최고 효율점 운전, 펌프 특성 숙지
(2) 정기적인 점검 및 보수
(3) 과대 유량에 따른 과부하 운전 방지

84 | BTL(Build – Transfer – Lease)과 BTO(Build – Transfer – Operate)

1. BTL사업의 개요

1) BTL사업은 민간이 공공시설을 짓고 정부가 이를 임대해서 쓰는 민간투자방식이다.

(1) 민간이 자금을 투자해 공공시설을 건설(Build)한다.

(2) 민간은 시설완공시점에서 소유권을 정부에 이전(Transfer)하고 대신 일정기간 동안 시설의 사용·수익권한을 획득하게 된다.

(3) 민간은 시설을 정부에 임대(Lease)하고 그 임대료를 받아 시설투자비를 회수한다.

2) 민간의 자금으로 공공시설을 건설하여 기부채납의 형식을 빌어 정부에 시설을 이전하고 일정기간 사용, 수익 권한을 부여 받으며 이를 다시 정부에 임대하여 정부로부터 입대 수입을 창출함으로서 투자비를 회수하는 방식의 시설사업이다.

2. 상하수도 분야 BTL 추진배경 및 목적

1) BTL 방식은 긴요하고 시급한 공공시설을 앞당겨 공급함으로써 국민들이 시설편익을 조기에 향유할 수 있다.

(1) 상하수도 시설투자는 환경에 미치는 영향을 최소화하기 위해 조속한 투자가 요구되나 현재의 재정상태로는 이에 필요한 예산을 확보해 시설투자를 적기에 제공하기 어렵다.

(2) 이러한 상하수도 분야의 시설투자의 조속성과 재정의 균등 분배차원에서 BTL 투자를 통해 국민들에게 필요한 양질의 공공시설을 앞당겨 제공할 수 있다.

2) 민간의 창의를 활용해 투자효율을 높이고 창의적인 사업발굴·설계로 국민의 요구수준에 부합하게 사업내용을 다양화할 수 있다.

3) 정부재정운영방식의 탄력성을 높일 수 있다.
단년도 예산주의 제약을 벗어나 중장기 관점에서 규모 있게 시설투자를 해 나갈 수 있다.

4) 민간유휴자금을 장기 공공투자로 전환할 수 있다.
부동 자금화되고 있는 금융자금과 저수익의 연기금 등에게 매력적이고 안정적인 투자처를 제공한다.

5) 경제 활성화와 일자리 창출을 유도할 수 있다.
BTL사업을 통해 부족한 소비 · 투자의 선순환과 생산적인 공공투자를 늘릴 수 있다.

3. BTL사업의 기대효과 → 국민경제선순환 · 국민 삶의 질 향상

1) 시민생활 : 양질의 공공시설과 서비스를 앞당겨 향유
2) 투자자 : 안정성 · 수익성이 동시 보장되는 매력적 투자처 확보
3) 정부재정 : 재정운영의 탄력성 · 효율성 제고
4) 국민경제 : 경제활성화 · 일자리 창출

4. BTL사업의 예상 문제점

1) 공공성 확보를 가장하여 민간 시장의 공공영역 진출에 따른 부작용

(1) BTL은 실제 긴급한 수혈이 필요한 공공시설의 확충에 있어서 민간의 자본을 이용하여 우선 설립하고 정부가 장기적으로 지출을 보전해 주는 방식을 택하고 있다.
(2) 적합한 투자가 아닌 경우 장기적으로 국민 혈세를 낭비하는 요인이 된다.

2) 결정적으로 소유권은 정부로 이전되고, 운영권은 기한에 대한 명기 없이 민간에 양도하는 방식은 이미 공공기관이 아닌 사설기관으로 전환됨을 의미한다.
3) 이러한 상황에서 서비스 질에 대한 평가 역시 경제성과 소비가능성이 아닌 공공성 담보 여부에 대한 질적 평가가 가능한지 검토가 필요하다.

5. BTL투자 대상시설 선정 원칙

1) 민간투자법에 열거된 44개 시설이 민간투자대상이다.
도로, 철도, 도시철도, 항만, 공항, 다목적댐, 수도, 하수종말처리시설 등

2) 정부가 국민에게 기초적 서비스제공을 위해 의무적으로 건설 · 운영해야하는 국 · 공립 시설이 우선 대상이 된다.

3) 일반시민에 대해 시설이용료 부과가 어렵거나, 시설이용료수입으로는 민간투자비 회수가 어려운 시설이 대상이 된다. 시설이용료 수입으로 투자비 회수가 가능한 시설은 BTO 사업방식으로 추진되어야 한다.

6. BTL사업의 민간참여 체계

1) 정부가 민간투자를 유치할 시설을 선정하고 사업기본계획을 만들어 민간 사업자를 모집한다.
2) 민간사업자는 특정시설을 건설·운영하는 것을 목적으로 하는 프로젝트회사(SPC : Special Purpose Company)를 설립해 사업에 참여한다.

7. BTL사업 추진절차 흐름도

단위사업 선정 → 예비타당성조사 → 타당성조사 → 시설사업기본계획 수립/사업자 모집공고 → 민간 사업제안 평가/우선 협상자 선정 → 실시협약 체결 → 실시설계/실시계획 승인

8. BOO/BTO/BTL방식 비교

1) BTL사업은 다른 민간투자방식에 비해 이런 점에서 구별된다.
 (1) 민간이 건설한 시설은 정부소유로 이전(기부채납)된다.
  ⇒ 민간이 시설소유권을 갖는 BOO(Build-Own-Operate)방식과 구별된다.
 (2) 정부가 직접 시설임대료를 지급해 민간의 투자자금을 회수시켜준다.
  ⇒ 시민들에게 시설이용료를 징수해서 투자자금을 회수하는 BTO(Build-Transfer-Operate)방식과 구별된다.
 (3) 정부가 적정수익률을 반영하게 임대료를 산정·지급하게 되므로 사전에 목표 수익실현을 보장한다.
  ⇒ 시민들로부터의 이용료 수입이 부족할 경우 정부재정에서 보조금을 지급(운영 수입보장)해 사후적으로 적정 수익률 실현을 보장하는 BTO방식과 구별된다.

2) BTO/BTL방식 비교

추진방식	Build-Transfer-Operate	Build-Transfer-Lease
대상시설	최종수용자에게 사용료 부과로 투자비 회수가 가능한 시설	최종수요자에게 사용료 부가로 투자비 회수가 어려운 시설
투자비회수	최종사용자의 사용료 + 보조금	정부의 시설임대료
사업리스크	민간이 수요위험 부담	민간의 수요위험 배제

85 | 산간지역에 도로를 개설하는데 우측이 절토구간, 좌측이 성토구간으로서 우측 산지의 계곡으로부터 우수유입이 예상되어 도로횡단 배수관을 매설하고자 한다. 이때 아래 조건을 기초로 유달시간, 유출계수, 배수로 유입유량, 소요관경 등 배수관을 설계하시오.(단, 유입구의 수위는 관의 상단과 같고, 유출구는 Free Outlet임)

〈조건〉

가. 능선까지의 거리 : 1,320m

나. 마루와 마루사이의 폭 : 660m

다. 암거 인입구의 Invert 표고 : 51.2m

라. 암거 유출구의 Invert의 표고 : 50.0m

마. 강우 시 이 지역의 지표면의 유속 : 0.9m/sec

바. 횡단 도로 저폭 : 52m

사. 유출계수는 하수도시설기준에 의거 적절히 판단할 것

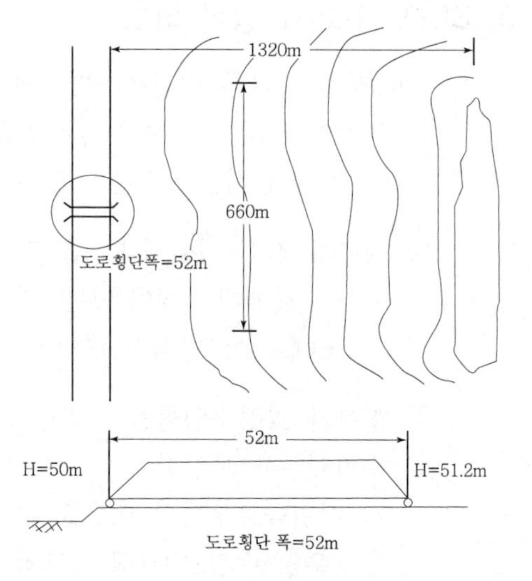

1. 우수관 설계

일정 배수구역의 강우를 배수하기 위한 우수관을 설계하기 위해서는 강우강도식에 의한 강우량산정과 관경을 계산한다.

2. 배수구역

$$A = 1,320 \times 660 = 871,200\text{m}^2 = 87.12\text{ha}$$

3. 강우강도(I) 산정

각 지역별로 확률연수에 따라 적용하는 식이 다르고 완전한 것은 없으나 과거의 강우 기록으로부터 그 지역에 적합한 강우강도식(Talbot식, Sherman형, Japanese식 등)이나 국토교통부에서 정한 강우강도식을 적용하면 적합하다.

여기서는 Japanese형 적용 $I = \dfrac{458.7}{\sqrt{t+0.497}}$

a, b 상수(458.9, 0.497)는 지역에 따라 적합한 수치를 적용한다.

4. 계획확률연수의 결정

계획확률연수는 배수구역의 크기, 지역의 중요도에 따라 결정되어지며 일반적으로 우리나라에서는 간선 하수관거의 경우 10년, 지선 하수관거의 경우는 5년의 확률연수를 채택한다. 여기의 도로횡단 배수관은 5년 확률연수로 한다.

5. 유달시간의 산정

유입시간과 유하시간의 합을 유달시간(Time of Concentration)이라 하며 강우강도식을 사용할 때 강우지속시간으로 유달시간을 이용한다.

$$\text{유달시간} = \text{유입시간}(t_1) + \text{유하시간}\left(\frac{L}{v}\right)$$

1) 유입시간

가장 먼 곳의 우수가 배수관 입구까지 유입하는 시간이며 여러 가지 계산식이 있으나 여기서는 조건의 지표면 유속을 이용하여 해석한다.

$$t_1 = \frac{L}{v} = \frac{1{,}320+330}{0.9} = 30\text{min}$$

2) 유하시간

유하시간은 관거 길이와 경사에 의한 속도로부터 구하되 평균유속이 0.8~3.0m/sec가 되도록 한다. 여기서는 최대유속 3.0m/sec를 적용한다.

$$t_2 = \frac{L}{v} = \frac{52}{3} = 17\text{sec} = 0.3\text{min}$$

3) 유달시간 $= t_1 + t_2 = 30 + 0.3 = 30.3\text{min}$

6. 유출계수

하수관거에 유입하는 우수유출량과 전 강우량의 비를 유출계수라 한다. 절토 성토 구간은 급경사의 산지(C=0.4－0.6)로 보고 유출계수는 0.5를 채택한다.

7. 우수유출량의 산정

우선 강우강도를 구하면 국토교통부 Japanese형 $I=\dfrac{458.9}{\sqrt{t+0.497}}$ 에서

$$I=\frac{a}{\sqrt{t\pm b}}=\frac{458.9}{\sqrt{t+0.497}}=\frac{458.9}{\sqrt{30.3+0.497}}=82.7\text{mm/h}$$

합리식에 의하여 우수유출량을 산정한다.

$$Q=\frac{1}{360}CIA=\frac{1}{360}(0.5\times 82.7\times 87.12)=10.0\text{m}^3/\text{s}$$

8. 우수관거의 설계

1) 유속의 결정(Manning 공식)

$$V=\frac{1}{n}\cdot R^{\frac{2}{3}}\cdot I^{\frac{1}{2}}$$

여기서, R : 동수반경(경심) $=\dfrac{D}{4}$(만수 상태 D=2,000 가정) $=\dfrac{2}{4}$=0.5

n : 조도계수(보통 0.013)

I : 동수경사 $=\dfrac{\Delta h}{L}=\dfrac{51.2-50}{52}$=0.023

$$V=\frac{1}{n}\cdot R^{\frac{2}{3}}\cdot I^{\frac{1}{2}}=\left(\frac{1}{0.013}\right)\cdot(0.5)^{\frac{2}{3}}\cdot(0.023)^{\frac{1}{2}}=7.35\text{m/sec}$$

※ 하수관거 최대유속 3m/s 적용

2) 관경 결정

국토교통부 도로배수시설 설계 및 유지관리 지침에 의한 유량 계산

(1) 토사퇴적 및 홍수 시 토사유입을 고려한 설계/여유 유량비

$$\frac{Q}{Q_0} = \frac{1}{1 + a_1 + a_2}$$

a_1 : 토사퇴적에 의한 단면축소(20% 이상)

a_2 : 호우 시 대량토사 유입고려(절토구간 급경사 10% 적용)

(2) 도로배수시설 설계 및 유지관리지침에 따른 요구 유량비

$$\frac{Q}{Q_o} = \frac{1}{1 + 0.2 + 0.1} = 0.77$$

(3) 설계유량 = 10.0/0.77 = 12.99 m^3/s

(4) 관경결정

① 원형흄관

관경 $D = \sqrt{\frac{4Q}{3.14V}} = \sqrt{\frac{4 \times 12.99}{3.14 \times 3}}$ = 2.349m = 2,500mm

흄관 2,500mm 제작

② PC BOX

관거 단면적 $A = \frac{Q}{V} = \frac{12.99}{3} = 4.33m^2$

∴ 2,300× 2,000mm PC 박스 제작

86 | 합류식 하수관거의 설계순서를 설명하시오.

하수관거 설계순서를 수치를 가정하여 설명하오니 참조 바랍니다.

1. 배수구역(0.1ha), 강우강도 결정(수치는 가정)

2. 유달시간=유입시간+유하시간=5min+44m/1.2m/sec=6min

3. 우수량(ha당)=CIA/360=0.151m^3/sec(가정)
   총우수량=0.151m^3/sec · ha × 0.1ha=0.015m^3/sec

4. 오수량=0.0027m^3/sec · ha × 0.1=0.001m^3/sec(조건에 따라)

5. 총하수량=우수량+오수량+지하수량=0.001+0.015=0.016m^3/sec

6. 관의 직경, 구배 결정
   유량=0.016m^3/sec, 여유율=20%
   합류관 최소관경=250mm
   - 유량=0.016 × (1+0.2)=0.0192m^3/sec
   - 유속 V=1.2m/sec 적용 D=143mm → 최소관경 D=250mm 선정

7. 만닝공식에서 $V=1.2m/sec=1/0.013(0.25/4)^{2/3}\ I^{1/2}$
   ∴ I=0.09888 ≒ 10‰

8. 선정 관경에서 최대유량=$AV=(3.14/4)(0.25)^2 \times 1.2=0.059m^3/sec$

9. 기점관저고=지반고-(최소토피+관경+관두께)
   =0.3-(1.2+0.25+0.028)=-1.178m

10. 종점 관저고(관길이와 기울기 10‰ 적용)

    종점관저고=기점관저고-(관연장×구배+맨홀스텝)
    =-1.178-(44 × 0.01+0.02)=-1.638m

11. 종점토피=종점지반고-(종점관저고-직경-관두께)
    =0.29-(-1.638+0.25+0.028)=1.65m

12. 계획하수량에 대한 유속
    계획하수량/최대하수량=0.016/0.059=0.271
    수리특성곡선으로부터 유속을 구하고 설계 유속(1.2m/sec)과 비교 검토

87 | 하수처리장의 부지배치계획 수립 및 계획고 결정 시 주요 고려사항을 설명하시오.

1. 하수처리장 및 하수처리시설의 부지배치계획

하수처리장 및 하수처리시설의 부지배치계획은 다음 사항을 고려하여 정한다.

1) 하수처리장은 건설비 및 유지관리비 등의 경제성, 유지관리의 난이도 및 확실성 등을 충분히 고려하여 정한다.
2) 하수처리장 위치는 방류수역의 물이용상황 및 주변의 환경조건을 고려하여 정한다.
3) 하수처리장의 부지면적은 장래 확장 및 향후의 고도처리계획 등을 예상하여 계획한다.
4) 하수처리시설은 계획 1일 최대오수량을 기준으로 하여 계획하고, 합류식 하수도에서 강우 시는 계획시간 최대오수량의 3배 이상을 기준으로 계획한다.
5) 하수처리시설은 이상수위에서도 침수되지 않는 지반고에 설치하거나 또는 방호시설을 설치한다.

2. 하수도시설의 배치, 구조 및 기능

하수도시설의 배치, 구조 및 기능은 다음 사항을 고려하여 정한다.

1) 하수도시설의 배치, 구조 및 기능은 유지관리상의 조건, 지형 및 지질 등의 자연조건, 방류수역의 상황, 주변환경조건, 시설의 단계적 정비계획, 시공상의 조건 및 건설비 등을 충분히 고려한다.
2) 하수도시설의 용량은 시설의 변동요인에 대응할 수 있도록 여유를 둔다.
3) 하수도시설은 예측하기 어려운 사고 및 고장뿐만 아니라 보수 및 점검 시에도 시설로서의 일정한 기능을 유지할 수 있도록 필요에 따라 예비시설을 설치하고, 시설의 신뢰성, 확실성 및 안전성을 높이기 위해 시설의 복수화를 고려한다.
4) 하수관로시설은 인근에 도로함몰이나 지반침하를 발생시키지 않아야 하며, 누수 및 지하수 유입대책을 강구하여야 한다.
5) 하수관로, 펌프장 및 처리장의 시설계획은 오수의 양 및 질의 파악과 시설의 운전관리를 원활히 하기 위하여 적절한 계측제어설비를 설치한다.
6) 장래 하수량의 증감이 예상되는 경우에는 이를 반영한 시설계획을 하여야 한다.

3. 하수처리장의 계획고 결정 시 고려사항

1) 하수도시설은 관로시설(펌프장시설 포함), 수처리시설, 하수처리수 재이용시설, 배수설비로 크게 구별된다.
2) 하수도의 목적을 달성하기 위해서는 하수도시설의 적절한 유지관리가 필요하다.
3) 하수도시설의 배치, 구조 및 기능에 관한 계획의 수립 시에는 계획의 규모 및 유지관리체제 등 유지관리상의 모든 조건에 따라 유지관리가 용이하고, 적정하게 이루어지는 것이 기본전제가 되어야 한다.
4) 하수배제는 자연유하를 원칙으로 하고 있어 주요 시설이 일반적으로 저지대에 위치하거나 지하에 축조되는 시설이 많기 때문에 지형 및 지질조건을 충분히 고려해서 계획한다.
5) 방류수역상황과 관련하여 토구는 하수도시설로부터 하수를 공공수역에 방류하는 시설을 말하며 처리장에서 처리수의 토구, 분류식에서 우수토구 및 펌프장의 토구, 합류식에서 우수토구 및 펌프장의 토구 등에 대하여 계획한다.
6) 토구의 위치 및 구조의 결정은 방류수역의 수위, 수량, 물이용상황, 수질환경기준의 설정상황 및 하천개수계획 등을 충분히 조사하여 외수의 역류를 방지할 수 있도록 하고, 방류수역의 수질 및 수량에 대하여 지장이 없도록 고려한다.
7) 우수토구는 우천 시에 오염부하가 방류수역에 미치는 영향을 충분히 검토하여 계획하는 것이 필요하다.
8) 하수를 배제시키기 위한 계획에서 방류하천이나 해역의 계획외수위가 극히 중요하며, 계획외수위에서도 지장 없이 하수를 배제할 수 있어야 한다.
9) 계획외수위를 하천의 경우에는 계획홍수위, 해역의 경우에는 만조위를 기준으로 설정하면 가장 안전하게 하수를 배제할 수 있다.
10) 계획외수위를 기점수위로 추정된 동수경사선(배수위)을 고려하여 하수배제계획 수립 시 8)~9)의 조건을 만족시킬 수 있다.
11) 하수처리시설과 펌프장 등의 중요시설은 이상수위에 대해서도 시설기능이 정지나 시설손상이 되지 않도록 대책이 필요하고, 이를 충분히 반영하여 수리종단도를 작성한다.
12) 관거시설의 펌프장과 하수처리시설의 배치 및 구조는 지형, 방류수역의 상황, 소음, 대기오염 및 미관 등 문제에 대해서도 충분히 고려한다.
13) 하수도시설은 몇 개의 계열로 나누어 단계적으로 시공되므로, 단계적인 정비계획을 고려하여 종합계획과의 관계로부터 가장 적절한 계열의 구분 및 시설의 배치, 시공상의 조건이나 경제성에 대해서도 고려할 필요가 있다.

88 | 하수처리장에서 에너지 자원으로 활용할 수 있는 이용대상 및 에너지 절감방안에 대하여 설명하시오.

1. 개요

하수처리 과정에서 발생하는 가스나 하수슬러지는 생활하수 처리 결과물로 발생하며 기존의 불필요한 혐오물질이라는 사고에서 벗어나 슬러지 또한 하나의 자원이고 에너지라는 전환적 패러다임으로 접근해야 하겠다.

2. 하수처리시설의 에너지 자원화 방안

1) 하수 슬러지는 수집을 위한 별도 에너지가 필요 없는 집약형 유기성 자원으로 하수처리장은 바이오매스(하수슬러지, 분뇨, 음폐수 등)를 에너지로 전환할 수 있는 소화조 등의 처리 공정 도입이 필요하다.
2) 하수처리 공정과의 연계를 통해 바이오매스의 처리에 따라 발생하는 폐수의 처리도 용이하므로 주변지역의 바이오매스 활용이 효율적이다.
3) 소화가스를 이용하거나 하수처리수 방류 낙차·방류관거 유속 등을 이용하여 소수력 발전 도입이 가능하다. 하수처리수 재이용에 의한 에너지 절감
4) 하수는 계절에 영향을 받지 않고 안정된 양·온도를 유지, 히트 펌프를 활용하여 여름에 냉열원, 겨울에 온열원으로 이용이 가능하고 특히 하수관망이 도시 내에 펼쳐져 있어 에너지 주수요지인 도시 내 추가 열원으로 활용 잠재력이 광범위하다.
5) 하수처리시설 공간을 활용해 하수처리시설의 침전지, 생물반응조, 관리동 지붕 등에 태양광 발전 도입이 가능하다.
6) 풍황 조건이 좋은 처리시설 여유 부지에는 풍력 발전 도입이 가능하다.

3. 하수처리시설 에너지 절감방안

1) 하수처리시설 건설비나 유지관리비가 다소 높은 경우에도 처리수의 재이용이 가능하며 발생슬러지의 양이 적어 최종처분비용을 감소시킬 수 있는 공정이 보다 경제적일 수 있다. 따라서 처리공정 선정 시 건설비, 유지관리비, 처리수 재이용, 슬러지 발생량 감소 등의 부가적인 비용절감의 측면을 고려하고, LCA(Life Cycle Assessment) 혹은 LCC(Life Cycle Cost), $LCCO_2$기법 등을 최대한 이용한다.

2) 하수도에서 에너지절약계획은 토목시설, 건축시설, 전기시설 및 기계시설 등 전체 시설에서 계획되어야 한다.
   (1) 토목시설의 경우 에너지를 최소화할 수 있는 방법으로 수리학적 설계, 시설의 배치가 있으며,
   (2) 건축시설의 경우 자연채광의 이용, 배관・배선의 단축, 비슷한 작업환경의 집약화 등을 통하여 에너지절약을 도모할 수 있으며,
   (3) 기계시설의 경우 송풍기, 펌프장 등 용량의 적정화, 부하변동에 대응할 수 있는 시설계획이 있다.
   (4) 전기시설의 경우 에너지효율이 높은 기기의 적용 등이 에너지절약과 연관되어 있다.

3) 건축시설 에너지 절감방안
냉・난방이 필요한 건축물에는 자연요소를 적극적으로 활용하는 방안을 우선적으로 고려하고, 에너지절감을 이룰 수 있는 기기를 선정하는 등 에너지절약계획을 반영하여야 한다.
   (1) 동절기 주 풍향 쪽으로는 출입구의 설치를 자제하고, 조경계획과 연계하여 수목의 그늘로 인한 일조조정 및 복사열, 반사열의 완화를 도모하여야 한다.
   (2) 열영향을 적게 하기 위하여 외벽면적이 적은 방향으로 계획하며, 채광 및 환기를 위한 적정한 규모의 창호계획으로 불필요한 열손실을 방지하여야 한다.
   (3) 동등한 실내환경을 요하는 시설끼리 조닝을 고려한다.
   (4) 자연채광을 충분히 활용하기 위한 실내색채계획을 고려하여야 한다.
   (5) 기타 에너지절약을 위한 단열계획은 건축물의 에너지 절약 설계기준 등 관련 기준을 준수하여야 한다.

4) 기계설비 에너지 절감방안
운전관리에 관한 에너지 절감은 간헐운전이나 운전 설정치에 의한 최적화 운영을 하여야 하나, 처리시설 설치 시 기계설비 에너지 절감에 대한 충분한 검토와 반영으로 효율적이고 안정적인 운영을 통한 에너지 절감시설이 되도록 하여야 한다. 일반적인 하수도 기계설비과 관련된 에너지 절감설비 및 대책은 다음과 같다.

기계설비 에너지 절감설비 및 대책

처리공정	설비	에너지 절감 대책
전처리	침사지설비	스크린설비 타이머운전
	주 펌프	인버터 제어
수처리	1, 2차 침전지	반송슬러지펌프 인버터제어
		반송슬러지율 설정 최적화
	여과설비	역세용 송풍설비 간헐운전
	생물반응조	초미세기포장치 도입
		포기풍량 최적화
		반응조 송풍량 제어밸브 도입
		인버터형 터보송풍기 도입
슬러지처리	슬러지탈수설비	고효율탈수기 채용
공통설비	공조설비	하수열원 히트펌프 도입

4. 처리 공정 효율 향상에 의한 에너지 절감방안

1) 수질상의 개선
   설계 유입수질 BOD 150~200mg/L보다 실제 유입수질이 70~120mg/L 정도로 낮게 유입되어 처리효율이 떨어지므로 하수관거의 정비와 계획유입수질 산정을 개선하여 처리효율을 향상시킨다.

2) 수처리시설의 개선
   적정 BOD 부과 및 적정 F/M비 유지, 포기장치 효율 향상, 슬러지 벌킹 제어 등을 통하여 처리효율 개선

3) 슬러지 처리시설 개선
   1차 슬러지와 2차 슬러지를 중력식 농축조로 동시에 농축에 따른 효율 저하, 혐기성 상태로 인한 영양염류 재용출을 방지하기 위해 슬러지를 분리 농축하는 방안 검토

4) 고농도의 슬러지가 배출되도록 운전하며 이를 위하여 슬러지량과 질을 정기적으로 측정하고 설비의 점검도 계획적으로 실시한다.
5) 합류식 하수관거가 대부분으로 강우 시 유량변동이 심하므로 하수관거를 유량 조정조로 이용하는 방안 고려

6) 강우 초기에 과도한 협잡물이 유입되므로 침사지의 증설이 필요
7) 유입 농도가 낮으므로 F/M비가 낮아 슬러지벌킹(Sludge Bulking) 유발 Anaerobic, Anoxic Selector를 운영
8) 슬러지 처리계통의 적절한 운전과 증설, 개선을 통해 반류수의 영향을 저감

89 | 저탄소 녹색성장 방안을 설명하시오.

1. 정의

1) 저탄소

화석연료(化石燃料)에 대한 의존도를 낮추고 청정에너지의 사용 및 보급을 확대하며 녹색기술 연구개발, 탄소흡수원 확충 등을 통하여 온실가스를 적정수준 이하로 줄이는 것을 말한다.

2) 녹색성장

에너지와 자원을 절약하고 효율적으로 사용하여 기후변화와 환경훼손을 줄이고 청정에너지와 녹색기술의 연구개발을 통하여 새로운 성장동력을 확보하며 새로운 일자리를 창출해 나가는 등 경제와 환경이 조화를 이루는 성장을 말한다.

3) 녹색기술

온실가스 감축기술, 에너지 이용 효율화 기술, 청정생산기술, 청정에너지 기술, 자원순환 및 친환경 기술(관련 융합기술을 포함한다) 등 사회・경제 활동의 전 과정에 걸쳐 에너지와 자원을 절약하고 효율적으로 사용하여 온실가스 및 오염물질의 배출을 최소화하는 기술을 말한다.

4) 녹색산업

경제・금융・건설・교통물류・농림수산・관광 등 경제활동 전반에 걸쳐 에너지와 자원의 효율을 높이고 환경을 개선할 수 있는 재화(財貨)의 생산 및 서비스의 제공 등을 통하여 저탄소 녹색성장을 이루기 위한 모든 산업을 말한다.

5) 녹색제품

에너지・자원의 투입과 온실가스 및 오염물질의 발생을 최소화하는 제품을 말한다.

2. 저탄소 녹색성장 방안

1) 신재생에너지 도입

신재생에너지에 대해 현장의 특성 및 경제성 등을 검토

(1) 태양광, 태양열

(2) 하수열, 지열

(3) 바이오에너지, 소수력
(4) 폐기물에너지 등

2) 에너지 절감계획

(1) 효율관리 기자재의 운영에 관한 규정에 따라 에너지 소비효율이 높거나 에너지 사용량이 적은 제품을 우선적으로 사용
(2) 에너지이용 합리화법 및 고효율 에너지 기자재 보급 촉진에 관한 규정에 의거 고효율 기자재로 인정된 제품을 우선적으로 사용
(3) 대기전력 저감 프로그램 운영 규정에 따라 사용 중이지 않을 때 소비전력이 낮은 제품을 우선적으로 사용
(4) 건축물의 에너지 절약 설계기준에 따라 소비에너지를 최소화하여 운영관리비를 절감
(5) 인버터 적용, 폐열회수형 환기장치, 기계실 발열 활용방안 도입 등 시스템 구성상 에너지를 절약하거나 회수하고, 손실을 최소화
(6) (포기조 반응열 이용 등) 처리공정상 발생하는 에너지를 활용할 수 있는 방안을 강구

3) 자원절감·재이용 및 친환경 제품 도입

(1) 자원의 절약과 재활용 촉진에 관한 법률 및 순환골재 의무사용 건설공사의 순환골재 사용용도 및 의무사용량 등에 관한 고시에 따라 자원의 재활용도를 높여 녹색산업이 활성화
(2) 수도법에 따라 중수도 도입 및 빗물 이용을 높일 수 있는 시설이 도입될 수 있도록 계획
(3) 친환경상품 구매촉진에 관한 법률 및 오존층 보호를 위한 특정물질의 제조 규제 등에 관한 법률에 따라 친환경적인 제품의 사용을 확대

90 | Renovation과 Retrofitting을 설명하시오.

1. Retrofitting(시설 개량 방식)

상하수도 시설물에서 시간이 갈수록 시설은 낡아지고 효율과 기능은 떨어지는 경우에 기능과 성능을 향상시키기 위한 신공법 및 장비 시설물을 교체하는 비교적 대규모의 개보수 공사를 리트로피팅이라 하며 시설 개량 방식을 의미한다.

2. Renovation(운전 개선방식)

정수장, 하수처리장 등에서 대규모 시설투자 없이 정수나 하수처리공정 및 운전방법 개선 등을 통하여 처리능력과 처리효율을 증대시키는 운전 개선 방식을 Renovation이라 한다.

3. Retrofitting 적용

Retrofitting은 대규모 시설 개선과 투자를 통하여 노후화된 시설물을 완전히 새롭게 탄생시키는 것으로 기존의 구조물이나 기반시설을 이용할 뿐이지 신설과 거의 같은 정도의 비용과 공기가 투입되며 기능과 효율도 신설되는 시설물과 비슷하다고 할 수 있다. 오래되고 사용연한이 지나거나 또는 기능과 효율이 현저히 떨어진 처리장에 적용하는 것이 보편적이다.

4. Renovation 적용

Renovation은 처리 공정이나 운전 방법을 개선하는 것으로 적은 비용과 노력을 통하여 효율과 기능을 극대화하는 것으로 노후화가 비교적 적게 진행된 시설물에 적용하여 기능을 회복하고 특히 신기술 등이 개발된 경우 기존의 처리장을 그대로 운영하면서 일부의 공정이나 설비, 운전 방법을 개선하는 것으로 Retrofitting에 비하여 운전 정지에 따른 부작용 등이 적다.

5. Renovation과 Retrofitting의 선택

대규모 개보수를 적용할지 일부의 시설을 개선할지 분명할 때는 별문제가 없으나 노후화가 어느 정도 진행되면 그 선택이 어려워진다. 즉 노후화된 처리장에 일부시설에 Renovation을 적용할 경우 나머지 노후화된 시설물 때문에 투자한 비용에 비하여 기대한 만큼의 효과를 얻지 못할 경우가 많다. 따라서 Renovation을 적용할지 Retrofitting을 적용할지 전문가의 경제성, 신기술의 동향, 친환경적 측면 등에서 세밀하고 종합적인 분석이 필요하며 이를 토대로 결정을 해야 한다.

91 | 상하수도 정책 및 정보화 방향

1. 개요

국민생활수준의 향상에 따라 물 수요는 계속 증가하고 있으나, 댐 건설의 어려움 등 추가적인 수자원 개발·공급의 한계로 인하여 머지않은 장래에 물 부족이 예상된다. '삶의 질'에 대한 국민의 관심과 욕구가 높아지면서 깨끗하고 안전한 물을 제공해야 하는 정부의 책무가 중요해지고 있다.
한편 정보통신기술의 발달로 인한 정보화 사회의 도래에 따라 상하수도 시설관리체계를 개편해야 할 필요성과 가능성이 더욱 커지고 있다.

2. 상하수도 정책 방향

1) 물 수요관리 강화

최근 상수도 공급과 관련 새로운 댐의 건설은 건설비 상승, 개발 적지 감소, 지역주민의 반대 등으로 한계에 부딪혀 앞으로 물 부족이 더욱 심각해질 것으로 우려되고 있다. 이러한 물 부족 문제에 대처하기 위해 정부는 수자원관리 정책을 그동안의 공급 위주에서 수요관리 중심으로 전환하고 있다.

(1) 정부는 절수기기 및 중수도 설치 확대
(2) 절수형 수도 요금 체계 도입
(3) 노후 수도관 교체 등
(4) '물절약종합대책'의 추진

2) 상·하수도 시설 확충·개선

'04년 현재 도시지역을 중심으로 상수도시설이 건설되어 7개 특·광역시의 상수도 보급률은 99% 수준(서울시 100%)으로 향상되었으나, 면단위 농어촌 지역의 상수도 보급률은 35% 수준에 머물러 있다. 앞으로 농어촌 지방 상수도 개발사업, 하수도 보급률 향상, 하천구간의 수질 환경 기준 달성률을 95%로 제고하는 등 농어촌 지역에 역점을 두고 상·하수도 시설 확충·개선을 추진할 계획이다.

3) 상하수도 및 먹는 물 관리행정의 선진화

(1) 수돗물에 대한 국민신뢰 제고

정부는 WHO 및 선진국의 예에 따라 수질기준항목 관리계획을 수립·추진하고 있다. 또한 전국공통으로 적용되는 법정 수질기준 항목 이외에 지역별 수질기준 제도를 도입하여 수질기준 및 검사방법을 조례로 정하여 운영하게 된다.

(2) 먹는 샘물 관리제도 개선

국민들의 소득과 생활수준의 향상에 따라 먹는 샘물 판매량도 꾸준히 증가하고 있으나 현재 먹는 샘물이 천연광천수(Natural Mineral Water)로 한정되어 있어 먹는 샘물의 다원화 방안에 대한 연구를 추진하고 있다.

(3) 하수관거 정비 및 하수처리시설 운영의 효율화

하수관거 정비 불량에 따른 하수처리시설 유입수량의 과대·과소, 유입수질 저하 등이 문제가 되고 있다. 기존 하수관거 실태조사와 정비 세부계획 등을 수립하기 위하여 지역별로 타당성조사 용역을 실시하고, 그 결과를 바탕으로 「하수관거정비 5개년 계획」을 확정할 계획이다.

(4) 하수처리시설 성능·구조개선(Renovation) 사업이란 대규모 시설투자 없이 하수처리 공정 및 운전 방법을 개선하여 하수처리 능력과 효율을 증대시키는 시설 개선 프로그램이다.

4) 상하수도사업 행정혁신 및 추진기반 구축

(1) 하수도사업 민자유치 및 민간위탁

선진국에서는 오래전부터 상하수도 사업을 민간에 개방하여 기술 발전, 서비스 향상, 비용 절감 등의 긍정적 효과를 거두고 있는 것으로 평가되고 있다. 수도법을 개정하여 상수도사업에 민간참여 근거를 마련하였으며, 우리 실정에 맞는 단계별 민영화 정책을 추진하기 위하여 「상하수도 민영화기본계획」을 수립할 계획이다.

(2) 지역환경기초시설통합관리시스템 구축

지역환경기초시설통합관리시스템이란 하수처리시설 등 대형 환경기초시설이 입지하기 곤란한 상수원 주변지역 또는 농어촌 자연부락 등지에 소규모하수처리시설, 간이상수도, 오수처리시설 등의 설비를 패키지형 자동화 설비로 구축하고 인근 중앙처리시설에서 원격통합운영(Remote Control)하는 방식이다.

3. 상하수도 정보화 추진

1) 추진 배경

90년대 이후 정보통신기술, 전산기술의 발달로 사회 각 분야에서 정보화가 추진되고 있으며 상거래, 유통 등 일부 분야에서는 괄목할 만한 성과를 거두고 있다. 이 시점에서 환경기술(ET)을 한층 더 발전시키기 위해서는 정보산업과의 접목이 필요하게 되었다.

(1) 환경부에서는 1996년에 물관리 종합계획을 수립하여 상하수도시설에 대한 투자를 획기적으로 확충하였으며,

(2) 2002년 상반기 현재 전국의 정수장이 597개소, 하수처리시설이 183개에 이르고 있으며, 하수처리시설의 경우 2005년까지 소규모하수처리시설을 포함하여 3,600여 개에 이를 전망이다.

(3) 시설의 증가와 함께 유지관리 인력과 비용도 급속히 증가하는 추세에 있으며, 시설에 대한 점검업무를 맡고 있는 환경부에서도 현재의 인력으로 현지출장, 시설점검, 수질감시 등의 업무를 기존의 방식으로는 효율적으로 수행할 수 없을 것으로 예상된다.

(4) 소득증대와 생활수준의 향상으로 맑은 물과 깨끗한 환경에 대한 국민들의 관심이 높아져 상하수도 운영현황에 대한 정보수요도 점차 커지고 있다.

(5) 행정의 효율성을 높이고 정보공개 확대를 통해 대국민 서비스를 개선시키기 위하여 장기적인 종합계획을 토대로 상하수도에 정보통신기술을 도입함으로써 행정의 선진화를 이루려는 것이다.

2) 주요 사업성과 및 계획

(1) 우선 1999년에 환경부에서 전국수도 종합시스템을 구축하여 현재까지 이용하고 있는데 이는 수도법 및 하수도법에 의한 정수장·하수처리시설 수질검사 및 각종 통계를 위한 기초자료를 시·군에서 입력하고 정부초고속정보망을 통해 자동으로 집계되도록 구축한 시스템이다.

(2) 2002년 4월에 구축한 수돗물수질감시 시스템을 들 수 있는데 전국에 산재한 정수장의 수돗물 수질을 원격지에서 실시간으로 감시할 수 있는 시스템이다.

(3) 국민들은 자신들이 관심을 갖고 있는 정수장과 하수처리시설의 수질과 운영상태를 항상 확인할 수 있게 됨으로써 환경기초시설과 상하수도 행정에 대한 이해를 높일 수 있고 행정에 대한 국민들의 협력과 참여를 이끌어 내는 데도 용이하게 될 것이다.

(4) 정보화의 기대효과 : 상하수도시설의 각 공정별로 감시 및 일부 자동화설비를 설치하여 완벽한 원격관리 체계를 갖추고, 시설의 운영상황을 자동으로 기록하도록 함으로써

① 운영의 투명성 제고

② 선문가에 의한 원격시설 및 운영점검이 가능하게 될 것이다.

③ 정수장 및 하수처리시설의 운영관리에 자동화설비를 도입함으로써 인력과 관리비용을 크게 절감할 수 있으며

④ 지역을 대표하는 하수처리시설에 공동 활용이 가능한 시설물, 인력 및 실험

장비 등을 확보하여 활용하고

⑤ 소규모처리시설은 무인운전 또는 순환관리방식에 의한 운영으로 인력 및 운영비의 절감을 기할 수 있을 것이다.

⑥ 하천수질 감시에 활용되는 수질환경 정책지원 시스템 및 환경종합정보 시스템과도 연계하여 운영함으로써 하천 및 호소의 수질이 악화될 경우 수처리시설(정수장 및 하수처리시설)의 처리효율을 제고하는 등 수질측정망 정보와 수처리시설의 운영정보를 함께 고려할 수 있는 시스템으로 구축할 것이다.

3) GIS 시스템 구축

상하수도 시설에 대한 GIS(Geographic Information System)를 구축하는 사업이다. 즉 수도관, 하수관거를 포함하여 기존의 상하수도 시설물에 대한 현황도를 작성하고 이에 관한 속성정보를 접목시켜 GIS시스템을 구축함으로써 효율적이고 과학적인 운영관리를 도모하고 자연적·인위적 파손에 의한 재해에 능동적으로 대처할 수 있도록 하는 사업이다. 아울러 누수경보 시스템을 도입함으로써 누수발생에 대한 신속한 탐지 및 보수로 지하수 오염과 수돗물 절약에도 기여할 것이다.

4) 지하수 수질관리 종합정보 시스템

전국 지하수 오염도를 제작하고 오염된 지하수의 거동 파악 및 복원 계획을 수립·추진토록 하며 지하수 정보망의 상호 연계운영을 통하여 환경친화적인 이용을 확대해 나갈 것이다.

4. 21세기와 물의 가치

생명의 근원이자 문명의 토대로서 '물'의 중요성은 아무리 강조해도 지나침이 없을 것이다.

1) 인류 역사상 최고의 문명을 이룩한 지금 전 세계적인 물 부족 현상이 문명의 지속적인 발전, 나아가 존립 자체를 위협하고 있다.
2) 20세기 국가 간 분쟁이 석유 때문이었다면, 21세기는 물 분쟁시대가 될 것이라는 경고를 충분히 인식한다.
3) 안심하고 마실 수 있는 '물'을 충분히 공급할 수 있는 기반과 역량을 갖추어 나가는 데 최선을 다해야 할 것이다.
4) 이 시점에서 우리나라가 정말 심각한 물 부족 국가인지 알아볼 필요가 있으며 불필요한 비용을 지불하는 일은 없어야 한다.
5) 우리의 현실(강우량, 강우 시기, 1인당 사용 가능 수량)을 정확히 파악하여 물공급과 수요 계획을 세워야 하며 부정확한 정보에 근거하여 국가 물공급의 비효율성을 초래하는 일은 없어야 한다.

92 | 상하수도에서 에너지 사용 평가도구(EUAT)란 무엇인가?

1. 정의

상하수도에서 에너지 사용 평가도구(EUAT)란 에너지 사용의 효율성을 평가하는 방법으로 LCM(Life Cycle Management)분석, LCA(Life Cycle Assessment)분석, LCC(Life Cycle Cost)분석, $LCCO_2$(Life Cycle CO_2)분석, LCE(Life Cycle Energy) 분석, MFA(Material Flow Analysis) 등이 있다.

2. 에너지 사용 평가도구의 필요성

1) 지구온난화에 따른 교토의정서가 발효됨에 따라 우리나라에서는 저탄소 녹색성장이라는 계획 아래 2020년 BAU(Business As Usual) 대비 30%의 온실가스 감축목표(Prime Minister's Office, 2012)를 달성하기 위한 정책들을 펼치고 있다.
2) 전 세계적으로 이슈화되고 있는 지구온난화의 관점에서 상하수도시설 분야에서도 설계 및 시공, 운전 시 온실가스 발생량, 에너지 자립화문제, 그에 대한 경제성을 평가할 필요성이 대두되어 다양한 에너지 사용 평가도구가 개발되고 있다.

3. 에너지 사용 평가도구와 친환경성

1) 상하수도시설은 수질, 대기, 폐기물의 3대 사후처리시설 중 하나로 인간생활의 최종산물을 자연으로 환원시키는 접점이라는 점에서 그 기능과 역할, 그리고 친환경성의 중요성이 강조되고 있다.
2) 상하수도시설의 경우 운영상 성능 위주의 시설 설치로 인하여 탄소배출 저감 등의 지구환경문제에 대한 고려는 미흡한 실정이다. 그러므로 상하수도시설의 계획에서부터 설계, 시공, 운영, 해체 및 개조 등의 전 단계에서 기능성, 경제성 및 환경성을 고려할 필요성이 있다.

4. 에너지 사용 평가도구의 종류

1) LCM(Life Cycle Management, 전 과정관리)분석

LCM은 제품의 환경적, 경제적, 기술적, 사회적 측면을 다루는 개념, 기술 및 그 진보과정과 관점을 통하여 지속적인 환경성 향상을 이루기 위해 조직된 기관 및 문서들의 통합체계이다.

2) LCA(Life Cycle Assessment)분석
LCM의 적용을 위한 수단으로 전 과정에 걸쳐 환경에 미치는 영향을 분석하는 것이다.

3) LCC(Life Cycle Cost)분석
LCM의 적용을 위한 수단으로 전 과정에 걸쳐 경제성에 미치는 영향을 분석하는 것이다.

4) $LCCO_2$(Life Cycle CO_2)분석
LCM의 적용을 위한 수단으로 전 과정에 걸쳐 CO_2 배출에 미치는 영향을 분석하는 것이다

5) LCE(Life Cycle Energy)분석
LCM의 적용을 위한 수단으로 전 과정에 걸쳐 에너지 사용에 미치는 영향을 분석하는 것이다.

6) MFA(Material Flow Analysis)
LCM의 적용을 위한 수단으로 전 과정에 걸쳐 재료(물질) 소비에 미치는 영향을 분석하는 것이다.

93 | 하수관거의 침입수/유입수(I/I : Infiltration/Inflow) 문제와 대책 하수관거 내 설치되는 유량계실의 현황, 문제점 및 개선방안을 설명하시오.

1. 개요

하수도는 국민의 환경권 보장에 있어서 반드시 필요한 중요 기반시설이다. 그러나 국내의 하수도시설은 오수 처리 중심의 하수관거 시스템과는 달리 우수배제 기능 위주의 우오수 배제시스템을 기반으로 하는 합류식 시스템에서 1980년대 중반부터 분류식을 위주로 하는 종말처리시설과 하수처리율에 치중한 나머지 상대적으로 하수관로에 대한 인식이 부족하여 결과적으로 하수관거 정비가 소홀해지고 I/I(침입수/유입수)가 증가하여 관로의 부하증가와 종말처리시설 비효율성의 원인이 되었다.

2. 침입수/유입수(Infiltration/Inflow)의 영향 및 조사의 필요성

1) 침입수/유입수(I/I)는 유량을 증가시켜 통수능을 저하시키고 심지어는 맨홀 밖으로 월류(SSOs : Sanitary Sewer Overflows)되어 침수지역을 발생시키며
2) 처리시설의 하수농도를 저하시켜 하수처리시설 효율을 크게 저하시키는 악영향을 준다. 한편, 누수는 지하수위가 하수관보다 낮게 내려갈 때 관거의 불량부위로부터 하수가 새어나오는 현상으로 주변 토양의 지하수를 오염시키는 원인이 된다.
3) 분류식 하수관거 체계에서 분뇨처리의 이중구조, 하수관거의 구조적 문제에 의한 I/I는 하수관거의 유지관리문제 등 많은 문제점을 도출시켰다. 따라서 이러한 문제점들을 정확히 파악하고 적절한 대책을 마련하기 위하여 대상 하수관거에 대한 침입수/유입수(Infiltration/Inflow)의 조사가 필수적인 사항이 되었다.

3. I/I 원인과 종류

1) 하수관거에 부실이 생기면 발생하는 침입수/유입수(I/I)의 원인은
   (1) 침입수(Infiltration)는 관에 파손이 생기거나, 관 이음부 불량, 연결관 접속 불량 등의 관거 부실을 통하여 관내로 주로 지하수가 침입하는 것이며
   (2) 유입수(Inflow)는 맨홀부의 봉합불량이나 우수받이, 지붕홈통, 지하실 배수구 등이 하수관거로 연결되어 관내로 우수, 지표수가 유입되는 것을 의미한다.

2) I/I 종류

(1) 침입수(Infiltration)

파손된 관, 연결부 또는 맨홀벽을 통하여 지하에서 하수관거로 유입되는 물

(2) 지속적 유입수(Steady Inflow)

지하실, 기초 배수구, 냉각수 배출, 샘이나 습지의 배수구 등에서 배출되는 물로 강우와 무관하게 지속적으로 유입되며, 침입수와 같이 인식되고 측정된다.

(3) 직접 유입수(Direct Inflow)

강우 유출수가 하수관거에 직접 연결된 형태로 거의 즉시 하수량을 증가시킨다. 발생원은 지붕물받이, 정원 및 마당의 배수구, 맨홀 뚜껑, 우수관거와 집수관거의 교차 연결부와 합류식 하수관거이다.

(4) 총 유입수(Total Inflow)

하수관거의 어느 지점에서 직접 유입수와 그 지점 상류에서의 유출수량, 양수장으로 우회 유량 등을 합한 값이다.

(5) 지연 유입수(Delayed Inflow)

하수관거를 통해 배출되기까지 여러 날 또는 그 이상이 필요한 우수를 말한다. 이것은 연못이 있는 지역에서 맨홀을 통하여 서서히 유입되는 지표수뿐만 아니라, 지하실 배수구에서 양수되는 물도 포함할 수 있다.

4. I/I 발생원인

1) 침입수(Infiltration)

(1) 관거 불량

① 연결관 : 접합 불량, 파손 및 균열 등

② 본관 : 이음부 이완 및 어긋남, 관 파손 및 균열, 맨홀접합부 불량 등

③ 맨홀 : 저부쇄굴, 파손 및 균열 등

(2) 지하수위 상승

관거 내부 결함의 크기, 결함의 개소수, 지하수의 유효수두, 투수계수 등 영향

(3) 상수관의 누수 등

(4) 맨홀 및 관거의 부식

2) 유입수(Inflow)

(1) 맨홀 불량
뚜껑파손, 슬래브 및 벽면 시공불량 등

(2) 배수설비 불량
- 배수관 : 접합불량, 파손 및 균열
- 오수받이 : 파손 및 균열, 뚜껑 파손 등

(3) 우 · 오수관 오접

5. 침입수/유입수 분석 흐름도

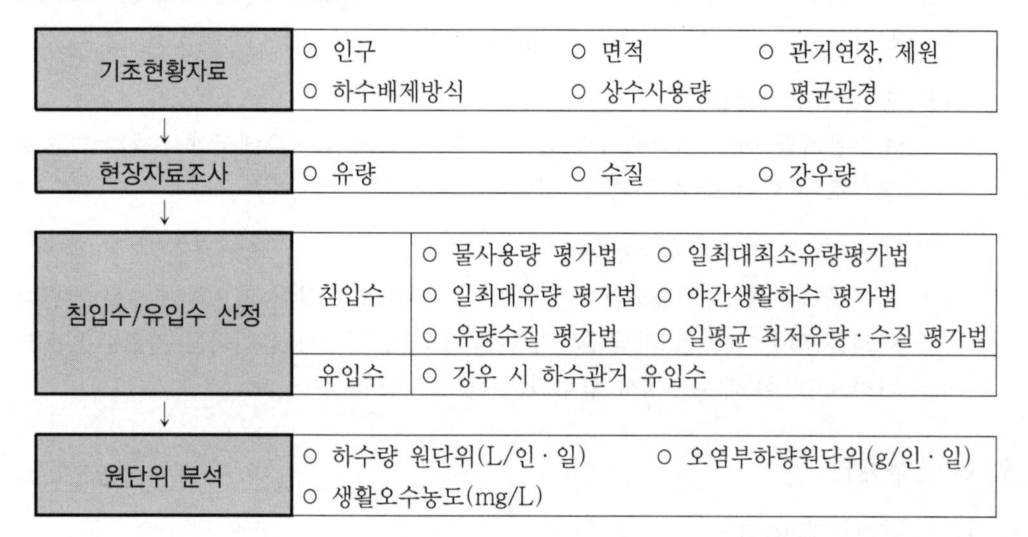

기초현황자료	○ 인구	○ 면적	○ 관거연장, 제원
	○ 하수배제방식	○ 상수사용량	○ 평균관경

↓

현장자료조사	○ 유량	○ 수질	○ 강우량

↓

침입수/유입수 산정			
	침입수	○ 물사용량 평가법	○ 일최대최소유량평가법
		○ 일최대유량 평가법	○ 야간생활하수 평가법
		○ 유량수질 평가법	○ 일평균 최저유량 · 수질 평가법
	유입수	○ 강우 시 하수관거 유입수	

↓

원단위 분석	○ 하수량 원단위(L/인 · 일)	○ 오염부하량원단위(g/인 · 일)
	○ 생활오수농도(mg/L)	

6. I/I 산정 및 분석방법

1) I/I 산정방법 중 물사용량 평가법 > 일최대최소유량 평가법 > 일최대유량 평가법 > 야간 생활하수 평가법 순이며, 보통 최종침입수량 계산은 (일최대최소유량 평가법 + 일최대유량 평가법)/2로 산정한다.

2) 침입수(Infiltration) 분석방법

(1) 물사용량 평가법(Water Use Evaluation)

① 분류식 하수관거에 배출되는 생활하수량을 추정하기 위하여 상수 급수량을 이용하여 오수 발생량을 계산하여 침입수량을 산정하는 방법

② 침입수량(m^3/일) = 건기평균유량(m^3/일) − 물사용량(m^3/일) × 오수전환율(%)

③ 침입수량 추정 : 유역면적에서 발생된 총유량 − (가정오수 + 산업 및 상업오수)

④ 통상적으로 물사용량은 월별 자료를 사용
⑤ 평균 오수관거에 이르는 비율 : 하절기 약 70%, 동절기 약 90%

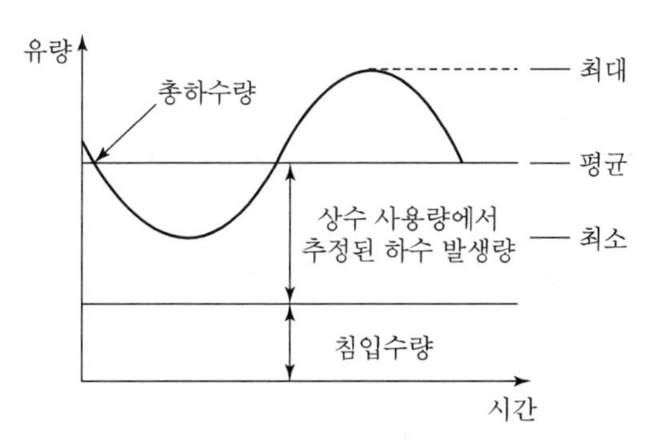

물사용량 평가법

(2) 일최대－최소유량 평가법(Maximum－Minimum Daily Flow)
① '침입수는 일중 항상 일정하다.'라는 이론을 기초로, 만일 강우가 없다면 일중 유량의 증가는 전적으로 생활하수 유량에 기인함을 전제로 추정하는 방법
② 침입수량(m³/일) $= \frac{1}{n}\sum_{i=1}^{n} Q_{\min - i}$

여기서, $Q_{\min - i}$ = 일최소유량(m³/일)

③ 산업폐수 유량은 일중 일정하다고 가정
④ 일최대와 최소 유량 사이의 변화량을 생활하수 유량으로 간주
⑤ 침입수 추정치 : 측정지점의 총 유량－(생활하수량＋산업폐수량)
⑥ 상기 과정은 연간 침입수 추정치를 얻기 위하여 월간 평균치를 구한다.

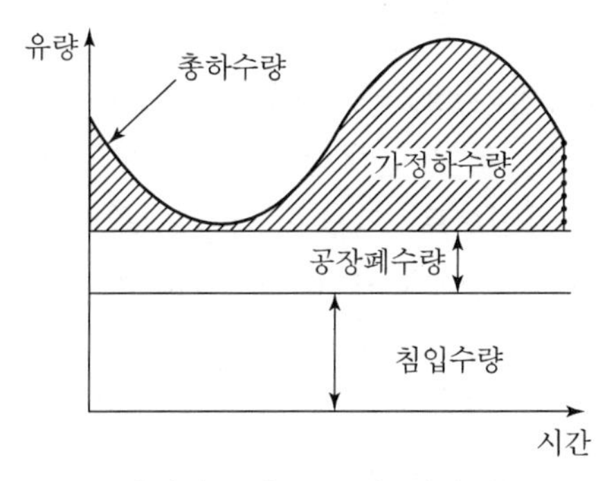

일최대－최소 유량 평가법

(3) 일최대 유량 평가법(Maximum Daily Flow Comparison)

① 침입수도 연중 계속 변화하는 것을 감안한 방법

$$침입수량(m^3/일) = \min Q_{max} - \min Q_{min}$$

여기서, $\min Q_{max}$: 일최소유량 중 최대값(m^3/일)

$\min Q_{min}$: 일최소유량 중 최소값(m^3/일)

② 측정지점의 유량자료를 이용하여 월간 최소유량의 평균이 아닌 월간 측정된 자료 중 가장 최소인 유량으로 그래프를 작성하는 방법

③ 만약 이들 그래프 포인트가 해당 년의 각 주별 또는 월별에 해당되는 자료라면, 이 그래프 곡선에서의 최대치와 최소치의 차이가 해당 년의 연간 침입수량이 됨

④ 곡선의 최대치는 지하수위가 높을 시기의 침입수량이며 최소치는 지하수위가 가장 낮을 때를 의미함

⑤ 지하수위가 낮을 때의 침입수량이 0에 가까울수록 본 추정방법은 좀 더 정확함

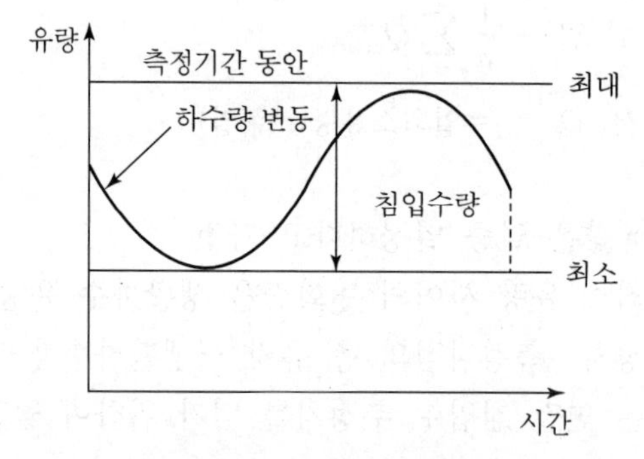

일최대 유량 평가법

(4) 야간 생활하수 평가법(Night-time Domestic Flow Evaluation)

① '침입수, 산업폐수 및 야간생활하수(NDF;Night-time Domestic Flow)는 일정하다.'라는 가정으로, 인구에 대한 일최대, 일최소 유량과 일평균유량과의 유량 예측 관계성에 근거하고 이들 관계성은 생활하수에 국한된다.

② 침입수량(m^3/일) $= \dfrac{1}{n}\sum_{i=1}^{n}(Q_{min-i} - Q_{ndf})$

여기서, Q_{min-i} : 일최소유량(m^3/일)

Q_{ndf} : 야간생활유량(m^3/일)

③ 신뢰도가 높은 방법으로 NDF는 총 최소유량에서 생활에 기인한 부분

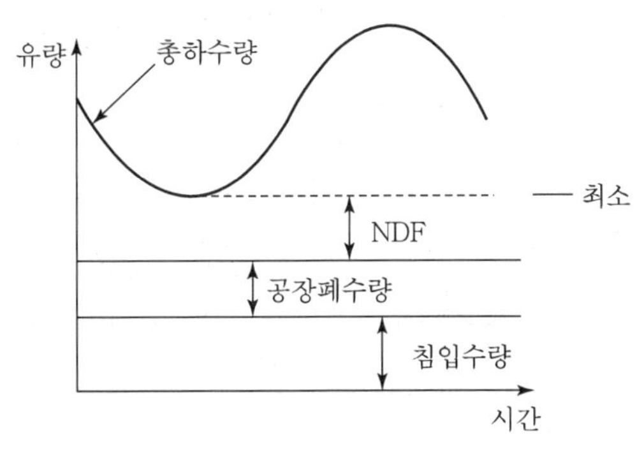

야간 생활하수 평가법

3) 유입수(Inflow) 분석방법

(1) 유입수량과 강우유발 침입수 분석방법

① 유입수량과 강우유발 침입수 분석방법은 강우 시 유량과 일반적인 건기 시 유량 간의 차이를 통해 산정하게 된다.

② 강우자료와 강우 시의 유량 데이터를 추출

③ 강우 전 건기 시 동일한 요일의 2~3일간의 유량데이터를 추출하여 건기 유량의 일반화

④ 산정된 강우 시와 건기 시 유량데이터를 중첩하여 강우 전 건기유량과 강우유량의 차감량을 적산 유입수량(Q_{INFW}) 및 강우유발 침입수량(Q_{RII})의 합으로 산정

(2) 분석방법 세부검토 내용

세부분석절차	검토내용
1. 강우자료에 의해 발생한 강우 시 유량에서 건기평균유량을 제하여 유입수량 산정 2. 유입수 누적량 산정 조사기간 중 발생한 강우에 대하여 발생한 유입수량 3. 평균유입수 산정기준 유입수누적량 ÷ 측정기간일수	1. 평균유입수 산정 시 조사기간일수(측정기간일수) 적용기준이 없음 • 전체 유량측정기간일수를 적용하는 방안 • 강우영향일수를 적용하는 방안 • 강우일수를 적용하는 방안 • 연중 Peak 시 유입수량을 적용하는 방안

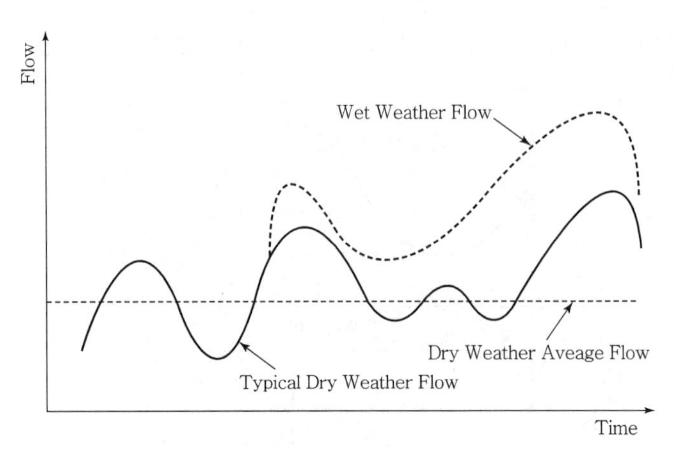

유입수 산정방법

7. 침입수 분석방법별 문제점

평가법	중요인자	문제점	해결방안
물사용량 평가법	• 일평균유량 • 물사용량	• 물사용량 산정 오차 • 오수전환율의 부정확 이론적으로 가장 정확한 방법이나 실제적으로 많은 오차를 발생하고 있음	• 지하수 사용량에 대한 표본조사로 오차발생 최소화 • 소방용수, 청소용수 등에 대한 통계 및 자료조사로 오차 최소화 • 도시화 정도에 따른 오수전환율 차등 적용
일최대-최소유량 평가법	• 일최소유량 • 상시발생 폐수량	• 처리구역 내 상시 폐수배출업소 및 발생량에 대한 상세조사 필요 • 야간생활하수 발생량이 반영되지 않음 • 도시지역에 적용 시 실제보다 과대산정	• 공장폐수량 상세조사 • 야간활동인구가 없는 지역(농촌 등)에 적용
일최대 유량 평가법	• 일최소유량	• 야간생활하수발생량 및 상시 폐수발생량이 반영되지 않음 • 실제보다 과대산정	• 야간활동인구 및 상시폐수발생 업체가 없는 지역에 적용
야간생활 하수 평가법	• 일최소유량 • 야간활동인구 • 상시발생 폐수량	• 미국 대도시에 대한 설계 기준값 • 국내 하수발생특성이 반영되지 않음	• 미국 대도시에 대한 설계 기준값 • 국내 하수발생특성이 반영되지 않음

8. I/I 유지관리의 필요성

하수관거의 관리 소홀은 I/I 발생과 이로 인한 통수능력 저하, 하수처리장 효율 저하, 토양오염과 인근 환경오염 등으로 직결되며 장기적으로는 상수를 오염시키는 요인으로 작용하므로 I/I에 대한 체계적인 방법과 장기적인 안목을 가지고 명확한 분석을 시행할 수 있는 시스템을 가지고 최적으로 유지관리되어야 한다.

9. 하수관거 유량측정 방법

I/I 분석을 위해서는 하수관거의 필요위치마다 유량계를 설치하여 유량을 계측하고 데이터를 저장 분석할 수 있는 시스템을 갖추어 관리함으로써 하수관거 내 오접, 파손, 노후 등의 원인으로 인한 침투수량과 누수량 등을 찾아낸다. 전자식, 초음파식 유량계는 위에서 언급한 조건들을 상당부분 충족하고 있으며 사용성과 경제성, 정밀성 등의 장점을 가지고 있어, 유량관거에 설치하여 하수관거 내 유량측정작업에 사용되고 있다.

10. 유량계실의 현황과 문제점

1) 유량계실이 관리자의 접근이 불편하고 지하수 침투로 침수되어 유지관리가 어렵다.
2) 주로 이용하는 전자식과 초음파식의 특성상 만수상태를 만들기 위해 관로를 인위적으로 조작하여 만수상태를 만들고 이 부분에서 정체에 의한 슬러지 퇴적 등 문제 발생
3) 하수 특성상 슬러지 퇴적 등으로 계측부가 오염되어 유량 측정치의 신뢰성이 부족하다.
4) 유량계 부위에서 야간 등에 거의 정체 상태로 저유량에 의한(전자식, 초음파식에서 1m/s 이하인 경우 정밀도 저하) 에러 발생이 잦으며 관로 여건과 하수 특성에 알맞은 최적의 유량계가 적은 편이다.
5) 하수 이물질에 의한 오염을 주기적으로 청소해야 하는 인력 투입의 문제
6) 전반적으로 원격 계측의 편리성이 목표한대로 이루어지지 않는 편이다.
7) 정밀한 I/I 분석을 위해서는 많은 수의 유량계를 설치해야 하며 충분한 검토 없이 무분별한 유량계와 I/I 분석 프로그램 적용으로 경제적 낭비 요인이 된다.

11. I/I 분석 현황과 문제점

1) 우기 시 또는 건기 시에도 하수관거의 불량으로 인한 I/I의 영향으로 하수처리장으로 최종 유입되는 하수의 수질이 불량하여 하수처리장의 효율과 운영, 유지관리 등에 많은 문제점을 가져왔다.
2) 이런 문제를 해결하고자 하는 노력으로 하수관거정비가 가장 적절하고 시급하다는 판단 아래 하수관거의 정확한 문제점과 우선정비 구역 선정을 위한 관거 내 침입수/유입수(Infiltration/Inflow) 조사방법의 적용이 시도되고 있다.
3) 최근 들어 이러한 하수도 시설을 효율적으로 관리 및 개선하기 위해 대도시를 중심으로 관거조사와 정비사업이 활발히 시행되고 있다. 그러나, 사업효과를 검증하거나 관로의 유지관리를 위하여 국내 실정에 맞지 않는 외국하수관망 흐름 해석 프로그램을 그대로 사용하고 있고 정확한 해석이 이루어지지 않고 있어 효율적인

유지관리가 어렵다.

4) 이와 같은 문제점을 해결하기 위하여 하수관망해석이나 하수관망 정비 시 필요한 불명수 산정이 가능하고 국내 실정에 맞는 프로그램 개발이 시급한 실정이며, 아울러 프로그램을 효율적으로 운영하고 관리하는 제어관리 기술을 개발 보급해야 한다.

12. 향후 추진방향

1) 하수처리장의 유입하수량 증가 원인인 I/I 유입방지는 하수관거 전반에 걸친 상세조사(CCTV, 육안조사) 후 장기적인 계획에 의해 전체적인 개·보수를 시행하는 방안이 효과적이며

2) 우수받이, 지붕홈통, 지하실 배수구 등 우수, 지표수가 유입되거나 하천수 및 농업용수 유입지점 등 지역상황에 따라서 별도의 정비만으로도 유입수량 저감효과가 크므로 I/I 저감 시스템 도입에 우선하여 하수관거 개선대책을 모색하고 하수관거 정비사업 시행 시 관거정비를 우선 적용해야 할 것으로 판단된다.

94 | RDII(Rainfall Derived Infiltration Inflow)를 설명하시오.

1. 정의

RDII(Rainfall-Derived Infiltration and Inflow)란 강우로 인하여 발생하는 침입수(Infiltration)와 유입수(Inflow)를 말한다.

2. RDII의 SSOs영향

RDII는 강우량 및 강우빈도와 밀접한 연관이 있으며 하수관로 용량 부족문제와 분류식 하수관로시스템에서 발생한 월류수인 SSOs(Sanitary Sewer Overflows)문제를 유발하는 중요한 원인으로 밝혀지고 있다.

3. RDII의 측정 방법

강우 시 발생하는 RDII유량을 측정하는 것은 어려운 문제이며 다양한 예측프로그램들이 개발되어 적용되고 있다. RDII의 예측방법은 일정 강우량 비율방법(Constant Unit Rate Method), 하천유량 비율방법(Percentage of Streamflow Method), 합성 단위 유량도방법(The Synthetic Unit Hydrograph Method), 확률방법(Probabilistic Method), 강우 및 하수량 회귀분석방법(Rainfall/Sewer Flow Regression Method), 합성 하천유량 회귀분석방법(The Synthetic Streamflow Regression Method)의 6가지로 분류한다.

4. RTK방법

하수관로에서 사용되는 대표적인 RTK방법은 SSOs 발생을 예측하고 분석하기 위한 툴로 단위강우량에 대한 3개의 중첩된 삼각형을 통해 단위유량도를 표현하여 단일 강우에 대한 유량도를 중첩하는 방법이다.

5. 회귀분석방법

통계적인 기법을 적용하는 방법인 회귀분석방법은 기존 단위수문방법에 다중회귀분석을 사용하여 RDII량을 산정하는 방법이다. 단순한 삼각형의 중첩으로 단위수문을 표현하여 교정을 통해 모델을 구축하는 RTK방법과 달리 강우와 RDII 유량 간의 선형 프로그래밍 혹은 다중회귀분석을 통하여 회귀방정식을 도출하는 방법이다.

95 | 하수관로에 포함되는 지하수량에 대하여 설명하시오.

1. 정의

하수관로에 포함되는 지하수량은 침입수(Infiltration)라 하며 지하수위에 따라 유입량이 달라진다.

2. 침입수(Infiltration)의 종류

침입수는 건기 시 지하수위에 따라 유입되는 경우와 강우 시 지하수위의 상승으로 유입되는 경우로 나누어진다.

1) 건기 지하수 침입수(Groundwater Infiltration)
건기 시 지하수위가 관거 보다 높은 위치에 있을 때 관거부실을 통하여 침투되는 유량으로서 지표수나 강우유출수가 토양에 여과되어 침투하게 되므로 처리장유입수의 유기물질(BOD)의 농도가 매우 저농도로 처리효율을 떨어뜨린다.

2) 강우침입수(Rainfall Induced Infiltration)
강우 시 강우유출수의 토양 침투 및 지하수위의 상승으로 인해 관거보다 높은 수위가 될 때 관거부실을 통하여 침투되는 유량으로서, 강우유입수와 동일시되어 평가 시 혼돈을 일으키기도 하지만 특성상 엄연히 구분되는 침투수이다. 강우침입수는 강우유출수가 맨홀, 관거 또는 지관의 부실을 통하여 침투되는 유량이다. 오수관거에서 강우침투수의 발생에 영향을 주는 인자로는 관거의 노후화 정도, 관종류, 본관, 지관, 맨홀의 파손, 기후, 지리적 상황, 지하수위, 매설깊이 등이 있다.

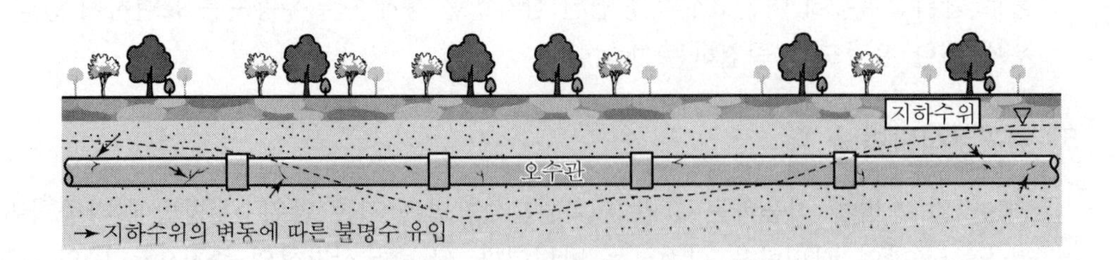

3. 불명수(I/I)

하수관거에 유입되는 불명수(I/I)는 유입수와 침입수로 나누어진다. 유입수는 강우 등의 원인으로 지표면에서 유입되는 것이고, 침입수는 지하수가 유입되는 것이다.

4. 불명수(I/I)의 조사방법

하수관거의 불명수(I/I)를 조사하기 위해서는 유량수질조사를 통해 분석되며 1~2개월 측정으로 해당지역을 대표하는 불명수(I/I)의 원인 파악에 대한 정확성이 떨어지므로 일정 기간 이상의 지속적인 조사, 불명수(I/I) 해석기법 및 지하수 유동모델링의 연계분석이 필요하다.

지하수위 상승시기와 안정시기의 구분을 토대로 건기 시 지속적으로 유입되고 있는 상시침입수와 강우 시 맨홀이나 우수받이 등을 통해 관망으로 흘러 들어온 강우유입수, 강우 후 지하수위 상승에 따른 지하수침입수를 구분 산정하여 계절별 하수관로 불명수(I/I) 원인자료분석이 필요하다.

5. 불명수(I/I)의 대책

하수도 설계용량에는 전체 수용량의 일부분이 되는 부분적 불명수(I/I) 수용량(파손된 파이프와 접합부 또는 관거의 교차지점, 불량맨홀, 침수된 맨홀을 통해 하수로 들어오는 수량)이 포함되어야 한다. 이와 같은 불명수(I/I)를 통제하기 위해서는 설계, 시공의 품질관리가 필요하고 적합한 규제법령도 매우 중요하다.

96 | 상하수도 서비스 평가기준 개발사업의 필요성을 설명하시오.

1. 서비스 평가기준 개발 필요성

상하수도서비스에 대한 평가지표를 개발하여 단위사업에 적용함으로써 투자 우선순위 결정 등 국내 상하수도 사업자의 제한된 재정투자 범위 안에서 경쟁력을 높이고 향후 상하수도서비스 국제표준(ISO 24511, 24512)에 능동적으로 대응하기 위해 상하수도 서비스 평가지표를 개발함

2. 상하수도 서비스 평가기준 필요성

최근 국제연합 에서는 2015년까지 상하수도서비스 공급을 받지 못하는 전 세계 인구를 현재 수준의 반으로 줄이는 것을 목표로 설정하였다.
이러한 목표를 달성하기 위해서 각국에서는 부족한 시설에 대한 확충과 기존 운영체계의 검토를 실시하게 되었고, 이 과정에서 현재 상하수도 서비스에 대한 평가가 필요하게 되었다.

3. 상하수도 서비스 평가지표 개발사업의 진행상황

현재 ISO/TC224(상하수도서비스 국제표준화)가 2007년에 발효되는 것을 목표로 진행 중에 있으며, 사업자의 서비스수준을 평가하기 위한 성과지표(PI)의 운영을 표준화 과정에서 언급하고 있다. 국내에서도 이에 대응하기 위해 평가지표를 개발하였으며(상수도 124개, 하수도 120개) 개발된 지표의 실효성을 파악하기 위해 국내 20개(상수도 10개, 하수도 10개) 상하수도사업자에 시범적용을 실시하여 평가프로그램을 개발하였다.

4 평가지표를 활용한 투자우선순위 결정

사업자의 상수도서비스 수준을 평가하기 위해 전국단위의 수도사업자에 대해 일부 평가지표값을 기준으로 백분위수를 작성하여 선정한 평가지표 대하여 상수도 통계 자료를 이용하여 평가지표 값을 산정하였다.

5. 평가지표항목의 분류(상수도 예)

1) 인력

기술직원율(%), 내부교육연수시간(hr), 외부교육연수시간, 공상률 등

2) 시설
시설최대가동률(%), 배수지용량(hr), 배수지 청소 실시율, 밸브설치밀도(개/km), 관로점검률, 관로사고비율(건/100km), 급수관의 사고비율, 관로의 교체율, 관로신설율 등

3) 운영
급수보급률, 유수율, 수질기준 부적합률, 수원여유율, 원수유효이용률 등

4) 서비스질
수도서비스 민원율, 수질에 대한 민원비율, 모니터비율 등

5) 재정
유동비율, 자기자본 구성비율, 고정자산 회전율, 공급단가(원/m^3) 등

6) 환경
정수슬러지의 유효이용률, 생산량 $1m^3$당 전력사용량(kWh/m^3), 재생가능 에너지 이용률, 생산량 $1m^3$당 이산화탄소 배출량 등

6. 상하수도 서비스 수준 평가결과

1) 상수도분야는 특·광역시 및 시 단위는 재정부분이 높게 평가되었으나, 기타 부분은 낮아 대체적으로 서비스 수준 향상을 위한 노력이 필요하며, 군의 경우 환경, 재정, 서비스 질 부분에서 높게 평가됨
2) 사업자 간 서비스 수준의 차이가 비슷한 일본에 비해 국내 사업자의 경우 많은 편차를 보여 상수도서비스 수준 향상을 위한 지속적인 재원투자 및 노력이 필요한 것으로 판단됨
3) 하수도분야는 일본에 비해 특·광역시는 시설, 재정부분에서 높게 평가되었으나, 인력, 운영, 환경, 서비스 질 부분에서는 낮게 평가되어 이에 대한 지속적인 투자 및 개선이 필요한 것으로 판단됨

7. 평가지표의 활용방안

작성된 평가표값을 기준으로 통계기법을 활용하여 사업자 간의 비교·분석을 통해 서비스 향상을 위한 투자 우선순위 결정, 사업자 간의 벤치마킹 등이 가능할 것으로 판단됨

예) 급수보급률과 직원 1인당 급수인구수가 적으나 민원율이 높은 경우
- 분석결과 : 시설에 대한 인프라 투자가 되지 않은 상태에서 근무인력을 효율적으로 활용하지 못함
- 해결방안 : 급수보급률 향상을 위한 인프라 확대에 투자를 집중함으로써 민원발생 및 직원의 근무효율성 저하를 극복

8. 향후 추진 방향

위에서와 같이 평가지표를 시범 적용한 사업자에 대하여 서비스 성능향상을 위하여 평가지표값을 기준으로 하여 사분위수 분석을 실시한다.

1) 현재 우리나라의 상수도와 관련한 유일한 통계자료인 환경부 발행 상하수도 통계의 경우 관리되고 있는 통계 자료가 단순하여 수도사업자의 서비스 수준을 파악하는 데 한계가 있다.
2) 향후 상하수도 사업자에 대한 성능평가를 위해서는 전국단위의 통계자료 관리가 필요하며 이를 위해 상하수도 통계의 합리적인 개선이 필요하다.
3) 또한 합리적인 서비스 평가지표를 활용하여 투자 우선순위 결정 등을 통하여 상하수도 서비스의 질을 향상시켜 나가야 하겠다.

97 | 지하수 오염의 문제점(구제역)과 복원기술 방법에 대하여 설명하시오.

1. 개요

최근 구제역 등 전염병의 확산으로 가축 살처분과 비위생적 매몰로 인하여 지하수가 오염되고 있어 이에 대한 안정적인 매몰처분과 지하수 오염방지, 오염된 지하수의 복원기술이 요구되고 있다.

2. 지하수의 오염원인

구제역 등 가축 질병에 대한 체계적인 대처기술과 매뉴얼 미비로 졸속 매몰로 인하여 바이러스성 지하수 오염 및 토양오염이 발생하고 있다. 특히 매몰지 선정 시 지하수위 검토미비 및 강우 시 안정성 검토 미비와 급조된 매몰로 인하여 위생적인 매몰이 곤란하다.

3. 가축매몰에 따른 지하수 오염의 문제점

1) 지하수 오염은 광범위한 공유 수역대의 오염과 수원오염으로 이어진다.
2) 한번 오염된 지하수는 회복에 장시간이 요구된다.
3) 구제역 바이러스오염은 생물학적 오염으로 전파속도와 피해 정도가 크다.
4) 바이러스성오염은 토양오염으로 이어진다.
5) 지하수오염은 기저유출에 의한 지표수오염과 상수원오염으로 확산된다.

4. 구제역 방재시스템의 핵심기술

방재시스템의 핵심기술로는 가축 매몰지 오염 저감·처리기술, 화학제재를 활용한 가축 사체의 조기 소멸화 기술, 구제역 조기·고감도 진단법, IT기술을 이용한 조기 증상감지기술, 농장 출입차량·인력·가축·물품 통합관리 및 추적시스템, 구제역 전파예측모델, 항만검역 시스템, 구제역 사후관리 기술, 매몰지 선정·관리시스템, 분뇨·오염물 치리기술 등을 들 수 있다.

5. 지하수 오염 복원기술

구제역 바이러스는 근본적인 제거법이 완성되지 못한 상태로 오염된 지하수의 효율적인 처리법의 연구가 필요하며 일반적인 처리법은 다음과 같다.

1) 유입수 차단공법

일반적으로 침출수 유출 가능성이 있는 하천 인근의 매몰지는 차수벽을 설치해 지표수·지하수 오염을 방지하고 저류지역에 조성된 매몰지는 빗물배체·지표수 유입차단을 위해 배수로 및 차수막 등을 설치한다. 차수공법은 매몰지의 규모와 성토상태, 성토부의 침하 등을 고려해 선정하며, 비용이 저렴하고 시공이 용이한 차수공법으로 선정해 가배수로(플륨관 매설, 자연터파기 등) 및 우수저류조의 설치와 병행할 수 있다.

2) 매몰지 악취저감 공법

매몰지에서 악취를 유발하는 물질은 황화수소, 메틸메르캅탄, 암모니아, 유기산류 등이며, 이를 제거하는 방법으로는 활성탄 활용가스 배출관 저감방식과 유용미생물 활용 매몰지 표면 저감방식 등이 있다.

(1) 가스배출관 저감방식은 가스배출관 내부에 활성탄을 충진해 악취물질을 흡착하는 방식이며,
(2) 매몰지 표면 저감방식은 유용미생물을 살포해 악취물질을 흡착분해해 황화합물은 90% 이상, 암모니아는 70% 이상 제거할 수 있다.

3) 매몰지 구조안정화 공법

매몰지는 트랜치 형태의 좁고 깊게 파낸 구조이며, 원지반 굴착수 폐사체, 생석회, 톱밥 및 침출(오)수가 함께 매립된다. 매몰 후 폐사체가 분해되고 토압에 의해 압출시 매몰지 내부가 연약화돼 지반에서 발생하는 마찰저항 등을 기대할 수 없는 상태다. 이를 구조적으로 보강하려면 차폐공법과 비탈면 안정화공법을 현장상황에 적절히 적용해야 한다.

4) 침출수 추출·처리공법

침출(오)수는 매몰지에서 발생해 유출 시 토양·지하수의 오염을 유발하며, 대장균, 장 바이러스 등의 병원성 매생물과 매몰지에서 기생하는 토양 미생물 등이 존재하고 고농도의 암모니아(200ppm)와 유기물(CODcr = 1,000 ~ 10,000ppm)을 포함한다.

(1) 일반적으로 침출(오)수는 추출 후 수소이온농도를 5 이하의 산성 또는 10 이상의 알칼리성으로 조절해 살균처리 후 밀폐형 탱크가 탑재된 차량으로 수집·소독 후 축산분뇨처리장 혹은 하수처리장으로 이송·처리해야 한다.

(2) 침출수를 추출 후 장거리 이동이 요구될 때는 구제역 바이러스 및 오염물 확산을 최소화하기 위해 추출·소독 후 현장에서 이동형 침출수 처리장치를 운영할 수 있다.

(3) 일반적인 이동형 침출수 처리장치로는 강화 중공사 침지형 분리막공정, 상향류식 혐기성 오니 블랭킷 공정(UASB) 등을 적용할 수 있다.

5) 오염된 토양·지하수의 정화공법

침출수 유입으로 오염된 지하수의 흐름을 제한하고 오염물질 확산을 막으려면 차수벽(시트 파일, 그라우팅 등)을 설치해야 하며 오염된 지하수를 정화하기 위한 양수·수처리·재주입도 실시해야 한다.

6. 토양오염 복원기술

1) 생분해법

지중 박테리아 이용 오염물질 제거

$$OC + O_2 + NPK \rightarrow CO_2 + H_2O + MOs$$

O_2 공급, NPK(영양) 공급 필요

2) 증기 추출법

생공기를 지표면에 주입 → 지중에서 진공흡입 → 증기추출 → 처리(주로 휘발성 물질 제거)

3) 토양 수세법

세척 용액 주입 → 지중 배수관 배수 → 처리 → 순환

4) 수압 & 공기 파쇄 공법

효과 증대 위해 병용

5) 전자기적 방법

7. 폐사축 매몰지 통합관리시스템과 친 생태적 처리의 필요성

지하수·토양 오염은 그 파급효과가 크고 지속적이므로 원인 차단이 최선책이며 오염된 지하수 복원기술은 환경 친화적이고 지속 가능한 기법으로 생분해 방식을 위주로 한 다양한 병용방식이 적용되어야 하며 폐사축 매몰지 통합관리시스템은 구제역 매몰지의 체계적 관리를 위해 부처별 관련 정보를 통합한 매몰지 종합 정보 지도시스템이 필요하다.

1) 시스템에는 매몰지 위치와 매몰가축종류, 두수 등 관련 정보와 매몰 이후에 발생한 사항, 사후조치 내용 등이 모두 등록되며 지하수 오염상태와 매몰지 상태를 센서로부터 실시간으로 감지, 분석해 폐사축 매몰지 상태를 모니터링할 수 있게 된다.
2) 각종 IT 및 센서 융·복합기술을 활용해 매몰지의 상황을 즉시 판단해 대응조치에 나설 수 있고 이를 통해 2차적인 환경오염 피해 확산을 막고 예방하는 데 높은 효과를 낼 수 있을 것으로 기대한다.
3) 환경 및 에너지의 관점에서 보면 기존축산단지는 축산폐기물 처리에 고비용이 수반되는 비효율적 생산구조로 인해 생산성 악화를 초래하고 바이오매스로 활용이 가능한 축산분뇨 등을 소극적으로 처리해 토양, 하천 및 지하수 오염을 유발하고 있다.
4) 기존 축산단지에서 발생하는 문제들을 해결하기 위한 생태 축산단지 모델이 요구되며 생태 건축, 동물복지 개념을 도입한 위생적 축사, 축산폐기물을 에너지로 전환하는 자원·에너지 순환처리시스템, 탄소 및 폐기물 배출 제로의 생태적 생산시스템 등의 도입이 조속히 요구된다.

98 | 기술진단을 통한 정수장 운영효율 개선대책을 설명하시오.

1. 개요

국내 상수도시설 중 일반 상수도는 수자원공사가 관리하는 광역상수도와 지방자치단체가 관리하는 지방상수도로 대별되며, 특히 지방재정이 열악한 지방자치단체의 소규모 상수도는 시설이 노후되고 전문 인력이 부족하여 시설운용에 어려움을 겪고 있는 실정이다. 기술지원과 지자체 상수도의 운영관리 실무 지도와 시설보완을 통해 관리능력을 향상시키는 등 정수장 운영효율을 개선하여 깨끗하고 안전한 수돗물 공급이 필요하다.

2. 운영효율 개선을 위한 기술진단의 필요성

기술지원 또는 기술진단 없이 상수도시설을 운용하는 경우 기존 정수처리공정의 효율에 대한 정밀한 분석 없이 시설투자가 이루어져 투자효율이 저하될 우려가 있으며, 정수장별로 시설물, 수질, 운영관리 등에 관한 체계적인 자료수집·관리체제를 통하여 효율적인 정수장 운영이 이루어져야 한다.

3. 수도시설에 대한 기술진단의 구분

수도시설 기술진단은 정수장 기술진단과 상수도 관망 기술진단으로 구분되며 기술진단 항목은 아래와 같다.

1) 정수장 기술진단

수도법 제55조 2의 규정에서는 5년 주기의 정수장 기술진단을 의무화하고 있으며 정수장에 대한 기술진단은 취수지점부터 정수장까지의 취수시설·도수시설 및 정수시설과 그에 속하는 시설물을 대상으로 하는 기술진단이다.

(1) 일반기술진단(시설규모 5천 톤/일 미만)

① 시설 및 운영관리 현황조사

② 공정별, 시설별 기능진단 및 기능저하요인 분석

③ 각 공정 상호 간의 연계기능검토

④ 진단결과에 따른 개선방안

(2) 전문기술진단(시설규모 5천 톤/일 초과)

위 ①~④항 포함

⑤ 조직 및 경제성 분석을 통한 수도시설의 효율적인 운용관리방안 제시
⑥ 장래수요를 고려한 수량 및 수질관리의 개선계획 제시
⑦ 사업 우선순위 및 소요사업비 산출을 포함한 구체적 시설개선계획을 제시

2) 상수도관망에 대한 기술진단
정수장 이후의 송수시설 · 배수시설 및 배수관에 속하는 관과 그에 속하는 시설물을 대상으로 하는 기술진단으로

(1) 일반기술진단 : 군 단위 이하의 급수구역에 공급되는 상수도관망에 대한 기술진단
① 블록별로 상수도관망에 대한 현황 제시
② 일반기술진단의 평가지표별 결과 값 및 판정 등급
③ 불량 또는 심각한 상태로 판정된 블록에 대한 원인분석, 개선방안의 도출 및 개선조치의 시행 결과

(2) 전문기술진단 : 시 단위 이상의 급수구역에 공급되는 상수도관망에 대한 기술진단
위 ①~③항의 사항
④ 현장조사를 통한 수압의 직정성, 수량의 안정성, 수질의 안전성, 구조적 · 물리적 안전성, 비상시의 대응성에 대한 정밀하고 종합적인 진단
⑤ 구체적인 시설개선계획의 제시(사업 우선순위 및 소요 사업비 산출을 포함한다)

4. 정수장 주요공정의 진단 기술

1) 응집공정의 설계 및 운전방법에 대한 진단기술

(1) 응집공정에 대한 최적의 진단기법 도출을 위하여 제타전위 측정에 의한 분배수로 진단방법 도입, Particle Counter를 이용한 응집공정의 평가 검토, 수평류식 플록 형성지에서 최적 운전 방법(교반방향 및 교반속도) 결정
(2) 최적의 응집, 응결공정을 위한 국내 현실에 부합되는 응집침전지 진단기법과 진단양식을 마련

2) 침전공정의 설계 및 운전방법에 대한 진단기술

(1) 침전지 설계 및 운전방법의 적정여부 판단(침강실험)
(2) 침전지 내 흐름의 정상여부 핀단(Reynolds No., Froude No.)
(3) 수온/탁도/유속 분포, 밀도류의 속도 계산, 추적자 실험 및 월류위어별 침전지 내 수리학적 흐름 특성 평가지표에 의한 침전지 특성분석 실시

3) 여과공정의 설계 및 운전방법에 대한 진단기술

(1) 여과지 진단은 입자성 물질을 제거하는 최종단계로서의 여과지 기능이 올바르게 작동하고 있는가를 판단하는 데 목적이 있다.
(2) 여과지 기능 진단요소를 선정 분석하여 여과지 기능점검 및 운전목표치를 설정하고 여과지 진단요소의 점검사항들을 연결하여 기능저하를 추적하는 논리적 개념 정립

4) 소독공정의 설계 및 운전방법에 대한 진단기술

(1) 정수장 소독공정 진단을 위하여 분석한 국내 정수장 소독공정 현황은 전반적으로 미생물 소독에 취약한 구조를 가지고 있다.
(2) 소독 능력만을 강화하는 경우에는 소독부산물의 영향에 따른 위해성을 증가시키게 되므로 국내 소독부산물의 생성특성을 면밀히 분석하여 소독능을 강화하는 과학적 접근방법 채택
(3) 소독능 평가는 국내의 수질특성을 고려하여 가정된 연중 최악의 조건(pH 8.0, 0.5℃)에서 소독능 평가
(4) 소독특성에 따른 바이러스 불활성화 소독능 및 수질 특성별 THMs 생성정도 파악 및 소독부산물처리에 관한 합리적인 정책의 도입 필요

5) 자가진단기법 도입
정수장 자가진단기법은 각 정수장별로 담당 직원의 관점에서 문제점과 개선할 점을 찾아내는 것을 기본개념으로 하여 개별 특성에 알맞은 자가진단기법 개발

5. 정수장 운영효율 개선 대책

1) 미생물 관리강화를 위한 제도 개선
바이러스를 99.99% 제거하기 위하여 탁도를 4시간마다 1회 측정하여 평균값이 0.5NTU를 초과하지 않도록 하고, 소독능도 4시간마다 1회 측정하여 불활성화비가 항상 1이상이 되도록 정수공정을 관리

2) 정수장 안전관리 인증제 등 선진관리기법 도입
충분한 시설과 전문 인력을 확보하고 정수처리기준 등 수질기준에 적합하게 정수장을 운영하는 정수장에 대해서는 안전 인증을 부여함으로써 지자체의 장이 정수장 안전관리에 보다 관심을 가지도록 유도

3) 취약 정수장에 대한 기술지원 및 운영인력 교육 지속 추진
4) 전국 간이 상수도 실태조사 및 개선대책 수립

6. 기술진단을 통한 정수장 운영 방향

1) 정수장도 정기적으로 진단하여 현황을 파악하고 적절한 대응을 하지 않는다면 한 순간에 물 공급이 중단될 우려가 있으므로 정기적인 진단이 필요하다.
2) 관리자가 정수장 진단을 통하여 정수장의 현재 상황을 정확히 파악하여 개량 시에 투자의 우선순위를 정하고 정수장을 최적의 상태로 유지하여 시민들에게 만족할 만한 물을 안정적으로 공급할 수 있을 것이다.
3) 정수장 기술진단의 내실화를 위해 각종 제도의 지속적인 보완과 정수장의 운영효율을 향상시키기 위한 대책 추진으로 국민들에게 보다 안전하고 깨끗한 수돗물이 공급되도록 해야 한다.

99 | 지진발생 시 급수기능 확보를 위한 내진설계에 대하여 설명하시오.

1. 내진설계의 목적

상수도시설의 내진설계란 내진성능 확보에 필요한 최소 설계요건을 규정한 것으로서, 지진 시 상수도 시설의 급수기능을 최대한 확보하고, 시설의 지진피해가 중대한 2차 재해를 발생시킬 가능성을 최소화하는 것을 목적으로 한다.

2. 적용범위

1) 이 기준은 상수도시설기준에 의해 상수도시설을 신설하는 경우의 내진설계에 적용하며 상수도시설물 중 주요 구조물로서 지진에 따른 시설물 파괴 시 응급복구가 불가능하여 장기간 급수 중단을 초래할 수 있는 시설에 대해 우선 적용한다.
2) 기존시설의 정비와 내진성능 개선은 이 시설기준의 개념 및 원칙을 준수하는 범위 내에서 적절한 보완을 거쳐 별도의 시설기준을 작성하여 설계에 적용할 수 있다.
3) 이 시설기준에 규정되어 있지 않은 사항에 대해서는 환경부 및 해양수산부에서 재정한 관련 설계기준과 설계지침 등에 따른다.

3. 급수기능 확보를 위한 내진설계

상수도 시설물에 대한 내진설계는 기본적인 급수기능 확보를 원칙으로 수도시설의 중요한 구조물과 설비는 내진성이 우수한 재료를 사용하여 건설 및 설치하도록 한다. 수밀성 확보가 필요한 경우에는 신축성 있는 자재(예 : 연결부에는 내진조인트)를 사용하여 변위 흡수와 응력의 완화 효과를 높여야 한다. 중요시설의 다중화, 계통 간 상호연결, 관망의 블록화, 긴급차단 밸브의 설치 등으로 지진재해 시 단수시간과 범위를 최소화할 수 있도록 해야 한다.

4. 내진설계의 기본방침

1) 본 기준의 목적은 상수도시설의 내진성능 기준의 목적을 달성하기 위한 최소요건을 규정하는 데 있으며, 본 기준을 따르지 않더라도 상수도시설의 내진성능기준을 충족시킬 수 있는 창의력이 발휘된 보다 발전된 설계를 할 경우에는 이를 인정한다.
2) 지진 시 시설물이 보유해야 할 성능수준은 기능수행수준과 붕괴방지수준으로 구분할 수 있으나, 이 시설기준에서는 붕괴방지 수준에 대한 설계만을 고려한다.

3) 상수도시스템을 구성하는 개개 시설의 중요도, 지진에 의한 시설의 손상으로 초래될 수 있는 영향 범위를 고려하여 내진등급을 분류한다.
4) 시설물의 중요도와 성능목표를 고려하여 설계지진의 수준을 정하여야 하며, 설계지반운동은 지진운동의 불확실성과 부지고유특성이 잘 반영될 수 있어야 한다.
5) 지진에 의한 영향을 관련 시설기준에 근거하여 설계에 반영하여야 한다.
6) 지진 시 토압은 지상구조물, 송 · 배수관로, 암거, 공동구 등의 횡단면 설계와 안정계산, 배수탑, 저수탑 및 옹벽 등 부속구조물의 안정계산에 적용한다.
7) 물에 접하는 구조물은 지진 시 동수압과 수면동요의 영향을 필요에 따라 고려해야 한다.

5. 상수도시설물의 분류와 내진등급

1) 상수도 시설은 취수시설, 도수 및 송 · 배수시설, 정수 및 배출수 처리시설, 기계 및 전기설비, 기타 취수시설 내지 정수/배출수 처리시설의 기능상 필요한 부속구조물로 분류된다.
2) 상수도시설물의 내진등급은 내진 Ⅰ등급과 내진 Ⅱ등급으로 분류된다.
3) 상수도시설 중 상류에 위치하는 시설, 도수관로, 송 · 배수 간선시설로서 대체시설이 없는 경우, 중요시설과 연결된 급수관로, 복구 난이도가 높은 환경에 놓이는 시설, 지진재해 시 긴급대책 수립 거점시설, 중대한 2차 재해를 유발시킬 가능성이 있는 시설 등의 중요도가 높은 시설은 내진 Ⅰ등급으로 분류하고, 그 외는 내진 Ⅱ등급으로 하는 것을 원칙으로 한다.

내진등급별 시설분류

내진등급	상수도시설	비고
내진 Ⅰ등급	대체시설이 없는 송·배수 간선시설, 중요시설과 연결된 급수공급관로, 복구 난이도가 높은 환경에 놓이는 시설, 지진재해 시 긴급대처 거점시설, 중대한 2차 재해를 유발시킬 가능성이 있는 시설 등	
내진 Ⅱ등급	내진 Ⅰ등급 이외의 시설	

6. 지반조사

상수도시설물의 내진설계를 위해서는 통상적인 지반조사뿐만 아니라 지반의 동역학적 특성 파악을 위한 지반조사가 필요하다.

1) 지반조사는 기존자료의 수집 및 현지답사에 의해 지반의 성질을 파악하는 기본조사와 현장 및 실내시험을 실시하여 표층지반의 층상구조, 지하수위, 각 층의 역학적 성질 및 탄성파속도 등을 세밀히 평가하는 상세조사로 나누어진다.

2) 양호한 지반 위에 건설된 구조물의 피해는 비교적 경미하였다. 상수도시설의 건설 시 가급적 양호한 지반을 선택하는 것이 바람직하다. 내진 Ⅰ등급에 해당하는 취수·도수·저수시설, 정수장·배수지 및 송·배수간선 등의 기간 시설은 양호한 지반을 선택하여 건설하는 것이 중요하다.
3) 구조물에 작용하는 지진력은 동일한 지역에서도 지반의 종류 및 지형에 따라서 현저한 차이가 있으므로, 건설 부지의 지반 조사를 기초로 설계하여야 한다.
4) 지진 시 지반 변위, 액상화, 침하 및 부상에 대처해야 하는 시설에는 지반 변위를 흡수할 수 있는 구조 채택, 지반 개량 실시 등 적절한 대책이 필요하다.
5) 지반조사의 범위는 ⅰ) 기존 자료에 의한 조사, ⅱ) 일반적인 조사, ⅲ) 동역학적 지반조사로 나누어 생각할 수 있다. 우선 기존 자료를 수집하여 시설 부지의 개략적인 지반 상태를 파악한다.

7. 상수도시설 내진설계 시 지반의 액상화 검토

1) 액상화 검토의 필요성
액상화는 포화된 느슨한 사질토 지반이 지진의 반복응력에 의해 강도를 급격히 상실하여 마치 지반 전체가 액체와 같이 거동하는 현상을 말한다. 지반의 액상화는 지중 구조물의 부상이나 구조물의 침하 및 기울어지는 피해를 초래하므로 상수도 시설의 내진설계 시 중요한 인자이다.
2) 특히 매립지 등의 호안 인접지반 및 경사지반에서는 액상화된 지반이 수평으로 이동하는 현상, 즉 측방유동 현상이 생기고 구조물 기초 및 매설관로에 피해를 발생시킬 가능성이 있기 때문에 상수도시설의 내진성 검토에 있어서는 측방유동의 영향을 충분히 고려할 필요가 있다.
3) 상수도시설 매설관로의 내진설계 시에는 측방유동에 의한 지반 변위 또는 지반 변형의 고려가 필요하다.

8. 내진설계 시 고려할 하중

내진설계에서는 상시상태에서 고려되는 하중 외에 지진으로 인한 하중이 추가적으로 고려되어야 한다. 상수도시설의 내진설계에서는 일반적으로 고려되는 사하중, 활하중, 토압, 수압, 양압력 등의 하중 외에 다음과 같은 지진으로 인한 영향이 고려되어야 한다.

1) 지진 시의 지반 변위 또는 변형
2) 구조물의 자중과 적재하중 등으로 유발된 관성력
3) 지진 시 토압
4) 지진 시 동수압

5) 수면동요
6) 지진 시 지반의 액상화
7) 지질이나 지형이 급변하는 지반의 지진 시 이완 또는 붕괴

9. 기본적인 지진해석 및 설계방법

상수도시설물의 지진해석 및 내진설계는 해당되는 시설 및 설비(기초, 흙구조물 및 옹벽, 상수도 전용댐, 매설관로 및 수로터널, 암거, 공동구 및 수직갱, 상수도 관로 전용 교량, 대용량 저수조, 취수탑 및 지상수조, 펌프장, 건축물, 기계 및 전기설비 등)에 대해 시행하되, 시설물별로 합리적인 지진해석 및 설계방법이 적용되어야 한다. 지진해석 및 설계방법은 기본적으로 다음에 따라야 한다.

1) 지반을 통한 파의 방사조건이 적절히 반영된 수평 2축 방향 성분과 수직방향 성분이 고려되어야 한다.
2) 지진해석에 필요한 지반정수는 동적 하중조건에 적합한 값들이 선정되어야 하며, 특히 지반의 변형계수와 감쇠비는 발생 변형률 크기에 알맞게 선택되어야 한다.
3) 유체-구조물-지반의 상호작용 해석 시 구조물의 유연성과 지반의 변형성을 고려해야 한다. 단, 유체-구조물 상호작용이 경미할 경우에는 구조물을 강체로 가정하여 유도한 단순 유체모델을 사용할 수 있다.
4) 대상으로 하는 구조물 또는 배관의 구조적 특성과 지반조건에 따라 등가정적해석법, 응답변위법, 응답스펙트럼법, 동적해석법(시간영역해석, 주파수영역해석) 중 시설물별 관련기준에 적합한 방법을 사용한다.
   (1) 매설관로와 공동구 구조물과 같이 지중구조물로 그 내공부를 포함한 단위체적 중량이 주변 지반의 단위체적 중량과 비교하여 가벼운 경우에는 주변 지반에 발생하는 변위, 변형 등에 구조물의 지진 시 거동이 좌우되므로 응답변위법을 적용하는 것이 적절하다.
   (2) 지상구조물, 반지중구조물 중 상부가 개방된 구조물과 지중구조물이라 할지라도 구조물의 단위체적중량이 주변지반에 비해 크고 횡방향 변위가 전혀 허락되지 않는 구조물의 경우에는 등가정적해석법을 적용하는 것이 적절하다.
   (3) 동적해석법은 상세한 검토를 필요로 하는 경우나 구조조건, 지반조건이 복잡한 경우, 지반과 구조물의 상호작용을 고려하는 경우에 적용하는 것이 적절하다.
   (4) 매설관로, 수로터널, 지하공동구와 같이 종방향으로 길게 설치되는 선상구조물의 경우, 내진해석은 2차원 횡단면 해석을 원칙으로 하나, 지반상태가 급격히 변화하는 구간 통과 등의 경우에는 종방향에 대한 내진해석을 추가로 수행해야 한다.

5) 붕괴방지수준을 고려하기 때문에 지진응답은 비선형거동 특성을 고려할 수 있는 해석법에 의해서 해석하는 것을 기본으로 한다. 이 경우 보수성이 입증된 단순해석법 및 설계법이 사용될 수 있다.
6) 액상화 가능성 판단은 설계지진 가속도에 의해 지반에 발생하는 반복전단 응력과 액상화에 대한 지반의 강도를 기준으로 이루어져야 한다.

100 | 정수장 실시설계 도면 구성에 대하여 설명하시오.

1. 개요

설계도서란 목적하는 시설물 등을 건설하기 위한 도서로서 관련자가 시설물의 규모나 구조, 기기 등을 알 수 있고 공사비를 추정하며, 인허가를 받기위한 제출서류로서 발주나 상대방과 계약하기 위한 근거 자료로서 이용된다. 그러므로 설계도서는 모두가 이해할 수 있도록 정확하고 분명하고 합리적으로 규정된 기준에 따라 작성되어야 한다.

2. 설계도서의 종류

정수장을 완성하기 위해 필요한 모든 서류가 넓은 의미에서 설계도서에 해당하며 일반적으로 아래와 같다.

1) 공사시방서(일반 시방서, 특기시방서, 설계설명서) : 공사 방법을 제시
2) 설계도면(계통도, 상세도 등) : 목적물을 시각적으로 표현
3) 표준시방서 : 기본적이고 원칙적인 표준적인 시방서
4) 전문(특기)시방서 : 표준시방서 이외의 각 공종별 세부 시방서
5) 예산서(수량산출서, 단가조사서, 일위대가, 내역서, 공사원가계산서)
6) 승인된 상세시공도면
7) 관계법령의 유권해석
8) 감리자의 지시사항 등

3. 설계도면의 구성

1) 토목 도면
   (1) 전체 계획 평면도
   (2) 수위 관계도(수리 종단도, 동수경사선도)
   (3) 단면도(종단면. 횡단면)
   (4) 구조도, 상세도, 배근도
   (5) 구내 배관도(평면도, 종단도)
   (6) 기초공도, 부대공도

2) 건축 도면

(1) 건축 의장도(재료마감도, 배치도, 평면도, 단면도, 단면상세도, 입면도, 창호도 등)

(2) 건축 구조도(구조평면도, 골조입면도, 배근상세도 등)

(3) 건축기계설비도(위생 공기조화 소방 등 계통도, 배관평면도 등)

(4) 건축전기설비도(조명, 설비동력, 약전, 소방, 통신 등 계통도, 평면도 등)

3) 기계 도면

(1) 기기 목록표

(2) 처리 계통도(축척 없이 정수장 전체 계통을 기계 설비를 기준으로)

(3) 수위 관계도(수리 종단도, 동수경사선도)

(4) P&ID(축척 없이 기기와 배관 연계부분을 상세히 표현)

(5) 기기 배치 평면도 단면도

(6) 전체 배관 계통도

(7) 부분 상세도

4) 전기 도면

(1) 구내 일반 평면도

(2) 주회로 단선 결선도

(3) 계측기기 목록표

(4) 감시제어 시스템 계통도

(5) 기기 배치도 외형도

(6) 배선, 배관, 접지 계통도 등

101 | 하수도 BIM(Building Information Modeling) 필요성에 대하여 기술하시오.

1. BIM(Building Information Modeling)의 정의

BIM은 "건축, 토목, 플랜트를 포함한 건설 전 분야에서 시설물 객체의 물리적 혹은 기능적 특성을 위해서 시설물 수명주기 동안 의사결정을 하는데 신뢰할 수 있는 근거를 제공하는 디지털모델과 그의 작업을 위한 업무절차를 포함하여 지칭한다."라고 정의한다.

2. 하수도에 BIM 이용 필요성

BIM 기술은 설계부터 유지관리까지 모든 분야에 적용이 가능하지만 현장에서는 주로 설계 시 3D기술로 이용되는 경우가 많다. 하지만 하수도에서는 설계와 시공단계뿐만 아니라 운영단계에서 많은 비용을 소비하므로 운영의 효율성과 경제성 향상 등을 위하여 BIM 적용 필요성이 더욱 커진다. 따라서 하수도에서는 설계, 시공, 운영의 전 과정에 대한 최적의 BIM 프로세스를 개발·적용하여 하수도 전 과정에 대한 합리적인 운영이 되도록 해야 한다.

3. 공공하수도시설 운영관리 업무지침과 BIM

"공공하수도시설 운영관리 업무지침"과 현재 운영 중인 하수처리시설을 대상으로 BIM기술을 적용하는 연구가 진행되고 있으며 다음과 같은 업무지침의 결과를 검증하고 보충하는 데 의의가 있다.

1) 자산 모델링방법으로 시운전정보를 포함하여야 한다.
2) 하수처리시설 모델링은 표준규격(IFC)에 알맞게 구축되어야 한다.
3) 현재의 운영관리시스템에 적합하게 상호 호환되어야 한다.

4. BIM 기술과 3D, 4D, 5D, 6D

BIM 기술을 통해 건설의 실제 형상과 정보를 가지는 3차원 기반의 정보체계로의 변화와 함께 컴퓨터 데이터베이스 내에서 프로젝트에 포함된 모든 정보를 저장하고, 다양한 형태로 필요에 따라 정보를 표현할 수 있게 변화하고 있다.

1) BIM 4D
3D Modeling에서 시간의 개념을 추가했다. 시간경과에 따른 구조물의 진행상황을 가상으로 직접 확인할 수 있다.

2) BIM 5D
건설과정에서 건설활동 및 관련된 비용의 시간적 진행상황을 시각화할 수 있다.

3) BIM 6D
건축물의 수명주기관리를 할 수 있다.

5. BIM 기술의 활용

건설분야의 대표적인 적용기술로는 시각화, 물량산출(견적), 간섭체크, 도서산출에 주로 활용되고 있으며 3D 형상 정보에 시간속성 정보를 추가한 4D시뮬레이션이 활용되고 있다.

BIM 모델의 활용범위

구분	BIM 모델의 활용	내용
디자인	모델검토	시각적 검토, 간섭검토, 표준체크, 유효성 검토 등으로 분류하며 BIM모델을 통해 설계에 관한 정보 및 품질을 검토함
	데이터추출	알람표, 수량, 객체에 관한 지오메트리 정보 등을 추출하여 건물 정보에 대한 문서화 작업
	시각화	설계의도 파악 및 이해의 목적으로 투시도, 투상도, 동영상 등을 제작함
비용	도서생성	모델로부터 정확한 도면 자동생성, 각 분야별 모델로부터 도면 생성
공기	에너지분석	친환경건축물을 위한 초기 단계의 환경분석 및 냉난방설비, 조명, 음향, 설계 등에 활용
	구조분석	구조계획을 위한 구조분석에 활용
	견적	물량 및 수량산출을 통한 공사비용을 산정
	4D	가상공정 시뮬레이션을 통해 시공성 검토 실시

6. BIM 기술 활용추세

1) 최근 공공인프라(상하수도 등)의 건설과 정비에 있어서 BIM이 적극적으로 활용되고 있다.
2) IBM과 같은 대형 테크놀로지기업에 의해 인프라정비를 지원하기 위한 소프트웨어가 개발되고 있는데 공공사업자는 이들의 혁신적인 기술 도입을 통해 인프라건설의 효율적인 관리가 가능해지고 있다.
3) BIM 기술에 지리정보시스템 솔루션을 접목하여 제공하는 다양한 시스템을 이용함으로써 상하수도설비에서 각종 밸브류의 설치시기, 수리기록, 비용 등, 상하수도설비에 관한 막대한 양의 데이터를 일괄관리함으로써 유지관리가 쉽고 효율적으로 수행될 수 있다.

102 | 상하수도사업 발주방식의 종류와 기술제안서에 포함되어야 할 사항을 설명하시오.

1. 발주방식의 종류

1) 설계시공 분리발주
공개경쟁입찰[순수내역입찰, 최저가입찰, 적격심사(PQ)], 제한경쟁입찰, 특명 · 지명경쟁입찰 등

2) 설계시공 일괄발주

(1) 턴키방식
- 턴키Ⅰ : 입찰기본계획 + 입찰안내서 제시
- 턴키Ⅱ : 입찰기본계획 + 입찰안내서 + 기본설계 제시

(2) 기술제안 입찰방식
입찰기본계획 + 입찰안내서 + 기본설계 + 기술제안서 제시

2. 기술제안서에 포함되어야 할 사항

다음은 기술제안서에 포함되어야 할 사항으로 하수처리장을 예로 들었다.

1) 공정(공법) 개요

(1) 개발의 개요
(2) 공정의 원리 및 특징

2) 용량 및 수리계산

(1) 용량계산 결과
(2) 수리계산 결과

3) 공정 및 시설계획

(1) 공정계획
(2) 설계 · 운영인자 및 운전조건

4) 부하변동에 따른 처리수질

(1) 유입수질변동에 대한 보증범위 및 보증수질
(2) 기술제안공법에 의한 처리효율 및 처리수질
(3) 부하 및 수온변동에 대한 대응성 검토

5) 기술지원 및 유지관리계획

(1) 유지관리계획
(2) 공법보유사의 기술지원사항 및 공급설비

6) 기술인력 보유현황

7) 경영상태 및 국내외 공공·개인 하·폐수처리시설 공법적용 사례

(1) 경영상태 및 국내 적용실적 유무
(2) 공법적용 공공 및 개인 하·폐수처리시설별 수질상태 및 처리효율

8) 경제성 검토(LCC평가)

(1) 공사비
(2) 유지관리비
(3) 유지관리비 보증방안
(4) 에너지 사용량

9) 기타

103 | 물산업의 육성방안을 설명하시오.

1. 개요

물에 대한 기존의 인식을 바꾸는 패러다임의 전환이 필요하며 이러한 창조적인 관점과 자연과 조화하는 친환경적 측면에서 물에 관련한 산업을 계획하고 펼쳐 나가야 할 것이다.

2. 물에 대한 패러다임의 전환 필요

구분	과거 패러다임	새로운 패러다임
물에 대한 인식	공공서비스(공공재)	산업적 서비스(경제재)
수자원 환경	수량풍부, 수질안전	효율성 향상, 수질개선
관리 목표	재해방지, 용수공급, 수도인프라 확충	물순환의 건전성 확보 수도시설 효율적 관리, 질 좋은 서비스 공급
관리 단위	행정구역 중심	유역중심, 광역시설 단위
시장 변화	국내공급	국경초월
	시설설치 등 건설 중심	시설운영 서비스 중심

3. 수도산업의 세계적 추세

1) 기술진보 추세
   (1) 수도산업에 디지털 네트워크, IT/BT/NT 기술 활용
   (2) 수도기술 선진국이 세계 물시장 지배

2) 세계경제동향
   (1) 상하수도시장 개방 불가피, 경쟁력 강화 필수적
   (2) 중국, 인도 등 동남아에 대규모 상하수도시장 형성

3) 환경과 자원
   (1) 상수도 생산에 친환경성 정수 및 공급시스템 도입 필요
   (2) 이용 가능 수량 부족에 따른 수원 확보방안

4) 인구구조, 경영 및 소비여건 변화
  (1) 국내시장 성장한계
  (2) 고품질서비스 요구 증가, 소비자 참여 확대

5) 한국의 특수상황
  (1) 수도서비스의 지역적 불균형
  (2) 북한 수도발전에 기여 필요

4. 상하수도 분야의 주요 국제동향

1) 상하수도 사업의 민간참여 확대
  (1) 사업자의 민영화 및 광역화 등을 통한 물산업 경쟁력 강화
  (2) 민간기업에 의한 광역화 등으로 상하수도 서비스가 증가될 전망

2) 소수 국제적인 물 전문기업에 의한 시장영향력 확대
  (1) 소수 다국적 물 전문기업으로의 집중화 현상
  (2) 물 수요가 급증하고 있는 개도국 수도 시장에 투자 확대

3) 상하수도 서비스의 국제 표준화 및 개방화
  (1) ISO는 상하수도 서비스 국제표준화 추진
  (2) 국제표준이 제정되면, 국내외 사업자 간 서비스 품질에 대한 상호비교가 가능하게 되고 상대적으로 우위에 있는 선진 유럽연합은 상하수도 서비스를 WTO가 정하는 교역대상에 포함시킬 것으로 예상

5. 물산업 육성 방안

1) 정부 · 기업 · 소비자의 새로운 역할 분담
  (1) 운영효율 향상을 위해 상하수도 사업기능과 관리 · 감독 기능을 분리하고 정부와 민간의 역할 재조정 필요
  (2) 정보공개 및 참여를 통한 소비자 역할 확대와 서비스질 향상

2) 상하수도사업의 건전한 운영기반 강화
  (1) 최적의 관리범위 설정 및 운영의 효율성 개선
  (2) 공정경쟁의 여건 조성 및 제도정비
  (3) 상하수도 서비스 평가체계 구축

3) 국제적 투자환경에서 역량강화를 통한 해외시장 개척
  (1) 경쟁력 있는 분야의 지속적인 투자 및 연관산업 육성

(2) 담수화 설비 등 앞선 기술로 물산업의 해외진출역량 강화

6. 물산업 육성을 위한 과제

1) 상하수도 서비스업의 구조개편 추진
  (1) 현황 및 여건 : 국내 상하수도는 지자체와 공기업을 중심으로 분산운영
  (2) 개선방안 : 물 선순환을 바탕으로 한 수자원이용 및 관리의 효율성을 극대화하기 위하여 유역단위로 상하수도의 통합관리 추진

2) 지속적인 시설투자 및 제도개선
  (1) 현황 및 여건 : 상하수도 보급률에 비하여 지역 간의 편차가 심하고, 관망 노후화로 예산낭비
  (2) 개선방안 : 상하수도 분야 투자 확대, 물 선순환 이용을 촉진, 민간사업자의 투자 확대, 하수처리수 재이용, 빗물이용, 오염저감시설 사업 등 신규 물산업 수요창출

3) 핵심기술 고도화 및 우수인력 양성
  (1) 현황 및 여건 : 물산업은 환경 · 토목 · 전기 · 기계 IT, BT, NT 등 다양한 분야의 통합적인 전문 기술 필요, 현 기술수준은 선진국의 60~70% 정도
  (2) 개선방안 : 물산업 연구개발체계 선진화, 개발기술 및 정보시스템에 대한 실용화 확대, 우수인력 양성을 위한 교육 · 훈련시스템 강화

4) 물산업의 수출역량 강화
  (1) 현황 및 여건 : 물 분야 해외사업은 대부분 대규모 장기 프로젝트로 개별기업 차원의 해외진출은 곤란
  (2) 개선방안 : 물산업 해외 지원체계 구축, 통합정보망 구축

5) 물산업 연관산업 육성
  (1) 현황 및 여건 : 물산업이 경쟁력을 갖추기 위해서는 기자재, 계측기기, 엔지니어링 등 연관산업이 동반 성장되어야 한다.
  (2) 개선방안 : 물분야 엔지니어링, 기자재 및 계측기기 산업 육성, 먹는 샘물, 해양심층수의 조기 산업화 지원필요

6) 물산업 육성 기반 구축 추진방안
  (1) 물산업 육성정책의 법제화 「물산업육성법」 제정
  (2) 물산업 육성을 위한 기구 설치, 정보 · 통계관리 강화

104 | 국가물관리위원회에 대하여 설명하시오.

1. 정의

국가물관리위원회는 2018년도에 제정된 '물관리기본법'에 따라 국가물관리 기본계획과 물관련 중요 정책 · 현안을 심의 · 의결하고 물분쟁을 조정하는 등의 역할을 수행하는 위원회이다.

2. 구성

국가물관리위원회는 대통령 소속으로 설치되고, 관계중앙행정기관 및 공공기관의 장, 학계, 물관련 단체, 전문가 등 30인 이상 50인 이내로 구성한다. 또한 국가물관리위원회는 국무총리와 민간 1인을 공동위원장으로 하고 대통령이 위촉(2020년에 국가물관리위원회 1기 39인이 위촉)한다.

3. 국가물관리위원회 3개 분과

국가물관리위원회는 3개 분과위원회(계획, 물분쟁조정, 정책)로 구성하여 운영한다.

1) 계획 분과는 국가물관리 기본계획의 수립 · 변경, 유역계획 및 물관련 계획의 국가계획과의 부합 여부, 유역범위의 지정, 물관련 법령 제 · 개정사항의 검토를 맡는다.
2) 물분쟁조정 분과는 중앙행정기관이나 광역지방자치단체를 당사자로 하는 물분쟁, 둘 이상의 유역에 걸친 물분쟁, 유역 내에서 발생한 물분쟁 중 국가물관리위원회 위원장이 공익에 중대한 영향을 미칠 수 있다고 인정한 물분쟁사항 등을 검토한다.
3) 정책 분과는 국가 차원의 물관련 결정이나 조정이 필요한 정책 · 현안, 국가물관리 기본계획의 이행상황 및 물관리 전반에 대한 평가 등을 검토한다.

4. 국가물관리위원회의 역할

1) 국가물관리위원회는 지속 가능한 물관리체계의 확립을 위해 물관리의 기본이념 및 원칙, 국가 · 유역물관리위원회의 설치 등을 규정하였다.
2) 국가물관리위원회는 국가물관리 기본계획의 심의 · 의결, 물분쟁의 조정, 국가계획의 이행 여부 평가 등을 수행한다.

5. 유역물관리위원회

1) 국가물관리위원회 내에 유역물관리위원회를 두고 관계 시·도지사 및 공공기관 임직원, 학계, 물관련 단체, 전문가 등 30인 이상 50인 이내로 구성하며, 국가물관리위원회 위원장이 위촉한다.
2) 국가·유역물관리위원회는 공무원이 아닌 위원이 전체의 과반수가 되도록 하여 민간참여를 강화한다.

6. 국가물관리 기본계획과 유역물관리 종합계획

국가물관리 기본계획은 환경부장관이 국가물관리위원회 심의를 거쳐 10년마다 수립하도록 하며, 유역물관리 종합계획은 유역물관리위원회 위원장이 유역·국가물관리위원회의 심의를 거쳐 수립하도록 한다.

1) 국가물관리 기본계획의 주요 내용

(1) 국가 물관리정책의 기본목표 및 추진방향
(2) 가뭄·홍수 등 수재해 예방
(3) 물의 공급·이용·배분과 수자원의 개발·보전 및 중장기 수급전망
(4) 물분쟁조정의 원칙 및 기준 등

2) 유역물관리 종합계획의 주요 내용

(1) 유역의 물관련 여건변화 및 전망
(2) 유역 수자원의 공급·이용·배분
(3) 유역 물관리 비용추계와 재원조달방안 등

105 | 정수장에서 생산되는 물을 병에 담아 공급하는 경우를 병입수돗물이라 한다. 병입수돗물이 판매될 경우 이에 대한 장단점과 개선방안에 대하여 설명하시오.

1. 개요

병입수돗물이란 먹는샘물과 다르게 일반 정수장에서 정수처리한 수돗물을 상수도 배관을 통하여 공급하지 않고 병에 넣어 공급하는 것을 말한다. 최근에 이에 대한 수도법 개정안입법이 예고되어 있다.

2. 병입수돗물 생산현황

1) 현재 서울시, 수공 등 22개 수도사업자가 병입수돗물을 생산·공급 중이나 이를 관리하기 위한 법적·제도적 수단이 없는 상태임
2) 국내의 생산능력은 137톤/일, 275,690병/일이 생산되고 있으나
3) 행사·회의 홍보용(82%), 재난 및 미급수 지역(18%)에 무상 공급 중임('09)
4) 현재 병입수돗물에 대한 법적·제도적 수단이 미약하여 이에 대한 구체적인 제도적 장치를 준비하고 있으며 이는 물산업 육성과 밀접한 관계가 있다.

3. 병입수돗물 판매 시 장단점

1) 장점

(1) 수돗물 공급 활성화를 도모함으로써 일반시민들의 음용수 선택권 확대
(2) 수돗물의 우수성 홍보 및 비상시 대응능력 확보
(3) 수도배관 공급과정의 수질오염을 막고 신선한 물을 공급할 수 있다.

2) 단점

(1) 기존 수돗물(수도꼭지)에 대한 불신조장 : 병입수돗물이 상대적으로 좋은 물이라는 인식이 생김
(2) 물 민영화 및 공공성 훼손 : 병입수돗물은 자연히 민간기업이 출현하고 민영화가 가능해진다.
(3) 수돗물 이원화
(4) 안전성 우려 : 병입에 따른 용기 주입과 운반과정에서 오염우려

(5) 현재 지자체별 생산라인 및 유통기한 상이, 보존방법, 용기관리, 품질검사 등을 위한 기준 미설정으로 체계적 품질관리 곤란

(6) 유통기한 예 : 서울시 6개월, K-water · 대전시 3개월, 대구시 60일, 부산시 · 인천시 1개월

4. 병입수돗물에 대한 주체별 입장

1) 정부 주장

수도법 개정안에는 병입수돗물 판매는 지자체와 수자원공사만이 가능하도록 규정하고 있으며 수도사업 운영의 위탁과 병입수돗물 판매사업은 아무런 관계가 없다.

2) 시민단체측 주장

(1) 음료회사 병입수돗물 판매도 가능

이미 수도법에서 허용하고 있는 상수도 관리 운영에 대한 민간위탁을 통해 민간기업은 다양한 방식으로 수돗물 병입 판매에 나설 수 있다고 주장

(2) 음료회사 병입수돗물 판매도 가능

시민단체들은 수도법개정안에는 음료회사가 병입수돗물을 구입해 재판매하는 것도 가능하다고 한다.

(3) 현 개정안에 따르면 판매 대상은 정해져 있지 않으며, 포장 및 표기에 대해서는 환경부 장관령으로 정하게 되어 있다. 따라서 시행령에 따라서는 음료회사가 병입수돗물을 구입하여 재판매하는 것도 가능하다는 것이다.

(4) 결국 현재 공공재인 수돗물을 앞으로 민간 음료회사의 이윤 창출의 도구로 사용할 수 있다는 의미이다.

5. 병입수돗물 입법화에 따른 예상되는 문제점

1) 수돗물 불신만 가중

일반 수돗물과 다르게 병입수돗물은 일반 수돗물이 거치는 정수과정을 마친 후 한 번 더 활성탄을 이용한 고도정수 과정을 거치며, 소독 시에도 일반 수돗물과는 다른 특수 염소 화학처리를 하게 된다.

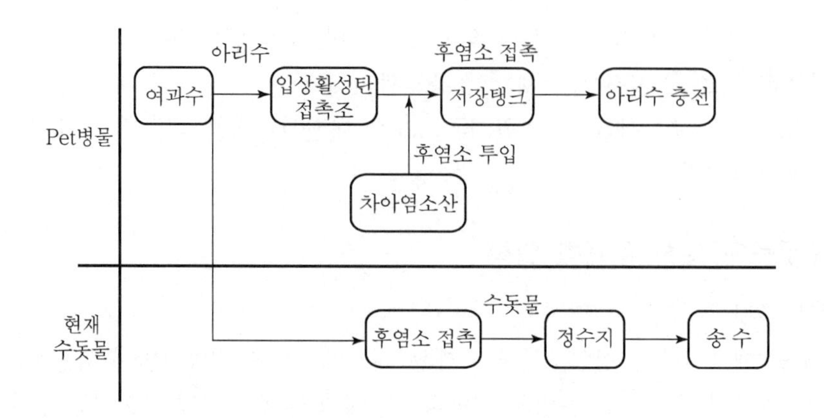

2) 수돗물 양극화

일반 수돗물에 문제가 인식된 이상 돈 있는 사람들은 일반 수돗물을 사용하는 대신 병입수돗물을 사용할 것이고, 결국 돈 없는 사람들은 일반 정수가 된 물을 사용하는 상황이 발생한다는 것이다.

3) 일반수도시설 빙치 가능성

제주지역에서 생산되는 삼다수가 하루 1,200톤, 서울시의 아리수가 22톤임을 감안할 때 서울시가 본격적으로 생수판매를 할 경우 대규모 시설증설이 불가피하고 생수에 가까운 병입수의 염소 잔류량을 더욱 낮추기 위해 추가 고도정수처리가 필요할 것이다.

4) 병입수돗물 판매는 수도요금 상승 불가피

수돗물 병입 판매는 시민들의 수돗물 이용비용 부담을 가져올 것이다. 현재 정부가 예상하는 병입수돗물의 판매가격은 일반 수돗물에 비해 약 238배가 비싸다.

5) 병입수돗물 안정성 - 발암물질 검출

현재 병입수돗물은 안정성이 확인되지 않았다. 생수와 달리 병입수돗물은 여러 화학약품처리 과정이 추가되는데 플라스틱 용기 반응 가능성이 이미 지적되었다.

6) 민간기업이 향후 수돗물을 이용해 좀 더 많은 수익을 올릴 수 있도록 허용하는 수돗물 민영화를 위한 사전포석이다. 즉, 상수도 민영화를 위한 정부의 또 다른 정책 중 하나이다.

6. 개선방안

1) 전문가들은 병입수돗물로 인해 발생되는 문제점들과 폐기물, 운반시설, 운반에 소요되는 비용을 생각하면 에너지 절약의 측면에서도 병입수돗물 판매는 바람직하지 않다고 말한다.
2) 공급주체(수도사업자), 인가조건(재처리금지 등), 품질관리(수질기준, 유통기한 설정, 용기 재질 및 관리, 품질검사 등), 수익금 활용처(수도사업에 재투자, 저소득층 수도요금 감면) 등을 명확히 할 필요가 있다.
3) 수돗물 이원화 및 안전성, 민간기업의 과도한 수익창출 논란 등에 대한 방지대책을 강구하면서 충분한 검토가 필요하다.

106 | 생태계(Ecosystem)의 평형에 대하여 기술하시오.

1. 개요

일정 지역 내에 있는 생물적 환경과 무생물적 환경의 종합적 집합체를 생태계(Ecosystem)라고 한다. 생태계는 생산자, 소비자, 분해자인 생물적 요소와 무기 환경인 무생물적 요소로 구성된다.

2. 생산자와 소비자, 분해자

식물이 대부분인 생산자는 태양에너지를 이용해 유기화합물을 만들고, 소비자는 생산자를 먹고 분해하는 과정에서 에너지를 얻어 생명활동에 사용하거나 열의 형태로 방출한다. 분해자는 유기물을 다시 간단한 무기화합물로 되돌리는 역할을 한다.

3. 독립영양물과 종속영양물

독립영양생물인 식물은 빛에너지를 화학에너지로 전환시키며, 종속영양생물인 동물은 식물을 먹고 유기화합물 형태로 이 화학에너지 일부를 얻는다. 세균이나 곰팡이 같은 다른 종속영양생물은 동식물의 사체를 분해해서 에너지를 얻는다.

4. 탄소와 질소의 순환

탄소나 질소 같은 화학원소는 물, 공기, 토양 같은 무생물과 생물 사이를 순환한다. 식물은 탄소(C)와 질소(N)를 무기물 형태에서 유기물($C_5H_7O_2N$ 등)로 고정시키며 그 일부는 동물이 소비한다. 분해자인 미생물은 이 원소를 대부분 무기물로 바꿔 토양과 대기로 환원시킨다. 이렇게 화학물질은 생태계 내에서 재순환되므로 화학적 순환이라고 한다.

5. 생태계의 평형

생태계의 평형은 생태계에서 생물 군집의 종류나 개체수가 전체적으로 안정된 상태를 유지하는 것을 말한다. 생태계의 평형을 유지하기 위해서는 안정적인 물질 순환과 원활한 에너지 흐름이 필요하다. 생태계의 평형 원리는 생산자와 소비자, 분해자의 먹이연쇄와 환경 요인이며, 안정된 생태계에서는 구성요소의 한 단계가 감소 또는 증가하면 관련된 다른 단계가 따라서 감소 또는 증가하여 결국 다시 평형상태를 유지한다.

6. 생태계의 파괴

각각의 생태계는 자신의 용량을 가지고 있으며 그 범위 안에서는 자정능력이라는 자기 조절능력을 가지나 이 자기 조절 능력에는 한계(환경용량)가 있으며 한계를 넘는 요인, 즉 인위적인 개발, 변형, 소비자와 생산자의 인위적 조작 등으로 생태계는 균형을 잃게 되며 결국 그 생태계 전체가 파괴된다. 한번 파괴된 생태계는 회복하는 데 엄청난 시간과 노력을 요구하며 파괴 시에 얻은 득보다 훨씬 큰 부담을 요구한다. 그러므로 생태계의 성질과 용량을 잘 파악하여 자연과 환경에 순응하고자 하는 태도가 필요하다.

107 | Carbon Footprint(탄소 발자국)

1. 정의

'탄소 발자국(Carbon Footprint)'은 어떤 활동이나 하나의 상품을 생산, 소비하는 데 직간접적으로 발생하는 이산화탄소의 총량을 말하는 것으로 결국 지구환경에 미치는 영향을 탄소 발생량으로 수치화하여 나타낸 것이다.

2. 탄소 발자국의 의미

우리가 땅을 걸을 때 발자국을 남기듯 지구상의 모든 활동은 에너지를 소비하고 이때 화석 연료를 사용한다면 탄소(CO_2)를 발생하며 이는 지구 환경에 또 하나의 발자국을 더 남기는 셈인데, 과도한 화석 연료의 사용은 지구온난화로 이상 기후 현상을 일으키고 있어서 최근에 지구온난화의 주범인 이산화탄소의 발생량을 줄이고자 탄소 발자국의 개념을 도입하고 계량화에 노력하고 있다.

3. 한국인의 탄소(CO_2) 발자국

한국인은 평균 1년에 3톤 정도의 탄소(CO_2)를 배출하는 것으로 알려져 있으며 지구촌에서 탄소(CO_2) 배출 상위국에 속한다.

4. 과도한 탄소(CO_2) 배출의 영향

전 세계적으로 따져 보면 현재 인류의 환경 발자국은 지구 생산 능력의 34%를 초과했다고 한다. 주변 생태계의 용량보다 훨씬 많은 부하를 배출하고 있는 것이다.
탄소의 과다한 소비(에너지 낭비)는 지구온난화와 기상이변을 가져오고 결국 생태계의 균형을 파괴하여 지구 환경을 악화시키며 그 결과 오염처리 비용 증대, 생산활동 저해 등 사회활동을 방해하며 이는 지속적이고 쾌적한 생활을 방해한다.

5. 생태계 균형을 위한 방안

1) 근본적으로 생태계의 환경용량을 고려하여 수용이 가능한 범위에서 배출활동을 영위하며 최소한의 오염물질을 배출하도록 노력한다.
2) 환경용량 증대를 위해 숲가꾸기, 하천정비, 습지조성 등 생태계의 건강성을 증대시킨다.

3) 오염물질 배출을 최대한 억제하며 배출시설에서 오염물질 배출이 적은 생산 공정을 연구하고 방지시설을 갖추어 오염물질을 억제한다.
4) 에너지 소비가 큰 일회용 물품, 저효율 기기 사용 등을 억제하고 고효율 기기사용, 자전거 타기, 대중교통 이용하기 등 에너지 절약과 물자 절약에 새로운 자세로 임해야 한다.

6. 지구촌의 환경 발자국 비교

1) 환경 발자국(The Ecological Footprints)의 의미는 한 사람의 생활을 유지하기 위해 필요한 땅면적으로, 의식주를 해결하는 데 소비된 모든 비용과 자원을 생산하는 데 필요한 땅의 넓이를 계산한 것이다.
2) 세계 평균 발자국 넓이는 일인당 약 2.8헥타르라고 한다. 한국 8.35헥타르/인, 뉴질랜드 3.8헥타르/인, 미국(12.25), 호주(8.50), 캐나다(7.66), 일본(5.90), 인도(1.06) 등인데 환경발자국이 적은 나라들은 대개 인구 밀도가 높아 작은 집에서 살고 대중교통을 많이 이용하며 고기를 덜 먹는 점들이 이유로 꼽혔다.

108 | 환경용량(Environmental Capacity)

1. 정의

환경용량이란 자연환경이 외부의 오염에 대하여 스스로 정화(淨化)할 수 있는 능력으로, 생태계의 자정(自淨)능력에는 일정한 한계가 있으며 이 한계를 초과할 경우 생태순환의 평형상태가 균형을 잃고 생태계가 파괴된다.

2. 환경용량의 개념

환경용량에 대한 정의는 적용분야에 따라 다양하며 객관적인 환경용량의 결정은 어렵다. 환경용량(Environmental Capacity)의 개념은 1930년대부터 생태학, 인구학, 지역계획학, 환경계획학 등에서 지속적으로 연구되고 있으며 다양한 형태로 응용되고 있다. 현재까지 정립되고 있는 개념은 수용력 개념과 한계용량 개념으로 분류할 수 있다.

1) 한계용량(Marginal Capacity)
자연환경 생태계의 안정을 유지하는 것과 같은 절대적인 자연능력의 한계(예 : 지하수 공급가능량, 수자원의 최대이용능력, 환경기준 등)

2) 수용력(Carrying Capacity)
일정한 삶의 질을 지속적으로 유지할 수 있는 수준에서 자연환경이 지탱할 수 있는 인간활동의 범위(예 : 하천 수용가능 인구밀도, 일정 지역(유역)의 개발 속도와 규모 등)를 설정하는 것

3. 환경용량 정의

1) Odum(1983)
생태계가 더욱 커지고 복잡해짐에 따라 이를 유지하기 위해 지역사회가 소비해야 할 총생산의 비율은 증가하며, 따라서 앞으로의 성장에 투입될 수 있는 비율은 감소한다. 이러한 투입과 산출이 균형을 이룰 때 규모는 더 이상 증가하지 않으며, 이 같은 상황하에서 지탱될 수 있는 생물자원의 양을 최대 수용력(Maximum Carrying Capacity)이라 한다.

2) 한국환경영향평가학회(제주도 친환경개발을 위한 환경지표 설정, 1997)
(1) 수동적 환경용량 : 자연의 자원공급능력과 자정능력에 의하여 결정되며, 환경

훼손이 발생하지 않고 인간이 이용할 수 있는 한계수준으로 인간의 지적수준과 기술 등이 고려되지 않는다.

(2) 능동적 환경용량 : 환경관련 문제를 찾아내고 이를 해결할 수 있는 지역사회의 총체적 능력(의제 21의 환경에 대한 능력 또는 용량)으로서 자연자원 및 자정작용과 함께 인간의 기술, 관리능력 및 지역사회의 능력 등이 포함된 포괄적인 용량이다.

(3) 따라서 환경용량은 고정된 것이 아니라, 인간개발을 통하여 증진의 대상이 된다.

3) 서울시정개발 연구원(1999)

환경용량은 인간을 중심으로 하는 사회과학적인 개념으로서 "일정한 지역의 자연시스템이 부양할 수 있는 경제규모"를 말한다. 이때 경제규모에는 인구, 산업, 주택, 도로, 교통 등이 포함되며. 환경용량은 달리 표현하면 주어진 공간, 자원, 그리고 오염관리능력으로서 부양할 수 있는 최대 지속가능 밀도를 의미한다.

4. 수생태계와 환경용량

1) 물질의 순환 중 탄소 순환이란 공기 중의 이산화탄소가 광합성작용으로 식물에 흡수되어 식물체를 이루는 유기물이 되는 것과 이 유기물을 동물이 섭취하여 CO_2 등 무기물로 형태를 바꾸어가며 순환되는 것을 말한다.

2) 수질오염 현상은 이러한 자연계의 물질순환의 고리에서 하천이나 해양으로 배출되는 폐·하수 오염물질의 양이 하천에서 물리적, 생물학적인 자정작용으로 제거할 수 있는 수생태계의 환경용량을 초과할 때 '물질의 순환'이 원활하지 못한 것을 말한다.

3) '물질의 순환'에 기여하는 미생물의 능력과 물리화학적인 작용을 다른 말로 '자연정화능력'이라고 할 수 있다. 물론 '자연정화능력'에서 미생물에 의한 작용이 대부분을 차지한다.

4) 하천·호소의 환경용량을 정확하게 평가하면 생태계나 환경이 지탱할 수 있는 수준을 알 수 있다. 그리고 그 수준에 맞는 전체적인 수용 오염물질의 양도 알 수 있게 되는데 우리나라에서도 수질환경보전법에서 총량규제를 이 환경용량에 알맞게 관리하고 있다.

5) 현재 정부는 4대강 환경보전을 위해 수질오염 총량제를 시행하고 있으며 수자원의 특성과 환경용량, 오염원 단위에 대한 특성을 잘 파악하여 각각의 하천을 생태적으로 적합하게 관리해야 한다.

5. 환경용량의 결정과 오염총량제

1) 하천 · 호소의 환경용량이란 자연의 미생물과 그 미생물이 살고 있는 생태계의 조건에 따라서 달라지는 것으로 환경용량은 일률적일 수 없다.
2) 따라서 수질오염총량 관리의 기본이 되는 환경용량의 결정에는 생태계가 가지고 있는 특성, 즉 미생물 조건, 토양과 그 생태계를 구성하고 있는 여러 가지 수생식물이나 어류, 저서동물들과 다양한 형태의 조건과 관계 속에서 살아가고 있으며 그 능력 또한 변화하기 때문에 이러한 점을 최대한 고려하여 결정해야 한다.
3) 환경용량의 결정에 생태학적인 접근은 필수적이며 방대한 자료의 축적을 필요로 하는 작업이고, 이를 위하여 계속적으로 연구비를 투자해 연구자료의 확보가 현실적으로 시급하다.
4) 최근 개정된 하천 · 호소 수질환경기준은 이러한 개념하에서 우리의 생태계를 건전하고 지속 가능한 발전이 가능하도록 고려했고 환경용량의 증대를 가져오리라 믿으며 우리의 하천과 호소는 보다 깨끗한 물로 개선될 것이다.
5) 오염총량관리제도는 오염원을 하천의 환경용량 이내로 설정하여 운영하는 것으로 하천 유량의 산정, 오염원 및 처리시설에 대한 자료의 낮은 신뢰도 등 불확실한 정보로 인하여 수질개선의 효과가 우려된다.

6. 하천의 환경용량 증대방안(친환경 생태하천)

1) 하천 및 주변 오염원의 정밀 조사자료 수집
2) 하천환경을 보호 · 복원하기 위해서 하천수질의 정화 및 수질평가를 효과적으로 수행
3) 비점오염원의 효과적인 처리방안 및 오염원 발생지에서의 저감 및 처리방안
4) 자연 상태 하천으로의 복원을 위해서 생태계를 고려한 하천정비(유수 및 저수용량 증대, 역간접촉시설 등 저감시설 설치, 재포기계수 향상방안, 식생대 조성, 인공습지 등 다양한 생태환경 등)가 필요하다.
5) 가뭄에 효과적으로 대처하기 위해 가뭄대비연구와 국가적 차원에서 대책수립
6) 하천과 연안지역의 환경용량 내에서 지속적인 개발이 가능하도록 수자원 관리가 이루어져야 한다.

109 | Smart Water Grid

1. 정의

Smart Water Grid란 수자원 및 상하수도 관리 효율의 향상을 위해 상하수도 시스템과 첨단 정보통신(IT)기술을 융합하는 차세대 물관리 시스템이다.

2. Smart Water Grid의 의미

Smart Water Grid는 기본적으로 스마트 전력 그리드(Smart Grid)에서 나온 개념에서 시작되는데 이는 전력 에너지와 물은 어느 정도 유사성을 가지고 있기 때문이다. 물 관련 정보를 이용해서 기존의 수자원 생산 및 분배시설의 효율성을 극대화하는 것이며, 이를 위해서는 정보를 다뤄야 하기 때문에 무인 원격 제어 등 IT기술과의 접목이 필수적이다.

3. Smart Water Grid의 구축방향

선진국에서 시작된 스마트 워터 그리드는 주로 다음 4가지 방향으로 진행하고 있는데

1) 지능형 검침 인프라를 중심으로 한 상수도 관리 시스템
2) 스마트 전력 그리드를 이용한 물 관리시설의 에너지 사용 최적화
3) 수자원 및 수질관리를 위한 센서 네트워크 구축
4) 국가 단위의 효율적 수자원 관리시스템 구축

4. 스마트 워터 그리드 구축 효과

1) 우리나라의 앞선 IT기술을 상하수도 분야에 접목하여 종전의 집중형 일변도의 국내 수처리시스템에 분산형을 신규 개발, 네트워킹화

2) 생산·운영비용 절감
 (1) 인구밀도가 낮은 원거리지역에 분산형 수처리시설 설치
 (2) 물의 장거리 이송에 따른 에너지 사용절감

3) 수자원의 효율적 이용
 빗물, 중수도, 하수처리수 등 다양한 가용용수를 원격시스템에서 관리, 처리하여 수자원의 효율성 제고

4) 물 사용량 절감

물사용량 등에 대한 공급자-소비자 간 실시간 정보교환을 통하여 자발적인 물 소비절감 유도

5. 스마트 워터 시스템 개발 전략

1) 시스템 개발 및 실증화, 표준화 사업추진
   (1) 다양한 분야에 공통으로 적용하기 위한 기본플랫폼 개발
   (2) 수처리설비 원격제어시스템, 통합관리 모델, 스마트미터 기반 수용관리시스템, 개방형 아키텍처 및 표준 프로토콜 설계 등

2) 내수시장 확대 및 수출 사업화
   (1) 시범도시를 선정하여 스마트 워터 시스템 적용 확대
   (2) 통합솔루션 개발로 중국 등 해외시장 진출 지원

6. 스마트 워터 시스템 적용 유형

1) 산업단지

다수의 공장에서 이용 가능한 하·폐수처리수 재이용수를 업종별 요구 수질에 따른 맞춤형 처리로 원격제어

2) 상업단지

주택단지 발생하수를 처리하여 인근 상업단지 화장실 공원 등으로 공급하는 시스템. 여러 개를 한 명의 재이용 사업자가 원격 제어·관리

3) 농촌지역

지리적으로 산재한 마을 상수도를 인근 대규모 정수장에서 원격 제어·관리
→마을 상수도 처리효율 제고 및 운영인력 절감

110 | SWMM(Storm Water Management Model)에 대하여 설명하시오.

1. 정의

SWMM은 미국환경청(EPA)의 우수수질 관리모델(SWMM)로 단기적으로는 지상에 강하하는 지표수 수문량 및 수질분석과 장기적으로는 지표수를 포함하여 지하수 수문량 및 수질분석하는 동적 강우-유출-시뮬레이션모델이다.

2. SWMM 활용분야

1) SWMM은 강우량 산정과 우수관경 설계 등을 위한 강우유출, 증발, 침투 및 지하수 간접유출을 시뮬레이션할 수 있다.
2) SWMM의 수문성분은 강우의 침투, 증발 및 표층 침투로부터의 직접유출, 오염부하를 예측하기 위해 지표면 침투 저장, 불투과성·투과성 영역으로 분할된 지표면 분포 특성에서 수행된다.
3) SWMM 활용의 궁극적 목표는 집중강우에 대한 피해는 줄이면서 우수의 활용도는 극대화하는 저영향개발(LID)과 최상의 우수관리를 달성하도록 모델링하는 것이다.

3. EPA 강우관리모델(SWMM)의 목표

1) EPA 강우관리모델(SWMM)은 주로 도시지역에서 강우로 유출되는 강우량과 수질의 일시적인 관리 또는 장기적으로는 동적 강우-유출-저장 시뮬레이션을 통하여 친환경적인 강우관리를 목표로 한 모델링이다.
2) SWMM의 유출성분은 강수량으로부터 유출 및 오염부하를 발생시키는 다양한 유출계수의 분포를 분석·합산하는 것으로 이루어진다.
3) SWMM의 강우이송경로는 우수관, 유수지, 체수지, 펌프 및 처리시스템을 통해 강우유출이 이루어진다.
4) SWMM은 시뮬레이션 기간 동안 각 저장공간과 지하수 유출 등 발생하는 유출의 양과 질, 각 우수관거와 저장공간에서 발생하는 강우량, 유속, 수질 등을 여러 단계로 나누어 추적한다.

4. SWMM 수문요소들

SWMM은 도시지역에서 강우 시 유출을 일으키는 다양한 수문과정을 설명하며 다음 요소들이 포함된다.

1) 시간당 강우량
2) 지표면 강우의 증발
3) 적설량 및 녹는 적설량
4) 저수지 강우집수량
5) 불포화토층으로의 강우 침투
6) 지하수층으로 침투된 물의 침투와 유출
7) 지하수와 배수시스템의 상호작용

5. SWMM과 저영향개발(LID)

1) 도시화가 진행됨에 따라 도시 침수에 대한 건전한 빗물처리가 요구되고 있다. 최근 이러한 문제점을 해결하기 위해 침투와 저류를 바탕으로 한 저영향개발(LID) 기법이 하나의 해결책으로 나타나고 있다.
2) 저영향개발기법은 설치와 관리비용이 상당하기 때문에 수치모델을 이용하여 저영향개발기법의 효과분석을 필수적으로 해야 한다.
3) 최근 EPA의 SWMM를 기반으로 하는 SUSTAIN(System for Urban Stormwater Treatment and Analysis IntegratioN)과 WWHM(Western Washington Hydrologic Model)을 이용하여 저영향개발기법으로 인한 유출 및 오염물질저감을 모의하고 있다.
4) 다양한 모델은 단순히 저영향개발기법으로 인한 유출 및 오염물질 저감효과뿐만 아니라, 비용 및 저영향개발기법의 특성을 고려한 최적의 설계도 또한 산출이 가능하다.
5) EPA SWMM은 가장 폭넓게 저영향개발요소의 모의 시 가장 널리 사용되고 있으며, SUSTAIN은 비용-효율분석이 가능하고, WWHM은 저영향개발요소의 장기적 분석을 위해 개발되었다.
6) 수치모델을 이용한 저영향개발기법들은 효율적인 저영향개발기법 설치 및 관리에 많은 정보 제공이 가능하다.

111 | 스마트 하수도사업에 대하여 설명하시오.

1. 정의

스마트 하수도사업이란 하수처리과정에 최신 정보통신기술(ICT)을 도입해 하수처리장, 하수관로를 실시간으로 감시·제어하는 것이다.

2. 스마트 하수도사업의 목적 및 기대효과

1) 스마트 하수도사업은 하수처리과정에 최첨단기술을 적용해 효율적이고 신속하고, 경제적인 하수처리를 통하여 깨끗하고 안전한 도시 물관리 기반을 마련하는 것이다.
2) 하수도분야에 스마트기술을 도입해 경제적, 효율적인 운영으로 물산업 경쟁력을 더욱 강화할 수 있다.
3) 하수처리과정에 최신 정보통신기술(ICT)을 활용한 실시간 관측 및 원격제어·관리 등을 도입하여 안전하고 깨끗한 물환경을 조성하는 것으로 전국 지방자치단체 수요조사 및 적합성 심사를 거쳐 최종대상지를 선정하여 실행하고 있다.
4) 스마트 하수도사업은 일자리를 창출하고 온실가스 감축에 효과적이며 정부가 추진하는 탄소중립에도 기여한다.

3. 스마트 하수도사업 분야별 계획

1) 스마트 하수처리장
   하수처리장에 정보통신기술 기반 계측·제어로 하수처리공정을 최적화하여 안정적으로 하수를 처리하고 에너지를 절감한다.

2) 스마트 하수관로의 도시 침수대응
   하수관로에 정보통신기술 기반 실시간 수량 모니터링 및 제어시스템을 구축해 도시 침수피해를 예측·대응한다.

3) 스마트 하수관로의 운영으로 하수악취관리
   하수관로에서 발생하는 악취를 실시간으로 측정·관리한다.

4) 하수도 자산관리
   체계적인 하수도시설의 유지관리를 위해 자산목록 DB화와 자산관리시스템을 구축한다.

112 | MDG(Millenium Development Goal)

1. 정의

MDG(Millennium Development Goals)란 2000년 9월 뉴욕 유엔본부에서 개최된 Millennium Summit에서 채택된 UN Millennium Declaration에 기반하여 작성된 범세계적 목표로서 빈곤 타파를 위한 의제이다.

2. MDG 구성

MDG는 8개 부문의 목표(Goals)와 15개의 세부목표(Targets)로 구성

1) UN Millenium Development Goals(8개 항목)

(1) Goals 1. 극심한 빈곤 및 기아의 근절
- 일일 1달러 이하로 생활하는 사람의 비율을 절반으로 줄일 것
- 기아로 고통 받는 사람의 비율을 절반으로 줄일 것

(2) Goals 2. 초등교육 의무화 달성
모든 소년과 소녀는 초등교육 전 과정을 이수할 것을 보장

(3) Goals 3. 성 평등의 촉진과 여성의 역량강화
초등 및 중등 교육에서의 성별 차이를 가능한 2005년까지, 모든 교육과정에서는 2015년까지 근절할 것

(4) Goals 4. 아동 사망률의 감소
5세 이하 아동의 사망률을 1990년에서 2015년까지 2/3로 줄일 것

(5) Goals 5. 모성건강 증진
모성 사망율을 190년에서 2015년까지 3/4으로 줄일 것

(6) Goals 6. HIV/AIDS, 말라리아 및 여타 질병 퇴치
- 2015년까지 HIV/AIDS 확산의 금지, 확산 감소로의 전환
- 2015년까지 말라리아 및 여타 주요 질병 발병의 금지, 발병 감소로의 전환

(7) Goals 7. 환경의 지속가능성 보장
- 지속 가능한 개발 원칙의 국가정책 및 사업에의 통합 : 환경자원 손실의 역전
- 2015년까지 안전한 식수에의 지속가능한 접근이 불가능한 사람들의 비율을

절반으로 감소

- 2020년까지 최소한 1억 명의 빈민가 주민의 생활의 유의미한 향상 달성

(8) Goals 8. 발전을 위한 범세계적 파트너십 개발

- 규정에 의거하고, 예측가능하며 비 차별적인 개방무역과 재정 시스템의 개발 국내, 국제적으로 우수 관리, 개발 및 빈곤감소에의 실천적 공약을 포함
- 최빈민국의 특별요구를 제기함. 수출품에 대한 관세 및 쿼타 면제 접근
- 개도국의 부채문제를 장기적 차원에서 지속가능하게 할 수 있도록 하기 위하여 국가적, 국제적 조치를 통하여 종합적으로 다룸
- 개도국과 협력하여 청소년을 위한 생산적 전략의 개발과 이행

3. MDG 목표 달성과 상하수도의 연관성

MDG 목표 달성을 위하여 회원국의 관심과 재정, 법적 조치 등 모든 조건들이 결합되어야 할 것이며 특히 이 목표를 달성하는데 상하수도 측면의 접근은 기본적 필수 요인이라 할 수 있다. 아래와 같이 MDG 각 항목별로 상하수도의 기여 가능성을 분석해 본다.

1) 극심한 빈곤과 기아퇴치

오염된 식수와 부적당한 위생으로 인한 병은 빈곤에 시달리는 사람들에게는 수입에 비해 높은 비용을 야기시키며, 원거리 식수 공급을 위한 시간 낭비는 빈곤과 식량 생산을 감소시킨다.

2) 초등교육의 보급

양호한 건강과 물 운반 부담의 감소는 학교 출석률을 높여 준다. 특히 여자아이들의 출석률이 높아질 것이다.

3) 성평등 촉진과 여권신장

개선된 수도 시설로 인해 여자들은 더 생산적인 일이나 성인 교육과 여가를 누릴 수 있는 시간을 더 갖게 될 것이다.

4) 유아 사망률 감소

개선된 위생과 식수원은 영아와 아이들의 사망률을 줄여 준다.

5) 임산부의 건강개선

접근하기 쉬운 수원은 물 운반으로 인한 노동부담과 건강문제들을 줄여 줌으로써 임산부의 사망률을 줄여 준다.

6) 에이즈와 말라리아 등의 질병과의 전쟁
안전한 식수와 기본적인 위생은 불결한 식수로 인해 생기는 설사병, 기생충 등을 예방하고 말라리아와 열대전염병의 위험성을 줄여 준다.

7) 환경 지속 가능성 보장
오수의 적절한 조치와 처리는 더 나은 생태계 보존과 양호한 수원 조성, 지하수의 오염 방지, 수처리의 비용 감소 등으로 환경의 지속 가능성을 증대시킨다.

8) 발전을 위한 전 세계적인 동반관계
전 세계적인 동반관계는 건전한 수자원의 확보로 안전한 식수와 기본적인 위생을 통한 경제적, 사회적 발전에 기초한다.

4. 추진계획

2004년까지 각 개발도상국은 MDG 목표 달성을 위한 모니터링과 보고서 작성을 하고, 유엔사무총장은 2005년에 MDG 진전 상황에 관한 세계보고서를 발간하였으며 2015년까지 유엔 189회원국은 이 목표를 달성할 것을 다짐하고 노력한다.

8. 최근 기출문제(제125회)

답안구성 예

(제125회 기술사 Review 포함)

최근 기출문제 중에서 출제비중이 높은 문제를 선정하여 답안작성 예를 수록하였습니다. 내용을 충실히 하다 보니 답안 분량이 많아진 문제도 있으나 실제 시험지 작성 분량은 1교시 단답형 1~1.5쪽 정도, 2~4교시 주관식 논술형 2~4쪽 정도로 정리하면 됩니다.

제125회 기술사 Review

1. 총평

2021년 마지막 시험인 제125회 상하수도기술사 문제는 새로운 문제는 많지 않았지만 전반적으로 정책과 계획적인 문제들이 많아서 답안을 작성하는 데 어려움이 많았으리라 본다. 특히 이송과 상하수도 계획편에서 출제비중이 컸으며, 실무와 설계계획 등을 잘 이해하지 않고서는 펜이 잘 굴러가지 못했을 것이라 생각한다.

1~4교시 대부분 문제가 대체적으로 설계기준, 계획 등 상하수도 계획 쪽에서 출제되어 이론적인 내용을 충실히 공부한 수험생이 유리한 시험이었고, 특히 하수관로 매설 관련 문제가 몇 문제 출제되어 토목시공 분야 실무 경험자는 자신있게 답안을 작성하였을 것이다. 여기에 응용력을 발휘하여 창의적인 답안을 작성하면 합격의 영광을 누릴 수 있다.

제125회 시험은 저감수로, 하수관거 도로횡단공법 등 2~3문제가 조금 생소하고 나머지 문제는 전반적으로 기존의 수험서에서 주로 다루었던 문제들로 이론 공부를 많이 하고, 기초가 탄탄한 수험생이 답안 작성을 쉽게 할 수 있는 시험이라고 분석된다. 특히 하수관로 매설과 상하수도 계획에서 다수 출제되었고, 나머지 문제는 골고루 출제된 느낌으로 문제 출제분포가 평이하다.

1교시는 수질관리편에설 저수지에서의 수질보전대책 1문항(8%), 이송편에서 공기밸브 1문항(8%), 정수처리편에서 가동식 취수탑, 가압수 확산에 의한 혼화(Diffusion Mixing by Pressurizedwater Jet), 점감수로(Tapered Channel) 등 3문항(23%), 하수처리편에서 하수처리수 재이용처리시설 R/O막 배치방법 3가지, 하수처리장 2차 침전지 정류벽 설치사유 및 재질 등 2문항(15%), 슬러지 고도처리편에서 계획발생슬러지량과 함수율과의 관계식 1문항(8%), 상하수도 계획에서 계획시간최대급수량과 계획1일최대급수량의 관계, 유달시간, 산업단지 폐수종말처리장의 계획처리대상, RDII (Rainfall Derived Infiltration and Inflow), 스마트하수도사업 등 5문항(38%)이 출제되어 골고루 출제된 편이지만 계획편에서 비중이 다소 컸다.

1교시는 10문항을 선택하는 데 어렵지 않았으리라 예상한다. 2~4교시는 계획편에서 다수 문제가 출제되었고, 나머지는 각 교과에서 골고루 출제되어 계획 쪽의 이론과 설계 경험이 많은 수험생은 수월하였을 것이다.

제125회 문제 출제분포는 서술형 문제에서 계획 쪽이 큰 비중으로 출제되었다고 느껴지는 시험이었다. 금번 시험문제는 전반적으로 난이도 면에서 기존 문제와 비슷하였으며, 시공 · 실무보다는 설계나 이론 쪽에 경험이 많은 수험생이 유리한 시험으로, 상하수도기술사 대비 교재를 잘 공부한 수험생에게 유리한 문제로 분석된다.

결과적으로는 기술사 시험 준비는 항상 탄탄한 기본 지식과 실무 경험을 융합 · 응용하여 시험장에서 출제의도에 적합한 답안을 작성할 수 있도록 공부하며, 실무 경험을 창의적이고 주관적으로 해석하여 합리적인 상하수도 계획과 시공, 유지관리의 관점에서 충실하게 답안을 작성할 수 있도록 표현력과 응용력을 키워서 유능한 예비 기술사답게 자신만의 프로페셔널한 답안(기술 보고서)을 작성해야 하겠다.

2. 과목별 출제비중

[1교시]

과목	출제문제
수질관리(8%)	저수지에서의 수질보전대책
상하수도 이송(8%)	공기밸브
정수처리(23%)	• 가동식 취수탑 • 가압수 확산에 의한 혼화(Diffusion Mixing by Pressurizedwater Jet) • 점감수로(Tapered Channel)
하수처리(15%)	• 하수처리수 재이용처리시설 R/O막 배치방법 3가지 • 하수처리장 2차 침전지 정류벽 설치 사유 및 재질
슬러지, 하수고도처리(8%)	계획발생슬러지량과 함수율과의 관계식
상하수도 계획(38%)	• 계획시간 최대급수량과 계획1일최대급수량의 관계 • 유달시간 • 산업단지 폐수종말처리장의 계획처리대상 • RDII(Rainfall Derived Infiltration and Inflow) • 스마트하수도사업

[2~4교시]

과목	출제문제
수질관리(10%)	• 호소수의 망간 용출과 제거방법에 대하여 설명하시오. • 하천 표류수 취수시설의 각 종류별 기능 · 목적과 특징을 설명하시오.
상하수도 이송(32%)	• 펌프의 제어방식에 대하여 설명하시오. • 하수관거의 심도별 굴착공법, 좁은 골목길 시공법 및 도로횡단 공법에 대하여 설명하시오. • 도수 · 송수관로 결정 시 고려사항을 10가지만 쓰시오. • 하수관거 접합방법 4가지에 대하여 설명하시오. • 하수관거에서 암거의 단면형상 종류와 장단점을 설명하시오. • 상수관 및 하수관거의 최소 토피고 기준을 제시하고, 최소 토피고 설정 시 주요 고려사항에 대하여 설명하시오.

정수처리(21%)	• 정수시설에서 전력설비의 보호 및 안전설비에 대하여 설명하시오. • 여과유량조절방식으로 정속여과방식과 정압여과방식에 대하여 설명하시오. • 자외선(UV) 소독설비에 대하여 설명하시오. • 정수시설에서 사용되는 수질계측기기의 종류와 계기의 선정 시 유의사항에 대하여 설명하시오.
하수처리(5%)	하수처리장 2차 침전지 주요 설계인자에 대하여 설명하시오.
슬러지, 하수고도처리(6%)	
상하수도 계획(26%)	• 일반적인 상수도구성 및 계통도를 그림으로 나타내어 설명하시오. • 하수도계획의 절차에 대하여 설명하시오. • 하수처리장 수리계산절차 및 필요성에 대하여 설명하고, 수리계산 시 주요 고려사항을 쓰시오. • 하수처리장 부지배치계획 수립 및 계획고 결정 시 주요 고려사항을 설명하시오. • 하수처리장 설계 시 적용되고 있는 방수·방식공법에 대하여 아래 내용에 답하시오. 1) 현장에서 최근 적용되고 있는 부위별 방수·방식공법을 제시하고, 단면도를 그려 표기하시오.(수조 내부, 외부, 관랑부 및 기계실, 슬러지 저류조 등) 2) 각 부위별 방수·방식공법 적용 필요성에 대하여 설명하시오.

1) 수질관리편에서는 1교시에 저수지에서 수질보전대책이 출제되었고, 2~4교시에는 호소수의 망간 용출과 제거방법, 하천 표류수 취수시설의 각 종류별 기능 · 목적이 출제되었다.

2) 이송에서는 1교시에 공기밸브가 출제되었으며, 2~4교시에서는 펌프의 제어방식, 하수관거의 심도별 굴착공법, 좁은 골목길 시공법 및 도로횡단 및 도수 · 송수관로 결정 시 고려사항을 10가지, 최소 토피고 설정 시 주요 고려사항이 출제되어 이번 시험은 계획 다음으로 관로 이송편 문제가 비중이 컸다.

3) 정수처리에서는 1교시에 가동식 취수탑, 가압식 확산에 의한 혼화, 점감수로가 출제되고, 2~4교시에서는 정수시설에서 전력설비의 보호 및 안전설비, 여과유량조절방식으로 정속여과방식과 정압여과방식, 자외선(UV) 소독설비, 정수시설에서 사용되는 수질계측기기의 종류와 계기의 선정 시 유의사항이 출제되었다.

4) 하수처리에서는 1교시에 하수처리 재이용처리시설 R/O막 배치방법 3가지, 하수처리장 2차 침전지 정류벽 설치사유 및 재질 등이 출제되었고, 2~4교시에는 하수처리장 2차 침전 주요 설계인자가 출제되었다.

5) 슬러지 고도처리에서는 1교시에 계획발생슬러지량과 함수율과의 관계식만 출제되어 비중은 상대적으로 적은 편이었다.

6) 상하수도 계획에서는 1교시에는 계획시간최대급수량과 계획1일최대급수량의 관계, 유달시간, 산업단지 폐수종말처리장의 계획처리대상, RDII, 스마트하수도사업이 출제되었고, 2~4교시에서는 일반적인 상수도구성 및 계통도를 그림으로 설명, 하수도계획의 절차, 하수처리장 수리계산절차 및 필요성에 대하여 설명하고, 수리계산 시 주요 고려사항, 하수처리장 부지배치계획수립 및 계획고 결정 시 주요 고려사항, 하수처리장설계 시 적용되고 있는 방수·방식공법이 출제되었다. 요컨대 전반적으로 상하수도 계획 분야의 출제비중이 큰 편으로 H/W보다 S/W 쪽의 문제가 다수 출제되었고, 대부분의 문제가 이론적으로 교재를 충분히 이해하고 여기에 실무경험을 바탕으로 약간의 창의성을 요구하는 중상 정도의 문제가 출제되었다고 분석된다.

3. 교시별 출제 문제 분석

(1) 1교시

1교시 용어단답형 문제는 전 분야에서 골고루 출제되었으며, 점감수로 용어가 생소한 편이어서 전반적으로 10문제를 선택하는 데 큰 어려움은 없었으리라 예상되지만 일반적으로 기술사 수험생은 1교시를 조금은 어렵게 시작하는 것으로 분석되는데 그 이유는 모든 시험은 어렵지만 특히 1교시는 더욱 긴장되기 때문이다.

1. 계획시간최대급수량과 계획1일최대급수량과의 관계
2. 유달시간
3. 산업단지 폐수종말처리장의 계획처리대상
4. 계획발생슬러지량과 함수율과의 관계식
5. 가동식 취수탑
6. 저수지에서의 수질보전대책
7. 가압수 확산에 의한 혼화(Diffusion Mixing by Pressurizedwater Jet)
8. 공기밸브
9. 하수처리수 재이용처리시설 R/O막 배치방법 3가지
10. 하수처리장 2차 침전지 정류벽 설치사유 및 재질
11. 점감수로(Tapered Channel)
12. RDII(Rainfall Derived Infiltration and Inflow)
13. 스마트하수도사업

(2) 2교시

2교시는 정수처리문제와 상수도, 하수도 계획 쪽의 문제들이 다수 출제되어 하수관련 계획 분야를 잘 이해한 수험생이 잘 대응했을 것으로 분석된다. 하수관거 심도별 굴착공법은 시공경험이 많은 수험생이 좋은 답안을 구성했을 것으로 예상되며, 생소한 문제는 없었기에 4문항을 선정하는 데 어려움은 없었을 것이다.

만일 문제선택의 여지가 없었다면 실무경험을 바탕으로 자신의 지식을 총 동원하여 창의적으로 답안을 작성한다면 많은 도움이 되었을 것이라 생각한다.

1. 일반적인 상수도구성 및 계통도를 그림으로 나타내어 설명하시오.
2. 하수도계획의 절차에 대하여 설명하시오.
3. 호소수의 망간 용출과 제거방법에 대하여 설명하시오.
4. 펌프의 제어방식에 대하여 설명하시오.
5. 하수관거의 심도별 굴착공법, 좁은 골목길 시공법 및 도로횡단공법에 대하여 설명하시오.
6. 하수처리장 2차 침전지 주요 설계인자에 대하여 설명하시오.

(3) 3교시

3교시는 하수처리장 배치계획 등 계획 문제가 다수 출제되었고, 모두가 서술형 문제로 실무적인 경험을 잘 정리한 수험생이 유리하였을 것으로 분석된다. 계획 쪽의 하수처리장 수리계산 절차 등은 이론과 현장경험이 필요한 문제이고, 생소한 문제는 없어 보이는 교시이며, 답안 작성 시 현장경험이 풍부한 수험생이 유리하겠다. 3교시 역시 이론적인 공부를 많이 하고 현장의 경험을 창의적으로 접목하여 답안을 작성한 수험생만이 좋은 점수를 얻을 수 있을 것으로 예상되는 교시였다.

1. 도수 · 송수 관로결정 시 고려사항 10가지만 쓰시오.
2. 하구관거 접합방법 4가지에 대하여 설명하시오.
3. 정수시설에서 전력설비의 보호 및 안전설비에 대하여 설명하시오.
4. 여과유량 조절방식으로 정속여과방식과 정압여과방식에 대하여 설명하시오.
5. 하수처리장 수리계산절차 및 필요성에 대하여 설명하고, 수리계산 시 주요 고려사항을 쓰시오.
6. 하수처리장 부지배치계획 수립 및 계획고 결정 시 주요 고려사항을 설명하시오.

(4) 4교시

4교시는 아주 생소한 문제는 없었으며, 역시 시공 쪽의 토피고, 방수 · 방식 등 문제가 많이 출제되어 4문항을 선택하는 데 갈등이 되었을 것이다. 또한 난이도가 비슷하여 어떤 문제를 선택할지 고민했을 것이고, 1~3교시와 마찬가지로 난이도는 비슷한 교시라고 분석된다. 시험은 상대적이라 내가 어려우면 남도 어렵고, 내가 쉬우면 남도 쉽게 접근하고 완성한다. 이번 시험도 마지막 교시를 치르고 집으로 가는 발걸음은 한편으로는 무겁고 한편으로는 후련하였으리라 생각해 본다. 수험생 모두가 정도의 차이는 있어도 비슷한 생각과 어려움을 겪는다고 생각한다.

1. 하천표류수 취수시설의 각 종류별 기능·목적과 특징을 설명하시오.
2. 하구관거에서 암거의 단면형상 종류와 장단점을 설명하시오.
3. 자외선(UV) 소독설비에 대하여 설명하시오.
4. 정수시설에서 사용되는 수질계측기기의 종류와 계기의 선정 시 유의사항에 대하여 설명하시오.
5. 상수관 및 하수관거의 최소 토피고 기준을 제시하고, 최소 토피고 설정 시 주요 고려사항에 대하여 설명하시오.
6. 하수처리장설계 시 적용되고 있는 방수·방식공법에 대하여 아래 내용에 답하시오.
   1) 현장에서 최근 적용되고 있는 부위별 방수·방식공법을 제시하고, 단면도를 그려 표기하시오.(수조 내부, 외부, 관랑부 및 기계실, 슬러지저류조 등)
   2) 각 부위별 방수·방식공법 적용 필요성에 대하여 설명하시오.

4. 분석자 생각과 바람

제125회 상하수도기술사 문제는 전반적으로 예년 수준과 비슷한 난이도가 적용된 시험이었다고 분석되며, 특히 관로 시공 계획 쪽의 문제 비중이 크게 출제되어 이를 잘 준비한 수험생은 이번 시험이 운수가 좋은 시험일 수 있겠다. 기술사 시험은 100%를 준비할 수 없다. 자신이 준비한 부분과 잘 맞는 문제들이 출제되는 행운을 얻으면 상대적으로 좋은 결과를 기대할 수 있다.

1교시는 전 분야에 걸쳐, 2~4교시는 이송, 하수, 계획에서 큰 비중을 차지하고 출제되었기에, 실무적인 현장과 교재를 중심으로 이론적인 공부를 깊이 있게 하고 현장 시공경험을 잘 조합하는 능력도 기술사 공부의 중요한 부분이라는 것을 실감하는 기회였을 것이다.

제125회 문제는 기존 수험서를 중심으로 이론적인 공부를 깊이 있게 하고 여기에 응용력을 지닌 현장 실무(최근 상수도 신기술과 추세를 관심있게 정리한)에 능숙한 경험자가 상대적으로 좋은 답안을 작성했을 것으로 예상된다. 최근의 출제 경향인 S/W적인(개념을 정리하고 창의적이면서 서술형으로 답안을 작성) 문제가 H/W적인 문제(구체적인 지식과 원리, 이론을 암기하고 설명)보다 많이 출제되었다.

시험장에서 보면 1교시부터 마지막 시간까지 쉬운 교시가 하나도 없다. 쉽다고 생각되면 오히려 답안이 부실해지고 오히려 어렵다고 생각된 문제들의 답안이 더 생명력을 가진다. 특히 제125회 시험은 최근 문제 중에서 이송(관로 설계, 시공), 계획의 문제가 비중이 큰 편으로, 평범한 문제들로 난이도가 비슷하여 문제 선택에 갈등했을 것으로 분석된다.

이론적인 깊이 있는 공부와 현장실무경험(최근 상하수도 경향)을 바탕으로 자신의 주관적인 지식과 기술을 창의적으로 융합한 답안 작성을 요구하고 있다.

기술사 시험은 상대 평가를 주로 하므로 답안지 중에서 조금 뛰어난 평가를 받으려면 남들보다는 개성있는 답안이 요구된다. 계획 쪽의 서술형 문제가 다수 출제되었지만 너무 교과서적으로 시중의 수험서를 단순하게 암기하여 작성한 답안은 생명력이 없기 때문에 좋은 평가를 얻기 어렵다. 시중의 수험서를 기분으로 하여 그 위에 자기만의 상하수도의 경험과 철학을 전문가적인 목소리로 채점자의 인정을 받을 수 있는 창의적인 답안지를 작성할 수 있도록 이론과 실무에서 조화된 준비가 필요하다. 또한 자신이 아는 문제라도 시험이 쉽다고 생각하여 섣불리 판단하지 말고 끝까지 최선을 다하는 자세가 필요하며, 겸허히 결과를 기다리며 다음 시험을 꾸준히 주비하는 자세가 필요하다.

상하수도기술사 시험을 준비한 수험생 여러분 고생 많으셨고, 시험이 끝나면 평생학습의 개념으로 다시 다음 시험을 위한 상하수도 공부를 기초개념부터 천천히 시작하세요!

기술사 공부는 현장에서 수행하고 체험으로 배운 업무가 곧 진짜 공부라고 생각합니다. 설계든, 시공이든, CM이든, 발주부서든 맡은 바 업무를 열심히 하면서 항상 선배들의 경험을 간접적으로 배우고, 물과 자연 환경 및 인간, 수생태계와 상생할 수 있는 친환경적인 상하수도의 기술을 연구하세요. 또한 친환경적(탄소 중립)인 물순환과 에너지 절약적인 탄소중립기술을 분석하고, 스마트한 상하수도를 위한 개선방안을 생각하는 것이 상하수도기술사 공부의 기본이라 생각합니다. 항상 긍정적인 마인드와 성공의 자신감으로 지속적인 노력과 정진으로 상하수도기술사가 되어서 이 분야를 선도하고 발전시키는 좋은 인재가 되시기를 기대합니다.

본 답안구성 예는 독자들의 상하수도 기술사 답안작성에 도움을 주고자 저자가 작성한 것으로써 출제의도에 최대한 접근하려고 노력을 하였으나 정확히 일치되지 않을 수도 있음을 양해 바랍니다.

기술사 제125회 제1교시

문제 1) 계획시간 최대급수량과 계획 1일 최대급수량의 관계

1. 정의

계획시간 최대급수량과 계획 1일 최대급수량이란 일정 급수구역(배수구역)에 대하여 정수장이나 배수지에서 공급해야 할 급수량을 말하며 계획사용수량(수요량)과 유수율 등을 기초로 산정할 수 있다.

2. 급수설비의 계획사용수량

급수설비의 계획사용수량은 급수관의 관경, 저수조용량 등 급수설비계통의 주요 제원을 계획할 때의 기초가 되는 것으로, 건물의 용도나 면적, 물의 사용용도, 사용인원수, 급수기구의 수 등을 고려한 다음에 1인 1일 사용수량 또는 각 급수기구의 용도별 사용수량과 이들의 동시사용률을 고려한 수량을 표준으로 한다. 단, 저수조를 만들어 급수하는 경우에는 사용수량의 시간적 변화나 저수조의 용량을 감안하여 정한다.

3. 계획시간 최대급수량의 관계

1) $\text{계획 1인 1일 평균급수량} = \dfrac{\text{계획 1인 1일 평균사용수량}}{\text{계획유효율}}$

2) 계획 1일 평균급수량 = 계획 1인 2일 평균급수량 × 계획급수인구

3) 계획 1일 최대급수량＝계획 1인 1일 최대급수량×계획급수인구

＝계획 1일 평균급수량×계획첨두율

4) 계획 1인 시간 최대급수량 결정$=\dfrac{\text{계획 1일 최대급수량}}{\text{사용시간}}\times$시간계수

4. 상수도수요량의 예측 필요성

상수도계획에서 가장 기본적인 사항은 장래 상수도수요량이다. 장래 상수도수요량에 따라 상수도 시설용량이 결정되기 때문에 정확한 수요량 예측이 중요하다. 수요량은 예상인구수와 1인 1일 급수량 산정이 기본요소가 된다.

5. 상수도수요량의 예측방법

1) 목표연도의 설정

목표연도란 계획연도라고도 하며 상수도시설을 수명이나 용도에 따라 사용하는 목표연도를 말한다. 대략 정수장처럼 중요시설은 30년 정도, 배수본관 정도는 20년, 지관은 10년 정도로 한다.

2) 계획 1인 1일 평균사용량의 결정

계획 1인 1일 평균사용량을 구하기 위해 목표연도의 인구와 급수량을 추정한다. 이때 인구 추정은 과거의 외삽법에서 정밀한 인구 추정을 위해 시계열법이나 생존모형 요소법을 이용하고 급수량은 단순한 증가율을 적용하기보다 정책적인 물수요관리, 절수, 친수생태, 지방자치단체의 현황자료와 추세에 따라 결정한다.

계획 1인 1일 평균사용량=계획인구×계획 1인 1일 급수량
×(1+누수율)

3) 목표유수율의 결정

지방자치단체의 노후수도관 현황과 총 누수량, 수도정비계획에 따라 결정한다.

4) 계획 1인 1일 평균급수량의 결정

① 목표연도의 1인당 급수량은 지방자치단체마다 약간의 차이는 있으나 보통 300~350L/cd를 기준으로 한다. 절수정책에 따라 점점 감소하는 추세이다.

② 계획 1인 1일 최대급수량=계획 1인 1일 평균급수량(1.5~3)

5) 첨두부하

피크부하라고도 하며 평균부하에 대한 피크부하로 대규모에서 1.5~2 정도, 소규모에서 2~3 정도를 적용한다.

6) 시간계수

시간 평균급수량에서 최대급수량을 구할 때 적용하는 계수를 말하며 첨두부하처럼 1.5~3 정도를 적용한다.

문제 3) 산업단지 폐수종말처리장의 계획처리대상

1. 폐수종말처리시설의 분류

폐수종말처리시설은 다음과 같이 3가지로 분류되며 "산업입지 및 개발에 관한 법률"의 규정에 의해 지정된 산업단지 또는

"산업집적 활성화 및 공장설립에 관한 법률"의 규정에 의해 지정된 공업지역에 설치된 폐수종말처리시설을 말한다.

1) 산업단지 폐수종말처리시설
2) 농공단지 폐수종말처리시설
3) 기타 폐수종말처리시설

2. 폐수종말처리시설의 계획처리대상(위치, 용량 및 유입수질) 검토

1) 폐수종말처리시설의 위치는 산업단지 조성계획 수립 시 토지이용계획을 기준으로 수리상황, 방류수역현황 등을 검토하여 합리적으로 선정하여야 한다.
2) 폐수종말처리시설의 용량 및 설계수질 결정자료인 용수사용량, 오·폐수발생량, 재이용수량 및 농도산정 원단위는 환경부, 산업통상자원부, 국토교통부 등의 관련자료를 검토하고 가동 중인 산업(농공)단지의 유사업종별 실측자료와 비교하여 결정하여야 한다.
3) 최근 용수사용 절약기술의 발전, 재사용 폐수의 증가 등을 고려하여 일괄 표준원단위의 적용으로 인한 처리시설의 용량과다를 방지하여야 한다.
4) 설계유입수질의 결정은 배출업체에서 배출되는 폐수의 오염물질 농도, 처리시설에서 처리 가능한 오염물질 및 처리효율을 감안하여 적정하게 산정하여야 한다.
5) 단지조성 계획 시 가능한 한 동종업체를 유치하여 소수의 사업장 배출수에 의한 유입수질의 변화 폭을 최소화하여야 한다.

6) 설계유입수질은 개별 업체에서 발생되는 유기물질 및 총인·총질소 등 폐수종말처리시설에서 처리가 가능한 오염물질의 원폐수 유입방안 또는 일부 개별 업체별 전처리시설 설치 필요성에 대하여 효율적이고 경제적인 측면에서 검토 후 결정하여야 한다.

7) 수질환경보전법에서 규정하는 폐놀류 등의 오염물질을 배출하는 업체는 업체별 또는 시설별 전처리방안을 제시하여야 한다.

8) 폐수종말처리시설 공동처리구역 내 입주업체 중 페놀류 등 오염물질의 제거를 위해 개별 방지시설(전처리시설)을 설치함으로써 최종처리수가 방류수질기준 이내인 사업장 또는 항상 방류수 수질기준 이내로 배출되는 사업장은 처리시설의 용량 산정 시 제외하여야 한다.

9) 시설용량 산정 시 지하수유입량은 단지 내 우·오·폐수관거가 완전분류식이고 관거연장이 짧을 뿐 아니라 최근 수밀성의 관종 및 관접합방법을 사용함으로 1일 최대오·폐수량의 5% 이하로 산정하여야 한다.

3. 폐수종말처리시설의 발생수질 및 오염부하량 산정

1) 산업단지 업종별 폐수 발생수질 및 오염부하량 산정(폐수 발생수질 및 오염부하량의 산출근거 및 적용 사유)

2) 산업단지 내 생활오수 발생수질 및 오염부하량 산정(생활오수 발생수질 및 오염부하량의 산출근거 및 적용 사유)

3) 지하수 발생수질 및 오염부하량 산정(지하수 발생수질 및 오염부하량의 산출근거 및 적용 사유)

4) 폐수종말처리시설 오·폐수 발생수질 및 오염부하량 산정(기존 운영 중인 처리시설은 업종이 구분된 최근 3년간의 오·폐수발생량, 발생수질, 오염부하량을 제시)

4. 산업단지 폐수종말처리시설의 지원대상시설

1) 신규 또는 기존 산업단지 내에 신규로 설치되는 폐수종말처리시설(단, 단지 내에 단일사업장이 입주하는 경우에는 지원대상에서 제외하며, 2개 이상의 사업장이 입주하는 경우에도 1개 사업장의 면적이 전체 분양대상면적(부대시설 제외)의 4분의 3 이상 또는 폐수종말처리시설의 방류수 수질기준 해당 항목 중 최고배출 오염부하량이 폐수종말처리시설 총 유입부하량의 80% 이상일 경우에도 지원대상에서 제외)

2) 기존처리시설의 증설 및 영양염류(질소, 인)의 처리를 위한 시설개량(단, 기존처리시설의 노후화에 따른 설비의 교체 등에 소요되는 비용은 기적립된 시설 재투자적립금으로 집행)

3) 신규 또는 기존 산업단지에서 발생되는 폐수를 인근의 하·폐수처리시설로 연계처리를 위해 설치하는 관로시설

4) 인근 산업단지 폐수의 연계처리로 인한 증설 또는 고도처리를 위한 시설개량(공공하수처리시설의 경우 시설개량사업비는 오염부하율로 산정하여 지원)

문제 4) 계획발생슬러지량과 함수율과의 관계식

1. 계획발생슬러지량의 정의

계획하수 발생슬러지량이란 발생하는 슬러지의 양 및 질(성분)을 파악하는 것으로 이는 슬러지 처리·이용방법의 결정이나 시설계획에서 중요하기 때문에 계획슬러지량의 산정이나 추정 시에 특히 신중을 기해야 한다.

2. 계획발생슬러지량의 산정

1) 슬러지처리계획은 발생슬러지량과 성상에 따라 결정되므로 계획단계에서 충분히 검토할 필요가 있다.

2) 슬러지처리·이용계획의 기본이 되는 계획발생슬러지량은 계획 1일 최대오수량을 기본으로 하여 하수 중의 SS농도, BOD농도 제거율 및 슬러지의 함수율을 정하여 산정한다.

3) 계획발생슬러지량은 계획 1일 최대오수량을 기준으로 발생하는 슬러지의 양을 의미하며, 최종처리·처분계획의 기본이 된다.

4) 슬러지의 발생은 일차침전지 등 1차 처리시설에서 발생하는 슬러지와 2차 처리시설에서 발생하는 잉여슬러지가 주가 되며 다음과 같은 방법으로 산정한다.

$$\text{계획발생슬러지량}(m^3/d) = (\text{계획 1일 최대오수량}(m^3/d) \times \Delta SS \times 10^{-6}) \times \left(\frac{100}{100 - \text{함수율}(\%)}\right) + \text{잉여슬러지량}(m^3/d)$$

여기서, ΔSS : 일차침전지 등 1차 처리시설에서의 유입수와 유출수의 고형물질농도의 차

3. 건조 전 슬러지량과 함수율

건조 전 슬러지는 슬러지 고형물과 물로 이루어진다. 즉, 건조 전 슬러지의 부피는 슬러지 고형물의 부피와 슬러지에 포함된 물의 부피(함수율)로 이루어진다.

1) 슬러지의 중량(W_s)=슬러지 고형물의 중량(W_{fs})+물의 중량(W_w)

$$= \frac{\text{슬러지 고형물의 중량}}{\text{고형물농도}}$$

2) 슬러지의 부피(V_S)$= \dfrac{\text{슬러지 중량}(W_s)}{\text{비중}(S_s)}$

3) 슬러지 고형물의 부피(V_{fs})$= \dfrac{\text{슬러지 고형물의 중량}(W_{fs})}{\text{슬러지 고형물의 비중}(S_{fs})}$

4) 슬러지 수분의 부피(V_w)$= \dfrac{\text{슬러지 수분의 중량}(W_w)}{\text{슬러지 수분의 비중}(S_w)}$

4. 건조슬러지 고형물량

건조슬러지는 휘발성 고형물질(VS)과 강열잔류 고형물(FS)로 나눌 수 있다. 바꾸어 말하면 휘발성 고형물질의 부피와 강열잔류 고형물의 부피를 합하면 전체 슬러지의 부피가 된다.

1) 전체 슬러지의 부피

① 전체 슬러지(TS)의 부피(V)

=휘발성 고형물(VS)의 부피(V_v)+강열잔류 고형물(FS)의 부피(V_f)

② 전체 슬러지 부피 $= \dfrac{\text{슬러지의 중량}(W)}{\text{비중}(S)} = \dfrac{W}{S}$

2) 휘발성 고형물의 부피$(V_v) = \dfrac{\text{VS 중량분율}}{\text{휘발성 고형물의 비중}} = \dfrac{W_v}{S_v}$

3) 강열잔류 고형물의 부피$(V_f) = \dfrac{\text{FS 중량분율}}{\text{강열잔류 고형물의 비중}} = \dfrac{W_F}{S_f}$

5. 슬러지의 중량과 함수율

일반적으로 슬러지의 중량과 부피는 함수율로 표현하는데 농축, 탈수 등으로 함수율이 감소하면 고형물량은 이론적으로 변화가 없으므로 슬러지량을 계산할 때 고형물을 기준으로 해석하면 혼란이 적다. 즉, 슬러지는 건조 전후 고형물량이 불변이므로 고형물량을 중심으로 문제를 해석하고, 소화 시 고형물량은 VS와 FS에서 소화 전후 각각 구성비율이 달라지는데 이때 FS량이 불변이므로 FS를 중심으로 문제를 해석한다.

문제 5) 가압수 확산에 의한 혼화(Diffusion Mixing by Pressurized Water Jet)

1. 정의

가압수 확산에 의한 혼화란 응집반응에서 급속혼화방식의 일종으로 펌프 등으로 가압수를 배관 내에 고압으로 분출시킬 때 확산작용으로 급속교반을 하도록 한다.

2. 응집이론과 가압수 확산 혼화

콜로이드성 입자들은 응집(Coagulation)－급속교반, 응결(Flocculation)－완속교반의 두 과정을 거쳐 조대입자로 성장한다. 입자가 클수록 침전지에서 침강효율이 증대하는데 이때 급속교반할수록 응집제와 수화반응이 활발하여 응집효율이 좋아지고 최근에 급속교반방식으로 가압수 확산에 의한 혼화방식이 적용되고 있다.

3. 급속혼화와 속도경사(Velocity Gradient)

1) 속도경사는 혼화조 내의 급속혼화교반 정도를 나타내는 수치로 수류에서 유선 간의 속도차에 의하여 발생된다. 흐름방향에 직각인 거리(dy)에 대한 속도차(dv)로 표시된다.

$$G = \frac{dv}{dy} \ (\text{m/sec} \cdot \text{m})$$

2) 급속혼화 속도경사식

G는 교반을 위한 동력, 총 소요동력(P), 교반조용적(V), 액체 점성계수(μ)의 함수이다.

$$G = \sqrt{\frac{P}{V\mu}} = \sqrt{\frac{p}{\mu}}$$

여기서, P : 총 소요동력(kW)

V : 교반조용적(m^3)

μ : 액체점성계수(kg/m · sec)

p : 단위용적당 소요동력(kW/m^3)

3) 급속혼화조의 속도경사

속도구배(G)가 클수록 유선 중의 입자와 서로 충돌·접촉하게 된다. 즉, 응집제와 입자가 접촉하여 작은 입자(미세 Floc)를 형성하게 되는데 속도구배가 클수록 응집효과가 우수하다. 실제 응집효과는 교반강도와 접촉시간의 함수이므로 $G \cdot T$값을 적용함이 타당하다. 기계식 혼화기를 사용할 경우의 속도경사(G)는 300~700/sec이며 접촉시간은 20~40초로 제안하고 있다.

4) 최근 현장에서 급속교반장치로 이용되는 방식의 비교

구분	급속분사교반기 (Water Champ)	가압수 확산 혼화장치 (Diffusion Mixing by Pressurized Water Jet)	2단 혼화장치 (In-Line Orifice & Mechanical Mixer)
개략도			
개요	유입수 흐름방향으로 분사시키는 혼화방법으로, 관로사용은 적용이 어렵고 수로형태에 적합함	원수관로에 설치하는 혼화방식으로, 원수관로에 응집용 약품의 주입과 동시에 가압펌프에 의한 가압수를 원수의 흐름방향으로 분사하여 Deflector에 의해 확산, 혼화하는 방식	1차는 관 내 교반혼화방식인 In-Line Orifice 혼화장치로, 2차는 기계적으로 혼화하는 방식
장점	• 혼화강도 조절 가능 • 교반기의 회전속도를 조절하여 교반강도 조절이 가능 • 접촉시간을 1초 이내로 함으로써 응집약품 절감, 응집효율 개선, 슬러지발생량 감소 등의 효과 발생 • 화학반응이 보다 균등하고 순간적으로 일어남	• 관로에 설치가 가능하므로 혼화수조가 불필요 • 혼화펌프에 의한 가압수로의 혼화강도를 조절 • 혼화기 손실수두 작음 • 혼화효율이 좋아 동력 및 응집제 절감효과가 우수 • 유지관리의 필요성이 작음	• 혼화효율 우수(2단 혼화) • 교반강도 조절 가능

구분	급속분사교반기 (Water Champ)	가압수 확산 혼화장치 (Diffusion Mixing by Pressurized Water Jet)	2단 혼화장치 (In-Line Orifice & Mechanical Mixer)
단점	직경 1,650mm 이상의 배관에서는 사용이 어려움	• 직경 2,500mm 이상의 대형 관이나 넓은 수로에서는 사용이 어려움 • 혼화펌프 및 스트레이너 등의 부대설비가 필요	• 혼화공정을 이원화하여 소요면적 과대, 장치비 과대 • 원수유량 변동에 대한 효율 저하
적용 사례	와부정수장 등	일산 정수장, 서울시 영등포 정수장, 창원 반송정수장 등	서울 강북 정수장 등
검토	운전이 간편하고 경제적으로 유리하며, 혼화강도 G값을 높여 초급속혼화의 가능으로 높은 혼화효율로 인해 응집제 소요를 절감할 수 있는 방식 검토		

문제 6) 하수처리수 재이용처리시설 RO막 배치방법 3가지

1. 하수처리수 재이용처리시설 RO막

하수처리시설에서 방류수를 재이용하는 수질기준에 따라 최종 방류수를 재차 처리하여 이용하는데 이때 막여과를 주로 이용한다.

2. 역삼투압(RO)의 원리

1) 삼투압보다 큰 압력을 용액 쪽에서 역으로 가하면 삼투현상과 반대로 용매가 용액에서 분리되어 용매 쪽으로 이동한다. 이러한 현상을 역삼투현상이라 하며 이때의 압력을 역삼투압이라 한다.

2) 역삼투압설비는 최근에 거의 모든 산업체에서 용존성 물질을 제거하는 데 가장 많이 사용하는 기술이며 운전압력은 보통 5~7MPa이고, 역삼투막의 필터크기는 2~10nm 이하로 콜로이드성 물질, 염, 박테리아, TOC 등을 제거할 수 있다.

3. RO(역삼투)막 배치방법의 3가지

1) RO(역삼투)막 배치방법 3가지의 개요

RO Unit(역삼투막) 배치방법에는 Single Stage RO System, Two Stages(2단) RO System, Two Pass RO System이 있다. 모듈의 배치 및 모듈 내 엘리먼트 수는 하수처리수 재이용처리수의 목표수질, 수온, 회수율, 운전압력 등에 따라 결정하며 하수처리수 재이용에서 가장 일반적인 배치는 Single Stage RO 시스템을 적용한다.

2) RO(역삼투)막 배치방법 3가지의 특징

① Single Stage RO 시스템

가장 일반적이며 1단의 RO막을 통과시켜 처리수를 얻는다. 가장 시스템이 심플하고 경제적이지만 수질은 Two Pass RO 방식에 비해 떨어진다.

② Two Stages(2단) RO 시스템

1단을 통과한 유출수를 2단에서 재차 회수하는 것으로 전체적인 시설의 회수율을 향상시키기 위하여 적용한다. Two Stages RO(2단 RO) System은 1단 RO에서 배출되는 농축수가 2단 RO의 원수가 되는 형태로 1단 방식보다 시설비는 증가하나 처리수량을 확보하기에는 적합하다.

③ Two Pass RO 시스템

1단 처리수를 2단에서 재처리하는 것으로 직렬로 연결하여 처리수를 고도의 수질을 목표로 생산하는 시설이다. Two

Pass RO System은 1열 RO 생산수가 2열(Series) RO 원수가 되어 재처리되는 시스템으로 지하수 재충전용 등 고급 재이용수를 얻기에 적합하다.

4. RO 막여과시스템의 주요 구성 설비

1) 압력베셀(멤브레인 하우징)

2) 멤브레인(여과막)

3) 유량조절밸브(농축수조절밸브)

4) 각종 압력배관

5) 각종 계기(전도도계, 유량계, 압력계 등)

5. RO 시스템과 고압펌프

역삼투법은 삼투압을 이용하므로 고압펌프가 필요하다. 원수 중의 순수한 물이 멤브레인을 투과할 수 있도록 높은 투과압력(역삼투압)을 원수에 공급하는 고압펌프는 역삼투시설의 핵심 시설이다.

1) 고압펌프형식 : 원심다단펌프 또는 용적식 플런저 펌프(역삼투법인 경우 동력비가 운영관리비의 약 40~50% 차지, 이 중 고압펌프에 의한 에너지 소비가 약 85% 정도를 차지)이다.

2) 고압펌프 토출 측과 RO Feed 측은 가급적 직선으로 연결되도록 배치하고 고압펌프의 유효흡입수두를 유지하기 위하여 설치되는 Booster 펌프는 고압펌프 Feed 유량의 120%, 수압 1.5bar 이상을 유지하는 것이 좋다.

3) 펌프제어는 고압펌프를 인버터 제어하여 동력비 절감을 꾀한다.

4) 배관연결방법은 플렉시블 조인트에 의하며, 고압배관 설계는 표준화, 단순화 및 Elbow 등 부속수를 최소화한다.

6. 고압펌프의 대수 결정

펌프 대수 결정은 원칙적으로 경제성 및 유지관리성을 고려하여 결정한다.

1) 대용량으로 적은 대수를 설치하는 방식은 건설비는 저렴하나 유지관리비가 증가하고 고장 시 대처가 어렵다.

2) 소용량으로 다수를 설치하는 방식은 건설비는 증가하나 유지관리비가 저렴하고 고장 시 부분가동이 가능하다.

7. RO 시스템 에너지회수장치

1) RO 시스템은 고압펌프를 이용하고, 에너지회수장치는 고압펌프에서 48~63bar 정도 가압된 원수를 RO 시설에서 수력마찰로 1~2bar 정도 손실된 후 고압의 압력을 유지한 채 버려지는 농축수에서 압력에너지를 회수하기 위한 장치이다.

2) 고압 농축 배출수에서 발전기를 이용하여 전기에너지로 전환시키는 방법과 직접 고압펌프 보조동력으로 사용하는 방법 등이 있다.

8. 최근 RO Unit 설계 동향

1) 동력비 절감을 위한 인버터에 의한 고효율펌프 및 에너지회수장치의 최적화

2) 1개 베셀에 엘리먼트 수량을 증가하여 설치하는 추세(1~7Element/Vessel)

3) 효율적인 RO Unit 배치를 위해 Two Stages 또는 Two Pass 방식 적용

4) 효율 향상을 위해 RO막 전단에 UF/MF막을 이용한 전처리방법의 다각화

5) 멤브레인(RO막) 성능 개선을 통한 투과량 증가와 회수율 향상 다각 추진

문제 7) 하수처리장 2차 침전지의 정류벽 설치사유 및 재질

1. 침전지의 정류벽 필요성

침전이란 중력식으로 수중의 입자성 물질을 가라앉혀 고액 분리시키는 단위조작으로 정수처리, 하수처리, 폐수처리에 일반적으로 사용된다. 이때 침전효율 향상을 위하여 침전지 내에서 정류상태가 요구되고 이를 위한 정류벽이 필요하다.

2. 침사지, 1차 침전지, 2차 침전지

하수처리분야에서 침전이 주로 사용되는 것은 사석이나 모래 그리고 Slit을 제거하는 침사지, 유입하수 중의 부유고형물 제거를 위한 1차 침전지, 하수처리의 본 공정인 미생물반응조(활성슬러지공법)에서 생성된 생물학적 플록을 제거하기 위한 2차 침전지 등이고 폐수의 고도처리에 있어서 침전의 주된 목적은 여과 전의 화학적으로 응집된 플록을 제거하는 것이다.

3. 2차 침전지의 정류벽과 단락류

2차 침전지에서 침전효율은 입자의 침강속도와 표면부하율의 관계에서 결정되므로 표면부하율은 되도록 감소시켜야 하고 특히 단락류에 의한 유속 증가는 입자의 침전을 방해한다. 그러므로 단락류 방지를 위해 정류벽이나 정류판을 설치한다. 정류벽은 일반적으로 콘크리트나 금속판을 사용하고, 정류판은 주로 금속판, 합성수지판을 사용한다.

4. 2차 침전지의 정류벽 형태

1) 직사각형 침전지와 같이 하수의 유입이 평행류인 경우에는 유입부에 저류판 혹은 유공정류벽을 설치한다.

2) 원형 및 정사각형 침전지와 같이 하수의 유입이 방사류인 경우에는 유입구의 주변에 원통형 저류판을 설치한다.

5. 침전유형 4가지

침전은 하수를 처리하기 위해 사용된 공정 중의 하나로 오래된 것이다. 하수처리나 폐수처리에 사용되는 침전의 원리는 서로 같으며, 장치와 운영방법도 비슷하다. 침전형태는 입자농도와 입자의 상호작용 능력에 따라 일반적으로 4가지 형태로 나뉜다.

1) 독립침전(Ⅰ형 침전) : 침사지

① 부유물농도가 낮은 상태에서 응결되지 않는 독립입자의 침전으로 입자 상호 간에 아무런 방해가 없고 유체나 입자의 특성에 의해서만 침강속도가 결정된다.

② 비중이 큰 무거운 독립입자의 침전(침사지의 모래입자 침전)이 여기에 속하며 Stokes법칙이 적용되는 침전의 형태이다.

2) 방해침전(Ⅱ형 응결침전) : 침전지 상부

생하수에서 현탁고형물의 침전으로 침전지의 상부 및 화학적 응집슬러지를 침전시킨 경우가 여기에 속한다. 현탁입자가 침전하는 동안 응결과 병합을 일으켜 입자의 침전속도가 빨라진다.

3) 지역침전(Ⅲ형 침전) : 침전지 중간, 농축조 상부

① Ⅰ형 및 Ⅱ형 침전 다음에 발생하는 단계로, 현탁고형물의 농도가 큰 경우 가까이 위치한 입자들의 침전은 경계면을 이루면서 지역적으로 침전하고, 침전속도는 점차 느려지게 된다.

② 생물학적 처리의 2차 침전지 중간 정도 깊이에서의 침전형태가 이 경우에 해당한다.

4) 압축침전(Ⅳ형 침전) : 농축조 하부

침전된 입자들이 그 슬러지 자체의 무게로 계속 압축을 가하고, 입자들이 침전된 층에서 물이 빠져나가 농축이 계속되는 현상으로 2차 침전지 및 농축조의 하부에서 침전하는 형태이다.

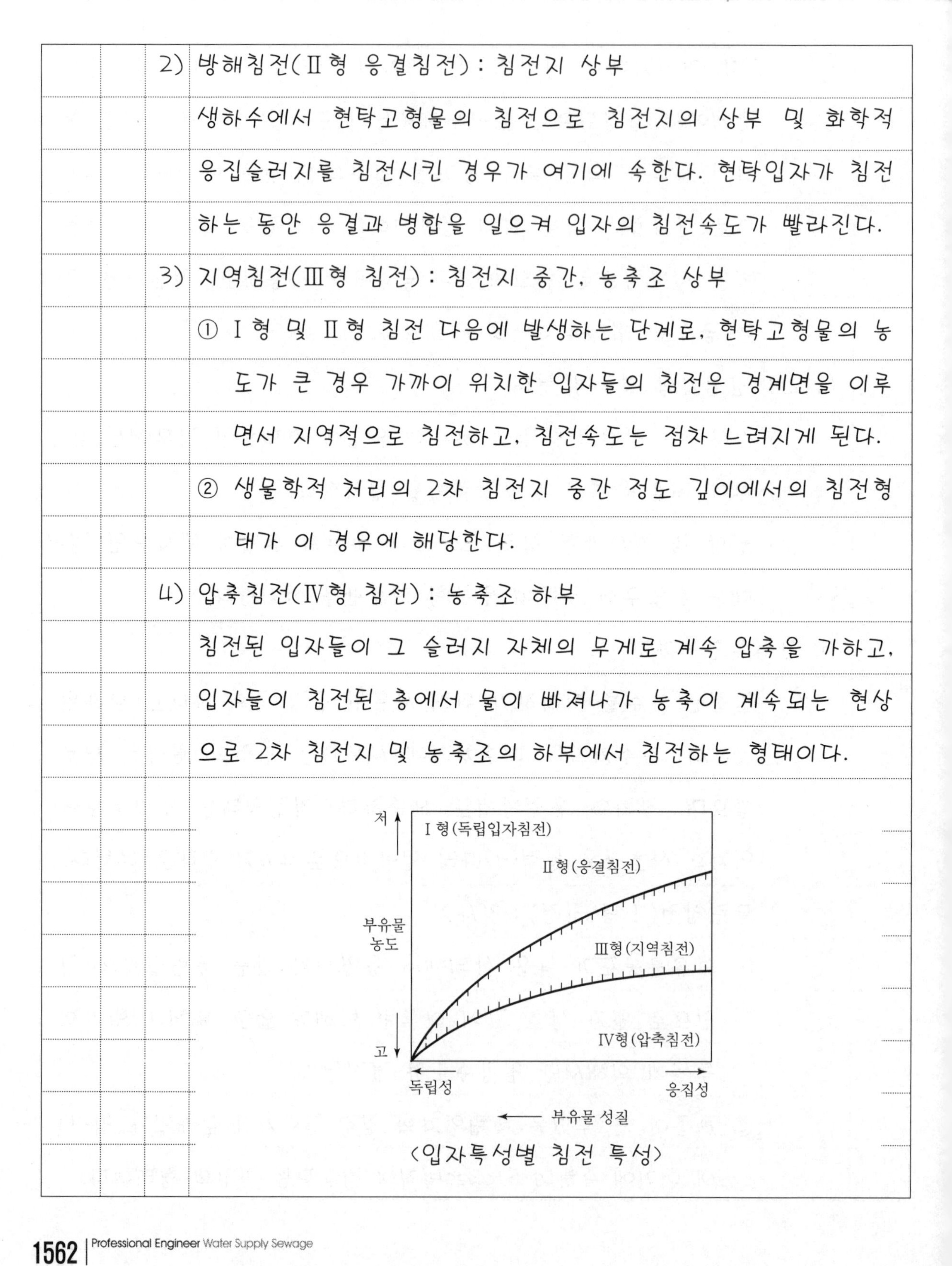

〈입자특성별 침전 특성〉

문제 8) 점감수로(Tapered Channel)

1. 정의

점감수로란 공기나 물의 통로가 진행방향으로 점점 감소하여 설치된 것으로 유속의 조정과 관계가 있다.

2. 점감수로와 동압

1) 점감수로는 급속여과지의 역세척 공기나 물통로 등에 적용하며 그 원리는 유체동압과 관계가 있다.

2) 하부집수장치에서 역세척을 할 때 물이나 공기가 여상 전체에 균등한 압력으로 공급되어야 하며 그러기 위해서는 공급되는 관로에서 균등한 압력을 공급해야 한다.

3) 공급관로에서 여과지가 직렬로 배치되는 경우 전단과 후단의 공기량은 변화하며 후단으로 갈수록 공기량이 적어진다. 그러므로 동압은 감소하고 정압은 증가한다.

① 공급압력(정압)=전압－동압

② 동압$=\dfrac{v^2}{2g}\gamma$

4) 균등한 압력을 공급하기 위해서는 정압이 균등해야 하고, 공기량에 비례하여 다음 그림(균등압력으로 동시에 공급)처럼 통로 면적이 감소해야 한다. 관로길이가 4m 이내로 짧을 때는 큰 문제가 없으며 관로가 길수록 점감수로를 적용함이 균등압력을 공급하는 데 바람직하다.

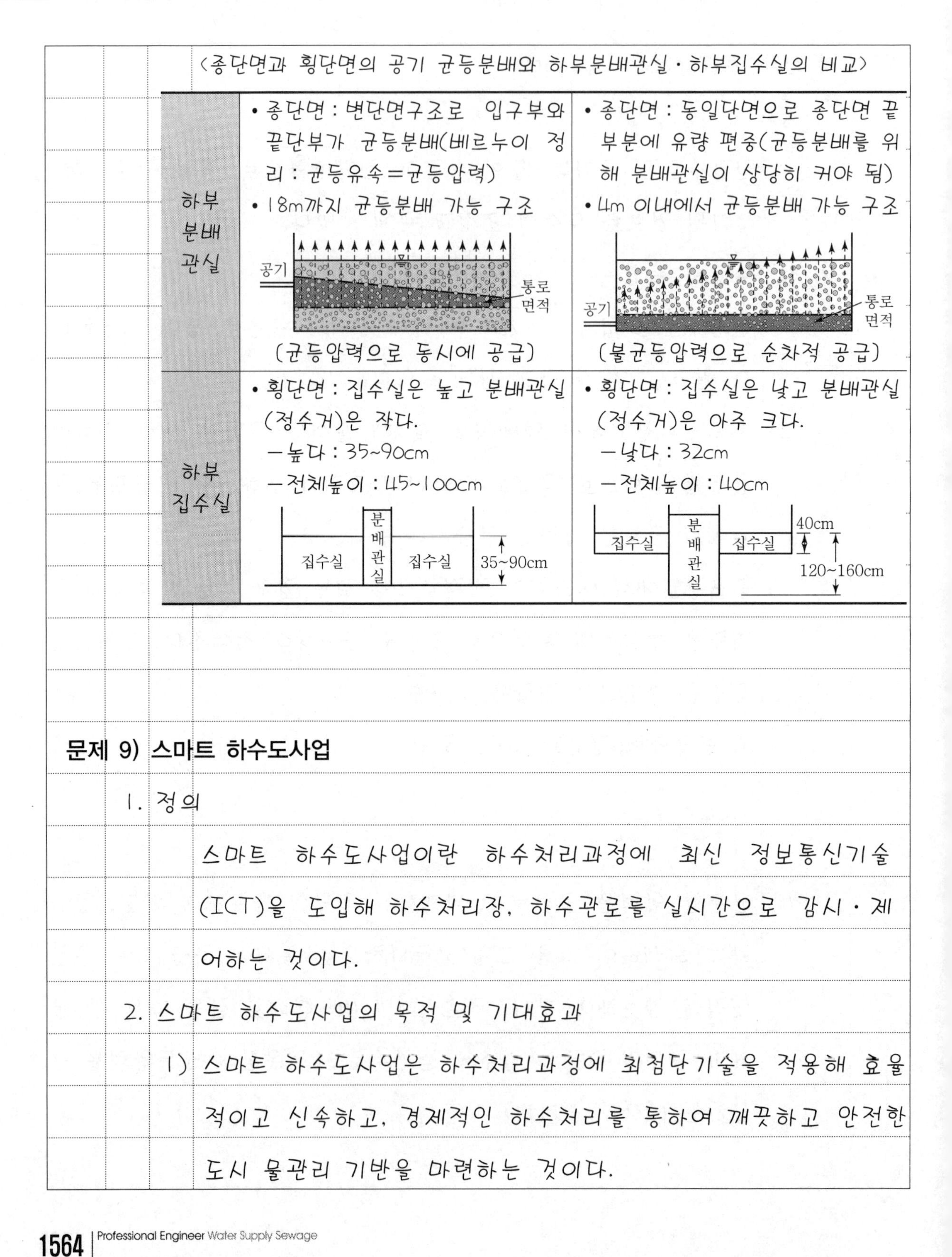

〈종단면과 횡단면의 공기 균등분배와 하부분배관실·하부집수실의 비교〉

구분		
하부 분배 관실	• 종단면 : 변단면구조로 입구부와 끝단부가 균등분배(베르누이 정리 : 균등유속=균등압력) • 18m까지 균등분배 가능 구조 공기 / 통로 면적 (균등압력으로 동시에 공급)	• 종단면 : 동일단면으로 종단면 끝부분에 유량 편중(균등분배를 위해 분배관실이 상당히 커야 됨) • 4m 이내에서 균등분배 가능 구조 공기 / 통로 면적 (불균등압력으로 순차적 공급)
하부 집수실	• 횡단면 : 집수실은 높고 분배관실(정수거)은 작다. –높다 : 35~90cm –전체높이 : 45~100cm 집수실 / 분배관실 / 집수실 / 35~90cm	• 횡단면 : 집수실은 낮고 분배관실(정수거)은 아주 크다. –낮다 : 32cm –전체높이 : 40cm 집수실 / 분배관실 / 집수실 / 40cm / 120~160cm

문제 9) 스마트 하수도사업

1. 정의

스마트 하수도사업이란 하수처리과정에 최신 정보통신기술(ICT)을 도입해 하수처리장, 하수관로를 실시간으로 감시·제어하는 것이다.

2. 스마트 하수도사업의 목적 및 기대효과

1) 스마트 하수도사업은 하수처리과정에 최첨단기술을 적용해 효율적이고 신속하고, 경제적인 하수처리를 통하여 깨끗하고 안전한 도시 물관리 기반을 마련하는 것이다.

2) 하수도분야에 스마트기술을 도입해 경제적, 효율적인 운영으로 물산업 경쟁력을 더욱 강화할 수 있다.

3) 하수처리과정에 최신 정보통신기술(ICT)을 활용한 실시간 관측 및 원격제어·관리 등을 도입하여 안전하고 깨끗한 물환경을 조성하는 것으로 전국 지방자치단체 수요조사 및 적합성 심사를 거쳐 최종대상지를 선정하여 실행하고 있다.

4) 스마트 하수도사업은 일자리를 창출하고 온실가스 감축에 효과적이며 정부가 추진하는 탄소중립에도 기여한다.

3. 스마트 하수도사업 분야별 계획

1) 스마트 하수처리장

하수처리장에 정보통신기술 기반 계측·제어로 하수처리공정을 최적화하여 안정적으로 하수를 처리하고 에너지를 절감한다.

2) 스마트 하수관로의 도시 침수대응

하수관로에 정보통신기술 기반 실시간 수량 모니터링 및 제어시스템을 구축해 도시 침수피해를 예측·대응한다.

3) 스마트 하수관로의 운영으로 하수악취관리

하수관로에서 발생하는 악취를 실시간으로 측정·관리한다.

4) 하수도 자산관리

체계적인 하수도시설의 유지관리를 위해 자산목록 DB화와 자산관리시스템을 구축한다.

제2교시

문제 2) 하수도계획의 절차에 대하여 설명하시오.

1. 하수도계획 시 포함사항

하수도계획은 하수도의 역할이 다양화되고 있는 사회적인 요구에 부응할 수 있도록 장기적인 전망을 고려하여 수립하되 다음 사항을 포함하여야 한다.

1) 침수방지계획

2) 수질보전계획

3) 물관리 및 재이용계획

4) 슬러지 감량화, 최종처리 및 자원화계획

2. 하수도계획의 절차

수질환경기준

구상		조사		예측		시설계획		상위계획
목표연도, 계획구역, 배제방식	→	자연조건, 관련계획, 부하량, 기존시설	→	계획하수량, 오염부하량	→	관거, 펌프장, 처리장	←	하수도정비 기본계획, 도시계획, 하천계획

법령상의 규제

3. 하수도계획의 절차별 주요 내용

1) 하수도계획의 목표연도

하수도계획의 목표연도는 원칙적으로 20년으로 하며, 해당지역에 따라 도시기본계획을 고려하여 계획목표연도를 결정하도록 한다.

2) 하수도의 계획구역

하수도의 계획구역은 처리구역과 배수구역으로 구분하여 다음 사항을 고려하여 정한다.

① 하수도의 계획구역은 원칙적으로 관할행정구역 전체를 대상으로 하되, 자연 및 지역조건을 충분히 고려하고 필요시에는 행정경계 이외구역도 광역적, 종합적으로 정한다.

② 하수도의 계획구역은 원칙적으로 계획목표연도까지 시가화될 것이 예상되는 구역 전체와 그 인근의 취락지역 중 여건을 고려하여 선별적으로 계획구역에 포함한다. 기타 취락지역도 마을단위 또는 인근마을과 통합한 하 수도계획을 수립한다.

③ 공공수역의 수질보전 및 자연환경보전을 위하여 하수도정비를 필요로 하는 지역을 계획구역으로 한다.

④ 새로운 시가지의 개발에 따른 하수도의 계획구역은 기존시가지를 포함한 종합적인 하수도계획의 일환으로 수립한다.

⑤ 처리구역은 지형여건, 시가화상황 등을 고려하고, 필요시 몇 개의 구역으로 분할할 수 있다.

⑥ 처리구역의 경계는 자연유하에 의한 하수배제를 위해 배수구역 경계와 교차하지 않는 것을 원칙으로 하고, 처리구역 외의 산지 등 배수구역으로부터의 우수 유입을 고려하여 계획한다.

⑦ 슬러지처리시설과 소규모 하수처리시설의 운영에 대해서는 광역적인 처리와 운전, 유지관리가 가능하도록 필요시 시설을 계획한다.

3) 하수의 배제방식

하수의 배제방식에는 분류식과 합류식이 있으며 지역의 특성, 방류수역의 여건 등을 고려하여 배제방식을 정한다.

① 배제방식 결정 시 자연배수시스템(NDS)을 최대한 적용한다.

② 자연배수시스템(NDS)은 신도시나 신규단지의 조성 시 분류식 하수도로 정비하면서 우수가 우수관로로 유입되기 전에 설치하여 우수관로의 유입량을 줄여주는 기능을 한다.

③ 자연배수시스템은 우수를 화단 등과 같은 자연지반에 유입·유출하여 저류·침투시키고 유속을 느리게 한다. 저류·침투되는 과정에서 오염물질들을 여과하는 친환경적인 기능을 하지만 저류·침투량이 크지 않으므로 홍수량 배제의 우수배제시설로서는 적용하기 어렵다.

4) 하수도계획을 위한 조사

① 자연적 조건에 관한 조사

② 관련계획에 관한 조사

③ 부하량에 관한 조사

④ 기존시설에 관한 조사

⑤ 하수의 자원화 및 시설의 유효이용에 관한 조사

5) 계획하수량 결정

① 우수배제계획 : 우수관거계획, 빗물펌프장계획, 우수유출량의 저감계획, 하수저류시설계획

② 오수배제계획 : 계획오수량, 오수관로계획, 오수펌프장계획, 불명수 유입량의 저감계획, 오수이송계획

6) 하수처리 및 재이용계획

계획인구, 계획오수량, 계획오염부하량 및 계획유입수질 처리방법, 하수처리수 재이용 기본계획, 하수처리수 재이용 시설계획

문제 3) 호소수의 망간 용출과 제거방법에 대하여 설명하시오.

1. 호소수의 망간 용출 개요

대규모 호소나 저수지에서는 밑바닥에 침전물이 있는데 여름철에 물이 정체되어 수온성층을 형성하면 밑바닥 저층수가 혐기성 상태가 되어 pH가 감소하면서 산성을 띠게 된다. 이때 바닥의 슬러지로부터 철과 망간이 용출되는 경우가 있다.

2. 망간의 먹는 물 기준

수돗물에 망간이 다량으로 포함되면 물에 쇠맛뿐 아니라 세탁이나 세척 시 의류, 기구 등이 흑갈색을 띠게 되고 공업용수로도 부적당하다. '먹는 물 수질기준'에서 망간은 0.3 mg/L 이하로 정해져 있으므로 수돗물에 그 이상 포함될 가능성이 있을 경우에는 제거해야 한다.

3. 망간의 영향

수돗물에 망간이 포함되면 수질기준(현재 0.3mg/L 이하)에 적합할 정도의 양이라도 유리잔류염소로 인하여 망간의 양에 300~400배의 색도가 생기거나, 관의 내면에 흑색부착물이 생기는 등 흑수(黑水)의 원인이 될 뿐더러 위생기구류나 세탁물에 흑색의 반점을 띠게 되는 경우도 있다. 또 망간과 철이 혼재될 경우에는 철이 녹은 색이 혼합되므로 흑갈색을 띠게 된다. 원수 중에는 망간이 포함되면 보통 정수처리에서는 거의 제거되지 않으므로 망간에 의한 장애가 발생할 우려가 있을 경우나 '먹는 물 수질기준' 초과인 경우에는 처리효과가 확실한 방식으로 망간을 제거할 필요가 있다.

4. 망간의 제거방법

철과 망간의 제거방법에는 물리·화학적 처리와 생물학적 처리로 구분할 수 있다. 그러나 원수 중에 포함된 철은 대개의 경우 침전과 여과과정에서 어느 정도 제거되므로 철을 제거하는 설비의 설치 필요성 여부는 포함된 철의 양과 성질 및 그 수도설비 등을 구체적으로 고려한 다음에 결정해야 한다. 망간은 지하수, 특히 화강암지대, 분지, 가스함유지대 등의 지하수 대부분에 포함되는 경우가 있고, 하천수 중에는 통상 망간이 포함되는 경우가 적지만 광산폐수, 공장폐수, 하수 등의 영향을 받는 호소수 침전물에서 용출현상으로 포함되는 경우가 있다. 철과 망간의 처리공정으로는 물리·화학적인 공기포기+급속모래여과, 산화제(염소, 오존, $KMnO_4$ 등), 산화코팅 또는 촉매여재를 이용한 여과 등의 방법과 생물학적인 포기+생물여과(완속여과) 등이 있는데 대부분이 물리·화학·생물학적 기작이 복합된 공정들이다.

1) 물리·화학적 제거

공기포기로 철이 산화되어 산화철이 생성되고, 생성된 산화철은 급속모래여과지에서 모래에 퇴적되거나 수중에 존재하는 산화철에 우선 Mn이 빠르게 흡착된다. 흡착된 Mn은 산소가 충분하고 pH 7 이상의 조건에서 수중에서 산화되는 것보다 훨씬 빠른 속도로 표면에서 산화되어 망간산화물을 형성한다. 이러한 촉매반응이 계속 진행되면서 모래에 퇴적된 망간산화물과 철산화물이 숙성되어 모래를 코팅하고, 층이 형성되면 수중의 Mn이 흡착과 산화반응으로 촉매화되어 더욱 효과적으로 Mn을 제거하게 된다.

2) 생물학적 제거

철과 망간을 산화하는 세균에는 철을 에너지원으로 사용하고 이산화탄소를 탄소원으로 사용하는 독립영양세균과 유기물을 에너지원과 탄소원으로 사용하는 종속영양세균이 있다. 이들은 토양 내 잘 서식하는 미생물들로 철과 망간은 효소작용에 의해 세포 내에서 산화가 이루어지거나, 철과 망간 산화세균의 대사과정 중에 배출된 폴리머의 촉매작용에 의한 세포 외 산화작용에 의해 제거된다.

철산화세균의 대사산물로 철산화물과 망간의 대사과정을 통해 망간산화 대사산물이 생성되어 세포를 코팅하며, 이들 대사산물에 Mn이 물리·화학적인 기작에 의해서 추가적으로 제거된다. 철산화세균은 모래에 부착하여 생물막층을 형성하며 성장한다.

철이 많이 포함된 물에는 망간이 공존하는 경우가 많으므로 철의 제거방법을 검토할 때에는 망간 제거의 필요성 유무에 대해서도 함께 검토해야 한다.

5. 망간 제거설비의 적용현황

1) 망간 제거에는 pH조정, 약품산화 및 약품침전처리 등을 단독 또는 적당히 조합한 전처리설비와 여과지를 설치해야 한다.

2) 약품산화처리는 전·중간염소처리, 오존처리 또는 과망간산칼륨처리에 의한다.

3) 잔류염소 존재하에서 망간이온의 망간모래로 접촉산화작용을 이용하여 망간을 제거하는 망간접촉 여과방식을 주로 사용한다.

문제 5) 하수관거의 심도별 굴착공법, 좁은 골목길 시공법 및 도로횡단공법에 대하여 설명하시오.

1. 하수관거의 굴착공법

1) 하수관거 매설을 위한 굴착은 사전에 조사한 토질, 지하매설물 등의 조사자료를 검토하여 지반붕괴, 지하매설물의 파손 등이 일어나지 않도록 충분히 검토한 후 안전한 시공방법을 채택한다.

2) 굴착작업 전 사전조사를 철저히 수행하고, 설계토질과 현장토질이 현저하게 차이가 있는 경우 감리자와 협의하여 시공방법(가시설공법 등) 변경 등을 통하여 안전하게 굴착공사를 실시한다.

3) 굴착폭은 설계도서에서 정해진 폭보다 작아서는 안 된다. 굴착폭은 최소한 설계에서 정한 폭으로 유지한다.

4) 장비진입 및 시공여건 불가 등 현장상황 변경요인 발생 시 감리자와 협의 후 변경할 수 있다.

5) 도로굴착에서 포장을 제거하는 경우 제거범위를 최소화해야 하고, 교통체증이 최소화될 수 있는 시간대에 작업한다.

2. 관거매설공사(도로횡단공법)

1) 도로부분의 터파기 시 포장면의 절단은 아스팔트절단기를 사용하여야 하며, 작업 전에 절단선을 표시한다.

2) 작업순서 및 작업시간대 등을 면밀히 검토하여 작업시간을 줄이고 안전사고, 품질확보, 소음에 따른 민원발생 등을 고려하여 실시한다.

3) 야간 및 휴일작업은 사전에 작업시간, 작업위치 및 이에 따른 공사금액의 변동 등을 설계부터 사전에 구간을 명기할 수 있도록 하며, 착공 전 시공계획서를 제출하여 사업시행기관과 사전협의 후 시행하도록 한다.

4) 작업 수행에 따른 교통신호 변경 및 통제에 따른 민원발생을 최소화하여야 하며, 관련기관(경찰청 등)에 사전의 공사 수행방안을 제시하고 사전홍보(인터넷, 팸플릿, 홍보방송 등)를 통하여

원활한 통행이 될 수 있도록 대책을 수립하도록 한다.

5) 굴착은 설계도서에서 정해진 깊이로 하고, 작업 중 빗물이나 용수가 고이지 않도록 하며, 기존구조물에 근접한 장소에서는 기존구조물 보호를 충분히 해야 한다.

6) 인력굴착, 기계굴착, 양자 병용 여부 등과 굴착진행방법, 굴착기계의 선정, 작업인원, 기계투입대수, 작업시간대 등에 대한 계획을 수립한다.

3. 굴착작업 시 유의사항

1) 정해진 깊이보다 깊이 굴착하지 않도록 하고, 만약 깊이 굴착된 경우에는 다시 되메우기를 하고, 다짐공법을 사용하여 원지반보다 연약하지 않도록 한다.

2) 굴착 중 물이 고이지 않도록 배수장비를 갖춘다.

3) 굴착부 주변의 가옥이나 담장 등과 같은 기존 고정구조물에 근접한 장소에서의 굴착은 구조물의 기초를 이완시키거나 용수, 지하수 배출 시 주변지반의 지지력을 저하시키므로 인접구조물의 피해가 최소화되도록 대책을 수립한다.

4) 방호계획은 고정시설물뿐만 아니라 차량 및 주민 등에 대해서도 수립한다.

5) 굴착된 토사 혹은 기타재료는 굴착면으로부터 1.0m 이상 떨어진 위치에 쌓아야 하며 굴착면 안으로 낙하되거나 붕괴되어 유입되지 않도록 유지하여야 한다. 또한 굴착 주위에 과다한 압력을 피하도록 하여야 한다.

6) 작업원 또는 장비가 충분히 횡단할 수 있도록 관거굴착개소에 난간을 갖춘 가교를 설치한다.

4. 좁은 골목길 시공법

도로폭이 좁거나 지하매설물이 있는 경우는 줄파기를 한다.

1) 지장물 노선의 직각방향으로 40~50m 간격의 횡줄파기를 실시한다. 이때 지장물 노선을 확실하게 알 수 있을 경우에는 감리자와 협의하여 횡줄파기 간격을 늘려서 실시한다.

2) 지하매설물이 있는 경우는 인력으로 예비굴착을 하여 기계굴착으로 인해 발생할 수 있는 지하매설물의 파손을 방지하여야 한다.

3) 노선과 나란히 가는 지장물이 예상되는 구간은 종줄파기를 시행한다.

4) 흙막이 없이 터파기 시 일정한 경사가 되도록 한다.

5) 자연비탈면 터파기를 시행할 경우 비탈면은 설계도서의 비탈면을 유지하여야 하며 수직으로 터파기를 수행하지 않도록 한다.

6) 도로굴착 시 직각으로 굴착할 경우 도로 안쪽의 굴착면이 쉽게 허물어져 되메우기와 다짐이 어렵고, 함몰 등 도로파손의 원인이 되므로 토질에 맞게 절취경사를 두어 굴착한다.

5. 하천횡단시공법

1) 하천을 횡단하여 하수도관을 부설할 경우 사고가 발생하면 발견이 어렵고, 보수가 곤란하며 장시간 소요되므로 기초공에 유의하여 내구성이 큰 구조로 축조한다.

2) 공사를 시공하기 전에 하천관리기관과 충분히 협의하여 안전하

고 확실한 계획을 세우고 신속히 시공한다.

3) 하천을 횡단하기 위하여 수로 등을 물막이 할 경우에는 범람할 우려가 없도록 가수로 등을 가설하여 유수의 소통에 지장이 없도록 한다. 또한 강재널말뚝으로 가물막이 할 경우에는 널말뚝 홈과 홈 사이를 제대로 끼워 차수를 확실하게 하여 작업에 지장이 없도록 한다.

4) 강우에 따른 하천수위의 상승에 대비하여 대책을 충분히 준비해 둔다. 기설구조물을 횡단할 때에는 관계관리자의 입회 아래 지정된 방호를 한 뒤에 공사를 실시하고 되메우기를 확실히 해야 한다.

5) 제방을 횡단하는 관거는 관거와 제체재료인 토사와의 접촉면을 통하여 파이핑(Piping) 또는 누수현상이 발생할 수 있으므로 차수용 키를 설치하거나 관거 주변을 점토로 되메우기를 해야 한다.

6. 하천횡단 교량 관매달기공법

1) 하수관을 하천, 도로, 수로 등을 횡단하여 부설할 경우 굴착 또는 비굴착방법으로 시공하는 것이 원칙이나 이설이 불가능한 지하매설물이 있는 경우, 매설심도의 증가로 공사비가 과도한 경우, 민원발생 등 부득이한 경우에 기설교량에 관매달기와 같은 대안을 설정하여 시공하면 공사기간 단축뿐만 아니라 공사비 절감을 도모할 수 있다.

2) 하천횡단 교량 관매달기공법은 동일 하수처리구역이 하천 등으로 분리되어 있고 자연유하로 하수의 이송이 불가능한 지역에

적용할 수 있다.

3) 관매달기는 압송관거를 기존교량에 매다는 것을 원칙으로 한다.

4) 중력식 하수도관을 매달 경우 관경의 증가로 매달기 위치 선정의 어려움뿐만 아니라 관하중의 증가로 교량의 안전에 영향을 줄 수 있으므로 매다는 관은 압송관거를 원칙으로 하고 필요한 경우 매달기 전에 압송시설을 설치한다.

5) 하천, 도로, 수로 등을 횡단하기 위하여 하수도용 수관교를 부설하는 것은 바람직하지 않으므로 특수한 경우를 제외하고는 기존 교량에 관매달기를 한다.

6) 교량은 도로의 종류에 따라 설치하고, 관리자가 있으므로 공사를 시공하기 전에 교량관리자와 충분히 협의하여 안전하고 확실한 계획을 세우고 시공한다.

7) 기설교량의 관매달기 시 주요 고려사항은 기존교량의 안전이므로 관리자와 협의 전에 충분히 검토한다.

8) 관매달기 구조물은 하천흐름을 방해하거나 홍수 시 유하되는 부유물의 흐름에 지장을 주지 않도록 한다.

9) 관매달기 배관의 관정부분에 공기가 발생하여 압송에 지장을 줄 수 있으므로 공기밸브를 설치한다.

문제 6) 하수처리장 2차 침전지 주요 설계인자에 대하여 설명하시오.

1. 개요

2차 침전지는 하수처리시설에서 가장 중요한 공정으로 대부분의 제거대상 유기물이 여기에서 제거된다. 유기물을 미생물입자로 변환하여 침전, 제거해서 하수를 정화하는 시설이다.

2. 1차 침전지와 2차 침전지의 기능

1차 침전지는 1차 처리 및 생물학적 처리를 위한 예비처리의 역할을 수행하고, 2차 침전지는 생물학적 처리 또는 화학적 처리(응집제 주입 시)에 의해 발생되는 찌꺼기(슬러지)와 처리수를 분리하며, 침전한 찌꺼기(슬러지)의 농축을 주목적으로 한다. 소규모 하수처리시설에서는 처리방식에 따라서 1차 침전지를 생략할 수도 있다. 가동 초기에는 유입수량·유입수질이 계획수량·계획수질에 도달하지 못하는 경우가 많아 반응조의 생물처리에 필요한 영양원을 확보할 수 없는 경우가 발생하므로 초기 운전대책으로 1차 침전지에서 우회수로(Bypass Line)의 설치를 검토할 수 있다.

3. 2차 침전지의 형상 및 지수

침전지의 형상 및 지수는 다음 사항을 고려하여 정한다.

1) 침전지 형상은 원형, 직사각형 또는 정사각형으로 하며, 침전지 내에서 단락류(Short Circuiting)나 국지적인 와류가 발생되지 않도록 저류판 등을 설치한다.

2) 직사각형인 경우 길이에 비해 폭이 지나치게 크면, 지 내의 흐름이 불균등하게 되어 정체부가 많이 발생하고 이로 인해 편류 등이 발생하여 침전효과가 저하되므로 폭과 길이의 비는 1 : 3

이상으로, 폭과 깊이의 비는 1 : 1 ~ 2.25 : 1 정도로, 폭은 찌꺼기(슬러지)수집기의 폭을 고려하여 정한다. 원형 및 정사각형의 경우 폭과 깊이의 비는 6 : 1 ~ 12 : 1 정도로 한다.

3) 침전지 지수는 청소, 수리, 개조 등을 위하여 최소한 2지 이상으로 한다.

4) 침전지는 수밀성 구조, 부력에 대해서도 안전한 구조로 하며 침전지 내 설비의 유지보수 등을 위한 지배수 용도로 배수밸브 등의 배수시스템을 갖춰야 한다.

5) 침전된 찌꺼기(슬러지)가 장시간 체류하게 되면 부패현상이 일어날 수 있으므로 이러한 부패현상을 막고 유효침전구역을 되도록 넓게 하기 위해서 찌꺼기(슬러지) 제거목적의 찌꺼기(슬러지)수집기를 설치한다.

6) 찌꺼기(슬러지)수집기를 설치하는 경우 조의 바닥은 침전된 찌꺼기(슬러지)를 어느 한쪽으로 모으기 쉽게 적당한 기울기를 둔다. 침전지 바닥기울기는 직사각형에서는 $\frac{1}{100} \sim \frac{2}{100}$로, 원형 및 정사각형에서는 $\frac{5}{100} \sim \frac{10}{100}$로 하고, 찌꺼기(슬러지)호퍼(Hopper)를 설치하며, 그 측벽의 기울기는 60° 이상으로 한다.

7) 악취대책 및 지역특성을 고려하여 복개를 검토할 수 있다.

4. 2차 침전지의 표면부하율

2차 침전지에서 제거되는 SS는 주로 미생물 응결물(Floc)이므로 1차 침전지의 SS에 비해 침강속도가 느리다. 따라서 표면부하율은 1차 침전지보다 작아야 하므로, 표준활성슬러지법의 경우, 계획 1일 최대오수량에 대하여 20~30$m^3/m^2 \cdot d$로 하되, SRT가 길고, MLSS농도가 높은 고도처리의 경우 표면부하율을 15~25$m^3/m^2 \cdot d$로 할 수 있다.

5. 고형물 부하율

2차 침전지의 고형물 부하율은 40~125$kg/m^2 \cdot d$로 한다. 2차 침전지에서 침전되는 찌꺼기(슬러지)의 SS농도가 매우 커서 지역침전(Zone Settling)현상이 일어나면, 침전시키려는 고형물의 양을 토대로 하여 계산된 값과 표면부하율에 의하여 계산된 값을 비교하여 소요면적이 큰 것으로 침전지의 표면적을 결정한다.

6. 2차 침전지 유효수심과 침전시간, 수면의 여유고

1) 유효수심은 2.5~4m를 표준으로 한다.

2) 침전시간은 계획 1일 최대오수량에 따라 정하며, 표준적인 표면부하율 및 유효수심의 경우는 3~4시간 정도, 침강특성이 양호하지 않을 경우는 4~5시간 정도 확보하여야 한다.

3) 침전지 수면의 여유고는 40~60cm 정도로 한다.

7. 침전지의 정류설비

정류설비는 유입수를 단면 전체에 대해 균등하게 분포시켜 침전지로 유입하는 유체의 흐름을 층류(Laminar Flow)로 유지시키기 위하여 설치하는 것이다. 정류설비에 대하여 다음 사항을 고려한다.

1) 직사각형 침전지와 같이 하수의 유입이 평행류인 경우에는 유입

된 하수가 침전지의 전체 폭에 균일하게 도달하기 위해 저류판 혹은 유공정류벽을 설치한다.

2) 원형 및 정사각형 침전지와 같이 하수의 유입이 방사류인 경우에는 유입구의 주변에 원통형 저류판을 설치한다. 원형 침전지의 정류통 직경은 침전지 직경의 15~20%, 수면 아래의 침수깊이는 90cm 정도가 되도록 설치한다.

8. 유출설비 및 스컴제거기

유출설비 및 스컴제거장치는 다음 사항을 고려하여 설치한다.

1) 유출부분의 유출설비는 침전지의 전면적에 대하여 유체가 일정하게 유출되도록 월류위어를 설치하고, 유출설비 앞에서 스컴이 유출되지 않도록 스컴저류판(Scum Baffle), 스컴제거기를 설치한다.

2) 스컴은 자연적으로 월류위어 쪽으로 모이게 되므로 스컴저류판의 상단은 수면 위 10cm, 하단은 수면 아래 30~40cm가량 되도록 설치한다.

3) 미립자의 부상효과를 억제하고 침전효율을 높이기 위해서는 월류길이당 월류량(월류부하)을 적게 하는 것이 필요하며, 월류위어의 부하율은 일반적으로 $190m^3/m \cdot d$ 이하로 한다.

4) 월류위어 및 유출수로에 조류가 발생하면 부분적으로 월류가 방해되어 편류가 생성되기 쉬우므로, 월류위어 및 유출수로에는 필요에 따라 조류증식 방지대책을 고려할 수 있다.

제3교시

문제 1) 도 · 송수관로 결정 시 고려사항을 10가지만 쓰시오.

1. 도 · 송수관로의 기능

1) 도수시설은 취수시설에서 취수된 원수를 정수시설까지 끌어들이는 시설로 도수관 또는 도수거, 펌프설비 등으로 구성된다.

2) 도수시설에서 태풍이나 지진, 홍수 등 비상시와 사고가 발생하는 경우 급수구역에 도수량의 급격한 저하나 정지에 의하여 광범위하게 영향을 끼칠 우려가 있다.

3) 송수시설은 정수장에서 배수지로 공급하는 송수관로인데 도수관과 송수관은 유체이송의 원리는 같다.

4) 도수관은 급수설비에 필요한 수량을 확실하게 도수할 수 있도록 해야 하며 높은 신뢰성이 요구되는 송 · 배수시설에서의 계통 간 연결의 유무 등을 고려하여 가능한 한 도수관 노선의 복수화에 관해서도 검토해야 한다.

2. 도 · 송수시설의 설계

1) 도 · 송수시설의 설계에서는 적절한 노선의 선정, 시설의 내진성 및 내구성의 확보, 원수 공급과정에서 수질오염 방지, 유지관리의 용이성, 경제성 등에 대해서도 충분히 검토해야 한다.

2) 도 · 송수시설을 설계할 때에는 몇 개의 노선에 대해 답사하고 지표지질의 자료를 수집(필요시 지질조사 시행)하여 노선을 결정한다.

3) 도·송수시설을 설계할 때에는 시점·종점 간의 고저차 관계, 도수관 길이, 지형, 건설의 난이도 등에 대하여 검토한 다음에 수리적·경제적으로 최적의 노선을 선정해야 한다.

3. 도·송수관의 구성요소

도·송수관 노선 선정에서는 개수로로 하는 경우라도 하천, 산, 산골짜기, 철도, 도로 등을 횡단하는 경우에는 수관교, 터널 및 역사이펀 등 지형에 따라 관수로와 개수로를 병용하여 도·송수관로를 구성할 수도 있다.(그림 참조) 또한 시점과 종점 간의 수위차가 과대할 경우에는 수로공간에 급경사수로나 접합정을 설치하고 제수밸브로 조절하는 방식도 사용된다.

〈도수관의 구성〉

4. 도·송수관 노선 결정 시 10가지 고려사항

1) 몇 개의 노선에 대하여 건설비 등의 경제성, 유지관리의 난이도 등을 비교·검토하고 종합적으로 판단하여 결정한다.

① 노선의 선정은 몇 개의 노선에 대하여 먼저 도면상으로 조사한다. 다음에 현장을 답사하여 설계상의 문제가 되는 점을 조사한다.

② 이들 노선의 용지취득비, 건설비 등의 경제성, 자연재해에

대한 안전성, 유지관리의 난이성 등에 대하여 비교·검토하고 종합적으로 판단하여 노선을 결정하는 것이 바람직하다.

③ 도·송수관의 경우에는 균일하고 완만한 수면경사를 얻을 수 있는 용지확보의 가능성, 구릉지나 하천·산골짜기를 횡단하는 경우의 터널, 수로교, 역사이펀 등에 관하여 공사의 난이성 및 공사비용 등을 검토해야 한다.

2) 원칙적으로 공공도로 또는 수도용지로 한다.

① 도수관은 상수도에 있어서 가장 중요한 간선시설의 일부이므로, 도수관로의 노선은 유지관리상 사유지를 피하고 공공도로 또는 수도용지 내에 매설하는 것이 바람직하다.

② 공공도로의 이용을 원칙으로 하되 공공도로가 없을 경우나 있더라도 도로폭이 협소하거나 지나치게 우회하는 경우 또는 굴곡이 심하여 도수관로의 노선으로 부적당한 경우에는 되도록 수도용지를 확보하여 수도전용의 노선을 고려한다.

③ 장래 공공도로의 개설이 예상될 경우에는 당초부터 공공도로로의 노면하중을 감안하여 흙덮기와 관두께를 고려하여 설계한다.

④ 공공도로에 매설하는 경우에는 먼저 하천횡단이나 철도횡단과 같은 특수한 장소 또는 기존의 지하매설물 등에 대하여 조사하고 점용이 가능한지를 사전에 각 시설관리기관과 협의한다.

3) 수평이나 수직방향의 급격한 굴곡을 피하고, 어떤 경우라도 최

소동수경사선 이하가 되도록 노선을 선정한다.

① 수평이나 수직방향의 급격한 굴곡은 손실수두를 크게 하고 수리학적으로 좋지 않으며, 수압과 유속에 따라 관로의 외측으로 향하여 작용하는 힘이 구조상의 약점으로 되므로 피해야 한다.

② 관로의 일부가 동수경사선보다 높을 경우에는 관 상부의 관내 압력이 대기압보다도 작아지고, 거기에 수중의 공기가 분리(캐비테이션)되어 축적되면 에어포켓으로 통수에 방해가 된다.

③ 관로의 일부가 동수경사선보다 높을 경우에 접합부에 틈이 있거나 관에 균열이 발생하면, 빗물과 오수가 관 내로 유입되어 수질오염을 일으킬 수 있으므로 관로상 어떤 지점도 동수경사선보다 항상 낮게 위치하도록 노선을 선정한다.

문제 5) 하수처리장 수리계산 절차 및 필요성에 대하여 설명하고, 수리계산 시 주요 고려사항을 쓰시오.

1. 수리계산의 필요성

하수처리시설은 일반적으로 침사지까지 하수를 자연유하시킨 다음 펌프로 양수하여 본 처리시설을 거쳐 자연유하의 형식으로 방류될 수 있도록 한다. 수리계산은 이러한 유수의 자연유하가 가능하도록 수리종단도 작성에 필요한 각 시설 간의 소요수위차를 산정한다. 작성한 수리종단도는 시설의 수리학적 안정성 확보, 펌프소요수두 및 각 시설 설치지반고 산정 등이 가능하다.

2. 수리계산의 절차 방법

1) 수리계산은 계획방류수위를 정한 후 방류관로로부터 처리시설의 펌프시설 또는 유입관로까지 역으로 계산한다.

2) 수리계산 시에는 적합한 수리공식이 적용되어야 하고 그 계산은 정확하여야 한다.

3. 수리계산 시 주요 고려사항

수리계산 시 다음과 같은 사항을 고려한다.

1) 계획방류수위 및 계획지반고

계획홍수위를 반영한 계획방류수위를 설정하고, 계획홍수위에도 자연유하로 방류되도록 계획지반고 및 유입펌프 소요양정을 산정한다.

2) 계획수량 및 유속

3) 각 시설 간의 연결관

4) 여유치

각 시설은 구조상의 수위변화량에 관로, 계량설비 등의 수위변화량을 가산하여 소요수위차를 갖도록 한다.

5) 시설의 구조

단위처리시설 사이로 유량분배를 균등화할 수 있고, 미생물의 손실을 방지하기 위하여 극도의 첨두유량에서는 2차 처리시설을 우회할 수 있는 대책을 마련하여야 한다. 관로나 수로에서 하수가 흐르는 방향이 변환되는 경우를 최소화하는 것이 필요하다.

6) 각종 수리학적 악조건의 발생

처리장 내의 기계설비 고장 등으로 인하여 가동을 중지한 상태에서의 수리학적 상태와 유량이나 수질면에서 최악의 상태 등을 대비하여 수리계산을 시행한다.

4. 수리종단도

수리계산 시는 수리종단도를 작성하여 처리시설에 대한 수리계산의 적합성 및 수리경사의 안정성 등을 확인하여야 한다.

문제 6) 하수처리시설의 부지배치계획 수립 및 계획고 결정 시 주요 고려사항을 설명하시오.

1. 하수처리시설의 부지배치계획

하수처리시설의 부지배치계획은 다음 사항을 고려하여 정한다.

1) 하수처리시설은 건설비 및 유지관리비 등의 경제성, 유지관리의 난이도 및 확실성 등을 충분히 고려하여 정한다.

2) 하수처리시설 위치는 방류수역의 물이용상황 및 주변의 환경조건을 고려하여 정한다.

3) 하수처리시설의 부지면적은 장래 확장 및 향후의 고도처리계획 등을 예상하여 계획한다.

4) 하수처리시설은 계획 1일 최대오수량을 기준으로 하여 계획하

고, 합류식 하수도에서 강우 시는 계획시간 최대오수량의 3배 이상을 기준으로 계획한다.

5) 하수처리시설은 이상수위에서도 침수되지 않는 지반고에 설치하거나 또는 방호시설을 설치한다.

6) 하수처리시설은 유지관리가 쉽고 확실하도록 계획하며, 주변의 환경조건에 대하여 충분히 고려한다.

2. 하수도시설의 배치, 구조 및 기능

하수도시설의 배치, 구조 및 기능은 다음 사항을 고려하여 정한다.

1) 하수도시설의 배치, 구조 및 기능은 유지관리상의 조건, 지형 및 지질 등의 자연조건, 방류수역의 상황, 주변환경조건, 시설의 단계적 정비계획, 시공상의 조건 및 건설비 등을 충분히 고려한다.

2) 하수도시설의 용량은 시설의 변동요인에 대응할 수 있도록 여유를 둔다.

3) 하수도시설은 예측하기 어려운 사고 및 고장뿐만 아니라 보수 및 점검 시에도 시설로서의 일정한 기능을 유지할 수 있도록 필요에 따라 예비시설을 설치하고, 시설의 신뢰성, 확실성 및 안전성을 높이기 위해 시설의 복수화를 고려한다.

4) 하수관로시설은 인근에 도로함몰이나 지반침하를 발생시키지 않아야 하며, 누수 및 지하수 유입대책을 강구하여야 한다.

5) 하수관로, 펌프장 및 처리장의 시설계획은 오수의 양 및 질의 파악과 시설의 운전관리를 원활히 하기 위하여 적절한 계측제어

설비를 설치한다.

6) 장래 하수량의 증감이 예상되는 경우에는 이를 반영한 시설계획을 하여야 한다.

3. 하수처리시설의 계획고 결정 시 고려사항

1) 하수도시설은 관로시설(펌프장시설 포함), 수처리시설, 하수처리수 재이용시설, 배수설비로 크게 구별된다.

2) 하수도의 목적을 달성하기 위해서는 하수도시설의 적절한 유지관리가 필요하다.

3) 하수도시설의 배치, 구조 및 기능에 관한 계획의 수립 시에는 계획의 규모 및 유지관리체제 등 유지관리상의 모든 조건에 따라 유지관리가 용이하고, 적정하게 이루어지는 것이 기본전제가 되어야 한다.

4) 하수배제는 자연유하를 원칙으로 하고 있어 주요 시설이 일반적으로 저지대에 위치하거나 지하에 축조되는 시설이 많기 때문에 지형 및 지질조건을 충분히 고려해서 계획한다.

5) 방류수역상황과 관련하여 토구는 하수도시설로부터 하수를 공공수역에 방류하는 시설을 말하며 처리장에서 처리수의 토구, 분류식에서 우수토구 및 펌프장의 토구, 합류식에서 우수토구 및 펌프장의 토구 등에 대하여 계획한다.

6) 토구의 위치 및 구조의 결정은 방류수역의 수위, 수량, 물이용상황, 수질환경기준의 설정상황 및 하천개수계획 등을 충분히 조사하여 외수의 역류를 방지할 수 있도록 하고, 방류수역의 수질

및 수량에 대하여 지장이 없도록 고려한다.

7) 우수토구는 우천 시에 오염부하가 방류수역에 미치는 영향을 충분히 검토하여 계획하는 것이 필요하다.

8) 하수를 배제시키기 위한 계획에서 방류하천이나 해역의 계획외수위가 극히 중요하며, 계획외수위에서도 지장 없이 하수를 배제할 수 있어야 한다.

9) 계획외수위를 하천의 경우에는 계획홍수위, 해역의 경우에는 만조위를 기준으로 설정하면 가장 안전하게 하수를 배제할 수 있다.

10) 계획외수위를 기점수위로 추정된 동수경사선(배수위)을 고려하여 하수배제계획 수립 시 8), 9) 조건을 만족시킬 수 있다.

11) 하수처리시설과 펌프장 등의 중요시설은 이상수위에 대해서도 시설기능이 정지나 시설손상이 되지 않도록 대책이 필요하고, 이를 충분히 반영하여 수리종단도를 작성한다.

12) 관거시설의 펌프장과 하수처리시설의 배치 및 구조는 지형, 방류수역의 상황, 소음, 대기오염 및 미관 등 문제에 대해서도 충분히 고려한다.

13) 하수도시설은 몇 개의 계열로 나누어 단계적으로 시공되므로, 단계적인 정비계획을 고려하여 종합계획과의 관계로부터 가장 적절한 계열의 구분 및 시설의 배치, 시공상의 조건이나 경제성에 대해서도 고려할 필요가 있다.

제4교시

문제 6) 하수처리장 설계 시 적용되고 있는 방수방식공법에 대하여 다음 내용에 답하시오.

1) 현장에서 최근 적용되고 있는 부위별 방수방식공법을 제시하고, 단면도를 그려 표기하시오.(수조내부, 외부, 관랑부 및 기계실, 슬러지저류조 등)

2) 각 부위별 방수방식공법 적용 필요성에 대하여 설명하시오.

1. 현장에서 최근 적용되고 있는 방수방식공법의 종류와 특징

방수방식의 종류	시공법	특징
규산질계 도포방수	바탕면의 공극에 규산질계 방수재를 도포하여 방수막을 형성하는 방수공법이다.	규산질계 도포방수는 습윤바탕에도 적용이 가능하지만 방수막의 두께가 얇고 탄력성이 없는 단점이 있다.
시멘트 모르타르계 방수	시멘트 모르타르에 방수재를 섞어서 콘크리트 표면에 발라 방수층을 형성하는 방수공법이다.	공사비가 저렴하고 시공 후 관리 시 결함부의 발견이 용이하지만 바탕면 처리가 어려워 정밀시공을 요하며 탄력성이 부족해서 균열이 발생할 수 있다.
아스팔트방수	방수를 요하는 바탕면에 접착제를 사용해서 아스팔트 루핑이나 펠트 등의 시트를 2~4회 적층하여 방수층을 구성하는 방수 공법이다.	넓고 수평인 바탕면에 시공이 용이하나 압력의 영향을 많이 받는 편이라 수직면에는 시공하기가 어렵다.
시트방수	합성고무, 합성수지, 고무아스팔트 등을 합성하여 성형한 1~3mm 가량의 고분자시트를 바탕면에 접착제를 사용해서 붙이거나 고정철물로 시트를 고정하여 방수층을 구성하는 방수공법이다.	공정이 단순하고 온도의 영향이 적으나 접착제 사용으로 인체에 해로울 수 있고 인화성 재료를 사용하므로 화재의 위험이 있다. 또한 시트가 부풀어 오를 수 있고 이음접착부가 누수에 취약하다.

방수방식의 종류	시공법	특징
도막방수	고분자화합물로 된 방수재료를 바탕면에 도포하여 소요두께의 방수피막을 형성하는 방수공법이다.	방수층 이음과 접착부가 없어 복잡한 부위도 시공이 가능하며 다양한 색상과 무늬를 만들 수 있지만 온도가 낮거나(5℃ 이하) 습기가 많을 때에는 시공이 어렵다.

2. 방수방식공법별 단면구성(평면부)

평면부 방수층의 보호 및 마감은 다음 표를 표준으로 하고, 치켜올림부 등 입면부 방수층의 보호 및 마감은 공사시방에 따른다.

방수층의 종류	아스팔트 방수층		개량 아스팔트 시트방수층		합성고분자 시트방수층		도막방수층		
방수층의 종별 / 보호 및 마감	PrF PrS InF	MiS AlS ThF	PrF PrS	MiF MiT	RuF	PlF PlM	UrF	AcF AcW	GuF GuU
현장타설콘크리트	○	-	○	-	-	-	-	-	○
아스팔트콘크리트	○	-	○	-	-	-	-	-	-
콘크리트블록	○	-	○	-	-	-	-	-	○
둥근 자갈	○	-	○	-	-	-	-	-	-
시멘트 모르타르	○	-	○	-	-	-	-	-	○
우레탄 포장재	-	-	-	-	-	-	○	-	-
화장재	-	-	-	-	-	-	-	○	-
마감도료	-	-	-	○	○	-	○	○	-
패널 및 보드류	○	-	○	-	○	○	○	○	○

주) 범례 : ○ : 적용, - : 표준 외

3. 방수방식공법별 특징

1) 피막식(멤브레인) 방수

피막식 방수공법은 구조물의 내외부에 여러 겹의 피막방수층을 만들어 콘크리트구조물에서 일어나게 되는 균열 또는 그 외 건축물의 시공결함을 대처하는 가장 대표적인 공법이다. 피막식 방수는 사용하는 재료의 종류와 공법에 따라 아스팔트방수, 시트방수, 도막방수, 개량질 아스팔트방수로 구분된다.

① 아스팔트방수

지붕, 지하실, 저수탱크, 옥내방수에 주로 사용된다. 누수 가능성이 높은 곳일수록 방수층을 두텁게 칠한다.

② 시트방수

시트방수는 합성고분자계 루핑을 접착제로 바탕면에 붙이는 방수방법이다. 지붕, 차양, 발코니, 수조, 슬러지저류조 등에 쓰인다. 합성고무계, 합성수지계가 있으며 이에 따라 시공과정이 다르다. 프라이머는 시트제조자가 권하는 것을 이용하는 것이 시공품질을 높일 수 있다.

③ 도막방수

도장재를 발라 도막을 형성하여 방수효과를 얻는 시공방법이다. 기존 모르타르 방수제와는 달리 탄성이 있기 때문에 여름과 겨울의 온도변화에도 크랙 발생이 적다. 재료는 아주 딱딱한 것과 탄성이 있는 두 종류가 있는데 탄성이 있는 것은 체육시설 및 옥상 등에 시공되며, 딱딱한 것은 수조 및 슬러지저류조 및 공장바닥, 창고 등에 시공된다.

④ 개량 아스팔트방수

개량질 아스팔트는 폴리머 개량질 아스팔트 루핑의 종류와 성능에 따라 각 제조업체별로 특징을 갖는 방수재를 개발 시공하고 있다. 개량질 아스팔트 루핑의 피복층을 용융하고 루핑단면을 겹쳐 발라 방수층을 만들어내는 것이다.

2) 침투성 방수

콘크리트 표면에 도포하여 콘크리트 자체를 치밀하게 변화시켜 고압투수에 대하여 높은 방수성을 가지게 하는 방수방법이다. 초벌과 재벌 사이의 건조 시에 비바람에 의한 습윤의 우려가 있는 경우 주의하여 시공한다.

4. 개량 아스팔트 방수방식공법의 시공절차

1) 프라이머의 도포

바탕을 충분히 청소한 후, 프라이머를 솔, 롤러, 뿜칠기구 및 고무주걱 등으로 균일하게 도포한다.

2) 개량 아스팔트 방수시트 붙이기

① 개량 아스팔트 방수시트는 토치로 개량 아스팔트시트의 뒷면과 바탕을 균일하게 가열하여 개량 아스팔트를 용융시키고, 눌러서 붙이는 방법을 표준으로 한다.

② 일반부의 개량 아스팔트 방수시트가 상호 겹쳐진 접합부는 개량 아스팔트가 삐져나올 정도로 충분히 가열 및 용융시켜 눌러서 붙인다.

③ 보행용 전면접착(M-PrF), 노출용 전면접착(M-MiF), 노출용 단열재 삽입(M-MiT)공법의 경우에는 상층 개량 아스팔트 방수시트의 접합부와 하층 개량 아스팔트 방수시트의 접합

부가 겹쳐지지 않도록 한다.

④ ALC패널 및 PC패널의 단면접합부 등 큰 움직임이 예상되는 부위는 미리 폭 300mm 정도의 덧붙임용 시트로 처리한다.

⑤ 치켜올림의 개량 아스팔트 방수시트의 끝부분은 누름철물을 이용하여 고정하고, 실링재로 실링처리를 한다.

⑥ 지하외벽 및 수조, 슬러지저류조 등의 벽면에서 개량 아스팔트 방수시트 붙이기는 미리 개량 아스팔트 방수시트를 2m 정도로 재단하여 시공하고, 높이가 2m 이상인 벽은 같은 작업을 반복한다. 재단하지 않고 개량 아스팔트 방수시트를 붙이는 경우에는 늘어뜨리는 장치를 이용하여 시공한다.

⑦ 바탕에 부분적으로 접착시키는 경우의 시공법은 공사시방에 따른다.

3) 단열재 붙이기

① 노출용 단열재 삽입(M-MiT)공법에서의 단열재는 다음 공정 ②의 단열재용 접착제를 균일하게 바르면서 빈틈없이 붙이고, 그 위를 점착층 붙은 시트로 붙인다.

② 보행용 전면접착(M-PrF)공법에서의 단열재는 단열재용 접착제를 이용하여 붙이든지, 이미 시공된 개량 아스팔트 방수시트의 표면을 토치로 부분적으로 가열하여 빈틈없이 붙인다.

4) 보호 및 마감

개량 아스팔트 시트방수층의 보호 및 마감은 공사시방에 의한다.

5. 시트방수의 단면도

1) 어떠한 바탕면에도 일정한 두께로 작업한다.

2) 밑에 있는 수분은 흡수·증발한다.

3) 물청소 후 바로 시공이 가능하다.

<단면도>

9. 기출문제

제 108 회 상하수도 기술사 시행일 | 2016년 1월 31일

1교시 (13문제 중 10문제 선택, 각 10점)

1. TOC(Total Organic Carbon)
2. 하수도정비 중점 관리지역
3. 인공습지
4. 상수관 갱생방법
5. UASB(Upflow Anaerobic Sludge Blanket)
6. Break Through(탁질누출현상)
7. 풍수량, 평수량, 저수량 및 갈수량의 정의
8. 지반침하에 대응한 하수관거 정밀조사요령
9. 정류벽(Baffle)의 기능
10. 수격작용(Water Hammer)
11. 상류와 사류
12. 총괄(평균)유출계수
13. 중수도의 이용용도

2교시 (6문제 중 4문제 선택, 각 25점)

1. 강우 시 하수도시설 운영현황 및 문제점 개선방안을 설명하시오.
2. 슬러지 가용화방안에 대하여 설명하시오.
3. 고가수조식과 압력수조식 급수법의 장단점을 설명하시오.
4. 원형관에서 Manning공식의 수리특성곡선(유속-수심, 유량-수심곡선)을 그림으로 나타내고 설계적용 시 유의할 점을 설명하시오.
5. 하천 내에서 적용가능한 수질정화기술(기법)을 설명하시오.
6. 홍수량을 계산할 때 쓰이는 합리식(Rational Method)의 인자들을 설명하시오.

3교시 (6문제 중 4문제 선택, 각 25점)

1. 혐기성 소화조 성능저하 원인분석 및 성능개선대책을 설명하시오.
2. 하수처리장 유입수의 저농도 및 저부하가 예상될 경우 시설설치 및 운영상 고려해야 할 사항을 설명하시오.
3. 기후변화로 인한 홍수와 가뭄 발생 시 상수도, 하수도 시스템에 발생하는 문제점과 그에 대한 대책을 설명하시오.
4. 급배수관으로 사용되는 강관, 덕타일주철관, 경질염화비닐관의 장단점을 설명하시오.
5. 상수도 계획급수량을 적용하여 하수처리장 및 차집관로의 설계시설용량 산정 절차와 주요 인자들을 설명하시오.
6. Pin Floc 발생원인 및 대책방안을 설명하시오.

4교시 (6문제 중 4문제 선택, 각 25점)

1. 하수도정비 기본계획 수립(변경)지침에 따른 주요 고려사항을 설명하시오.
2. 하수도사업에서 유역통합관리방안의 타당성을 설명하시오.
3. 하수처리장의 악취 특성 및 제거방법을 설명하시오.
4. 분산형 빗물관리의 정의와 기술요소를 설명하시오.
5. 해수담수화기술의 종류를 기술하고 역삼투방식(R/O) 담수화기술의 장단점을 설명하시오.
6. 조류발생 시 정수장에서 대처방안을 설명하시오.

제 109 회 상하수도 기술사 시행일 | 2016년 5월 15일

1교시 (13문제 중 10문제 선택, 각 10점)

1. 상수관망에서의 단계시험(Step Test)
2. 수격작용(Water Hammer)
3. 속도경사(G)
4. SVI(Sludge Volume Index)
5. 점감식 응집(Tapered Flocculation)
6. 생태독성(TU : Toxic Unit)
7. SAR(Sodium Adsorption Ratio)
8. 세균의 재성장(After Growth)
9. AOC(Assimilable Organic Carbon)와 BDOC(Biodegradable Dissolved Organic Carbon)
10. 아데노바이러스(Adenovirus)
11. 스마트워터그리드(Smart Water Grid)
12. 고도산화기술(AOT : Advanced Oxidation Technology)
13. 상하수도 자산관리(Asset Management)

2교시 (6문제 중 4문제 선택, 각 25점)

1. 하수도정비 기본계획 시 침수대응 하수도시설계획에 대하여 설명하시오.
2. 지반침하대응 하수관로 정밀조사 수행방법에 대하여 설명하시오.
3. 급속여과지에서 사용되는 여재의 크기를 제한하는 이유를 설명하시오.
4. 막오염원인 및 세정방법에 대하여 설명하시오.
5. 정수장에 고도정수처리시설로 도입된 입상활성탄 흡착지의 하부집수장치에 대하여 설명하시오.
6. 해수담수화시설의 생산수에 포함된 보론(B)과 트리할로메탄(THMs)의 관리와 방류시설에 대하여 설명하시오.

3교시 (6문제 중 4문제 선택, 각 25점)

1. 상수관망 블록 구축의 적정성 검토사항에 대하여 설명하시오.
2. 우수관로 설계에 대하여 설명하시오.
3. 하수관로 분류식화사업의 성과보충방법 및 효과를 설명하시오.
4. 하수처리장 에너지 자립화사업을 통한 에너지 다소비시설에서 재생산시설로 전환하고자 할 때 하수슬러지를 활용하는 자원순환방안에 대하여 설명하시오.
5. 상수원으로부터 취수시설을 계획하고 개량·갱신할 경우, 고려할 사항에 대하여 설명하시오.
6. 오존공정에서 배출되는 배오존의 재이용방안에 대하여 설명하시오.

4교시 (6문제 중 4문제 선택, 각 25점)

1. 하수도정비 기본계획 시 계획하수량에 대하여 설명하시오.
2. 상수도 송배수관로 누수원인 및 측정방법, 대책에 대하여 설명하시오.
3. 하수처리장 유량조정조 설계 시 고려하여야 할 점에 대하여 설명하시오.
4. 재래식 하수처리공법으로 운영되고 있는 하수처리장을 고도처리시설로 개량하고자 할 때 고려할 사항과 설치 시 유의점을 설명하시오.
5. 상수원수의 경도(Hardness)와 pH를 정의하고, 정수장에서 경도물질을 처리하는 방안에 대하여 설명하시오.
6. 정수장에서 생산된 정수의 수질 이상 시 대응요령에 대하여 설명하시오.

제 110 회 상하수도 기술사 시행일 | 2016년 7월 30일

1교시 (13문제 중 10문제 선택, 각 10점)

1. 불활성화비 계산
2. 슬러지건조의 평형함수율
3. 하수의 포화용존산소
4. 버블포인트시험(Bubble Point Test)
5. 가압수 확산에 의한 혼화
6. Chick 법칙과 소독능
7. 하수처리장 내 연결관거 설계기준
8. 상수도공정 중 여과(Filtration)의 종류 5가지
9. 생물막의 물질이동개념
10. 고유투수계수(Intrinsic Permeability)
11. 통합물관리(Integrated Water Resource Management)의 필요성 10가지
12. 증기압(Vapor Pressure)과 상수관로 · 펌프흐름
13. 상수도관 누수와 수돗물 2차 오염의 관계

2교시 (6문제 중 4문제 선택, 각 25점)

1. 오존이용률의 목표를 80% 이상으로 하고 접촉수심을 6.0m, 가스공탑체류시간 속도를 5m/hr로 한다. 지의 구성은 공급가스 1단 접촉, 재이용가스 1단 접촉, 반응지 1단으로 하여 상하우류대향류식으로 한다. 접촉조는 상시 3열, 예비 1열의 4열로 한다. 계획정수량 200,000m^3/d, 세척수량비 5%, 오존주입률 2.0mg/L, 발생오존농도 20g/N · m^3로 할 경우 오존접촉지를 설계하고, 산기관 및 산기판 설치 시 유의사항을 설명하시오.
2. 가축분뇨와 음식물폐기물의 병합처리시설을 설치하여 소화바이오가스를 도시가스(LNG)화하여 판매하고자 한다. 주요 처리계통과 병합혐기성 소화조 및 소화가스 이용설비 설계 시 고려사항을 설명하시오.
3. 지역상수도의 통합에 따른 급수체계 조정사업의 개요 및 설계사례(과업의 목적, 과업의 범위 및 내용, 시설의 개요, 급수체계 조정사업개념도, 사업의 효과 등)를 설명하시오.
4. 장마철 고탁도 발생원인과 정수처리대책에 대하여 설명하시오.

5. 저영향개발의 목적, 관련시설의 종류 및 특징을 설명하고 긍정적·부정적 효과에 대하여 설명하시오.
6. 상수관망 블록시스템 구축계획과 유의사항에 대하여 설명하시오.

3교시 (6문제 중 4문제 선택, 각 25점)

1. 환경과 에너지문제를 동시에 해결하기 위한 친환경에너지타운의 사업배경, 추진체계와 역할, 사업유형과 내용에 대하여 설명하시오.
2. 정수처리 시 기타오염물질 중 질산성 질소 제거방법에 대하여 설명하시오.
3. 하수관로시설의 기술진단범위와 방법을 설명하시오.
4. 빗물펌프장 설계 시 고려해야 할 사항과 펌프선정방법을 설명하시오.
5. 우리나라 도서지역의 상수도 보급현황과 정부의 식수원 개발사업에 대하여 설명하고 적용된 식수원별 장단점을 설명하시오.
6. 완충저류시설의 설치대상, 시설 설치 시 고려사항 그리고 시설의 주요 요소에 대하여 설명하시오.

4교시 (6문제 중 4문제 선택, 각 25점)

1. 기존 하수처리장의 방류수 재이용시설 설치 시 고려해야 할 사항을 설명하시오.
2. 다음 그림은 하수처리장에서 고형물의 수지 계통을 설명하는 것으로 그림 a는 직접탈수소각방식 계통이고, b는 소화탈수방식 계통을 나타낸다. 유입고형물량을 100으로 가정하고 계획발생슬러지량을 90으로 한 경우, a, b 계통의 각 시설에서 고형물 회수율은 다음 표와 같다. 이와 같은 조건에서 각 단위시설의 고형물량($X_1 \sim X_7$, $X_1' \sim X_7'$)을 계산하시오.

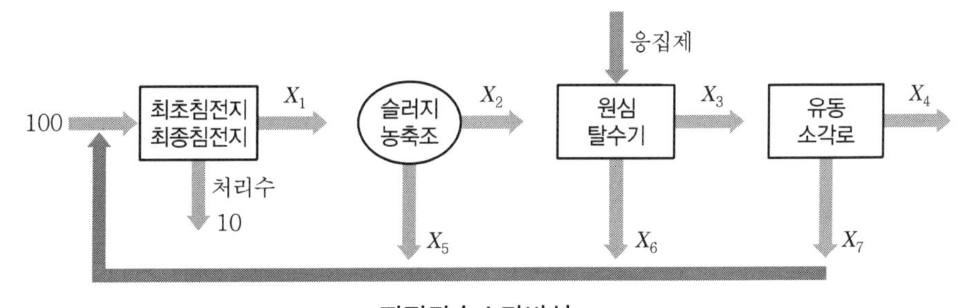

직접탈수소각방식

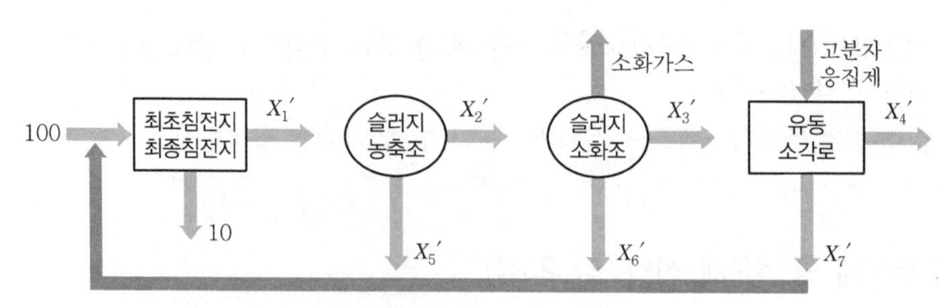

소화탈수방식(1단 소화)

구분	기호	계통 a(%)	계통 b(%)
슬러지 농축조의 고형물 회수율	r_1	90	90
슬러지 소화조의 고형물 감소율	r_{G1}	–	40
슬러지 탈수설비의 고형물 회수율	r_2	95	90
슬러지 탈수설비의 응집제 주입률	r_C	0.9	1.0
소각로에서의 고형물 감량률	r_{G2}	75	–
소각로의 고형물 회수율	r_3	80	–

3. 혐기성 소화조 운영상 문제점 및 대책에 대하여 설명하시오.
4. 하수관거 접합 및 연결방법에 대하여 설명하시오.
5. 여과형 비점오염저감시설의 시설별 설계인자에 대한 실험에 대하여 설명하시오.
6. 강변 여과수 개발을 위한 조사절차를 설명하고 강변 여과의 장단점에 대하여 설명하시오.

제 111 회 상하수도 기술사 시행일 | 2017년 1월 22일

1교시 (13문제 중 10문제 선택, 각 10점)

1. 녹조 · 적조현상
2. 하천에서의 총량규제
3. 계획 1일 최대오수량
4. 우수발생 시의 유달시간
5. 알칼리도와 pH의 상관관계
6. Jar - Test
7. 용존산소 부족곡선(DO Sag Curve)
8. NOM(Natural Organic Matter)
9. 공상접촉시간(EBCT : Empty Bed Contact Time)
10. 계획배수량
11. 하수처리장 수리종단도
12. Anammox(Anaerobic Ammonium Oxidation)
13. Off - Gas 분석장치

2교시 (6문제 중 4문제 선택, 각 25점)

1. 수원으로부터 각 수요자까지 물을 공급하는 상수도 공급의 전과정에 대한 흐름도를 도시하고 각 과정을 설명하시오.
2. 하수의 최종 BOD가 5일 BOD의 1.3배일 때 탈산소계수를 구하시오.
3. 하수슬러지 처리 시 슬러지 가용화원리와 공정별 적용방안에 대하여 설명하시오.
4. 안정적인 급수를 위한 최적 관망관리시스템 구축 및 운영방안에 대하여 유수율 제고와 연계하여 설명하시오.
5. 직결급수의 목적 및 종류와 도입 시 고려하여야 할 사항에 대하여 설명하시오.
6. 기존 활성슬러지법 처리시설을 혐기무산소 호기조합법으로 개량할 경우 고려하여야 할 장치에 대하여 설명하시오.

3교시 (6문제 중 4문제 선택, 각 25점)

1. 용수 공급문제로 곤란을 겪고 있는 우리나라에서 다목적 댐 이외의 사용 가능한 보조수자원 개발의 예를 5가지 제시하고 설명하시오.
2. 공장과 가정의 배출수 발생으로부터 하수처리시설을 거쳐서 방류하기까지의 하수도시설 계통 전 과정에 대한 흐름도를 도시하고 각 과정을 설명하시오.
3. 상수도시설의 계획 수립 시 각 단계별 안전성 및 안정성 확보방안(수질, 수량, 수압 등)에 대하여 고려하여야 할 사항을 설명하시오.
4. 하수도계획 수립 시 하수처리수 재이용을 위한 처리시스템과 활성화방안에 대하여 설명하시오.
5. 정수장 실시설계도면의 구성에 대하여 설명하시오.
6. 응집제 병용형 생물학적 질소제거법에 대하여 설명하시오.

4교시 (6문제 중 4문제 선택, 각 25점)

1. 막의 종류에 대하여 다음 물음에 답하시오.
   1) 압력과 분리성능에 의한 막구분으로 정밀여과막(MF), 한외여과막(UF), 나노여과막(NF), 역삼투막(R/O) 등으로 구분한다. 이들의 원리, 작용압력(PSI), 제거물질을 비교하여 설명하시오.
   2) 분리메커니즘에 의한 막구분으로 다공질막, 비다공질막, 이온교환막으로 구분한다. 이들의 종류, 원리, 특징을 비교 설명하시오.

2. 염소(Cl_2)소독에 대하여 다음 물음에 답하시오.
   1) 염소소독의 원리를 반응식을 이용하여 설명하고, 소독력을 증가시키기 위한 조건을 4가지만 제시하시오.
   2) 암모니아와의 반응기작을 반응식으로 나타내시오.
   3) 분기점 반응(Breakpoint Reaction)현상을 그림으로 나타내고 설명하시오.

3. 지하수 취수정의 유지관리방안에 대하여 설명하시오.
4. 표준활성슬러지법의 공정별 기능 및 생물반응조의 실세인자와 운전 시 문제점 및 대책에 대하여 설명하시오.
5. 하수처리공정상의 포기장치 효율에 대하여 설명하시오.
6. 하수도시설에 대한 내진설계 목적, 기본방침, 내진등급 및 내진설계 목표에 대하여 설명하시오.

제 112 회 상하수도 기술사 시행일 | 2017년 5월 14일

1교시 (13문제 중 10문제 선택, 각 10점)

1. 수관교
2. 빗물이용시설
3. LTCP(Long-Term Control Plan)
4. 정수시설 소독설비 계측제어방식
5. 하수슬러지 건조 탈수시설의 전기탈수기
6. 급속소규모 컬럼실험(RSSCT : Rapid Small-Scale Column Test)
7. 등온흡착식(Isotherm Adsorption Equation)
8. Monod식에서 Monod상수(K_s)의 정의와 의미
9. Water-Energy-Food Nexus
10. 집수매거
11. 비회전도(N_s)
12. 침전지 밀도류
13. 전탈질

2교시 (6문제 중 4문제 선택, 각 25점)

1. 슬러지펌프 선정 시 고려사항과 슬러지유량 측정 및 밀도 측정장치에 대하여 설명하시오.
2. 수도정비 기본계획에서 상수도시설 안정화계획 중 가뭄대책에 대하여 설명하시오.
3. 수돗물이 생산되는 과정에서 염소는 다양한 위치에서 다양한 목적으로 투입된다. 전염소, 중염소, 후염소, 재염소(Re-Chlorination)의 적용지점과 투입목적에 대하여 설명하시오.
4. 중력식 농축조의 한계고형물 플럭스(Limiting Solid Flux)에 대하여 설명하시오.
5. 하수고도처리에 관여하는 미생물을 물질대사방법별로 분류하여 설명하고, 하수 내 유기물의 종류와 이를 생물학적 고도처리에 적용할 경우 미생물별(질소, 인 제거) 고려사항에 대하여 설명하시오.
6. 저수지 유효저수량 산정방법에 대하여 설명하시오.

3교시 (6문제 중 4문제 선택, 각 25점)

1. 하수처리공정 고도처리설비 중 오존산화법에 대하여 설명하시오.
2. 다음 조건에 대한 활성탄흡착분해법에 의한 배오존분해탑을 3개 탑으로 설계하시오.(단, 흡착탑의 직경 및 높이는 소숫점 2자리에서 반올림하고, π=3.14로 계산)

〈조건〉

• 계획정수량 : 200,000m^3/일	• 오존주입률 : 1.0mg/L
• 흡수효율 : 70%	• 배오존율 : 30%
• 발생오존농도 : 20g/N · m^3	• 가스공탑속도 : 120m/h
• 세척수량의 비 : 5%	• 활성탄 교체주기 : 120일
• 활성탄 분해능 : 2gO_3/g	• 활성탄밀도 : 0.45kg/L

3. 재래식 정수장의 배출수처리시설을 설계하고자 한다. 배출수발생량 산정방법에 대하여 설명하고, 배출수처리시설을 구성하는 각 단위공정의 설계방법에 대하여 설명하시오.
4. 스와빙 피그(Swabbing Pig)에 대하여 설명하시오.
5. 지표미생물을 사용하는 이유 및 조건과 현재 사용되는 지표미생물의 종류 및 한계점에 대하여 설명하시오.
6. 해수담수화의 특징, 유의사항, 고려사항, 담수화방식에 대하여 설명하시오.

4교시 (6문제 중 4문제 선택, 각 25점)

1. 완충저류시설의 시설계획순서 및 용량 산정기준을 설명하시오.
2. 지방상수도 현대화사업 중 노후 상수관망정비사업의 과업단계별 주요 업무내용에 대하여 설명하시오.
3. 마을상수도로 사용하고 있는 지하수가 질산성 질소기준을 초과하였다. 이온교환공정으로 질산성 질소를 제거할 때 고려해야 할 사항에 대하여 설명하시오.
4. 하수슬러지의 안정화에 사용되는 소화(Digestion)기술에 대하여 설명하시오.
5. A/O공법 및 A_2O공법의 원리, 특징, 설계인자, 장단점에 대하여 설명하시오.
6. 급속혼화방식의 종류 및 특징에 대하여 설명하고, 혼화방식별 장단점을 비교하여 설명하시오.

제 113 회 상하수도 기술사 시행일 | 2017년 8월 12일

1교시 (13문제 중 10문제 선택, 각 10점)

1. 산화환원전위(Oxidation Reduction Potential)
2. 관정부식(Crown Corrosion)
3. 필요소독능(Contact Time Value)
4. 표면부하율(Surface Loading Rate)
5. 공기장애(Air Binding)
6. Anammox(Anaerobic Ammonium Oxidation)
7. 기저유출(Baseflow)
8. 펌프의 상사법칙
9. 정삼투(Forward Osmosis)
10. Enhanced Coagulation
11. 여과수 탁도관리목표
12. AGP(Algal Growth Potential)
13. 하수처리시설의 pH 조정시설

2교시 (6문제 중 4문제 선택, 각 25점)

1. 노후 상수도관에 대한 문제점과 갱생방법에 대하여 설명하시오.
2. 조류 발생 시 정수처리공정에 미치는 영향과 대책에 대하여 설명하시오.
3. 자외선소독의 개요와 영향인자에 대하여 설명하시오.
4. 슬러지처리공정에서 반류수의 특성과 처리방안에 대하여 설명하시오.
5. 배수지용량 결정에 대하여 설명하시오.
6. 급격한 기후변화에 따른 국지성 집중호우 시 도심지 침수방지대책에 대하여 설명하시오.

3교시 (6문제 중 4문제 선택, 각 25점)

1. 노후 하수관로의 개·보수계획 수립 시 대상관로의 선정기준과 정비방법에 대하여 설명하시오.
2. 오존을 이용하는 고도정수처리공정에서 오존의 역할에 대하여 설명하시오.
3. 해수담수화를 위한 역삼투시설에서 에너지 회수방법에 대하여 설명하시오.
4. 도수관로의 노선 결정 시 고려사항에 대하여 설명하시오.
5. 우수조정지와 우수체수지의 계획 및 설치 시 고려사항에 대하여 설명하시오.
6. 상수도관의 내면부식에 대하여 설명하시오.

4교시 (6문제 중 4문제 선택, 각 25점)

1. 하수도계획 수립 시 유역별 통합운영관리방안에 대하여 설명하시오.
2. 강우 시 불완전분류식 지역에서 우수유입을 차단하기 위한 하수관리방안에 대하여 설명하시오.
3. 활성슬러지공정의 운전 시 필요산소량 산정방법에 대하여 설명하시오.
4. 정수처리시설에서 혼화, 응집, 침전공정의 운영진단방법에 대하여 설명하시오.
5. 하수처리수 재이용 시 문제점 및 대책에 대하여 설명하시오.
6. 정수처리 시 응집에 영향을 미치는 인자에 대하여 설명하시오.

제 114 회 상하수도 기술사 시행일 | 2018년 2월 4일

1교시 (13문제 중 10문제 선택, 각 10점)

1. 상수도 역사이펀관
2. 상수도 신축이음관
3. 배수관의 위험한 접속(Dangerous Connection)과 급수설비의 역류 방지
4. 하수도 다중압송
5. 하수관거 매설깊이
6. 상수관망에서 단계시험(Step Test)
7. 상수관망에서 임계지점(Critical Point)
8. 수격작용(Water Hammer)
9. 속도경사(G)
10. 에너지 사용평가도구(EUAT : Energy Use Assessment Tool)
11. 에너지 절약전문기업(ESCO : Energy Service Company)
12. Langelier Index
13. MFI(Modified Fouling Index)

2교시 (6문제 중 4문제 선택, 각 25점)

1. 차단용 밸브와 제어용 밸브에 대하여 설명하시오.
2. 배수설비에서 제해시설을 설치 시 고려사항을 설명하시오.
3. 하수도 내진설계에 대하여 설명하시오.
4. 상수도 관망블록 구축 시 적정성 검토사항에 대하여 설명하시오.
5. 전기응집공정에 의한 총인 제거원리와 설계요소에 대하여 설명하시오.
6. 생물학적 폐수처리 시 이용되는 종속영양미생물(M)과 유기물(F)과의 일반적인 관계를 설명하시오.

3교시 (6문제 중 4문제 선택, 각 25점)

1. 도수관로에서 부압이 발생할 경우와 최대정수압이 부득이 고압이 될 경우의 대책을 각각 설명하시오.
2. 하수처리시설 내 부대시설에 대하여 설명하시오.
3. 하수도정비 기본계획 시 침수대응 하수도시설계획에 대하여 설명하시오.
4. 상수도 송배수관로 누수원인, 누수측정방법 및 누수방지대책에 대하여 각각 설명하시오.
5. 활성탄 여과공정에서 접촉조의 설계요소에 대하여 설명하시오.
6. 활성슬러지공정에서 Norcadia에 의한 거품현상의 특성과 원인 및 조절방법에 대하여 각각 설명하시오.

4교시 (6문제 중 4문제 선택, 각 25점)

1. 정수장단위시설의 배치계획에 대하여 설명하시오.
2. 펌프장시설에서 소음 및 진동방지에 대하여 설명하시오.
3. 하수도시설기준에 따른 우수배제계획을 설명하시오.
4. 상수관망에서 공기밸브실과 이토밸브실에 대하여 설명하시오.
5. 알루미늄(Al^{3+})을 이용한 총인(T-P)처리 시 화학반응식을 이용하여 다음을 계산하시오.(단, 총인과 Alkalinity을 제외한 알루미늄 소모량은 없다.)
   1) 1mg 인(P) 제거당 Al 소요량(mg)
   2) 1mg Al 주입당 Alkalinity 소요량(mg)
   3) 1mg Al 주입당 슬러지발생량(mg)

6. 하천수를 원수로 사용하는 정수장에서 염소 주입에 따른 잔류염소의 수중에서 분포형태에 대하여 설명하시오.

제 115 회 상하수도 기술사 시행일 | 2018년 5월 13일

1교시 (13문제 중 10문제 선택, 각 10점)

1. 이상(Two-Phase) 혐기성 소화
2. 물 발자국(Water Footprint)
3. 갈바닉부식(Galvanic Corrosion)
4. 탈수기 필터프레스(Filter Press)
5. BOD시험의 한계
6. 신축이음
7. 수압시험방법
8. 수질예보제
9. MIOX(MIxed OXidant)
10. 유효무수수량
11. 수면적 부하
12. RDII(Rainfall Derived Infiltration Inflow)
13. 서지탱크(Surge Tank)

2교시 (6문제 중 4문제 선택, 각 25점)

1. 상하수도분야의 추적자실험(Tracer Test)에 대하여 설명하시오.
2. 독립입자의 침전(I형 침전)에 대하여 설명하시오.
3. 하천수질오염과 보전대책에 대하여 설명하시오.
4. 일반적인 하수찌꺼기(슬러지) 처리처분의 계통도를 작성하고, 단위공정별 처리목적과 고려할 사항을 설명하시오.
5. 상수도 관망의 기술진단을 일반기술진단과 전문기술진단으로 구분하여 설명하시오.
6. 하수관로의 야간생활 하수평가법에 따른 침입수 산정방법과 한계점을 설명하시오.

3교시 (6문제 중 4문제 선택, 각 25점)

1. 혼화, 응집, 침전, 여과, 소독으로 구성된 정수장의 기술진단에 대하여 설명하시오.
2. 하수의 Total Nitrogen(TN)과 Total Kjeldahl Nitrogen(TKN)에 대하여 설명하시오.
3. 수도권에 소재한 공공하수처리시설(용량=250,000m³/day)은 인근의 산업단지에서 발생하는 산업폐수(유량=30,000m³/day)를 연계 처리하고 있다. 고농도질소를 함유하는 산업폐수로 인해 질소 방류수질기준을 초과하는 문제가 발생하고 있다. 질소문제를 해결할 수 있는 공학적인 개선방안에 대하여 설명하시오.
4. 합류식 하수도에 설치되는 간이공공하수처리시설의 정의 및 설계 시 고려사항에 대하여 설명하시오.
5. 저영향개발(LID) 시설계획 수립을 위한 빗물관리목표량 설정방법에 대하여 설명하시오.
6. 막여과 시 농도분극현상의 발생원인과 막공정에 미치는 영향 및 억제방법을 설명하시오.

4교시 (6문제 중 4문제 선택, 각 25점)

1. 정수장 배출수처리시설을 설계하고자 한다. 주어진 조건으로부터 이론적인 계획처리 시 고형물량(kg/day)을 계산하시오.

   〈조건〉
   - 계획정수량=100,000m³/day
   - 계획원수탁도(설계탁도)=40NTU
   - SS/NTU비=1.4
   - 응집제 주입률(산화알루미늄으로서의 주입률)=10mg/L
   - 수산화알루미늄과 산화알루미늄의 비=1.5
   - 할증률은 고려하지 않음

2. 반류수(Sidestream)가 하수처리장 단위공정에 미치는 영향에 대하여 설명하시오.
3. 하수처리장 방류수를 하천유지용수로 재이용하려고 한다. 공공하수처리시설 방류수 수질기준(일처리용량 500m³ 이상)과 하천유지용수의 재처리수 용도별 수질기준을 비교하고 적정 처리방안에 대하여 설명하시오.
4. 정수장의 소독능(CT) 향상방안 가운데 공정관리에 의한 소독능 향상방안에 대하여 설명하시오.
5. 공공하수처리시설의 계열화운전 대상시설과 제외시설에 대하여 설명하시오.
6. 하수슬러지 또는 음식물처리를 위한 혐기성 소화조의 운영 시 발생하는 Struvite의 문제점과 대처방안에 대하여 설명하시오.

제 116 회 상하수도 기술사 시행일 | 2018년 8월 11일

1교시 (13문제 중 10문제 선택, 각 10점)

1. 조류경보제
2. 무수수량(Non-Revenue Water)
3. 수질오염총량관리제
4. 상수도 관망진단의 대상시설
5. 계획 1일 평균급수량과 계획 1일 최대급수량
6. 하수관거에 포함되는 지하수량의 지배인자, 추정방법, 대책
7. TSI(Trophic State Index)
8. 부식지수(Corrosion Index)
9. 환경호르몬
10. 청색증
11. 터널배수지
12. 상수도용 알칼리제
13. SCD(Streaming Current Detector)

2교시 (6문제 중 4문제 선택, 각 25점)

1. 지표수를 수원으로 하는 경우에 대한 상수도 계통 및 시설을 그림으로 나타내어 설명하시오.
2. 그림과 같은 직사각형 수로에서 수리학상 유리한 단면조건을 폭(B)과 수심(h)의 관계식으로 유도하여 설명하시오.

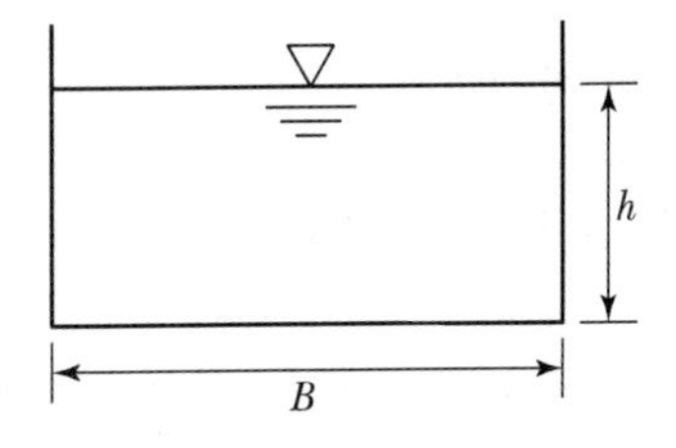

3. 상하수도시설 운영관리를 위한 유량계 종류와 특성에 대하여 설명하시오.
4. 분류식 및 합류식 하수도의 특징을 설명하고, 합류식 하수관거에서 분류식 하수관거체계로 전환할 경우 유의사항에 대하여 설명하시오.

5. 하수도시설 정비사업과 시설 유지관리 시 빈번히 발생하고 있는 질식재해에 대하여 발생환경, 위험요인, 예방규칙을 설명하시오.
6. 하수처리수 재이용시설계획의 목적, 기본방향 및 고려사항에 대하여 설명하시오.

3교시 (6문제 중 4문제 선택, 각 25점)

1. 다음은 어느 도시의 분류식 하수도 계획구역이다. 주어진 조건에서 다음을 구하시오.

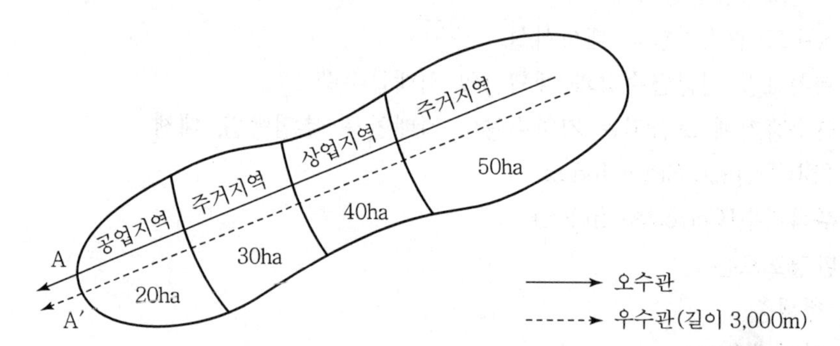

〈조건〉

구분	인구밀도(인/ha)	1인 1일 최대급수량(L)	영업 용수율	평균유출계수
주거지역	100	300	0.2	0.5
상업지역	200	300	0.6	0.7
공업지역	40	300	0.3	0.4

- 공장배수량 : 2,000m^3/day
- 지하수량 : 공장배수량은 제외하고 10%
- 시간변동비 : 1.8
- 유입시간 : 5분
- 강우강도 공식 : $I = \dfrac{5,500}{t+50}$(mm/hr)
- 관 내 평균유속 : 1.0m/sec(우수관)

1) A지점에서 계획 1일 최대오수량(m^3/day) 및 계획시간 최대오수량(m^3/sec)을 구하시오.
2) A′지점에서 합리식을 이용하여 우수유출량(m^3/sec)을 구하시오.

2. 수처리 단위조작에서 오존처리가 다른 처리법과 비교하여 우수한 점을 기술하고 오존처리 시 유의점을 설명하시오.

3. 정수장에서 발생하는 배출수 처리공정 및 방법에 대하여 설명하시오.
4. 하·폐수 내의 질소·인처리를 위한 암모니아 스트리핑법에 대하여 설명하시오.
5. 정수장의 시설개량이나 갱신방법과 유의사항에 대하여 기술하시오.
6. 슬러지탈수기(가압탈수기, 벨트프레스탈수기, 원심탈수기)의 형식별 특성에 대하여 설명하시오.

4교시 (6문제 중 4문제 선택, 각 25점)

1. 독립성을 가진 SS농도 200mg/L인 하수를 침전관에 채우고 1.8m 깊이에서 시료를 채취하여 SS농도를 측정한 결과 다음과 같은 자료를 얻었다. 이 자료로부터 SS 제거효율이 85%가 되도록 하는 침전지의 표면부하율($m^3/m^2 \cdot min$)을 구하시오.

침전시간(min)	3	5	10	20	40	60
SS농도(mg/L)	120	90	70	40	10	2

2. 최대유량 Q_{max}가 1.1m^3/sec이고 설계침전속도가 0.4mm/sec일 때 침전지의 체류시간이 2.5시간인 장방형 1차 침전지의 규격을 설계하고자 할 때 다음에 답하시오.[단, 길이(L) : 폭(B)을 4 : 1로 가정하고, 침전지는 4지로 한다.]
   1) 침전지의 필요 총 표면적(m^2)을 구하시오.
   2) 표면부하율($m^3/m^2 \cdot day$)을 구하시오.
   3) 침전지의 유효수심(m)을 구하시오.
   4) 침전지의 1지당 유효폭(m)을 구하시오.

3. 정부에서 추진 중인 '물관리 일원화'의 추진배경과 이와 관련법(물관리기본법, 정부조직법, 물관리기술 발전 및 물산업진흥에 관한 법률)의 주요 개정내용 및 향후과제에 대하여 설명하시오.
4. 수충격작용(Water Hammer)에 의한 수주분리 발생원인 및 방지대책에 대하여 설명하시오.
5. 생물활성탄(BAC)의 원리 및 장단점에 대하여 설명하시오.
6. 최근 국내 일부 지방자치단체에서 시범사업으로 실시하고 있는 합류식 지역 수세분뇨 직투입 시 고려할 사항에 대하여 기술하시오.

제 117 회 상하수도 기술사 시행일 | 2019년 1월 27일

1교시 (13문제 중 10문제 선택, 각 10점)

1. SRT(고형물 체류시간, Solids Retention Time)
2. F/M비와 SRT의 관계
3. 활성슬러지법의 설계인자 및 영향인자
4. 소화조 내와 소화가스에 포함된 황화수소 제거기술
5. 생태독성 관리제도
6. 유해남조류
7. Water - Energy - Food Nexus
8. EPANET
9. 상수도 배수관의 매설위치 및 깊이
10. 상수관로의 배수(排水, Drain)설비
11. 배수지의 유효수심과 수위
12. 먹는 물 수처리제로 사용하는 과망간산나트륨($NaMnO_4$)
13. 급속여과지의 L/De비(단, L : 여과층 두께, De : 여재의 유효경)

2교시 (6문제 중 4문제 선택, 각 25점)

1. 화학적 총인처리시설 설치 시 고려하여야 할 사항을 설명하시오.
2. 국내 도심지에서 발생하는 공공하수도시설과 관련된 내수 침수의 원인과 침수저감 대책에 대하여 설명하시오.
3. 착수정, 응집지, 침전지, 급속여과지, 소독시설, 정수지, 송수펌프장, 약품주입설비, 배출수처리시설로 구성된 정수장의 평면배치 시 고려사항에 대하여 각각의 처리공정별로 설명하시오.
4. 고도정수처리를 위한 활성탄 흡착지공정의 최적설계를 위한 RSSCT(Rapid Small Scale Column Test)에 대하여 설명하시오.
5. 하천수를 압송하여 취수하는 정수장을 설계하고자 한다. 도수관로의 설계에 포함되는 시설과 설비에 대하여 설명하시오.
6. 하수처리수를 재이용할 때 용도별 제한조건에 대하여 설명하시오.

3교시 (6문제 중 4문제 선택, 각 25점)

1. 하수저류시설 설치 시 검토하여야 할 사항을 설명하시오.
2. 하수처리장 반류수 처리공정 선정 시 고려사항에 대하여 설명하시오.
3. 상수도용 펌프의 용량과 대수 결정 시 고려사항에 대하여 설명하시오.
4. 정수장 플록형성지 유입구 설계방법을 설명하시오.
5. 수도정비 기본계획에 포함되어야 할 사항을 설명하시오.
6. 만성적인 악취문제를 겪고 있는 하수처리장에서 도입할 수 있는 악취해결방안에 대하여 설명하시오.

4교시 (6문제 중 4문제 선택, 각 25점)

1. 기존 하수관로 개량공법별 시공 시 및 준공 시 고려사항에 대하여 설명하시오.
2. 중력식 슬러지 농축조의 농축원리와 소요단면적 산정방법에 대하여 설명하시오.
3. 고도정수처리를 위한 오존처리설비의 구성과 오존주입량 제어방식에 대하여 설명하시오.
4. 정수장 염소소독공정에서 유리잔류염소와 결합잔류염소에 대하여 설명하고, 염소주입률과 잔류염소농도와의 관계에 대하여 설명하시오.
5. 먹는 물 수질기준에서 총 대장균군(Total Coliform), 분원성 대장균군(Fecal Coliform), 대장균(Escherichia Coli)의 정의와 특성에 대하여 설명하시오.
6. 도시하수의 BOD, COD, TOC의 상관관계가 하수처리 진행과정에 따라 어떻게 변하는지에 대하여 설명하시오.

제 118 회 상하수도 기술사 시행일 | 2019년 5월 5일

1교시 (13문제 중 10문제 선택, 각 10점)

1. 시간변동조정용량
2. MTBE(Methyl Tertiary-Butyl Ether)
3. 이산화염소(ClO_2)
4. PFCs(Perfluorinated Compounds)
5. LI(Langlier's Index)
6. 전국수도종합계획
7. Breakpoint Chlorination
8. 상수도종합관리시스템 중의 수운영시스템
9. 조류경보제와 수질예보제의 대상
10. ATP(Adenosine Triphosphate)
11. ASBR(Anaerobic Sequencing Batch Reactor)
12. 하수도 BIM(Building Information Modeling)
13. 공공하수도 기술진단 개선계획에 포함될 사항

2교시 (6문제 중 4문제 선택, 각 25점)

1. 활성탄의 재생설비와 이화학적 재생방법에 대하여 설명하시오.
2. 우수토실 및 토구의 방류부하 저감대책에 대하여 설명하시오.
3. 상수도시설의 내진설계 기본방침과 내진등급에 대하여 설명하시오.
4. 수질원격감시체계(TMS)의 설치기준과 규정된 측정항목 및 설치장치에 대하여 설명하시오.
5. 분리막 생물반응기(MBR)에서 Fouling현상의 원인과 제어방법에 대하여 설명하시오.
6. 공공하수처리시설 방류수를 관개용수로 사용하는 방안에 대하여 설명하시오.

3교시 (6문제 중 4문제 선택, 각 25점)

1. Geosmin과 2-MIB의 처리방법에 대하여 설명하시오.
2. 합류식 하수도에서 우천 시 배수설비 및 관거의 방류부하 저감대책에 대하여 설명하시오.
3. 정수처리 시 원수 중의 망간을 제거하는 물리·화학적 방법을 설명하고, 제거된 망간을 처리하기 위한 배출수처리시설에서 고려해야 할 사항에 대하여 설명하시오.
4. 활성슬러지 동역학적 모델의 유기물 제거원리에 대하여 설명하시오.
5. 공공하수처리시설 에너지 자립화사업의 현황과 문제점, 추진방안에 대하여 설명하시오.
6. 하수처리시설에서 시설물의 안전진단에 대하여 설명하시오.

4교시 (6문제 중 4문제 선택, 각 25점)

1. 배수지의 유효용량을 결정하는 방법에 대하여 설명하시오.
2. 분뇨처리시설에서 하수처리시설과의 연계처리설비에 대하여 설명하시오.
3. 하수고도처리를 도입하는 이유와 제거대상물질을 분류하고, 분류된 물질의 제거방안에 대하여 설명하시오.
4. 공공하수도 하수관거 진단대상에서 기술진단을 받지 않아도 되는 경우에 대하여 설명하시오.
5. 활성슬러지법에서 독립영양미생물에 의한 질산화과정에 대하여 설명하시오.
6. 하수처리시설에서 혐기성 소화조의 소화가스 포집설비에 대하여 설명하시오.

제 119 회 상하수도 기술사 시행일 | 2019년 9월 11일

1교시 (13문제 중 10문제 선택, 각 10점)

1. 계획시간 최대급수량
2. 하수관로에 포함되는 지하수량
3. 수관교
4. 하수관로 관경별 맨홀의 최대간격
5. 성층현상(Stratification)
6. 해수 침입(Seawater Intrusion)
7. 시동방수(Filter - To - Waste)
8. 수소이온농도(pH)
9. TOC(Total Organic Carbon)
10. NOD(Nitrogen Oxygen Demand)
11. SDI(Sludge Density Index)
12. Pin Floc
13. 비질산화율(SNR : Specific Nitrification Ratio)

2교시 (6문제 중 4문제 선택, 각 25점)

1. 수도정비 기본계획을 수립할 때, 기본방침 수립 시 명확하게 해야 할 내용을 5가지만 설명하시오.
2. 원형관에서의 평균유속공식인 Hazen - Williams공식을 이용하여 유량 $Q = kCDaIb$로 나타낼 때, 이 식에서의 k, a, b값을 구하시오.(단, 여기서, Q : 유량(m^3/s), C : 유속계수, D : 관의 직경(m), I : 동수경사이다.)
3. 수원의 종류와 구비요건 및 수원선정 시 고려사항에 대하여 설명하시오.
4. 횡류식 약품침전지의 기능과 설계기준에 대하여 설명하시오.
5. 활성슬러지공법에서 반송비 결정방법에 대하여 설명하시오.
6. 하수처리장 침전지의 월류위어 부하율 저감방안에 대하여 설명하시오.

3교시 (6문제 중 4문제 선택, 각 25점)

1. 하천표류수의 취수시설을 4가지 언급하고 각 종류별로 기능과 특징을 설명하시오.
2. 다음 그림과 같은 조건을 가진 병렬관에서 총 유량(Q)이 $1.0m^3/s$이고, A관의 마찰계수가 B관의 2배이다. A관과 B관을 흐르는 유량(m^3/s)을 각각 구하시오.

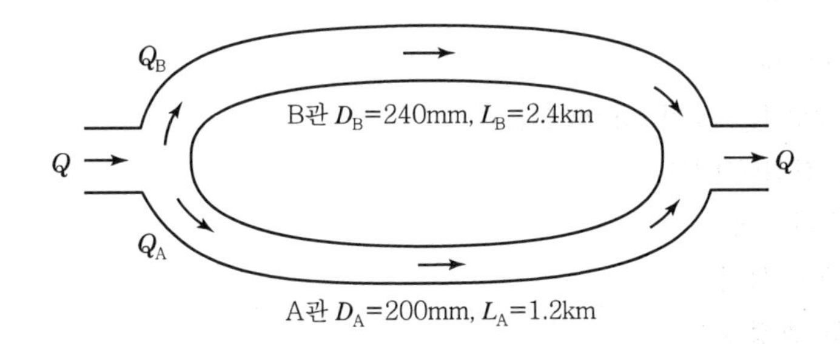

3. 수원으로서 저수지수의 특성과 수질보전대책을 설명하시오.
4. 수도용 막의 종류와 특징을 설명하고 정수처리에 적용하기 위한 주요 검토사항을 설명하시오.
5. 하수처리장의 고농도 악취발생 시 적용 가능한 악취방지시설에 대하여 설명하시오.
6. 하수관로 정비사업의 준공 시 성과평가방법에 대하여 설명하시오.

4교시 (6문제 중 4문제 선택, 각 25점)

1. 정수처리에서 전염소·중간염소처리의 목적과 유의사항에 대하여 설명하시오.
2. 하수배수계통의 하수관거 배치방식을 개략도를 그려서 설명하시오.
3. 정수시설 설치 시 안전대책에 대하여 설명하시오.
4. 수도법에 근거한 정수장 기술진단의 대상시설, 일반 및 전문기술진단 구분, 전문기술진단 내용과 진단내용에 대한 세부수행항목을 설명하시오.
5. 하수처리장 유량조정조 용량산정방법에 대하여 설명하시오.
6. A_2O공정의 혐기, 무산소, 호기반응조에서 N, P 제거에 관여하는 미생물의 종류 및 특성에 대하여 설명하시오.

제 120 회 상하수도 기술사 시행일 | 2020년 2월 1일

1교시 (13문제 중 10문제 선택, 각 10점)

1. 감시제어장치
2. Step Aeration
3. TKN(Total Kjeldahl Nitrogen)
4. 산화환원전위(ORP)
5. 조류발생예보제
6. 펌프의 공동현상
7. 하수관의 관정부식
8. 관로의 에너지경사선
9. 강변여과수 개발부지 선정 시 사전조사 고려사항(5가지)
10. 수도용 막의 종류 및 특징
11. 시동방수(Filter－To－Waste)
12. DAF(Dissolved Air Flotation)
13. 공상접촉시간(EBCT)

2교시 (6문제 중 4문제 선택, 각 25점)

1. 우수와 처리수의 해양방류시설 설계 시 고려사항에 대하여 설명하시오.
2. 활성슬러지에 의한 도시하수처리장에서의 팽윤(Bulking)현상이란 무엇이며, 이에 대한 방지대책을 설명하시오.
3. 폐쇄 상수도관 처리에 대하여 설명하시오.
4. 정수시설에서 맛·냄새물질의 제거방법에 대하여 설명하시오.
5. 취수시설로서 기본적으로 갖추어야 할 기본사항(확실한 취수, 양호한 원수확보, 재해 및 환경대책, 유지관리의 용이성)에 대하여 설명하시오.
6. 해수담수화시설 도입과 시설규모 결정 시 검토사항과 해수담수화시설에 대한 고려사항을 설명하시오.

3교시 (6문제 중 4문제 선택, 각 25점)

1. 브롬화염소(Bromine Chloride)에 의한 살균에 대하여 설명하시오.
2. 하수처리수 재이용의 문제점 및 대책에 대하여 설명하시오.
3. 불명수 유입저감방안에 대하여 설명하시오.
4. 관로시설 중 배수설비의 제해시설(除害施設)을 정하는 데 고려해야 할 사항을 설명하시오.
5. 하천부지에 설치되는 집수매거설계에 포함되어야 할 사항에 대하여 설명하시오.
6. 정수처리의 단위공정으로 오존처리법이 다른 처리법에 비해 우수한 점과 유의사항에 대하여 설명하시오.

4교시 (6문제 중 4문제 선택, 각 25점)

1. 우리나라 하수도시설에 대한 하수도정비사업의 효율적인 추진방안에 대하여 설명하시오.
2. 오수관로계획 시 고려사항에 대하여 설명하시오.
3. 방사능오염수의 제거방법에 대하여 설명하시오.
4. 합성세제가 상수처리공정에 미치는 영향에 대하여 설명하시오.
5. 해수담수화를 위한 역삼투(RO : Reverse Osmosis)설비 적용 시 고려사항에 대하여 설명하시오.
6. 상수도공사 표준시방서에서 정수장 종합시운전계획 수립에 포함할 사항에 대하여 설명하시오.

제 121 회 상하수도 기술사 시행일 | 2020년 5월 9일

1교시 (13문제 중 10문제 선택, 각 10점)

1. 국가물관리위원회
2. 상수도시설 내진설계기준
3. TS, VS, FS
4. 직결급수
5. 병원균의 종류 및 대책
6. 집수매거
7. 전량여과(Dead-End Filtration)방식과 순환여과(Cross-Flow Filtration)방식
8. 입상활성탄의 파과
9. 관정부식(Crown Corrosion)
10. 거품과 스컴
11. 질산화
12. Sludge Index
13. 간이공공하수처리시설

2교시 (6문제 중 4문제 선택, 각 25점)

1. 도·송수관의 관경 결정방법에 대하여 설명하시오.
2. 정수처리시설에서 착수정의 정의 및 구조와 형상, 용량과 설비에 대하여 설명하시오.
3. 공공하수처리시설 방류수 TOC 기준에 대한 적용시기 및 기준에 대하여 설명하시오.
4. 하수관거의 접합방법에 대하여 설명하시오.
5. 하수처리시설 내 부대시설 중 단위공정 간 연결관거계획 시 계획하수량 및 유의점에 대하여 설명하시오.
6. 하수저류시설의 설치목적과 계획 수립 시 주요 검토사항에 대하여 설명하시오.

3교시 (6문제 중 4문제 선택, 각 25점)

1. 유역단위 용수공급체계 구축방안에 대하여 설명하시오.
2. 강우 시 발생하는 유입수를 반영한 현실적인 계획오수량 산정에 대하여 설명하시오.
3. 여과지 하부집수장치의 정의 및 종류에 대하여 설명하시오.
4. 역삼투압 멤브레인 세정방법에 대하여 설명하시오.
5. 하수처리시설 소독설비 중 자외선법, 오존법, 염소계약품법에 대하여 원리, 장치구성, 장단점에 대하여 설명하시오.
6. 하수처리시설 악취방지기술에 대하여 설명하시오.

4교시 (6문제 중 4문제 선택, 각 25점)

1. 정수장 배출수처리 설계 시 고려사항에 대하여 설명하시오.
2. 해수담수화시설 설계 시 고려사항에 대하여 설명하시오.
3. 우수배제계획 시 고려사항에 대하여 설명하시오.
4. 하수관의 유속경험식과 상수관의 손실수두산정식을 설명하고 적용범위에 대하여 설명하시오.
5. 원심력식 농축에 대하여 설명하고, 중력식 농축과 비교하여 특징과 장단점에 대하여 설명하시오.
6. 혐기성 소화의 이상(異常)현상 발생원인 및 대책에 대하여 설명하시오.

제 122 회 상하수도 기술사 시행일 | 2020년 7월 4일

1교시 (13문제 중 10문제 선택, 각 10점)

1. 부영양화
2. 복류수
3. 파괴점 염소처리법(Breakpoint Chlorination)
4. 고도산화법(AOP)
5. 정수처리에서 오존처리 시 문제점
6. 슬러지의 에너지 이용형태
7. 전침전(Pre-Precipitation), 공침(Co-Precipitation), 후침전(Post-Precipitation)
8. 미생물선택조
9. pH조정시설
10. 부단수공법
11. 감압밸브 설치지점
12. 자연배수시스템(NDS : Natural Drainage Systems)
13. 유입시간 산정식(Kerby식)

2교시 (6문제 중 4문제 선택, 각 25점)

1. 상수도에서 맛·냄새의 발생원인과 맛·냄새물질의 제거방법을 설명하시오.
2. 해수담수방식에 대하여 설명하고, 해수담수화에서 보론과 트리할로메탄에 유의해야 하는 이유를 설명하시오.
3. 표준활성슬러지 반응조 설계방법을 설명하시오.
4. 하수처리시설에서 일차침전지의 형상 및 구조, 정류설비, 유출설비, 슬러지수집기 및 슬러지배출설비에 대하여 설명하시오.
5. 상수도시설의 기본계획부터 설계, 공사에 이르기까지의 흐름을 사업단계, 주요 업무내용 및 수도법상의 절차로 도식화하여 설명하시오.
6. 하수도계획 수립 시 포함되어야 할 사항에 대하여 설명하시오.

3교시 (6문제 중 4문제 선택, 각 25점)

1. 상수도 취수방법 중 강변여과의 장단점을 설명하시오.
2. 상수처리에서 사용되는 소독방법인 염소(Cl_2), 오존(O_3), 자외선(UV)에 의한 소독 효과와 소독부산물(DBPs)에 대하여 설명하시오.
3. 기존 하수처리시설에 고도처리시설 도입 시 검토사항을 설명하시오.
4. 소화가스의 포집, 탈황, 저장에 대하여 설명하시오.
5. 배수(配水)관로의 설계흐름도를 작성하고 각 단계를 설명하시오.
6. 오수이송방식을 제시하고 방식별 장단점을 비교하여 설명하시오.

4교시 (6문제 중 4문제 선택, 각 25점)

1. 수도용 막의 종류와 특성을 설명하고, 수도용 막여과공정 구성에 대하여 설명하시오.
2. 상수처리의 망간제거방법 중 약품산화처리에 대하여 설명하시오.
3. 표준활성슬러지공정의 용존산소농도 및 필요산소량에 대하여 설명하시오.
4. 슬러지처리과정에서 반류수처리방안 및 주처리공정에 미치는 영향에 대하여 설명하시오.
5. 안정급수 확보를 위한 기본절차를 설명하시오.
6. 합류식 하수도의 우천 시 방류부하량 저감대책에 대하여 설명하시오.

제 123 회 상하수도 기술사 시행일 | 2021년 1월 30일

1교시 (13문제 중 10문제 선택, 각 10점)

1. 스마트 관망관리 인프라 구축
2. 수도시설 비상연계
3. EPANET분석
4. SWMM(Storm Water Management Model)
5. 알칼리도의 정의와 종류
6. 급속여과의 공기장애(Air Binding)와 탁질누출현상(Break Through)
7. 입도 유효입경(Effective Size)과 균등계수(Uniformity Coefficient)
8. 부유물의 농도와 입자의 특성에 따른 상수도 침전의 형태
9. 하수관거의 내면 보호
10. 펌프장 흡입수위
11. 유량조정조 유출설비
12. 혐기성 소화 소화방식
13. 탈질(Denitrification)

2교시 (6문제 중 4문제 선택, 각 25점)

1. 하수도 신설관로계획의 수립에 대하여 설명하시오.
2. 물흐름에 역경사인 기존 우수관로 수리계산방법에 대하여 설명하시오.
3. 하천의 자정단계별 DO, BOD 및 미생물의 변화와 특징을 Whipple의 하천정화 4단계(Whipple Method)로 설명하시오.
4. 정수장의 혼화·응집공정 개선방안에 대하여 설명하시오.
5. 하수처리시설 내 연결관거 설계 시 고려사항에 대하여 설명하시오.
6. 하수처리시설의 토구에 대하여 설명하시오.

3교시 (6문제 중 4문제 선택, 각 25점)

1. 하수도정비 기본계획 수립지침의 배수설비에 대하여 설명하시오.
2. 상수도 관망분석을 단계별로 설명하시오.
3. 저수지의 유효저수량 산정개념과 방법을 설명하시오.
4. 완속여과와 급속여과방법의 원리를 설명하고 각각의 장단점을 비교하여 설명하시오.
5. 하수처리시설 고도처리를 도입해야 하는 사유를 설명하시오.
6. 슬러지처리시설의 반류수처리에 대하여 설명하시오.

4교시 (6문제 중 4문제 선택, 각 25점)

1. 상수도공급시설의 안정화계획에 대하여 설명하시오.
2. 벌류트(Volute) 펌프의 유량, 양정, 효율곡선을 그리고 설명하시오.
3. 지하수 적정 양수량의 의미를 설명하고 단계양수시험(Step Drawdown Test)에 의한 적정 양수량 결정방법을 설명하시오.
4. THMs의 생성영향인자들과 그 영향을 설명하고 제거방안을 제시하시오.
5. 일차침전지 구조에 대하여 설명하시오.
6. 배수설비의 부대설비에 대하여 설명하시오.

제 124 회 상하수도 기술사 시행일 | 2021년 5월 23일

1교시 (13문제 중 10문제 선택, 각 10점)

1. MSBR(Modified Sequencing Batch Reactor)
2. Anammox Process
3. 혐기성 소화공법
4. LID(Low Impact Development)
5. 스마트 맨홀
6. 정수시설의 가동률(可動率)
7. 등온흡착선(等溫吸着線)
8. 피토관(Pitot 管)
9. TOC(Total Organic Carbon)와 다른 유기물 오염지표와의 관계
10. 상수관망에서 유수율 분석
11. 퇴비화(Composting) 시 필요한 반응인자
12. 계획수질 산정방법
13. 불안정한 지반에서의 상수관

2교시 (6문제 중 4문제 선택, 각 25점)

1. 정수시설에서 급속여과지의 정속여과방식에 대하여 설명하시오.
2. 정수장에서 전염소처리나 중간염소처리를 하는 목적에 대하여 설명하시오.
3. 하수도 설계기준상의 하수도계획 기본적인 사항에 대하여 설명하시오.
4. 도시 침수를 해소할 수 있는 방안으로 빗물펌프장, 유수지 등의 하수도시설계획 시 위치 선정조건 및 용량 결정방안을 설명하시오.
5. 기존 하수처리장 재구축 시 무중단 공사단계별 시공계획에 대하여 설명하시오.
6. 음식물류 및 분뇨 직투입 하수관거 정비사업 시행 시 우선적으로 고려하여야 할 사항을 설명하시오.

3교시 (6문제 중 4문제 선택, 각 25점)

1. 하수도법상에서 정의하고 있는 국가하수도 종합계획, 유역하수도 정비계획, 하수도 정비 기본계획 수립 시 포함되어야 할 내용을 설명하시오.
2. 상하수도사업 발주방식의 종류와 기술제안서에 포함되어야 할 사항을 설명하시오.
3. 하수관로에서 악취저감대책에 대하여 설명하시오.
4. 상수도 도수관 부속설비계획 시 고려하여야 할 사항에 대하여 설명하시오.
5. 최근 스마트 하수도기술과 일반 하수도기술의 차이점에 대하여 설명하시오.
6. 정수장의 플록형성지 설계 시에 준수하여야 하는 설계기준을 쓰시오.

4교시 (6문제 중 4문제 선택, 각 25점)

1. NOM(Natural Organic Matters)의 특징을 나타내는 SUVA와 UV254에 대하여 설명하시오.
2. 하수처리장 처리수 재이용 시 용수 사용용도별 수질기준에 대하여 설명하시오.
3. 도로상 빗물받이 설치현황 및 문제점과 집수능력 향상방안을 설명하시오.
4. 상수관망에서 발생하는 수격현상에 대하여 설명하시오.
5. 강우 시 계획하수량 산정방법 및 산정 시 고려사항에 대하여 설명하시오.
6. 상수관망에서 수압관리에 대하여 설명하시오.

제 125 회 상하수도 기술사 시행일 | 2021년 7월 31일

1교시 (13문제 중 10문제 선택, 각 10점)

1. 계획시간 최대급수량과 계획 1일 최대급수량의 관계
2. 유달시간
3. 산업단지 폐수종말처리장의 계획처리대상
4. 계획발생슬러지량과 함수율과의 관계식
5. 가동식 취수탑
6. 저수지에서의 수질보전대책
7. 가압수 확산에 의한 혼화(Diffusion Mixing by Pressurized Water Jet)
8. 공기밸브
9. 하수처리수 재이용처리시설 R/O막 배치방법 3가지
10. 하수처리장 2차 침전지 정류벽 설치사유 및 재질
11. 점감수로(Tapered Channel)
12. RDII(Rainfall Derived Infiltration and Inflow)
13. 스마트 하수도사업

2교시 (6문제 중 4문제 선택, 각 25점)

1. 일반적인 상수도 구성 및 계통도를 그림으로 나타내어 설명하시오.
2. 하수도계획의 절차에 대하여 설명하시오.
3. 호소수의 망간 용출과 제거방법에 대하여 설명하시오.
4. 펌프의 제어방식에 대하여 설명하시오.
5. 하수관거의 심도별 굴착공법, 좁은 골목길 시공법 및 도로횡단공법에 대하여 설명하시오.
6. 하수처리장 2차 침전지 주요 설계인자에 대하여 설명하시오.

3교시 (6문제 중 4문제 선택, 각 25점)

1. 도수・송수관로 결정 시 고려사항을 10가지만 쓰시오.
2. 하수관거 접합방법 4가지에 대하여 설명하시오.
3. 정수시설에서 전력설비의 보호 및 안전설비에 대하여 설명하시오.
4. 여과유량 조절방식으로 정속여과방식과 정압여과방식에 대하여 설명하시오.
5. 하수처리장 수리계산 절차 및 필요성에 대하여 설명하고, 수리계산 시 주요 고려사항을 쓰시오.
6. 하수처리장 부지배치계획 수립 및 계획고 결정 시 주요 고려사항을 설명하시오.

4교시 (6문제 중 4문제 선택, 각 25점)

1. 하천표류수 취수시설의 각 종류별 기능・목적과 특징을 설명하시오.
2. 하수관거에서 암거의 단면형상 종류와 장단점을 설명하시오.
3. 자외선(UV)소독설비에 대하여 설명하시오.
4. 정수시설에서 사용되는 수질계측기기의 종류와 계기의 선정 시 유의사항에 대하여 설명하시오.
5. 상수관 및 하수관거의 최소토피고 기준을 제시하고, 최소토피고 설정 시 주요 고려사항에 대하여 설명하시오.
6. 하수처리장 설계 시 적용되고 있는 방수방식공법에 대하여 아래 내용에 답하시오.
   1) 현장에서 최근 적용되고 있는 부위별 방수방식공법을 제시하고, 단면도를 그려 표기하시오.(수조내부, 외부, 관랑부 및 기계실, 슬러지저류조 등)
   2) 각 부위별 방수방식공법 적용 필요성에 대하여 설명하시오.

제 126 회 상하수도 기술사 시행일 | 2022년 1월 29일

1교시 (13문제 중 10문제 선택, 각 10점)

1. 계획취수량
2. 역사이펀 설치 시 고려사항
3. 하수도의 계획구역 설정 시 고려사항
4. 펌프의 송수관에서 발생하는 수격현상(Water Hammer)
5. 지하수 양수시험
6. 취수관로
7. 오존처리
8. 해수담수화
9. NBOD(Nitrogen Biochemical Oxygen Demand)
10. 2차 침전지에서의 침전불량
11. 하수처리시설 설치 시 고려사항 및 일반적인 하수처리 흐름도
12. 상수도 관망의 침전물 재부유위험성 진단[RPM(Resuspension Potential Measurement) Test]
13. 산소섭취율(OUR : Oxygen Uptake Rate)

2교시 (6문제 중 4문제 선택, 각 25점)

1. 하수처리계획 시 계획오염부하량 및 계획유입수질의 산정방법과 고려사항에 대하여 설명하시오.
2. 물재이용 관리계획의 취지, 기본방침 및 작성기준에 대하여 설명하시오.
3. 부영양화(Eutrophication)의 원인, 피해, 판정지표 및 대책에 대하여 설명하시오.
4. 정수처리 막여과시설에 사용하는 막분리 모듈의 종류 및 특징에 대하여 설명하시오.
5. MBR에서 발생되는 문제점과 해결방안에 대하여 설명하시오.
6. 저영향개발(LID)의 목적, 기술요소별 특징을 설명하고, 기존 장치형 시설과의 차이점에 대하여 설명하시오.

3교시 (6문제 중 4문제 선택, 각 25점)

1. 간이공공하수처리시설의 계획, 설계 및 유지관리 시 고려해야 할 사항에 대하여 설명하시오.
2. 오수관로의 불명수 유입 시 문제점 및 저감방안에 대하여 설명하시오.
3. 급속여과지 하부집수장치의 기능, 구비조건 및 역세척방식에 대하여 설명하시오.
4. 정수장 횡류식 침전지의 목적, 기능 및 구성에 대하여 설명하시오.
5. A_2O 공정에서 생물학적 인(P) 제거효율이 감소되는 원인과 대응방안에 대하여 설명하시오.
6. 하수처리시설에서 발생하는 악취의 정의, 제거의 필요성 및 제어방법에 대하여 설명하시오.

4교시 (6문제 중 4문제 선택, 각 25점)

1. 도시침수에 대응하기 위한 하수도시설 계획에 대하여 설명하시오.
2. BOD, COD, TOC에 대하여 비교 · 설명하시오.
3. 하수처리시설의 고도처리 설계 시 고려사항에 대하여 설명하시오.
4. 상수도 취수방법으로 사용되는 강변여과의 장단점에 대하여 설명하시오.
5. 여과지에서의 탁질누출이 발생하는 원인과 저감방안에 대하여 설명하시오.
6. 하수처리수를 RO공정을 통하여 공업용수로 재이용하는 경우 발생하는 농축수처리 기술에 대하여 설명하시오.

□ 저자약력

조 성 안(趙誠安)
• 충남대학교 공과대학 기계과 졸업
• 상하수도기술사
• 유체기계기술사
• 수질관리기술사
• 現)신화엔지니어링 근무

윤 영 봉(尹永奉)
• 공학박사
• 상하수도기술사
• 대기관리기술사
• 前)송원대학 겸임교수
• 現)한국환경공단 근무

포인트

상하수도기술사

발행일 | 2007년 1월 15일 초판 발행
2007년 4월 20일 1차 개정
2009년 1월 5일 2차 개정
2010년 1월 5일 3차 개정
2011년 1월 10일 4차 개정
2012년 5월 10일 5차 개정
2015년 3월 20일 6차 개정
2017년 3월 20일 7차 개정
2022년 4월 30일 8차 개정

저 자 | 조성안 · 윤영봉
발행인 | 정용수
발행처 | 예문사

주 소 | 경기도 파주시 직지길 460(출판도시) 도서출판 예문사
TEL | 031) 955-0550
FAX | 031) 955-0660
등록번호 | 11-76호

정가 : 85,000원

ISBN 978-89-274-4479-8 13530